Otto Binswanger, Otto Binswanger

Die Pathologie und Therapie der Neurasthenie

Otto Binswanger, Otto Binswanger

Die Pathologie und Therapie der Neurasthenie

ISBN/EAN: 9783743496903

Hergestellt in Europa, USA, Kanada, Australien, Japan

Cover: Foto ©berggeist007 / pixelio.de

Manufactured and distributed by brebook publishing software (www.brebook.com)

Otto Binswanger, Otto Binswanger

Die Pathologie und Therapie der Neurasthenie

Die

Pathologie und Therapie

der

Neurasthenie.

Vorlesungen für Studierende und Aerzte.

Von

Dr. Otto Binswanger,

o. ö. Professor der Psychiatrie u. Direktor der psychiatrischen Klinik
zu Jena.

Jena,

Verlag von Gustav Fischer.

1896.

Inhaltsverzeichnis.

Vorwort.

Die Gründe, welche mich seit 12 Jahren bewogen haben, in den Cyklus von Vorlesungen über die funktionellen Nervenkrankheiten eine gesonderte über die Neurasthenie einzuschalten, gehen aus der Einleitung zur Genüge hervor. Sie waren auch die Veranlassung, diese Vorträge auszuarbeiten und einem größeren ärztlichen Leserkreise zu unterbreiten.

An dem vorliegenden Buche ist das Horazische „Nonum prematur in annum" in überreichem Maße zur Wahrheit geworden. Die ersten Vorlesungen, welche die physio-pathologischen Vorbemerkungen, die Aetiologie und Pathogenese und die psychischen Störungen enthalten, sind schon im Winter 1884/85 niedergeschrieben worden. Die weitere Ausarbeitung ruhte dann für mehrere Jahre, teils weil ich durch andere Arbeiten in Anspruch genommen war; mehr noch aber, weil ich im Laufe der Jahre kennen gelernt hatte, daß nur eine sehr umfassende klinische Erfahrung die Möglichkeit gewähre, in der Erscheinungen Flucht das Bleibende und Gesetzmäßige dieser Krankheit herauszufinden und zur Darstellung zu bringen.

In unserem nervösen Zeitalter, wo die Begriffe der Nervosität und Neurasthenie als Etikette aller möglichen socialen und kulturellen Krankheitserscheinungen verwertet werden, ist es durchaus geboten, einen Untergrund zu schaffen, auf welchem die Lehre von der Neurasthenie gesichert ruht. Wenn ich meinen Anschauungen über die Pathogenese dieser Erkrankung und über die analytische Gliederung ihrer Symptome irgendwelchen Wert verleihen wollte, so mußte ich sie auf Erfahrungen stützen können, die einer reichen Krankenbeobachtung entstammen. Es galt also vorerst, Material zu sammeln und zu sichten.

Bei der endgiltigen Bearbeitung des Buches, bei welcher auch die ersten Kapitel eine wesentliche Umgestaltung erfuhren, habe ich

eine größere Anzahl von Krankengeschichten eingefügt. Es leitete
mich hierbei die an mir selbst erlebte Erfahrung, daß klinische Vorlesungen nur dann anschaulich werden und dem Gedächtnis des
Hörers sich einprägen, wenn sie durch Beispiele illustriert werden.

Ich betrachte das in den Krankengeschichten niedergelegte
Material als eine wesentliche Ergänzung nicht bloß der Symptomatologie, sondern auch der Darstellung des Verlaufes und der klinischen
Varietäten. Hätte ich in diesen Kapiteln allen individuellen Verschiedenheiten Rechnung tragen wollen, so wäre dies nur auf Kosten
der Uebersichtlichkeit und praktischen Brauchbarkeit des Buches
geschehen.

Von der statistischen Verwertung meines Materials habe ich nur
in ganz beschränktem Maße Gebrauch gemacht. Es erklärt sich dies
aus der Verschiedenwertigkeit der Krankenbeobachtungen. So eingehend die anamnestische Erforschung, Untersuchung und weitere
Beobachtung eines Krankheitsfalles in klinischer Behandlung sein
kann, so unvollständig sind oft die Notizen, welche in der Konsiliar-
und Sprechstundenpraxis gesammelt werden können. Und doch sind
letztere so wertvoll, weil sie uns über den Zusammenhang und die
Gruppierung der Krankheitssymptome bei Menschen in den verschiedensten Lebensstellungen erst einen Ueberblick gewähren. Für
die wenigen statistischen Angaben habe ich daher ausschließlich
klinisches Material verwertet.

Wenn an manchen Stellen der Fluß der Darstellung etwas breit
geworden ist, so mag mich der Umstand entschuldigen, daß ich die
Niederschrift möglichst an das gesprochene Wort anknüpfte. Daß
hierbei Wiederholungen unvermeidlich, oft sogar wünschenswert sind,
weiß jeder akademische Lehrer.

Jena, im Oktober 1896.

Otto Binswanger.

1. Vorlesung.

M. H.! Die Lehre von den allgemeinen funktionellen Nervenkrankheiten ist zu einem weiten, schwer übersehbaren Gebiete klinischer
Arbeit herangewachsen. Die physio-pathologischen Grundlagen dieser
Krankheitsvorgänge sind noch vielfach unklar und unbestimmt. In
einem erfreulichen Gegensatz zu dieser unbefriedigenden Thatsache
stehen die reichhaltigen und sorgfältigen klinischen Forschungen über
die einzelnen Krankheitserscheinungen, Symptomgruppen und abgeschlossenen Krankheitsbilder innerhalb dieses Arbeitsgebietes. Ein
Blick auf den modernen Ausbau der epileptischen oder der hysterischen
Krankheitszustände lehrt die Berechtigung dieser Auffassung.

Zum Gegenstande dieser Vorlesungen habe ich diejenigen allgemeinen funktionellen Krankheitserscheinungen gewählt, welche gegenwärtig unter dem Begriffe der Neurasthenie zusammengefaßt
werden. Es sind wissenschaftliche und rein praktische Gründe, die
mich bestimmt haben, diesen Teil der Nervenpathologie Ihnen in einer
Reihe von Vorlesungen gesondert vorzuführen.

Ich beginne mit den letzteren, den aus meiner ärztlichen Erfahrung geschöpften praktischen Gründen: In den ärztlichen Kreisen
ist die genauere Kenntnis der hierhergehörigen Krankheitserscheinungen
auffallend wenig verbreitet; insbesondere wird ihre Tragweite für das
körperliche und geistige Wohlbefinden des erkrankten Individuums
vielfach verkannt, ihre Bedeutung unterschätzt, ihre Beziehungen zu
den übrigen funktionellen Neurosen und Psychosen nicht verstanden
und ihre Behandlung vernachlässigt.

Die wissenschaftlichen Gründe lassen sich schwerer kurz zusammenfassen. Vorerst muß ich bemerken, daß der Begriff der
Neurasthenie, wie er besonders von der französischen Schule schärfer
formuliert worden ist, nicht alle in diesen Vorlesungen zu behandelnden
Krankheitszustände völlig deckt, sondern daß gewissermaßen an seiner
untersten, der Gesundheit am nächsten gelegenen Grenzlinie noch
unfertigere Krankheitszustände sich vorfinden, welche wir in der
Folge mit dem mehr allgemeinen Begriff der neuropathischen
Zustände bezeichnen werden. Ich hoffe die Rechtfertigung für
eine gemeinschaftliche Bearbeitung der hierhergehörigen Krankheitserscheinungen in den ausführlicheren ätiologischen und pathogenetischen Betrachtungen geben zu können. Hier möchte ich Sie nur auf
zwei Punkte hinweisen:

Die Entwickelung der klinischen Wissenschaften hat in den
letzten 40 Jahren unter dem Einfluß der pathologisch-anatomischen

Forschung fast zu einseitig auf das Studium der objektiv nachweisbaren Krankheitserscheinungen hingeführt. Die physikalische Untersuchung, die chemische Reaktion, der mikroskopische Befund haben sich mit Recht ein immer weiteres und immer fruchtbareres Feld der Thätigkeit am Krankenbett erworben, und der Aufbau der klinischen Diagnose ist für die Mehrzahl der konstitutionellen und infektiösen Erkrankungen oder entzündlichen und degenerativen Organleiden von dem durch diese Untersuchungsmethoden ermöglichten Nachweis pathologischer Befunde abhängig geworden. Auch in der Nervenpathologie hat die Weiterentwickelung der pathologisch-anatomischen Richtung reiche Ausbeute gebracht. Ich erinnere Sie an die pathologische Anatomie der Dementia paralytica und insbesondere an den Ausbau der Lehre von den Systemerkrankungen des Rückenmarks.

Aber mit wachsender Erkenntnis über den Umfang und die Bedeutung der pathologisch-anatomischen Befunde und der durch sie bedingten klinisch nachweisbaren Krankheitserscheinungen sind andere Wege der Krankenbeobachtung und Krankenuntersuchung vielfach in ihrer Bedeutung unterschätzt worden. Es gilt dies vornehmlich für das Gebiet der funktionellen Nervenkrankheiten. Die Lebensvorgänge des menschlichen Organismus sind den mannigfachsten äußeren und inneren Einwirkungen unterworfen, welche in physiologischen und pathologischen Zustandsänderungen uns entgegentreten und nur so lange zur Beobachtung gelangen, als die erregende Ursache, der äußere oder innere Reiz, wirksam ist. Für diese Thätigkeitsäußerung des lebenden Organismus geben uns die obengenannten Untersuchungsmethoden nur insoweit eine Aufklärung, als sie wohl imstande sind, gewisse physikalisch und chemisch nachweisbare Folgeerscheinungen dieser funktionellen Störungen aufzufinden (Untersuchung der Se- und Exkrete, der Blutbeschaffenheit, der Körpertemperatur, der motorischen Funktionen u. s. w.). In der Mehrzahl der Fälle wird aber auch dann der auslösende Reiz, vor allem aber die durch denselben bedingten Zustandsänderungen der Funktionsträger einer objektiven Prüfung unzugänglich sein.

Noch dürftiger wird die Ausbeute der Krankenuntersuchung auf dem beschriebenen Wege, wenn die dem Untersuchenden wahrnehmbaren Folgeerscheinungen abnormer Geschehnisse des lebenden Organismus nur flüchtiger und unbestimmter Natur sind. Es stehen dann die eigenen Wahrnehmungen des Kranken, die sog. subjektiven Krankheitserscheinungen, in einem schreienden Widerspruch zu diesen „objektiven" Befunden. Bei einer einseitigen Würdigung dieser letzteren wird die Bedeutsamkeit der ersteren falsch beurteilt und gering geschätzt. Aus dieser Geringschätzung der subjektiven Krankheitsäußerungen entsteht die Abneigung, ja der Widerwille, sich mit diesen „wissenschaftlich" nicht genauer faßbaren Krankheitsmerkmalen zu beschäftigen und das Gesetzmäßige in ihnen aus der Summe der Einzelbeobachtungen zu erforschen. So erklärt sich bei manchen Aerzten das mangelnde Interesse und die Unkenntnis bei der Beurteilung aller derjenigen nervösen Krankheitszustände, welche sich durch die relative Geringfügigkeit „exakter" Krankheitsmerkmale auszeichnen.

Der wissenschaftliche Zweck der folgenden Vorlesungen besteht nun vornehmlich darin, Ihnen durch genaueste Schilderung dieser subjektiven Krankheitserscheinungen ein eigenes Urteil über ihre Bedeut-

samkeit zu ermöglichen und Ihre Teilnahme an dieser Art der Krankenbeobachtung zu erhöhen.

Der zweite Punkt, den ich hier hervorheben möchte, ist folgender:
Die nervösen Krankheitsvorgänge eröffnen uns an manchen Stellen
ein tieferes Verständnis über die physiologische Bedeutung bestimmter
nervöser Einrichtungen, sowohl in Beziehung auf die Leistung der
einzelnen Abschnitte des peripheren und centralen Nervensystems an
sich, als auch auf ihre gegenseitige Abhängigkeit und Wechselwirkung.
In diesen pathologischen Zuständen der Nerventhätigkeit treten uns
vielerorts rein quantitative Aenderungen der nervösen Reaktion entgegen, welche zum Teil als objektiv nachweisbare Folgeerscheinungen
auftreten, zum Teil aber nur als Bewußtseinsvorgänge aus den subjektiven Angaben des Patienten zu entnehmen sind. Diese Verfeinerung der nervösen Reaktion ermöglicht uns bis zu einem gewissen
Maße Rückschlüsse auf anatomische und physiologische (funktionelle)
Zusammenhänge innerhalb des Centralnervensystems, welche unter
normalen Verhältnissen wegen der Geringfügigkeit der auslösenden
Reizvorgänge oder aber wegen der geringeren Erregbarkeit der reizaufnehmenden Nervenapparate nicht offenbar werden. Wenn ein Bild
erlaubt ist, so könnte man die Thätigkeit des Nervensystems dieser
Kranken mit der Wirksamkeit eines Thermomultiplikators vergleichen,
der uns in den Stand setzt, die geringfügigsten Thermoströme, welche
sonst der Beobachtung völlig entgehen würden, nachzuweisen. Diese
eigentümliche Befähigung derartiger Nervenkranken, die geringfügigsten
Zustandsänderungen innerhalb ihres Organismus wahrzunehmen und
mehr oder weniger präzise zum Ausdruck zu bringen, ist auch die
Erklärung dafür, daß unsere unter den Voraussetzungen eines normal
funktionierenden Nervensystems gewonnenen Erfahrungen keineswegs
einen Maßstab abgeben können für die Richtigkeit oder Fehlerhaftig-
keit der seitens der Kranken mitgeteilten subjektiven Beobachtungen.
Wir werden demgemäß nicht in der Lage sein, irgend eine dieser
Krankheitsangaben als eine falsche Beobachtung oder einseitige krankhafte Uebertreibung einfach aus dem Grunde abzuweisen, weil sie
sich mit unseren eigenen, an uns und anderen nicht „nervösen"
Menschen gewonnenen nicht deckt. Nur die sorgfältigste Beobachtung
und nur die geduldigste Erhebung von Autoanamnesen und Zustands-
schilderungen, mit einem Wort, nur die reichste Erfahrung auf diesem
Gebiete wird uns in den Stand setzen, das Uebereinstimmende und
Gesetzmäßige in diesen Krankheitsäußerungen festzustellen und uns
ein Urteil über die Wertschätzung solcher Krankheitsschilderungen zu
verschaffen.

Hierzu werden wir aber nur dann befähigt sein, wenn wir die
psychische Eigenart dieser Nervenkranken richtig erfaßt haben.
Eine der wesentlichsten Aufgaben der folgenden Vorlesungen wird
sein, Ihnen die Störungen auf intellektuellem und affektivem Gebiete
klarzustellen und Ihnen die gesetzmäßigen Selbsttäuschungen nachzuweisen, welchen diese Kranken durch die krankhaft gesteigerte und
einseitige Verarbeitung ihres Empfindungsmaterials und durch das
Ueberwiegen pathologischer Affekterregungen unterliegen. Es wird
Ihnen dann auch verständlich werden, wie scheinbar geringfügige
äußere Ursachen, z. B. eine Temperaturschwankung, oder unbedeutende psychische Beeinflussungen, z. B. ein leichthin geäußertes Wort,
den ganzen Zustand des Patienten ändern können und so nur für den

Kranken wahrnehmbare, bedeutungsvolle Störungen des körperlichen und geistigen Befindens hervorgebracht werden.

Die ausgeprägten, sog. großen funktionellen Neurosen und Psychosen haben eine reiche Bearbeitung erfahren; ihre wissenschaftliche und praktische Bedeutsamkeit ist allgemein anerkannt. Das große und weite Gebiet der kleinen und kleinsten Neurosen, wenn ich so sagen darf, ist bei uns in Deutschland auf klinischer Basis und unter allgemeineren, die Krankheitserscheinungen zusammenfassenden Gesichtspunkten noch weniger behandelt worden; und doch bilden gerade diese Krankheitszustände in der Jetztzeit nicht nur für den Nervenarzt im engeren Sinne, sondern für alle praktischen Aerzte ein reiches Feld der Thätigkeit. Man hat die Neurasthenie gewiß mit Recht die Krankheit der modernen Kultur genannt. Es ist also die Pflicht der Nervenpathologie, diesen neuerdings so zahlreich und mannigfaltig auftretenden Krankheitszuständen eine größere Aufmerksamkeit zu schenken. Nur aus der sorgfältigen Erforschung ihrer Ursachen und ihrer Erscheinungen wird uns ein Verständnis für ihre Beurteilung im Hinblick auf die körperliche und geistige Gesundheit der gegenwärtigen und zukünftigen Generation, vor allem aber auch ein Verständnis für die Behandlung erwachsen können. Dies sind die Gründe, die mich bewogen haben, Ihnen diesen Teil der Neuropathologie gesondert vorzuführen.

————— —

Die erste und, wie ich gleich hinzufügen will, die schwierigste Aufgabe besteht darin, das Arbeitsgebiet genauer abzugrenzen, das wir hier unter der Bezeichnung der Neurasthenie zusammenfassen. Sie werden schon aus den einleitenden Bemerkungen entnommen haben, dass es sich hier um Krankheitserscheinungen und Krankheitszustände handelt, die einer schärferen begrifflichen Zusammenfassung infolge ihrer flüchtigen, schwankenden und wechselnden Merkmale schwer zugänglich sind. Man hat versucht, und es ist dies vornehmlich von dem Amerikaner BEARD geschehen, dem wir auch das Wort Neurasthenie verdanken, dieselben als eine einheitliche, scharf umschriebene Krankheitsform darzustellen, welche wohl bestimmte Unterabteilungen birgt, jedoch im ganzen genommen durch eine charakteristische Gruppierung der Symptome und durch einheitlichen Verlauf sich von den anderweitigen ihr nahestehenden funktionellen Nervenkrankheiten unterscheidet.

Es ist diese Auffassung nur mit gewissen Einschränkungen als richtig anzuerkennen. Thatsächlich kann unter den sicher hierher gehörenden Nervenkranken eine Gruppe von Krankheitsfällen unterschieden werden, die durch gemeinschaftliche, schärfer ausgeprägte und bis zu gewissem Grade stabil und gesetzmäßig auftretende Krankheitssymptome ausgezeichnet sind. Für diese Gruppe ist die BEARD'sche Auffassung insoweit anzuerkennen, als hier wirklich eine Sonderung von anderen entweder unentwickelten oder weiter fortgeschrittenen Neurosen und Psychosen in manchen Stadien des Krankheitsverlaufes möglich ist. Da die Zahl dieser Krankheitsfälle heutzutage einen recht bedeutenden Umfang erreicht hat, so sind wir wohl berechtigt, sie als eine eigene Krankheitsform unter einer speziellen Krankheitsbezeichnung zusammenzufassen. Allein man wird sich gegen den

Schlußsatz von BEARD wenden müssen, welcher besagt, daß die Neurasthenie sich scharf von den anderweitigen ihr nahestehenden funktionellen Nervenkrankheiten unterscheidet. Man wird vielmehr sagen müssen, daß die Neurasthenie von allen wohlbekannten und symptomatologisch bis zu gewissem Maße abgeschlossenen funktionellen Nerven- und Geisteskrankheiten Teilerscheinungen in sich aufgenommen hat, die sich zu einem mosaikartigen Ganzen zusammenfügen, und daß durchaus fließende Uebergänge zu diesen ausgeprägten Krankheiten vorhanden sind. Sowohl zur Melancholie, als zur Hypochondrie und Hysterie, als auch zu den Erschöpfungspsychosen (Erschöpfungsstupor und Amentia), sowie endlich zur Paranoia simplex bestehen die innigsten verwandtschaftlichen Beziehungen, und wir werden nicht selten in der Lage sein, in den verschiedenen Phasen der Beobachtungen die Diagnose ändern zu müssen. Nachdem wir einmal mit voller Berechtigung in einem Krankheitsfall nach genauer Abschätzung aller Krankheitserscheinungen zur Diagnose: Neurhastenie gelangt waren, werden wir späterhin vielfach zu unserer eigenen Ueberraschung die Gruppierung der Symptome verschoben finden, vor allem aber infolge der weiteren Entwickelung einzelner derselben den Ausbau einer scharf ausgeprägten Geistes- wie Nervenkrankheit konstatieren müssen. Sodann mache ich Sie auf die Fälle aufmerksam, welche Sie in der psychiatrischen Klinik oft gesehen haben, nämlich diejenigen, bei welchen neurasthenische Krankheitserscheinungen der Dementia paralytica oft jahrelang voraufgegangen waren.

Aber auch nach unten besteht, wie schon bemerkt wurde, keine scharfe Grenze. Die ersten Anfänge eines konstitutionellen Nervenleidens machen oft nur ganz vereinzelte, flüchtige, wenig ausgearbeitete Krankheitsäußerungen. Es fehlen entweder die typischen Krankheitsmerkmale der vollentwickelten Neurasthenie, oder sie sind nur vereinzelt, wenn auch in schärferer Ausprägung vorhanden. Ich habe diese Krankheitszustände oben als neuropathische bezeichnet, und Sie werden in der Folge gelegentlich der ätiologischen und pathogenetischen Betrachtungen die Ueberzeugung gewinnen können, daß keine prinzipiellen, sondern nur graduelle Unterschiede zwischen ihnen und der Neurasthenie bestehen und daß demgemäß auch hier zahlreiche Uebergänge vorhanden sind. Ich will schon hier den Satz anwenden, dem Sie später wieder begegnen werden: Die Neurasthenie steht auf der Grenzscheide zwischen den unfertigen Neuropathien und den vollentwickelten Neurosen und Psychosen.

Man ist also gezwungen, den diagnostischen Begriff der Neurasthenie fast negativ zu gestalten, oder in anderer Wendung, per exclusionem aufzubauen. Unter Neurasthenie fassen wir die neuropathischen Krankheitserscheinungen zusammen, welche auf dem Boden einer allgemeinen funktionellen Erkrankung des Nervensystems erwachsen sind, jedoch nicht den vollentwickelten funktionellen, dem gleichen Boden entstammenden Psychosen und Neurosen wegen ihres unfertigen Charakters zugerechnet werden können. Diese Begriffsbestimmung mag bei manchen von Ihnen das Bedürfnis nach einer schärferen diagnostischen Handhabe für die Beurteilung der Neurasthenie nicht befriedigen. Ich selbst bin mir der Mangelhaftigkeit dieser Definition wohl bewußt, glaube aber einen genaueren Begriff nicht geben zu können, wenn den klinischen Thatsachen kein Zwang angethan werden soll.

Ich möchte aber durch das Obige nicht den Eindruck erwecken, daß die Neurasthenie selbst, sofern sie uns in ihrer typischen Gestaltung entgegentritt, nicht wohl erkannt und diagnoziert werden könnte. Es ist ein besonderes Verdienst von CHARCOT, dem Meister klinischer Darstellung, die hervorstechendsten und immer wiederkehrenden Krankheitssymptome der Neurasthenie als sog. Kardinalsymptome in den Vordergrund des Krankheitsbildes gestellt und so die Diagnose gesichert zu haben. Wir werden diese Fragen bei der allgemeinen Symptomatologie und insbesondere bei der Diagnostik genauer besprechen.

Es wäre verlockend, zunächst den allgemeinen Gesetzen nachzuspüren, welchen die Thätigkeitsäußerungen des Nervensystems unterworfen sind. Denn jede Erkenntnis über die pathologisch-funktionellen Vorgänge setzt einen Einblick in das normale Geschehen voraus. Ich kann aber im Hinblick auf die knapp bemessene Stundenzahl auf diese Fragen hier nicht eingehen und verweise Sie zu ihrem Studium auf die Vorlesungen über allgemeine Nervenphysiologie und physiologische Psychologie. Ich bitte Sie aber, bei diesen Studien nicht außer Acht zu lassen, daß wir heute noch weit davon entfernt sind, eine in allen Teilen befriedigende Aufklärung über die den nervösen Leistungen zu Grunde liegenden Vorgänge zu besitzen. Es sind uns die Kräfte der Außenwelt genauer bekannt, welche den Anstoß zur Nervenarbeit geben. Die äußeren Reize, welche die peripheren Endausbreitungen der sensiblen und sensorischen Nerven treffen und in denselben eine Erregung hervorrufen, sind — so verschiedenartig sie im einzelnen bezüglich der Bewegungsform und der bewegten Materie sein können — als Arbeitsleistungen, d. h. als Bewegungsvorgänge aufzufassen, welche bestimmten mechanischen Gesetzen folgen. Aber völlig unbekannt sind die aktiven Veränderungen innerhalb der vom Reize getroffenen, d. h. erregten Nervenapparate, welche durch diese Bewegungsvorgänge ausgelöst werden.

Wir sind wohl zu der Annahme berechtigt, daß durch die Aetherschwingungen des Lichtes photochemische Wirkungen in der erregten Netzhaut stattfinden, deren Ergebnisse wieder auf die Endausbreitungen des Sehnerven wirken; wir besitzen aber nur äußerst dürftige Kenntnisse über die dieser Nervenerregung zu Grunde liegenden chemischen und physikalischen Veränderungen der Nervensubstanz, welche bei dieser Kraftübertragung wirksam werden.

Weiterhin ist es unzulässig, die Erfahrungen der allgemeinen Nerven- und Elektrophysiologie, welche an niederen Tieren und unter einfachsten Versuchsbedingungen gewonnen sind, direkt auf die höchst verwickelten nervösen Funktionen des Menschen zu übertragen. Es ist dies von ARNDT versucht worden, indem er das Zuckungsgesetz vom absterbenden Nerven zu einem die gesamten pathologischen Vorgänge bei der Neurasthenie erklärenden Grundgesetz erhoben hat.

Der Versuch, alle physiologischen und pathologischen Vorgänge auf dieses „Fundament alles organischen Geschehens" zurückführen zu wollen, hat den einzigen Vorteil einer ungeheuren Einfachheit, beruht aber im übrigen auf einer vollständigen Verkennung der Thatsachen. Die leitende Nervenfaser ist weder anatomisch noch physiologisch der centralen grauen Substanz der Nervenzellen und ihrer

Ausläufer gleichwertig, auch sind die Thätigkeitsäußerungen dieser letzteren von ganz anderen, viel komplizierteren Bedingungen abhängig als das Muskelnervenpräparat des Frosches.

Lassen Sie uns sofort übergehen zur Erledigung der Aufgabe, die einfacheren, gesetzmäßigeren Vorgänge aufzusuchen, in welche die verwickelten Leistungen des centralen Nervensystems zerlegt werden können. Dieselben bilden die Grundlage für eine richtige Wertschätzung der krankhaften Erscheinungen der Nerventhätigkeit.

Aus dem Widerspiele der erregenden und hemmenden Kräfte, welche durch die Einwirkung eines äußeren Reizes ausgelöst werden, tritt uns als elementarstes und sinnenfälligstes Ergebnis der geleisteten Arbeit die R e f l e x b e w e g u n g entgegen. Eine außerordentlich große Anzahl sowohl einfacherer als auch sehr komplizierter Muskelbewegungen, die zum Teil ununterbrochen wirksam sind, sind dem Mechanismus der Reflexthätigkeit untergeordnet. Wenn Sie sich die ganze Stufenleiter der Reflexvorrichtungen innerhalb der Cerebrospinalachse vergegenwärtigen, welche mit den Niveaucentren der einzelnen Rückenmarkssegmente beginnen, sich bis zu den höchst verwickelten Einrichtungen der Sammel- und Koordinationscentren im Nach- und Mittelhirn hinauf erstrecken, so wird Ihnen die Mannigfaltigkeit der auf äußere Reize erfolgenden motorischen Reflexaktionen unschwer verständlich.

Die Zahl und Ausdehnung der Reflexbewegungen ist aber nicht nur abhängig von der Beschaffenheit und Stärke der äußeren Reize, sondern auch von dem Maße der Reizbarkeit der Reflexapparate in allen ihren Teilen. Die peripherischen Endausbreitungen der sensiblen und sensorischen Nerven, die centripetalen Leitungen, die centralen Abschnitte und schließlich die centrifugalen Leitungen und motorischen Nervenendapparate können den Sitz krankhafter Veränderungen sein, welche den Ablauf der Reflexvorgänge stören oder unmöglich machen. Diese Störungen bestehen in abnormer Steigerung oder Verminderung der Erregbarkeit. Es wird also der funktionelle Zustand der Reflexvorrichtungen unter annähernd gleichen äußeren Reizbedingungen von maßgebendster Bedeutung sein für die bei physiologischen und pathologischen Zuständen des Nervensystems quantitativ so verschiedenwertigen motorischen Leistungen.

Noch bedeutsamer werden diese inneren Bedingungen der Reflexthätigkeit, wenn wir die sowohl anatomisch, wie funktionell so innigen Verknüpfungen der einzelnen Reflexorganismen unter sich berücksichtigen. Man kann getrost sagen, daß kein Teil der spinalen und centralen Nervencentren, soweit sie der Vermittelung von Reflexaktionen dienen, schon unter normalen Verhältnissen für sich allein in Thätigkeit versetzt werden kann. Bei der übergroßen Zahl stetig zufließender, äußerer Sinnesreize werden immer gleichzeitig eine mehr oder weniger große Reihe von Erregungen in den verschiedensten Teilen des centralen Nervensystems ausgelöst werden, die alle zu einander in wechselvollster Weise in Beziehung treten müssen. Außerdem aber wird der einzelne Reflexmechanismus nicht nur von einer einzigen erregenden Thätigkeitswelle getroffen, sondern es wirken zu gleicher Zeit noch mehrere andere, auf anderen Nervenbahnen zugeleitete Reizungen auf ihn ein. Sie sehen demgemäß, daß nicht nur der funktionelle Zustand des Reflexmechanismus an sich, soweit es sich um die Verarbeitung eines bestimmten äußeren Sinnesreizes handelt, für

die Stärke und Ausdehnung des reflektorisch erregten Bewegungs-
vorganges verantwortlich ist, sondern in gleichem, vielleicht noch
höherem Maße die Art und der Grad der Beeinflussung, welche die
im Ablauf befindliche Reflexaktion durch andere gleichzeitig zufließende Reizungen erfährt. Diese gewissermaßen sekundären Einwirkungen sind als bahnende und hemmende Einflüsse auscin-
anderzuhalten.

Betrachten wir zuerst die zweite Reihe der Erscheinungen, die
Reflexhemmungen, da dieselben experimentell und klinisch genauer
erforscht sind. Es kann hier natürlich nicht die Aufgabe sein, alle
hemmenden Einwirkungen, welchen möglicherweise die Nervencentren
gegenseitig unterliegen können, einer Besprechung zu unterziehen.
Aus der vorstehenden Erörterung ergiebt sich die Grundanschauung,
daß sowohl äußere Reize Erregungsvorgänge bedingen, welche interferierend (im Sinne der Hemmung) auf Arbeitsleistungen nervöser
Centralapparate einwirken, als auch innere aus der Thätigkeit des
Centralorgans selbst entstammende Erregungen einen gleichen Einfluß
auf andere zu gleicher Zeit in Thätigkeit versetzte Nervencentren
ausüben können. Dieser interferierende Einfluß erstreckt sich nicht
nur auf funktionell gleichwertige Centralapparate, sondern es drängen
besonders die klinischen Thatsachen zu der Annahme, daß auch
funktionell verschiedenartige und ungleichartige Nervencentren dieser
gegenseitigen Beeinflussung unterliegen, sofern sie überhaupt miteinander durch centrale Leitungsbahnen in Verbindung stehen.

Am verbreitetsten ist die Ansicht, daß jedes funktionell höher
stehende Nervencentrum innerhalb der Cerebrospinalachse einen
hemmenden Einfluß auf tiefer stehende (untergeordnete) gleichwertige
Nervencentren ausübt. So werden z. B. Sammelcentren für koordinierte
Muskelbewegungen, die im verlängerten Mark gelegen sind, die Thätigkeit einfacher Niveaucentren des Rückenmarks schon unter physiologischen Verhältnissen hemmend bezw. modifizierend beeinflussen;
und weiterhin spielen gemäß dieser Auffassung die Mechanismen für
höchst komplizierte koordinierte Muskelbewegungen, welche in den
Stammganglien gelegen sind und reflektorisch durch sensorielle Reize
in Erregung versetzt werden können, eine gleiche Rolle für alle tiefer
gelegenen Reflexapparate, während jene wiederum durch die kortikalen
Centren beherrscht werden. Daß ein solcher gewissermaßen konti-
nuierlicher, hemmender Einfluß der über- auf die untergeordneten
Centren besteht, wird durch die experimentelle Erfahrung sehr wahrscheinlich gemacht. Durchtrennen Sie einem Kalt- oder Warmblüter
das Halsmark, so vollziehen sich alle spinalen Reflexaktionen rascher
und ausgiebiger. Auch wird schon bei relativ schwachen Reizen eine
Ausbreitung der Reflexe über das Markniveau derselben Seite des
ursprünglich gereizten, sensiblen Nerven, sowie auf die andere Körperhälfte beobachtet.

Um diese Vorgänge zu erklären, ist die Annahme eigener Reflex-
hemmungsapparate durchaus nicht nötig. Sie erklären sich vielmehr
ganz ungezwungen durch den Wegfall hemmender Einwirkungen,
welche von übergeordneten den verschiedensten Aufgaben dienenden
Reflexmechanismen ausgeübt werden können. Auch sind noch anderweitige reflexhemmende Einflüsse bekannt geworden, welche direkt
auf den in Thätigkeit befindlichen Reflexapparat einwirken, z. B. diejenigen, welche Hautreize oder starke Reizungen sensibler Nerven

auf die durch das Rückenmark vermittelten Reflexbewegungen ausüben
(GOLTZ u. a.).

BROWN-SÉQUARD, dem wir ausgedehntere Untersuchungen besonders über die hemmenden Einwirkungen verschiedenartig lokalisierter und verschiedenwertiger Reize auf die Leistungen der nervösen
Centralapparate verdanken, ist auf Grund seiner über Jahrzehnte ausgedehnten Forschungen zu der Ueberzeugung gelangt, daß Hemmungen
(„inhibitions") die Nerventhätigkeit im weitesten Umfange, besonders
unter pathologischen Bedingungen, beherrschen. Nach seinen Untersuchungen, die freilich bis heute in manchen Teilen noch keine Be-
stätigung durch andere Experimentatoren erlangt haben, unterliegen
nicht nur einfache und geordnete Reflexbewegungen, sondern auch
das koordinierte Zusammenwirken verschiedener Nervencentren, ferner
die Willkürbewegungen, die Hautempfindlichkeit, vor allem aber auch
die Thätigkeit der automatischen Centren, welche die Atmung und die
Herzthätigkeit unterhalten, und schließlich alle nervösen Arbeitsleistungen, welche den Stoffwechsel innerhalb der Gewebe vermitteln,
solchen „inhibitorischen" Einwirkungen. Er führt demgemäß die
Mehrzahl aller Funktionsstörungen und Funktionsaufhebungen, welche
durch Reizwirkungen zustande kommen, auf den elementaren Vorgang
der Hemmung zurück.

Bei den Funktionsstörungen muß aber auch die andere Reihe von
Einwirkungen auf Reflexvorgänge berücksichtigt werden, welche schon
oben als bahnende bezeichnet worden sind. Im Gegensatz zu den
Hemmungen bewirken die Bahnungen eine Steigerung der Reflexvorgänge. EXNER, welcher auf die Bahnungen zuerst in exakter Weise
hingewiesen hat, ging von der Erfahrung aus, daß der Ablauf von Erregungen im Innern des Centralnervensystems begünstigt werden kann
durch andere Erregungen, welche in dasselbe eintreten oder früher
eingetreten sind. Er fand bei seinen experimentellen Untersuchungen:

1) Die motorische Erregung einer Extremität von der Hirnrinde
aus wirkt bahnend auf den Ablauf eines dieselbe Extremität betreffenden Reflexreizes und umgekehrt. Bahnungen in den infrakortikalen
(spinalen) Reflexcentren wurden auch hervorgerufen durch Reize,
welche die höheren Sinnesorgane treffen (Schalleindrücke). Auch die
durch Rindenreizungen ausgelösten Zuckungen des Pfotenmuskels
(m. abductor pollicis) wurden durch akustische Eindrücke verstärkt.
Ist die Reflexzuckung schon dadurch erhöht, daß man ihr eine Rinden-
reizung vorausgehen läßt, so tritt eine weitere Erhöhung ein, wenn
nebst diesen beiden Reizen auch der akustische wirkt.

2) Der Ablauf eines ersten Rindenreizes wirkt bahnend für den
Ablauf eines zweiten.

Der experimentelle Befund, daß ein einzelner unwirksamer Reiz
zu nennenswerten Muskelaktionen führt, wenn er in kurzen Intervallen
wiederholt wird, entsprach den bisherigen Erfahrungen über die
Summation der Reize (vergl. 3).

3) Besonders die wechselseitige Bahnung reflektorischer (spinaler)
Erregungen beruht auf den von SETSCHENOW, W. STIRLING, WUNDT
und WARD genauer studierten Gesetzen über die Summation von
Wirkungen elektrischer Hautreize auf die Reflexerregbarkeit des
Rückenmarks.

Zum Zustandekommen derartiger Bahnungen ist es nicht nötig,
daß der zweite Reiz denselben Angriffspunkt hat wie der erste. Man

kann z. B. einen Reiz der rechten, den anderen der linken Vorder-
pfote zuführen, auch wird die Reflexzuckung für die rechte Vorder-
pfote gebahnt durch Reize, welche die Hinterpfoten treffen.

Lassen Sie uns an einige Beispiele, die der klinischen Beobachtung
und experimentellen Forschung entnommen sind, hier anknüpfen. Ich
beginne mit den gegenwärtig wohl am genauesten erforschten hemmenden und erregenden Einwirkungen auf den Ablauf des Patellar-
schnenphänomens. Wenn auch dasselbe, das sog. Kniephänomen,
keineswegs ausschließlich als Reflexaktion aufgefaßt werden darf, indem die Kontraktion des quadriceps femoris beim Klopfen der Patellarsehne das Ergebnis der direkten mechanischen Reizung der quergestreiften Muskulatur selbst ist, so ist doch zum Zustandekommen
derselben ein gewisser reflektorisch bedingter Tonus der Muskulatur
notwendig. Wie zuerst die Untersuchungen von WESTPHAL nachgewiesen haben, ist der Sitz des Reflexes für das Kniephänomen im
untersten Dorsal- und obersten Lendenmark in der Wurzelzone der
Hinterstränge gelegen. Das Kniephänomen erlischt, wenn Krankheitsprozesse diese Partie zerstört haben, aber auch dann, wenn der Reflexbogen an irgend einer peripheren Stelle geschädigt ist. Diese reflektorisch erregte Komponente des Kniephänomens wird nun durch die
verschiedensten peripheren und centralen Einwirkungen hemmend und
bahnend beeinflußt.

Sie finden in der Arbeit von STERNBERG über Sehnenreflexe eine
sehr ausführliche, auf experimentellen und klinischen Thatsachen beruhende Erörterung dieser verschiedenartigen, auf die sog. Sehnenreflexe einwirkenden Einflüsse. Ich will Ihnen hier nur ganz summarisch diese Thatsachen vorführen. Der Ablauf des Kniephänomens,
d. h. der äußerlich sichtbare motorische Effekt der Muskelkontraktion
kann entweder direkt durch Einflüsse, welche den Reflexbogen
selbst betreffen, geändert werden oder aber, was gerade für unsere
hier in Frage stehenden Betrachtungen von wesentlicher Bedeutung
ist, durch Einflüsse, welche indirekt durch Vermittelung anderer
Nervenbahnen dem Reflexbogen zugeleitet werden.

Die direkten Beeinflussungen betreffen die Leitungsfähigkeit
des centripetalen Abschnitts des Reflexbogens, das Reflexcentrum oder
den centrifugalen Abschnitt. Der centripetale Abschnitt kann in seiner
Leitungsfähigkeit erhöht werden, z. B. im Beginn der Einwirkung ver-
dünnter Alkoholdämpfe auf die Nerven (Reflexsteigerung), während
Quetschungen und andere toxische Einwirkungen die Leitungsfähigkeit
vermindern. Die Erregbarkeit des spinalen Reflexcentrums wird durch
Aenderungen der Blutcirkulation, Intoxikation, Temperatureinflüsse,
mechanische Einwirkungen, ganz besonders aber durch öfter wiederholte reflektorische Reizungen beeinflußt. So wirken besonders als
Bahnungen ein- oder mehrmals wiederkehrende Reizungen auf die
nachfolgende Reflexaktion, doch wird bei gehäufter Inanspruchnahme
des Reflexcentrums schließlich eine Ermüdung resp. Erschöpfung desselben und des centrifugalen Abschnittes des Reflexbogens (besonders
der Muskeln) eintreten, welche zu einer Verminderung oder sogar
Aufhebung der Reflexaktion führt. Es ist bemerkenswert, daß der
centripetalleitende Abschnitt von dieser Ermüdung nicht berührt wird.

Die indirekten Beeinflussungen können geschehen durch spinale
(außerhalb des Reflexbogens gelegene), infrakortikale und kortikale
Reize.

a) Die spinale Beeinflussung des Reflexbogens erfolgt sowohl von cerebralwärts gelegenen (übergeordneten), als auch von den symmetrisch in der anderen Rückenmarkhälfte gelegenen (gleichgeordneten), als auch vielleicht von einzelnen caudalwärts gelegenen Rückenmarkspartien aus. Diese Einflüsse treffen entweder den centralen Abschnitt oder die centripetale Leitungsbahn in hemmender oder bahnender Richtung. Als Hemmungen auf die graue Substanz wirken vor allem Durchschneidungen, als Bahnungen elektrische Reizungen von bestimmter Intensität und Dauer. Aber auch Reizungen peripherer, dem Reflexbogen nicht zugehöriger Nerven wirken bahnend und hemmend auf die Vorgänge in demselben. So lassen sich beim gesunden Menschen durch Reizungen von Hautnerven durch Wärme, Kälte, Elektricität, mechanische Reibungen der Haut und der Muskeln (SCHREIBER'sches Verfahren) Bahnungen hervorbringen, welche aber nicht selten von größeren Hemmungen gefolgt sind. Bei neuropathischen Individuen wirken alle diese Einflüsse in gesteigertem Maße, ebenso bei durch geistige und körperliche Anstrengung ermüdeten und anämischen Personen. Bei hochgradig erschöpften oder „sehr elenden" Individuen können bei Ermüdung des Reflexcentrums durch öfter wiederholte Auslösungen die Reflexe für einige Minuten ganz verschwinden.

b) Die infrakortikalen Reize, sei es, daß dieselben unmittelbar von medullären oder basalen oder cerebellaren Centralapparaten ausgehen oder durch Reizeinwirkungen der höheren Sinnesnerven (Schalleindrücke, Lichtreize) vermittelt werden, können bahnend und hemmend wirken, je nach der Intensität und Dauer der einwirkenden Sinnesreize, vornehmlich aber je nach dem Zustand dieser Reflexapparate.

c) Kortikale Beeinflussungen. Die physiologischen Erfahrungen weisen im allgemeinen darauf hin, daß nach Abtragung des Hemisphärenmarks die Kniephänomene wie alle anderen infrakortikalen Reflexaktionen gesteigert sind, was gewiß nur im Sinne eines Wegfalls von Hemmungen gedeutet werden kann. Experimentelle Erfahrungen, die sich speciell auf Bahnungen durch kortikale Einflüsse beziehen, liegen nicht vor. Unter den klinischen Thatsachen spielen die willkürlichen Kontraktionen anderer Muskelgebiete wohl die Hauptrolle als Bahnungen (JENDRASSIK'scher Kunstgriff), doch werden auch hierdurch gelegentlich hemmende Einwirkungen stattfinden. Die Anspannung der Aufmerksamkeit auf den Vorgang der zu erwartenden reflektorischen Muskelkontraktion wirkt hemmend auf den Ablauf des Kniephänomens. Die psychische Thätigkeit, vor allem die Affektvorgänge können sowohl bahnend wie hemmend einwirken. Auch hier finden wir bei neuropathischen Individuen eine erhöhte Wirksamkeit. Das Kniephänomen ist herabgesetzt im Schlaf, in tiefem Schlafe sogar erloschen. STERNBERG vermutet, daß der Wegfall bahnender Erregungen durch die Sinnesnerven die Ursache dieser Erscheinung sei.

Für unsere späteren pathogenetischen Betrachtungen sind besonders die Erfahrungen von Wichtigkeit, welche über die Beschaffenheit und Beeinflussungen des Kniephänomens an übermüdeten oder neuropathischen Individuen gewonnen sind und deren wir vorstehend schon gedacht haben. Es ist nur noch hinzuzufügen, daß Nachtwachen, Schlaflosigkeit, sexuelle Exzesse, körperliche Uebermüdung, erschöpfende Krankheiten (Phthisis, Typhus, Carcinose) u. s. w. in ihrer Wirkung fast identisch sind.

Es ist so leicht verständlich, daß die verschiedenartigsten pathologischen Zustände die reflektorische Komponente des Kniephänomens indirekt beeinflussen können. Bei Herderkrankungen des Hirns und Rückenmarks können Steigerungen des Kniephänomens hervorgebracht werden durch Wegfall gewisser hemmender Einflüsse (Ausfallssymptome) oder durch Steigerung bahnender Einflüsse (Reizsymptome), während Herabminderungen des Kniephänomens in gleicher Weise entgegengesetzten Bedingungen entspringen können, nämlich dem Ausfall bahnender Einflüsse oder der gesteigerten Erregung hemmender Einwirkungen. Sternberg stellt die folgenden Sätze auf:

1) Innerhalb einer Bahn bedarf die Hemmung eines stärkeren Reizes als die Bahnung.

2) Ist in einer Bahn eine Hemmung ausgelöst, so überwiegt ihre Wirkung über die etwa gleichzeitig ausgelöste Bahnung.

Weitere klinische Beispiele über hemmende und bahnende Einwirkungen bieten uns vornehmlich die psychischen Vorgänge dar. Wird ein spitziger Gegenstand, z. B. eine Staarnadel, Ihrem Auge rasch genähert, so werden Sie in der Mehrzahl der Fälle Ihr Auge unwillkürlich, d. i. reflektorisch schließen. Es gelingt Ihnen aber, den Lidschluß zu unterlassen, wenn bestimmte Ueberlegungen Ihnen dies ratsamer erscheinen lassen. Die hirnphysiologische resp. psychologische Würdigung des hemmenden psychischen Vorganges muß ich an dieser Stelle unterlassen; hier interessiert uns nur die Thatsache, daß eine auf einen sensorischen Reiz gewohnheitsmäßig und unwillkürlich erfolgende Muskelthätigkeit durch einen psychischen Vorgang gehemmt werden konnte. In gleicher Weise vermögen wir die verschiedensten auf Hautreize erfolgenden Abwehrbewegungen, für welche wir die vermittelnden Centralorgane im Rückenmark anzunehmen berechtigt sind, durch sog. Willenseinflüsse entweder völlig zu unterdrücken oder wenigstens ihre Intensität und Ausbreitung zu verringern. **Es müssen also die materiellen Erregungsvorgänge in der Großhirnrinde, die mit der psychischen Thätigkeit unlösbar verknüpft sind, derartige hemmende Einwirkungen auf die in tieferen Abschnitten der Cerebrospinalachse gelegenen und in Thätigkeit sich befinden- den Reflexapparate ausüben.**

Experimentelle Erfahrungen, die aus Hirnrindenversuchen an höheren Tieren gewonnen sind, sowie an Hysterischen gewonnene klinische Erfahrungen nötigen uns zu der Annahme, daß ausschließlich materielle, d. h. ohne psychische Korrelate ablaufende Erregungsvorgänge in der Großhirnrinde in gleicher Weise hemmend auf Thätigkeitsäußerungen der infrakortikalen Nervencentren einwirken können. Die Hirnrinde übt dementsprechend mit oder ohne psychische Parallelvorgänge einen hemmenden Einfluß auf alle reflektorischen Bewegungen aus, welche durch tiefer gelegene Reflexmechanismen vermittelt werden.

Aber nicht nur die reflektorischen Bewegungen der willkürlich erregbaren Muskulatur werden in dieser Weise beeinflußt, sondern alle jene Reflex- und automatischen Centren, welche der Herzthätigkeit, der Atmung, der Schluckbewegung, der Blasen- und Mastdarmentleerung u. s. w. vorstehen. Wir würden aber einem Irrtum unterliegen, wenn wir einseitig die kortikale Thätigkeit als Hemmungsmechanismus für diese verschiedenen Bewegungsakte auffaßten. Sicher ist auch hier nach dem jeweiligen Thätigkeitszustande des gereizten infrakortikalen Nervencentrums, je nach der Intensität des Reizes, vor allem aber je nach dem Thätigkeitszustaude der Großhirnrinde selbst eine zweifache Einwirkung der letzteren auf die infrakortikalen Leistungen vorhanden. Ich erinnere Sie an die klinische Thatsache, daß psychische Erregungen, sei es in Form bestimmter einseitig wirkender Vorstellungen (vergl. Sie die späteren Betrachtungen über Zwangsvorstellungen) oder heftiger Affekte (Shock) sowohl erregend als hemmend auf tiefer gelegene, zweifellos reflektorisch erregbare Centralapparate einwirken können. Die Speichelsekretion, die Innervation der Blutgefäße und des Herzens, die reflektorische Entleerung der Blase u. a. m. wird, wie die tägliche Erfahrung lehrt, in dieser verschiedenartigen Weise bald hemmend, bald erregend durch psychische Vorgänge beeinflußt.

Ich kann diesen für die allgemeine Nervenpathologie so hochwichtigen Gegenstand nicht verlassen, ohne Sie auf die Untersuchungen von BUBNOFF und HEIDENHAIN hingewiesen zu haben, welche die hemmenden und erregenden Einwirkungen peripherer und centraler Reize auf die Großhirnrindenthätigkeit zum Gegenstande haben.

Diese experimentellen Untersuchungen führten zu der Anschauung, daß in den motorischen Ganglienzellen neben den Erregungs- stets auch Hemmungsvorgänge verlaufen. Die Wirkung zufließender Reize auf das ruhende Centrum kann eine andere sein als auf das thätige; möglicherweise steigert die Reizung jedesmal den augenblicklich weniger entwickelten Vorgang: in der ruhenden Ganglienzelle die der Erregung, in der thätigen die der Hemmung zu Grunde liegenden Prozesse. Dadurch wird der jedesmalige Zustand der Zelle aufgehoben und in den gegenteiligen verwandelt. Es vermitteln also dieselben Elemente Erregung und Hemmung, das eine oder das andere, je nach dem Zustande der zu beeinflussenden Apparate und dem Grade ihrer Reizung.

HEIDENHAIN regt selbst den Gedanken an, daß es sich bei gewissen Nervenkrankheiten um Zustandsänderungen der nervösen Centralorgane handelt, welche zu einseitigen, pathologischen Thätigkeitsäußerungen bald der erregenden, bald der hemmenden Vorgänge innerhalb der Nervencentren unter dem Einfluß äußerer und innerer, quantitativ und qualitativ sehr verschiedenartiger Reize führen können.

Diese physio-pathologischen Vorbemerkungen haben uns in den Stand gesetzt, wenigstens diejenigen neurasthenischen Krankheitserscheinungen, welche im Sinne der HEIDENHAIN'schen Ausführungen auf einer Verringerung der hemmenden Vorgänge, d. h. auf einer pathologischen Uebererregbarkeit der centralen Nervensubstanz beruhen, bestimmten einheitlichen Gesichtspunkten unterzuordnen.

1) Am sinnenfälligsten ist die Steigerung der Reflexerregbarkeit, welche auf einer erleichterten Uebertragung centripetal geleiteter Erregungen auf centrifugale motorische und vasomotorische Nervenbahnen beruht. Daß es sich hierbei um abnorme Erregungszustände der die Reflexe vermittelnden Centralapparate handelt, geht daraus hervor, daß oft schon geringfügige Reize genügen, um eine

pathologische Ausbreitung der Reflexe herbeizuführen. Sie können das am besten an den Hautreflexen studieren. Es genügt bei manchen Neurasthenikern die Reizung eines umschriebenen Hautbezirks einer Körperhälfte, um nicht nur alle im gleichen Markniveau entspringenden centrifugalen Nerven bezw. deren Muskeln mit zu erregen, sondern auch eine weitere Ausbreitung der Reflexbewegungen im Sinne des PFLÜGER'schen Gesetzes hervorzurufen. Es handelt sich hierbei um Uebertragung centraler Erregungen, welche den nachher zu erörternden Irradiationen von Empfindungen und Schmerzen gleichwertig sind. Von unendlicher praktischer Wichtigkeit ist die gesteigerte Uebertragung sensibler Reize auf vasomotorische Bahnen.

2) Diejenige Innervationsstörung, welche uns am häufigsten in den Krankheitsschilderungen der Patienten begegnet und zweifellos auf das Allgemeinbefinden den weittragendsten Einfluß besitzt, ist die Ueberempfindlichkeit gegen äußere Reize, welche die Endausbreitungen eines sensiblen oder sensorischen Nerven treffen, aber auch, und dies vielleicht in erhöhtem Maße, gegen Reize, welche innerhalb der Gewebe durch die Thätigkeitsäußerungen der Organe und die damit verknüpften zirkulatorischen Vorgänge und Saftströmungen hervorgerufen werden (Organempfindungen). Hier werden Reize wirksam, die sonst unter der Reizschwelle bleiben, oder es werden solche von den Kranken sehr lebhaft und zugleich höchst schmerzhaft empfunden, welche unter physiologischen Verhältnissen nur Empfindungen von mittlerer Intensität und mit mäßigen Gefühlstönen hervorrufen. Hier ist sowohl die Reizschwelle infolge der Steigerung der centralen Erregbarkeit erniedrigt, als auch die negativen Gefühlstöne einseitig verstärkt.

Ich darf dabei aber nicht unerwähnt lassen, daß wenigstens für die taktilen Reize eine pathologische Herabsetzung der Reizschwelle im Sinne einer wahren Hyperästhesie durchaus noch nicht bewiesen ist. Einem in diesen Fragen zweifellos kompetenten Untersucher, meinem Kollegen ZIEHEN, welcher zahlreiche Neurastheniker einer genauen Prüfung hinsichtlich ihrer Berührungsempfindlichkeit unterzogen hat, ist es bislang nicht gelungen, eine solche Herabsetzung des Schwellenwertes nachzuweisen. Hinsichtlich der sensorischen Empfindungen glaube ich aber aus den klinischen Erfahrungen, welche Sie später hauptsächlich auf akustischem und optischem Gebiete kennen lernen werden, auf das Vorkommen wahrer Hyperästhesien folgern zu dürfen.

Hingegen wird kein Zweifel bestehen, daß die krankhafte Steigerung der Schmerzempfindlichkeit, die Hyperalgesie, eines der markantesten Symptome der Neurasthenie ist. Sie werden späterhin Genaueres über diese wichtige Krankheitserscheinung hören. Es genügt, hier darauf aufmerksam zu machen, daß schon Empfindungsreize, die unter physiologischen Verhältnissen unterschwellige wären, bei der Neurasthenie mit den lebhaftesten negativen Gefühlstönen verknüpft sein können. Es besteht also ein enormes Mißverhältnis zwischen auslösendem Reiz, Empfindungsintensität und Affektton. Auf die Schädigungen der sog. intellektuellen Gefühlstöne, d. h. der mit der Vorstellungsthätigkeit im engeren Sinne verknüpften Gefühlserregungen kann hier nur hingewiesen werden. Sie besitzen aber eine sehr hohe Bedeutung für das Verständnis der neurasthenischen

Hyperalgesie, in dem sie zu sekundären Störungen des Gefühlstones der Empfindungen in ausgiebigstem Maße Veranlassung werden.

3) Eine weitere Folge der pathologischen Uebererregbarkeit des centralen Nervensystems sind die **pathologischen Irradiationen** von Empfindungsreizen. Sie werden uns fast ausschließlich offenbar durch Schmerzempfindungen, welche die Patienten an den verschiedensten Stellen der Hautoberfläche oder im Körperinnern lokalisieren, die aber von den ursprünglich schmerzhaft erregten Stellen räumlich oft weit entfernt liegen. Es ist Ihnen bekannt, daß schon beim gesunden Nervensystem Schmerzempfindungen, welche durch einen lokalisierten peripheren Reiz verursacht sind, auf die nähere und weitere Umgebung ausstrahlen, falls der schmerzerregende Reiz länger dauert und intensiver einwirkt. Ebenso werden Irradiationen erzeugt, wenn nicht die peripheren Endausbreitungen, sondern die centripetalen Leitungsbahnen in ihrem Verlaufe durch pathologisch verstärkte Reize getroffen werden.

Viel ausgedehnter und klinisch bedeutungsvoller sind die gesetzmäßigen Irradiationen von pathologischen Reizzuständen einzelner Körperorgane auf bestimmte Hautbezirke. Die Untersuchungen von HEAD haben uns fast für die gesamte Körperoberfläche hyperalgetische Hautzonen kennen gelehrt, welche durch schmerzhafte Erkrankungen nur ganz bestimmter einzelner Organe oder Organteile hervorgerufen werden. Bemerkenswert ist, daß innerhalb dieser Zonen dann auch spontane Schmerzen auftreten und daß ihre Begrenzungen nicht dem Ausbreitungsgebiet der peripheren Nerven entsprechen.

Die physio-pathologischen Vorgänge, welche diesen Irradiationen bei gesundem Nervensystem, aber pathologisch erhöhten und langdauernden Reizen zu Grunde liegen, lassen sich unschwer verstehen. Durch Summation geringerer Reize oder durch eine einmalige pathologisch verstärkte Erregung in peripheren Nervengebieten werden die anatomisch und funktionell zugehörigen spinalen Centren übererregt, und breitet sich diese Erregung auf benachbarte und fernere, mit diesen Endstationen in associativer Beziehung stehende Nervencentren aus, welche Empfindungen aus den ihnen zugehörigen Körperregionen vermitteln. Für das Bewußtsein ist der Entstehungsort dieser sekundären Erregungen nach dem Gesetz der excentrischen Projektion in der peripheren Endausbreitung dieses sekundär erregten reizaufnehmenden spinalen Centrums gelegen.

Auf diese schädigenden Einwirkungen langdauernder primärer und irradiierter Schmerzen auf das körperliche und psychische Befinden werden wir bei der Aetiologie und Pathogenese zurückkommen. Hier gilt es auf die wichtige Rolle hinzuweisen, welche die pathologischen Irradiationen bei schon entwickelter Neurasthenie für die Entstehung der subjektiven Krankheitsbeschwerden spielen.

Man wird hier nicht umhin können, an einen Wegfall oder wenigstens an die Verringerung hemmender Vorgänge zu denken.

Die neurasthenischen Irradiationen finden ebenfalls zwischen centralen Abschnitten statt, welche entweder räumlich benachbart sind oder infolge von funktioneller Verwandtschaft in enger associativer Verknüpfung stehen. Die klinische Beobachtung wird Sie darüber aufklären, welche Irradiationen von Schmerzempfindungen bei bestimmten lokalen neurasthenischen Beschwerden am häufigsten vorkommen. Behalten Sie aber im Auge, daß allen diesen Schmerz-

erregungen, sowohl den ursprünglichen als den irradiierten, unterschwellige Werte zu Grunde liegen können.

4) In gleicher Weise werden wir auch die als Mitempfindungen bezeichneten Uebertragungen einer lokalisierten sensiblen
resp. sensorischen Reizung auf andere dem Reizungsgebiet nicht zugehörige Nervenbahnen den Miterregungen anderer mit dem ursprünglich erregten Nervenapparat nur indirekt verknüpfter Teile der grauen
Substanz zurechnen. Doch sind diese Mitempfindungen räumlich
weniger ausgedehnt als die Irradiationen von Schmerzempfindungen;
bei einfachen sensiblen Hautreizen treten nur Mitempfindungen in
den der gereizten Hautstelle benachbarten Teilen auf und sind
bedeutend schärfer lokalisiert als die in ihrer örtlichen Begrenzung
viel schwerer faßbaren Schmerzempfindungen. Die Erregung läuft
also auch hier auf Nebenbahnen, welche sensible Centralapparate
der grauen Substanz miteinander verbinden, weiter. Auch hier
wird bei pathologisch veränderten Erregbarkeitszuständen der centralen empfindenden Apparate selbst durch physiologische äußere
Reize eine ganze Reihe von Mitempfindungen hervorgerufen werden.
Doch ist an die Möglichkeit zu denken, daß Krankheitsprozesse
direkt den peripheren sensiblen Endapparat oder die centripetalen
Leitungsbahnen verändert haben. Die isolierte Leitung von Erregungsvorgängen beruht auf der normalen Beschaffenheit der von
einem Reiz getroffenen Nervenfaser. Irgendwelche Schädlichkeiten,
welche zu molekularen Veränderungen der Markscheiden führen,
können eine Ausbreitung des in dieser Faser ablaufenden Erregungsvorganges auf benachbarte, demselben Nervenstamm zugehörende
Fasern verursachen. Es werden dann selbstverständlich in den Centralapparaten die diesen Fasern zugehörigen Elemente miterregt und
nach dem Gesetz der excentrischen Projektion das „Empfindungsbild"
an die periphere Endausbreitung der miterregten Fasern verlegt.

Die zahlreichen Parästhesien, die bei der klinischen Darstellung
der nervösen Zustände eine genauere Besprechung finden, werden zum
Teil auf solche Irradiationsvorgänge zurückzuführen sein. Ich muß
aber gestehen, daß es im Einzelfalle infolge der neurasthenischen
Hyperalgesie kaum festzustellen ist, inwieweit es sich um Mitempfindungen oder Schmerzirradiationen handelt. Besonders die pathologisch
gesteigerten Organempfindungen, z. B. der Kopfdruck oder abnorme
Sensationen in den Intestinis beruhen höchstwahrscheinlich auf gemischten irradiierten Schmerz- und Mitempfindungen. Zum Teil sind
dieselben aber qualitativ geänderten, den physiologischen Reizen nicht
mehr entsprechenden Einwirkungen auf die sensiblen Endausbreitungen
zuzuschreiben, wodurch auch die Qualität der Empfindung geändert
wird.

5) Als weitere Gruppe möchte ich hier anreihen die sog. sekundären Sinnesempfindungen, bei welchen ein äußerer, auf ein
bestimmtes Sinnesorgan einwirkender Reiz auch auf dem Gebiete
eines anderen Sinnes eine Empfindung auslöst, ohne daß für diese
letztere ein dieser besonderen Erregung entsprechender äußerer Reiz
vorhanden wäre. Solche Irradiationen von sensiblen und sensorischen
Erregungsvorgängen sind am genauesten auf dem Gebiete der Ge-
sichts- und Gehörsempfindungen studiert. Am bekanntesten sind
Photismen, d. h. sekundäre Licht- oder Farbenempfindungen, und
zwar werden dieselben sowohl durch Ton-, als Tast-, als Schmerz-

empfindungen ausgelöst. Ich bemerke aber, daß diese sekundären Sinnesempfindungen nur selten der reinen Neurasthenie, vielmehr den Uebergangsformen zur Hysterie eigentümlich sind.

6) Wir haben bis jetzt nur Irradiationen kennen gelernt, deren Endergebnis Empfindungen waren. Damit ist aber das große Gebiet der pathologischen Miterregungen keineswegs abgeschlossen. Die Uebertragung einer Erregung innerhalb der grauen Substanz wird auch auf Nervenapparate und Leitungsbahnen stattfinden können. welche sekretorische, vasomotorische, trophische u. s. w. Funktionen vermitteln. Als Resultat solcher Miterregungen werden dann Störungen dieser Funktionen entweder allgemeiner oder lokalisierter Art auftreten.

7) Noch eine andere Wirkung der Irradiationen muß hier erwähnt werden. Vielleicht ebenso häufig als die Miterregungen im bahnenden Sinne wirken, werden Hemmungen ihre notwendige Folge sein. Ein besonders instruktives Beispiel für Irradiationshemmungen sind die sog. Reflexlähmungen. Krankheitsprozesse, welche den weiblichen Urogenitalapparat und seine Umgebung betreffen, oder akute und chronische Erkrankungen der Darmschleimhaut (besonders Dysenterie) führen bei neuropathischen Individuen zu lähmungsartigen Zuständen in den unteren Extremitäten, die sehr oft von hartnäckiger Dauer sind und einen remittierenden Charakter besitzen. Zeichen einer organischen Läsion sind nicht vorhanden; jedoch bestehen neben diesen Hemmungserscheinungen im Gebiet der Willkürbewegungen gelegentlich deutliche Steigerung der Reflexerregbarkeit (Hautreflexe), der Sehnenphänomene, sowie auch motorische Reizerscheinungen (Zittern, Krampf u. s. w.). Störungen der Sensibilität, der Schweißsekretion, der Gefäßinnervation kommen hierbei im Sinne einer pathologischen Steigerung oder Hemmung vor. Dies Beispiel zeigt Ihnen, daß für bestimmte Impulse die hemmenden, für andere die erregenden Vorgänge innerhalb der motorischen spinalen Nervencentren (hier des Lumbalteiles) einseitig durch irradiierte Erregungen verändert sind. Es lehrt ferner, daß funktionell ganz verschiedenartige spinale Mechanismen und deren centrifugale Leitungsbahnen von diesen pathologischen Miterregungen gleichzeitig getroffen sind. Wir werden übrigens diesen Irradiationslähmungen, die fälschlich immer der Hysterie im engeren Sinne zugerechnet worden sind, noch bei der Erörterung der einzelnen Formen der Neurasthenie wiederbegegnen.

Ich habe Ihnen eine Reihe pathologischer Vorgänge vorgeführt, deren Kenntnis zum Verständnis der neurasthenischen Symptome unerläßlich ist. Das Merkmal derselben war die Uebererregbarkeit der centralen Nervensubstanz. Damit sind aber die pathologischen Vorgänge, welche dieser Krankheit eigentümlich sind, keineswegs erschöpft. Sie werden eine weitere Reihe kennen lernen, bei welcher eine Abschwächung oder sogar eine vorübergehende Aufhebung nervöser Leistungen bemerkbar ist. Beide Reihen von Erscheinungen greifen vielfach ineinander über, treten gleichzeitig nebeneinander und nacheinander auf. Es wird hierdurch ein buntes und scheinbar wirres Durcheinander von Symptomen gezeigt, welches nur verständlich wird, wenn wir in die Pathogenese, d. h. in das Wesen der Neurasthenie uns einen Einblick verschaffen. Ich will es versuchen, Ihnen die hauptsächlichsten Theorien über diese Erkrankung kurz vorzuführen.

Die ursprünglichste Theorie war diejenige, bei welcher die Grundursache des Leidens in einer gesteigerten „Irritabilität" der Nervensubstanz, d. h. in einer krankhaft gesteigerten Anspruchsfähigkeit auf äußere und innere Reize gesucht wurde. Da damit nur die Phänomene der Uebererregung gedeutet werden konnten, war diese Theorie vollständig ungenügend. An ihre Stelle trat die Theorie von der reizbaren Schwäche des Nervensystems. Der führende Gedanke war, daß das geschwächte Nervensystem durch Reize in erhöhtem Maße angesprochen', aber auch rascher erschöpft werde. Worin diese Schwächung des Nervensystems bestand, unterlag verschiedenen Deutungen. Am landläufigsten ist die freilich keine Erklärung, sondern nur eine dunkle Paraphrasierung des Krankheitsbegriffs gebende Definition: die Neurasthenie besteht in einer dauernden Schwächung der Nervenkraft. Ausgemerzt wurde der Ausdruck „Nervenkraft" durch die allgemeineren, aber sicherlich zutreffenderen Bezeichnungen der Neurasthenie als „nervöse Schwäche" oder „nervöse Erschöpfung". Sie führten zu den weiteren Erwägungen, worin diese Erschöpfung der Nerventhätigkeit beruhe.

Sie begegnen vornehmlich Anschauungen, welche Ernährungsstörungen der Nervensubstanz zum Ausgangspunkt des Leidens machen.

MEYNERT hat im Anschluß an die Cellularpathologie von VIRCHOW die molekulare nutritive Attraktion der Zellelemente als eine immanente Eigenschaft der Nervenzelle und als eine unumgängliche Folge jedes Erregungsvorganges in derselben bezeichnet. Diese lokale, durch einen Reiz hervorgerufene Steigerung des Ernährungsvorganges ist bei der Hirnrindenzelle mit einem chemisch synthetischen Prozeß verbunden. Die pathologische Veranlagung zu Nerven- und Geisteskrankheiten führt er für einen Teil der Fälle auf die angeborene, durch die verschiedensten Schädlichkeiten verursachte Störung dieser molekularen Gewebsattraktion zurück.

KRAFFT-EBING ist der Meinung, daß eine „trophische Anomalie der Ganglienzellen" der Neurasthenie zu Grunde liegt, welche die Ganglienzelle unfähig macht, die hochstehenden, komplizierten, chemischen Verbindungen synthetisch zu bilden. Der Arbeitsvorrat ist geringer, da er nur durch „unterwertige" chemische Verbindungen repräsentiert ist.

Obgleich darüber kein Zweifel sein kann, daß gewisse Stoffwechselprodukte und Bakteriengifte Autointoxikationen hervorrufen und daß speciell die Ermüdungstoxine sehr intensiv vergiftend wirken können, so ist doch für die Theorie der Erkrankung mit der Feststellung dieser allgemeinen Thatsache nichts Wesentliches gewonnen. Alle Versuche, auf dieselbe bestimmte Theorien aufzubauen, bedürfen entweder sehr gewagter Hilfshypothesen oder verwechseln Ursache und Wirkung, Primäres und Sekundäres.

In ersterer Hinsicht ist die Theorie von KOWALEWSKY als charakteristisches Beispiel zu erwähnen, in welcher u. a. zur Erklärung der angeborenen Neurasthenie eine „ererbte abnorme chemische Zusammensetzung der Nervenelemente infolge einer Vergiftung mit Leukomainen und Ptomainen des Organismus der Eltern" angenommen wird.

In letzterer Hinsicht ist die Lehre von BOUCHARD bemerkenswert, daß nämlich die neurasthenischen Krankheitszustände F o l g e e r - s c h e i n u n g e n   v o n   A u t o i n f e k t i o n e n   seien. Nach ihm wären primäre dyspeptische Krankheitszustände die Ursachen, welche zu Störungen der Stoffwechselvorgänge Veranlassung werden. Diese pathologischen Stoffwechselprodukte wirken als abnorme Reize auf das Nervensystem. Sie werden aber in der Folge klinische Thatsachen kennen lernen, welche dieser Ansicht von BOUCHARD für die Mehrzahl auch der dyspeptischen Krankheitszustände geradezu widersprechen und den Beweis erbringen, daß umgekehrt die Dyspepsien Begleit- und Folgeerscheinungen der Neurasthenie sind.

Ganz gleiche Erwägungen werden wir der modernen Hypothese von GLENARD entgegensetzen müssen, welcher die Neurasthenie nur für eine Art Komplikation mit den von ihm zuerst eingehend gewürdigten Z u s t ä n d e n   v o n   E n t e r o p t o s e   erklärte.

Auch alle Versuche, die Krankheit auf primäre v a s o m o t o r i s c h e S t ö r u n g e n (ANJEL) oder auf ein k r a n k h a f t e s   M i ß v e r h ä l t n i s z w i s c h e n   N e r v e n -   u n d   M u s k e l a r b e i t (LECHNER) zurückzuführen, leiden an dem Fehler, daß sie eine bestimmte Gruppe von Krankheitssymptomen für das Wesen des ganzen Krankheitsbildes verantwortlich machen.

Die Theorie von FÉRÉ, welcher eine Herabsetzung „d e r   V i b r a - t i l i t ä t" der Nervenelemente (der Molekularbewegungen) als die Grundlage der neurasthenischen Krankheitserscheinungen betrachtet, trifft in manchen Punkten mit den nachstehend entwickelten, der Molekularmechanik entnommenen Anschauungen zusammen. Sowohl die Erschöpfung nach Einwirkungen abnorm intensiver und langdauernder Reize als auch der pathologische Ausfall von Reizen („inirritation") oder primäre Ernährungsstörungen führen Störungen des gesetzmäßigen Verhaltens der Molekularschwingungen herbei.

Ich habe Ihnen hier nur einen ganz summarischen Ueberblick über die gegenwärtig herrschenden Theorien von dem Wesen der Neurasthenie geben können. Sie werden aber auch dann, wenn Sie sich eingehender mit diesen Erklärungsversuchen des neurasthenischen Zustandes beschäftigen, kaum den Eindruck gewinnen, daß sie eine befriedigende Lösung der Frage herbeiführen, wie aus dem Grundzustand der Erschöpfung sich die einzelnen Reihen der Krankheitserscheinungen ableiten lassen. Dazu genügt meines Erachtens eine einseitige Betrachtung des Chemismus der Nervensubstanz nicht, vielmehr ist es notwendig, gewisse Lehrsätze der Molekularmechanik zum Aufbau einer theoretischen Erklärung des neurasthenischen Zustandes mit heranzuziehen. Jede solche theoretische Betrachtung hat aber nur dann einen Wert, w e n n   s i e   u n s   u n g e z w u n g e n   a l l e p a t h o l o g i s c h e n   E r s c h e i n u n g e n   a u f   g e w i s s e ,   l e i c h t ü b e r s e h b a r e   p a t h o g e n e t i s c h e   G r u n d g e d a n k e n   z u r ü c k - f ü h r e n   l ä ß t. Indem ich Ihnen jetzt in etwas ausführlicherer Weise die Ansichten entwickle, welche ich mir über diese Fragen gebildet habe, so möchte ich Sie bitten, immer im Auge zu behalten, daß auch in diesem Erklärungsversuche viel Hypothetisches enthalten ist. Ich unterliege auch durchaus nicht der Selbsttäuschung, mit den folgenden theoretischen Erwägungen das Rätsel der Neurasthenie endgültig gelöst zu haben. Wohl aber scheinen sie mir die vorhin gestellte

2 *

Forderung zu erfüllen, die klinischen Erscheinungen ohne Zwang auf einfache Grundprinzipien zurückzuführen.

Zunächst müssen wir einen Vorgang genauer ins Auge fassen, welcher die Pathogenese der Neurasthenie geradezu beherrscht. Es ist dies die Ermüdung, welche unter pathologischen Verhältnissen als Dauerermüdung und Erschöpfung bezeichnet wird.

Die einfache Ermüdung ist der natürliche Folgezustand jeder größeren Arbeitsleistung, sobald dieselbe den Kraftvorrat in außergewöhnlichem Maße in Anspruch genommen hat. Die hier durchaus physiologischen Ermüdungsempfindungen, z. B. nach anstrengenden Märschen die schmerzhaften Empfindungen in der Wadenmuskulatur, belehren uns darüber, daß die voraufgegangene Anstrengung einen Zustand von Erschöpfung herbeigeführt hat, welcher bei diesem Beispiele wahrscheinlich sowohl die willkürlich erregbare Muskulatur, als auch die den Innervationsvorgang beherrschenden Nervencentren (kortikomuskuläres System) betrifft.

Ist diese Ermüdung über ein gewisses Maß gesteigert, sind Sie z. B. gezwungen, bei einer Tour in den Alpen in ermüdetem Zustande noch stundenweit zu klettern und zu gehen, um das vorgesteckte Ziel zu erreichen, so tritt ein Zustand von Uebererregung auf. Sie sind vorübergehend scheinbar in erhöhtem Maße leistungsfähig, die Ermüdungsschmerzen schwinden, die allgemeine Ermattung weicht einer unnatürlichen Elasticität der Bewegung, so daß Sie mit beschleunigter Geschwindigkeit dem Ziele zustreben. Sobald es aber erreicht ist, verflüchtigt sich die künstliche Spannung, die Erschlaffung aller Kräfte tritt in ihr Recht. Versuchen Sie in diesem Zustande zu schlafen, so wird es Ihnen nur in den seltensten Fällen gelingen. Denn die Ueberermüdung ist gemischt mit einer eigentümlichen, Ihnen fremdartigen Uebererregung Ihrer Sinnesempfindungen. Sie sind überempfindlich gegen Licht und Schall, ja es treten sogar bisweilen leichte Visionen oder Akuasmen auf. Zu gleicher Zeit ist Ihr Muskelsystem von einer durch den Willen absolut unbeherrschbaren Unruhe befallen, die sich entweder durch Zittern oder durch koordinierte Muskelbewegungen kundgiebt. Bei einzelnen Menschen treten noch andere psychische Erscheinungen auf, z. B. Angstaffekte, hochgradige Reizbarkeit, krampfhaftes Weinen, Jaktation der Vorstellungen u. s. w. Aber diese Erscheinungen schwinden beim gesunden Menschen nach kurzer Zeit (1—2 Stunden); es tritt ein tiefer, gesunder Schlaf ein, welcher alle Spuren der Anstrengung, alle Folgen der übermäßigen Arbeitsleistung beseitigt.

Dieses Beispiel kann als Ausgangspunkt zu Erörterungen dienen, welche sich mit der Pathogenese der Neurasthenie beschäftigen. Denn hier wie dort entspricht einer erhöhten Kraftleistung ein erhöhter Kräfteverbrauch. Der Unterschied besteht darin, daß bei unseren Kranken die Kraftleistung nicht absolut, sondern nur relativ zu dem an sich verringerten Kräftemaß zu groß erscheint und demgemäß die Ermüdungserscheinungen verfrüht und in unverhältnismäßiger Stärke auftreten. Man hat deshalb in Analogie zur Ueberermüdung den Zustand des Neurasthenikers als Dauerermüdung bezeichnet. Bei den noch in den Rahmen der physiologischen Vorgänge gehörigen, vorübergehenden Zuständen von Ueberermüdung kann eine völlige Erholung d. i. Ersatz des übermäßig verbrauchten Arbeitsvorrates stattfinden, während bei der Dauerermüdung ein völliger Ersatz nur schwer, nach langen Erholungszeiten oder in vielen Fällen niemals vollkommen erreicht werden kann.

Werden dem dauerermüdeten Nervensystem Kraftleistungen zugemutet, welche zu dem noch vorhandenen Kräftemaße in keinem Verhältnis stehen, so tritt schließlich ein Zustand ein, in welchem die bei dieser Kraftleistung beteiligten funktionellen Mechanismen völlig versagen. Diesen Zustand nennen wir Erschöpfung. Er kann nur ganz vorübergehend auftreten, kann aber auch für längere Zeit bestehen bleiben.

Wenn man alle auf diesem Zustande beruhenden funktionellen Nervenkrankheiten ohne besondere Berücksichtigung der einzelnen Krankheitsbilder, also ausschließlich vom pathogenetischen Standpunkte aus, begrifflich zusammenfassen will, so kann man sie als Erschöpfungsneurosen bezeichnen. Sie reihen sich direkt an jene ausgeprägten psychischen Krankheitszustände an, die Erschöpfungspsychosen genannt werden.

Verschiedene Forscher haben sich neuerdings mit den Gesetzen der Ermüdung bei körperlicher und geistiger Thätigkeit beschäftigt. Ich nenne Ihnen vor allem Mosso, Maggiora, Lombard, Salvioli, Höpfner, Kraepelin, Keller u. a. Diese Untersuchungen besitzen nicht nur ein bedeutendes theoretisches Interesse, sondern sind auch im Hinblick auf die prophylaktisch-hygienischen Bestrebungen, die körperlichen und geistigen Arbeitsleistungen der lernenden Jugend rationeller zu gestalten, von hohem praktischen Werte. Sie rücken die Begriffe der individuellen Ermüdbarkeit, der Erholung und Uebung in die richtige Beleuchtung. Ihre Kenntnis ist auch für das Studium der neurasthenischen Krankheitsvorgänge unerläßlich, indem die Uebergänge aus der physiologischen Ermüdung in die Dauerermüdung und Erschöpfung durch diese experimentellen Untersuchungen auf eine wissenschaftliche Basis gestellt sind. Ueber die Ursachen dieser krankhaften Ermüdungsvorgänge wird uns die allgemeine Aetiologie Aufschluß geben. Hier werden wir auf die eingangs aufgeworfene Frage zurückkommen müssen, welche feineren molekularen Störungen der Nervensubstanz der Dauerermüdung und Erschöpfung zu Grunde liegen.

Sie begegnen hier zuerst der Annahme, daß bei der Arbeitsleistung nervöser Centralapparate ein Widerspiel von Kräften stattfindet, das in letzter Linie auf dem Kräftevorrat und den Ernährungsvorgängen der centralen Nervenzelle und ihrer nervösen Verästelungen beruhen muß. Die Anspruchsfähigkeit dieser nervösen Mechanismen auf anlangende Reize, mögen dieselben ihnen direkt durch ihre peripheren Zuleitungsbahnen oder durch intercentrale Verbindungen von anderen Centralapparaten zugeführt werden, muß je nach dem vorhandenen Kraftvorrat verschieden ausfallen. Dieser Kraftvorrat wird, wie Sie wissen, durch die chemische molekulare Konstitution der Nervensubstanz bestimmt.

Alle als Nervenreize wirksamen Vorgänge der Außenwelt (mechanische, chemische, thermische, elektrische Reize) und des eigenen Körpers (Veränderung in der Beschaffenheit des Blutes und der Gewebsflüssigkeiten) bewirken beim Eintritt der Erregung in letzter Linie chemische, d. h. intramolekulare Bewegungsvorgänge in der Nervensubstanz, welche gemäß den Lehren der Molekularmechanik an das Gesetz der Erhaltung der Energie gebunden sind: die

Summe der wirklichen Arbeit (kinetische Energie) und des Arbeitsvorrates (potenzielle Energie) bleibt unverändert. Die molekularen Zustandsveränderungen der chemischen Verbindungen im lebenden Organismus bieten eine nie versiegende Quelle des Umtausches von Arbeitsvorrat („innerer Molekulararbeit", d. h. Bewegung der Massenteilchen um ihre Gleichgewichtslage, WUNDT) und Arbeitsleistung („äußerer Molekulararbeit") d. h. Wärmeproduktion, Bewegung, dar.

Die Nervensubstanz besteht aus chemischen Stoffen von größter Zersetzbarkeit und so verwickelter, chemischer Konstitution, daß in der lebendigen, d. h. funktionierenden Nervenzelle und Nervenfaser ein beständiger Uebergang von loseren, chemischen Verbindungen in festere („äußere positive Molekulararbeit") und umgekehrt („äußere negative Molekulararbeit") vermutet werden darf, durch welchen mechanische Arbeit geleistet und gebunden wird. Die innere Molekulararbeit oder der Arbeitsvorrat bleibt unverändert, wenn die Mengen positiver und negativer äußerer Molekulararbeit sich fortwährend ausgleichen. Diese Voraussetzung hat nur für den Ruhezustand der Nervensubstanz Geltung.

Durch Reizungen des Nervensystems werden nun mehr oder weniger weitgehende Aenderungen der intramolekularen Thätigkeit erzeugt. Es wird nicht nur das absolute Maß sowohl der positiv wie negativ geleisteten äußeren Molekulararbeit vergrößert, sondern auch die annähernd vorhandene Gleichgewichtslage zwischen beiden vorübergehend aufgehoben. Eine wirkliche Arbeitsleistung wird durch diese Reizung nur dann hervorgebracht, wenn die äußere positive Molekulararbeit (die chemischen Spaltungsprozesse) überwiegt, während umgekehrt, falls durch den Reiz die äußere negative Molekulararbeit verstärkt wird, also chemische Restitutionsprozesse in vermehrtem Maße stattfinden, eine „Arbeit der Erregung" nicht geleistet wird.

Aehnlich wie die Wirkung der Strychninvergiftung auf die centrale Nervensubstanz vorwaltend durch eine einseitige Steigerung der Spaltungsprozesse und demgemäß durch eine gesteigerte positive äußere Molekulararbeit erklärt werden kann, so ist auch die Annahme zulässig, daß gewisse pathologische Erscheinungen, bei welchen äußerst geringfügige, sog. subminimale Reize kinetische Energien auslösen, auf einer analogen Störung des intracellulären Krafthaushalts beruhen. Es kann dann eine Steigerung der Oxydationsprozesse, d. h. eine vermehrte Arbeitsleistung, indirekt dadurch hervorgebracht werden, daß auf Grund nutritiver Störungen die Bildung synthetischer Prozesse in der Nervenzelle gehindert wird und so das notwendige Maß von inneren hemmenden Kräften nicht vorhanden ist, welches auf die Entladung verzögernd wirkt.

Es werden gesteigerte und beschleunigte Entladungen hervorgerufen, welche klinisch bei den neurasthenischen Erschöpfungszuständen als Erscheinungen der Uebererregbarkeit schon längst bekannt sind. Und umgekehrt begegnen wir Krankheitsvorgängen, welche die Annahme notwendig machen, daß selbst relativ starke und übermäßige Reize keine oder nur verringerte Arbeitsleistungen auszulösen imstande sind. Gerade bei der Neurasthenie wird für diesen letzteren Fall eine zweifache pathogenetische Begründung statthaft sein:

a) Einmal findet eine verringerte oder aufgehobene Anspruchsfähigkeit auf Reize (im Sinne positiver äußerer Molekulararbeit) in-

folge der kürzere oder längere Zeit zuvor stattgehabten erhöhten
Leistung statt. Die Nervensubstanz ist erschöpft resp. ermüdet für
diese specifische Arbeitsleistung. Neue Reize wirken demgemäß nur
noch auslösend auf die Leistung der entgegengesetzten negativen
äußeren Molekulararbeit. Die Thätigkeitshemmung ist der Ausfluß
der Ermüdung.

b) Oder ein anlangender Reiz wirkt primär anregend auf die
Erzeugung äußerer negativer Molekulararbeit, eine Auslösung kine-
tischer Energien aber wird durch ihn nicht bewirkt. Es treten hier
also primäre Hemmungen auf, für welche eine vorhergehende Erschöpfung resp. Ermüdung der kinetischen Energien nicht voraus-
gesetzt werden muß.

Beachten Sie wohl: Ein Ausfall von Arbeitsleistung wird demgemäß einmal aus dem Moment der Erschöpfung resp. Ermüdung,
ein anderes Mal aus der Einwirkung von Reizen, die der Auslösung
äußerer positiver Molekulararbeit hinderlich sind, hervorgebracht
werden. Ich glaube, daß diese Unterscheidung deshalb notwendig ist,
um eine strengere Auseinanderhaltung der Begriffe Ausfalls- und
Hemmungserscheinungen herbeizuführen.

Es ist nun leicht verständlich, daß bei diesen pathologischen
Vorgängen ein für den Kräftezustand des Patienten höchst verhängnisvoller Circulus vitiosus stattfindet. Einerseits ist der Arbeitsvorrat an sich verringert; auf anlangende Reize antwortet die centrale
Nervenzelle einseitig mit einer Beschleunigung und Vermehrung der
positiven Arbeitsleistung. Es wird ein größerer Teil von „Erregungs-
arbeit" geleistet und dadurch der vorhandene Arbeitsvorrat rascher
verbraucht. Andererseits aber ist die Fähigkeit, negative Arbeit zu
leisten, verringert, d. h. die Restitutionsprozesse verlangsamt und
unvollkommen. Der Endeffekt muß ein völliges Darniederliegen der
Arbeitsleistungen sein.

Sie können diese pathologischen Vorgänge mit der Handlungsweise eines Verschwenders vergleichen, welcher, unbekümmert um
seinen Vermögensstand, fortwährend große Summen ausgiebt, ohne
etwas einzunehmen, bis schließlich das Kapital aufgezehrt und der
Bankerott fertig ist. Dagegen ist bei der physiologischen Arbeitsleistung der Kräftehaushalt gleich demjenigen des sparsamen Haus-
vaters eingerichtet, welcher seine Ausgaben seinem Einkommen genau
anpaßt und bemüht ist, sein Kapital durch erhöhte Sparsamkeit
wieder zu ergänzen, falls er durch erhöhte Ausgaben gezwungen war,
dasselbe anzugreifen.

Pathologische Thätigkeitszustände des Nervensystems beruhen also auf Störungen der Molekularmechanik, die das gesetzmäßige Spiel der Kräfte, das
physiologische Gleichgewicht zwischen synthetischen
und Oxydationsprozessen vorübergehend oder dauernd
zu schädigen imstande sind.

Diese ganzen Ausführungen weisen darauf hin, daß in letzter
Linie die chemische Konstitution der Nervenelemente die funktionellen
Vorgänge bestimmt.

Die pathologische Mechanik der Nervensubstanz steht in zwei-
facher genetischer Beziehung zu dem gestörten Chemismus derselben.
Einmal werden wir den letzteren als die direkte Begleit- und
Folgeerscheinung der erhöhten Inanspruchnahme

eines gesunden, „rüstigen" Nervensystems durch langdauernde und intensive, die Dauerermüdung hervorrufende Arbeitsleistungen betrachten müssen. Diese pathogenetische Verknüpfung der mechanischen und chemischen Vorgänge
bei den Funktionsstörungen der Neurasthenie trifft thatsächlich für
jene Fälle zu, welche wir späterhin als erworbene neuropathische
Zustände kennen lernen werden.

Bei den nervösen Schwächezuständen aber, die wir in der Folge
als angeborene bezeichnen, werden die neurasthenischen Funktionsstörungen auf Konstitutionsanomalien zurückgeführt werden
müssen, welche im Sinne der Molekularmechanik als ein pathologisch geringer Vorrat zusammengesetzter lockerer
chemischer Verbindungen und als eine herabgeminderte Fähigkeit zu ihrer Synthese charakterisiert werden
kann. In solchen Fällen wird das primäre Mißverhältnis zwischen
Arbeitsleistung (Oxydationsprozesse) und Arbeitsvorrat (synthetische
Prozesse) schon frühzeitig bei geringfügigen Anlässen hervortreten
und um so leichter zur Dauerermüdung und Erschöpfung führen, als
die Restitutionsfähigkeit abnorm herabgesetzt ist.

Erinnern Sie sich daran, daß unter physiologischen Bedingungen
die höherstehenden, übergeordneten Nervencentren höchst wahrscheinlich einen dauernden, regulierenden und vorwaltend hemmenden Einfluß auf alle untergeordneten ausüben. Es wird dies infolge einer
komplizierteren, aus einer größeren Zahl anlangender Reize resul-
tierenden Arbeitsleistung zustande kommen, durch welche zahlreichere
Interferenzwirkungen sowohl bahnend wie hemmend auf einfacher auf-
gebaute Nervencentren ermöglicht werden. Jedes höhere Centrum
hat, bildlich gesprochen, eine größere Zahl von Nebenschließungen,
welche bei einer Reizung in verschiedenem Sinne zugleich in Thätigkeit versetzt werden können.

Es wird dann leicht verständlich, daß Störungen innerhalb des
funktionell höchstgeordneten Innervationsgebietes tiefgreifende Schädigungen aller untergeordneten herbeiführen können. Die kortikale
Dauerermüdung und Erschöpfung, welche der Ausgangspunkt funktioneller Uebererregungen und Hemmungen, sowie pathologischer
Irradiationen in der Hirnrinde selbst ist, wird alle infrakortikal
gelegenen, sog. automatischen oder reflektorisch erregbaren Koordina-
tions- oder Niveaucentren pathologisch beeinflussen. Die klinische
Erfahrung lehrt, daß diese sehr mannigfaltigen, bald mehr durch
Reiz-, bald durch Hemmungs- und Ausfallssymptome ausgezeichneten
kortikalen Störungen sehr häufig mit einer Steigerung der infrakortikalen automatischen und Reflexaktionen verbunden sind. ·Gerade
diese Erfahrungsthatsachen dienten der mehrfach erwähnten Annahme
einer dauernden, vorzugsweise hemmenden Einwirkung des Cortex
auf diese Thätigkeiten zur Stütze.

Am konsequentesten hat MEYNERT die Leistungen des Cortex
cerebri („Vorderhirn") von denjenigen der tiefer gelegenen „subkortikalen" oder, wie wir sie bisher genannt haben, infrakortikalen Hirn-
teilen getrennt und in Gegensatz gebracht. Er benutzte die Er-
nährungsverhältnisse des Gehirns zur Unterlage seiner Anschauung,
„daß die Ernährung und Erregbarkeit der subkortikalen Gebilde und des kortikalen Organs in gleichen
Gehirnen gleichzeitig verschieden sein können". Er

weist darauf hin, daß die subkortikalen Gehirnorgane viel günstigere Bedingungen der Versorgung mit arteriellem Blut und demgemäß der Ernährung haben als der Cortex. Bei Störungen der Cirkulation z. B. durch Anämie und Herzschwäche wird deshalb der Cortex und seine Bahnen vorwaltend der Sitz einer abgeschwächten Funktion sein. Dieselbe äußert sich, „ehe sie noch eine qualitative oder eruierbare quantitative Störung durch kortikale Symptome bedingt", durch den Wegfall der kortikalen Hemmungen auf die tiefer gelegenen Abschnitte. „S c h w ä c h e u n d R e i z s i n d d e m n a c h g e t r e n n t l o k a l i s i e r t. D i e k o r t i k a l e n O r g a n e s i n d d e r S i t z d e r S c h w ä c h e. d i e s u b k o r t i k a l e n O r g a n e a b e r d i e S i t z e d e r R e i z e."

Aber auch das Umgekehrte, nämlich die primäre Reizung subkortikaler Centren und das sekundäre Sinken der Hemisphärenerregung, kann stattfinden. So wird z. B. die heftige Reizung des subkortikalen Gefäßcentrums durch den Arterienkrampf das gänzliche Sinken der Hemisphärenerregung bewirken. Hier hat also nicht die kortikale Schwäche, sondern der subkortikale Reiz den Cortex außer Funktion gesetzt.

Drittens bedingt nach diesem Autor Abschwächung subkortikaler Leistungen eine Erhöhung der kortikalen Erregung. Es ist dies z. B. der Fall, wenn bei Hirnanämie neben der Hemisphärenerschöpfung auch eine Schwächung der subkortikalen Gefäßcentren zustande kommt. Der paretische Zustand der Arterienmuskulatur bedingt eine arterielle Hyperämie im Cortex und ruft eine Reihe von psychischen Erregungsvorgängen hervor, die wir hier nicht weiter verfolgen können. Ich will nur hinzufügen, daß entsprechend den MEYNERT'schen Grundanschauungen, nach welchen die funktionellen Leistungen großenteils mit den vasomotorischen zusammenfallen, auch hier bestimmte vasomotorische Störungen mit bestimmten psychischen Krankheitsphänomenen in kausale Beziehung gesetzt werden.

Die hier geschilderten Vorgänge faßt MEYNERT unter dem Begriffe der l o k a l i s i e r t e n r e i z b a r e n S c h w ä c h e zusammen und rekapituliert ihre Grundzüge folgendermaßen: Es bestehen wechselseitige Anordnungen, „vermöge derer erleichterte Attraktionen in Gebieten des Gehirns, erschwerte Attraktionen in anderen parallel gehen".

Ich kann mich diesen Anschauungen nicht anschließen. Einmal bin ich nicht geneigt, für alle diese pathologischen Vorgänge immer eine ursächliche vasomotorische Störung gelten zu lassen, sondern bin vielmehr der Ueberzeugung, daß die vasomotorischen Erscheinungen vielfach nur die F o l g e n der ersteren sind. Einerseits wirken Reize d i r e k t u n d u n m i t t e l b a r störend auf die Leistungen der nervösen Centralapparate ein, und andererseits wird die funktionelle Gleichgewichtslage nur unter bestimmten Voraussetzungen, bei einer sehr beschränkten Zahl pathologischer Vorgänge durch eine p r i m ä r e Störung des zugehörigen arteriellen Gefäßbezirkes verändert.

Die MEYNERT'schen Lehren sind, so klar und einfach diese vasomotorische Theorie alle Thatsachen unter einem einheitlichen Gesichtspunkt zu vereinigen scheint, doch nicht imstande, den eigentlichen Zusammenhang der pathologischen Nerventhätigkeit aufzuklären. Weiterhin belehren uns die klinischen Beobachtungen, daß die S t e i g e r u n g infrakortikaler Erregungsvorgänge bei kortikalen Schwächezuständen ganz jählings besonders unter dem Einflusse sehr intensiver centraler (einschließlich psychischer) und peripherer Reizungen durch die weittragendsten, große Gebiete infrakortikaler Nervenapparate umfassende Hemmungen ersetzt werden. Die eigentümlichen Anfälle lähmungsartiger Schwäche, die sehr leicht zur Verwechslung mit apoplektischen Insulten führen, sind typische Beispiele dieser Hemmungsinsulte.

Wir werden demgemäß zu dem Schlusse gelangen, daß die MEYNERT'sche Theorie der lokalisierten reizbaren Schwäche zwar eine sehr anschauliche, aber keineswegs vollständige Deutung der außerordentlich mannigfaltigen und verwickelten Wechselbeziehungen zwischen den pathologischen Erregungszuständen der einzelnen Nervencentren giebt.

Ich bin von der Auffassung MEYNERT's darin abgewichen, daß ich die Vorgänge gesteigerter Erregbarkeit nicht grundsätzlich in funktionell untergeordnete Centren verlegte, während die Schwäche ausschließlich den höchststehenden Nervenmechanismen eigentümlich wäre. Vielmehr vertrete ich die Ansicht, daß innerhalb eines bestimmten funktionellen Systems die Zeichen der Uebererregung und der Schwäche, wenn auch nicht gleichzeitig, so doch successive überall bestehen können. Es sind dies eben nur verschiedene Phasen der durch die funktionelle Ueberanstrengung bedingten Störungen. Ist die Leistungsfähigkeit eines Centrums infolge von Inanspruchnahme der vorhandenen potenziellen Energien vorübergehend unter einen gewissen Mittelwert herabgedrückt, so tritt in ihm jener Zustand auf, den wir als funktionelle Ueberermüdung resp. Dauerermüdung bezeichnen. Das klinische Korrelat der Ueberermüdung ist die Uebererregung, d. h. selbst unterschwellige Reize wirken auf überermüdete Centren, sei es im Sinne von positiven Arbeitsleistungen, sei es als Hemmung von Thätigkeitsäußerungen.

Das zweite Stadium ist dasjenige der Erschöpfung. Hier werden Reize überhaupt nicht oder nur in spärlichem Maße auf das erschöpfte Centrum wirksam, der Vorrat an potenziellen Energien ist noch tiefer gesunken, die Erholung bis zum früheren Kraftvorrat desto langwieriger und unvollkommener. Der klinische Ausdruck dieses Stadiums ist in der höchstentwickelten Form der Funktionsausfall, bei geringerem Grade der Erschöpfung die Funktionsverminderung.

Der Grad der Kraftschädigung durch Arbeitsleistungen und somit auch die Art der Funktionsstörung ist von folgenden Bedingungen abhängig:

1) Von dem Kraftvorrat, welchen das betreffende Centrum beim Beginn der Arbeitsleistung besitzt; es wird also ein Centrum, welches durch voraufgegangene Arbeitsleistungen schon eine Einbuße an potenziellen Energien erlitten hat, leichter der Ueberermüdung und der Erschöpfung anheimfallen. Für die Neurasthenie, bei welcher der Kraftvorrat überhaupt herabgesetzt ist, ergiebt sich hieraus die praktische Konsequenz, daß die einzelnen funktionellen Systeme niemals einseitig einer langandauernden Arbeitsleistung unterworfen werden dürfen.

2) Von dem Maße der Arbeitsleistung, welche ein Centrum innerhalb einer bestimmten Arbeitsfrist zu

vollbringen hat. Werden also die Anforderungen an ein Centrum plötzlich und unverhältnismäßig gesteigert, so wird Ueberermüdung und Erschöpfung eintreten. Bei der Neurasthenie wird die Dauerermüdung bei unverhofften Kraftleistungen auffallend rasch in Erschöpfung übergehen.

3) Von der funktionellen Bedeutung des betreffenden Centrums. Je höherstehend dasselbe innerhalb eines funktionellen Systems ist, je mannigfaltiger und zusammengesetzter seine Leistungen, je verwickelter seine Associationen sind, desto häufiger werden durch übermäßige Arbeitsleistungen die Zustände der Ueberermüdung und Erschöpfung in ihm erzeugt werden.

Bei der Neurasthenie ist demgemäß die Dauerermüdung gerade in den funktionell höchst geordneten Centren der Hirnrinde das erste und hauptsächlichste Krankheitszeichen. Es ist jedoch auch bei ihr nicht ausgeschlossen, daß andere funktionelle Bezirke zuerst und am ausgiebigsten diesem Zustand anheimfallen, nämlich wenn ihre Arbeitsleistungen zuerst eine einseitige Steigerung erfahren haben, oder wenn auf Grund lokaler Störungen der Entwickelung (vergl. die Ausführungen über die Entwickelungshemmungen) oder endlich lokaler Erkrankungen (vergl. spec. Aetiologie) bestimmte nervöse Centralapparate eine verringerte Leistungsfähigkeit an sich besitzen. Befällt die Dauerermüdung die Hirnrinde, so werden auch innerhalb derselben die verschiedenen funktionellen Bezirke je nach dem Maße ihrer Arbeitsleistungen ganz verschiedenartige Grade der Funktionsstörung innerhalb eines bestimmten Zeitabschnittes einer Beobachtungsperiode darbieten; z. B. kann ein sensorisches Centrum die Zeichen der ausgeprägten Uebererregung aufweisen, während ein anderes sensorisches oder motorisches Centrum im Zustande der Erschöpfung sich befindet.

Noch wichtiger aber sind die zeitlichen Schwankungen, welchen die Intensitätsgrade dieser Kraftschädigungen selbst innerhalb einer kurzen Zeitperiode unterworfen sind. Jede neue Blutwelle bringt neues Ernährungsmaterial, zu jeder Zeit findet eine Krafterneuerung statt. Die Erholung ist zwar beim Neurastheniker verlangsamt, aber selbstverständlich keineswegs aufgehoben. Jede, selbst die geringfügigste Mehrung des Kraftvorrats bedingt eine Aenderung des funktionellen Zustandes. So kommt es, daß kurz hintereinander ein und dasselbe Centrum sowohl den Zustand der Uebererregung und nachfolgenden Erschöpfung bei Inanspruchnahme zeigen, als auch umgekehrt nach einer fast unmerklichen Ruhepause die Zeichen der Uebererregung wieder darbieten kann.

Wenn wir nun den unendlichen Reichtum an funktionellen Centren sowohl innerhalb einer Funktionsstufe, als auch eines funktionellen Systems überblicken, so versteht man den bunten Wechsel, ich möchte fast sagen, das merkwürdige Durcheinander pathologischer Steigerungen und Herabminderungen bestimmter Arbeitsäußerungen, welches dem Beschauer zu jeder Zeit entgegentritt. Wie leicht wird hier der Eindruck erweckt, daß beide Erscheinungen zu gleicher Zeit in ein und demselben Glied einer funktionellen Kette vorhanden sind! Daß dies nicht der Fall ist, soll durch die vorstehenden Darlegungen bewiesen werden. Wir sind jetzt auch in den Stand gesetzt, zu der MEYNERTschen Theorie der reizbaren Schwäche eine bestimmte Stellung zu nehmen.

Da funktionell übergeordnete Centren innerhalb eines bestimmten Systems bei der Neurasthenie rascher der Dauerermüdung und Erschöpfung anheimfallen, so leuchtet ein, daß kortikale Leistungen schon vorwaltend die Krankheitsäußerungen der Erschöpfung darbieten, während die untergeordneten Centren noch ausschließlich die Phase der Uebererregbarkeit erkennen lassen. Steigert sich das Arbeitsmaß auch für diese, so werden wir die Erschöpfung, den Funktionsausfall, auch hier nachweisen können. Es läßt sich dies neben den psychischen besonders klar an den motorischen Funktionsstörungen darlegen.

Prinzipiell halten wir also daran fest, daß wir in jedem funktionellen Bezirk, unbekümmert um seine Stellung innerhalb eines funktionellen Systems, sowohl die geringeren Grade der Funktionsstörung, welche in der Uebererregung kund werden, als auch den tiefergreifenden Funktionsverlust der Erschöpfung zu irgend einer Zeit des Krankheitsverlaufes, je nach dem Maße ihrer Arbeitsleistungen, vorfinden können.

2. Vorlesung.

M. H.! Durch die Ausführungen der letzten Vorlesung über die allgemeine Pathologie und Pathogenese der Neurasthenie sind wir in den Stand gesetzt, die Aetiologie dieser Krankheit einer systematischen Würdigung zu unterziehen. Sie werden die Erfahrung machen, daß oft bei der Neurasthenie durch die Einwirkung relativ geringfügiger, unter physiologischen Verhältnissen entweder nicht oder nur ganz vorübergehend wirksamer Schädlichkeiten sich weittragende und folgenschwere Krankheitszustände entwickeln. Es wird dies nur verständlich, wenn wir eine eigentümliche pathologische Zustandsänderung unseres Centralnervensystems annehmen, welche sich durch diese Funktionsstörungen kundgiebt.

Diese Erfahrung steht im Einklang mit der Anschauung, daß vor der Entwickelung dieser ,Nervenkrankheit eine krankhafte Beschaffenheit des Nervensystems, eine neuropathische Prädisposition, schon vorhanden gewesen sein müsse. Dieselbe kennzeichnet sich als eine verringerte Widerstandsfähigkeit gegen physiologische und pathologische Reize; beide wirken in erhöhtem Maße als Schädlichkeiten, welche die Gleichgewichtslage des Nervensystems im früher entwickelten Sinne vorübergehend oder dauernd erschüttern können.

Es ist vorwaltend das Verdienst eines deutschen Psychiaters, GRIESINGER, diesen Begriff der neuropathischen Prädisposition in die Pathologie eingeführt zu haben. Die Lehre von der neuropathischen „Behaftung" als Grundlage und Ausgangspunkt zahlreicher und verschiedenartiger Nerven- und Geisteskrankheiten ist heutzutage Gemeingut der Nerven- und Psychopathologie geworden. Am konsequentesten ist sie in Frankreich, besonders durch CHARCOT und MAGNAN, ausgebaut worden. Dieser besondere Zustand des Nervensystems also ist die Matrix für alle schlummernden pathologischen Keime, die nur der Befruchtung durch irgendwelche zufällige Schädlichkeiten und des geeigneten „milieu" bedürfen, um in üppigster Weise emporzuschießen und bald diese, bald jene Nerven- oder Geisteskrankheit hervorzubringen.

GRIESINGER unterschied in engerer Anlehnung an die Aetiologie und Pathologie der Geisteskrankheiten zwei große Hauptgruppen erkrankter Individuen. „Die eine besteht aus rein erworbenen, ohne alle ursprüngliche Grundlage, sozusagen zufällig entstandenen Hirnkrankheiten . . . . . Eine andere zweite Gruppe, viel größer als die vorige, bietet Kranke, welche nicht so zufällig zu Hirnkrankheiten mit Störung der psychischen Prozesse gekommen, sondern von Haus aus, von Geburt an, dazu disponiert gewesen sind."

Sie sehen also, daß der Schöpfer der Lehre von der neuropathischen Prädisposition ausschließlich die angeborene oder, wie aus seinen Auseinandersetzungen hervorgeht, die angeerbte Disposition im Sinne gehabt hat. Die moderne Fassung dieses Begriffes ist viel weitergehend. Sie umschließt alle ererbten, d. h. durch die ursprüngliche abnorme Keimesbeschaffenheit eines oder beider Erzeuger verursachten, und die erworbenen, im Laufe der individuellen Entwickelung hinzugetretenen Dispositionen, welche der Ausgangspunkt unfertiger und vollentwickelter Nerven- und Geisteskrankheiten werden.

Lassen Sie uns zuerst die ererbte neuropathische Prädisposition, die konstitutionelle Veranlagung, etwas näher ins Auge fassen. Wir gehen hier von der Erfahrungsthatsache aus, daß bei einem sehr erheblichen Prozentsatz der Geistes- und Nervenkranken in der Ascendenz, entweder auf väterlicher oder mütterlicher Seite oder in beiden Linien, Fälle von Geistes- und Nervenkrankheiten aufgetreten sind.

Bei dem in dem letzten Jahrzehnt besonders unter dem Einfluß der Forschungen von WEISMANN neu entfachten wissenschaftlichen Streite über die Theorien der Vererbungs- und Abstammungslehre spielen gerade die Belege aus der Neuro- und Psychopathologie für die Diskussion der Frage, ob erworbene, innerhalb eines Individuallebens hinzugekommene Eigenschaften auf die Nachkommen vererbbar sind, eine große Rolle. Wir verdanken diesen neuen biologischen Forschungen auf dem Gebiete der Erblichkeitslehre eine außerordentliche Befruchtung unserer Anschauungen und Kenntnisse über die der Vererbung zu Grunde liegenden Vorgänge.

Die moderne Kritik hat uns die beschämende Thatsache kennen gelehrt, daß das ganze bis jetzt vorliegende Material anscheinend gesicherter Beobachtungen über die Vererbung erworbener Geistes- und Nervenkrankheiten in keiner Weise ausreicht, um über die Richtigkeit dieser oder jener Theorie eine Entscheidung herbeizuführen. Es beruht dies aber nur zum Teil auf der Unvollkommenheit unserer ätiologischen Forschungen; ein mindestens gleich großer Anteil an der ungenügenden Aufklärung über diese Fragen durch die klinische Forschung muß, wie ich glaube, einem Uebelstand zugemessen werden, welcher eine Verständigung zwischen den biologischen Forschungsergebnissen und den Lehren der Pathologie sehr erschwert.

Es werden nämlich die meisten theoretischen Betrachtungen über die erbliche Uebertragung erworbener Eigenschaften von der unbewiesenen Annahme beherrscht, daß die pathologische Vererbung, d. h. die erbliche Veränderung (Variabilität), welche durch Schädlichkeiten hervorgebracht wird, und die eine Verschlechterung der Art oder, richtiger gesagt, eines Individualtypus hervorbringt, den gleichen Bedingungen unterworfen sei, welche die phylogenetische Fortentwickelung, d. h. die zur Erhaltung und zur Weiterentwickelung der Art notwendige Konstanz resp. Variabilität der individuellen Eigenschaften beherrschen.

So erklärt es sich, daß viele Beweisführungen, die sowohl WEISMANN wie seine Gegner zur Stütze ihrer Anschauungen aus der Phylogenie geschöpft haben, für die menschliche Pathologie nur schwer

verwertbar sind. Man darf, wie ich glaube, nicht den gleichen Maßstab an die Thatsachen der pathologischen Vererbung bezüglich des
Umfangs und der Dauer der schädlichen Einwirkungen legen, welcher
wohl für die phylogenetische Betrachtungsweise angebracht ist.

Auch die Allmacht der Naturzüchtung, welche bei der WEIS-
MANN'schen Lehre eine hervorragende Rolle spielt, ist für die menschliche Pathologie fast gegenstandslos, indem die Verhältnisse, welche
dieser Forscher als Panmyxie bezeichnet, bei den jetzigen Kultur-
völkern durchaus maßgebend geworden sind.

Nur unter Berücksichtigung dieser unterscheidenden Merkmale
zwischen phylogenetischer und pathologischer Vererbung darf man
den Versuch wagen, die Erfahrungen der vergleichenden Entwickelungsgeschichte für klinische Zwecke zu verwerten. Sobald Sie sich in
diesen Gegenstand der ätiologischen Forschung vertiefen, tauchen eine
Unzahl von Fragen auf, welche wir bei dem gegenwärtigen Stande
unseres Wissens wohl zur Diskussion stellen, aber nicht mit genügender Sicherheit beantworten können. Sie müssen aber aufgeworfen
und diskutiert werden, da die seit GRIESINGER stagnierende Lehre
von der neuropathischen Prädisposition dringend einen weiteren Ausbau verlangt. Ich habe meinen Schüler, Dr. ROHDE, veranlaßt, den
gegenwärtigen Stand der Frage nach der Entstehung und Vererbung
individueller Eigenschaften und Krankheiten zusammenfassend zu bearbeiten und die unendlich reiche einschlägige Litteratur dem ärztlichen Praktiker zugänglich zu machen. Sie finden in dieser Arbeit,
deren Studium ich Ihnen dringend empfehle, die für die ätiologisch-
klinische Forschung wichtigen Gesichtspunkte hervorgehoben. In
Bezug auf einzelne Fragen, welche besonders für die Neuro- und
Psychopathologie von einschneidender Bedeutung sind, habe ich in
der psychiatrischen Klinik ausführlicher meinen Standpunkt entwickelt.
Ich muß mich hier auf ganz aphoristische Andeutungen beschränken,
welchen ich bei dem unfertigen Stande unseres Wissens keineswegs
die Bedeutung von Lehrsätzen zumessen möchte.

Eine ererbte, d. h. von den Erzeugern überkommene
krankhafte Anlage kann mit Sicherheit nur dann zustande kommen, wenn bei der amphigonen Zeugung
pathologisch verändertes Keimplasma, von einem oder
beiden Erzeugern stammend, zum Aufbau des neuen
Individuums gedient hat.

Solche pathologische Keimesabänderungen können einerseits ererbt, d. h. durch die ursprüngliche Keimesanlage des Vorelters bedingt oder während des Individuallebens des Elters durch Keimesschädigungen erworben sein.

Derartige Keimesschädigungen können zustande kommen:

a) bei chronischen Intoxikationen durch Alkohol, Morphium, Blei u. s. w.;

b) durch Infektionen, sei es daß die Infektionsträger selbst
oder deren Stoffwechselprodukte die schädigende Wirkung ausüben
(Syphilis, Tuberkulose u. s. w.);

c) durch konstitutionelle Erkrankungen (anämische,
leukämische, chlorotische Erkrankungen, Diabetes, Gicht, chronische
deformierende Arthritis u. s. w.). Hier werden die Keimesschädigungen
auf eine allgemein wirkende, die Beschaffenheit der Keimzellen mit-
beeinträchtigende Ernährungsstörung zurückzuführen sein.

Es bleiben dann d) noch die ausschließlich lokalen Erkrankungen der keimbildenden Apparate übrig, sei es daß
dieselben durch mechanische Schädigungen, z. B. Trauma, oder es
es daß sie durch lokale degenerative oder entzündliche Prozesse hervorgerufen sind. Es ist leicht verständlich, daß derartige lokale Erkrankungen der Keimdrüsen auf die Bildung und Entwickelung der
Spermatozoen oder auf die Reifung der Eier schädigend einwirken
und dadurch pathologische Zustandsänderungen des Ei- und Sperma-
kerns hervorrufen können.

Sind die Keimschädigungen tiefgreifender Art, so werden die
Zeugungsstoffe zur Fortpflanzung untauglich werden: geringfügigere
Schädigungen, welche die Kopulationsfähigkeit nicht aufheben, sondern
nur eine gewisse Schwächung („Partialschädigungen") des Keimplasmas
herbeiführen, werden, falls diese Keime zur Zeugung verwandt werden,
das neuentstandene Individuum schon in der ersten Anlage geringer-
wertig, d. h. bis zu einem gewissen Sinne krank machen.

Nach all diesen Schädigungen der Keimsubstanzen kann der aus
dem Akt der Befruchtung hervorgegangene Furchungskern in der
weiteren embryonalen Entwickelung die krankhafte Prädisposition als
allgemeine konstitutionelle Schwäche hervortreten lassen,
oder es kann höchst einseitig die Anlage und weitere Entwickelung
des Nervensystems beim Nachkommen beeinträchtigt sein. Zur
Erklärung hierfür weise ich darauf hin, daß sowohl in der phylo- als
auch ontogenetischen Entwickelung das Centralnervensystem erst spät
zur Entwickelung gelangt. Es führt dies zu der Annahme, daß dem
Centralnervensystem bestimmte, der höchsten Entwickelung fähige
Keimbestandteile entsprechen, welche durch die mannigfachsten Ursachen sehr leicht pathologischen Veränderungen unterliegen können.
Dieselben werden freilich nur in den selteneren Fällen, in welchen
wir grobe, makroskopisch nachweisbare Mißbildungen resp. Entwickelungshemmungen vorfinden, sichtbar werden. Alle feineren morpho-
logischen Abänderungen der Entwickelung des Gehirns und Rückenmarks infolge pathologisch veränderter Wachstumstendenzen entgehen
uns bei den heutigen Hilfsmitteln der Untersuchung und äußern sich
nur in Funktionsstörungen. Auf den Zusammenhang zwischen ererbter neuropathischer Prädisposition und gehemmter atypischer Entwickelung einzelner Rückenmarksstränge ist schon von verschiedenen
Neuropathologen hingewiesen worden. Natürlich ist auch die andere
Möglichkeit vorhanden, daß bei allgemeiner ererbter konstitutioneller
Schwäche, bei welcher eine gleichwertige Schädigung des gesamten
Organismus vorliegt, erst während des individuellen Lebens auf Grund
specifisch wirkender Schädlichkeiten das Nervensystem
zuerst erkrankt.

Welches sind aber die ersten Anfänge von Funktionsstörung bei
ererbter Anlage? Wo beginnt die auf erblicher Basis entstandene
individuelle Abänderung geistiger resp. nervöser Vorgänge pathologisch zu werden? Sie werden noch öfter in Ihrer ärztlichen Wirksamkeit kennen lernen, daß eine scharfe Grenze zwischen Gesundheit
und Krankheit gerade bei der Nerven- und Geistesthätigkeit nicht
gezogen werden kann. Für die Lehre der ererbten pathologischen
Veränderungen im Gebiete des Nervensystems erwächst hieraus der
Nachteil, daß ihr ein fester Untergrund fehlt. Die letzten Ausläufer
physiologischer, im Sinne der Fortentwickelung wirksamer Keimes-

abänderungen und die ersten Anfänge krankhafter Variabilität verlieren sich in nebelhafter Ferne. Auf diesem Umstand beruht die Unsicherheit über den Beginn einer neuro- resp. psychopathischen Veränderung innerhalb eines Individualstammbaums und über die Bedeutsamkeit der erblich wirksamen Faktoren nach Zeit und Ausdehnung.

Ich habe damit auf eine der vielen Schwierigkeiten hingewiesen, welche sich der Beantwortung der auch für die Neuro- und Psychopathologie brennend gewordenen Frage entgegenstellen, ob erworbene Geistes- oder Nervenkrankheiten erblich übertragbar sind. Würde es uns gelingen, den Nachweis zu liefern, daß erworbene, mit anatomischen Veränderungen verknüpfte oder funktionelle Erkrankungen des Centralnervensystems einschließlich der geistigen Vorgänge erblich übertragbar sind, so würde die Neuro- resp. Psychopathologie die Entscheidung in dem bedeutungsvollen Kampfe der Biologen und Pathologen zu Gunsten der Gegner WEISMANN's herbeigeführt haben.

Aus den vorhergehenden Sätzen ist ersichtlich, daß nur diejenigen Fälle zu den erworbenen gerechnet werden dürfen, für welche durch genaueste Kenntnis der Lebensgeschichte der Eltern eine durch Keimesschädigungen ererbte Prädisposition auszuschließen ist.

Ich habe mich bemüht, an der Hand des reichen Materials unserer Klinik, in welcher seit vielen Jahren eine möglichst genaue Individualstatistik in Beziehung auf die Erblichkeitsfrage durchgeführt wird, an der Lösung dieser Fragen mitzuarbeiten. Ich ging, ich gestehe es offen, von der dem Kliniker fast immanent gewordenen und durch die Erfahrung scheinbar berechtigten Voraussetzung aus, daß es nicht schwer fallen dürfte, die Vererbbarkeit erworbener Geistes- oder Nervenkrankheiten durch zwingende Thatsachen zu erhärten. Ich habe mich aber nirgends davon überzeugen können, daß Fälle, in denen unzweifelhaft und ausschließlich die Geistes- oder Nervenkrankheit als eine erworbene erkannt werden konnte und jene allgemeinen oder lokalen Ursachen zu Keimesschädigungen auszuschließen waren, Ausgangspunkt einer pathologisch durchseuchten Familie oder auch nur vereinzelter Erkrankungen in der Descendenz gewesen sind.

Verstehen Sie mich wohl: gewiß findet man zahlreiche Beobachtungen, bei denen gleichartige und direkte Vererbung von Geistes- oder Nervenkrankheiten von einer Generation auf die andere nachgewiesen werden kann. Für alle diese Beobachtungen aber ist der Nachweis nicht zu erbringen, daß der erste zu unserer Kenntnis gelangte Krankheitsfall das betreffende Leiden thatsächlich direkt durch lokale Schädigungen des Centralnervensystems resp. seiner psychischen Funktionen während seiner individuellen extrauterinen Entwickelung erworben hat. In der Mehrzahl der einschlägigen Fälle versagt die statistische Methode, indem die ersten Anfänge eines psycho- resp. neuropathischen Zustandes innerhalb dieser erkrankten Familie überhaupt nicht aufgefunden werden können, und demgemäß der Fall weder im positiven noch im negativen Sinne verwertet werden kann. Bei anderen Beobachtungen aber gelingt es nachzuweisen, daß schon bei der erstmalig auftretenden ausgeprägten Nerven- oder Geisteskrankheit Anlaß zu einer krankhaften Disposition in dem früher entwickelten Sinne vorhanden gewesen war, daß also auch hier eine

pathologische Keimesbeschaffenheit bei dem zur Zeugung verwandten
väterlichen oder mütterlichen Keimplasma nicht auszuschließen ist.

Dieser Ausblick in das weite Gebiet der Erblichkeitslehre hat uns
in letzter Linie wieder auf den Punkt zurückgeführt, von dem wir bei
der Erörterung der allgemeinen Aetiologie der Neurasthenie ausgegangen
waren: auf die krankhafte, konstitutionelle Prädisposition. Jetzt ist
es aber möglich geworden, dieselbe genauer begrifflich festzustellen.
Unter dem Begriffe krankhafter, ererbter Prädisposi-
tion faßt man jene schlummernden Krankheitstendenzen
zusammen, welche infolge abnormer Beschaffenheit der
bei der Zeugung wirksamen Anteile des väterlichen oder
mütterlichen Keimplasmas im neuen Individuum entstanden sind.

Waren die befruchteten Keimteile in ausgedehnterem Maße pathologisch verändert, ohne aber zur Fortpflanzung untauglich geworden zu
sein, so werden Früchte gezeugt, die in den schwersten Graden fehlerhafter Keimanlage schon während der intrauterinen Entwickelung zu
Grunde gehen. In mittleren Graden reifen sie intrauterin aus, kommen
aber als konstitutionell schwächliche Individuen zur Welt. Sie gehen dann
entweder frühzeitig bei Einwirkung oft geringfügiger äußerer Schädlichkeiten zu Grunde, oder erlangen nach Ueberwindung aller Fährlichkeiten
des Kindesalters eine relative Entwickelungsreife, welcher die Merkmale
eines allgemeinen Schwächezustandes immerdar anhaften. Die leichtesten Grade von Schädigung des zur Zeugung verwandten Keimplasmas
führen zu jenen krankhaften Prädispositionen beim neuen Individuum,
welche seine intra- und extrauterine Entwickelung scheinbar in keiner
Weise beeinträchtigen, indem gröbere Abweichungen von der normalen
geistigen oder körperlichen Beschaffenheit anfänglich nicht zu Tage treten
und auch lange Zeit während der individuellen Entwickelung latent bleiben.
Erst eine größere Widerstandslosigkeit gegen bestimmte Schädlichkeiten,
z. B. bestimmte Infektionen oder unverhältnismäßig starke pathologische
Reaktion auf geringfügige, physiologische Reize, welche mit der individuellen Entwickelung unvermeidbar verknüpft sind (erste und zweite
Dentition, Pubertätsentwickelung u. s. w.), klären uns darüber auf, daß
hier gewisse konstitutionelle, ererbte Schwächezustände im Spiele sind.
Die Mehrzahl der Fälle von ererbter neuropathischer Prädisposition gehört zu dieser dritten Gruppe.

Welche Organsysteme oder Organabschnitte bei der weiteren Entwickelung eine besondere Schädigung resp. Entwickelungshemmung erleiden, wird von den verschiedensten Ursachen abhängig sein können.
Hier wird in letzter Linie die korrelative Entwickelung, d. h. der
Kampf der Teile im werdenden Organismus, die „funktionellen Wechselbeziehungen" und die „gestaltlichen Wechselwirkungen" der einzelnen
Teile von maßgebender Bedeutung sein (Roux).

Bei diesem Kampf der Teile in den ersten Entwickelungsstadien
des Embryo spielen äußere, vom mütterlichen Organismus herstammende
Einflüsse sicherlich eine bedeutsame Rolle. Damit betreten wir ein neues
Gebiet der ätiologischen Forschung: dasjenige der angeborenen,
intrauterin erworbenen konstitutionellen Schwächezustände.

Das Werden und Wachsen des neuen Individuums ist selbstverständlich nicht nur abhängig von der mit der ersten Keimanlage überkommenen, d. i. ererbten Keimesbeschaffenheit, sondern auch von den

Einwirkungen, welche während der ganzen fötalen Wachstumsperiode auf den Embryo stattfinden. Im Laufe der Ontogenese werden besonders in dem Zeiträume pathologische Abänderungen · einzelner Organsysteme auftreten können, in welchem der „Zellenstaat" des befruchteten Eies weitergehenden histologischen Differenzierungen unterliegt, welche mit der physiologischen funktionellen Arbeitsteilung Hand in Hand gehen. Mit der ersten Teilung des befruchteten Eikerns beginnt jene unübersehbare Reihe von Kernteilungen, welche zur weitgehendsten Zerlegung und Zersplitterung der idioplastischen Bestandteile der ersten Keimanlage führen müssen. Nur in den frühesten Stadien, in welchen dieser Differenzierungsprozeß noch wenig entwickelt ist, werden Schädigungen embryonaler Zellen resp. deren idioplastischer Kernsubstanz die Anlage und Entwickelung des ganzen Organismus oder einzelner Organsysteme beeinträchtigen können.

Daraus folgt, daß intrauterin erworbene krankhafte Prädispositionen, die uns klinisch als angeborene, entweder allgemeine oder auf bestimmte Verrichtungen des Organismus beschränkte, konstitutionelle Schwächezustände kund werden, vorwaltend in den frühen Stadien der embryonalen Entwickelung zustande kommen. Das Gebiet, auf welchem der angeborene Schwächezustand sich vorfindet, wird um so begrenzter und enger umschrieben sein, je später nutritive Störungen Anteile des fötalen Organismus befallen. Beschränken sich angeborene morphologische und funktionelle Störungen (letztere sind ja immer nur der Ausdruck feinster morphologischer Abweichungen) ausschließlich auf das Centralnervensystem, so werden dieselben in Entwickelungsstadien zu verlegen sein, in welchen seine Differenzierung aus dem Ektoderm schon stattgefunden hat.

Glauben Sie nicht, daß ich solche Betrachtungen auf Grund einer Liebhaberei zu theoretisierenden Grübeleien angestellt habe. Im Gegenteil entstammen sie dem leicht erklärlichen Bedürfnis, gewisse klinische Erfahrungen dem Verständnis näher zu bringen. Ich will Ihnen zwei Beispiele anführen, die mich zuerst zu derartigen Erwägungen veranlaßt haben. In beiden Fällen, in welchen eine erbliche Veranlagung anamnestisch durchaus ausgeschlossen werden konnte, bestanden schon von der frühesten Kindheit an, ohne daß irgendwelche interkurrente Erkrankungen den Zustand verursacht hatten, neben allgemeiner Schwächlichkeit und langsamer Körperentwickelung die Erscheinungen von „Nervenschwäche".

In dem ersten Falle machte mich der den gebildeten Kreisen angehörende Patient selbst darauf aufmerksam, daß er als schwächliches Zwillingskind zugleich mit einem gesunden, sehr kräftigen Bruder geboren worden sei. In dem zweiten Falle war die zartgebaute, aber sonst durchaus gesunde Mutter zwei Monate nach der Geburt eines überaus kräftigen, stark entwickelten Knaben wiederum gravid geworden. Sie befand sich während der ganzen Gravidität in einem hochgradig entkräfteten Zustande und gebar dann dieses schwächliche Kind.

Daß hier nutritive Störungen der Frucht die pathologische konstitutionelle Schwäche verursacht haben, scheint mir kaum bezweifelt werden zu können. Man wird dieselbe wiederum als eine Art von Entwickelungshemmung betrachten müssen, welche durch eine Abschwächung der Wachstumstendenzen bestimmter, bei der Ontogenese wirksamer idioplastischer Keimteile hervorgerufen ist.

3 *

Freilich liegt auch hier nicht jene grobe Störung des die Lebensthätigkeit der Gewebebildner beherrschenden Idioplasmas vor, welche
zu ausgeprägten Mißbildungen oder Verkümmerung des Organismus führt,
sondern es tritt nur eine krankhafte Minderwertigkeit des Individuums
zu Tage.

Wir haben im Vorstehenden eine theoretische Scheidung der angeborenen konstitutionellen Schwächezustände in ererbte und intrauterin
erworbene durchzuführen versucht. In praxi wird es oft recht schwer,
ja sogar unmöglich sein, festzustellen, auf welche ätiologische Momente
im Einzelfalle der pathologische Zustand zurückzuführen sei. Hier ent-
scheidet nur die genaueste Berücksichtigung aller uns zur Kenntnis
gelangenden ätiologischen Faktoren. Wir werden aber auch nicht selten
gerade auf Grund sorgfältiger anamnestischer Erhebungen zu dem Schlusse
gelangen, daß beide Reihen von Vorgängen zusammengewirkt haben
müssen, um den pathologischen Zustand hervorzurufen. Wir werden in
solchen Fällen annehmen müssen, daß geringfügige Schädigungen
der bei der Befruchtung wirksamen Keimstoffe durch
pathologische Einflüsse während der Schwangerschaft
verstärkt worden sind.

Es bliebe noch die Beantwortung der Frage übrig, ob intrauterin
erworbene Krankheitsanlagen vererbbare, individuelle Abänderungen darstellen. Bei dem heutigen Standpunkte unserer Kenntnisse vermag ich
eine bestimmte Lösung dieser Frage nicht zu geben. Ich möchte nur
hinzufügen, daß mir die Anschauung von ORTH, welcher diese Frage
für bestimmte Fälle bejaht, durchaus annehmbar erscheint, nämlich für
diejenigen Fälle, bei denen entweder Schädlichkeiten auf den Fötus eingewirkt haben, bevor im fötalen Organismus die morphologische Differenzierung der künftigen Keimzellen resp. Keimdrüsen von dem übrigen
Organismus stattgefunden, oder die allgemeine Entwickelungshemmung
nach der Differenzierung der Keimdrüsen auch diese selbst betroffen hat.

Indem wir hier alle Möglichkeiten, welche zu einer krankhaften,
erblich, d. h. durch die Keimesbeschaffenheit der Erzeuger bedingten
Veranlagung führen können, zu erläutern bemüht waren, könnte in
Ihnen sehr leicht die irrige Vorstellung erweckt werden, daß diese erblichen Faktoren einen allmächtigen Einfluß besitzen, der schließlich zu
einer krankhaften Veranlagung aller Individuen führen müßte. Glücklicherweise aber bietet die Natur in der geschlechtlichen Fortpflanzung
ein außerordentlich wirksames Schutzmittel dar. Von den Billionen
von Spermakernen, welche beim Zeugungsakt zur Verfügung stehen,
wird unter normalen Verhältnissen nur ein einziger zur Kopulation
verwandt. Von der großen Zahl der Eizellen, welche der mütterliche
Organismus während der Dauer der geschlechtlichen Thätigkeit zur
Ausreifung bringt, wird nur ein verschwindend geringer Teil befruchtet
werden. Es ist aber nicht anzunehmen, daß alle männlichen und weiblichen Geschlechtszellen eines Elters (männlichen oder weiblichen) durch
die früher erörterten Ursachen pathologisch verändert werden, es sei
denn, daß diese Schädlichkeiten durch lange Dauer oder abnorme
Intensität oder unmittelbare Einwirkung auf die Gesamtheit der keim-
produzierenden Zellen alle Keimstoffe krankhaft verändern würden.

Wir werden also mit der Annahme nicht fehlgehen, daß immer nur
ein Bruchteil der Geschlechtszellen den pathologischen Schädigungen
in dem Falle unterliegt, wenn eine Kopulation der Geschlechtskerne
stattfindet. Es müssen demnach bei der Befruchtung gerade solche

Keimkerne des väterlichen oder mütterlichen Elters vereinigt werden, welche eine pathologische Abänderung erfahren haben, um pathologische Aenderungen in der Keimanlage des neuen Individuums hervorzurufen. Und das wird meistens nicht die Regel, sondern die Ausnahme sein.

Setzen wir aber auch den Fall, daß ein pathologisch veränderter Geschlechtskern bei der Befruchtung beteiligt ist, so kann geradezu in dem Vorgang der Amphimixis eine Schutzvorrichtung gegen die schädliche Wirkung dieses unglücklichen Zufalls gelegen sein. Es können nämlich bei der Vereinigung des väterlichen und mütterlichen Geschlechtskerns gerade die Keimteile bei der „Keimplasmaverschmelzung" (infolge der Reduktionsteilung des Keromaterials der Keimzellen) ausgeschlossen sein, welche eine pathologische Veränderung erfahren haben, so daß bei der Befruchtung nur relativ gesundes Keimplasma verwandt wird. Das wird dann besonders eintreten können, wenn es sich um Partialschädigungen des väterlichen oder mütterlichen Keimplasmas handelt. Oder aber die Vermischung der väterlichen oder mütterlichen Keimplasmahälften führt überhaupt zu einer Abschwächung der pathologischen Abänderung, so daß in der neuen Keimesanlage dieselbe nicht mehr zur Wirkung gelangt, indem sie, um bildlich zu sprechen, durch die gesunden Keimteile des anderen Elters besiegt und überwunden wird. Ich will hier auf weitere Möglichkeiten nicht eingehen, durch welche die „reinigende Macht" der amphigonen Zeugung erklärt werden könnte. Jedenfalls halten Sie fest, daß die geschlechtliche Vermischung gesunder und krankhaft geschwächter Keimplasmen vielleicht den wesentlichsten Anteil an der Regeneration von Familien, in welchen Krankheitsanlagen heimisch geworden sind, besitzt.

Wir haben bis jetzt die Thatsache kennen gelernt, daß Krankheitsanlagen ererbt oder intrauterin entstanden sein können. Was bedeutet diese angeborene krankhafte Veranlagung, welchen Einfluß hat sie auf die künftige Entwickelung des Individuums? Wenn, wie wir gesehen haben, die neuropathische Veranlagung in einer allgemeinen Herabminderung der Leistungsfähigkeit des Nervensystems infolge scheinbar geringfügiger Entwickelungshemmungen besteht, so wird ihre Bedeutung unschwer klinisch zu definieren sein. Schädlichkeiten, denen die Gesamtheit der menschlichen Gesellschaft oder die Mitglieder einzelner Berufs- resp. Gesellschaftsklassen gleichmäßig ausgesetzt sind, werden bei neuropathisch veranlagten Individuen Geistes- und Nervenkrankheiten bedeutend häufiger herbeiführen.

Der Einfluß, den die neuropathische Veranlagung auf die individuelle Entwickelung ausübt, ist ein, wenn ich so sagen darf, mehr passiver; sie ruft nicht von sich aus irgend eine bestimmte Geistes- oder Nervenkrankheit hervor, sondern sie bedingt nur eine verminderte Widerstandskraft gegen krank machende Einwirkungen. Gerade die Schädlichkeiten, welche einen besonderen Einfluß auf unser Nervensystem ausüben, begünstigen den Ausbruch einer Nerven- oder Geisteskrankheit bei einem neuropathisch veranlagten Individuum.

Hier möchte ich Sie noch daran erinnern, daß neben der ererbten und intrauterin erworbenen neuropathischen Veranlagung noch eine dritte Gruppe besteht, welche die während des extrauterinen Individuallebens erworbenen konstitutionellen Schwächezustände des Nervensystems umfaßt. Man faßt dieselben am

besten unter der Bezeichnung: **e r w o r b e n e r n e u r o p a t h i s c h e r
Z u s t a n d** zusammen, da hier die Ausdrücke Belastung und Veranla-
gung nur zu Unklarheit über die den Zustand bedingenden ätiologischen
Momente führen.

Lassen Sie mich kurz wiederholen: Der Ausdruck **n e r v ö s e P r ä-
d i s p o s i t i o n** kennzeichnet ganz allgemein die Erfahrung der Neuropathologie, daß nervös disponierte, d. h. anatomisch und funktionell geschwächte Individuen leichter ausgeprägten Erkrankungen des Centralnervensystems (Geistes- und Nervenkrankheiten) unterliegen, als gesunde,
widerstandskräftige Naturen. Ist dieselbe angeboren, so sprechen wir
ganz allgemein von **n e u r o p a t h i s c h e r V e r a n l a g u n g**; die ererbte
Veranlagung wird noch besonders als **n e u r o p a t h i s c h e B e l a s t u n g**
bezeichnet. Die während des Einzellebens extrauterin erworbene neuropathische Disposition wird mit der Bezeichnung **e r w o r b e n e r n e u r o-
p a t h i s c h e r Z u s t a n d** belegt. Bei dieser Nomenklatur begegnet die
Einreihung der durch Keimesschädigungen entstandenen krankhaften
Veranlagungen gewissen Schwierigkeiten. Da sie aber die Keimzellen
vor der Kopulation betroffen haben, so sind sie vom Standpunkt des
neuropathisch veranlagten Individuums aus als ererbte zu betrachten.
Wenn ich Sie hierdurch zu einer strengeren begrifflichen Scheidung der
neuropathischen Dispositionen veranlasse, so geschieht dies aus der
Ueberzeugung, daß wir nur auf diesem Wege in die Lage versetzt
werden, die Bedeutsamkeit der ätiologisch verschiedenen Gruppen für die
Erblichkeitsfrage in ein klareres Licht zu stellen. Nach den früheren
Darlegungen ist es unzweifelhaft, daß Menschen, die mit einer neuropathischen **B e l a s t u n g** behaftet sind, wiederum Nachkommen haben
können, welche diese Belastung in gleichem oder, wie wir bald sehen
werden, erhöhtem Maße darbieten; neuropathisch **v e r a n l a g t e** Menschen, bei welchen eine erbliche Belastung auszuschließen ist, unterliegen bedeutend weniger der Gefahr, neuropathisch belastete Nachkommen zu haben; endlich werden die Nachkommen von Individuen,
welche auf Grund **e r w o r b e n e r** neuropathischer Zustände nerven-
resp. geisteskrank geworden sind, am wenigsten gefährdet sein, mit
einer erblichen Belastung geboren zu werden.

Diese Zergliederung kann unter Umständen eine erhebliche praktische Bedeutung gewinnen. Sie werden in Ihrer späteren ärztlichen
Wirksamkeit sehr häufig von Ihren Klienten befragt werden: Darf ich
heiraten, obgleich ich ein nervöser Mensch bin? oder: Darf ich meine
Tochter oder Sohn heiraten lassen, obgleich ich nervenleidend bin, oder
meine Frau es ist? oder endlich: Ist es bedenklich, daß mein Sohn
(Tochter) jene Dame (Herrn) heiratet, da einzelne ihrer (seiner)
Familienmitglieder nerven- oder geisteskrank sind? Was werden Sie
antworten? Das Laienpublikum ist heutzutage außerordentlich ängstlich.
Jedes Konversationslexikon, die Tagespresse, die illustrierten Wochen-
und Monatsschriften bringen Betrachtungen über die Erblichkeitsfrage;
in den Köpfen unseres gebildeten Laienpublikums haben diese populären
Darstellungen eine große Konfusion angerichtet. Die Erblichkeit steht
allen wie ein Schreckgespenst vor der Seele, und viele Eheschließungen
werden von der Beantwortung der Ihnen gestellten Fragen abhängen;
es liegt also das Schicksal manches jungen Paares in Ihrer Hand.

Im allgemeinen werden solche Fragen am besten dahin beantwortet,
daß bei dem heutigen Stande der wissenschaftlichen Forschung ein bestimmtes Urteil nicht abgegeben werden kann.

Die Berechtigung, eine bestimmte Antwort abzulehnen, ergiebt sich einesteils aus den recht schwankenden und unsicheren Unterlagen, die wir in der Mehrzahl der Fälle erlangen können. Auch habe ich selbst auf die Schwierigkeiten hingewiesen, die der richtigen Abschätzung der einzelnen in Frage kommenden Faktoren gerade bezüglich der Unterscheidung der ererbten und intrauterin erworbenen Prädisposition entgegenstehen. Es bleibt aber eine Reihe von Fällen übrig, in welchen eine bestimmtere Antwort geboten erscheint. Es sind dies diejenigen, wo wir ganz bestimmte sog. degenerative Krankheitserscheinungen vorfinden. Um Ihnen dies verständlich zu machen, muß ich noch kurz auf den weiteren Ausbau der Erblichkeitslehre eingeben, den die klinische Forschung bewerkstelligt hat.

Da nur Veranlagungen zu Geistes- und Nervenkrankheiten, nicht aber bestimmte Krankheiten erblich übertragbar sind, so ist es von vornherein einleuchtend, daß wir die mannigfachsten Neurosen und Psychosen in der Descendenz auf dem Boden der erblichen Belastung auftreten sehen. Hat nun einer der Erzeuger an einer bestimmten Nerven- oder Geisteskrankheit gelitten und tritt bei einem oder mehreren seiner Kinder die gleiche Krankheit auf, so spricht man von einer direkten und gleichartigen Vererbung.

Viel häufiger ist die zweite Form, die ungleichartige Vererbung. Sie erinnern sich aus der psychiatrischen Klinik, daß die Epilepsie des Vaters, die Hysterie der Mutter oder Trunksucht eines der Erzeuger u. a. m. in der nächsten Generation ganz andere und unter sich verschiedene Krankheitsfälle hervorrufen kann, falls mehrere Descendenten im Verlauf ihres Lebens psychisch oder nervös erkranken. Wir haben dort den Polymorphismus der erblichen Uebertragung genauer erörtert. Speciell hinsichtlich der erblichen Bedeutung des neuropathischen Zustandes und der ausgesprochenen Neurasthenie ist dieser Polymorphismus die Regel. Eine Einschränkung erfährt derselbe hier nur in den Fällen der degenerativen Vererbung, die wir nachher besprechen werden. Gerade die klinischen Erfahrungen über die ungleichartige Vererbung haben die Erkenntnis gezeigt, daß der Rahmen, innerhalb welches die verschiedenartigen Geistes- und Nervenkrankheiten hinsichtlich der erblichen Belastung einander gleichwertig vertreten können, sehr weit gezogen werden muß.

Wir wissen heutzutage, daß nicht bloß die vollentwickelten Geistes- und Nervenkrankheiten wie Hysterie, Epilepsie, Morbus Basedowii, Migräne, organische Rückenmarks- und Gehirnkrankheiten, sowie selbstverständlich alle Psychosen Glieder einer großen Krankheitsfamilie sind, sondern daß auch gewisse unfertige psychische und nervöse Krankheitszustände bei der Frage der erblichen Belastung die gleiche Wichtigkeit beanspruchen dürfen. So finden Sie in den Zählkarten, welche im ganzen Deutschen Reich hinsichtlich der Statistik der Irrenanstalten Geltung haben, in der Rubrik Abstammung die Frage verzeichnet: „Sind Geistes- oder Nervenkrankheiten, oder Trunksucht, oder Selbstmord, oder Verbrechen oder auffallende Charaktere und Talente vorgekommen?" Sie sehen: alle Abweichungen von der mittleren geistigen Entwickelung innerhalb einer Familie müssen berücksichtigt werden und zwar immer in doppelter Richtung: einmal werden Sie in der Nachkommenschaft nachweislich psychisch kranker Persönlichkeiten neben ausgeprägten Psycho- und Neuropathien diese rudimentären psychischen Abnormitäten oder unfertig entwickelte Neuropathien auffinden;

sodann aber werden Sie bei anderen Individualstammbäumen feststellen
können, daß die Nachkommenschaft eines mit einer unfertigen Psychose
oder Neurose behafteten Elters an den verschiedenartigsten ausgeprägten
Nerven- und Geisteskrankheiten leiden kann.

So wird es verständlich, daß, was wir schon in der Einleitung betont haben, die neuropathische Prädisposition die matrix
für die Entwickelung der verschiedenartigsten Nerven-
und Geisteskrankheiten darstellt; daß aus ihr einerseits während eines Individuallebens jede Neurose oder
Psychose hervorgehen kann und andererseits die Nachkommen neuropathischer und neurasthenischer Individuen den Keim für die mannigfaltigsten Nerven- und
Geisteskrankheiten bergen können.

Die Psychiatrie lehrt uns ferner, daß bei schwerer, d. h. einer
durch mehrere Generationen an verschiedenen Familienmitgliedern zu
Tage tretenden erblichen Belastung die Neurosen und Psychosen der
Descendenten schließlich eigenartige sog. degenerative Merkmale auf
geistigem und körperlichem Gebiete aufweisen. Wir sprechen dann von
erblich degenerativer Geistesstörung. Die Degenerationszeichen treten aber auch bei einzelnen Familienmitgliedern auf, ohne
daß eine vollentwickelte Psychose oder Neurose während der ganzen
Lebensdauer sich entwickelte. Die einfachste wohl auch dem Laien
verständliche Form der degenerativen Vererbung ist die geistige Entwickelungshemmung, die in den schwersten Formen als Idiotie, in ihren
mittleren Graden als Imbecillität und in ihren leichtesten als Debilität
bezeichnet wird. Sie werden in Ihrer späteren Thätigkeit manche
Neurastheniker finden, welche neben den klinischen Merkmalen dieser
Krankheit die deutlichen Zeichen einer geistigen Beschränktheit verraten, geistig dürftige Individuen, bei denen der scheinbar erworbene
funktionelle Schwächezustand die angeborene Debilität verschleiert. Sie
werden aber diesen Schleier, welcher über die thatsächlichen Grundlagen der Krankheit gebreitet ist, lüften müssen, wenn Sie Klarheit
über die Prognose des Falles haben wollen. Hier wird auch die Therapie nur wenig Erfolge bringen, da wir ja kein Mittel haben, die unfertige geistige Beschaffenheit, die auf einer Verkümmerung der Anlage
beruht, zu vervollkommnen.

Aber ebenso bedeutungsvoll sind andere Erscheinungen der erblichen Degeneration, welche den neuropathischen Zustand und die
Neurasthenie komplizieren. Die schwereren neuropathischen Angstaffekte, die Zwangsvorstellungen und andere Assoziationsstörungen
gehören sicher hierher, vor allem aber die ethischen Defekte, die
manchen Neurasthenikern anhaften. Auch wird Sie die frühzeitige Entwickelung der Neurasthenie entweder schon in den Kinderjahren oder
zur Zeit der Pubertätsreifung veranlassen müssen, genauer nachzuforschen, ob eine degenerative Veranlagung im Spiel ist. Ich will mich
hier mit diesen allgemeinen Bemerkungen begnügen, wir werden später
bei der Symptomatologie und bei der Schilderung des Krankheitsverlaufes die Fragen immer wieder berühren müssen. Doch bitte ich Sie,
sich den Satz schon hier einprägen zu wollen, daß wir mit Berücksichtigung der Lehren der erblichen Degeneration
berechtigt sind, von einfachen und degenerativen
neuropathischen und neurasthenischen Zuständen zu
sprechen.

— Lassen Sie mich noch hinzufügen, daß diese degenerative erbliche Belastung auch beschleunigt innerhalb zweier Generationen zustande kommen kann, wenn sowohl Vater wie Mutter an einem neuropathischen Zustande oder an Neurasthenie leiden. Diese **konvergierende Belastung** wird um so verhängnisvoller für die Nachkommenschaft, wenn das Elternpaar blutsverwandt ist. Hier treten schon aus scheinbar geringfügigen Anfängen von Nervenkrankheit bei den Eltern die schwersten degenerativen Psychosen und Neurosen bei einzelnen Nachkommen auf, wenn nicht die Natur — es möge mir ein teleologischer Ausdruck gestattet sein — einen Riegel vorschiebt, indem sich die Keimzellen der Erzeuger zur Kopulation nicht eignen, und so die Ehe kinderlos bleibt.

Gewisse klinische Erfahrungen der **progressiven degenerativen** Vererbung werden nur durch das Prinzip der **beschleunigten Vererbung** verständlich. Ich habe hier die Thatsache im Sinne, daß in erblich belasteten Familien nicht selten Fälle beobachtet werden, bei welchen ganz plötzlich in bestimmten Zeiten der Entwickelung, besonders bei der zweiten Dentition und dem Eintritt der Geschlechtsreife, ein **teilweiser oder völliger Stillstand der Entwickelung auf geistigem oder körperlichem Gebiete eintritt.** Die höheren Grade dieser vorzeitigen Beendigung der Weiterentwickelung werden die Veranlassung zu den weitgehendsten körperlichen und geistigen Verkümmerungen. Die leichten Grade bilden den Ausgangspunkt scheinbar erworbener neuropathischer Zustände; die Leistungsfähigkeit des Nervensystems beharrt auf einer bestimmten Größe. Alle Uebung und Anstrengung bringt keinen neuen geistigen Erwerb, keine funktionelle Mehrleistung. Im Gegenteil ist der vorhandene Arbeitsvorrat den gesteigerten Anforderungen nicht mehr gewachsen. Das Individuum verfällt der Dauerermüdung und Erschöpfung.

Jetzt werden Sie hier in der Lage sein, die Bedeutung der erblichen Belastung bei Ihren Ratschlägen in Rechnung zu ziehen. Haben Sie bestimmte Anhaltspunkte, daß eines der Verlobten oder der Eltern ausgeprägte degenerative Merkmale auf psychischem und körperlichem Gebiete gleichzeitig aufweist, so werden Sie der Heirat widerraten. Dies werden Sie mit besonderem Nachdruck dann thun müssen, wenn eine konvergente, erblich degenerative Belastung vorliegt.

Wir haben bis jetzt hauptsächlich nur von den krankhaften Veranlagungen gesprochen. Dieselben stellen noch keine bestimmte Krankheit im klinischen Sinne dar; sie sind, wie Sie sich erinnern, nur der Boden, auf welchem Geistes- und Nervenkrankheiten erwachsen. Ob überhaupt und in welcher Richtung dieses Wachstum erfolgt, welche bestimmte klinische Krankheitsform aus dieser pathologischen Disposition herauswächst, ist teils von individuellen Eigentümlichkeiten, teils von äußeren Ursachen abhängig. Die ersteren sind kaum bestimmbar; man kann die Vermutung aussprechen, daß die gesamten geistigen (auch Temperament und Charakter) und körperlichen Anlagen, welche bei der Vermischung der Ahnenplasmen beider Eltern auf das neue Individuum überkommen sind, den maßgebendsten Einfluß besitzen auf die Entwickelung dieser oder jener bestimmten Form einer Nerven- resp. Geisteskrankheit. Der pathologischen Disposition wird dann nur die Aufgabe zufallen, das Individuum für die Entwickelung dieser bestimmten Krankheit empfänglicher zu machen. Oder man kann, worauf schon einmal hingewiesen wurde, die Hauptrolle dem „Kampf der Ide" während der Ontogenese zuerkennen; das Ergebnis dieses Kampfes drückt sich dann in der Neigung aus, auf dem Boden der neuropathischen Disposition von einer bestimmten Krankheit befallen zu werden. Mehr werden wir über die so dunklen Fragen nicht sagen können.

Leichter übersehbar sind die äußeren Ursachen, doch sind wir auch hier nicht in der Lage, mit einiger Sicherheit sagen zu können, daß diese oder jene Schädigung vorwaltend diese oder jene Krankheit hervorrufe. Wir können also des vorhin ausgesprochenen Gedankengangs nicht entraten, daß neben diesen äußeren Ursachen eine Reihe von inneren Faktoren wirksam ist, welche die Entwickelungsrichtung einer Krankheit bestimmen. Insbesondere aber spricht der Umstand, daß die krankhafte Prädisposition bei einzelnen Individuen unter bestimmten günstigen Lebensbedingungen überhaupt nicht weiter hervortritt, den Lebensgang nicht stört, die Leistungsfähigkeit kaum beeinträchtigt, ja sogar durch rationelle Lebensführung und Uebung der vorhandenen Kräfte völlig überwunden wird, dafür, daß die Anlage allein nicht als Krankheit betrachtet werden darf, und auch nicht aus sich allein krankhafte Erscheinungen zeitigen muß.

Bevor wir auf die Schilderung der einzelnen Schädlichkeiten eingehen, wird es nützlich sein, uns über die allen gemeinsame Einwirkung auf das Nervensystem Rechenschaft zu geben. Wir werden hier direkt anknüpfen können an die Erörterungen, welche die allgemeine Pathologie und Pathogenese der Neurasthenie betreffen Wir haben dort kennen gelernt, daß die Krankheitsvorgänge auf eine eigenartige funktionelle Schwächung zurückgeführt werden müssen, deren charakteristisches Merkmal die rasche Erschöpfbarkeit und die unvollkommene Restitutionsfähigkeit der potenziellen Energien (Arbeitsvorräte) ist. Es wurde schon dort darauf hingewiesen, daß diese pathologischen Grundphänomene auf einer tiefgreifenden Störung der Ernährungsvorgänge beruhen müssen.

Die allgemeine Aetiologie hat nun die Aufgabe, zu ergründen, welche Ursachen diese Grundphänomene bedingen. Ein Teil dieser Aufgabe ist schon durch die vorstehenden Ausführungen über die Entstehung von Prädispositionen gelöst worden. Dieselben haben uns dahin belehrt, daß eine fehlerhafte Beschaffenheit der bei der Zeugung zur Verwendung kommenden keimplasmatischen Bestandteile, sei dieselbe auf frühere Generationen im Sinne einer erblichen Uebertragung zurückzuführen oder durch Keimesschädigungen hervorgerufen, die Anlage und das Wachstum des erzeugten Individuums in verschiedenartigster Weise schädigend beeinflussen kann. Wir haben ferner angenommen, daß auch intrauterin wirkende Schädlichkeiten, welche die fötale Entwickelung des Gesamtorganismus oder einzelner Organteile stören, einen gleichen Effekt besitzen.

Der klinische Ausdruck für diese innerhalb weiter Grenzen schwankenden Einwirkungen auf den fötalen Organismus ist die Entwickelungshemmung. Die leichtesten Grade derselben, bei welchen die Lebensfähigkeit der Frucht in keiner Weise gestört erscheint, oder einzelne Organsysteme in ihrer gröberen anatomischen Gestaltung keinen Schaden erlitten haben, führen zu den angeborenen entweder allgemein konstitutionellen oder speciell neuropathischen Dispositionen. Für diese Fälle werden die Krankheitsvorgänge direkt auf eine verringerte Widerstandskraft, auf eine, wenn ich so sagen darf, molekuläre Minderwertigkeit des Nervensystems zurückzuführen sein.

Es ist natürlich unmöglich, für jede einzelne Geistes- und Nervenkrankheit die pathogenetische Bedeutung dieses kongenitalen Schwächezustandes festzustellen, oder nur den Versuch zu wagen, die specifischen Krankheitsäußerungen mit bestimmten Molekularschädigungen in Beziehung zu setzen. Für die Neurasthenie liegen aber die Verhältnisse etwas einfacher. Die obengenannten Grundphänomene der Neurasthenie lassen sich geradezu als eine allgemeine Erscheinungsform solcher kongenitaler Molekularschädigungen bezeichnen. Dieselben bestehen eben darin, daß jede stärkere Inanspruchnahme aller oder einzelner Nervenmechanismen unmöglich wird, weil für eine erhöhte oder länger dauernde Arbeitsleistung der Arbeitsvorrat, die potenziellen Energien, nicht vorhanden sind. Der Kraftvorrat ist binnen kurzem erschöpft, die Restitution verlangsamt und die pathologische Ermüdung tritt in ihr Recht.

Bei der Neurasthenie treten die Erschöpfungszustände auf Grund kongenitaler Schwäche der nervösen Leistungsfähigkeit mit größter Klarheit zu Tage. Je geringfügiger der Entwickelungsdefekt, desto intensiver und länger dauernd werden erschöpfende Einflüsse wirksam sein müssen, um das Nervensystem in seiner Gesamtleistung so herabzumindern, daß jene Grundphänomene der gesamten Arbeitsleistung oder einzelnen funktionellen Vorgängen das eigenartige Gepräge der Neurasthenie verleihen. Thatsächlich finden wir, daß eine kongenitale Veranlagung zu konstitutionellen Neurasthenien noch nicht einmal bei der Hälfte der neurasthenischen Patienten sich nachweisen läßt. Bei den klinisch behandelten Kranken fanden wir 49 Proz. der männlichen und 35,5 Proz. der weiblichen Patienten erblich belastet. Rechnen Sie noch einen gewissen Bruchteil kongenitaler Schwächezustande auf Grund intrauterin einwirkender Schädlichkeiten hinzu, so bleibt immer noch ein erheblicher Prozentsatz übrig, bei welchem wir diese ätiologischen Momente für das Zustandekommen neuropathischer Konstitutionen und ausgeprägter Neurasthenien geradezu ausschließen dürfen. Es geht daraus hervor, daß während des individuellen extrauterinen Lebens hinreichend schädigende Ursachen auf den Kulturmenschen einwirken, um für sich allein jene Dauerermüdungs- resp. Erschöpfungszustände des Centralnervensystems hervorzubringen.

Es erübrigt noch der ätiologischen Beziehungen zwischen den erworbenen neuropathischen Zuständen und örtlichen Erkrankungen zu gedenken: Wir werden nicht selten nachweisen können, daß anfänglich krankhafte Reize, z. B. Verletzungen, Entzündungen, Neubildungen u. s. w. nur lokale, auf das Nervengebiet der erkrankten Körperregion beschränkte Wirkungen, in der Form von lokalisierten Störungen der Sensibilität, Motilität, Reflexerregbarkeit u. s. w. ausgeübt haben. Erst nach mehr oder weniger langem Bestehen des Leidens treten dann Innervationsstörungen in anderen Körpergebieten auf, die zum Teil als pathologische Irradiationen des ursprünglichen auslösenden Reizes ihre Erklärung finden, zum Teil aber als neue gewissermaßen selbständige und scheinbar mit der ursprünglichen lokalen Erkrankung außer Zusammenhang stehende Krankheitsvorgänge aufzufassen sind.

Um diese sekundären Krankheitserscheinungen in genetischen Zusammenhang mit der ursprünglichen Krankheitsursache zu bringen, bedarf es nur eines kurzen Hinweises auf die früher geschilderten intercentralen Vorgänge, welche durch Reize von abnormer Intensität oder abnormer Dauer der Einwirkung hervorgerufen werden.

Es wird unausbleiblich sein, daß unter dem Einflusse dieser Reizungen Zustandsänderungen in den centralen Nervenapparaten allmählich hervorgerufen werden können, welche zu ausgebreiteten pathologischen Reaktionen führen. Dabei ist freilich die Voraussetzung notwendig, daß diese Zustandsänderungen nicht auf die ersten centralen Endstationen der durch die periphere Erkrankung betroffenen Nervenbahnen beschränkt bleiben, sondern bei längerem Bestande des peripheren Krankheitsherdes diese pathologischen Erregbarkeitsveränderungen sich weithin über andere anatomisch und funktionell über- und untergeordnete Nervenmechanismen sich erstrecken, sofern dieselben unter einander associativ verknüpft sind.

Diese Anschauung stößt aber auf keine Schwierigkeiten, wenn wir uns die neuerdings gewonnenen Erfahrungen über den wunderbaren anatomischen Aufbau des Centralnervensystems vergegenwärtigen. Unter dem Einfluß jener pathologischen Reizungen werden eben eine immer größere Zahl von Collateralen, von Strang- und Comissurenzellen der centralen Nervensubstanz abnormen Erregbarkeitsbedingungen unter-worfen. Wie Ihnen die Beobachtung am Krankenbett lehrt, kann nach längerem Bestehen der Krankheit ihr ursprünglicher Herd durch geeignete örtliche Behandlung zur Heilung gebracht werden, ohne daß dadurch die sekundär entwickelten nervösen Krankheitszustände eine wesentliche Beeinflussung erfahren. Diese haben im Laufe der Zeit, wie ich schon vorstehend erwähnt habe, eine gewisse Selbständigkeit erlangt, oder mit anderen Worten, die ihnen zu Grunde liegenden Zustandsänderungen nervöser Centralapparate können noch fortbestehen, nachdem die auslösenden Momente völlig weggefallen sind.

Ich lege Ihnen diesen der Krankenbeobachtung entnommenen Grundgedanken ganz besonders ans Herz, da derselbe Ihnen das Scheitern mancher trügerischer Hoffnungen und Erwartungen auf therapeutischem Gebiet zu erklären vermag. Nicht selten werden Sie aber bei genauerer Nachforschung herausfinden, daß dieser genetische Zusammenhang zwischen allgemeiner Neurasthenie und der ursprünglichen lokalen Erkrankung sehr viel komplizierter ist, als die ersten Angaben des Patienten vermuten ließen. Sie werden finden, daß verschiedenartige andere ursächliche Momente zum mindesten eine ebenso große Bedeutung bei der Entwickelung des allgemeinen Krankheitszustandes beanspruchen müssen, als das in dem Vordergrund der Krankenbeobachtung stehende örtliche Leiden.

Es kann dann irgend ein örtliches Leiden infolge der abnormen funktionellen Beschaffenheit der nervösen Centralorgane einen weit über die Bedeutsamkeit der örtlichen Krankheit hinausragenden Einfluß gewinnen. Hier findet der pathologische Reiz einen, wenn ich eine sehr gebräuchliche Metapher verwenden darf, fruchtbaren Nährboden für die Entwickelung und weitere Ausbreitung von Innervationsstörungen.

Lassen Sie uns nun noch einige allgemeine prädisponierende Ursachen des erworbenen neuropathischen Zustandes und der Neurasthenie betrachten.

Man hat Klima- und Temperatureinflüsse herangezogen, um die Häufigkeit der Nerven- und Geisteskrankheiten bestimmter Völker zu erklären. So hat man z. B. das neblige und feuchte Klima Englands beschuldigt, daß es diese Krankheiten begünstige. BEARD glaubt, daß alle Formen von Nervenkrankheiten, organische und funktionelle, häufiger in den gemäßigten als in den extrem heißen oder extrem kalten Zonen vorkommen, und hält bestimmte Teile der östlichen und westlichen Halbkugel für die Entwickelung von Nervenkrankheiten besonders geeignet (Deutschland, England, den nördlichen Teil Frankreichs in Europa, den Norden der vereinigten Staaten in Amerika). Man wird diesen Angaben eine gewisse Berechtigung nicht absprechen können, es ist jedoch unmöglich festzustellen, welchen Anteil das Klima resp. die Temperatur neben anderen, die Bewohner dieser Gegenden treffenden Schädlichkeiten an der relativen Häufigkeit dieser Erkrankungen besitzt.

Was das G e s c h l e c h t betrifft, so ist bei unseren sozialen Lebensbedingungen der Mann viel häufiger den Schädlichkeiten ausgesetzt, welche die Neurasthenie bedingen können. Man wird deshalb erworbene neuropathische Zustände auf Grund dieser Schädlichkeiten häufiger beim männlichen als beim weiblichen Geschlecht finden. Wird aber die Frau den gleichen Daseinsbedingungen ausgesetzt, so unterliegt sie den gleichen Gefahren im Kampf ums Dasein. Das lehrt die Häufigkeit der Neurasthenie bei Lehrerinnen, weiblichen Angestellten im Post- und Telegraphendienst und in kaufmännischen Geschäften, sowie bei Künstlerinnen. Aber auch abgesehen von diesen besonderen Berufsklassen, finden wir noch eine hinreichend große Zahl von weiblichen Neurasthenien. Die Geschlechtsthätigkeit der Frau, gehäufte Schwangerschaft, schwere, mit starkem Blutverlust verknüpfte Geburten, die Laktation u. s. w. bieten genugsam Momente dar, um hochgradige Erschöpfungszustände herbeizuführen.

Nach meinen Erfahrungen kommt die Neurasthenie bei beiden Geschlechtern fast gleich oft vor. Wir müssen uns freilich daran gewöhnen, den Begriff der Neurasthenie und Hysterie schärfer zu fassen und letzterer Krankheit nur die Fälle zuweisen, welche die typischen psychischen und somatischen Merkmale der Hysterie unzweideutig erkennen lassen. Es besteht noch vielerorts sowohl bei Aerzten als auch bei Laien die üble Gewohnheit, alle funktionellen Nervenleiden des weiblichen Geschlechts unter dem bequemen Sammelnamen der Hysterie zusammenzufassen.

Die unglückselige Menschenklasse der Prostituierten in großen Städten weist neben der Hysterie zahlreiche Fälle von Neurasthenie auf. Hier wirken die psychischen und somatischen Schädlichkeiten, Alkohol und sexuelle Excesse als Ursachen zusammen. Doch dürfen wir nicht vergessen, daß unter den Prostituierten sich eine große Zahl hereditärer Defektmenschen vorfindet.

Um endlich auch noch das L e b e n s a l t e r in Betracht zu ziehen, so ist zu sagen, daß bei erblich belasteten und konstitutionell veranlagten Individuen, wie schon erwähnt, bestimmte Etappen der körperlichen und geistigen Entwickelung außerordentlich ungünstig auf das Nervensystem wirken. Aber auch geistig und körperlich gesunde Menschen sind in gewissen Lebensabschnitten mehr gefährdet, neuropathisch resp. neurasthenisch zu werden. Noch wichtiger als die Pubertätsentwickelung, während welcher gesteigerte Anforderungen an die körperliche Entwickelung gestellt werden, ist die Altersperiode zwischen dem 20. und 30. Lebensjahre, in welcher unsere geistigen und körperlichen Kräfte am intensivsten für die Erringung einer eigenen Existenz zur Leistung herangezogen werden müssen. Aber auch in der Zeit des reifen Mannesalters (30.—40. Lebensjahr) findet der Ausbruch des Leidens sehr häufig statt, weil in dieser Zeit sehr oft emotive Schädlichkeiten, durch Familienunglück, materielle Verluste u. s. w. verursacht, auf das Nervensystem einwirken. Das folgende Jahrzehnt birgt andere Gefahren. Hier zeigen sich gerade in den Gesellschaftsklassen, welche infolge ihrer Lebensbedingungen und ihres Berufes der Neurasthenie besonders ausgesetzt sind, vorzeitige Alterserscheinungen, Insufizienz der Herzthätigkeit, Arteriosklerose, Abnahme der geistigen Spannkraft, verringertes Schlafvermögen. Die Statistik von HÖSSLIN zeigt, daß unter 828 Neurasthenikern 83 Proz. im Alter von 20 bis 50 Jahren standen. Meine eigenen Erfahrungen lehren, daß unter 131 Fällen, bei welchen der Zeitpunkt der Erkrankung genau festgestellt werden konnte, die Krankheit bei 4 Kranken im 1., bei 46 Kranken im 2., bei 43 Kranken im 3., bei 32 Kranken im 4., bei 3 Kranken im 5., bei 2 Kranken im 6., bei 1 Kranken im 7. Decennium begonnen hat. Nach dem 60. Lebensjahr ist also der Ausbruch des Leidens nur selten zu beobachten. Dann handelt es sich um senile Involutionserkrankungen mit nervösen und psychischen Ermüdungserscheinungen, welche von den anatomisch begründeten Alterserkrankungen, besonders den Fällen beginnender seniler Demenz, sehr schwer zu trennen sind. Doch giebt es auch hier unzweifelhaft Fälle, welche die typischen Erscheinungen der Neurasthenie ohne jegliche Anzeichen organischer Erkrankung des Nervensystems und ohne Ausfallssymptome (geistige Schwäche) aufweisen.

Bezüglich der Rasse als ätiologischer Faktor läßt sich folgendes konstatieren:

Neben den Amerikanern sollen besonders die slavischen Völker den größten Prozentsatz von Neurasthenikern aufweisen. Es beruhen solche Angaben aber weniger auf genauen, umfassenden statistischen Erhebungen, als auf den persönlichen und demgemäß enger begrenzten Erfahrungen einzelner Beobachter. Durchmustern wir ferner die einschlägige französische und deutsche Litteratur, so finden wir übereinstimmend der Thatsache Erwähnung gethan, daß innerhalb der europäischen Kulturvölker die jüdischen Einwohner verhältnismäßig das größte Kontingent der Neurastheniker stellen. Man wird es aber auch hier nicht mit einer Rasseneigentümlichkeit zu thun haben, sondern die Thatsache aus anderen Ursachen erklären müssen. Als solche sind hervorzuheben: das Mißverhältnis zwischen körperlicher Entwickelung resp. Uebung und rastloser geistiger Arbeit, die fast unvermittelte Umwandlung der Lebensbedingungen in den letztvergangenen Jahrzehnten nach Aufhebung aller gesetzlichen Beschränkungen ihrer individuellen Bethätigung, sowie der verderbliche Einfluß, welchen rasch erworbener Reichtum auf die Erziehung und Lebensgewohnheiten der jetzigen Generation ausgeübt hat. Auch die gehäuften Verwandtenehen wirken unter diesen Umständen verderblich.

M. H.! Die konstitutionelle Neuropathie samt ihren einfacheren und komplizierteren Tochterkrankheiten hat im Lauf der letzten Jahrzehnte eine erhebliche Zunahme erfahren. Es ist nicht möglich, diese fast allgemein giltige Anschauung durch genaue statistische Zahlenangaben zu beweisen. Wir können nur die zunehmende Häufigkeit der Psychosen und Neurosen aus den fachwissenschaftlichen Publikationen, aus der Zunahme von Nerven- und Irrenanstalten, besonders aber aus den allgemeinen Klagen der modernen Gesellschaft über Nervosität resp. nervöse Erschöpfung schließen.

Man hat speciell die Neurasthenie als eine durchaus moderne Krankheit bezeichnet, und BEARD, dem wir zuerst eine übersichtliche Darstellung derselben verdanken, glaubte, daß er eine neue speciell auf amerikanischem Boden erwachsene Nervenkrankheit entdeckt habe. Diese Annahme war natürlich eine irrige; wohl aber kennzeichnet die Thatsache, daß zuerst ein a m e r i k a n i s c h e r Arzt die eigenartigen Züge dieser Krankheit auf Grund einer reichen Erfahrung erfassen und fest-halten konnte, die nahen Beziehungen, welche das moderne Leben, das ungezügelte Hasten und Jagen nach Geld und Besitz, die ungeheuren Fortschritte auf technischem Gebiete, welche alle zeitlichen und räum-lichen Hindernisse des Verkehrslebens illusorisch gemacht haben, zu dieser Krankheit aufweisen. Die modernen Daseinsbedingungen erfor-dern ein erhebliches Maß von Leistungsfähigkeit, so daß nur völlig ge-sunde Naturen von den Kulturschädigungen verschont bleiben und auch nur dann, wenn Arbeit und Erholung sich die Wage halten. Auch der Stärkste unterliegt, wenn er, pochend auf Kraft und Gesundheit, die Forderungen der Natur vernachlässigt. Ein gewisses Maß von Er-müdung ist eine unausbleibliche Folge jeglicher Berufsthätigkeit; sie hält sich in physiologischen Grenzen, solange die Erholungszeiten, die jährlich wiederkehrende Ferienreise Körper und Geist wieder rüstig macht für die Pflichten des Lebens. Treten aber unvorhergesehene und unberechenbare Zwischenfälle auf oder mehren sich die Anforderungen ins Ungemessene, wird dauernder Nachtschlaf geopfert, dem gehetzten Körper und Geist jede Ruhepause versagt, so führt auch für den ge-sunden, d. h. nicht belasteten und veranlagten Menschen die Ueber-bürdung mit Arbeit und aufreibendem Genuß den Zusammenbruch der Leistungsfähigkeit herbei; es entwickelt sich der neuropathische Zustand und im weiteren Verlaufe die ausgeprägte Neurasthenie. Man könnte geradezu aus der unleugbaren Zunahme dieser Krankheitsfälle bei be-stimmten Völkern, in bestimmten Schichten der Gesellschaft oder zu bestimmten Zeitepochen einen Rückschluß auf gewisse schädliche Daseinsbedingungen jener Zeit oder jener Berufsarten ziehen.

Von ähnlichen Erwägungen ausgehend, hat man gewisse Kultur-krankheiten, die sich vornehmlich in Sittenlosigkeit, Ueppigkeit, Pracht und Verschwendung und wollüstiger Grausamkeit kundgaben, mit der Neurasthenie auf eine Stufe gestellt, ja sogar besonders hervorragende typische weltgeschichtliche Persönlichkeiten aus der Niedergangsepoche eines Volkes als Neurastheniker bezeichnen wollen. Es ist das ein Miß-griff, der auf einer Verwechslung degenerativer Psychopathien mit der Neurasthenie beruht. Ebenso unstatthaft ist es, wenn der Krankheits-begriff der Neurasthenie zur Unterlage scheinbar geistreicher, doch völlig unfruchtbarer litterarhistorischer und psychologischer Spekula-lationen herangezogen wird. So ist z. B., wie Sie vielleicht gelesen haben, Shakespeare's Hamlet zum Neurastheniker gestempelt worden.

---

3. Vorlesung.

M. H.! Welche Schädlichkeiten besitzen nun die Wirksamkeit, die schlummernden Krankheitsanlagen, von denen wir in der letzten Vorlesung gesprochen haben, zur Entwickelung zu bringen?

Man teilt dieselben am besten in psychische und somatische Schädlichkeiten. Die ersteren spielen bei der Entwickelung der Neurasthenie die Hauptrolle. Und zwar sind es gerade gewisse allgemein wirkende, uns alle fast gleichmäßig betreffende und in unseren ganzen sozialen und kulturellen Verhältnissen gelegene Schädlichkeiten, welche einerseits neuropathisch belastete und neuropathisch veranlagte Menschen neurasthenisch machen, andererseits bei einer unverhältnismäßigen Häufung und langen Dauer der schädigenden Einwirkungen neuropathische Zustände bei vorher Gesunden hervorrufen. Im letzteren Falle bedarf es dann nur noch irgend welcher Gelegenheitsursachen, um den neuropathischen Zustand in eine ausgeprägte Krankheit überzuführen.

Die psychischen Schädlichkeiten zerfallen in gemütliche (affektive) Erschütterungen und intellektuelle Ueberanstrengungen.

Der Einfluß der Affektvorgänge auf unser geistiges und körperliches Wohlbefinden ist allgemein bekannt; ich brauche Sie bloß auf Ihre Erfahrungen, die Sie an sich und anderen innerhalb der physiologischen Breite machen konnten, hinzuweisen, um Ihnen diesen Einfluß, den unsere Gefühle, unsere Stimmung auf unser gesamtes Denken und Handeln, unseren Schlaf und Ernährung ausüben, vor Augen zu führen.

Plötzliche Affektsschwankungen, die wir als Gemütserschütterungen zu bezeichnen pflegen (Schreck, Zorn, Furcht, aber auch übermäßige Freude), besitzen eine auch äußerlich sichtbare Wirkung auf unsere cirkulatorischen, respiratorischen, sekretorischen und motorischen Vorgänge, sowohl im bahnenden als auch im hemmenden Sinne.

Bitte, lesen Sie die drastische Schilderung im Simplicissimus, in welcher die unangenehmen Folgeerscheinungen der Angst der Tapferen aus dem 30-jährigen Kriege beim Beginn der Schlacht veranschaulicht sind, und Sie werden finden, daß auch das Nervensystem unserer Altvordern gegen solche Einflüsse nicht gestählter war, als unser modernes.

Viel weniger gewürdigt hinsichtlich ihres schädigenden Einflusses werden die langsam wirkenden und länger andauernden gemütlichen Erregungen, die wir als deprimierende Affekte zusammenfassen; Kummer, Sorge, Gram, Aerger, Verbitterung, Not, Heimweh u. s. w. sind die Repräsentanten dieser chronischen Gemütsbewegungen. Und doch muß gerade diesen emotiven Schädlichkeiten eine hohe Bedeu-

tung bei dem Zustandekommen der Neurasthenie zuerkannt werden. Sie
sind die notwendigen Attribute des gesteigerten Kampfes ums Dasein,
dem jeder heute unterworfen ist. Wohl dem, welchem die Mutter Natur
eine „starke Seele" verliehen hat, wer im tosenden Streite der Meinungen,
im heißen Ringen um Existenz, um bürgerliche und berufliche Stellung,
im Streben nach Wissen und Erkenntnis ruhig und sicher und unberührt
bleibt von dem verheerenden Einfluß, welchen nagende Sorge oder tiefe
Verbitterung oder quälende Angst auf seine geistige Spannkraft ausüben kann! Das sind die Helden, nicht jene gewaltthätigen, brutalen
Kraftmenschen von NIETZSCHE, bei denen im Gegenteil das Uebermaß
von Lust- und Unlustgefühlen die That bestimmt. Die überwiegende
Mehrzahl der Menschen freilich gehört nicht zu diesem Heldengeschlecht;
die Gunst oder Ungunst der Verhältnisse, der Beruf, die Lebensstellung,
vor allem aber die Erziehung wird maßgebend sein, ob diese Schädlichkeiten in höherem oder geringerem Grade auf uns einen verderblichen Einfluß gewinnen.

Auf neuropathisch belastete oder veranlagte Menschen üben sie oft
den mächtigsten Einfluß aus. Es ist naturgemäß nicht möglich, die von
allen neueren Bearbeitern der Neurasthenie einmütig hervorgehobene
Bedeutsamkeit dieser Krankheitsursache ziffermäßig darzuthun. Dem
steht die einfache Erwägung entgegen, daß für die Entwickelung dieser
Krankheit fast durchwegs nicht nur ein einziges, sondern mehrere ursächliche Momente bei genauer Erhebung der Anamnese verantwortlich
gemacht werden können.

Aber nicht nur die mit dem Kampf ums Dasein verknüpften Gemütsbewegungen erschüttern den sozialen Organismus bis in seine
Tiefen, sondern fast ebensosehr bringen die modernen „Genüsse"
die intensivsten und schädlichsten Schwankungen unserer Affekte hervor.
Litteratur, bildende Kunst und Musik wetteifern heutzutage in dem
Bestreben, unser Gemüt auf das Tiefste zu bewegen. Nicht genug, daß
schon das eigene Ringen und das Mitgefühl mit den wirklich vorhandenen Sorgen, Schäden und Gebrechen der modernen Gesellschaft uns
unaufhörlich gemütlich bewegen muß! Die modernen Kunstrichtungen
sind in ihren Auswüchsen bestrebt, Phantasie und Gemüt noch mehr
zu stacheln. Statt uns einen beruhigenden und besänftigenden Kunst-
genuß zu bereiten, der die Erregung der Tagesarbeit harmonisch aus-
klingen läßt, vollbringen sie wahre Akrobatenkünste, um durch be-
rauschende Tonmalerei, durch grelle, mißtönige Farbengebung oder
grotteske, erotisch-phantastische Schilderung der menschlichen Schwächen
und des menschlichen Elends auf allen Gebieten des Daseins uns die
Stunden der Erholung zu vergiften. Freilich sind die Jünger dieser
„wahren Kunst" fast durchwegs die Prototypen der Neurasthenie. Ihre
eigene gemütliche Beschaffenheit drückt ihren Werken den Stempel auf.

Gerade die neuropathisch belasteten und veranlagten Menschen
der heutigen Jugend, unreife Jünglinge und „nervöse" Fräulein,
nähren sich mit Vorliebe von dieser geistigen Speise. Wir Aerzte
werden künftighin in erster Linie berufen sein, in der Familie und
in der Schule, im öffentlichen Volksleben und in den Volksvertre-
tungen das Wort zu erheben, um die Abkehr von diesen Irrwegen
herbeizuführen.

Eine zweite Gruppe von Schädlichkeiten sind die intellektuellen Ueberanstrengungen. Auch hier begegnen wir Schädi-

gungen, welche fast untrennbar mit unserer Kulturentwickelung verknüpft sind, und die aus diesem Grunde wiederum die Gesamtheit oder wenigstens breite Schichten der Gesellschaft fast gleichmäßig berühren. Es wird schwer zu entscheiden sein, ob in dem Uebermaß affektiver oder intellektueller Bethätigung ein größerer Nachteil für die geistige und körperliche Gesundheit zu suchen sei. Die Frage wird schon aus dem Grunde kaum gelöst werden können, weil beide Reihen von Schädlichkeiten in vielen Fällen annähernd gleichmäßig zusammenwirken.

Als allgemeine Erfahrungsthatsache darf der Umstand bezeichnet werden, daß alle diejenigen Individuen leichter der Neurasthenie unterliegen, welche mit geistiger Arbeit einseitig belastet sind. Besonders in den Kreisen der Hirnarbeiter finden Sie die erworbenen neuropathischen Zustände.

Man hat vielfach versucht, die ersten Anfänge dieser geistigen Ueberanstrengung in die Schulzeit zu verlegen. Besonders unseren Gymnasien ist der Vorwurf gemacht worden, daß sie das jugendliche Gehirn überbürden. Es würde durch eine Unsumme von Gedächtnisstoff überfüttert und durch übermäßige Anforderungen an die selbstständige Denkarbeit infolge fehlerhafter pädagogischer Leitung des Unterrichts und der häuslichen Arbeiten schon in den Zeiten körperlicher und geistiger Entwickelung einer in manchen Fällen nicht mehr ausgleichbaren Abnutzung anheimgeliefert. Es sind das schwere Vorwürfe; ich glaube aber, daß dieselben nur zum geringsten Teile die Lehrer oder die herrschende Lehrmethode treffen, sondern daß sie vielmehr dem Mißverhältnis zur Last fallen, welches zwischen den Anforderungen an eine mittlere allgemeine Bildungsstufe und den thatsächlichen geistigen Kräften der Mehrzahl der Schüler besteht. Die Summe von Ansprüchen, die an die Leistungsfähigkeit der Gymnasien gestellt werden, ist im Laufe der letzten Jahrzehnte besonders unter dem Einflusse der gewaltigen Fortschritte der Naturwissenschaften in viel erheblicherem Maße gewachsen, als die mittlere Leistungsfähigkeit des Geistes durch eine verfeinerte Unterrichtsmethodik d. i. zweckmäßigere Uebung der Verstandeskräfte gesteigert werden kann. Man ist gegenwärtig bemüht, diese Schäden zu beseitigen, die Unterrichtspläne von allem überflüssigen Ballast zu befreien, vor allem aber durch eine rationelle Uebung der körperlichen Kräfte ein Gegengewicht gegen die einseitige Anstrengung des Geistes zu schaffen.

Es würde uns hier zu weit führen, wenn wir einerseits die der Schule gemachten Vorwürfe, andererseits die verschiedenen Vorschläge zur Heilung der Schäden eingehender erörtern wollten. Ich möchte nur persönlich meine Meinung dahin aussprechen, daß weniger der Schule, als den gesamten Lebensverhältnissen ein Verschulden an den vorhandenen Mißständen zugemessen werden darf, soweit überhaupt von Schuld die Rede sein kann, und daß demgemäß auch die Abhilfe weniger in Aenderungen der Schulpläne als in der Abänderung der Lebensbedingungen unserer Gymnasiasten gesucht werden muß.

Unsere heranwachsende Jugend, besonders diejenige der sog. gebildeten Gesellschaftsklassen in größeren Städten, unterliegt den gleichen schädigenden Einflüssen, welche die Gesamtheit treffen. Sie

sind nur wirksamer, weil sie auf das jugendliche Gehirn einstürmen. Nicht die Anforderungen der Schule, sondern die mannigfachen zerstreuenden, den Intellekt und das Gemüt erregenden Einwirkungen des städtischen Lebens tragen die Hauptschuld an der
Ueberbürdung des jugendlichen Gehirns.

Ich glaube, man muß noch weiter zurückgehen. auf die kindliche
Entwickelung. um den Einfluß dieser „Kultursünden" vollauf würdigen
zu können. Bedenken Sie, unter welchen Außenumständen die Kinder
in unseren großen Städten aufwachsen. Die Sinnesorgane, besonders
das Gehör wird durch den betäubenden Lärm der Straße unaufhörlich gereizt. Schon frühzeitig werden die Kinder zu den Vergnügungen der Erwachsenen herangezogen. Durch Theater, Konzerte. Kinderbälle wird die Phantasie mit Bildern und Erlebnissen
bevölkert, die das Gemüt erregen, die intellektuellen Kräfte zer-
splittern und eine methodische Uebung des Geistes erschweren.
Der Nachtschlaf wird verkürzt, die Erholungszeit für Körper und
Geist fällt weg. Wann tummeln sich diese frühreifen Großstadt-
kinder in Wald und Feld umher? Wann erquicken sie ihre Seelen
und üben ihre Sinne an den reichen Schätzen der Natur? Wann
stählen sie ihre Muskeln in jugendfrohen Wettspielen mit ihren Altersgenossen? Wo sammeln sie die Spannkraft für die Anforderungen
der Schule?

Ein hervorragender Schulmann machte mich darauf aufmerksam,
daß nach seiner Erfahrung besonders diejenigen Schüler den Anforderungen des Unterrichts nicht gewachsen sind, deren körperliche
Entwickelung und Ernährungszustand zurückgeblieben ist. Entweder
handelt es sich um konstitutionell schwächliche, belastete und krankhaft veranlagte Knaben oder um solche, welche, aus dürftigen Lebensverhältnissen stammend, Mangel und Entbehrungen ausgesetzt sind.
Bei dem Zudrange von Schülern aus den unbemittelten Gesellschaftsklassen, in welchen infolge der unhygienischen Lebensbedingungen
Rachitis, Skrofulose und Tuberkulose den kindlichen Organismus in
gehäuftem Maße heimsuchen und eine unzweckmäßige dürftige Ernährung die körperliche Entwickelung verkümmern läßt, ist diese
Gruppe von Schülern nach Ansicht meines Gewährsmannes noch im
Zunehmen begriffen.

Hier liegen die letzten Ursachen der sog. Ueberbürdung; die Schule
arbeitet mit einem Schülermaterial, das vielfach unausgeschlafen, schon
ermüdet zur Schule kommt und den Kopf mit anderen Interessen erfüllt hat. Abgespannt, freudlos bemüht sich der Schüler vornehmlich
unter dem Drucke der Extemporalien und wöchentlicher Censuren.
dem Schulpensum gerecht zu werden; die jugendliche Kraft hält einige
Jahre vor, doch in den oberen Klassen, in der Pubertätszeit erfolgt
der Zusammenbruch. Damit hängt auch die Erscheinung zusammen.
daß gerade an der Klippe der Unter- und Obersekunda so mancher
nervöse Junge scheitert.

Man wird mir einwenden können, daß diese Schilderung zu düster
gefärbt sei. Ich bin auch gern bereit, einzuräumen, daß sie nur für
gewisse großstädtische Centren ·in vollem Maße zutreffend ist und
daß auch hier nur ein Bruchteil der Schüler solchen gehäuften Schädlichkeiten ausgesetzt ist. Aber die sog. Ueberbürdung trifft auch nur
einen gewissen Prozentsatz der Schüler. und gerade dieser wird, was
ich eben auf Grund meiner ärztlichen Erfahrungen nachweisen wollte,

4*

mehr von der Ueberbürdung außerhalb der Schule, als durch die
Schule geschädigt. Gegen das Uebermaß geistiger Anstrengung durch
dieselbe schützen sich übrigens die Schüler meistens selbst; die Korrektur liegt in dem Leichtsinn der Jugend und in der Anwendung
von Hilfsmitteln, welche ihnen die Bewältigung der häuslichen Arbeiten erleichtern.

Auf andere Schädlichkeiten, welche den Mittelschulen anhaften.
kann ich hier nur kurz hinweisen, da sie ins Gebiet der eigentlichen
Schulhygiene gehören: der Aufenthalt in engen, dumpfen, schlecht
ventilierten, überfüllten und im Winter überheizten Schulzimmern.
die Unzweckmäßigkeit des Turnunterrichts, der Mangel gymnastischer
Spiele, die Häufung der Schulstunden auf den Vormittag ohne genügende Ruhepausen u. a. m. Daß hier noch manches besser werden
kann, um den Körper und damit auch das Nervensystem zu
schützen und zu kräftigen, ist wohl allerorten anerkannt.

Was ich Ihnen hier über die Erziehung der Knaben und Jünglinge
gesagt habe, trifft in gleichem Maße auch für diejenige der heran-
wachsenden Mädchen zu. Die Aufgaben der höheren Töchterschule
stehen ebenfalls im Mißverhältnis zu dem geistigen Durchschnittsniveau
der Schülerinnen, auch hier wirkt das Zuviel und das Vielerlei des Lehrstoffes, sowie die mangelnde körperliche Ausarbeitung verderblich auf
das Nervensystem ein. Eine Schädlichkeit trifft sogar die weibliche
Jugend noch mehr als die männliche; ich meine hier das übermäßige
Klavierspiel, zu welchem die Mädchen während der Schuljahre gezwungen sind, und dem sie die Zeit der Erholung opfern müssen.

Ist die Mittelschule resp. das Gymnasium überwunden, so tritt
ein Teil der Jünglinge ins praktische Leben ein und wird dadurch
sofort in das nimmerruhende Getriebe des sozialen Mechanismus
hineingezogen. Einem anderen, welcher den gelehrten Berufsklassen
zustrebt, wird auf der Hochschule die Möglichkeit eröffnet, seine
weitere geistige Förderung unter den freien Bedingungen des
akademischen Lebens seinen Kräften und Neigungen anzupassen und
so nur das Maß von Arbeitsleistung auf sich zu nehmen, das er zu
leisten geneigt oder befähigt ist. Während der Studienzeit liegt für
die überwiegende Mehrzahl der Studierenden aus diesem Grunde
keinerlei Veranlassung zu geistiger Ueberanstrengung vor. Wohl
aber machen sich andere Schädlichkeiten oft in intensivster Weise
geltend, welche mit den akademischen Sitten innig zusammenhängen.
Diejenigen von Ihnen, welche die psychiatrische Klinik besuchen,
erinnern sich wohl eines vor kurzem von mir gehaltenen Vortrags,
in welchem ich anläßlich der Schilderung der Alkoholpsychosen auch
einige Streiflichter auf die Trinksitten unserer akademischen Jugend
fallen ließ. Ich habe Sie geradezu gebeten, im Kreise Ihrer Kommilitonen dahin wirken zu wollen, daß der zweifellos bestehende abusus
spirituosorum eingeschränkt werde. Früh- und Abendschoppen
und dann noch nachts die offiziellen Kneipen bieten ausgiebige Gelegen-
heiten zu unmäßigem Biergenusse dar, der besonders dadurch schädlich
wirkt, daß er wenigstens während der ersten Semester täglich stattfindet. Ich habe Ihnen leider über einige Fälle von Alkoholpsychosen
berichten müssen, die unter den Kommilitonen vorkamen. Es liegt
mir selbstverständlich fern, diese traurigen Erfahrungen dahin
generalisieren zu wollen, daß die Mehrzahl von Ihnen nach dieser
Richtung gefährdet sei.

Diese Fälle veranlaßten mich, über das Maß des regelmäßigen Genusses von Alcoholicis in unseren akademischen Kreisen hier und anderswo Erkundigungen einzuziehen. Und zwar habe ich diese Informationen gerade aus den Kreisen der Studentenschaft selbst geholt. Es hat sich die merkwürdige Thatsache ergeben, daß die durchschnittliche Menge des genossenen Bieres eher ab- als zugenommen hat und daß in den Kreisen der akademischen Bürger selbst eine Gegenbewegung gegen gewisse rigorose Kneipbestimmungen, welche die Unmäßigkeit verschulden, entstanden ist. Diese an sich erfreuliche Thatsache erklärt sich aus dem Umstande, daß die Resistenzfähigkeit gegen Alkoholmißbrauch abgenommen hat.

Zum Belege hierfür kann ich zuerst die allgemein durch „alte Herren" bestätigte Erfahrung verwerten, daß das genossene Bier sorgfältiger und gesundheitsmäßiger hergestellt sei, als vor 20 bis 30 Jahren, und die Trinkgefäße bedeutend an Volumen abgenommen haben. Und trotzdem haben sich überall auf den Kneipen Einrichtungen eingebürgert, die jeden gebildeten Menschen mit Beschämung erfüllen müssen. Es sind eigene Brechbecken angebracht worden, um das im Uebermaß genossene Bier sofort wieder entleeren zu können. Es zeigt sich also, daß trotz relativer Verringerung des genossenen Quantums eine erhöhte schädliche Wirkung des Bierkonsums gegenwärtig eingetreten ist.

Hiermit steht meine persönliche Erfahrung im Einklang, daß viele junge Studierende die Hilfe des Nervenarztes aufsuchen, mit der ausdrücklichen Begründung, daß ihre Krankheitserscheinungen durch übermäßigen Biergenuß herbeigeführt worden seien.

Sie werden im weiteren Verlaufe unserer Vorlesungen noch kennen lernen, welch bedeutsamen Einfluß akute und chronische Magenkatarrhe auf die Entwickelung neurasthenischer Zustände besitzen. Aber auch ein anderer genetischer Zusammenhang wird Ihnen später klar werden, daß nämlich neuropathisch belastete und veranlagte Menschen als die ersten Erscheinungen einer konstitutionellen Nervenzerrüttung das Darniederliegen der Magen- und Darmfunktionen darbieten. Beide Kategorien finden Sie in unserer studierenden Jugend vertreten: die gesunden Naturen, die thatsächlich erst durch den Alkoholmißbrauch krank geworden sind, und die schwächlichen, resp. schon geschwächten, bei denen die Wirkung der Kneipsitten infolge der schon bestehenden krankhaften Beschaffenheit des Organismus doppelt schädlich ist. Vergegenwärtigen Sie sich, was wir eben über die Uebelstände während des Gymnasiallebens gesagt haben; es ist leicht begreiflich, daß diese überreifen Jünglinge den Schädlichkeiten des akademischen Lebens sehr leicht unterliegen. Alles in allem muß also gesagt werden, daß die altgermanische Trinkart den schwächlicheren Epigonen nicht mehr zuträglich ist, daß bei der gesteigerten Menge unserer Reiz- und Genußmittel, bei der hochgradigen Steigerung unserer intellektuellen Arbeit die Freuden der Trinkgelage verhängnisvoller geworden sind und daß die Ansprüche der Gesellschaft an eine gesunde Gelehrten- und Beamtenwelt die Abkehr von alten Mißbräuchen gebieterisch verlangen.

Damit ich nicht mißverstanden werde, so möchte ich nochmals wiederholen, daß ich hier nur gegen den chronischen, Tag für Tag während des Semesters wiederkehrenden Mißbrauch in Alcoholicis das Wort ergriffen habe.

Wann äußern sich aber die schädlichen Folgen dieser Lebensweise? Am Schlusse der Studienzeit zumeist, wenn die Vorbereitungen zu den Prüfungen intensive geistige Anstrengungen notwendig machen. Es ist ein schlimmes Zeichen, daß so viele junge Kandidaten aus allen Fakultäten während dieser Vorbereitungszeit, meist aber dicht vor dem Prüfungstermino zum Arzte gehen müssen, um ein Zeugnis zu erlangen, daß sie wegen „Nervosität" resp. Neurasthenie außer Stande sind, den Prüfungstermin innezuhalten. Manche Studierende haben während der sorgenlosen, ungebundenen Studienzeit vollständig verlernt, regelmäßig zu arbeiten, d. h. ihren Geist durch Uebung frisch und leistungsfähig zu erhalten. Die oben geschilderte Lebensweise machte den Geist müde und unfähig zur Aufnahme des in den Vorlesungen und praktischen Uebungen dargebotenen Wissensstoffes. Manchem blieb sogar vor lauter Vergnügungen, Zerstreuungen und Kneipgelegenheiten überhaupt keine Zeit übrig für die eigentlichen Aufgaben seines Aufenthaltes auf der Hochschule. Nun kommt der Zwang der Prüfungen, die Not, in kurzer Zeit große Wissensgebiete im Selbststudium zu verarbeiten. Mit Schrecken gewahrt der Kandidat, daß die Bewältigung dieser Aufgaben ihm unmöglich geworden ist, daß alle Anstrengungen ihn von dem erhofften Ziele weiter entfernen, indem das Unvermögen, den Wissensstoff zu verarbeiten und in sich aufzunehmen, bei jeder neuen Anstrengung sich steigert.

Ich muß hier aber hinzufügen, daß dies keineswegs immer Studierende betrifft, welche selbstverschuldet durch Unmäßigkeit und Entwöhnung von Arbeit nervenkrank geworden sind. Es wirken hier noch mannigfache andere Uebelstände mit, von denen ich nur materielle Not, ungenügende Ernährung und geistige Ueberanstrengung während der Studienzeit durch Stundengeben und andere Lohnarbeiten erwähnen will. Wie viele schwächliche, blutarme Jünglinge wenden sich dem Studium zu, hauptsächlich weil sie zur Ausübung anderer Berufsarten die körperliche Kraft nicht besitzen! Wie verhängnisvoll ist für sie die Unkenntnis, daß geistige Anstrengungen bei schwächlichem Körper geradezu verderblich wirken! Hauptsächlich in den Kreisen der jungen Theologen und Philologen begegnen wir manchen „nervösen" Kandidaten, bei denen die gesteigerte Ermüdbarkeit, ein kürzer oder länger dauerndes Versagen der geistigen Leistungsfähigkeit sich schon bis in die Gymnasialjahre zurückverfolgen läßt. Mit eiserner Energie, mit Aufbietung aller Kräfte wurden alle Widerstände überwunden, bis vor der letzten entscheidenden Anstrengung die künstlich aufrechterhaltene Spannkraft des Geistes versagt, und ausgeprägte neurasthenische Krankheitszustände zu Tage treten.

Ich habe Ihnen vorstehend zwar typische Verhältnisse und Vorkommnisse geschildert, um bestehende Schäden bloßzulegen und einer sich zweifellos steigernden Gefahr der Zerrüttung unserer akademischen Jugend rechtzeitig vorbeugen zu können. Ich muß aber die Einschränkung machen, daß das jugendlich „rüstige" Gehirn scheinbar all diesen Fährlichkeiten in der Mehrzahl der Fälle ohne Schaden entgeht; man könnte mir deshalb einwenden, daß ich diese Gefahren übertrieben habe. Dem halte ich aber die weitere Erfahrung entgegen, daß in der Zeit des akademischen Lebens oft der Grund zu neuropathischen Zuständen gelegt wird,

deren weitere Entwickelung und Vervollständigung
erst das reife Mannesalter, die Berufsarbeit, die Sorgen und Nöte des Daseins hervorrufen. Hier finden dann
alle emotiven und intellektuellen Schädlichkeiten geringere Widerstände;
Ermüdungs- und Erschöpfungssymptome auf geistigem und körperlichem Gebiete treten deutlicher hervor und entwickeln sich entweder
allmählich, gleichmäßig ansteigend oder gewissermaßen sprungweise
fortschreitend zu jenen Dauerzuständen körperlicher und geistiger
Leistungsunfähigkeit, welche die hervorstechendsten Symptome der
Neurasthenie sind.

Es giebt nun gewisse Berufsklassen, bei welchen der schädigende
Einfluß der intellektuellen Ueberanstrengung auf das vollausgereifte
Gehirn fast mit der Beweiskraft des Experiments demonstriert werden
kann. Ich will nur einige Beispiele herausgreifen. Ich nenne zuerst
die Carrière der höheren Postbeamten. Sie wissen, welch aufreibende
und rastlose Thätigkeit mit den steigenden Anforderungen unseres
Verkehrslebens gerade den Post- und Telegraphenbeamten zufällt.
Und neben dieser täglichen Berufsarbeit bereiten sich die strebsamsten
und tüchtigsten Mitglieder zu der Prüfung vor, welche ihnen den Zutritt zu der höheren Postcarrière eröffnet. Wie manche dieser Beamten haben das Uebermaß von geistiger Bethätigung, welches nur
durch längere Nachtwachen und Aufgeben aller Erholungspausen
während längerer Zeit ermöglicht werden konnte, mit den schwersten
Erschöpfungszuständen büßen müssen! Ein anderes Beispiel möchte
ich dem Gymnasiallehrerstand entnehmen. Gerade die fleißigsten
und von einem inneren Drange nach selbständiger wissenschaftlicher
Arbeit erfüllten Elemente dieser Gelehrtenklasse geben sich neben
ihrer täglichen Berufsarbeit der intensivsten geistigen Beschäftigung
hin. Sie können dann hier oft genau feststellen, daß diese oder
jene umfassende litterarische Produktion den Ausbruch der Krankheit
herbeigeführt hat.

Wir werden ja späterhin, wenn wir den Verlauf des Leidens besprechen, darzulegen haben, daß auch in den Fällen, wo scheinbar
eine akut einsetzende Neurasthenie vorliegt, die Anfänge des Leidens
bedeutend weiter zurückdatiert werden müssen, und daß auch in
solchen Fällen, die ich hier herangezogen habe, die nachweislich letzte
geistige Ueberanstrengung nicht die bestimmende, sondern die Gelegenheitsursache darstellt. Ihre Bedeutung wird dadurch nicht verringert. Gerade wenn wir berücksichtigen, daß eine übermäßige Anspannung der geistigen Kräfte bei disponierten Individuen den Ausbruch des Leidens beschleunigt, so werden wir in unserer ärztlichen
Thätigkeit ein Hauptaugenmerk darauf richten, solche Dauerarbeiter
rechtzeitig zu warnen oder leicht ermüdbaren und überreizten Beamten die Vorbereitungsarbeiten zu Prüfungen zu widerraten. Ich
möchte hier nicht weiter auf besondere Berufsarten oder Anlässe
zu geistiger Ueberanstrengung eingehen. Sie werden sich ja leicht
die Nutzanwendung dieser Erfahrungen auf die Gesamtheit der
Hirnarbeiter selbst machen können. Ich will Sie nur vor einer
zu engen Fassung dieses Begriffes warnen; es sind nicht nur die
gelehrten Berufsarten im engeren Sinne, die erhöhten geistigen Anstrengungen ausgesetzt sind. Der Kaufmann, der Industrielle,
der Techniker, der Offizier sind in gleichem Maße gefährdet,
vielleicht noch in erhöhtem Grade. Denn hier wirken die emotiven

Schädlichkeiten viel intensiver ein, Zurücksetzungen im Avancement, Fehlschlagen einer technischen Erfindung, verunglückte Spekulationen, materieller Ruin beschließen oft die lange, fortlaufende Reihe intellektueller Ueberanstrengungen und rufen mit unheimlicher, überraschender Plötzlichkeit die völlige Erschlaffung der geistigen Thätigkeit hervor.

Nervös im weitesten Sinne des Wortes sind die Mehrzahl der Journalisten, Litteraten, Schauspieler und Musiker. Wollte ich meine persönlichen Erfahrungen verallgemeinern, so müßte ich sagen, daß wenigstens die „la Bohème" fast ausschließlich aus neuropathisch belasteten Menschen sich rekrutiert, die teils durch regellose Lebensführung (ausgedehnte Nachtarbeit der Journalisten), teils durch geistige Ueberanstrengung schwerer Nervenzerrüttung am meisten anheimfallen. Unter den Musikern sind besonders die angehenden Klaviervirtuosen gefährdet, indem die stundenlangen Fingerübungen nicht nur die eigenen und fremden Sinne martern, sondern auch neben der lokalen Neurose des Klavierspielerkrampfs allgemeine neurasthenische Zustände veranlassen.

———

Die somatischen Schädlichkeiten, welche die Neurasthenie hervorrufen können, sind mannigfachster Art. Außer allgemeinen, den Gesamtorganismus treffenden Schädigungen besitzt auch das große Heer lokaler Organerkrankungen direkte ursächliche Beziehungen zur Neurasthenie. Es würde zu weit führen, wenn wir im einzelnen all diesen ätiologischen Faktoren nachspüren und den ursächlichen Zusammenhang zwischen der körperlichen Erkrankung und dem nervösen Allgemeinleiden aufdecken wollten. Wir werden deshalb nur versuchen einen summarischen Ueberblick über diese somatischen Ursachen hier zu geben und dieselben gruppenweise zu betrachten je nach der Art der Einwirkung auf das Nervensystem.

a) Körperliche Ueberanstrengungen.

Ich stelle dieselben an die Spitze, weil sie einen Uebergang von den psychischen zu den somatischen Schädlichkeiten herstellen, und zwar in doppelter Beziehung: Einmal sind diese anscheinend rein körperlich erschöpfenden Ursachen, wenigstens teilweise, der psychischen Sphäre zugehörend. Berücksichtigen Sie, daß alle sog. Willenshandlungen nur das Ergebnis eines psychischen resp. kortikalen Prozesses darstellen, dessen Endglied kortiko-motorische Erregungen auslöst. Nur die weitere Ausführung der motorischen Akte, die koordinierte Erregung der einzelnen, bei einer bestimmten motorischen Thätigkeit in Wirksamkeit tretenden Muskeln und Muskelgruppen, sowie die specielle Innervierung dieser letzteren sind infrakortikale Leistungen. Wir werden bei der Symptomatologie im besonderen feststellen müssen, welche Teile des gesamten, die Motilität vermittelnden Nervenmechanismus durch schädigende Einflüsse in ihrer Leistungsfähigkeit geändert werden. Hier wollte ich nur darauf hinweisen, daß körperliche Ueberanstrengungen, welche nicht bloß in der Ausübung bestimmter, täglich geübter, sozusagen automatischer Handlungen resp. Bewegungen bestehen, sondern bei denen vielmehr das Uebermaß 'motorischer

Leistungen mit geistiger Anstrengung zusammenfällt, nicht einseitig als somatische Ursachen aufzufassen sind.

Das nächstliegende Beispiel bietet die Neurasthenie bei Geistlichen. Diese Patienten bezichtigen fast einmütig die Predigtthätigkeit als Ursache ihrer Erkrankung, sei es als prädisponierendes, sei es als auslösendes Moment. Sie berichten, daß die ersten Zeichen geistiger und körperlicher Erschöpfung aufgetreten seien, als sie in Vertretung von Amtsbrüdern, oder weil sie mit mehreren Filialgemeinden belastet waren, oft längere Zeit hindurch mehrmals an einem Sonntag zu predigen hatten. Hier wirken körperliche und geistige Ueberanstrengung sicherlich in dem Sinne zusammen, daß die mehrmalige Reproduktion der Predigt, — die Gedächtnisarbeit und kortiko-motorischen Leistungen einerseits, die infrakortikalen motorischen (Uebertragung der Erregung auf die Artikulationscentren, sowie die motorische Leistung des Sprechakts) andererseits — den Effekt der Uebermüdung und Erschöpfung hervorbrachten.

Sodann werden Sie finden, daß gehäufte und langandauernde körperliche Ueberanstrengungen besonders dann den neuropathischen Zustand und die Neurasthenie hervorrufen, wenn sie mit gemütlichen und intellektuellen Schädlichkeiten zusammenfallen. Es wirken hier beide gewissermaßen kumulierend; z. B. ein überanstrengter Kopfarbeiter erfüllt sein Amtspensum noch in zureichendem Maße, er fühlt sich wohl müde, aber nicht übermüdet, in dem Sinne, daß Ruhe und Erholungspausen ihm nicht die volle Leistungsfähigkeit wiedergäben. Er läßt sich nun verleiten, in einen Ruder- oder Turnklub u. s. w. einzutreten, in welchem körperliche Anstrengungen gefordert werden, oder der wenig muskelgeübte Mann begiebt sich auf Anraten seines Hausarztes während seines Urlaubs in die Alpen und unternimmt dort anstrengende Bergtouren. Statt von dieser Muskelleistung gekräftigt zu werden, fühlt er vielmehr eine merkliche Abnahme seiner geistigen Leistungsfähigkeit. Jetzt ist die geistige Uebermüdung zur That geworden, jetzt treten bei Fortsetzung der früheren geistigen Thätigkeit die Symptome der Neurasthenie hervor. Oder ein anderes Beispiel: Ein Gehirnarbeiter, bei dem die Erscheinungen der Neurasthenie schon ausgeprägt vorhanden sind, wird durch unzweckmäßige Ratschläge oder aus eigenem Unverstand zu stärkeren körperlichen Anstrengungen veranlaßt. Wie schmerzlich und verhängnisvoll ist dann die Enttäuschung, wenn statt der erhofften Heilung Folgezustände sich einstellen, die ihn völlig arbeitsunfähig machen oder seine motorische Leistungsfähigkeit auf Jahre hinaus, ja sogar dauernd aufs tiefste schädigen!

Doch es bedarf nicht immer dieses Zusammenwirkens körperlicher und geistiger Ueberanstrengungen. Vielmehr genügen, besonders bei schon disponierten Personen, die körperlichen allein, um eine vollentwickelte Neurasthenie mit vorwaltend motorischen Störungen hervorzurufen. Vor allem konstitutionell schwächlich veranlagte Personen unterliegen solchen Schädlichkeiten zur Zeit der Pubertätsentwickelung.

b) Sexuelle Excesse.

Es ist eine vielumstrittene Frage, inwieweit die Masturbation oder sexuelle Ausschweifungen die Ursache geistiger und nervöser Zer-

rüttung sein können. Ich teile die von erfahrenen und nüchternen
Beobachtern wie CURSCHMANN, ERB, FÜRBRINGER u. a. vertretene
Auffassung, daß die Onanie und der Coitus durchaus gleichartige
Wirkungen auf den Gesamtorganismus ausüben und daß die Onanie
nur deshalb im allgemeinen gefährlicher wirkt, weil sie eine „fast
unbegrenzte Gelegenheit zur Ausführung" darbietet. Nur während
kurzer Zeitperioden und vereinzelt ausgeübte Masturbation wird demgemäß bei gesund veranlagten Individuen keine bleibenden Schädlichkeiten für das Allgemeinbefinden und speciell für das Nervensystem
bewirken. Wohl aber wird auch bei gesunder körperlicher und
geistiger Konstitution eine schon in früher Jugend begonnene und
viele Jahre hindurch bis ins reife Mannesalter hinein excessiv betriebene Onanie den stärksten Organismus erschüttern und beim.
Hinzutreten anderweitiger Schädlichkeiten eine konstitutionelle Neuropathie hervorrufen können. Zu dieser Auffassung werden wir durch
die Erfahrung genötigt, daß viele körperlich und geistig gesunde
Knaben und Jünglinge zwischen dem 14. und 18. Lebensjahre längere
oder kürzere Zeit masturbiert haben und daß doch nur ein geringer
Bruchteil späterhin infolge dieser Jugendsünden nervenkrank geworden ist. Man wird also große Zweifel hegen müssen, ob diesen
Excessen thatsächlich die Schuld an der nervösen Erkrankung ausschließlich zugemessen werden darf.

Doch wird fast jeder Neurastheniker Ihnen bei der ersten
Untersuchung oder später, wenn er zu Ihnen Vertrauen gefaßt
hat, sein Herz ausschütten und Ihnen zu beweisen versuchen, daß
er das unglückselige Opfer seiner Jugendthorheiten geworden sei.
Wenn man den Dingen in jedem einzelnen Fall auf den Grund geht,
so wird man fast durchweg finden können, daß der selbstquälerische,
verzweifelte Patient entweder aus sich heraus oder infolge der
Lektüre populär-medizinischer Bücher sich ganz übertriebene und
einseitige Vorstellungen über die mit der Onanie verknüpften direkten
Folgeerscheinungen gebildet hat. Er hat gewissermaßen retrospektiv
die aus der Lektüre oder seinen jetzigen Krankheitserscheinungen
geschöpften Erfahrungen in die Zeit zurückverlegt, in welcher er der
Masturbation gefröhnt hat. Nachdem Sie ihn beruhigt haben über die
schädlichen Folgen der Onanie und ihn auf eine nüchterne Scheidung
der damals vorhanden gewesenen und neuerdings beobachteten Krankheitserscheinungen hingelenkt haben, werden Sie wiederum in der
Mehrzahl der Beobachtungen finden, daß nun die chronologisch-
ätiologische Auffassung des Falles nicht zu Gunsten eines direkten
ursächlichen Zusammenhangs zwischen der Masturbation und der
später nachfolgenden Neurasthenie ausfällt.

Sie werden zu einem solchen Schlusse aber nur kommen können,
wenn Sie Fällen gegenüberstehen, bei welchen eine erheblichere erbliche Belastung oder konstitutionelle Schwächezustände vorliegen,
bei denen also die körperliche und geistige Entwickelung einen
normalen Verlauf gehabt hatte. Bei schwächlichen anämischen Individuen besteht oft ein eigentümliches Mißverhältnis zwischen der
allgemeinen körperlichen Entwickelung und der frühzeitigen und übermäßigen Entfaltung des Geschlechtstriebes. Verfallen diese Knaben
gerade in den Jahren, in welchen sie erhöhten geistigen Anforderungen gegenübergestellt sind, der Onanie und fröhnen sie derselben
in unmäßiger Weise (wöchentlich mehrmals oder sogar täglich), so ist

die üble Einwirkung des sexuellen Reizvorganges auf das Gesamtnervensystem unverkennbar. Sie finden dann jene blassen, scheuen,
geistig unlustigen Knaben und Jünglinge, welche der erfahrene
Arzt sofort als excessive Onanisten erkennen wird. Hier ist der Boden
gedüngt für die Entwickelung der allgemeinen nervösen Zustände,
welche das Krankheitsbild der Neurasthenie zusammensetzen, die
von FÜRBRINGER geradezu als onanistische Neurose bezeichnet
wird. In Uebereinstimmung mit der hier vorgetragenen Auffassung
gelangt dieser sorgfältige und kenntnisreiche Beobachter zu dem
Schlusse, daß die schlimmsten und tiefgreifendsten
Formen der onanistischen Neurose auf die durch
neuropathische Disposition belasteten Naturen sich
beschränken. Bezüglich der Hereditarier müssen Sie immer
berücksichtigen, daß eine frühzeitige und übermäßige geschlechtliche
Entwickelung, eine pathologisch gesteigerte Sinnlichkeit ein typisches
Merkmal der erblichen Belastung, besonders aber der degenerativen
Vererbung darstellt.

Wenn Kinder von 7--10 Jahren, Knaben und Mädchen, schon
scharf ausgeprägte sinnliche Erregungen zeigen, oder wenn sie schon
in diesem frühen Alter aus sich heraus zur Masturbation gelangen,
so können Sie fast mit Sicherheit annehmen, daß es sich um
pathologische Vorgänge handelt, und daß die frühzeitige sexuelle Entwickelung und Uebererregung
schon der Anfang und nicht die Ursache neuro- und
psychopathischer Zustände ist. Gewiß wird die Onanie
auch hier schädlich wirken, sie beschleunigt den Ausbau der Krankheit, sie vollendet die Entkräftung.

Die sexuellen Excesse im engeren Sinne d. h. die zu frühzeitige
oder übermäßige Ausübung des Coitus wird bei schwächlichen und
neuropathisch belasteten Individuen die gleiche schädliche Wirkung
besitzen. Hier dürfen wir nicht vergessen, daß auch sexuelle Excesse
in matrimonio ausgeübt werden. Sie werden bei jugendlichen, nervösen Ehemännern gelegentlich als einzige Ursache gesteigerter Krankheitserscheinungen diskrete Geständnisse nach dieser Richtung hin
erhalten. Oder Sie haben einen älteren Herrn, an der Grenze der
50er Jahre stehend, vor sich mit ausgeprägten neurasthenischen Beschwerden. Sie hören, daß er sich vor kurzem mit einer bedeutend
jüngeren Lebensgefährtin verbunden hat. Auch hier werden Sie
nicht fehlgreifen, wenn Sie einen direkten ätiologischen Zusammenhang zwischen der Krankheit und der jungen Ehe konstruieren und
dem Patienten genaue diätetische Vorschriften nach dieser Richtung
geben.

Im allgemeinen ist für die sexuellen Excesse die Erfahrung giltig,
daß sie meist nur ein Glied in der Reihe gleichzeitiger oder einander
folgender Schädlichkeiten darstellen und demgemäß nicht für sich
allein die Neurasthenie hervorrufen.

c) Das Trauma.

Mechanische Läsionen führen vor allem dann einen neuropathischen
Zustand herbei, wenn sie das gesamte Centralnervensystem entweder

infolge eines Sturzes, einer heftigen Erschütterung oder eines Stoßes
treffen. Grobe anatomische Zerstörungen des Gehirns oder Rückenmarks sind diesen Fällen nicht eigentümlich. Vielmehr handelt es
sich um bisher unaufgeklärte Strukturveränderungen, für welche wir
wiederum nur den Ausdruck „molekuläre Störungen" haben.

Es ist aber charakteristisch, daß gewisse allgemeine traumatische
Erschütterungen z. B. bei Eisenbahnunfällen, Sturz aus dem Wagen,
Herabsturz von einem Baugerüst u. s. w. jene funktionelle Zustandsänderung entweder momentan oder in langsamer allmählicher Entwickelung hervorbringen, welche wir sonst auf dem Boden anderer chronischer oder wenigstens langdauernder Schädlichkeiten entstehen sehen.
Sind die Krankheitserscheinungen der traumatischen Neurasthenie sehr scharf ausgeprägt und entwickeln sie sich nach einem
mit heftigen Kommotionserscheinungen (Aufhebung aller psychischen
Funktionen) einhergehenden mechanischen Insult, so wird die ursächliche Beziehung des Traumas zu der Krankheit kaum angefochten.
Sind aber das Trauma und die direkten Folgeerscheinungen relativ
geringfügig, und baut sich der Krankheitszustand ganz langsam aus
kleinen Anfängen im Laufe von Wochen und Monaten erst auf, so
unterliegt die ätiologische Beweisführung großen Schwierigkeiten.

Sie wissen, daß seit der Schaffung der modernen Unfallsgesetz-
gebung sich die Fälle der traumatischen Neurasthenie außerordentlich
gehäuft haben und daß die Diskussion über die Ursachen und die
Berechtigung dieser Krankheitsform eine der brennendsten Tages-
fragen geworden ist. Wir werden derselben bei der speciellen Schilderung der einzelnen Krankheitsbilder wieder begegnen. Ich möchte
nur schon hier darauf aufmerksam machen, daß nicht allein der
mechanische Insult, die traumatische Erschütterung der Cerebrospinalachse den Krankheitszustand verursacht, sondern daß auch die
psychische Shockwirkung, welche bei solchen Unfällen unvermeidlich ist, einen wesentlichen Anteil trägt.

Die Erfahrung der letzten Jahrzehnte hat uns auch andere
psychische Schädlichkeiten kennen gelehrt, welche die unheimliche
Schnelligkeit, mit welcher die Zahl dieser Unfallsneurosen wächst,
erklären. Die moderne Unfallgesetzgebung zwingt den durch ein
Trauma geschädigten Arbeiter zu einer gesteigerten Selbstbeobachtung,
zu einer langdauernden intensiven Beschäftigung mit den an sich
oft recht geringfügigen Folgeerscheinungen des Unfalls. Er muß,
um seiner Rentenansprüche nicht verlustig zu gehen, vom Tage des
Unfalls ab jeden Schmerz liebevoll hüten und jede Anstrengung
meiden, welche ihn in den Augen seiner Arbeitgeber gesünder erscheinen läßt, als er sich thatsächlich fühlt. In dieser halb freiwilligen, halb erzwungenen Verlängerung des Krankenlagers liegt die
Hauptgefahr. Hier wird die krankhafte Ueberempfindlichkeit gezüchtet, welche den willensschwachen
Arbeiter schließlich unfähig macht, der krankhaften
Empfindungen Herr zu werden und durch regelmäßige
methodische Uebungen seiner Körperkräfte die Folgen
des Unfalls auszugleichen.

Die Bedeutung lokaler traumatischer Läsionen, welche
mit anatomisch nachweisbaren Verletzungen der Weichteile oder des
Knochengerüsts (ausschließlich gröberer Zerstörungen des centralen

Nervensystems und seiner Hüllen) verknüpft sind, für die Entwickelung der traumatischen Neurasthenie ist noch nicht völlig aufgeklärt. In der Mehrzahl der hierher gehörigen Beobachtungen wird man den Nachweis liefern können, daß neben dieser lokalen Affektion eine allgemeine traumatische Erschütterung stattgefunden hat und die specifischen Krankheitserscheinungen der Neurasthenie auf diese zu beziehen sind. Selbstverständlich sind die obenerwähnten psychischen Schädigungen auch in diesen Fällen wirksam. Doch giebt es sicherlich auch Fälle, bei denen ein lokal wirkendes Trauma nur ganz unwesentliche Allgemeinerscheinungen direkt verursacht hat, und sich in der Folge das typische Krankheitsbild der allgemeinen traumatischen Neurasthenie hinzugesellt. Diese Fälle sind auf eine Linie zu stellen, mit jenen nachher zu erörternden, bei welchen örtliche Erkrankungen die Entwickelung der Neurasthenie bedingen.

d) Chronische konstitutionelle Erkrankungen.

Finden Sie die Konstitutionskrankheiten, unter denen im kindlichen Alter die Rachitis und Skrofulose und beim Erwachsenen der sogen. chronische Rheumatismus, die Arthritis deformans, die Gicht, der Diabetes, die Fettsucht zu nennen sind, mit Neurasthenie verbunden, so werden Sie immer zuerst die Frage aufwerfen: Ist der nervöse Schwächezustand mit seinen Krankheitserscheinungen eine Folge jener Konstitutionskrankheit oder nur eine gleichwertige Teilerscheinung eines tiefer wurzelnden Allgemeinleidens, welches die Konstitutionskrankheit und die nervösen Erscheinungen hervorruft? oder sind die Störungen des Nervensystems das Primäre und jene Konstitutionskrankheiten infolge der gestörten Nervenfunktion entstanden? Die gleichen Fragen tauchen auf bei den konstitutionellen Erkrankungen des Blutes resp. der blutbildenden Organe, den chronisch-anämisch-chlorotischen Zuständen, der Leukämie und der Hämoglobinämie. Es wird, wie ich gleich im Eingange dieser Betrachtungen bemerken möchte, im Einzelfalle eine sehr schwierige Aufgabe sein, eine Entscheidung zu treffen, ob diese oder jene ursächliche Verknüpfung der gleichzeitig vorhandenen Krankheitserscheinungen zutrifft. Und doch hängt in manchen Fällen die Zweckmäßigkeit unserer therapeutischen Maßregeln von der richtigen Abschätzung der ätiologischen Faktoren ab. Wir werden demgemäß schon hier häufig auf therapeutische Erwägungen Bezug nehmen müssen.

Die erstgenannte Möglichkeit der Verknüpfung kann in den Fällen als thatsächlich bestehend und erwiesen angenommen werden, in welchen die Anamnese mit genügender Sicherheit erkennen läßt, daß weder eine neuropathische Belastung noch Veranlagung vorhanden war, bei denen also die körperliche und geistige Beschaffenheit der Patienten vor dem Auftreten dieser konstitutionellen Anomalien und Bluterkrankungen keinerlei Abweichungen von der Norm darboten. Am reinsten sind die Beobachtungen von Chlorose und Anämie, welche in der Pubertätsentwickelung bei jungen Mädchen auftreten, die vorher eine völlig normale körperliche und geistige Entwickelung gezeigt hatten. Hier stellen sich die nervösen Schwächezustände oft

erst bei längerem Bestehen der Chlorose resp. Anämie meist unter
dem Einfluß noch anderweitiger Schädlichkeiten ein, z. B. emotiver
und intellektueller Ueberanstrengungen (Neurasthenie der jungen
Lehrerinnen und Gouvernanten, überhaupt der „höheren Töchter",
welche infolge äußeren Zwangs oder zur Befriedigung des Ehrgeizes
sich anstrengenden Prüfungen unterzogen), oder nach akuten Infektionskrankheiten u. s. w. Die Konstitutionskrankheit hat also nur den
Boden vorbereitet, die Disposition geschaffen.

Als gleichwertige Teilerscheinung eines allgemeinen Schwächezustandes tritt uns die Neurasthenie besonders in den Fällen entgegen, in welchen auf erblicher Grundlage beruhende oder intrauterin
erworbene allgemeine konstitutionelle Schwächezustände vorliegen.
Das sind die schwächlichen Kinder kranker Eltern, die Sorgenkinder,
deren Lebensfähigkeit schon von der Geburt an immer in Frage gestellt war und die mit Mühe und Not zu einer relativen Entwickelungsreife gebracht worden sind. Ich werde Ihnen später bei der
Schilderung der einzelnen Krankheitstypen ein charakteristisches Beispiel dieser unglückseligen Menschenkinder vorführen.

Am schwierigsten erkennbar sind jene Fälle, in welchen die
neuropathische Belastung resp. Veranlagung sich in mehr oder
weniger ausgeprägten nervösen Erscheinungen kundgiebt, die hervorstechendsten Krankheitserscheinungen aber scheinbar auf ganz an-
derem Gebiete gelegen sind. Ich will hier ein Beispiel anführen,
um Ihnen diese Krankheitsfälle verständlicher zu machen:

Krg. No. 1.
Sie haben eine Dame vor sich, die an einer ausgeprägten Arthritis
deformans der Hände und Füße leidet. Die Gelenke sind knotig aufgetrieben, äußerst schmerzhaft; aktive und passive Beweglichkeit einzelner
Finger- und Zehengelenke ist schon völlig geschwunden, in anderen sehr
erschwert; alle Finger befinden sich in leichter Beugekontraktur; das
rechte Fußgelenk ist unförmlich verdickt, fast unbeweglich. Sie werden
vorerst nicht auf den Gedanken kommen, daß es sich hier um Krankheitsvorgänge handelt, die auf dem Boden ererbter neuropathischen
Beschaffenheit entstanden sind, da die Patientin gegenwärtig keine
Zeichen eines Nervenleidens darbietet. Betrachten Sie aber die Vorgeschichte des Falles! Die Dame stammt von einer hochgradig nervösen
Mutter, ein Bruder ist epileptisch, die übrigen 4 Geschwister sämtlich
mit verschiedenen nervösen Krankheitszuständen behaftet. Die Patientin
hat sich bis zur Pubertät körperlich und geistig normal entwickelt, war
dann aber mehrere Jahre hindurch von schweren hysterischen Krampf-
attaquen heimgesucht, die späterhin nach ihrer Verheiratung nicht wieder
aufgetreten sind. Sie hat 7 Kinder geboren. Eines hatte einen ausgeprägten Hydrocephalus und starb wenige Tage nach der Geburt unter
Konvulsionen; ein anderes ist geistig sehr gut entwickelt, hat aber bis
zum 8. Jahre verschiedene Anfälle von „Hirnentzündung" durchgemacht
(Schlaflosigkeit, gesteigerte motorische Erregbarkeit, Jaktation der Vorstellungen, Logorrhoe, Hallucinationen). Ein Sohn ist geistig wenig begabt, ein anderer ist schon seit Eintritt der Pubertätsentwickelung hochgradig neurasthenisch; eine Tochter ist ausgeprägt hysterisch, eine
andere leidet seit Jahren an einer Neurose des Kniegelenks, nur ein
einziges Kind, eine verheiratete Tochter, ist geistig und körperlich völlig
gesund.

Wir werden sicherlich nicht fehlgehen, wenn wir in vorliegendem

Falle von einer ausgeprägten neuropathischen Konstitution sprechen, die ihre Wurzel in der mütterlichen Keimesbeschaffenheit hat und in verhängnisvoller Weise bei den Kindern wiederkehrt. Betrachten Sie den Krankheitsfall von diesem Gesichtspunkt aus, so wird Ihnen die Annahme nicht befremdlich erscheinen, daß die chronischen Knochen- resp. Gelenkaffektionen auf Ernährungsstörungen beruhen, welche in irgendwelchem, freilich bislang völlig unaufgeklärtem Zusammenhange mit der neuropathischen Konstitution stehen.

Es ist ein besonderes Verdienst der französischen Neuropathologen, die Zusammengehörigkeit dieser Konstitutionskrankheiten und chronischer funktioneller Nervenerkrankungen durch genaue klinisch-ätiologische Untersuchungen ins richtige Licht gestellt zu haben. Sie begegnen dort vielfach dem Ausdruck, der Patient leide an einer diathèse nerveuse arthritique. Es besagt derselbe nichts anderes, als daß die Arthritis chronica auf neuropathischer Basis entstanden ist.

Diesen genetischen Zusammenhang aufzudecken, wird in Fällen, wie der oben geschilderte, besonders schwer, wenn die Arthritis chronica deformans oder das gichtische Leiden auftritt zu einer Zeit, in welcher nervöse Krankheitserscheinungen die neuropathische Konstitution überhaupt nicht offenbaren. Es ist dann fast unmöglich, zu entscheiden, ob man die Konstitutionskrankheit als Teilerscheinung oder als Folgezustand des Nervenleidens auffassen soll. Wenn man berücksichtigt, daß die gesamten Stoffwechselvorgänge dauernd unter dem Einflusse des Centralnervensystems stehen, so werden wir principielle Bedenken dagegen nicht erheben können, daß bei langdauernden funktionellen Schwächezuständen des Centralnervensystems allgemeine Ernährungsstörungen in den Körpergeweben rein sekundär Platz greifen. Ich glaube, daß man eine solche ursächliche Verknüpfung nur dann annehmen darf, wenn erworbene neuropathische Zustände zu allgemeinen Ernährungsstörungen führen, die unter dem Bilde der Leukämie oder Oligocythämie und verwandter Anomalien der Blutbeschaffenheit und Blutmenge sichtbar werden. Ob jene arthritischen Erkrankungen auch als Folge eines erworbenen neuropathischen Zustandes in Erscheinung treten können, scheint mir nach meinen eigenen Erfahrungen sehr fraglich.

e) Akute und chronische Infektionskrankheiten.

Gerade die Erfahrungen der letzten Jahre haben uns die bedeutungsvolle Rolle, welche akute Infektionskrankheiten bei der Entwickelung der Neurasthenie spielen, gelegentlich der fast jährlich wiederkehrenden Influenzaepidemien recht anschaulich gemacht. Diese in ihrem Wesen noch wenig aufgeklärte Krankheit hat einerseits den verderblichsten Einfluß auf Neurastheniker ausgeübt, indem sie die bestehenden Krankheitserscheinungen verstärkte und neue Krankheitssymptome hervorrief, andererseits völlig gesunde Menschen schwer neurasthenisch gemacht. Es treten dann die nervösen Krankheitserscheinungen als Nachkrankheiten der Influenza auf.

Es ist bemerkenswert, daß die Krankheitszustände des Nervensystems, welche sich hauptsächlich durch Schlaflosigkeit, vasomotorische Störungen, schwere multiple Parästhesien auszeichnen, oft in gar keinem Verhältnis zu der Intensität des Influenzanfalls stehen, da letzterer oft

ganz geringfügig und kurzdauernd gewesen sein kann. Man ist versucht, derartige Beobachtungen jenen nervösen Schwächezuständen
an die Seite zu stellen, welche infolge von akuten und chronischen
Malariainfektionen auftreten. Ich möchte dieser letzteren Krankheit eine große ätiologische Bedeutung zumessen; wenigstens habe
ich bei den Neurasthenikern, welche aus Malariagegenden stammen,
neben den typischen Krankheitssymptomen der Neurasthenie sehr
häufig leichte Vergrößerungen der Milz nachweisen können. Es gelingt aber nur in einem Bruchteil der Fälle der anamnestische
Nachweis, daß typische Malariaanfälle früherhin aufgetreten waren.
Es wies aber das eigenartige kachektische Verhalten der Patienten auf
einen engeren ursächlichen Zusammenhang zwischen beiden Krankheiten hin und diese Annahme wurde durch den Erfolg bestimmter
therapeutischer Maßnahmen bestärkt. Daß das Malariagift besonders
schädigend auf das Centralnervensystem wirkt, beweisen gelegentlich
schwere psychische Störungen, bleibende Lähmungen, Kontrakturen
und Anästhesien im Gefolge chronischer Malariainfektionen.

Im Kindesalter haben die Masern, Scharlach, Diphtheritis,
Keuchhusten u. a. m. die Wirkung, besonders bei schlecht entwickelten, an sich schwächlichen Kindern protahierte Rekon-
valescenzstadien hervorzurufen, welche die Grundlage dauernder nervöser Schwächezustände sein können. Nicht minder bedeutungsvoll
sind akute Infektionskrankheiten, welche zur Zeit der Pubertätsentwickelung den jugendlichen Organismus befallen. Wenn Sie bei einer
größeren Zahl von Geistes- und Nervenkranken den Entwickelungsgang der Patienten genau durchforschen, so finden Sie mit auffälliger Häufigkeit die Angabe, daß dieselben in den Jugendjahren
am „Nervenfieber" gelitten haben. Sie dürfen nur nicht glauben, daß
hier immer mit Sicherheit der Typhus abdominalis gemeint sei, im
Gegenteil werden Sie oft nachweisen können, daß diese Nervenfieber
ohne Fieber verlaufen sind, daß es sich um psychische Krankheitszustände gehandelt hat, welche mit dem gelegentlich der Schilderung
des vorstehenden Krankheitsfalles erwähnten Erregungszustande bei
dem 8-jährigen Knaben (vergl. S. 62) identisch sind. Ich füge dies
hier bei, damit Sie nicht auf Grund solcher anamnestischer Angaben
dem Irrtum anheimfallen, daß der Typhus eine der häufigsten Quellen
erworbener krankhafter Dispositionen sei. Ich will damit die Bedeutung dieser Infektionskrankheit keineswegs herabmindern. Im Gebiete der ausgeprägten Geisteskrankheiten finden wir nicht selten im
Anschluß an Typhus abdominalis die Erschöpfungspsychosen
(Stupor, Amentia) sich einstellen, welche, ätiologisch betrachtet, mit
unserer Erschöpfungsneurose die innigste Verwandtschaft besitzen.
Besonders bei neuropathisch belasteten und veranlagten Menschen
bedingt der Typhus abdominalis geradezu den Ausbruch des Leidens.
Meiner Erfahrung gemäß hat neben dieser Infektionskrankheit der
akute Gelenkrheumatismus als ätiologischer Faktor die größte
Bedeutung.

Der ursächliche Zusammenhang zwischen diesen Infektionskrankheiten und der nachfolgenden neuropathischen Beschaffenheit wird
durch die neueren Erfahrungen aufgeklärt, welche den schädigenden
Einfluß der Bakteriengifte auf das Nervensystem beweisen. Es ist
durchaus berechtigt, in solchen Fällen nicht nur an eine allgemeine,
durch die voraufgegangene erschöpfende Krankheit verursachte kon-

stitutionelle Schwächung, sondern geradezu an eine direkte toxische
Schädigung der centralen Nervensubstanz zu denken. Die letztere
Annahme wird durch die Fälle gestützt, bei welchen, wie oben bei
der Influenza erwähnt wurde, relativ leichte Infektionen die weittragendsten und langwierigsten Folgeerkrankungen hervorrufen.

Unter den chronischen Infektionskrankheiten steht die L u e s
obenan. Ich sehe hier natürlich ab von jenen anatomisch nachweisbaren krankhaften Veränderungen des Centralnervensystems, die
wir neuerdings in die specifischen gummösen Prozesse und in die postsyphilitischen, degenerativen Veränderungen des Nervengewebes
trennen. Hier kommen nur die allgemeinen, postsyphilitischen Ernährungsstörungen in Betracht, die zwar sicherlich auch in feineren
Strukturveränderungen des Nervengewebes bestehen müssen, jedoch
vom klinischen und pathologisch-anatomischen Standpunkte aus
bislang nur als allgemeine Ernährungsstörungen bezeichnet werden
können (Syphiliskachexie). Die Syphilis schwächt das Centralnervensystem und schafft so die erworbene neuropathische Konstitution. Bei neuropathisch belasteten und veranlagten Individuen
veranlaßt sie neurasthenische Krankheitszustände, welche sehr rasch
in ausgeprägte Hypochondrie übergehen. Es kann im Einzelfalle
außerordentlich schwierig werden, festzustellen, ob die zu Tage tretenden
nervösen Beschwerden ausschließlich den Charakter einer funktionellen
Störung besitzen, oder ob sie Anfangs- resp. Teilerscheinungen organischer syphilitischer und postsyphilitischer Erkrankungen des
Centralnervensystems sind.

An dieser Stelle müssen wir noch der L u e s h e r e d i t a r i a gedenken. Die Bedeutung der Syphilis als Quelle von Keimesschädigungen und damit ererbter konstitutioneller Schwächezustände
haben wir schon bei der allgemeinen Aetiologie hervorgehoben. Hier
möchte ich nur noch einige klinisch-ätiologische Daten hinzufügen.
Daß dieselbe in inniger Beziehung zu ausgeprägten Nerven- und
Geisteskrankheiten steht, ist zwar lange bekannt, jedoch meines Erachtens noch zu wenig gewürdigt. Bei mehreren Fällen von kindlichen Psychosen, die in den letzten Jahren in unserer Klinik beobachtet sind, sowie bei Fällen von Epilepsie, Chorea und kongenitalem
Schwachsinn ist die hereditäre Syphilis mit Sicherheit festgestellt
worden. Selbstverständlich ist der Einfluß derselben auf die Anlage
und die weitere Entwickelung des Centralnervensystems bei den Nachkommen nur in den selteneren Fällen in der Privatpraxis mit genügender Sicherheit klarzustellen, doch verfüge ich über einige durchaus zuverlässige Krankengeschichten, in welchen die Nachkommenschaft syphilitischer Väter genauer verfolgt werden konnte. Ich ver-
danke diese Mitteilungen der Freundlichkeit einiger älterer Kollegen,
welche als langjährige Familienärzte sowohl in den Lebensgang des
Erzeugers als auch in die Entwickelung der Kinder einen genauen
Einblick thun konnten.

Ich will Ihnen statt weiterer Ausführungen ganz kurz eine solche
Familiengeschichte skizzieren:

Vater Anfangs der 20er Jahre luetisch infiziert mit ausge- Krg.
No. 2.
prägten Sekundärerscheinungen; verschiedene Schmierkuren; starb in der
Mitte der 40er Jahre an progressiver Paralyse.

Mutter angeblich völlig gesund; hat zuerst einmal abortiert, sodann 4 Kinder geboren, von denen das erste wenige Tage nach der Geburt starb. Die 3 späteren Kinder, zwei Söhne und eine Tochter, entwickelten sich körperlich völlig normal, doch blieb das älteste Kind (Sohn) in der geistigen Entwickelung zurück und mußte einer Anstalt für schwachsinnige Kinder übergeben werden. Das zweite Kind (Tochter), in den Pubertätsjahren sehr chlorotisch, leidet in der Folge an Schlaflosigkeit, nervösem Herzklopfen, gesteigerter Ermüdbarkeit bei körperlichen und geistigen Anstrengungen; das jüngste Kind (Sohn), geistig sehr gut veranlagt, konsultiert mich während seiner Studienzeit; er leidet an habituellem Kopfschmerz, Schlaflosigkeit, Migräneanfällen schon seit seinem 17. Lebensjahr. Jetzt in seinem 21. treten gelegentlich der Vorbereitung zum juristischen Examen die Symptome ausgeprägter Neurasthenie hinzu. Nach Bericht des Hausarztes hat dieser jüngste Sohn als einjähriges Kind eine eigenartige periostitische Erkrankung der linken Tibia dargeboten, die auf eine antisyphilitische Behandlung zur Heilung gelangte.

Ich bin überzeugt, daß Sie in Ihrer späteren ärztlichen Wirksamkeit ähnliche Beobachtungen häufiger machen können. Sie werden freilich immer mit der Scheu der Väter, ihre Jugendsünden einzugestehen, zu rechnen haben. Außerdem werden Sie nur relativ selten in der Lage sein, einerseits festzustellen, daß ausschließlich die Syphilis als belastendes Moment gewirkt hat, und andererseits den Nachweis zu liefern, daß während des individuellen Lebens des Nachkommen nicht andere schwerwiegende Schädlichkeiten eingewirkt haben, welche die Ausbildung der Neurasthenie für sich allein genügend erklären können. Es sind dies aber Schwierigkeiten, die überhaupt jeder ätiologischen Betrachtungsweise entgegenstehen. Wir werden eben meistens einer Vielheit von Krankheitsursachen begegnen, über deren Bedeutung im einzelnen ganz verschiedenartige Auffassungen vorhanden sein können. Meine Stellung zu dieser ätiologischen Frage haben Sie bei der allgemeinen Aetiologie kennen gelernt. Bezüglich der Bedeutung der Syphilis als hereditäre Krankheitsursache ist hier noch ergänzend hinzuzufügen, daß eine doppelte Einwirkung auf die Frucht stattfinden kann. Das syphilitische Gift kann direkt in den zur Befruchtung verwandten Keimkern eingedrungen sein und geradezu eine specifisch syphilitische Infektion des Keims veranlaßt haben. Das sind die Fälle, bei welchen die Früchte entweder in der Fötalperiode oder späterhin specifische gummöse Krankheitsprozesse zeigen. Oder die Lues des Erzeugers bedingt nur jene allgemeine, früher erwähnte Ernährungsstörung, welche mittelbar die Ernährungsvorgänge der Keimzelle beeinträchtigt und deren Molekularstruktur resp. chemische Beschaffenheit schädigt. Im letzteren Falle wird selbstverständlich nicht die Syphilis als solche erblich übertragen, sondern nur eine allgemeine pathologische Abänderung der Keimesanlage der Frucht veranlaßt werden, welche mit der Syphilis des Erzeugers in gar keinem direkten Zusammenhang steht und die wir ganz allgemein als Keimesschädigung bezeichnet haben. Wird durch sie die Entwickelung des Nervensystems gestört, so sprechen wir von einer neuropathischen Belastung.

In dem oben skizzierten Falle muß aber noch eine weitere ätiologische Verknüpfung zwischen dem späterhin zur Entwickelung gelangten neurasthenischen resp. neuropathischen Zustande und der

Syphilis angenommen werden. Die Knochenaffektion im frühen Kindesalter weist auf eine direkte specifische Infektion des elterlichen Keimes und damit der späteren Frucht hin. Hier kann die fötale Entwickelung des Nervensystems eine durchaus normale gewesen sein; die Schädigungen, die später zur Zeit der Pubertätsreifung fühlbar wurden, müssen als postsyphilitische nervöse Nachkrankheiten im Sinne der obigen Ausführungen betrachtet werden. Daß sie so spät in Erscheinung traten, hat nichts Befremdliches, da ja auch die postsyphilitischen, anatomisch nachweisbaren Erkrankungen der Tabes und Paralyse oft 20 und mehr Jahre nach dem letzten Auftreten specifischer Krankheitserscheinungen zum Ausbruch kommen. In dem hier angezogenen Beispiele wird die vermehrte intellektuelle Anstrengung, welche mit der Vorbereitung zur Prüfung verbunden war, die latente neuropathische Disposition zur Entwickelung gebracht haben.

Die Tuberkulose findet sich nicht selten mit ausgeprägter Neurasthenie vereinigt. Der genetische Zusammenhang zwischen beiden Krankheiten wird in jedem einzelnen Falle genau bestimmt werden müssen. Es kann die Tuberkulose das Primäre sein und die neurasthenischen Krankheitserscheinungen auf dem Boden einer allgemeinen Ernährungsstörung sich entwickeln. Dies ist ganz besonders dann der Fall, wenn einseitige geistige Ueberanstrengungen dem geschwächten Organismus zugemutet werden. In anderen Fällen läßt sich der Nachweis liefern, daß die Neurasthenie auf Grund erblicher Belastung oder Veranlagung entstanden ist und erst später sich tuberkulöse Prozesse hinzugesellt haben. Dies neue Leiden wirkt äußerst ungünstig auf den Nervenzustand des Patienten. Schlaflosigkeit, quälende Kopfschmerzen, spinale Symptome, dyspeptische Erscheinungen steigern sich oft zu fast unerträglicher Höhe.

Bei dieser Gelegenheit möchte ich aber auch auf eine Quelle mancher Täuschungen hinweisen. Schwächlich veranlagte, neuropathische Persönlichkeiten werden bisweilen Anfangs der zwanziger Jahre von Bronchialkatarrhen befallen, die mit heftigen Fieberbewegungen, starkem Hustenreiz, raschem Kräfteverfall einhergehen. In früheren Zeiten, in welchen eine Untersuchung des Sputums auf Tuberkelbacillen nicht stattfand, wurden solche Fälle fast immer der Tuberculosis pulmonum zugerechnet. Gerade sie bilden das dankbarste Objekt für überraschende Heilungen durch Mastkuren. Man ist da früher dem Irrtum unterlegen, daß es sich um geheilte Phthisiker handele. Bei der modernen Diagnostik der Tuberkulose werden derartige Verwechselungen wohl seltener vorkommen.

Die Carcinose bietet wenig nähere Beziehungen zur Neurasthenie dar. Ihr Einfluß auf Entwickelung und Verstärkung neurasthenischer Krankheitszustände ist demjenigen gleichzuachten, den wir vorstehend bei der Tuberculosis erörtert haben. Die ursächlichen Beziehungen, welche die Carcinose zu der neuropathischen Veranlagung resp. Belastung besitzt, sind schon früher bei der allgemeinen Aetiologie erwähnt worden.

f) Akute und chronische Lokalaffektionen.

Alle örtlichen Erkrankungen vom leichtesten Schnupfen bis zu den schwersten Darmkatarrhen, Genitalerkrankungen u. s. w. sind als

Ursachen der Neurasthenie bezeichnet worden. Sie werden von den
Patienten selbst mit Vorliebe als Ausgangspunkt des nervösen Leidens
angegeben. Thatsächlich werden Sie den Ausbruch schwerer Krankheitserscheinungen im Anschluß an solche Lokalerkrankungen nicht
selten beobachten können. Doch vermag ich unter allen mir zur
Verfügung stehenden Krankengeschichten keine einzige herauszufinden,
durch welche klar bewiesen werden könnte, daß eine akute örtliche Erkrankung, z. B. ein akuter Magenkatarrh, eine
wahre Neurasthenie bei sonst gesunden Individuen erzeugt hätte. Wohl aber wirken solche Krankheitsvorgänge auslösend und verstärkend auf schlummernde,
im Keime vorhandene und unfertig entwickelte konstitutionelle Neuropathien. Sie werden oft erstaunt sein, auf
welch geringfügige Anlässe chronisch-nervöse Menschen Verschlimmerungen ihrer Krankheitszustände, vollständige Rückfälle in früher vorhanden gewesene ausgeprägte Neurasthenien zurückführen. Es trifft
dies nicht nur für diese Reihe von Schädlichkeiten, sondern für alle
ätiologischen Faktoren zu, doch werden Sie am häufigsten bei den
Autoanamnesen der Patienten auf die Angabe stoßen, daß ein kleines
örtliches „Leiden", ich will hier nur noch das Vorhandensein eines
cariösen Zahnes erwähnen, die ganze Nervenkrankheit verursacht habe.

Ganz abgesehen von diesen Einschränkungen, welche wir bezüglich der Bedeutung akuter örtlicher Leiden machen müssen, kommen
noch andere gewichtigere Irrtümer in dieser Richtung vor. Es werden
nämlich körperliche Krankheitszustände als Ursache des Nervenleidens
aufgeführt, die sich bei näherer Betrachtung als Teilerscheinungen
des Nervenleidens herausstellen. Wenn z. B. im Verlaufe der Neurasthenie im Anschluß an eine Erkältung, an einen jähen Temperatur-
wechsel der Patient über die intensivsten Erscheinungen eines Larynx-
katarrhs klagt und einer specialärztlichen Behandlung seines Kehl-
kopfs sich unterwirft, so werden Sie als Arzt meist über den Erfolg
Ihrer Behandlung enttäuscht sein. Zuerst sind Sie überrascht über
die Intensität der subjektiven Beschwerden und die Geringfügigkeit
des objektiven Befundes. Während der Behandlung werden Sie nicht
selten bei allen lokalen Eingriffen (Bepinselungen, Bestäubungen u. s. w.)
eher eine Vermehrung der subjektiven Beschwerden konstatieren
können, und schließlich, wenn alle Ihre Bemühungen erfolglos bleiben,
werden Sie zur Einsicht gelangen, daß bei dem „nervösen" Patienten
die Lokalaffektion überhaupt eine belanglose, vielleicht eingebildete
Krankheit gewesen sei.

Der letzteren Anschauung möchte ich aber entgegentreten. Es
ist, wie Sie schon aus den einleitenden Bemerkungen zu diesen Vorlesungen entnehmen konnten, durchaus ungerechtfertigt, Krankheitsvorgänge, die wir vom pathologisch-anatomischen Standpunkte nicht
genügend verstehen können, einfach als nicht vorhanden, als nur in
der Einbildung der Kranken bestehend zu bezeichnen. Sowohl der
Hustenreiz, als die Heiserkeit, als auch die Schmerzen sind in dem
hier in Frage stehenden Beispiele wirklich vorhanden, sind für den
Patienten äußerst reale und quälende Beschwerden, sie stehen nur,
ich wiederhole es, scheinbar in gar keinem Verhältnis zu der nachweislichen Lokalaffektion. Sie werden sie demgemäß als „nervöse",
d. h. pathologisch gesteigerte Reaktionen auf äußere Reize bezeichnen
dürfen, jedoch die ganz unwissenschaftliche Auffassung, daß Ein-

bildungen die erste Ursache dieser Krankheitserscheinungen seien,
absolut von der Hand weisen. Daß dieselben durch psychische Vorgänge beeinflußt oder verstärkt werden, lernen wir bei der Symptomatologie noch eingehender kennen. Vor allem belehrt Sie die
Therapie darüber, daß hier die Lokalaffektion im Verhältnis
zu dem nervösen Allgemeinleiden eine ganz untergeordnete Bedeutung besitzt, und daß eine Allgemeinbehandlung, welche auf die Bekämpfung des Nerven-
übels gerichtet ist und die Lokalaffektion völlig vernachlässigt, oft in überraschender Weise zum Ziele
führt. Sie bessern den Gesamtzustand des Patienten,
und das hartnäckige lokale Uebel schwindet.

Was hier über akut einsetzende und akut verlaufende Lokal-
affektionen gesagt wurde, gilt in erhöhtem Maße von allen chronischen
Organerkrankungen. Es ist dies fast selbstverständlich, wenn wir die
allgemeinen ätiologischen Erwägungen betrachten. Ich brauche deshalb auch nicht näher auf die einzelnen lokalen Krankheiten einzugehen. Ich möchte nur eine einzige Gruppe, die in klinischer Hinsicht geradezu im Mittelpunkt derartiger Erwägungen steht, etwas
genauer erwähnen. Es sind die Erkrankungen der Genitalorgane.

Ueber ihren Einfluß beim männlichen Geschlecht werde ich Ihnen
später Genaueres mitteilen. Wir wollen uns hier nur mit den Genitalerkrankungen des Weibes beschäftigen. Sie wissen, welchen bedeutenden Umfang die Gynäkologie in wissenschaftlicher und praktischer
Beziehung gewonnen hat. Die Technik der manuellen und instru-
mentellen Untersuchung ist außerordentlich verfeinert, die Sicherheit
der Diagnose vervollständigt und die Behandlungsmethoden in gleicher
Weise ausgebaut worden. Indem hier Wissenschaft und Technik die
höchsten Triumphe feierten, wurde aber auch ganz unmerklich der
Standpunkt verschoben, welcher dieser Gruppe von Lokalerkrankungen
bei einer vergleichenden Nosologie zukommen kann. Jo häufiger geringfügige und schwere Genitalerkrankungen jetzt nachgewiesen werden
konnten, um so höher stieg ihre Wertschätzung in den Augen der
Aerzte, und es wurde vielfach über dem Bemühen, ein vollendeter
Lokaldiagnostiker und Lokaltherapeut zu sein, die Betrachtung und
Behandlung des Gesamtindividuums völlig vernachlässigt. Das alte
mephistophelische Wort paßt mit erschreckender Deutlichkeit auf
unsere Zeit; das Specialistentum im schlimmen Sinne des Wortes,
d. h. die ausschließliche Bearbeitung eines einzelnen Körperorgans,
führt zu wahren Ungeheuerlichkeiten, die von den Gegnern dieser
Richtung nicht bloß konstruiert, sondern thatsächlich in corpore
vili demonstriert werden können. Es trifft übrigens, was ich hier
gleich einschalten will, der Vorwurf einer übergroßen Einschränkung
des ärztlichen Horizonts keineswegs den Gynäkologen allein, der
Nasen-, Augen-, Rachen-, Ohren-, Magenarzt κατ' ἐξοχήν unterliegt
nicht selten den gleichen Fehlern, welche psychologisch unschwer aus
der einseitigen Beschäftigung erklärt werden können.

Daß aber gerade die Gynäkologie in so enge Beziehungen zur
Nervenpathologie getreten ist, ist aus dem Umstande zu erklären, daß
örtliche Erkrankungen im Bereich der Genitalorgane fast ebenso
häufig, wenn nicht häufiger sind als die nervösen Schwächezustände,
und daß thatsächlich beide in der überwiegenden Mehrzahl der Fälle

das Individuum gemeinschaftlich heimsuchen. Der Trugschluß, dem die Gynäkologen sehr leicht anheimfallen, besteht nun darin, daß sie den genetischen Zusammenhang beider Leiden ausschließlich in der Richtung einer primären Genitalstörung und sekundärer nervöser Krankheitszustände suchen. Ich stelle nun von vornherein keineswegs in Abrede, daß es eine Gruppe von Krankheitsfällen giebt, in welchen thatsächlich eine Genitalerkrankung der Ausgangspunkt der psychischen und somatischen nervösen Beschwerden gewesen ist. Bitte, beachten Sie, was ich früherhin über die Bedeutsamkeit einer lokal wirkenden Schädlichkeit für den Gesamtzustand des Nervensystems gesagt habe. Vergegenwärtigen Sie sich weiterhin den Reichtum von Nervenfasern und Nervengeflechten, aus cerebro-spinalen und Sympathicusfasern bestehend, welcher gerade den Beckenorganen eigentümlich ist, so ist es unschwer zu begreifen, daß derartige Erkrankungen, wenn sie längere Zeit bestehen, eine sehr verderbliche Einwirkung auf das Centralnervensystem ausüben müssen.

Es wirken hier zwei Momente zusammen, welche diesen schädigenden Einfluß hervorbringen: einmal die Summation einer großen Menge an sich geringfügiger, aber lange Zeit hindurch auf die Erregbarkeitszustände der centralen Nervensubstanz wirkender peripherer Reize, sodann die erschöpfenden, den Kräftezustand des Gesamtorganismus verzehrenden Begleiterscheinungen mancher Genitalerkrankungen. Chronische Endometritis und Metritis, die Lageveränderungen und die Geschwülste des Uterus, die Para- und Perimetritiden, die Oophoritis, die Ovarialtumoren und endlich die Tubenerkrankungen, sie alle bedingen gelegentlich tiefgreifende Ernährungsstörungen, welche an sich die Leistungsfähigkeit des Nervensystems und vor allem den psychischen Zustand ungünstig verändern. Besonders schädigend wirken die profusen Metrorrhagien und Leukorrhöen.

In all diesen Fällen ist zweifellos eine lokale Behandlung indiziert, aber glauben Sie nicht, daß Sie mit der Beseitigung dieser Beschwerden bei der Mehrzahl Ihrer Patientinnen auch das nervöse Leiden heben werden: im Gegenteil werden Sie nicht selten die traurige Erfahrung machen, daß Sie mit einer langdauernden örtlichen Behandlung das nervöse Allgemeinleiden verschlimmert haben.

Hier beginnt die Schwierigkeit der genaueren Differential- oder, vielleicht richtiger gesagt, ätiologischen Diagnostik. Jene relativ kleine Gruppe genitalleidender Mädchen und Frauen, bei welchen das Uterinleiden ohne alle erbliche Belastung oder anderweitige neuropathische Veranlagung ausschließlich das Nervenleiden verursacht hat, läßt nur dann einen vollen Erfolg der Lokaltherapie hinsichtlich der Beseitigung der allgemeinen Störung erhoffen, wenn das örtliche Leiden nur relativ kurze Zeit bestanden hat. Kommen aber die Patientinnen erst später in Behandlung, nachdem die sekundären Ernährungsstörungen und damit Veränderungen der nervösen Leistungsfähigkeit schon völlig ausgebildet sind, so wird die Lokaltherapie auf diese letzteren kaum mehr einen Einfluß gewinnen können. Die ursprüngliche Abhängigkeit der Allgemeinstörung vom Lokalleiden ist im Laufe der Zeit geschwunden und das Allgemeinleiden ist selbständig geworden. Besonders die psychische Veränderung der Patientinnen steht in keinem Verhältnis mehr zu der Bedeutung der örtlichen Erkrankung.

Rein klinisch betrachtet, liegen die Verhältnisse so: Wenn bei sonst gesunden, neuropathisch nicht disponierten Persönlichkeiten im Gefolge einer Genitalerkrankung eine lokalisierte Nervenstörung für sich allein auftritt, z. B. ausschließlich dyspeptische Erscheinungen, so werden Sie oft einen überraschenden Erfolg Ihrer Lokaltherapie sehen. Die Korrektur einer Lageveränderung des Uterus beseitigt fast momentan die Magenbeschwerden; es handelte sich hier um eng-begrenzte, pathologische Irradiationen, die mit der Beseitigung des ursächlichen Reizes zum Schwinden gebracht wurden. Bestehen aber ausgedehntere nervöse und psychische Veränderungen, ist die Reaktion fast des gesamten Nervensystems auf innere und äußere Reize krankhaft verändert, die Arbeitsfähigkeit verringert, die pathologische Ermüdung durchweg gesteigert, so dürfen Sie keinen direkten Erfolg von Ihrer Lokaltherapie erhoffen. Sie werden einzelne, gewiß sehr lästige Krankheitssymptome beseitigen, das Allgemeinleiden wird im günstigen Falle gar nicht oder wenig beeinflußt. Im ungünstigen Falle aber bemerken Sie geradezu eine Verschlimmerung des Nerven-leidens; besonders dann, wenn Sie längere Zeit hindurch die inneren Genitalorgane durch Tamponaden, Sondierungen, Ausspülungen, Aus-kratzungen, innere Massage u. s. w. gequält haben. Dadurch ver-mehren Sie die dem nervösen Centralorgane zufließenden Reize, Sie wirken direkt bahnend für eine diffusere Ausbreitung der krank-haften Erregbarkeitszustände im Centralnervensystem.

Einen besonders günstigen Nährboden für solche schädliche Ein-wirkungen der Lokaltherapie bieten die allgemeinen Ernährungs-störungen, welche das Lokalleiden begleitet haben; denn diese führen ja, wie Sie wissen, zu sehr verhängnisvollen nutritiven und funktio-nellen Erschöpfungen der Nervensubstanz. Wie manche leichte psy-chische Verstimmung, wie manche umschriebene nervöse Störung ist zu schwerer Melancholie, zu ausgeprägter Paranoia während einer monatelang fortgesetzten gynäkologischen Behandlung unter den Augen des Arztes, aber ohne daß er es erkannt hätte, fortgeschritten! Ein Selbstmordversuch, die Aeußerung offenkundiger Wahnvorstel-lungen schreckt ihn dann jählings aus seinen gynäkologischen Träumen auf und legt ihm die volle Schwere des Leidens bloß.

Viel ungünstiger noch liegen die Verhältnisse, falls ein gynäko-logisches Leiden sich bei einer zweifellos schon neuropathisch dispo-nierten Persönlichkeit vorfindet. Auch hier können wir verschiedene genetische Zusammenhänge zwischen der Lokalerkrankung und dem Allgemeinleiden feststellen.

Zuerst begegnen wir Krankheitsfällen, bei welchen das örtliche Genitalleiden nur die Teilerscheinung eines allgemeinen konstitutio-nellen Schwächezustandes ist. Die nervösen Krankheitserscheinungen stehen dann sehr oft in gar keinem oder äußerst lockerem Zusammen-hange mit der lokalen gynäkologischen Erkrankung. Sie können nachweisen, daß entweder die nervösen Störungen schon längere Zeit vor dem Auftreten der lokalen Krankheitserscheinungen vorhanden gewesen sind, die Patientinnen z. B. schon an Chorea oder Epilepsie gelitten haben, während eine Genitalerkrankung erst zur Zeit der Pubertätsentwickelung bemerkbar geworden ist. Sie werden zwar hier dem Einwand seitens der Specialärzte begegnen, daß trotz dieses zeitlichen Auseinanderliegens der verschiedenen Krankheitserschei-nungen ein innerer genetischer Zusammenhang zwischen ihnen be-

stehe. Das Genitalleiden sei eben früher nicht konstatiert resp. erkannt worden. Man wird dann aber billig fragen dürfen, warum
diese Genitalerkrankung gerade im Kindesalter, in welchem die Fortpflanzungsorgane in einem funktionellen Ruhezustand sich befinden,
zu schweren nervösen Störungen Veranlassung gewesen sind, während
sie zur Zeit der Geschlechtsreife, bei welcher thatsächlich erhöhte
Reizungen von diesen Teilen aus auf das Nervensystem ausgeübt
werden, viele geringfügigere nervöse Krankheiten verursachten. Aber
nehmen Sie auch den in praxi häufiger vorkommenden Fall, daß
das Genitalleiden und schwerere nervöse Erkrankungen gleichzeitig
auftreten und zur Kenntnis des Arztes gelangen, so ist damit keineswegs bewiesen, daß die eine Reihe von Krankheitserscheinungen mit
der anderen in einer innigeren ursächlichen Verknüpfung steht.

Krg.
No. 3.   Ich behandle eine junge, an Epilepsie erkrankte Dame, welche
erblich schwer belastet und konstitutionell anämisch ist. Die epileptischen Insulte stellten sich zur Zeit der Pubertätsentwickelung ein;
ein konsultierter Gynäkologe konstatierte das Vorhandensein einer Retroflexio uteri. Es wurden auf die gynäkologische Behandlung die größten
Hoffnungen gesetzt, und wirklich wurde das Allgemeinbefinden der Patientin vorübergehend besser, und die epileptischen Insulte setzten für
einige Wochen aus, nachdem die Lageveränderung korrigiert war. Dann
traten sie aber mit erneuter Heftigkeit auf, die Patientin verfiel geistig
und mußte einer Anstalt übergeben werden.

Solche Beispiele wird Ihnen jeder Nervenarzt in großer Zahl
mitteilen können. Doch giebt es auch hier sicherlich Fälle, in welchen
die Beseitigung einer Lokalerkrankung von großem Nutzen sein kann,
nämlich diejenigen, wo starke Blutungen oder Uteruskatarrhe einen
den ganzen Organismus schwächenden Einfluß ausüben. Hier bedürfen wir geradezu der Unterstützung des Frauenarztes. Bevor wir
durch geeignete, auf eine allgemeine konstitutionelle Kräftigung hinzielende Behandlungsmethoden solchen Patientinnen nützen können,
muß diese lokale Ursache neuer Schwächungen beseitigt werden.

Diese ideale Forderung ist aber in praxi nicht so leicht erfüllbar.
Gerade diese konstitutionell neuropathischen Individuen mit schwerer
hereditärer Belastung oder kongenitaler neuropathischer Veranlagung
sind oft die undankbarsten Objekte gynäkologischer Behandlung. Ein
Heer von nervösen Erscheinungen wird allmonatlich verstärkt durch
die menstruale Kongestion; die menstruale Blutung ist profus und
bringt die an sich schon anämischen, heruntergekommenen Patientinnen
wieder völlig zurück. Gynäkologisch werden chronische Metritiden,
Oophoritiden, Lageveränderungen gefunden und oft jahrelang behandelt, doch ohne Erfolg. Die Blutungen dauern in gleicher Weise
wie die nervösen Störungen fort. Ich erinnere mich zweier Patientinnen, welche von einer großen Zahl hervorragender Gynäkologen
behandelt worden sind. Die eine hatte 16, die andere 24 Frauenärzte konsultiert. In dem einen Falle scheiterten auch alle meine
Bemühungen, durch entsprechende Allgemeinbehandlung die Kranke
günstig zu beeinflussen; in dem anderen aber gelang es, den Ernährungszustand der Patientin zu heben. die Schlaflosigkeit zu beseitigen, die Kranke an eine regelmäßige körperliche und geistige
Arbeit zu gewöhnen: und siehe da. die profusen Metrorrhagien
schwanden ohne jede Lokaltherapie. Bei diesen neuropathischen In

dividuen ist die üble Wirkung einer langdauernden gynäkologischen Behandlung, der ich schon oben gedacht habe, oft ganz eklatant; nicht nur die schwersten neurasthenischen und hysterischen Krankheitszustände, sondern auch andere ausgeprägte Psychosen stellen sich im Verlauf derselben ein.

Endlich möchte ich einer relativ kleinen Gruppe von Fällen gedenken, bei welchen Entwickelungshemmungen auf psychischem resp. nervösem Gebiete (erblich degenerative Krankheitsmerkmale) mit anatomisch nachweislichen Entwickelungshemmungen und Mißbildungen seitens der Genitalorgane kompliziert sind. Rudimentäre Entwickelung der Müller'schen Gänge oder unvollständige Verschmelzung derselben (Hypoplasia uteri, Uterus didelphys bipartitus) oder Dermoide der Ovarien sind dann die gynäkologischen Befunde. Hier wird irgend ein wesentlicher Erfolg von der Lokalbehandlung hinsichtlich des nervösen Leidens überhaupt nicht erwartet werden können.

Es bedarf wohl keiner besonderen Rechtfertigung, daß ich hier diese ätiologischen Fragen ausführlicher besprochen und schon zugleich Ausblicke ins therapeutische Gebiet gethan habe. Denn ohne letztere würde es Ihnen kaum verständlich geworden sein, warum wir gerade hier eine so minutiöse Scheidung der einzelnen Fälle durchführen müssen. Ich werde übrigens bei der Besprechung der Therapie wieder auf diese Ausführungen Bezug nehmen müssen.

In ganz ähnlicher Weise werden Sie die chronischen Magen- und Darmkrankheiten hinsichtlich ihrer ätiologischen Beziehungen zur Neurasthenie einer genaueren Analyse zu unterwerfen haben, sofern Sie für Ihr therapeutisches Handeln bestimmte Indikationen gewinnen wollen.

g) Intoxikationen.

Die akuten Intoxikationen haben geringfügigere ätiologische Bedeutung, da sie in leichten Fällen nur selten zu bleibenden Veränderungen der Nerventhätigkeit Veranlassung sind, in schweren Fällen aber direkt zum Tode führen. Daß sie aber vom ätiologischen Standpunkte aus nicht ganz vernachlässigt werden dürfen, hat mich ein Fall belehrt, in welchem eine Kohlenoxydvergiftung jahrelange schwere neurasthenische Krankheitserscheinungen verursacht hat. Um so gewichtiger sind die chronischen Intoxikationen, von denen ich besonders die chronische Alkohol-, Morphium- und Tabakvergiftung erwähnen will. Den schädlichen Einfluß, welchen der chronische Alkoholmißbrauch auf das Centralnervensystem, sowohl auf die psychischen, als auch auf die rein nervösen Funktionen ausübt, habe ich schon in der Klinik auf dem specielleren Gebiete der Alkoholpsychosen demonstrieren können. Doch fehlt es auch nicht an Beobachtungen, bei welchen direkt der Nachweis geliefert werden kann, daß lange fortgesetzter, unmäßiger Alkoholgenuß das wesentlichste Moment beim Zustandekommen einer typischen Neurasthenie gewesen ist. Ich habe auf die schädlichen Folgen des Alkoholmißbrauchs, besonders für das jugendliche Gehirn, schon oben gelegentlich der Schilderung der Neurasthenie der Studierenden hingewiesen.

Ich habe dem dort Gesagten nur wenig hinzuzufügen. Auf die

alkoholistische Basis der neurasthenischen Beschwerden werden Sie oft hingewiesen durch bestimmte somatische und psychische Begleiterscheinungen, welche dem chronischen Alkoholismus eigentümlich sind. Der allgemeine Rückgang der intellektuellen Kräfte einschließlich der feineren ethischen und ästhetischen Vorstellungen und Gefühle, die Schlaftheit, Charakterlosigkeit und Willensunfähigkeit, die sensoriellen Reizerscheinungen, die sich besonders Abends zu leichten hallucinatorischen Erregungen und ausgebreiteten illusionären Verkennungen steigern können, der oberflächliche, durch schreckhafte Träume gestörte Schlaf, die eigenartigen Sensibilitätsstörungen, der Tremor, die Abnahme der groben Muskelkraft, alle diese charakteristischen Merkmale des chronischen Alkoholismus werden Sie leicht über die letzten Ursachen dieser Neurasthenie aufklären.

Doch dürfen Sie nie vergessen, daß Sie mit der Feststellung des chronischen Alkoholismus die ätiologische Betrachtung und Forschung bei solchen Fällen noch keineswegs abgeschlossen haben. Es wird Ihnen auffallen, daß besonders häufig jugendliche Trinker diese Alkoholneurasthenie darbieten. Sie können dann finden, daß der Alkoholmißbrauch sich in relativ engen Grenzen gehalten hatte und trotzdem in unverhältnismäßig kurzer Zeit zu den schweren Krankheitserscheinungen geführt hat, die sonst nur dem alten Potator strenuus eigentümlich sind. Wenn Sie dann die Abstammung und individuelle Entwickelung der betreffenden Patienten genauer studieren, so werden Sie entdecken, daß manche derselben erblich stark belastet sind und daß bei ihnen die nervösen resp. neurasthenischen Krankheitserscheinungen sich bis in die Kindheit zurückverfolgen lassen oder für jeden Fall älteren Datums sind, als der Alkoholmißbrauch. Arbeitsunfähigkeit, Schlaflosigkeit, Angstaffekte, Muskelmüdigkeit u. s. w. waren oft die erste Veranlassung, um zu dem verhängnisvollen Sorgenbrecher und vermeintlichen Kräfteerzeuger zu greifen. Was aber anfänglich ein gelegentliches Hilfsmittel war, wurde allmählich unentbehrlich; mit fortschreitendem Sinken der nervösen Leistungsfähigkeit wuchs das Bedürfnis zur Aufnahme dieses Reizmittels, der Trinker war fertig. Bei der Behandlung derartiger Kranker werden Sie dann die Erfahrung machen, daß mit der geistigen Entspannung, mit körperlicher und geistiger Ruhestellung das Bedürfnis nach Alcoholicis vollständig zurücktritt. Diese trinkenden Neurastheniker fühlen sich in Nervenheilanstalten monatelang ohne jegliches geistige Getränk durchaus wohl, sie unterliegen keinen Versuchungen; sobald sie aber wieder in den Strom des täglichen Berufslebens zurückversetzt sind und gegen Wind und Wetter ankämpfen sollen, verfallen sie den alten Schädlichkeiten.

Die ursächlichen Beziehungen der Neurasthenie zum Morphinismus, Cocainismus und Chloralismus bieten die gleichen Verhältnisse dar. Die Thatsache, daß das übermäßige Rauchen schwerer, besonders importierter Cigarren die ausgedehntesten nervösen Störungen und selbst vollentwickelte Neurasthenie hervorrufen kann, steht ebenfalls außer allem Zweifel. Die Tabakneurastheniker werden meist dadurch erkannt, daß die Störungen der Darmfunktionen, der Herzthätigkeit, Schwindelempfindungen und besonders Sehstörungen in dem Vordergrunde des Krankheitsbildes stehen. Hier können Sie durch die richtige Erkenntnis der Krankheitsursache die schönsten therapeutischen Erfolge haben; mit der Beseitigung der Schädlichkeit schwinden die lästigen und gefahrdrohenden Krankheitserscheinungen binnen kurzem.

M. H.! Es haben diese ätiologischen Betrachtungen mehr Raum und Zeit in Anspruch genommen, als ich ursprünglich beabsichtigt hatte. Die Gründe hierfür können Sie aus ihnen selbst entnehmen. Ich möchte nur zum Schlusse nochmals dem Gedanken Ausdruck verleihen, daß die vielfachen Uebergänge zwischen den verschiedenen Neurosen und Psychosen nur verständlich werden, wenn wir festhalten, daß sowohl die erbliche Belastung als auch Entwickelungsstörungen nach der Befruchtung krankhafte Anlagen und nicht ausgeprägte Krankheiten zeitigen. Ob eine ausgeprägte Krankheit und welche auf dieser Basis zustande kommt, hängt von bestimmenden Einflüssen ab, die während der individuellen Entwickelung stattfinden und die im einzelnen sich unserer Berechnung meistens entziehen. Indem wir vorstehend die auf das Nervensystem einwirkenden Schädlichkeiten gruppenweise besprachen, mußten wir uns immer vergegenwärtigen, daß in der Wirklichkeit nicht nur eine einzige schädigende Ursache das Individuum trifft; der Kulturmensch ist in seiner Entwickelung, in seiner geistigen und körperlichen Leistungsfähigkeit von einer Unsumme sehr zusammengesetzter und unter sich innig zusammenhängender Daseinsbedingungen abhängig, die neben den individuellen, von den Ahnen überkommenen Keimesveranlagungen und Keimesschädigungen seinen Lebensgang beherrschen und einen, zwar im einzelnen verschiedenwertigen, aber gleichsinnig wirkenden Einfluß im Sinne einer Abnützung seines Nervensystems ausüben. Die vorstehenden Betrachtungen haben uns ferner dahin belehrt, daß die uns hier beschäftigende Nervenkrankheit sogar in der Mehrzahl der Fälle durch erworbene, konstitutionelle Schwächezustände des Nervensystems, deren Ursachen wir genauer erörtert haben, herbeigeführt wird und zum Ausgangspunkte einer neuro- resp. psychopathischen Familie dienen kann.

4. Vorlesung.

M. H.! Schon in der Einleitung zur 1. Vorlesung habe ich darauf hingewiesen, daß die Krankheitserscheinungen der Neurasthenie hauptsächlich aus den Krankheitsäußerungen der Patienten erschlossen werden müssen. Wohl sind uns gewisse F o l g e z u s t ä n d e der pathologischen Vorgänge auch ohne ein tieferes Eindringen in diese subjektiven Krankheitsäußerungen jederzeit sinnenfällig, doch gestatten uns dieselben keinen genügenden Rückschluß auf die besondere Art der Neuropathie. Sie werden wohl aus der Krankenbeobachtung den allgemeinen Schluß ziehen können, daß der Neurastheniker ein nach einzelnen oder allen Richtungen unserer geistigen und körperlichen Bethätigung hin insufficienter, rascher ermüdeter und erst nach längerer Ruhepause sich erholender Mensch ist. Sie werden jedoch nicht in der Lage sein, durch diese Feststellung einschließlich der genauesten körperlichen Untersuchung ins klare zu kommen über die mannigfachen, diesen Krankheitszustand bedingenden und zusammensetzenden Faktoren. Darüber werden Sie erst belehrt durch die Mitteilungen, die Sie von dem Kranken selbst erhalten. Sie werden dann bald den Eindruck gewinnen, daß d i e ü b e r w i e g e n d e M e h r z a h l d e r K r a n k h e i t s e r s c h e i n u n g e n d u r c h k r a n k - h a f t e E m p f i n d u n g e n h e r v o r g e b r a c h t ist, welche von den verschiedensten Organen unseres Körpers bei ihrer Arbeitsleistung im Bewußtsein entstehen. Sie gewinnen bei dem eigenartigen psychischen Gesamtzustand der Neurastheniker einen pathologischen, weit über das Maß des ursprünglichen Empfindungsreizes hinausgehenden Einfluß nicht bloß auf die Vorstellungsthätigkeit und die Handlungen der Patienten, sondern wirken auch auf den Ablauf der Körperfunktionen ungünstig zurück.

Wir werden deshalb, um die Gesamtheit der neurasthenischen Krankheitserscheinungen richtig würdigen zu können, den p s y c h i - s c h e n Z u s t a n d der Patienten einer eingehenden Untersuchung unterziehen müssen. Bevor wir uns dieser Aufgabe zuwenden, möchte ich, um allen Mißverständnissen vorzubeugen, nochmals hervorheben, daß ich durchaus nicht der Auffassung huldige, nach welcher die neurasthenischen Krankheitserscheinungen a u s s c h l i e ß l i c h auf psychischen Krankheitsvorgängen beruhen oder „sämtliche im Verlauf der Neurasthenie auftretenden Beschwerden als F o l g e n einer cerebralen Funktionsstörung" aufgefaßt werden müßten. Sowohl die allgemein pathologischen als auch die ätiologischen Ausführungen drängen zu dem

Schlusse, daß die Gesamtheit unserer nervösen Funktionen einschließlich der psychischen von dem Krankheitsprozesse primär getroffen sein können. Die Entwickelungsschädigungen, wie man die geringfügigsten, nur in funktionellen Störungen kundwerdenden Entwickelungshemmungen bezeichnen kann, werden bald in diesen, bald in jenen anatomisch und funktionell zusammengehörigen Nervenapparaten in ausgeprägtem Maße vorhanden sein. Diese werden demgemäß unter der Einwirkung allgemeiner Krankheitsursachen zuerst und vorwaltend an Leistungsfähigkeit Einbuße erleiden. Oder im Falle eines erworbenen neuropathischen Zustandes ist, wie aus den ätiologischen Erhebungen hervorgeht, ein lokales Leiden sehr wohl imstande, zuerst gewisse periphere Leitungsbahnen und spinale Centren in einen pathologischen Erregbarkeitszustand zu versetzen und erst weiterhin die allgemeine Erkrankung des Centralnervensystems herbeizuführen. In allen Fällen sind die vorwaltenden Krankheitserscheinungen von diesen lokalen peripheren oder spinalen funktionellen Veränderungen in erster Linie abhängig, gewinnen aber eine weitergehende Bedeutung auf den nervösen Gesamtzustand durch die der Neurasthenie zu Grunde liegenden allgemeinen Störungen der nervösen Reaktionen. Und hierbei spielen, wie oben erwähnt, die psychischen Vorgänge die Hauptrolle.

Noch eine weitere Bemerkung möchte ich voranschicken. Der psychische Zustand der Neurastheniker verlangt nicht nur eine besondere Berücksichtigung, um die Beschwerden dieser Kranken, soweit es sich um die Deutung körperlicher Vorgänge handelt, richtig verstehen zu können. Vielmehr liegen, wie Ihnen eine genauere psychologische Analyse sehr bald zeigen wird, die störendsten Symptome überhaupt auf psychischem Gebiete und sind außer direktem Zusammenhange mit dem körperlichen Leiden. Sie bilden also eine Gruppe von Krankheitszeichen für sich, die freilich der Selbstbeobachtung der Patienten vielfach entgeht oder wenigstens von ihnen gegenüber den körperlichen Beschwerden gering geachtet wird.

Erst ihr genaueres Studium wird Ihnen ein Verständnis eröffnen für das krankhafte Gebahren der Neurastheniker, insbesondere aber für die tiefgreifenden Umwandlungen der ethischen Beschaffenheit bei vielen dieser Kranken.

Wir werden hier genau den Gang der Untersuchung innehalten, welchen Sie in der psychiatrischen Klinik bei der Aufstellung des psychischen Status kennen gelernt haben, und beginnen demgemäß mit den Störungen der Empfindung. Dieselben treten bei den einfachen, nicht auf erblich degenerativer Veranlagung entstandenen Fällen von Neurasthenie fast ausschließlich als formale auf und zwar sowohl bezüglich der Intensität als auch der Gefühlstöne der Empfindung. Diese quantitativen Störungen zeigen die mannigfachsten Schwankungen, nicht nur wenn man eine größere Zahl von Kranken miteinander vergleicht, sondern in jedem einzelnen Krankheitsfalle in den verschiedenen Phasen des Krankheitsverlaufes.

Sie erinnern sich, daß die Neurasthenie ihr charakteristisches Gepräge erhält durch die eigenartige Vereinigung von Symptomen, welche auf eine Uebererregbarkeit d. i. Steigerung der erregenden Vorgänge zu beziehen sind, mit solchen, welche auf pathologischen

Hemmungen oder Wegfall von Leistungen beruhen. Sie finden dementsprechend Hypästhesien d. i. pathologische Herabsetzungen der Empfindlichkeit, im bunten Wechsel auftreten mit Hyperästhesien d. i. den Zuständen von Ueberempfindlichkeit gegen äußere und innere Reize, ja Sie werden sogar nicht selten konstatieren können, daß gleichzeitig für gewisse Empfindungen eine Herabminderung der Empfindungsintensität besteht, während andere eine krankhaft gesteigerte Intensitätshöhe besitzen.

So beobachtete ich einen Fall von deutlicher Verschärfung der Gehörsempfindung (Hyperakusie) bei einem Kranken, welcher gleichzeitig an einer Herabsetzung der Lichtempfindlichkeit litt. Und weiterhin werden Sie die schon früher gekennzeichneten sekundären Sinnesempfindungen als Begleiterscheinungen der Hyperästhesie im engeren Sinne auftreten sehen.

Wenn wir die einzelnen Sinnesnerven ins Auge fassen, so verweise ich Sie hinsichtlich der specifischen Hautsinnesempfindungen auf das in der 1. Vorlesung Gesagte. Auf die hyperalgetischen Zustände und die Störungen der Hautgemeinempfindungen werde ich Sie später aufmerksam machen. Wir wenden uns direkt den Störungen auf dem Gebiet der höheren Sinnesnerven zu.

Störungen der Gesichtsempfindungen im Sinne einer Erhöhung oder einer Herabsetzung der Lichtempfindlichkeit werden bei Neurasthenikern sehr häufig beobachtet. Man hat sie unter dem Ausdruck der nervösen oder neurasthenischen Asthenopie zusammengefaßt. Die Uebererregungssymptome („irritable eye") sind dadurch gekennzeichnet, daß schon optische Reize von relativ geringer Intensität sehr lebhafte, vor allem aber sehr schmerzhafte Gesichtsempfindungen wachrufen. Die Kranken klagen sehr bald über Blendungsgefühle, welche zu den weitgehendsten Schmerzirradiationen in der Tiefe der Augenhöhle, brennenden Empfindungen in den Lidern, spannenden Sensationen in der Stirn, bohrenden Schmerzen in den Schläfen u. s. w. führen. Es handelt sich hier mehr um hyperalgetische als um wahre hyperästhetische Empfindungen. Die Schmerzempfindungen treten aber auch ganz spontan außerhalb jeder optischen Arbeitsleistung auf.

Viel ausgeprägter sind die Erschöpfungs- resp. Ausfallssymptome. Schon nach kurzer Arbeitsleistung (Zeichnen, Lesen, Schreiben) werden die Gesichtsempfindungen verwaschen und undeutlich. In höheren Graden sind die Pat. unfähig, auch nur eine Zeile zu lesen oder zu schreiben, weil sofort bei dem Versuche, die Buchstaben zu fixieren, erst kurz dauernd Reizerscheinungen (Augenflimmern, Funkensehen), dann Verdunkelungen des Gesichtsfeldes mit völliger Unmöglichkeit, die Objekte zu erkennen, auftreten. Das Wesentlichste sind aber auch hier die die Sehstörung begleitenden Schmerzen, welche in einem von mir beobachteten Falle schon bei dem geringsten Versuche zu lesen in ausgebreiteten Kopfdruckerscheinungen nebst leichten Schwindelempfindungen und Uebelkeit sich äußerten. Bemerkenswert ist, daß besonders bei jugendlichen weiblichen Individuen geringfügigste katarrhalische Affektionen der Augenbindehaut oder der Haut der Lidränder zu den ausgeprägtesten asthenopischen Beschwerden führen.

Man hat sich bemüht, die Ermüdungserscheinungen des Sehapparates durch Gesichtfeldmessungen genauer festzustellen. Die Ergebnisse sind sehr widersprechend. Als gesichert darf aber gelten, wie die Untersuchungen WILBRAND's gelehrt haben, daß die centrale Sehschärfe nicht geschädigt ist und daß eine konzentrische Einengung der Gesichtsfelder im ausgeruhten Auge nicht oder nur in ganz geringem Maße nachweisbar ist. Dagegen treten die Ermüdungserscheinungen im Gesichtsfelde mit großer Deutlichkeit hervor. Als ihr wesentlichstes Merkmal bei der Neurasthenie bezeichnet WILBRAND das frühere Auftreten und die längere Andauer des optischen Erschöpfungszustandes, als beim Nervengesunden. Sie sehen, daß hier der Augenarzt ganz unabhängig von den übrigen klinischen Erfahrungen zu den gleichen Ergebnissen über das Wesen der neurasthenischen Ermüdungserscheinungen gekommen ist, welche dem Kapitel der allgemeinen Pathologie und Pathogenese zur Grundlage gedient haben. In dem sog. oscillirenden Gesichtsfeld ist die fast rhythmische Ermüdung und Erholung der centralen empfindenden optischen Apparate am schärfsten wiedergegeben.

Ich habe im Laufe der Jahre recht viele Fälle dieser neurasthenischen Asthenopie gesehen und den Eindruck gewonnen, daß wenigstens in den Fällen mit ausgeprägten hyperalgetischen Symptomen pathologische Ermüdungsempfindungen, sei es des Accommodationsmuskels, sei es der Mm. recti interni, die wesentlichste Rolle spielen. Sie werden später einen Fall kennen lernen, welcher im Anschluß an die Dauerermüdung und Erschöpfung der motorischen Abschnitte des Sehapparats in einen allgemeinen neurasthenischen Erschöpfungszustand mit sehr mannigfaltigen psychischen und somatischen Symptomen verfiel.

Störungen der Farbenempfindung sind der Neurasthenie nicht eigentümlich.

Ueber das Verhalten der Pupillen werden wir bei den Störungen der Reflexe sprechen.

Sie sehen, daß eine eigentliche Verfeinerung resp. Verschärfung der Gesichtsempfindungen nicht nachgewiesen werden kann; dagegen gelingt es bei den akustischen Störungen außer hyperalgetischen Zuständen wahre akustische Hyperästhesien gelegentlich aufzufinden. Die Ueberempfindlichkeit gegen Schalleindrücke (die neurasthenische Hyperakusie) tritt auch bei den Patienten deutlich hervor, welche eine Verschärfung des Gehörsinnes d. h. eine Herabminderung der Reizschwelle für Schallempfindungen aufweisen. Sie tritt aber erst bei intensiveren oder länger andauernden Schalleinwirkungen auf, so daß es Ihnen hier thatsächlich gelingt, die Hyperästhesie von der Hyperalgesie nicht nur theoretisch, sondern auch klinisch zu trennen.

Eine meiner Kranken bot z. B. die auch schon anderweitig beobachtete interessante Erscheinung dar, daß sie, im Zimmer sitzend, bei geschlossenen Fenstern die Schritte ihres Mannes schon aus weiter Entfernung aus dem dumpfen Geräusche des Straßengewühls heraus oder die Stimmen der einzelnen Dienstboten, welche sich 2 Stockwerke tiefer im Souterrain befanden, zu unterscheiden vermochte. _{Krg. No. 4.}

Die Schmerzhaftigkeit der Schalleindrücke, welche eine ausgiebige Quelle der später zu erörterrnden Unlustreaktionen und des höchst eigentümlichen Gebahrens der Kranken wird, ist meist geringer gegen ausgeprägte specifische Klangempfindungen als gegen unbestimmte

Geräusche. Am störendsten ist ein Gemenge von Schalleindrücken, z. B. der Lärm einer Straße oder eines Hofraumes, das Geräusch einer Sägemühle u. s. w. Diese Hyperakusie führt zu den verschiedenartigsten schmerzhaften Mitempfindungen z. B. auf anderen sensorischen Gebieten (schmerzhafte Photopsien in einer Beobachtung), vor allem aber zu schmerzhaften Empfindungen im Kopfe, Schwindelempfindungen und einem ganzen Heer subjektiver Geräusche, welche entweder in die äußeren Klangfelder oder aber ins Schädelinnere verlegt werden. In letzterem Falle sind es meistens sausende Geräusche („wie das Sieden eines Kochtopfes"), welche von den Kranken fast kontinuierlich in der Mittellinie des Schädels etwa in Scheitelhöhe wahrgenommen werden. Dieses „Kopfsausen", welches nach meinen Erfahrungen der Behandlung am allerhartnäckigsten trotzt, wird verstärkt durch jede akustische Mehrleistung: längere Konversation, musikalische Aufführungen, längere Eisenbahnfahrt u. s. w. Aber auch an sich ganz geringfügige Reizungen des äußeren Gehörganges oder des Trommelfells (durch Cerumen, Wattefasern, längeren Gebrauch von Antiphon) können das Kopfsausen sehr wesentlich verstärken. Die ohrenärztliche Untersuchung ergiebt in den reinen Fällen nichts, was für eine Erkrankung des Mittelohres oder des Labyrinths sprechen könnte. Mit diesem Kopfsausen verbinden sich klingende, klopfende, zirpende, am häufigsten pulsatorische Geräusche zur Zeit der Bettruhe, welche sich von den vaskulären Empfindungen Nervengesunder nur durch die Intensität und diffuse Beschaffenheit unterscheiden.

Die Störungen des Gehörs sind nach dem Vorstehenden hauptsächlich Symptome der Uebererregbarkeit. Die Ausfallssymptome im Sinne einer Herabminderung oder Aufhebung der Schall- resp. Klangempfindungen werden bei der Neurasthenie nicht beobachtet. Die Klagen der Patienten, daß sie den Sinn des gesprochenen Wortes nicht verständen, haben ihren Grund in ganz anderen Krankheitsvorgängen, welche wir bei den Störungen der Ideenassoziation behandeln werden.

Die Störungen des Geschmacks und des Geruchs kommen ebenfalls als Hyperalgesien vor und bewirken die mannigfachsten Irradiationen; insbesondere werden durch Ekelempfindungen würgende Empfindungen, die sich schließlich mit reflektorisch ausgelösten Würgbewegungen (Brechreiz) vergesellschaften, hervorgerufen. Ob seitens der Geruchsempfindungen wahre hyperästhetische Erscheinungen bei Neurasthenischen auftreten können, vermag ich aus eigenen Erfahrungen nicht zu entscheiden. Eine Beobachtung von BOUVERET spricht aber dafür.

Ueberblicken Sie diese neurasthenischen Empfindungsstörungen, so wird Ihnen das Ueberwiegen pathologisch gesteigerter und auch in der Beschaffenheit abnormer Schmerzreaktionen als das wesentlichste Merkmal entgegentreten. Wir haben dieses Krankheitsvorganges schon einmal Erwähnung gethan gelegentlich der Gruppierung der Grundphänomene der Neurasthenie. Wir haben dort schon hervorgehoben, daß die Ueberempfindlichkeit eines der wesentlichsten Krankheitssymptome ist, und haben hinzugefügt, daß diese Ueberempfindlichkeit vornehmlich im Sinne einer Hyperalgesie aufzufassen ist. Lassen Sie mich zur Vervollständigung der dort gegebenen allgemeinen Ausführungen die klinischen Erfahrungen anreihen.

Das Auftreten von Hyperästhesien resp. -Algesien ist gebunden an den nervösen Gesamtzustand und nicht direkt abhängig von lokalen Veränderungen bestimmter Empfindungsnerven. Sie werden feststellen können, daß Hyperakusie anfallsweise auftritt bei Neurasthenikern, welche infolge einer vermehrten körperlichen oder geistigen Arbeitsleistung oder eines Affektshocks eine Exacerbation der Krankheitserscheinungen darbieten. Irgend eine direkte Beeinflussung der peripheren oder centralen Abschnitte des Gehörapparats durch die einwirkende Schädlichkeit kann in vielen Fällen ausgeschlossen werden. Hier ist nur die Annahme zulässig, daß eine allgemeine Uebererregbarkeit besteht, die auf dem Gebiet der Sinnesempfindung völlig normale periphere Reizungen mit einer pathologisch gesteigerten Schärfe zur Wahrnehmung gelangen läßt.

Einen weiteren Beleg für die kortikale resp. psychische Entstehung der Hyperästhesien und Hyperalgesien bieten jene Fälle von Neurasthenie, bei welchen intellektuelle Ermüdungserscheinungen und neuralgiforme Zustände Hand in Hand gehen. Für gewöhnlich finden Sie, daß Ausfallssymptome auf intellektuellem Gebiete mit gesteigerter Schmerzhaftigkeit verbunden sind. Doch läßt sich vereinzelt ein eigenartiger, alternierender Typus feststellen: Bestehen die außerordentlich lästigen und quälenden „Nervenschmerzen", die wir später genauer kennen lernen werden, so fühlt sich der Patient geistig frisch, regsam und leistungsfähig, während umgekehrt in den Zeiten geistiger Abspannung und Leistungsunfähigkeit die neuralgiformen Zustände völlig in den Hintergrund treten. Diese Beobachtungen lassen sich nur durch die Annahme erklären, daß in den Phasen kortikaler resp. psychischer Erschöpfung gleichzeitig neben ausgedehnten Hemmungen und Erschwerungen der Denkarbeit die einfachen Empfindungsvorgänge resp. deren Gefühlstöne Ausfallssymptome darbieten.

Die Entstehung von Schmerzen kann von leicht erregbaren, phantasiebegabten, zu einer einseitigen Konzentration ihres Vorstellungsinhalts besonders befähigten Personen willkürlich herbeigeführt werden. Richten dieselben ihre Aufmerksamkeit vorwaltend und langdauernd auf ein bestimmtes Körpergebiet, so entstehen unschwer lästige, peinigende Empfindungen, die in wirkliche Schmerzempfindungen übergehen können. Ganz Aehnliches können Sie übrigens an sich selbst erleben. Werden in Ihrer Gegenwart unliebsame, intime Berührungen mit jenen Blutpeinigern, welche nicht selten die Gasthofsbetten bevölkern, erörtert, so kann die bloße Vorstellung, die Erweckung der Erinnerungsbilder an gleiche Erfahrungen Ihnen die lästigsten, juckenden Hautempfindungen wachrufen. Die Nervenerregungen, welche diese schmerzhaften Empfindungen auslösen, beruhen auf physiologischen, „unterschmerzlichen" Reizungen, die durch Stoffwechselvorgänge, die pulsatorische Blutbewegung, Muskelkontraktionen, Druck und Reibung der Körperbekleidung, den Einfluß der Außentemperatur u. s. w. jederzeit stattfinden. Erst die psychische Thätigkeit, die einseitige Anspannung der Aufmerksamkeit oder, wie im letztgenannten Beispiele, die Erweckung bestimmter Vorstellungen erniedrigt die Reizschwelle für Gefühlserregungen und führt in ganz besonderer Weise die einseitige Betonung eines Unlustgefühls herbei.

Unter den pathologischen Bedingungen, welche bei unseren Neurasthenikern vorliegen, drängen sich diese Schmerzempfindungen in den Vordergrund der psychischen Geschehnisse. Es ist keine besondere psychische Leistung von nöten, um diese Schmerzempfindungen wachzurufen, sie tauchen spontan auf, und selbst die Ablenkung der Aufmerksamkeit, welche beim Nervengesunden sowohl die künstlich erzeugten schmerzhaften Sensationen, als auch die spontan infolge von wirklich vorhandenen übermäßigen Reizen entstehenden Schmerzen zu beseitigen vermag, bleibt hier unwirksam. Wir haben diesen Zustand schon in der Einleitung als psychische Hyperalgesie bezeichnet. Sie bildet den Ausgangspunkt der mannigfaltigsten sowohl affektiven als auch intellektuellen Krankheitserscheinungen, welche als hypochondrische Stimmungsanomalie und hypochondrischer Vorstellungsinhalt zusammengefaßt werden.

Man wird gut thun, als psychische Hyperalgesie nur diejenigen Krankheitserscheinungen zu benennen, welche auf Störungen der gesetzmäßigen Beziehungen zwischen Reizstärke, Empfindungsintensität und Schmerzempfindung beruhen.

Diese Form gesteigerter Schmerzempfindlichkeit kann bis zu gewissem Maße unabhängig von dem jeweiligen Vorstellungsinhalt und der besonderen pathologischen Vorstellungsthätigkeit, die wir oben als hypochondrische bezeichnet haben, vorhanden sein. Es giebt anscheinend ganz nervengesunde Menschen, welche teils durch Veranlagung, teils durch fehlerhafte Erziehung hyperalgetisch sind, indem bei ihnen geringfügige Schmerzreize intensive und länger dauernde Schmerzempfindungen hervorrufen. Ist der schmerzerregende Reiz beseitigt, so schwindet das Schmerzgefühl, ohne einen weitergehenden Einfluß auf das Denken dieser Menschen zu hinterlassen. Man nennt diese Menschen „wehleidig". Hier ist die periphere Wurzel des Schmerzes unverkennbar; nur wirklich von außen stammende, der Psyche zufließende Erregungen erzeugen übermäßige Schmerzempfindungen; der reflektierte, d. i. der durch die eigenartige Vorstellungsthätigkeit gewissermaßen spontan entstandene Schmerz, welcher dem Empfindungsinhalt beigelegt wird, fehlt diesen „wehleidigen" Menschen durchaus.

Ich wiederhole, die psychische Hyperalgesie ist gebunden an bestimmte, dem Bewußtsein zuströmende Empfindungsreize. Sie wird ausgelöst durch unterschmerzliche oder geringschmerzliche Empfindungsreize, z. B. die Berührung der Magenwände durch Speiseteile, Kontraktion der Hautgefäße und Muskelfasern bei Temperatureinflüssen, leiseste Druckempfindungen auf der Hautoberfläche, Ermüdungsempfindungen der Körpermuskulatur u. s. w. Das hypochondrische Schmerzgefühl unterscheidet sich hiervon durch die „idengene" Entstehung des Schmerzes; der hypochondrische Vorstellungsinhalt beeinflußt gewissermaßen in rückläufiger Richtung den Gefühlston der Empfindung; es entstehen illusionäre Schmerzen und sogar hallucinatorische schmerzhafte Organempfindungen. Die intellektuellen Gefühlstöne sind es, aus welchen die hypochondrische Schmerzhaftigkeit zusammengesetzt ist.

Ich lege besonderes Gewicht auf diese Unterscheidung zwischen einfacher psychischer Hyperalgesie und dem gesteigerten Schmerzgefühl der Hypochondrie, da mit derselben eines der wichtigsten differentiell-diagnostischen Merkmale zwischen den unkomplizierten Fällen der Neurasthenie und der Hypochondrie gegeben ist. Erstere kann mit dem hypochondrischen Schmerzgefühl verknüpft sein, doch ist dies keine Notwendigkeit. In sehr vielen Fällen wird bei langandauernder und hochgradiger psychischer Hyperalgesie die Vorstellungsthätigkeit resp. der Vorstellungsinhalt und damit die gesamten Affektvorgänge hypochondrisch verändert und es treten demgemäß vorübergehend Krankheitsphasen ein, die thatsächlich nur schwer von der Hypochondrie im engeren Sinne unterschieden werden können. Sind diese Zustände andauernd vorhanden oder hat sich das hypochondrische Schmerzgefühl von der ursprünglichen ursächlichen Beziehung mit der psychischen Hyperalgesie vollständig losgelöst, so tritt das Krankheitsbild aus dem Rahmen der Neurasthenie heraus und zeigt auch in dem gesamten klinischen Verlauf die anderen typischen Merkmale der Hypochondrie.

Sie sehen, ich trete auch heute noch für eine Trennung beider Krankheitsformen ein. Ich will aber nicht unerwähnt lassen, daß viele Neurologen und Psychiater die schon seit Jahrhunderten klinisch und symptomatologisch genau erforschte Hypochondrie in der modernen Bezeichnung der Neurasthenie aufgehen lassen.

Aus welchen Quellen wird nun die psychische Hyperalgesie gespeist? In erster Linie und hauptsächlich durch die geänderten Erregbarkeitszustände der Großhirnrinde selbst, durch welche die Erhebung an sich unterschmerzlicher Erregungen über die Schwelle des Bewußtseins möglich wird. Auch hier werden Irradiationen auf nähere und fernere, durch Association verknüpfte Rinden- resp. Empfindungsgebiete zu zahlreichen Mitempfindungen oder, richtiger gesagt, Mitschmerzen führen. Die kortikale resp. psychische Thätigkeit ist schließlich in all ihren Leistungen von einer bestimmten Unlustreaktion begleitet, auf deren klinische Besonderheiten wir nachher genauer eingehen werden. Von wesentlicher Bedeutung ist, daß die pathologischen Schmerzgefühle eine einseitige Richtung des Vorstellungsinhalts auf die möglichen Ursachen dieses Schmerzes bedingen und schließlich durch die Vorstellung des Schmerzes Schmerz selbst erregt wird, worauf ich Sie vorher schon aufmerksam gemacht habe. Diese „idealen" Schmerzen werden nach den Gesetzen der excentrischen Projektion in das peripherische Schmerzfeld, d. h. in die verschiedensten Organe oder auf der Körperoberfläche, lokalisiert. Sie werden als kortikal resp. psychisch entstandene Schmerzen durch die besondere Form der Ausbreitung erkannt. Sie sind meist flächenhaft ausgedehnt, der schmerzhafte Bezirk steht aber in keiner Beziehung zu irgend einem bestimmten anatomischen oder funktionellen Nervengebiete. Druckempfindlichkeit besteht hierbei nicht. Sie sind neuerdings mit dem Ausdruck topalgische Schmerzen belegt worden (BLOCQ). Die Art des Schmerzes wird durch die Beiworte dumpf, drückend, reißend, fressend von den Kranken charakterisiert. Der topalgische Schmerz kann dauernd mit gleicher Lokalisation, aber wechselnder Intensität vorhanden sein; beim Schlafen schwindet er völlig, tritt aber beim Erwachen meist mit erhöhter Heftigkeit ein, so daß dem Patienten die Morgenstunden meistens die schwersten sind. Diese top-

algischen Schmerzen werden Ihnen an den verschiedensten Stellen der
Symptomatologie wieder begegnen.

In zweiter Linie stehen die pathologisch erhöhten Schmerzreize,
welche dem Bewußtsein von infrakortikalen Centralapparaten
zufließen. Sie besitzen im neurasthenischen Krankheitsbild eine hohe
Bedeutung, sie sind in vielen Fällen hauptsächlich im Beginne der
Erkrankung ausschlaggebend für die Entwickelung der psychischen
Hyperalgesie.

Ueber die Entstehungsursache und das Wesen des Schmerzes, sowie
über die nervösen Mechanismen, welche seine Erregung, Leitung und
centrale Verarbeitung vermitteln, bestehen die auseinandersgehendsten
Ansichten. Ich trete denjenigen bei, welche in der Schmerzreaktion
eine pathologische Steigerung des Gefühlstons der Empfindungen
sehen. Es ist also der Schmerz nicht eine besondere
Qualität der Empfindung, er kann vielmehr allen Empfindungen anhaften. Wohl aber glaube ich, daß unter physiologischen und pathologischen Erregbarkeitsbedingungen des Nervensystems dem Schmerze eine gewisse lokale Färbung je nach der
Qualität der Empfindung, welcher die Schmerzreaktion anhaftet, zukommt.

Die reinste, wenn ich so sagen darf, typische Form der Schmerzempfindung ist diejenige, welche den Gefühlsempfindungen anhaftet.
Aber schon hier werden wir ganz unterschiedlichen Schmerzempfindungen begegnen, je nachdem sie einfache Hautsinnesempfindungen
(Druckempfindungen) oder das große Gebiet der Gemeinempfindungen (WUNDT) begleiten. Zu letzteren sind alle diejenigen
Empfindungen zu rechnen, „die einen ausschließlich subjektiven
Charakter bewahren und dadurch wesentliche Bestandteile des Ge-
meingefühls bilden.“ Hierher gehören die Kitzel-, die Schauder-,
Juck- und Kribbelempfindungen, welche sich mit den einfachen Hautsinnesempfindungen verknüpfen und deren Entstehung wahrscheinlich
nicht nur von der Intensität und Dauer, sondern auch von der räum-
lichen Ausdehnung des auslösenden Hautreizes abhängig ist. Ferner
gehören hierher die Muskelermüdungsempfindungen (nicht zu ver-
verwechseln mit den specifischen Bewegungsempfindungen), sowie die
Organempfindungen im engeren Sinne.

Als besonderes Merkmal dieser Gemeinempfindungen bezeichnet
WUNDT, daß sie zu einem großen Teil aus Reflexempfindungen bestehen. Es sind hierunter zum Teil die früher als Irradiationen bezeichneten Vorgänge zu verstehen, z. T. beruhen sie auf wirklichen
Reflexbewegungen, an welche dann Muskelempfindungen gebunden
sind. Für unsere späteren Betrachtungen ist folgender Satz von
Wichtigkeit: „In den peripherischen Nervenverbreitungen ist nur die
nächste Gelegenheitsursache, die eigentliche Quelle der Gemeinempfindungen aber in den Nervencentren gelegen, nach deren Zuständen
daher auch erfahrungsgemäß das Verhalten dieser Empfindungen vorzugsweise richtet.“

Diesen Gemeinempfindungen haften am häufigsten Schmerzreaktionen an, jeder pathologischen Steigerung dieser Empfindungen folgen
auch die ausgedehntesten Schmerzirradiationen nach. Ein wesentliches Merkmal der Neurasthenie ist es nun, daß das
ganze Heer der Gemeinempfindungen krankhaft gesteigert ist. Es tauchen bei dieser Krankheit schmerzhafte Ge-

meinempfindungen auf, welche dem Patienten fremdartig, durch die
Dauer und die öftere Wiederholung ihres Auftretens außerordentlich
lästig und qualvoll sind.

Nicht immer haften diesen Gemeinempfindungen deutliche, dem
echten sinnlichen Schmerzgefühle direkt vergleichbare Unlustreaktionen beim Neurastheniker an. Es ist nur das Gefühl des Ungewohnten und Unerwarteten, welches die Patienten beherrscht und
wie ich schon hier hinzufügen will, ihre Aufmerksamkeit in ver-
derblicher Weise gefangen hält. Es wird gut sein, wenn wir vorerst
uns einen Ueberblick über diese Gemeinempfindungen sowohl hinsichtlich ihrer Lokalisation, als auch ihrer Beschaffenheit, soweit
letztere aus den Angaben der Patienten entnommen werden kann,
verschaffen.

1) Am bekanntesten und in der Schilderung den Patienten am
geläufigsten sind die Gemeinempfindungen, welche mit den E r -
r e g u n g e n d e r H a u t s i n n e s n e r v e n einhergehen. In den leichteren Graden werden sie als ziehende, drückende oder spannende
Schmerzen bezeichnet; oder die Patienten klagen über ätzende Empfindungen, über das Gefühl von Wundsein, „als ob die Nerven auf der
Haut bloßlägen". Bei größerer Intensität der Schmerzerregung finden
wir je nach der räumlichen Ausdehnung, nach der zeitlichen Dauer
schneidende, bohrende, brennende, juckende, stechende Schmerzen.
Auch krankhafte Steigerungen von Kitzelempfindungen, welche mit
deutlichem Schmerzgefühl verknüpft sind, treten gelegentlich auf.

2) Den pathologischen Hautempfindungen sind die n e u r a l g i -
f o r m e n S c h m e r z e n anzureihen, welche in die großen peripheren
Nervenstämme oder ihre Verästelungen von den Kranken lokalisiert werden. Sie sind sehr häufig das wesentlichste Merkmal
der Neurasthenie und werden Ihnen später bei der Schilderung des
Krankheitsbildes der hyperalgetischen Form wieder begegnen. Sie
sind als neuralgiforme zu bezeichnen, da sie im Gegensatz zu
den Neuralgien im engeren Sinne nicht auf pathologisch erhöhten
Reizungen der peripheren Nervenbahnen oder ihrer sensiblen spinalen Endstationen, sondern auf dem Uebererregbarkeitszustande
dieser letzteren beruhen. Ihre Lokalisation in die peripheren Nervenabschnitte hat nach dem Gesetze der excentrischen Projektion nichts
Befremdliches. Woher die an sich unterschmerzlichen Reize stammen,
welche die schmerzbringenden Entladungen der centralen Nervensubstanz herbeiführen, bleibt oft unaufgeklärt; ich will nur darauf
hinweisen, daß nach den Gesetzen der Summation von Reizungen
öfter und in bestimmten Intervallen wiederholte, an sich unterschwellige Reize die wahrscheinlichste Ursache dieser Entladungen sind.
Sie erscheinen den Kranken meist als ziehende, durchfahrende, schießende
Schmerzen. Klinisch ausgezeichnet sind sie durch das Auftreten von
S c h m e r z d r u c k p u n k t e n (VALLEIX'sche Punkte), welche wir später
noch genauer kennen lernen werden.

3) Die M u s k e l e m p f i n d u n g e n, soweit sie über den Kon-
traktionszustand und den Arbeitsvorrat innerhalb der Muskelsubstanz
dem Bewußtsein Kunde geben, treten in den leichteren Fällen ebenfalls als einfache Spannungs-, Krampf- und Ermüdungsempfindungen,
welche allmählich zu deutlichen Schmerzempfindungen anschwellen
können, in den ausgeprägteren als Schmerzen ziehenden, reißenden
oder bohrenden Charakters, auf. Sind die Ermüdungsempfindungen

(sei es infolge allgemeiner Muskelarbeit, sei es infolge pathologisch gesteigerter Irradiationen von bestimmten ermüdeten Gebieten aus) in ausgedehntem Maße vorhanden, so wecken sie Gemeinempfindungen, welche dem Bewußtsein von der wirklichen oder vermeintlichen Erschöpfung des Kraftvorrates Kunde geben. Sie sind als Schwächeempfindungen zu bezeichnen. Treten sie plötzlich und unvermittelt auf, so werden sie zu Ohnmachtsempfindungen, d. h. Empfindungen, welche ein völliges Versagen der funktionellen Mechanismen anmelden.

4) Schmerzhafte Gelenkempfindungen, welche meist den Charakter der Druck- und bohrenden Schmerzen besitzen.

5) Vaskuläre Schmerzen. Bei genauer Analyse der neurasthenischen Schmerzempfindungen wird man diese Gruppe recht häufig vorfinden. Die Uebcrempfindlichkeit, welche auch für die von der Gefäßwand herrührenden, an sich unterschwelligen Reizungen besteht, äußert sich bei manchen Patienten in drastischer Weise. Es haben mir mehrfach gebildete Kranke ganz spontan angegeben, daß sie förmlich das Blut in ihren Adern fließen fühlten. Diese Empfindungen waren zu Zeiten körperlicher und geistiger Ruhe nicht von wesentlichen Unlustgefühlen begleitet. Wohl aber genügte die geringste Affekterregung oder die mit Arbeitsleistungen verbundene Verstärkung und Beschleunigung der Blutcirkulation, um Schmerzgefühle wachzurufen.

6) Schmerzhafte Empfindungen im Bereich der vegetativen Organe. Dieselben zeichnen sich durch den Mangel an scharfer räumlicher Begrenzung und durch die Unbestimmtheit des Schmerzes aus. Am besten wird man sie als dumpfe Spannungs- und Druckempfindungen bezeichnen. Die Patienten bedienen sich der verschiedensten Bilder, um diese, subjektiv vielleicht lästigsten, schmerzhaften Empfindungen zu kennzeichnen. Hier bewahrheitet sich der obige Ausspruch, daß die Beschaffenheit des Schmerzes abhängig ist von der Qualität der Empfindung. So unbekannt unter physiologischen Bedingungen dem Bewußtsein die Organempfindung selbst ist, so wenig können wir aus der Erfahrung eine Definition der Organschmerzen, so lange sie eine relativ geringe Intensität besitzen, herleiten. Ist aber die Schmerzempfindung sehr hochgradig, so belegen sie die Patienten mit Bezeichnungen, welche gewissen mechanischen Eingriffen entlehnt sind. Sie sprechen von wühlenden, bohrenden, pressenden, würgenden, zwickenden Schmerzen. Nicht selten handelt es sich um sehr zusammengesetzte Schmerzempfindungen, indem specifische Organ-, Muskel- und Gefäßempfindungen bei dem Zustandekommen dieser Schmerzen beteiligt sind. Die Schmerzen des Magens, des Darms, der Blase, die wir später genauer kennen lernen werden, werden Ihnen dies am besten illustrieren.

Ich will mich mit dieser Aufzählung begnügen. Auf einzelne Varietäten des Schmerzes, je nach der Lokalisation in den verschiedenen Körper- resp. Nervenregionen, wird noch öfters hinzuweisen sein.

Die qualitativ eigenartigen und meist mit Unlustgefühlen einhergehenden Organempfindungen, welche uns über den funktionellen Zustand der Respirations- und Digestionsorgane unterrichten (Hunger,

Durst, Atemnot), werden ebenfalls an den einschlägigen Stellen der speciellen Symptomatologie abgehandelt.

In engster Beziehung zu den Gemeinempfindungen stehen die Parästhesien und Paralgesien. Die von der Hautoberfläche, den Muskeln, Gelenken, den Blutgefäßen, den vegetativen Organen dem Bewußtsein zuströmenden Empfindungen werden dann als parästhetische bezeichnet, wenn sie eine abnorme räumliche Ausbreitung (hinsichtlich der excentrischen Projektion) und durch die Kombination verschiedener Gemeinempfindungen resp. -schmerzen eine eigenartige Beschaffenheit gewinnen. GOLDSCHEIDER macht mit Recht darauf aufmerksam, daß „innere Reize in besonderem Maße geeignet sind, die Schmerzempfindungen der einzelnen, die peripherischen Punkte mit Rindenpunkten in Verbindung setzenden Nervenketten in ungewohnter Weise zu kombinieren und so die ganze Reihe der eigentümlichen Qualitäten zu erzeugen, welche wir namentlich bei spontanen Schmerzen finden". Diese theoretische Erwägung, welche zur Erklärung aller abnormen Sensationen überhaupt angestellt wurde, gilt in ganz besonderem Maße für diese außerordentlich lästigen und quälenden Empfindungen, welche von den Patienten mit den verschiedensten Ausdrücken: Ameisenlaufen, Pelzig-, Taubsein, Gefühl, daß die Haut korkartig verdickt sei, als ob der Körper auseinandergetrieben würde u. s. w., belegt werden. Immer entlehnen die Patienten ihre Ausdrucksweise bestimmten Vorstellungen, welche sie mit der Einwirkung länger wirkender, fremdartiger flächenhafter äußerer Reize verbinden. Klinisch sehr bedeutsam für die Neurasthenie sind die Globusempfindungen, welche Krampf- und vaskuläre Empfindungen in sich vereinigen. Seltener finden Sie die juckenden Hautempfindungen, welche als Pruritus vulvae oder Pr. analis zu den lästigsten Krankheitserscheinungen gehören.

Sie begegnen solchen Parästhesien resp. Paralgesien bei den verschiedensten organischen und funktionellen Nervenkrankheiten; vorübergehend treten sie unter dem Einfluß allgemein- oder lokalwirkender Schädlichkeiten (z. B. Fieber, abnorme Kältereize) auch bei völlig Nervengesunden auf. Ob es sich hierbei um die Einwirkung inadäquater, d. h. den specifischen Endausbreitungen qualitativ nicht zugehöriger Nervenreize handelt, oder ob diese ungewöhnlichen, dem Bewußtsein fremdartigen Empfindungen nur einer pathologischen Veränderung der Reizstärke und Reizdauer ihre Entstehung verdanken, ist vielfach diskutiert worden. Für die Fälle lokaler Parästhesien, welche im Verlauf organischer Erkrankungen des Nervensystems oder bei Entzündungen, Geschwulstbildungen auftauchen, ist die erstere Annahme durchaus zulässig, obgleich auch hier die Reizdauer und -stärke für die besondere Form und räumliche Ausbreitung maßgebend sein wird. Für die neurasthenischen Parästhesien resp. Paralgesien finden wir in den pathologischen Summationen und Kombinationen an sich unterschmerzlicher Sinnes- und Gemeinempfindungen eine hinreichende Erklärung.

Wir können dies am besten erkennen, wenn wir die Entstehung jener eigenartigen parästhetischen Empfindungen, welche als Schwindelempfindungen bezeichnet werden, einer vergleichenden Beobachtung unterziehen. Bei an sich Nervengesunden, d. h. nicht an einer konstitutionellen Neuropathie Leidenden, kommen Schwindelempfindungen nur zustande, wenn pathologisch verstärkte Reize auf

sensible oder sensorische Nerven, welche mit den Gleichgewichts-
organen in associativer Verbindung stehen, oder auf diese letztgenannten selbst einwirken. Wächst die Intensität der Reizungen
oder dauert der Reizzustand längere Zeit an, so treten die objektiven
Erscheinungen des Schwindels, Verlust des Körpergleichgewichts,
hinzu. Bei unseren Neurasthenikern haben wir uns vornehmlich mit
den subjektiven Schwindelempfindungen zu beschäftigen. Ich will
aber schon hier einschalten, daß auch in vereinzelten Fällen von
Neurasthenie der gleiche Symptomenkomplex (Ohrensausen, Uebelkeit
bis zum Brechreiz, Schwindel bis zum Verlust des Körpergleichgewichts), welchen wir als MÉNIÈRE'schen Schwindel (Vertigo ab aure
laesa) schon seit Jahren kennen, ohne jede anatomische Erkrankung
des Ohrs beobachtet werden kann.

Krg.
No. 5.
Ich behandelte einen in der Mitte der 50er Jahre stehenden Kaufmann, welcher, seit mehr als 30 Jahren im tropischen Klima thätig,
unter dem Einfluß des Klimas und aufreibender geschäftlicher Arbeit
seit 20 Jahren zeitweilig von neurasthenischen Dauerermüdungs- und
Erschöpfungszuständen heimgesucht wird. Ein Aufenthalt von 6 bis
12 Monaten in Deutschland, fern von geschäftlichen Aufregungen, in gesunder, waldreicher Gegend, brachte ihm jedesmal Genesung. Die neurasthenischen Zustände waren ausgezeichnet vorwaltend durch cerebrale
Symptome, Kopfdruck, Betäubungsgefühle, Denkhemmungen, sodann durch
dyspeptische Störungen und schließlich durch Abmagerung und allgemeinen Verfall der Körperkräfte. Am lästigsten waren dem Patienten
Schwindelanfälle, welche diese Krankheitsphasen schon seit dem ersten
Beginn des Leidens, also seit 20 Jahren, begleiten und durch die verschiedenartigsten Anlässe, durch Erschütterung des Körpers (nach Eisenbahnfahrten) durch starke optische und akustische Reize, hauptsächlich
aber durch geistige Ueberanstrengung (lebhafte Konversation, Erledigung
gemütlich erregender Familien- und Geschäftsangelegenheiten, geschäftliche Ueberstunden) ausgelöst werden. Sie beginnen mit Scheinbewegungen der Objekte im Raum, daran schließen sich solche des
eigenen Körpers, dann Uebelkeit mit Brechreiz und Ohrensausen. Setzt
der Kranke sich nicht sofort hin, so stürzt er bei weiterer Entwickelung
des Schwindelanfalls nach vorn und sinkt zu Boden, wenn er keinen
Stützpunkt findet. Sobald er ruhig sitzt oder liegt, durch Augenschluß
und Verstopfen der Ohren sich die sensorischen Eindrücke fernhält,
schwindet der Anfall. Solche Anfälle von kürzerer und längerer Dauer
wiederholen sich auf der Höhe des neurasthenischen Zustandes sehr
häufig (bis zu 20 mal an einem Tage). Sie sind die Hauptursache, warum
der Kranke vorübergehend sein Geschäft aufgeben und Heilung suchen
muß. Erholt sich der Patient, so schwinden die Anfälle vollständig, um
sofort bei den Rückfällen sich wieder einzustellen. Irgend ein körperliches Leiden (Stoffwechselerkrankung, Herzfehler, Nierenleiden) ist nicht
nachzuweisen. Schwerere Malariainfektionen hatten nicht stattgefunden. Zur Zeit besteht mäßiges Atherom der Radialis und Temporalarterien. Die Untersuchung des Gehörorgans durch einen Specialarzt
ergab nichts Abnormes.

Ich habe diesen Fall Ihnen in seinen Hauptzügen mitgeteilt, weil
mir eine analoge Beobachtung von Pseudo-MÉNIÈRE'schen Anfällen
im Verlaufe der Neurasthenie in der Litteratur nicht bekannt ist.

Betrachten wir die einfacheren, aber recht häufig vorkommenden Schwindelempfindungen der Neurastheniker hinsichtlich ihrer Entstehung, so finden wir, daß es sich entweder um Irradiationen von hyperalgetischen Gemeinempfindungen oder sensorischen Hyperalgesien handelt. Als Gemeinempfindungen, welche Schwindel verursachen, nenne ich Ihnen solche, welche den psychischen Prozeß begleiten (Kopfdruck), oder solche, die durch gastrointestinale Organempfindungen ausgelöst werden. Von den sensorisch ausgelösten Schwindelempfindungen ist der Gesichtsschwindel der häufigere.

Es ist außerordentlich schwer, von den Patienten eine genaue Schilderung dieser Empfindungen zu erlangen. Sie werden zuerst gegen die Neigung ankämpfen müssen, alle möglichen cerebralen Innervationsstörungen oder deren Begleitempfindungen als Schwindel zu bezeichnen. So werden einfache Betäubungsgefühle, Schwäche- und Ohnmachtsempfindungen, welche mit plötzlichen Denkhemmungen verknüpft sind, oder jäh auftauchende Angstaffekte und ihre Folgezustände als Schwindel bezeichnet. Sehen wir von diesen Unklarheiten der subjektiven Abschätzung der Krankbeitserscheinungen ab, so finden Sie als allgemeinstes Merkmal S c h e i n b e w e g u n g e n d e s e i g e n e n K ö r p e r s, also Störungen der Gleichgewichtsempfindungen. Die Patienten haben die Empfindung, als ob sie schwankten, sich im Kreise drehten. Viel seltener klagen sie über S c h e i n - b e w e g u n g e n d e r O b j e k t e im Raum. Außer bei dem durch optische Empfindungen ausgelösten Schwindel habe ich diese Form der Scheinbewegung bei der Neurasthenie nicht gesehen. Hier spielen aber zweifellos motorische Störungen eine wesentliche Rolle. Auch muß darauf hingewiesen werden, daß hier eine Verwechselung mit entoptischen Erscheinungen, die das Bild sichtbarer Objekte mit einem veränderlichen, rieselnden oder flackernden Schleier bedecken (HENLE), sehr häufig stattfindet.

Indem ich hier den neurasthenischen Schwindel vorwaltend als eine parästhetische Sensation auf Grund von Irradiationen anderer Empfindungen bezeichnet habe, liegt es mir fern, die Entstehung des Schwindels aus anderen Ursachen bei dieser Krankheit in Abrede zu stellen. So können toxische Einwirkungen (Nikotin, Alkohol, heftige und längerdauernde Erschütterungen des Körpers, plötzliche intrakranielle Blutdruckschwankungen) sehr heftigen und langdauernden Schwindel auslösen. Der Vollständigkeit halber nenne ich Ihnen noch den sog. R e f l e x s c h w i n d e l, welcher bei hypertrophischen Zuständen der Nasenmuscheln (auf vasomotorischem Wege?) entsteht und gerade bei Neurasthenikern nicht selten beobachtet wird.

Schließlich werden wir die Frage streifen müssen, in welchen Teilen der Cerebrospinalachse resp. welchen Abschnitten der grauen Substanz die zu schmerzhaften Empfindungen führenden Uebererregungen stattfinden können. Uebereinstimmend werden die in den grauen Hintersäulen des Rückenmarks gelegenen sensiblen Apparate als Ursprungsgebiet dieser Hyperalgesie bezeichnet: s p i n a l e H y p e r - a l g e s i e. Es ist aber nicht ausgeschlossen, daß auch von höher gelegenen sensiblen resp. sensorischen Centralapparaten hyperalgetische Zustände ausgelöst werden.

Es ist durch klinische Beobachtungen sichergestellt, daß organische Läsionen des Pons (NOTHNAGEL), des Thalamus opticus (EDINGER, HENSCHEN, EISENLOHR) heftige Schmerzempfindungen verursachen können. WERNICKE hat die Ansicht ausgesprochen, daß alle diejenigen Hirnbezirke, welche Anhäufungen grauer Substanz enthalten (Oblongata, Pons, Vierhügel, Thalamus opticus) schmerzempfindlich seien.

Man hat die auf Grund experimenteller Untersuchungen sowie klinischer Erfahrungen, unter denen ich nur diejenigen von BROWN-SÉQUARD, WOROSCHILOFF, W. KOCH, MARTINOTTI und W. MÜLLER nennen will, die Entstehung der Hyperalgesie, welche im Anschluß an Hemisektionen oder Strangdurchschneidungen des Rückenmarks entstanden ist, auf den Wegfall specifischer centripetaler Hemmungsbahnen (LUDWIG) oder auf die Ausschaltung centraler, durch periphere Einwirkungen ausgelöster Hemmungen (GOLTZ) bezogen. Für die Pathologie der Neurasthenie, bei welcher, wie wir früher gesehen haben, Uebererregbarkeit der Nervenelemente zum großen Teile auf den Wegfall von Hemmungen zurückzuführen ist, ist die letztere Auffassung durchaus annehmbar. Wir kommen bei dieser Betrachtungsweise zu dem Schlusse, daß es sich bei der Ueberregbarkeit der kortikalen und infrakortikalen empfindenden Elemente weniger um eine eigentliche Vermehrung der erregenden Vorgänge als um eine Verringerung physiologischer Hemmungen innerhalb der empfindenden Elemente handelt. Doch ist durchaus nicht ausgeschlossen, daß wirkliche Steigerungen der erregenden Vorgänge innerhalb der Nervenzelle gelegentlich einen direkten Anteil an hyperalgetischen Zuständen besitzen.

M. H.! Diese Charakteristik der Schmerzempfindungen war durchaus notwendig, wenn wir ein Verständnis für dieses bedeutsame, ja in manchen Krankheitsfällen fast ausschließlich betonte Symptom der Neurasthenie erlangen wollen. Auch der außerordentlich rasche und häufige Wechsel des Sitzes und der Dauer der Schmerzempfindungen wird Ihnen nur unter Berücksichtigung dieser allgemeinen Erwägungen verständlich werden. Wir wollen nun dazu übergehen, die im Anschluß an die Hyperalgesie auftretenden affektiven Störungen genauer zu betrachten.

Vergegenwärtigen Sie sich den Einfluß körperlichen Schmerzes auf Ihre gesamte geistige Thätigkeit, so wird Ihnen in erster Linie die Aenderung in der Stimmungslage auffällig sein. Quält Sie ein heftiger und längerdauernder Zahnschmerz, so werden Sie von einer eigenartigen ruhelosen, unmutigen, gereizten Stimmung beherrscht, in welcher gelegentlich die Neigung zu Zornausbrüchen, zu einer fast grillenhaft verdüsterten Auffassung selbst einfacher Vorkommnisse des täglichen Lebens Sie befällt. Es wird Ihnen dann außerordentlich schwer sein, Ihr Denken von den mit der Schmerzempfindung zusammenhängenden Gedankenreihen abzulenken; jede geordnete Denkarbeit, die eine erhöhte Aufmerksamkeit in Anspruch nimmt, z. B. das Lesen einer wissenschaftlichen Abhandlung, mißlingt, indem unaufhörlich die Gedanken abschweifen und Ihre Aufmerksamkeit von der Schmerzempfindung gefesselt wird. Der Zustand wird Ihnen unerträglich, alle anderen Interessen treten vor der Zielvorstellung zurück, von dem Schmerze befreit zu werden, und erst wenn dies erreicht ist, kehrt die mittlere normale Gemütsstimmung zurück, und Ihr geistiges Geschehen ist von dem quälenden Drucke entlastet.

Ganz ähnlich wirken die gesteigerten Schmerzempfindungen des

Neurasthenikers auf seinen geistigen Zustand. Besonders die Organschmerzen und die mannigfachen parästhetischen Empfindungen, die
weniger durch die Intensität als das Ungewohnte, Lästige und Peinigende der Schmerzempfindung die Psyche alterieren, bedingen eine
krankhafte Stimmungslage, die allgemein als die reizbare Verstimmung bezeichnet wird.

Sie ist gekennzeichnet durch die psychische Veränderung, welche
wir vorstehend als vorübergehende Begleiterscheinung intensiver und
länger dauernder körperlicher Schmerzen erwähnt haben; doch besitzt
sie noch einige Besonderheiten, welche vorwaltend auf die lange Dauer
und die Beschaffenheit der pathologischen Schmerzempfindungen zurückzuführen sind.

Der Grundton der Stimmung ist als Unmut, Niedergeschlagenheit,
Gleichgiltigkeit zu bezeichnen; doch genügen die geringfügigsten Vorkommnisse, um die heftigste psychische Aufregung, maßlose Verbitterung und Zornausbrüche hervorzurufen. Ist diese Stimmungsanomalie zur vollen Entwickelung gelangt und wird der Patient
längere Zeit von derselben beherrscht, so ist er sich selbst und
anderen zur Last geworden. Im eigenen Hause ist der neurasthenische
Vater der Tyrann der Familie; alle Familienmitglieder fürchten sich
vor seinen „launenhaften", unmotivierten zornmütigen Gefühlsaus-
brüchen. Ein dumpfer Druck lastet über allen. Das kleinste harm-
loseste Vergehen eines Kindes, der leiseste Widerspruch, ja ein zufällig hingeworfenes, an sich gleichgiltiges Wort der Ehefrau kann
den Patienten in eine ungeheure Erregung, Aerger und Zorn versetzen, der sich durch Schimpfreden, ja selbst motorische Kraftleistungen, Schlagen auf den Tisch oder heftige körperliche Züchtigung
der Kinder Luft macht und sogar in den schwersten Fällen zu Thät-
lichkeiten gegen die Frau führen kann.

So erinnere ich mich eines Falles, in welchem der Patient, ein hoch- Krg.
gebildeter, in gesunden Tagen durchaus maßvoller und besonnener Offi- No. 6.
zier, aus seinem Familienkreise sich entfernen mußte, weil er in seinen
Zornausbrüchen seine Frau und Kinder thätlich mißhandelte, besonders
aber an seinem Burschen sich bei den kleinsten Anlässen vergriff. Der
Patient war sich des krankhaften Charakters dieser Wutausbrüche durchaus bewußt und drang selbst darauf, einer Anstalt übergeben zu werden.

In etwas anderer Form äußert sich die reizbare Verstimmung bei
der Hausfrau. Hier sind es meistens die kleinen, täglichen Sorgen
und Mühen des Haushalts, welche den Anlaß zu einer ruhelosen, gereizten und ärgerlichen Gemütsverfassung geben. Die „Dienstboten-
plage", welche bekanntlich schon bei physiologischer Gemütslage ein
ständiges Thema weiblicher Konversation ist, wird zur Quelle andauernder Verbitterung und widriger häuslicher Auftritte. Ich habe
neurasthenische Frauen kennen gelernt, welche auf der Höhe der Erkrankung überhaupt keine Dienstboten mehr ertragen konnten. Das
beständige Nörgeln und Schimpfen trieb jeden aus dem Hause, die
Patientin war schließlich schon aus dem Grunde, daß der Wirtschafts-
betrieb stockte, gezwungen, ihr Haus zu verlassen, auf Reisen zu gehen
oder eine Anstalt aufzusuchen.

Am unglücklichsten befinden sich die neurasthenischen Hagestolze
und die „nervösen" alten Jungfern. Sie machen sich überall unleid-
lich; jeder meidet sie und versagt ihnen die Aufnahme.

Ein krasser Egoismus beherrscht alle diese Kranken. Die Un-
gerechtigkeit, welche sich bei ihnen in der Auffassung ihrer Lebens-
verhältnisse, ihrer Rechte und Pflichten kundgiebt, wirkt auf jeden
Gesunden geradezu verblüffend. Sie führen über alles Klage, verlangen die größte Rücksichtnahme auf ihren Zustand, fühlen sich aufs
tiefste beleidigt, wenn ihre Wünsche nicht sofort erfüllt werden, wenn
nicht der ganze Mechanismus des Hauses und der Gesellschaft auf ihre
Bedürfnisse eingerichtet wird, während sie selbst sich das Recht an-
maßen, ungerügt und ungestraft andere zu beleidigen und zu be-
schimpfen. Sie spielen die gekränkte Unschuld, die durch den Unverstand ihrer Umgebung, durch den Mangel an Einsicht in ihre unglückliche Situation, durch Widersetzlichkeit und Bosheit unaufhörlich
gereizt und gepeinigt werde. Besonders bei jugendlichen männlichen
und weiblichen Neurasthenikern begegnen Sie der Klage, daß sie von
den Ihrigen nicht recht verstanden werden, „man bringt mir nicht die
notwendige Nachsicht und Duldung entgegen".

In Hotels sind die Neurastheniker der Schrecken der Wirte und
der Kellner, in den Nervenanstalten stellen sie die höchsten Anforderungen an die Langmut und Festigkeit der Aerzte und des Wart-
personals. Sie sind mit allem unzufrieden, kritisieren jede ärztliche
Maßregel und Leistung in wegwerfender und verletzender Weise,
schimpfen auf die Organisation des Hauses, auf die Thätigkeit der
Hilfskräfte u. s. w. Sie untergraben auf diese Weise die Autorität
des Arztes bei den anderen Kranken, stiften förmliche Verschwörungen
gegen den Ruf des Arztes und der Anstalt an und führen schließlich
unliebsame Katastrophen herbei, indem der Arzt gezwungen ist,
diesen unbotmäßigen Gästen die Thüre zu weisen. Es giebt chronische neurasthenische Patienten, die von einer Kaltwasser- oder
Nervenanstalt zur andern pilgern und überall Unruhe und Verwirrung
stiften.

Besteht dieser Zustand längere Zeit, so entwickelt sich aus ihm
ganz allmählich eine besonders den nächsten Angehörigen bemerk-
bare tiefgreifende Charakterveränderung. Die Patienten werden
geradezu boshaft. Da sie selbst keine ruhige Freude, keinen Genuß
am Schönen und Guten mehr empfinden können, so suchen sie auch
ihren Familienmitgliedern diese Freuden zu vergellen. Mit der raffi-
niertesten Geschicklichkeit wissen sie dieselben in ihren heiligsten
Empfindungen zu verletzen, sie zum Widerspruch und ärgernisvollen
Auftritten zu reizen und empfinden dann eine fast dämonisch zu
nennende Freude darüber, ihnen vorwerfen zu können, die Selbstbeherrschung verloren zu haben.

Krg.   Es haben mir Briefe einer trefflichen alten Dame vorgelegen, in
No. 7. welchen sie dem Arzte ihren Schmerz über die „Verderbtheit" ihres
Sohnes, eines intellektuell hochentwickelten und in gesunden Tagen
durchaus charaktervollen, sittlich und religiös durchgebildeten Mannes,
enthüllt. Der Patient litt seit mehreren Jahren an einer schweren Neurasthenie, die ihn zu seiner Berufsthätigkeit völlig unfähig machte. Er
unterlag den Affektstörungen, die ich oben zu schildern versucht habe.
Alle Sorgen und Mühen, welche dieser Krankheitszustand verursachte,
würde die Mutter ohne Klagen ertragen haben, sie wurde aber dadurch
erregt, daß der Sohn bei jeder Gelegenheit die religiösen Empfindungen
der Dame verspottete und durch unehrerbietige, „gotteslästerliche"

Aeußerungen die Mutter aufs tiefste verletzte. Als der Gesundheitszustand des Patienten sich späterhin besserte, schwanden auch diese Krankheitserscheinungen.

Ich habe Ihnen hier Bilder skizziert, die glücklicherweise nur in den schwersten Fällen zur vollen Entwickelung gelangen. Beim Hypochonder sind diese Auswüchse der reizbaren Verstimmung viel häufiger.

Die psychische Hyperalgesie ist nicht die einzige Quelle der reizbaren Verstimmung. Sie werden vielen Patienten begegnen, bei welchen ausgeprägte Schmerzen überhaupt fehlen und die abnormen Sensationen und Parästhesien auf ein relativ geringes Maß beschränkt sind. Das allgemeine Gefühl der Ermüdung beherrscht die Kranken, Denkstörungen verschiedenster Art erwecken in ihnen die Vorstellung, geistig zerrüttet zu sein, und führen mit Naturnotwendigkeit zu einer hoffnungslosen, düsteren Auffassung ihrer Lebenslage und zu den schlimmsten Befürchtungen für ihre Zukunft. „Schwarzseherische" Gedanken drängen sich den Patienten auf, welche allmählich zu ausgeprägten, hypochondrischen Vorstellungen Veranlassung werden. Die Stimmungslage entspricht den leichteren Graden der reizbaren Verstimmung, denn sie stellt sich als eine gleichgiltige, apathische, mutlose Stimmung dar. Der Patient puppt sich gewissermaßen ein, meidet die Berührung mit anderen Menschen und wird ein einsiedlerischer Grübler. Wenn Sie das Vertrauen solcher Patienten erwerben, werden Sie oft das Geständnis hören, daß sie sich förmlich nach Menschenumgang sehnen und ihre Vereinsamung bitter empfinden; sie fliehen aber die Gesellschaft aus den verschiedensten Gründen: sie sind hyperästhetisch gegen Geräusche, das Sprechen und Aufmerken bei der Konversation bedingt sehr bald beunruhigende und quälende Ermüdungsempfindungen. Denkhemmungen treten auf: es stellen sich peinigende Zwangsvorstellungen ein u. s. w.

Die reizbare Verstimmung wird durch diese intellektuellen Störungen vielfach verdeckt, doch geben die Kranken mit Bestimmtheit an, daß eine ärgerliche, mißmutige, gereizte Stimmungslage i m m e r vorhanden sei und ihnen ihr Alleinsein oft geradezu unerträglich mache. Ich bin fest überzeugt, daß manche unerklärte Selbstmorde einsamer Menschen allein durch die Stimmungsanomalie verursacht sind.

In der Mehrzahl der Fälle aber wirken alle diese Momente zusammen, um sehr bald A n g s t z u s t ä n d e zu erwecken. Wir begegnen dann einem Symptomkomplex, welcher einen gemischten Charakter besitzt, indem einerseits der heftige psychische Affekt, andererseits die mannigfachsten körperlichen Begleiterscheinungen denselben zusammensetzen. Die Angstaffekte fehlen in ihren verschiedenen Intensitätsgraden der Neurasthenie fast niemals, freilich treten sie bei einer großen Zahl von Fällen nur seltener und kurz dauernd auf. Sie werden dann bei genauer Nachforschung in irgend einem Zeitpunkt der Erkrankung, vornehmlich bei Exacerbationen des allgemeinen Krankheitszustandes, s i c h e r nachgewiesen werden.

Die psycho-pathologischen Entstehungsbedingungen der Angst sind bei den verschiedenen Psychosen sehr mannigfaltig. Wir werden uns hier darauf beschränken, die neurasthenischen Angstaffekte zu

erörtern. Sie können dieselben nach verschiedenen Richtungen
gruppieren. Berücksichtigen Sie nur die Intensität, die Dauer und
den Verlauf, so können Sie einerseits Angstgefühle von ausgeprägten Angstzuständen unterscheiden und andererseits die Begriffe der kontinuierlichen, remittierenden oder anfallsweise auftretenden Angstzustände aufstellen. Viel wichtiger erscheint mir aber
die Scheidung in einfache und zusammengesetzte Angstaffekte. Erstere
stellen sich als die Begleiterscheinungen der psychischen Hyperalgesie
und der reizbaren Verstimmung ein; die letzteren sind Begleiterscheinungen eigenartiger psychopathischer Zustände, welche durch
einseitige Verschiebungen des Denkinhalts ausgezeichnet sind.

Irgend eine pathologische Empfindung, z. B. eine schmerzhafte
Ermüdungserscheinung, oder ein topalgischer Schmerz, oder eine
quälende Parästhesie, oder eine beliebige affektive Einwirkung, ein
Aerger, ein Schreck, oder intellektuelle Anstrengung, eine gewöhnliche
Konversation, eine geschäftliche Besprechung, eine wissenschaftliche
Arbeit u. s. w., regt Angstgefühle an oder steigert bestehende zu aus-
geprägten Angstanfällen.

Weil diese Angst ohne jede engere ursächliche Verbindung mit
dem Vorstellungsinhalt zustande kommt, so kann sie als vorstellungslose Angst bezeichnet werden. Damit soll aber nur ausgedrückt
werden, daß keine bestimmten Vorstellungsreize die Angst hervorrufen; die nachträgliche Motivierung der Angst durch bestimmte
Vorstellungen ist auch diesen Zuständen eigentümlich und zwar ent-
nimmt der Patient die Erklärungsversuche für seine Angst dem vorherrschenden Vorstellungsinhalte, welcher, den hyperästhetischen und
hyperalgetischen Empfindungen entsprechend, einseitig auf die krankhaften Zustände des eigenen Körpers gerichtet ist. So erklärt es
sich, daß die Angstvorstellungen des Neurasthenikers auch bei einer
ursprünglich vorstellungslosen Angst fast ausschließlich hypochondrische sind. Man hat dieselben auch als nosophobische
Angst bezeichnet.

Am häufigsten ist die Vorstellung, geisteskrank werden
zu müssen. Es hängt dies sicherlich damit zusammen, daß die
später zu erörternden Denkstörungen und die mit ihnen verknüpften
Spannungs- und Ermüdungsempfindungen für die Kranken die lästigste
und peinigendste Krankheitserscheinung sind und den Gedanken an
ein völliges Versagen der geistigen Kräfte sehr nahe legen.

Ebenfalls recht häufig ist die Todesfurcht. Dieselbe wird vermittelt durch eigentümliche Ohnmachts- und Schwächeempfindungen,
welche ein Erlöschen der gesamten vitalen Funktionen vortäuschen.
Die später zu erörternden Erscheinungen von allgemeinen Hemmungs-
vorgängen, sowie lokalisierte vasomotorische Störungen lösen diese
Todesfurcht aus. Für gewöhnlich wird man nachweisen können, daß
die Angst sich an diese pathologischen Organempfindungen direkt
anschließt und dann erst die Vorstellung des nahenden Todes folgt.
Doch werden Sie auch anderen Fällen begegnen, in welchen lokalisierte
Funktionsstörungen, z. B. der motorischen Innervation des Magens
und des übrigen Darmrohres irradiierte Störungen der Herzthätigkeit
verursachen, welche direkt die Vorstellung des nahenden Todes wachrufen. Mit dieser Vorstellung verknüpfen sich dann sekundäre heftige
Angstaffekte; doch geschieht dies nicht immer. Sie werden mutige

Patienten finden, die ohne jede angstvolle Erregung die Störungen ihres Pulses koutrollieren und mit philosophischer Ruhe den „Absterbungsprozeß" verfolgen.

Cirkulatorische Störungen im Schädelinnern, besonders wenn sie' mit lebhaften Sensationen und heftigen Angstempfindungen verknüpft sind, bedingen die Vorstellung, einem Schlaganfall erliegen zu müssen.

In einer zweiten Reihe von Beobachtungen knüpft sich zwar die Angst nicht an bestimmte Vorstellungen, wohl aber an bestimmte Phasen der Ideenassociation an.

Das letzte Glied der Ideenassociation, die Auslösung einer Ziel- oder Schlußvorstellung, durch welche eine sogeuannte Willenshandlung eingeleitet wird, ist mit einem heftigen Unlustaffekt verknüpft, wodurch das Zustandekommen dieser Schlußvorstellung verzögert, ja verhindert werden kann. Die Unschlüssigkeit, das Hin- und Herwerfen der Gedanken, das ewige Suchen nach der richtigen Entschließung sind die charakteristischen Begleiterscheinungen dieser Affektstörung. Bei dieser Auffassung ist die Störung des Denkens gleichzeitig Ursache und Wirkung des pathologischen Affekts und sicherlich werden Sie in vielen Beobachtungen bei genauer Analyse die affektive Wurzel der krankhaften Entschlußunfähigkeit nachweisen können.

„Ich darf mir nichts vornehmen, keine Entschließung treffen wollen, weil schon der Gedanke an den Entschluß mir die heftigste innere Pein und Angst verursacht, welche mich hindert, meine Gedanken zur That werden zu lassen, weil mitten in der Entschließung die Angst die weitere Verfolgung des Gedankens lähmt." Diese und ähnliche Aeußerungen werden Sie von gebildeten Kranken nicht selten zu hören bekommen.

Es handelt sich hierbei selten um ausgeprägte Angstanfälle, sondern um Angstgefühle, welche von den Patienten als innere Unruhe, ängstliche Spannung und Furchtsamkeit bezeichnet werden. Dies ist aus dem Grunde bemerkenswert, weil bei diesen leichten Angstzuständen ausgeprägte somatische Begleiterscheinungen völlig fehlen können. Es ist aber nicht ausgeschlossen, daß auch bei dieser Genese der Affektstörung ausgeprägte Angstanfälle sich hinzugesellen, besonders dann, wenn intensive Anstrengungen auf intellektuellem Gebiete, durch lange, fruchtlose Versuche zu einem Entschuß zu gelangen, stattfinden.

Es giebt Neurastheniker, welchen selbst das Planen und die Ausführung einfachster und durch die tägliche Uebung ganz vertrauter Handlungen Angstgefühle verursachen, z. B. schon der Versuch zu essen, zu gehen oder zu schreiben. Derartige Anlässe genügen bei Patienten, welche schon vorher durch krankhafte Empfindungen in ängstlicher Aufregung gehalten sind, um wirkliche Angstanfälle auszulösen. Auf diesen Zustand, in welchem alle Handlungen Angst und Furcht erregen, findet der Ausdruck Pantophobie, die Furcht vor allem und jedem, mit Recht Anwendung.

Die primäre Angst, welche die Denkhemmung verursacht, darf nicht verwechselt werden mit den pathologischen Gefühlstönen, welche sekundär mit Störungen der Ideenassociation verbunden sind und die als Anomalien der logischen Gefühle (WUNDT) bezeichnet werden können.

Unter den sekundären Angstaffekten steht in erster Linie der peinigende und quälende Erwartungsaffekt der Furcht, welcher durch die mit der Zielvorstellung associierte Vorstellung eines die geistige oder körperliche Gesundheit beeinträchtigenden Ereignisses hervorgebracht wird. Es sind wiederum vorwaltend nosophobische Vorstellungen, welche sich in die Ideenassociation hineinzwängen. Sie haben oben eine andere Genese der Nosophobien kennen gelernt, indem die vorstellungslose Angst sekundär hypochondrische Vorstellungen wachruft. Hier knüpft die Angst nicht an die Qualität der Empfindungen an, sondern tritt erst nach dem Auftauchen hypochondrischer Vorstellungen ein, ist also ausschließlich durch die letzteren bedingt. In praxi werden bei ein und demselben Kranken nosophobische Angstgefühle und Angstanfälle auf beiden Wegen entstehen können.

Trotzdem werden Sie nicht darauf verzichten dürfen, immer wieder dem Quell der Angst nachzuforschen und werden sich nicht durch die anscheinende Gleichartigkeit des Vorstellungsinhaltes über die verschiedenartige Pathogenese hinwegtäuschen wollen. Denn Ihr ärztliches Handeln wird von solchen analytischen Erwägungen abhängig sein. Ist die Angst primär durch krankhafte Empfindungen verursacht, so werden Sie zuerst auf die Beseitigung derselben bedacht sein müssen, worauf es Ihnen gelingen mag, die sekundären hypochondrischen Vorstellungen zu zerstreuen. Ist aber die Angst resp. Furcht vor einem drohenden Unheil von solchen Anomalien der Empfindung durchaus unabhängig und ausschließlich durch den Inhalt der Vorstellung bedingt, so wird die Behandlung des Kranken eine rein psychische sein müssen, d. h. Sie werden durch geeignete Maßnahmen die geistigen Vorgänge Ihres Patienten von diesen pathologischen Associationen zu befreien versuchen. Wird die krankhafte Furcht durch beide Quellen gespeist, so fallen beide Aufgaben zusammen.

Wir wenden uns der Aufgabe zu, die psychischen und somatischen Folgeerscheinungen der Angst zu behandeln.

Die negativen Affektschwankungen der Angst wirken bald erregend, bald hemmend auf den Ablauf der Ideenassociation. Auch hier finden wir, daß geringere Affektstörungen vornehmlich erregend, intensivere dagegen hemmend wirken. Bei den leichten Angstgefühlen klagen die Patienten über eine hochgradige psychische Unruhe („ein ängstlicher Gedanke jagt den anderen, ich kann geistig gar keinen Ruhepunkt finden, die Gedanken schwirren mir im Kopfe herum u. s. w."). Diese ängstliche Unruhe giebt sich denn auch in den Handlungen des Kranken kund, die vielfach etwas Hastiges und Planloses aufweisen.

Nehmen Sie z. B. einen neurasthenischen Kaufmann, der infolge geschäftlicher Ueberanstrengung oder eines ärgerlichen Vorfalles oder heftiger parästhetischer Empfindungen von einem Angstgefühl befallen wird: sofort bemächtigt sich seiner eine ruhelose Geschäftigkeit, die ihn von einer Arbeit zur anderen drängt; er beginnt Geschäftsbriefe, die aber unvollendet liegen bleiben; er eilt von einem Angestellten zum anderen, widersprechende Befehle gebend, und sieht sich schließlich außer stande, irgend eine Aufgabe zu Ende zu führen. Oder Sie haben eine neurasthenische Dame, welche wegen Erkrankung der Kinder, Dienstbotenwechsel u. s. w. eine Steigerung ihrer krankhaften Ermüdungserscheinungen darbietet: sofort ergreift sie ein „aufreibender" Thätigkeitsdrang, der sie von der Kinderstube in die Küche und von da zum Wäscheschrank treibt. Kaum beginnt sie eine Verrichtung auszuführen oder erteilt einen Auftrag, so wird derselbe durch neue, widersprechende Thätigkeitsanregungen zwecklos gemacht. Nicht selten geraten die Patientinnen dann in einen Zustand, der ein Gemisch von zornmütiger und angstvoller Erregung darstellt und zu den heftigsten Ausdrucksbewegungen führt. Ich habe hochgebildete Frauen mit einem großen Maße von Selbstbeherrschung gekannt, die in solchen neurasthenischen Affektzuständen mit den Füßen auf den Boden stampften, Teller auf die Erde schleuderten und planlos hin und her rannten, um sich schließlich in verzweifelter Stimmung und unter heftigem Weinen aufs Sopha oder aufs Bett zu werfen.

Die nachher zu erörternden körperlichen Begleiterscheinungen beschleunigen den Verbrauch der Kräfte und führen sehr bald die hochgradigsten Erschöpfungszustände herbei.

Tritt die Angst plötzlich und unvermittelt auf und ist sie von Anfang an von stärkerer Intensität, so führt sie zu ausgeprägten Denkhemmungen. Besonders die obenerwähnten Angstzustände, welche den Abschluß einer Gedankenreihe begleiten, veranlassen völlige Stockungen des Denkprozesses. Ich habe schon Aeußerungen von Kranken citiert, durch welche solche Denkhemmungen anschaulich gemacht werden können. Sie sehen also, daß die durch die Vorstellungsthätigkeit erweckten Angstaffekte die Ideenassociation vernichten, indem sie hemmend auf den übrigen Vorstellungsinhalt einwirken und einseitig die mit dem heftigen Angstaffekt verknüpfte Vorstellung in den Vordergrund des Bewußtseinsinhalts drängen. So erklären sich auch die ausgebreiteten Denkhemmungen, welche bei den zusammengesetzten Angstzuständen vorkommen.

Die körperlichen Folgeerscheinungen der Angst liegen vornehmlich auf vasomotorischem, sekretorischem und motorischem Gebiete. Sie rufen ihrerseits wieder ein ganzes Heer abnormer Sensationen wach. Am häufigsten sind die vasomotorischen Störungen. Die Herzaktion ist beschleunigt, die Kontraktion unregelmäßig und unvollständig. Zugleich treten sehr lästige, die Angst direkt vermehrende Sensationen in der Herzgegend auf, die sehr ähnlich wie bei der Angina pectoris über die linke Thoraxseite, die linke Schulter und den linken Arm ausstrahlen können. Für gewöhnlich empfinden die Kranken nur einen dumpfen Druck in der Herzgegend, der seit langer Zeit als Präkordialangst bekannt ist. Die Körperarterien verengern sich, es tritt ein Kältegefühl, ein Angstschauer in den Extremitäten und im Kopfe auf, der beim Nachlassen des Gefäßkrampfes von sehr qualvollen Empfindungen eines vermehrten, übermäßigen Blutzuflusses in das nunmehr erweiterte Gefäßgebiet gefolgt ist. Besonders oft geben die Kranken an, daß ihnen ein warmer, ja heißer Strom von der Herzgegend zum Kopfe und zu den Unterleibsorganen fließe. Hauptsächlich die Kopfkongestionen vermehren das Gefühl der Angst und wecken die Vorstellung, daß ein Schlaganfall drohe. Es ist übrigens die Möglichkeit nicht auszuschließen, daß diese Blutwallungen primär ohne vorhergehenden Gefäßkrampf als Folgezustände der Angst auftreten, indem die Angstaffekte einen hemmenden Einfluß auf die Vasokonstriktoren ausüben.

Die motorischen Störungen betreffen sowohl die quergestreifte als auch die glatte Muskulatur. Sie finden abnorme Spannungszustände in den Extremitäten und insbesondere der Bauchmuskulatur, ferner motorische Reizerscheinungen in der Form von allgemeiner Zitterbewegung, Schütteln des Kopfes, Zähneklappern u. s. w. Auf kompliziertere Störungen der Handlungen, welche aus der Angst entspringen, komme ich zum Schluß der Vorlesung nochmals zurück. Das Gesamtbild der gesteigerten motorischen Erregung wird als ängstliche Agitation bezeichnet.

Bei heftiger einsetzenden Angstanfällen treten entgegengesetzter Weise ausgedehnte motorische Hemmungen auf. Der Kranke ist motorisch vollständig erschlafft, und unfähig zu irgendwelcher willkürlicher Innervation; er sinkt kraftlos zusammen und bleibt in hilflosem Zustande liegen, selbst ohne die Möglichkeit, sich sprachlich verständlich zu machen.

Merkwürdig ist der Wechsel zwischen Hemmung und Erregung. Gerade die letzterwähnten, gewissermaßen blitzartig einsetzenden Anfälle völliger motorischer Lähmung schwinden sehr rasch und sind nicht selten von ausgebreiteten Erregungsvorgängen gefolgt, welche konvulsivische und choreatische Anfälle vortäuschen können. Es ist übrigens noch unerklärt, warum im Einzelfalle bald die erregenden, bald die hemmenden Erscheinungen auf motorischem Gebiete vorwalten; auch hier besitzt wahrscheinlich der Intensitätsgrad der Affekte einen bestimmenden Einfluß in dem früher erörterten Sinne. Freilich können gegen diese Auffassung Beobachtungen ins Feld geführt werden, bei welchen heftigste Angstanfälle sofort ohne vorhergehende Hemmungserscheinungen zu großen motorischen Entladungen geführt haben. Sie haben außerdem Fälle von Melancholie in der psychiatrischen Klinik kennen gelernt, bei welchen eine plötzliche Steigerung der Angstaffekte vorher bestandene Hemmungen durchbrach und die mannigfachsten motorischen Agitationen hervorrief. Sie sehen also, daß die Pathologie der Angst in diesen Punkten einer weiteren Aufhellung noch recht bedürftig ist.

Ganz ähnlich verhält es sich mit den hemmenden und erregenden Einflüssen der Angst auf die glatte Muskulatur. Einmal sehen Sie eigentümliche Konstriktionsgefühle, „Schlundkrämpfe", Würg- und Brechbewegungen, gesteigerte peristaltische Bewegungen des Darms, Harn- und Stuhldrang u. s. w. auftreten, welche auf motorische Reizerscheinungen hinweisen. Nicht selten verbinden sich damit abnorme Kontraktionszustände der glatten Muskulatur der Haut (Mm. arrectores pili), welche im Verein mit dem initialen Gefäßkrampf in dem Kranken das Gefühl des Frostschauers erwecken und auch als Fieberfrost bezeichnet werden. Ein anderes Mal tritt im Gefolge der Angst eine völlige Erschlaffung der Darmmuskulatur ein, welche zu schmerzhaften meteoristischen Erscheinungen führt. Eine besondere Erwähnung verdient der Einfluß der Angst auf die Respiration. Die Atmung ist bald beschleunigt, bald verlangsamt, meist unregelmäßig, indem längere Atempausen mit einigen beschleunigten tiefen Atemzügen abwechseln. Schließlich möchte ich Sie noch darauf hinweisen, daß auch die sekretorischen Vorgänge, insbesondere die Urinausscheidung durch heftige Angstaffekte sichtlich beeinflußt wird. Manche Kranke entleeren beim Abklingen der Angstanfälle eine große Menge fast wasserhellen Urins (Urina spastica). Freilich han-

delt es sich hierbei wohl ebenso sehr um vasomotorische, als um
sekretorische Störungen. Auch hemmende Einwirkungen auf sekretorische Vorgänge treten gelegentlich heftiger Angstaffekte auf. Bei
einem meiner Patienten waren dieselben von einer auffallenden
Trockenheit der Mundschleimhaut begleitet; der Patient gab direkt
an, daß er während der Angst keine Spur von Speichel absondern
könne.

Von großer klinischer Bedeutung ist die Lokalisation der
Angst. Am häufigsten ist die vorhin erwähnte Präkordialangst, ihr
reihen sich bezüglich der Häufigkeit die Kopf-, Bauch- und Brustangst an, seltener wird die Angst in die Extremitäten verlegt. Sie
werden aber auch Fällen begegnen, bei denen eine bestimmte
Lokalisation nicht vorhanden ist, sondern dieselbe direkt als „Seelenangst" oder allgemeine Angst bezeichnet wird.

Maßgebend für diese subjektive Bestimmung des Sitzes der Angst
sind zweifellos die pathologischen Empfindungen, welche mit ihr einhergehen. Wir haben schon früher die Thatsache kennen gelernt,
daß die pathologischen Organempfindungen, welche das psychische
Korrelat der verschiedensten Innervationsstörungen sind, Anlaß zu
ausgeprägten Angstgefühlen werden können. Die Kranken verlegen
letztere dann in diejenigen Körperregionen, welche der Sitz dieser
pathologischen Organempfindungen sind. So wird es verständlich, daß
Angstgefühle, welche bei neurasthenischen Angioneurosen auftreten,
direkt in die von dem Arterienkrampf oder der Arterienlähmung be-
troffene Region verlegt werden.

Am ausgeprägtesten sind, wie Sie später sehen werden, die steno-
kardischen Symptome und dem entsprechend ist auch die Präkordialangst bei diesem Symptombild der Neurasthenie am häufigsten. Beachten Sie wohl: Hier sind die vasomotorischen Störungen das
Primäre, die Angst selbst und ihre specielle Lokalisation durch sie
hervorgerufen. Sie müssen diese Fälle unterscheiden von denjenigen,
bei welchen die vasomotorischen Störungen nur die Folgeerscheinungen der Angst sind. Aber auch bei letzteren ist der Sitz der
Angst von den mit diesen Störungen verknüpften, abnormen Sensationen abhängig.

Die Lokalisation der Angst wird aber nicht allein von diesen
pathologischen Gefäßempfindungen bestimmt. Alle anderen genannten
Begleit- und Folgeerscheinungen der Angst können die gleiche Wirkung haben, z. B. rührt ihre bekannte Lokalisation in die Kniekehlen
(„Knieschlottern") von motorischen Erscheinungen her, und ebenso
kann die Brustangst, welche von vielen Kranken geradezu als Asthma-
anfall gedeutet wird, auf die respiratorischen Störungen zurückgeführt
werden. Noch viel ausgiebiger, als durch die einfache Verstimmung,
wird das ganze Gebahren der Neurastheniker durch die Angst resp.
durch die Furcht vor der Angst beherrscht.

Wenn Sie eine größere Zahl von Neurasthenikern überblicken,
so fällt Ihnen, wenigstens bei den ausgeprägten Fällen, die eigentümliche Schlaffheit und Energielosigkeit ihres Verhaltens auf. Sie
beschränken ihre Handlungen auf das allernotwendigste Maß, ziehen
sich scheu vor allen Aufgaben zurück, die außerhalb der Sphäre des
täglichen beruflichen Arbeitspensums gelegen sind. Die Kranken
haben ihre Arbeitsleistung ihrem Kräftemaß sorgfältig und ängstlich
angepaßt. Denn die geringste Anstrengung kann das mühsam er-

rungene Gleichgewicht über den Haufen werfen, die vielfältigsten, kaum zur Ruhe gekommenen Krankheitserscheinungen wieder wachrufen, den Kraftvorrat für längere Zeit völlig aufzehren, die annähernd ausgeglichene Stimmungslage erschüttern, gemütliche Depression und deren Folgeerscheinungen herbeiführen. Je größer das Heer der vorhandenen Krankheitserscheinungen ist, je länger der Krankheitszustand sich auf einer gewissen Höhe der Entwickelung erhält, desto intensiver wird die Handlungsfähigkeit ungünstig beeinflußt, bis schließlich ganz eigenartige, typische „nervöse Faulenzer" aus diesen Kranken werden.

Ein Spaziergang, das Schreiben eines kleinen Briefes, der Wechsel der Kleidung verursacht manchem Kranken die größte Mühewaltung. Am liebsten sitzen oder liegen solche Patienten in einem psychischen Halbdunkel, d. h. in einer schlaffen, träumerischen Passivität, aus der sie sich nur mit Mühe aufraffen. Die Gründe hierfür sind aus den früheren Darlegungen über den psychischen Zustand dieser Kranken unschwer zu entnehmen: die Verlangsamung und Erschwerung der höheren geistigen Prozesse, die mühevolle Arbeit, eine Zielvorstellung im Spiel der Motive zu finden und festzuhalten, die damit verknüpften gesteigerten Ermüdungs- und anderweitigen Schmerzempfindungen, die hemmenden Einwirkungen deprimierter Gemütsstimmung und Angstgefühle, sie alle wirken zusammen, um jenes Bild der Entschlußunfähigkeit und Willenlosigkeit herbeizuführen.

In den schwersten Fällen verfallen die Patienten in einen Zustand völliger körperlicher und geistiger Unthätigkeit. Sie liegen monatelang zu Bett, sind zu keiner aktiven Muskelthätigkeit mehr zu bringen, selbst die notwendigsten Leistungen, welche die Nahrungsaufnahme, die Körperreinigung u. s. w. verlangen, werden nur mühsam unter Beihilfe anderer Personen ausgeführt. Das ganze Leben des Patienten spielt sich in dem meist halbverdunkelten Schlafzimmer ab.

Es sind in der Litteratur Fälle niedergelegt, in welchen die motorischen Leistungen der Kranken bei relativ guter geistiger Frische und Lebendigkeit noch weitergehende Störungen erlitten hatten. NEFTEL hat vier derartige Beobachtungen beschrieben und den Krankheitszustand als Atremie bezeichnet. Die motorische Unthätigkeit war bei diesen Patienten vor allem durch zahlreiche parästhetische Empfindungen verursacht, welche sich bei dem Versuch, zu gehen, zu stehen oder nur zu setzen, einstellten. Dagegen wurden in der Rückenlage alle Gliederbewegungen leicht und mit großer Kraft ausgeführt. Auch MÖBIUS hat zwei Krankheitsfälle beschrieben, in welchen die Kranken jede aktive Muskelleistung unterließen, weil diese in den bewegten Gliedern die mannigfachsten und heftigsten Schmerzen hervorriefen. Er bezeichnete diesen Zustand als Akinesia algera. Zum Teil gehören hierher die von mir als neurasthenische resp. hypochondrische Form der Abasie und Astasie bezeichneten Fälle von Geh- und Stehstörungen, indem auch hier schließlich die Patienten zu einer völligen motorischen Unthätigkeit gelangen können.

Die letztgenannten drei Gruppen sind, trotzdem bei ihnen die neurasthenischen Krankheitssymptome unverkennbar sind, der Neurasthenie im engeren Sinne nicht mehr ausschließlich zugehörig. Sie werden zum Teil dem Krankheitsbegriff der Hypochondrie, zum Teil dem des neurasthenischen Irreseins unterzuordnen sein; ihre Entwickelung aus einfachen neurasthenischen Krankheitserscheinungen ist oft mit Sicherheit nachzuweisen.

Eine erhöhte praktische Bedeutung besitzen bei der Neurasthenie die durch pathologische Affekte hervorgerufenen Störungen der Handlungen der Kranken. Obenan stehen die Angstbewegungen, welche diesen paroxystisch auftretenden Affektstörungen ein charakteristisches Gepräge geben. Die Patienten sind in einem ruhelosen Zustande und vollbringen die zwecklosesten Handlungen entweder in monotoner Wiederholung oder in mannigfachstem Wechsel, immer aber in peinvoller Hast. Sie werfen sich verzweiflungsvoll auf ein Lager nieder, machen konvulsivische Bewegungen mit Händen und Füßen, wimmern und wehklagen. Oder sie stürmen, von der Angst gepeitscht, im Zimmer hin und her, die Hände gegen den Kopf oder auf das Herz gepreßt oder zu Fäusten geballt. Es gesellen sich kompliziertere Ausdrucksbewegungen der Angst hinzu, unter denen die sprachlichen Aeußerungen die erste Stelle einnehmen. Entweder finden die Patienten nur unartikulierte stöhnende Laute oder klagende Ausrufe („ach Gott, es geht zu Ende, wie ist mir, ich ersticke" u. s. w.) oder sie schreien laut nach Hilfe oder beten oder fluchen. Alle irgendwie möglichen Hilfs- und Linderungsmittel werden mit fast fieberhaftem Thätigkeitsdrang herbeigeschafft. Kalte und warme Waschungen oder Umschläge müssen gemacht werden, Senfteige werden gelegt, starke Alcoholica getrunken oder zur Verfügung stehende medikamentöse Beruhigungsmittel hervorgesucht, für jeden Fall aber wird in einem solchen Angstparoxysmus die ganze Umgebung in Bewegung gehalten, um in dieser oder jener Weise Hilfe zu leisten. Es ist fast selbstverständlich, daß die Patienten mit heftigen Angstanfällen die Thätigkeit des Arztes in ausgedehntestem Maße in Anspruch nehmen. Sowohl in der Privatpraxis als auch in der Anstaltsbehandlung werden sie leicht zum Schrecken des Arztes. Zu jeder Stunde des Tages und der Nacht verlangen sie seine unverzügliche Hilfeleistung. Nicht selten genügt die bloße Anwesenheit des Arztes und die von ihm gegebene Versicherung, daß der Anfall absolut nicht gefährlich sei, um ihn zum Schwinden zu bringen. „Wenn Sie nur da sind, wird mir schon wohler." Gerade in solchen Fällen werden Sie die große Bedeutung psychischer Beeinflussung studieren können. Sie werden dann den richtigen Weg suchen müssen, welcher den Patienten dazu gelangen läßt, Herr über seinen Angstanfall zu werden.

Ein eigentümliches Bild bieten die Patienten in jenen Anfällen dar, welche durch ein Gemisch von Angst- und Zornaffekten hervorgerufen sind. Hier gesellen sich zu den geschilderten Krankheitsäußerungen oft ganz gewaltsame motorische Entladungen hinzu, die sich als ein planloser Zerstörungsdrang oder drohende Scheltworte oder sogar gewaltthätige Handlungen gegen ihre Umgebung kundgeben. Ich habe Ihnen schon vorher (S. 91) ein Beispiel der Zornhandlungen gegeben.

Die in praxi bedeutungsvollste motorische Angstäußerung ist der oft triebartig d. h. ohne klare, zielbewußte Vorstellungen auftauchende Selbstmorddrang, welcher nicht selten in fruchtlosen, fast kindisch zu nennenden Selbstmordversuchen seine Befriedigung sucht. In anderen Fällen aber gelingt die Ausführung des Selbstmords. Das Plötzliche, Explosive giebt sich dann in der Art des Selbstmords kund.

Ein 36-jähriger hochbegabter Landgeistlicher, welcher jahrelang neben seiner ausgedehnten beruflichen Thätigkeit sehr umfangreiche litterarische Arbeiten ausgeführt hatte, wurde, nachdem er die Anfänge geistiger Ueberermüdung (gestörter Schlaf, verringerte Leistungsfähigkeit, welche er durch erhöhte Anstrengung zu überwinden suchte) außer acht gelassen hatte, ganz plötzlich von absoluter Schlaflosigkeit, völliger Unfähigkeit zu jeder geistigen Bethätigung, schweren Benommenheits- und Betäubungs-empfindungen und heftigen Angstanfällen heimgesucht. Schon in einem der ersten Angstanfälle stellte sich der Drang der Selbstvernichtung ein. Er ergriff das auf dem Tische liegende Taschenmesser und brachte sich zwei oberflächliche Schnittwunden am linken Handgelenke bei. Er suchte sofort selbst die Hilfe der Klinik auf, beklagte besonders diesen Selbst-mordversuch, welcher mit seinen religiösen und ethischen Vorstellungen im grundsätzlichen Widerspruche stand. Er erklärte, er wüßte gar nicht, wie er dazu gekommen sei, er müßte ihn in halber Bewußtlosigkeit be-gangen haben. Auch in späteren Angstanfällen tauchte, wie er dem Arzte selbst berichtete, ein unklarer Drang, sich selbst zu verletzen, auf. In den anfallsfreien Zeiten bestritt der durchaus klare, einsichtsvolle Mann das Vorhandensein von Selbstmordgedanken auf das entschiedenste. Eine zweckentsprechende Behandlung brachte eine relative Besserung seines Zustandes herbei, er konnte sich wieder mit leichter Lektüre be-schäftigen, einen einfachen Brief schreiben; die Gemütsstimmung war meist eine gleichmäßig heitere und zuversichtliche. Er beteiligte sich gerne an Unterhaltungsspielen, welche von anderen Patienten ausgeführt wurden, und war schließlich ein anregender und lebhafter Gesellschafter. Er fing auch wieder an, sich mit ernsterer geistiger Arbeit zu beschäf-tigen und war über die fortschreitende Erstarkung seiner geistigen Kräfte hoch erfreut. Als sein Urlaub zu Ende ging, sprach er mir gegenüber gelegentlich die Befürchtung aus, ob er wohl seinem Berufe wieder ge-wachsen sei. Seine Stimmung war stundenweis eine gedrückte, auch gestand er, daß sich beim Gedanken an die Rückkehr in die alten Ver-hältnisse wieder Angstgefühle, besonders nachts, einstellten. Selbstmord-gedanken bestritt er, Bemühungen, ihn zu längerem Verbleiben in der Klinik zu veranlassen, waren fruchtlos. In der letzten Nacht, welche er in der Klinik verbrachte, durchschnitt er sich mit einem Rasiermesser (wie die Sektion nachträglich ergab) mit einem einzigen scharfen Schnitte den linken Herzventrikel. Er wurde morgens tot im Bett aufgefunden. Zwischen 4. und 5. Rippe war eine 5 cm lange klaffende Wunde.

In einem anderen Falle ertränkte sich der Patient in einem Angst-anfall in der Saale. Er war mit seiner Ehefrau wegen hochgradiger cerebraler Erschöpfungssymptome zur Konsultation bei mir gewesen und hatte mir gestanden, daß er von den heftigsten Angstanfällen heimge-sucht werde, in welchen ein deutlicher Selbstmorddrang bestehe. Aber auch zwischen den schweren Angstparoxysmen war eine gedrückte hoff-nungslose Gemütsstimmung vorhanden, und tauchten Selbstmordideen auf. Trotzdem der Patient die Möglichkeit schroff von der Hand wies, daß er jemals einen Selbstmord begehen werde, machte ich die Ehefrau auf das Gefahrdrohende dieses Krankheitszustandes aufmerksam. Es gelang mir nicht, den Patienten zum Eintritt in die Klinik zu ver-anlassen. Als er von der Konsultation zum Bahnhof zurückkehrte, klagte er über heftige Angstzustände, wußte sich der Beaufsichtigung seiner

Frau auf dem Bahnhofe zu entziehen und war plötzlich verschwunden. Einige Tage später wurde seine Leiche im Flusse aufgefunden.

Ich habe diese zwei Beispiele, denen ich noch drei weitere aus meiner persönlichen Erfahrung anreihen könnte, hier angefügt, weil noch vielfach in ärztlichen Kreisen die Ansicht besteht und auch in Lehrbüchern der Neurasthenie vertreten wird, daß die Neurastheniker äußerst selten einen Selbstmord begehen. Das sie beherrschende Taedium vitae ließe wohl den Gedanken auftauchen, zur Ausführung gebräche es ihnen an der nötigen Energie. Diese Anschauung ist aber nur für die Fälle zulässig, in welchen eine allgemeine gedrückte, hypochondrische Gemütslage ohne Angstaffekte vorhanden ist, während Sie bei den Kranken mit Angstanfällen mit der Möglichkeit des Selbstmordes immer zu rechnen haben.

Manche „unerklärliche" Selbstmorde sind auf Rechnung neurasthenischer Krankheitszustände zu setzen. Sie werden gelegentlich in Ihrer späteren praktischen Thätigkeit sich mit der Frage beschäftigen müssen, inwieweit ein solcher anscheinend unmotivierter Selbstmord auf eine krankhafte geistige resp. gemütliche Beschaffenheit des Thäters zurückzuführen sei. Es ist dies vor allem dann der Fall, wenn der Selbstmörder bei einer jener Gesellschaften sein Leben versichert hatte, welche die Auszahlung der Versicherungssumme von dem Nachweis der geistigen Unfreiheit des Thäters abhängig machen. Es können aus dem angeregten Grunde aus den Akten dieser Versicherungsbanken sicherlich interessante Aufschlüsse erlangt werden, ob thatsächlich eine größere Zahl Selbstmorde auf neurasthenische Krankheitsursachen zurückgeführt werden dürfen.

5. Vorlesung.

Die Störungen der Vorstellungsthätigkeit betreffen in erster Linie die Ablaufsgeschwindigkeit. Die Ideenassociation wird hierdurch in mannigfachster Weise krankhaft verändert. Inhaltliche Störungen der Denkvorgänge treten nur bei einem Teil der Kranken auf und sind bei den reinen, unkomplizierten Formen der Neurasthenie auf das Auftreten von Zwangsvorstellungen beschränkt.

Ueberblicken wir die formalen Störungen der Denkprozesse, so fällt uns vor allem die eigentümliche Mischung zwischen Hemmungs- resp. Erschöpfungserscheinungen und solchen der Uebererregung auf. Sie werden immer finden, daß alle jene komplizierteren intellektuellen Vorgänge, welche der Ausführung einer zielbewußten, logischen Denkarbeit zu Grunde liegen, auffällig herabgesetzt und sehr rasch erschöpft sind, während alle einfacheren associativen Vorgänge, die Reproduktion und Aneinanderreihung von Erinnerungsbildern, eine krankhafte Steigerung erfahren haben. Wir haben früher versucht, die allgemein zu beobachtende Vereinigung einer gesteigerten und herabgeminderten Arbeitsleistung aus dem Wesen des Krankheitsprozesses zu erklären. Sie erinnern sich, daß wir allen Nervenapparaten eine gewisse funktionelle Selbständigkeit zusprachen. Je nach dem Maße des vorhandenen Arbeitsvorrates und der funktionellen Inanspruchnahme wird in den einzelnen Nervenapparaten bald die erste Phase der Dauerermüdung, nämlich die Uebererregung, bald die zweite Phase der Erschöpfung und damit der Funktionsverringerung oder sogar des Ausfalls beobachtet werden können. Und weiterhin haben wir der Ansicht Raum gegeben, daß die funktionell höchststehenden Nervenmechanismen, welche die kompliziertesten Verrichtungen aufweisen, am raschesten der Erschöpfung anheimfallen, und haben demgemäß als allgemeines Gesetz aufgestellt, daß innerhalb einer Reihe funktionell zusammengehöriger Nervencentren die übergeordneten bei einer gleichen Inanspruchnahme schon das Stadium der Erschöpfung darbieten werden, während wir zu gleicher Zeit bei den untergeordneten den sichtbaren Zeichen der Uebererregung begegnen.

Wenn wir auch nicht in der Lage sind, innerhalb der psychischen Vorgänge eine Gliederung der Arbeitsleistungen auf anatomischen und physiologischen Grundlagen aufzubauen, so wird doch der Anschauung nichts im Wege stehen, auch hier von einfacheren und zusammengesetzten Leistungen zu sprechen. Um Ihnen dies verständlich zu machen, ist es notwendig, einen Ausblick in das Gebiet der physiologischen Psychologie zu unternehmen. Ich kann Ihnen hier auch nur einige Hauptsätze rekapitulieren, welche Sie in den Vorlesungen meines Kollegen ZIEHEN schon kennen gelernt haben werden. Sie haben dort auch die ausführlichen Erklärungen und Begründungen dieser der „Associationspsychologie" entnommenen Anschauungen gehört.

Die empirische Psychologie lehrt uns bekanntlich einfachere associative Vorgänge kennen, z. B. werden sinnliche Partialvorstellungen, d. h. Erinnerungsbilder stattgehabter Sinnesempfindungen infolge häufiger gleichzeitiger Erregung in die engste associative Beziehung zu einander treten und zur Bildung einer Gesamtvorstellung eines sinnlichen Gegenstandes führen. Diesen Gesamtvorstellungen entsprechen beim Menschen die Sprachvorstellungen (motorische, akustische, optische) und werden als konkrete und sinnliche Begriffe bezeichnet. Sprechen Sie z. B. das Wort „Glocke" aus, hören, lesen oder schreiben Sie dasselbe, so können in Ihnen die Erinnerungsbilder des Klangs, der Form und der materiellen Beschaffenheit der Glocke einzeln oder insgesamt auftauchen, welche den Begriff „Glocke" zusammensetzen.

Durch associative Verknüpfung einfachster konkreter Begriffe bilden wir allgemeine Begriffe, die wiederum mit Sprach- resp. Wortvorstellungen verbunden sind. Die associative Thätigkeit vereinigt weiterhin Gruppen allgemeiner konkreter Begriffe zu immer komplexeren, eine größere Summe von Einzelvorstellungen umfassenden begrifflichen Einheiten, welche nur durch die Wortvorstellung dieses allgemeinen Begriffs zusammengehalten werden. Je allgemeiner ein sinnlicher Begriff, desto zahlreicher sind auch die associativ verknüpften Einzelbegriffe, desto ausgedehnter wird auch der materielle, durch die Wiedererweckung der latenten Erinnerungsbilder bedingte Prozeß in der Hirnrinde sein.

Komplizierter gestaltet sich die Entwickelung der konkreten Beziehungsbegriffe, z. B. des Begriffs der Aehnlichkeit verschiedener konkreter Gegenstände. Hier werden durch die Sprachvorstellung „Aehnlichkeit" eine größere oder kleinere Reihe ähnlicher konkreter Erinnerungsbilder in associative Verknüpfung miteinander gebracht.

Noch mannigfaltiger ist dieselbe bei der·Bildung sog. abstrakter Begriffe, welche nicht direkt auf Empfindungen und Erinnerungsbilder derselben zurückgeleitet werden können. Auch die gesamten Phantasie- oder Denkvorstellungen vergegenwärtigen Kombinationen von Partialvorstellungen, welche neue, der ursprünglichen Verknüpfung der Empfindungen fremdartige Gesamtvorstellungen hervorbringen. Ihr wesentliches Merkmal besteht darin, daß ihnen die Beziehung auf ein äußeres Objekt fehlt (ZIEHEN). Diese Phantasie- oder Denkvorstellungen vereinigen sich ebenfalls zu allgemeineren Gesamtvorstellungen, auch werden die allgemeinsten konkreten Begriffe von unserem Denken in neue Kombinationen gebracht.

Es läßt also schon die Bildung und Reproduktion der unseren Denkinhalt zusammensetzenden Vorstellungen und Begriffe eine Stufenleiter der intellektuellen Leistungen erkennen.

Die Denkarbeit besteht aber nicht ausschließlich aus einer einfachen Aneinanderreihung der einzelnen Vorstellungselemente, sie gewinnt vielmehr ihre höchste Vollendung durch die Bildung von Urteilen und Schlüssen, welche als die logischen Funktionen im engeren Sinne bezeichnet werden.

Ihre physio-psychologische Erklärung ist außerordentlich schwierig, doch ist kein zwingender Grund vorhanden, dieselben aus dem Rahmen der Ideenassociation herauszunehmen und für sie neue und eigenartige psychische Kräfte zu ersinnen. ZIEHEN hat darauf hingewiesen, daß auch bei den einfacheren vorstehend erwähnten Erscheinungen der Ideen-association nur in einem Teile der Fälle und unter bestimmten Voraus-setzungen ein Ueberspringen einer materiellen Hirnrindenerregung resp. Vorstellung auf eine andere stattfindet, daß vielmehr eine Kontinuität sowohl für die materiellen Hirnrindenprozesse als auch für die Vorstel-lungen besteht, indem dieselben durch „Zwischenprozesse" mit psychischem Korrelat verbunden sind. „In diesem Leitungsprozeß ist aller Wahr-scheinlichkeit nach das Substrat für die Kontinuität unserer Urteile oder, anders ausgedrückt, für die gegenseitigen Beziehungen unserer Vorstellun-gen im Urteil gegeben". Als ein weiteres wesentliches Merkmal des Ur-teils bezeichnet er den Umstand, daß es sich auf eine viel ausgiebigere und engere Association seiner Vorstellungen untereinander stützt und hierauf den Anspruch gründet, als richtig zu gelten. Die Urteilsassociation ist bei dieser Auffassung fast ausnahmslos eine sehr enge Gleichzeitigkeits-association und zwar speciell eine solche, bei der häufige Beziehungs-begriffe eine große Rolle spielen. Die weitere Entwickelung der Urteile zu Schlüssen ordnet ZIEHEN ebenfalls den bekannten Gesetzen der Ideen-association unter, wobei er aber durchaus unbestritten läßt, daß die Psy-chologie an der Grenze ihrer Leistungsfähigkeit angelangt ist, sobald wir die Probleme der Logik über die Bildung wahrer und falscher Ur-teile erklären wollen.

Wohl aber ist eine andere Reihe von psychischen Leistungen, die wir als Aufmerksamkeit und willkürliches Denken und Handeln bezeichnen, einer physio-psychologischen Betrachtungsweise ohne Zuhilfenahme besonderer, uns bislang unbekannter seelischer Thätig-keiten durch die Associationspsychologie zugänglich geworden. Ich kann Ihnen nur in Kürze das Endergebnis einer scharfsinnigen Auseinander-setzung mitteilen, welche Sie in der 12. Vorlesung des mehrfach erwähn-ten Lehrbuches von ZIEHEN vorfinden.

Der Vorgang, den wir Aufmerksamkeit nennen, beruht, soweit es sich um das Aufmerken auf Empfindungen handelt, einerseits auf der Schärfe resp. Intensität, auf der Uebereinstimmung der Empfindung mit früheren Empfindungen resp. den Erinnerungsbildern dieser Empfindung, auf der Stärke des begleitenden Gefühlstons und endlich auf der zu-fälligen „Konstellation" der Vorstellungen. Andererseits ist er gebunden an das gleichzeitige Auftreten von mannigfachen Bewegungsempfindungen, welche durch die Innervation zahlreicher Muskelbewegungen entstanden sind. Durch diese letzteren wird die eigentümliche Empfindung einer aktiven Thätigkeit hervorgebracht.

Das willkürliche Denken unterscheidet sich von dem unwill-kürlichen Gedankenablauf einmal dadurch, daß bei ersterem die gesuchte Vorstellung schon implicite — z. T. durch sehr komplizierte Associationen — in den ersten die Associationsreihe einleitenden Vorstellungen und auch in den weiteren Vorstellungen stets enthalten ist. Zweitens stellen sich bei diesem Vorgang des Suchens, des Sich-Besinnens ebenfalls mehr oder weniger ausgeprägte Muskelinnervationen ein, z. B. leichtes Stirnrunzeln, tonische Anspannung der Lippen- und Nackenmuskulatur u. s. w. Die hierdurch bedingten Bewegungsempfindungen rufen in gleicher Weise wie bei dem Vorgange des Aufmerkens das Gefühl der Spannung hervor, welches fälschlich als der Ausdruck einer besonderen Willensthätigkeit gedeutet wird. Drittens ist es notwendig, daß eine Vorstellungsreihe in innige Beziehung zu der Ich-Vorstellung tritt, um ihr den Charakter einer willkürlich erregten zu verleihen.

Lassen Sie uns zum Schluß noch ganz kurz den psychischen Vorgang überblicken, welcher als Willenshandlung bezeichnet wird. Jeder Handlung, d. h. jedem motorischen Endergebnis eines psychischen Prozesses, geht ein „Spiel der Motive", eine Ueberlegung vorher, welche wir vorstehend als Ideenassociation öfters erwähnt haben. Beim erwachsenen Menschen besitzen die Bewegungsvorstellungen, welche sich allmählich aus den Bewegungsempfindungen herausgebildet haben, die größte Bedeutung für das Entstehen einer Handlung, d. h. für das Entstehen der schließlichen motorischen Innervation. Sie werden sich für gewöhnlich den Vorgang beim Zustandekommen einer Handlung so denken müssen, daß die Empfindung eine Reihe von associativ verknüpften Vorstellungen wachruft, und daß als letztes Glied dieser associativen Reihe eine die motorische Innervation direkt auslösende Bewegungsvorstellung auftritt.

Es ist besonders von MÜNSTERBERG hervorgehoben worden, daß vornehmlich durch die vorausgehende Bewegungsvorstellung einer Bewegung der Charakter einer Willkürbewegung verliehen wird. Aber auch hier besitzen die gelegentlich des Aufmerkens betonten Miterregungen bestimmter Muskelgruppen eine große Bedeutung, indem sie das Gefühl der „vermeintlichen Willkür" verstärken. Ebenso müssen wir bei der Willkürhandlung annehmen, daß die Vorstellung einer gewollten Bewegung schon in dem zu jener Zeit vorhandenen Empfindungs- resp. Vorstellungsinhalt gegenwärtig sei. Auch die associative und zwar kausale Verknüpfung des die Handlung bedingenden Vorstellungsinhalts einschließlich der Bewegungsvorstellungen mit unserer Ich-Vorstellung ist notwendig, um einer Handlung den Stempel einer gewollten aufzudrücken. Es wird die Intensität, mit welcher die Bewegungsvorstellung erregt wird, weiterhin die Intensität und Qualität des Gefühlstons, und drittens die „Vorstellungskonstellation" maßgebend sein, ob die Bewegungsvorstellung thatsächlich zur Handlung Veranlassung wird.

Kehren wir nun zu dem Ausgangspunkt dieser Betrachtungen zurück, nämlich zu der Annahme, daß auch die Ermüdungs- resp. Erschöpfungsphänomene der geistigen Vorgänge dem früher entwickelten Gesetze über die Wechselbeziehung zwischen der Bedeutung einer funktionellen Leistung und dem Grade und der Schnelligkeit der Ermüdbarkeit resp. Erschöpfbarkeit untergeordnet werden dürfen.

Wir werden diese Annahme am ehesten prüfen können, wenn wir die Störungen der Denkthätigkeit, soweit sie uns durch die Mitteilungen unserer Kranken bekannt geworden sind, übersichtlich zusammenordnen. Am prägnantesten treten dieselben uns in den schriftlichen Aufzeichnungen gebildeter Patienten entgegen. Manche Eigentümlichkeiten der Neurastheniker, so der scheinbare Widerspruch zwischen dem dumpfen Hinbrüten, der ängstlichen grüblerischen Fürsorge für geistige und leibliche Ruhe, und den unverhofften, oft hervorragenden geistigen Leistungen werden durch das Unvermögen zu jeder andauernden Thätigkeit aufgeklärt. Aber auch die Klagen über qualvolle, „den Verstand zerrüttende" innere Zustände werden durch eine genauere

Analyse einer gerechteren Beurteilung zugänglich sein. Wir werden wiederum einfachere und kompliziertere Krankheitszustände auseinanderhalten müssen.

Die leichtesten Grade schließen sich direkt an die Ermüdungserscheinungen an, welche jede angestrengte und länger fortgesetzte geistige Thätigkeit auch beim Gesunden bewirkt und erlangen ihre charakteristische pathologische Färbung erst dadurch, daß sie schon nach relativ geringfügiger Arbeitsleistung und länger dauernd auftreten. Sie äußern sich zuerst in dem Unvermögen, längere Zeit hindurch eine bestimmte geistige Aufgabe festzuhalten und zu bewältigen, sei es daß in geistig angeregter Unterhaltung eine bestimmte Frage erschöpfend behandelt werden soll, sei es daß bei der Erfüllung der Berufsgeschäfte, bei wissenschaftlichen Studien oder schöpferischen litterarischen Arbeiten das geistige Schaffen auf das Erfassen, Aneignen oder selbständiges Weiterentwickeln einer bestimmten geschlossenen Gedankenreihe konzentriert werden soll. Mit dem Erlahmen der Aufmerksamkeit drängen sich oft gleichgiltige und nebensächliche, ja oft ganz fern abliegende Vorstellungsreihen im Bewußtsein hervor. Ebenso stören neu anlangende Sinneseindrücke die Denkarbeit, indem sie unangenehme lästige Gefühle wachrufen oder neue, die Ideenassociation gewissermaßen durchbrechende Vorstellungen veranlassen. Dadurch werden jene Verstandesoperationen, welche in der geordneten Reproduktion, der logischen Verknüpfung und der weiteren Verarbeitung sehr komplexer Vorstellungsgruppen bestehen, allmählich unmöglich; der Gedankenfaden reißt ab, bevor der Patient die gestellte Aufgabe erfüllt, eine in der Unterhaltung gehörte oder bei der Lektüre gelesene Gedankenreihe aufgenommen und begrifflich verarbeitet hat. Gerade dieser Zustand von „Gedankenlosigkeit" wird von den Kranken am lästigsten empfunden. Das quälende Gefühl der Herabsetzung der geistigen Leistungsfähigkeit, welches durch die mannigfaltigsten, höchst unangenehmen Organempfindungen („Kopfdruck") beständig wachgehalten und verstärkt wird, ist die Hauptquelle der früher geschilderten reizbaren Verstimmung.

Sie haben hier eine Reihe von intellektuellen Störungen vor sich, die als Denkhemmungen resp. Erschöpfungszustände auf dem Gebiete der höchststehenden intellektuellen Leistungen bezeichnet werden müssen. Denn es handelt sich um eine Herabminderung und schließliche Aufhebung derjenigen geistigen Vorgänge, welche wir in dem kurzen psycho-physiologischen Abriß als den letzten und mühsamsten Erwerb kennen gelernt haben. Wenn Sie die Entwickelung dieser Erschöpfungszustände genauer verfolgen, so werden Sie fast regelmäßig finden, daß vor dem Zusammenbruch der geistigen Kräfte ein kürzer oder länger dauerndes Stadium einer gesteigerten Leistungsfähigkeit voraufgegangen ist; ganz ähnlich wie der Gesunde bei einer intensiven geistigen Arbeitsleistung eine Phase durchläuft, in welcher die Arbeit mit auffälliger Leichtigkeit und Raschheit von statten geht. Ich erinnere Sie an die fast fieberhafte Hast, mit welcher in späten Nachtstunden bei dringender Examensnot gearbeitet zu werden pflegt. Es gelingt dann schwer, der aufgeregten Gehirnthätigkeit Ruhe zu gebieten; auch wenn wir die Arbeit beendigt haben, so spinnt sich der angeknüpfte Gedankenfaden fort, wir sind außer stande den Schlaf zu finden, unaufhörlich wird das bearbeitete Thema im Geiste hin und her gewälzt und neue Erwägungen, neue Ideen-kombinationen und Schlußfolgerungen aus diesem einseitig vorherrschenden Gedankeninhalt mit peinlicher Schärfe und Lebhaftigkeit geschöpft. Allmählich tritt Ruhe ein, die übererregte Denkthätigkeit wird durch einen ausgiebigen gesunden Schlaf vollständig ausgeglichen.

Wird diese geistige Anstrengung längere Zeit hindurch gleichmäßig durchgeführt, so ist das erste Zeichen einer fortdauernden Ueber-anstrengung, daß die Uebererregung keinen gesunden, tiefen Schlaf mehr zuläßt. Es tritt ein dumpfer, traumdurchwühlter Schlafzustand auf, in welchem Teilstücke der geleisteten Denkarbeit in grotesker Gruppierung und buntem Wirbel unaufhörlich und unwiderstehlich auftauchen. Erst in den Morgenstunden ist die Hirnthätigkeit beruhigt und tritt ein erquickender Schlaf ein. Aber auch diese kurze Ruhepause ist dem überanstrengten Gehirn schließlich versagt, die unausbleibliche Folge der übermäßigen Arbeitsleistung ist die völlige Schlaflosigkeit oder der oberflächliche, traumgequälte Schlaf, welcher weder Körper noch Geist erfrischt und stärkt.

Derartige Zustände intellektueller Ueberanstrengung sind bei an-dauernder geistiger Arbeit fast unvermeidlich, denn es giebt nur Wenige, die eine außerordentliche Spannkraft des Geistes besitzen und Jahre, sogar Jahrzehnte lang ein außergewöhnliches Maß in-tellektueller Arbeit mühelos leisten. Aber auch diese starken Naturen sind, wie mich verschiedene Erfahrungen gelehrt haben, gegen die Ueberermüdung nicht dauernd gefeit. Gerade bei ihnen liegt die Gefahr vor, daß irgend welche zufällige interkurrierende Erkrankungen, welche ihre körperliche Leistungsfähigkeit, ihre Ernährung und Blut-beschaffenheit beeinträchtigen, oder heftige Gemütsbewegungen ganz jählings ein Versagen der geistigen Kräfte herbeiführen.

Es unterliegt also auch der Gesunde dem schädlichen Einflusse der Ermüdung oder, richtiger gesagt, der Ueberermüdung. Das unter-scheidende Merkmal zwischen dieser und der pathologischen Dauer-ermüdung besteht darin, daß bei ersterer kurze Erholungspausen ge-nügen, um rasch und vollständig die Ermüdungssymptome wieder zum Schwinden zu bringen. Ist der Gesunde vernünftig genug, die ersten Störungen, welche die übermäßige Belastung kennzeichnen, zu beachten, sein Arbeitsmaß zu verringern und die nötigen Ruhepausen einzu-schalten, so sind auch die ausgeprägteren Funktionsstörungen, welche durch die Uebererregbarkeitsphase hervorgerufen sind, noch relativ leicht zu beseitigen. Ein Ferienaufenthalt, eine Urlaubsreise bringt völlige Erholung und dauerndes körperliches und geistiges Wohlbefinden, falls nicht neue Arbeitsexcesse die früheren Erscheinungen wieder herbeiführen. Leider bringen beruflicher Zwang oder die Not des Da-seins oder wissenschaftlicher Arbeitsdrang solche Rückfälle nur zu häufig zustande. Die Uebererregung tritt leichter, nach relativ ge-ringerer geistiger Anstrengung auf, eine kurze Erholungszeit genügt nicht mehr, und Sie haben dann schließlich das Krankheitsbild der Dauerermüdung und Erschöpfung vor sich, welches wir oben schilderten.

Aus dieser Darlegung, welche die in einer früheren Vorlesung ent-wickelte Analogie zwischen den Folgeerscheinungen körperlicher Ueberermüdung und denjenigen der Neurasthenie ergänzt, werden Sie

den Eindruck gewonnen haben, daß durchaus fließende Uebergänge
zwischen vorübergehenden und rasch ausgleichbaren intellektuellen
Störungen und den neurasthenischen Erscheinungen bestehen.

Solche Uebergänge bieten besonders die Gedächtnisstörungen
dar, über welche unsere Kranken schon in frühen Stadien ihres Leidens
klagen. Auch hierbei handelt es sich um ein Darniederliegen derjenigen associativen Thätigkeit, welche die höchststehenden und kompliziertesten Denkvorgänge umfaßt. Fragen Sie die Patienten genauer,
so·werden Sie finden, daß anfänglich bei dieser Gedächtnisstörung das
Erinnerungsbild einer früher stattgehabten Empfindung resp. Vorstellung
im einzelnen nicht verloren gegangen ist, ebenso daß bei einfacheren
Gedankenreihen, bei welchen nicht eine mühselige Urteilsbildung oder
die Reproduktion zahlreicher disparater, höchst zusammengesetzter und
untereinander nur locker verbundener Gesamtvorstellungen (konkreter
und abstrakter) notwendig ist, das Gedächtnis nicht versagt. Die
Ideenassociation ist auf ein geringeres Maß von Leistung herabgedrückt
und verlangsamt, ihre Thätigkeit, welche von so mannigfachen Bedingungen abhängig ist, reicht nicht mehr aus, die große Zahl latenter
Erinnerungsbilder, welche dem früher erörterten Prozesse des Aufmerkens und sog. willkürlichen Denkens zu Grunde liegen, ins „psychische
Leben" zu rufen. Diese Form der Gedächtnisstörung ist also eine
notwendige Begleiterscheinung jeder Erschwerung derjenigen associativen
Vorgänge, welche das „aktive" Denken beherrschen.

Die Klagen der Kranken gipfeln in folgenden Aussprüchen: „Es
ist mir unmöglich, gewisse Vorstellungen oder Vorstellungsreihen gerade
dann ins Gedächtnis zurückzurufen, wenn ich sie notwendig brauche;
wenn rasch eine bestimmte psychische Leistung von mir verlangt
wird, so muß ich mein Gehirn zermartern, um mich auf die hierzu notwendigen Dinge besinnen zu können. Alle jene Zeichen geistiger Ermüdung,
welche mir eine längere Kopfarbeit verursacht, treten gleich heftig auf,
wenn eine rasche Erledigung einer noch so kurzen Aufgabe verlangt
wird. Ich habe eben mein Wissen nie präsent, nie zu meiner Verfügung; es fällt mir entweder gar nichts ein, oder ich beharre auf einer
einzigen mühsam wachgerufenen Vorstellung, welche gewissermaßen das
Anfangsstück der geforderten Denkarbeit darstellt, und komme darüber
nicht hinaus. Jede weitere Anstrengung erweckt eine innere Unruhe und Angstgefühle neben unerträglichem Kopfdruck. Kann ich mir
Zeit lassen und werde ich nicht von der Vorstellung gedrängt, daß ich
zu einem bestimmten Zeitpunkt das Thema fertig gestellt haben muß,
so vollführe ich die Aufgabe, wenn auch stockend und unter Ein-
schiebung öfterer Ruhepausen. Ich bin dann selbst überrascht, daß
weder mein Gedächtnis, noch mein Urteil inhaltlich gelitten hat."

Besteht das Leiden länger, so nehmen diese Schwächesymptome
immer mehr zu. Die Patienten werden schon nach ganz kurzer Zeit,
oft schon nach wenigen Minuten unfähig zu geistiger Thätigkeit, auch
das langsame, von allen störenden Nebenvorstellungen befreite Aufmerken und Nachdenken wird zur Unmöglichkeit. Allmählich werden
die einfachsten geistigen Arbeitsleistungen nur mühsam und mit Aufbietung aller Kräfte bewältigt. Der Anblick und das geistige Erfassen irgend eines einfachen sinnlichen Objekts, die Lenkung der Aufmerksamkeit auf die notwendigen, täglich geübten Verrichtungen, z. B.

die Auswahl der Kleidungsstücke morgens beim Aufstehen, das Schreiben einer Postkarte, auf welcher nur in wenigen Worten ein Gruß, ein Geburtstagswunsch etc. mitgeteilt werden soll u. s. w., verursachen die größte Mühewaltung.

Zu gleicher Zeit klagen die Patienten über die Abnahme geistiger Frische und Lebendigkeit in der Aneignung und dem Festhalten selbst einfacher Sinneseindrücke. Es tritt dies besonders in den höchstentwickelten Sinnesgebieten des Gesichts und Gehörs hervor. Alle Gesichts- und Gehörseindrücke erscheinen dann unklar, verschwommen, zu nebelhaften Bildern und unbestimmten Tönen zusammenfließend, und nur die größte Anspannung der Aufmerksamkeit vermag diese Nebelbilder zu klären und die verworrenen Töne zu entwirren. Sehr oft gelingt dies aber nur auf kurze Zeit. Bald versagt die Kraft bei dieser gesteigerten Anstrengung; die Kranken sind nicht mehr imstande, das gehörte Wort aufzufassen oder einen Gesichtseindruck festzuhalten. Die ganzen Vorgänge ihrer Umgebung gleiten eindruckslos an ihnen vorüber.

Schließlich in den höchstentwickelten Phasen des Krankheitszustandes versagt der psychische Mechanismus vollständig. Der quälende Druck, die Spannung des Kopfes sind mit der geringfügigsten, geistigen Anstrengung verknüpft, und summende, klingende und rauschende Empfindungen, welche entweder in den Kopf oder in die äußeren Klangfelder lokalisiert werden, stellen sich ein. Die Kranken werden dauernd von einem Gefühl von Benommenheit und geistiger Leere beherrscht, welches zu der schreckhaften Vorstellung führt, daß das geistige Leben vernichtet sei und schwere Geisteskrankheit über sie hereinbrechen müsse. Es tritt dann ein Zustand geistiger Torpidität ein, in welchem diese Kranken stumpf und interesselos für alle geistigen Vorgänge erscheinen. Da jede Betätigung, ja jeder Sinnesreiz neue Ermüdungsschmerzen zeitigt, so ziehen sich die Kranken aus dem menschlichen Verkehr völlig zurück und schließen sich ängstlich von jeder Berührung mit der Außenwelt ab. Die Räume, in denen sie sich aufhalten, sind verdunkelt, und Grabesstille herrscht in ihnen. Bleiben diese Patienten sich selbst überlassen, so entsteht ein chronisches Siechtum und vollständige Hilflosigkeit, befördert und vermehrt durch die Unterlassung jeder Willkürbewegung.

Ich habe Ihnen hier eine freilich ganz gleitende Skala der Ausfallssymptome auf intellektuellem Gebiete zusammengestellt. Glauben Sie aber nicht, daß Sie in der Praxis diese verschiedenen Stadien der geistigen Erschöpfung einfach hintereinander gruppiert im einzelnen Krankheitsfalle vorfinden werden. Wir werden später, wenn wir den Verlauf des Leidens summarisch überschauen, auf diesen Punkt eingehen, doch ist auch hier notwendig, darauf hinzuweisen, daß bei den leichteren und mittleren Graden geistiger Erschöpfung ein unaufhörliches Schwanken der geistigen Energie stattfindet. Es sind hierfür zwei Dinge verantwortlich zu machen.

1) Der Einfluß der Affekte, den wir früher ausführlich erörtert haben. Ich weise Sie in dieser Beziehung noch auf die so häufig zu beobachtende Thatsache hin, daß die Kranken in anregender „zerstreuend" wirkender Geselligkeit, d. h., wenn die Aufmerksamkeit von den pathologischen Empfindungen und Unlustaffekten abgelenkt wird,

oder unter dem excitierenden Einfluß des Sorgenbrechers Wein belebt, geistig frisch, oft sogar hervorragend durch Schärfe in der Auffassung und Beurteilung sind. Allein in ihren vier Pfählen von körperlichen Schmerzen gequält, in trüber Stimmung ihrer Krankheit nachgrübelnd, sind sie stumpf, schwerfällig, gleichgiltig, nur mit Mühe den einfachsten Sinneserregungen zugänglich. Hier haben Sie die hemmende Wirkung der Affekte.

2) Aber auch abgesehen von diesen affektiven Einflüssen ist der Grad der intellektuellen Erschöpfung durchaus schwankend und völlig unberechenbar. Jede intensive und anhaltende geistige Beschäftigung verstärkt die Ermüdung und steigert sie zur Erschöpfung. Von wesentlichster Bedeutung ist hierbei das Maß und die Dauer von Erholung, welche einer bestimmten intellektuellen Leistung voraufgegangen ist. Ich erwähne dies hier besonders, um Sie davor zu warnen, Ihr Urteil über das Maß der intellektuellen Kraftlosigkeit bei irgend einem Patienten aussprechen zu wollen ohne die Bedingungen, unter denen die geistige Erschöpfung eintrat, in Rechnung zu ziehen.

Beobachten Sie z. B. einen neurasthenischen Gymnasiallehrer, welcher während einer Ferienreise von jeglicher Berufsarbeit befreit ist. Er kann in angeregter Unterhaltung über wissenschaftliche Fragen scharfsinnig und schlagfertig disputieren, und Sie sind überrascht, von ihm zu hören, daß er zu Hause unfähig ist, selbst einfache geistige Arbeiten zu bewältigen, wie den Unterricht regelmäßig wahrzunehmen und die Aufsatzhefte seiner Schüler zu korrigieren. Und doch sind seine Angaben durchaus zutreffend. Es genügen eben die wenigen Stunden geistiger und gemütlicher Ausspannung, welche ihm der Schuldienst übrig läßt, nicht, um ihm die nötige Spannkraft des Geistes wiederzugeben.

Aber es wirkt hier, wie in allen verwandten Fällen, noch ein anderes Moment mit, welches die Unfähigkeit bei der Bewältigung der Berufspflichten hervorruft. Es ist dies die Einseitigkeit und Gleichmäßigkeit der geistigen Arbeit. Man sollte glauben, daß hierin eher ein die krankhafte Ermüdung hindernder Umstand gelegen sei, indem die jahrelange Uebung die Aufgaben erleichtert. Die Erfahrung lehrt aber, daß, wenn einmal durch die verschiedensten Ursachen die Neurasthenie zum Ausbruch gekommen ist, gerade die „Tretmühle" der Berufsarbeit am meisten erschöpft. Es hängt dies, wenn wir von dem unvermeidlichen Aerger in jeder beruflichen Thätigkeit absehen, wohl damit zusammen, daß die einseitige Thätigkeit bestimmte geistige Provinzen (wenn dieser Ausdruck erlaubt ist) übermäßig belastet, d. h. bestimmte Vorstellungsreihen und -Kombinationen fast ausschließlich in Anspruch nimmt. Bekanntlich schützen wir uns ja schon in gesunden Tagen am besten vor geistiger Uebermüdung bei wissenschaftlicher Beschäftigung, wenn wir unsere Verstandeskräfte möglichst allseitig durch einen regelmäßigen Wechsel in der Arbeitsleistung bethätigen.

Sie werden aber anderen Neurasthenikern begegnen, welchen der kategorische Imperativ der Pflicht die Erfüllung der Berufsarbeit ermöglicht, obgleich sie für andere Leistungen schon völlig unbrauchbar geworden sind. Es ist dies besonders bei den aus akademischer Schulung hervorgehenden Berufsklassen zu beobachten, sodann aber auch bei Personen, welche in abhängiger Stellung befindlich, mit einem genau vorgeschriebenen Arbeitsmaß belastet sind (Subalternbeamte, Buchhalter u. s. w.). Sie hören von diesen Patienten die vielfachsten Klagen, die sich nicht nur auf die geistigen Vorgänge und die damit verbundenen Ermüdungserscheinungen beziehen. Die mannigfachsten schmerzhaften Empfindungen, vasomotorische Störungen, Verdauungsbeschwerden u. s. w. halten den Patienten befangen, aber die Stunden, in denen ein absoluter Zwang zu geistiger Sammlung besteht, helfen ihnen über diese vielgestalteten Leiden hinweg. Es ist dies freilich nur in den leichteren Fällen oder bei relativ geringer Dauer des Leidens möglich; der Rückschlag, welcher auf derartige Kraftanstrengungen erfolgt, ist häufig ein sehr starker. Die früher geschilderten Zustände von absoluter geistiger Erschöpfung, denen sich gesteigerte Ermüdungsempfindungen und Funktionsstörungen auf somatischem Gebiete hinzugesellen, sind in vielen Fällen eine direkte Folgeerscheinung. Den Patienten wird diese Abnahme des Kraftmaßes schon während der Arbeitsleistung deutlich bemerkbar, indem alle jene höheren intellektuellen Leistungen, die wir als willkürliches, geordnetes, logisches Denken zusammenfassen, allmählich erlahmen und die Anspannung der Aufmerksamkeit durch ungewollt einstürmende, ablenkende, den Gedankengang durchbrechende Vorstellungsreihen zerstört wird.

Sehr drastisch klagte mir ein Lehrer der Naturwissenschaften, daß er am Ende des Semesters fast unfähig sei, seine Vorlesung gegen Schluß der Stunde zu vollenden, indem sich immer andere Gedanken, oft ganz absurden Inhalts, in seinem Geiste hervordrängten, die er nur mit größter Mühe niederhalten könne. Anfänglich wären es Vorstellungen, welche mit dem Gedankeninhalt bis zu gewissem Maße zusammenhingen, jedoch, begrifflich betrachtet, durchaus nicht an der richtigen Stelle auftauchten. Sodann mengten sich Vorstellungen ein, welche inhaltlich mit den zweckentsprechenden geradezu in Kontrast stünden. War z. B. bei Beschreibung eines Objekts dasselbe mit einer bestimmten Farbe zu benennen, so tauchte zuerst die Vorstellung einer anderen Farbe auf, die er sofort als falsch zurückwies; es bedurfte aber einer, wenn auch kurzen und für den Hörer unmerklichen, Spanne Zeit, bis er die richtige Vorstellung gefunden hatte.

Sie werden jetzt den so häufigen Wechsel der intellektuellen Leistungsfähigkeit, die scheinbaren Widersprüche zwischen Gestern und Heute im äußeren Auftreten, in der geistigen Beweglichkeit, in der Schärfe der Auffassung und des Urteils beim Gedankenaustausch, sowie bei schriftlicher geistiger Produktion des Neurasthenikers unschwer verstehen können.

Die zweite große Gruppe intellektueller Störungen sind die Reizerscheinungen. Es ist aus der ganzen vorstehenden Darlegung ersichtlich, daß dieselben als elementare und unumgänglich notwendige Krankheitserscheinungen der Dauerermüdung aufzufassen sind. Wir haben ihrer schon Erwähnung gethan, als wir die Zeichen geistiger Ueberermüdung und die Anfangsphase der Dauerermüdung auf geistigem Gebiete zueinander in Parallele setzten. Wir haben hervorgehoben, daß auch den höchststehenden intellektuellen Leistungen ein Stadium der Ueberregung eigentümlich ist. Freilich ist dasselbe meist von kurzer Dauer oder wird von den Patienten noch nicht als

eigentliches Krankheitssymptom gewürdigt. Denn Sie werden nur in
den seltensten Fällen über eine Steigerung und Erleichterung der logisch
geordneten Denkoperationen klagen hören; wenn die Kranken in Ihre Behandlung treten, ist für diese Vorgänge schon das Stadium der Erschöpfung erreicht. Zu gleicher Zeit aber treten desto quälender
Zeichen von geistiger Uebererregbarkeit hervor, welche von den
Patienten selbst als unwillkürliche Gedankenarbeit bezeichnet
werden.

Auch hierfür haben Sie schon ein Beispiel bei der Schilderung der
geistigen Ermüdung des obenerwähnten Lehrers kennen gelernt. Wir
haben jetzt die Aufgabe, jene Krankheitserscheinungen genauer zu
analysieren und ein zutreffendes Gesamtbild derselben zu zeichnen.
Die Ideenassociation, d. h. die Aneinanderreihung der Vorstellungen,
folgt, wie wir schon früher kurz erwähnt haben, ganz bestimmten Gesetzen.

Ich hebe hier nur kurz folgendes hervor: Wird eine Vorstellungsreihe durch eine Empfindung angeregt, so wird zuerst meist nach dem
Prinzip der Aehnlichkeitsassociation eine Vorstellung „geweckt, reproduziert". Die weitere Reihenfolge der Vorstellungen wird bestimmt:
1) durch den Grad der associativen Verwandtschaft mit der voraus-
gehenden Vorstellung (nach dem Prinzip der Gleichzeitigkeitsassociation),
2) durch den Gefühlston, welcher den einzelnen Erinnerungsbildern
eigentümlich ist, und 3) durch die „Konstellation" der latenten Erinnerungsbilder, d. h. durch die gegenseitige Beeinflussung in hemmender
oder bahnender Richtung, welche die in associativer Verknüpfung befindlichen materiellen Residuen früherer Empfindungserregungen, d. i.
Vorstellungen, aufeinander ausüben. Im Wettbewerb der Vorstellungen
siegt dann diejenige, welcher die geringsten Hemmungen entgegenstehen
und welche die stärkste Bahnung empfängt.

Diese Gesetze beherrschen die Reihenbildung der Vorstellungen,
soweit nicht die höheren Leistungen unserer Denkthätigkeit, die wir
schon früher als Urteilsassociationen kennen gelernt haben, in Frage
kommen. Sie erinnern sich, daß gerade diese letzteren, die wir auch
als logische Denkfunktionen bezeichnet haben, in erster Linie der Dauerermüdung anheimfallen. Ist die geistige Ermüdung auf dem Punkte
angelangt, daß diese höchststehenden intellektuellen Prozesse nur müh-
selig und unvollkommen von statten gehen, so beginnt gleichzeitig eine
Phase der Uebererregbarkeit für die vorstehend gekennzeichneten, einfacheren Vorgänge der Ideenassociation. Dieser Zustand der Uebererregung äußert sich in verschiedener Weise.

Am häufigsten tritt uns eine eigenartige Beschleunigung der Ideenassoziation entgegen, welche die Patienten als das Hetzen und Jagen
der Gedanken bezeichnen. Es findet sich diese Gedankenjagd am
ausgeprägtesten bei Patienten, welche schon in geistig erschöpftem Zustande eine außergewöhnliche, freilich an sich oft recht geringfügige,
Kraftleistung auf geistigem oder körperlichem Gebiete vollbringen
müssen. Die Kranken liegen dann sehr oft in erschöpfter zusammen-
gesunkener, bewegungsloser Haltung und mit geschlossenen Augen da,
und nichts verrät den inneren Aufruhr. Während sie müde und abgespannt und unfähig zu geordneter Denkarbeit sind, tauchen ohne ihr
Zuthun und ohne daß sie imstande sind, willkürlich „diesem
Treiben ein Ende zu machen", teils eine Menge inhaltlich nur locker
verknüpfter und mosaikartig zusammengewürfelter Erinnerungsbilder

auf (Ideenflucht), teils schwirren vor „ihrem geistigen Auge" inhaltlich zusammenhängende, wohlgeordnete Situationsbilder früherer Erlebnisse wiederspiegelnde Erinnerungsreihen vorüber (Reminiscenzenflucht).

Diese schwersten, anfallsweise auftretenden Krankheitserscheinungen besitzen manche Berührungspunkte mit jenen Vorgängen gesteigerter Phantasiethätigkeit, welche wir beim Halbschlaf auch unter physiologischen Verhältnissen an uns selbst beobachten können. Gewissermaßen ohne die Kontrolle unserer logischen Gedankenarbeit, in hastiger Aufeinanderfolge und ungeordneter Verknüpfung wird hier wie dort unser geistiger Inhalt, mit gesteigerter, fast sinnlicher Lebhaftigkeit rasch auftauchend und rasch verschwindend, reproduziert. Seltsame bizarre Träumereien halten den „betäubten" Kranken gefangen. Beim Erwachen aus diesen meist mit quälenden und beängstigenden Empfindungen verknüpften Zuständen „haltloser" Gedankenjagd ist das Gefühl der Ermüdung gesteigert; ja während dieses Zustandes ist eine mehr oder weniger deutliche Empfindung von der aufreibenden Wirkung des Gedankenspiels vorhanden. Die Aufmerksamkeit für Vorgänge der Außenwelt ist in der Mehrzahl der Fälle wesentlich herabgemindert; doch werden Sie Kranken begegnen, welche sogar eine geschärfte Empfindungsfähigkeit für Sinnesreize gleichzeitig darbieten. Machtlos gegenüber dem wirren Gedankenspiele, nehmen sie dann zugleich von außen anlangende Sinneserregungen mit erhöhter Deutlichkeit wahr, welche die Grundlage neuer phantastischer, von den heterogensten Vorstellungselementen durchsetzter Ideenkreise bilden.

Es giebt natürlich zahlreiche Abstufungen dieser pathologischen, unwillkürlichen Gedankenarbeit. Das wesentlichste Merkmal ist die Steigerung der Ablaufsgeschwindigkeit der associativen Prozesse und die Uebergewalt, welche diese reproduzierten Vorstellungskomplexe gegenüber der außerordentlich verlangsamten und unvollkommenen Urteilsbildung besitzen. Wenn man diese Kranken ihre inneren Zustände schildern hört, so begreift man sehr wohl, wie die wissenschaftlich durchaus unbewiesene Scheidung der Bewußtseinsvorgänge in zwei getrennte Seelengewalten, in die Sphäre eines Ober- und eines Unterbewußtseins zustande gekommen ist. Denn diese Ausdrücke bieten ein gemeinverständliches Gleichnis für jene durch die Selbstbeobachtung besonders in Zeiten geistiger Ueberermüdung leicht auffindbaren psychischen Erscheinungen, daß die „unwillkürlich" überreizte Gedankenarbeit Gegenstand einfacher Urteilsbildungen wird. Es schieben sich nämlich zwischen die in beschleunigtem Tempo auftauchenden Vorstellungsreihen knappe, kurzgefaßte Begriffsvorstellungen ein, welche eine Kritik der überreizten Phantasiethätigkeit darstellen. Bei unseren Patienten findet dies in erhöhtem Maße statt. Irgend eine Aufgabe beansprucht den letzten und mühsam zusammengerafften Rest von geistiger Energie; während nun die Aufmerksamkeit auf die zu bewältigende Aufgabe gerichtet sein sollte, knüpfen sich an irgend eine mit diesem Thema in Beziehung stehende Vorstellung eine Masse „zerstreuender", inhaltlich oft weit abliegender Vorstellungen an. Es schwingen zu viele associativ untereinander verbundene Vorstellungen mit. Der ohnmächtige Kampf, dieser Uebererregung Herr zu werden, die Aufmerksamkeit zu konzentrieren, ruft eine Reihe körperlicher Begleitempfindungen hervor, die der krankhaft gesteigerten Anstrengung entsprechend als schmerzhafte Druck- und Spannungsempfindungen in

8*

den verschiedensten Muskelgebieten des Körpers, vor allem aber im
Bereiche der Stirn-, Augen-, Schläfen- und Hinterhauptsmuskeln auftreten. Die psychische Hyperalgesie wirkt noch verstärkend auf diese
Schmerzgefühle, welche den Gesamtkomplex der Ich-Vorstellungen wesentlich beeinflussen und Veranlassung zu Urteilsassociationen über diese
vergebliche Geistesarbeit werden. „Ich zermartere mir mein Gehirn",
ist eine von diesen Kranken oft gebrauchte Redewendung, um diesen
qualvollen Zustand zu kennzeichnen.

Eine zweite Erscheinungsform der Störungen der Ideenassociation
ist die pathologische Zerstreutheit ohne wesentliche Beschleunigung des Vorstellungsablaufs. Dieselbe besteht darin, daß die
Aufmerksamkeit infolge der Uebererregbarkeit der latenten Erinnerungsbilder unaufhörlich von neuen Empfindungen in Anspruch genommen
wird. Es ist den Kranken deshalb unmöglich, an eine durch eine Empfindung geweckte Vorstellung eine Gedankenreihe anzuknüpfen, und
sie zum Abschluß zu bringen. Oder es treten gleichzeitig mehrere Empfindungen in Beziehung zu Vorstellungen, und dadurch wird, indem
dieselben sich gegenseitig störend beeinflussen, überhaupt jede geordnete
associative Thätigkeit unmöglich. „Es stürmt alles auf mich ein, was
um mich herum und in mir vorgeht." „Es wird mir ganz wirr im
Kopf, weil ich zu viel auf einmal verarbeiten muß." Es ist diese Störung neben der psychischen Hyperästhesie resp. Hyperalgesie hauptsächlich schuld, daß die Kranken eine fast instinktive Scheu besitzen,
gleichzeitig mit mehreren Menschen zusammenzukommen, in einer
geräuschvollen und belebten Umgebung sich aufzuhalten oder in einem
Zimmer zu wohnen, das zahlreiche Gegenstände enthält, welche die Aufmerksamkeit in buntem und verwirrendem Wechsel auf sich ziehen
können.

Die dritte Form ist das sog. Zwangsdenken. Es tauchen eine
Reihe von Erinnerungsbildern auf, welche in monotoner, ermüdender
Weise unaufhörlich wiederkehren und das geordnete Denken für kürzere
oder längere Zeit unmöglich machen. Diese Vorstellungen sind meist
untereinander in durchaus geordneter associativer Verknüpfung. Es
ist eine ganz bestimmte Gedankenreihe, eine Vorstellungsverbindung,
über die der Kranke nicht hinwegkommt. Irgend ein Erlebnis, eine
Reminiscenz aus einem Gespräche, Citate aus irgend einem Buche, oder
irgend eine der eigensten Gedankenarbeit entspringende Reflexion hält
den Patienten gefangen. Am häufigsten sind es kurze Schlagwörter
oder Eigennamen oder Zahlenbegriffe, welche dergestalt das Denken beherrschen, ähnlich wie wir schon in gesunden Tagen von einzelnen bestimmten Melodien oder von einem unsere Affekte lebhaft in Anspruch
nehmenden Vorstellungskomplex längere Zeit nicht loskommen können.
Bei unseren Kranken ist eine besondere Affektbetonung, sei es in positiver oder negativer Richtung, diesem Zwangsdenken nicht eigentümlich.
„Dies dumme Zeug ist mir höchst gleichgiltig." Wohl aber führt diese
pathologische Denkarbeit, die sehr häufig mit einer Beschleunigung der
Ideenassociation verknüpft ist, zu ausgeprägten Unlustaffekten im Sinne
der früher erwähnten logischen Gefühlsreaktion. Nicht der Gedankeninhalt, sondern die aus den begleitenden Urteilsassociationen geschöpfte
Erkenntnis der abnormen Denkthätigkeit löst diese Unlustaffekte aus.

Noch viel lästiger und peinigender ist die Art des Zwangsdenkens,
bei welcher einzelne Erinnerungsbilder, konkrete und abstrakte Begriffe,

die untereinander in keiner associativen Verknüpfung stehen, neben resp. hintereinander auftauchen und unaufhörlich in gleicher sinnloser Reihenfolge in dem müden Gehirne reproduziert werden müssen. „Affe, Mantel, das ist nicht bitter, Schafskopf, himmelschreiend, Donnerwetter, es ist doch zu dumm ...., sechs .... Blödsinn ...., Sopha ......" Dieses völlig widersinnige, inkohärente und meist zugleich ideenflüchtige Zwangsdenken wird übrigens nur in den schwersten Fällen und bei intensivster Hemmung der höheren logischen Denkarbeit beobachtet. Die Kranken liegen mit halbgeschlossenen Augen, mit müdem, qualerfülltem Gesichtsausdruck und unfähig zu jeder geordneten Denkthätigkeit da. Auch hier verraten nur leichte, kraftlose Ausdrucksbewegungen, ein leises Zucken in der Gesichtsmuskulatur, ein kaum merkliches Spiel der Finger, leichte zuckende Bewegungen des Rumpfes, ein „nervöses" Reiben der Ferse auf der Bettunterlage die geistige Ruhelosigkeit. Es wird Ihnen nur selten gelingen, über diese inneren Vorgänge von den Kranken selbst während dieses Erschöpfungszustandes eine Auskunft zu erhalten. Auf Fragen reagieren sie gar nicht oder mit leichtem Abwehrbewegungen, welche die innere Qual und die Unfähigkeit, das gesprochene Wort aufzufassen und zu verarbeiten oder einfachste Gedanken sprachlich zum Ausdruck zu bringen, verraten. Die obige Wortreihe wurde mir von einem seit Jahren an den schwersten Erschöpfungszuständen leidenden Philologen nachträglich, nach einem „Anfalle" von Zwangsdenken, welcher sich an eine forcierte Gehübung — der Kranke war von einem Wärter 5 Minuten lang im Zimmer hin und her geführt worden — angeschlossen hatte, mitgeteilt.

Sie können dieser Wortreihe die Thatsache entnehmen, daß sich zwischen die inhaltlich durchaus zwecklosen Wortbilder einzelne Urteilsbegriffe einschieben, welche das Raisonnement des Kranken über diese nutzlose Gedankenarbeit enthalten und seine Verzweifelung über dieselbe in Worte kleiden. Anstatt einzelner Worte werden auch unfertige, abgerissene Gedankenreihen reproduziert, die unter sich ebenfalls keinerlei associative Beziehungen besitzen. Dieses inkohärente Zwangsdenken findet gelegentlich in einem bestimmten Rhythmus statt; eine Zeit lang folgen sich die einzelnen Abschnitte ganz rasch, aber mit bestimmten Zeitintervallen, dann treten Pausen ein, dann ändert sich der Rhythmus. Leichte Lippen- oder Kieferbewegungen begleiten bisweilen dieselben taktförmig.

Frau D., geboren 1847, 43 Jahre alt, erblich schwer belastet; keine ^Krg.$ ^No. 11.$ Kinderkrankheiten, normale Entwickelung, lernte leicht. 1872 Heirat, sehr glückliche Ehe; 1873 Frühgeburt, danach Unterleibsschmerzen; Wanderniere(?); 1874 Apr. Abort; im Anschluß daran schwere allgemeine Bauchfellentzündung; über 1 Jahr bettlägerig, seitdem nie wieder völlig gesund; 1885 Ueberanstrengung bei der Pflege des kranken Gatten; April neuer Schub der Peritonitis; nach dem Tode ihres Gatten lebte Pat. allein, hatte aber „eher zu viel" Verkehr. Seit November fiel der Umgebung auf, daß sie mißtrauisch wurde und sich stets verleumdet glaubt. Schon monatelang schläft Pat. schlecht und leidet an Angstanfällen („Kopfangst"). Seit 1885 Morphiuminjektionen; höchste Dosis 0,4 : 20,0 pro Woche; Entziehung begonnen 23. Aug. 89. Dauer 6—7 Wochen. Die psychischen Symptome (Angst und Hemmung) bestanden schon vor der Entziehung, nahmen aber im Winter langsam zu; April 1890 Suicidversuch. Seit Febr. 90 auch bohrende Kopfschmerzen.

Psychischer Status vom Mai 1890: Neben bisweiligen Visionen und zahlreichen pathologischen Organempfindungen klagt Pat. hauptsächlich, daß ihr konzentriertes und konsequentes Denken sehr schwer fällt, weil sich fortwährend andere Gedanken dazwischen drängen. Sie kann nicht lange über etwas nachdenken und wird manche Gedanken stundenlang nicht los. Um den Küchenzettel für einen Tag fertig zu bringen, mußte Pat. wochenlang überlegen. Bei längerem Nachdenken höchste Zunahme der subjektiven Geräusche und des Pulsierens. Das Ohrensausen beschränkte sich früher fast ganz auf die Ohren, seit 2—3 Jahren ist es ihr, als ob es im Kopf schwadroniere. „Richtiges Glockenläuten": hohe und tiefe Töne alternierten. Pat. hat oft „Zwangsvorstellungen": so mußte sie einmal einen Tag lang immer an Fromage de Brie denken; einmal wurde sie den Gedanken nicht los, die Aerzte dächten, sie hätte sich mit Kreide angemalt. Stundenlang muß sie an gewisse Verse und Melodien denken und hat häufige Anfälle von Gedankenjagd; morgens ist die Gedankenhast und Gedankenunordnung stets größer. Neben Angstaffekten gelegentlich „verwirrendes Zwangsdenken", und zwar sind es meist ganz gleichgiltige Sätze, die sich ihr in monotonster Weise immer aufdrängen, z. B. „die Proben von diesem seidenen Kleid sind nicht die rechten Proben", u. a. m.

In der Klinik wurden häufiger ausgeprägte Akoasmen und „Zwangsdenken" beobachtet. Darunter versteht Pat. das plötzliche Auftauchen sinnloser Wortverbindungen z. T. in Satzform ohne begleitende Gehörsempfindung, z. B.: „Sieh doch meine Hand, da ist eine 75 drin", oder „neue Nabelspuren rissen ab", oder „Dichter und Künstler in Hamburg sind großartig". Bei geschlossenen Augen unbestimmte „Vorstellungsbilder", meist etwas sentimentalen Inhalts (z. B. „ein totes Vögelchen"). Das Zwangsdenken nimmt fortgesetzt zu: z. B. „die jüngere Cousine war die ältere". „Am 9. in einem Sandkriege aufgetaut." „Das war nicht durchgeschüttelt." „Wenn ich nur dich habe, frage ich nicht nach Himmel und Erde." „Ganz ohne deinen Willen, das schmeckt auch nicht." „Kabellänge." „Die gleiche Berechtigung."

Ueber ihr „Hetzen" macht Pat. selbst folgende Notizen, welche die Gedankenjagd treffend illustrieren. Z. B. folgende Gedankenreihe: „die landgerichtsrätliche Tochter neben mir im Erdgeschoß — drücke dich doch in die viereckige Ecke — das war ja schon längst dagewesen — wenn er nicht fährt, dann — den 4. im Jahre 77 — Sandsteinbüchsen — Hauptmann K. über mir oben — 3 $\times$ 4 = 14 —." Die Aufzeichnung lautet wörtlich weiter: „Außerdem bin ich gezwungen, in der Reihenfolge zu zählen, d. h. von 1 bis ungefähr 20, dann von 50—80. — Dazu die Liedertexte und das große bunte Orchester. — Seit einigen Tagen schon aus dem Liede „Freude, schöner Götterfunken" beständig die Strophe: „Muß ein guter Vater wohnen". Dazwischen wieder (muß aus einem Gesellschaftsspiel sein): „Und ich sollt, o dich nicht seh'n, das wär' herrlich, das wär' schön." — Dann einzelne Sätze aus der Erzählung z. B.: „Ich vertiefte mich in Mutmaßungen" sitzen schon seit mehreren Tagen fest im Kopfe. — Das beständige entsetzliche Getöse, der Höllenlärm dazu, das Orchester (jedes Lied mit Orchesterbegleitung), das fortwährende Pauken im Kopf und in die linke obere Körperhälfte sich fortsetzend. — Die Kopfschmerzen mehr links als rechts, dazu Hirnschale Druck Augen — es ist alles zu schrecklich!"

Die vorstehend skizzierten Störungen dürfen nicht verwechselt werden mit einer anderen ebenfalls zwangsweise auftretenden krankhaften Vorstellungsthätigkeit, welche aus dem Rahmen der formalen Denkstörungen heraustritt und eine inhaltliche Verschiebung der Denkarbeit hervorbringt. Es sind dies die Zwangsvorstellungen.

Wir verdanken die erste genaue Schilderung dieser Krankheitsvorgänge Westphal, welcher dieselben folgendermaßen definiert hat: „Unter Zwangsvorstellungen verstehe ich solche, welche, bei übrigens intakter Intelligenz und ohne durch einen Gefühls- oder affektartigen Zustand bedingt zu sein, gegen und wider den Willen des betreffenden Menschen in den Vordergrund des Bewußtseins treten, sich nicht verscheuchen lassen, den normalen Ablauf der Vorstellungen hindern und durchkreuzen, welche der Befallene stets als abnorme, als ihm fremdartige anerkennt und denen er mit seinem gesunden Bewußtsein gegenübersteht."

Sie werden schon aus dieser Definition entnehmen können, daß Westphal die Störung der intellektuellen Thätigkeit als das wesentlichste und ausschlaggebende Moment für das Zustandekommen der Zwangsvorstellungen erachtet hat. Die Affektstörungen, welche diesem Krankheitsvorgang eigentümlich sind, betrachtet er als sekundäre Krankheitserscheinungen, welche erst durch den krankhaften Zwang im Denken hervorgebracht sind. Später gesammelte Erfahrungen nötigen uns, diese enge pathogenetische Umgrenzung fallen zu lassen. Besonders die genauere Erforschung der neurasthenischen Krankheitserscheinungen hat dargethan, daß affektive Störungen die Entstehung der Zwangsvorstellungen vielfach bedingen. Ebenso bedarf in der Westphalschen Definition die Einschaltung: „bei übrigens intakter Intelligenz" der Einschränkung, wenn wir die Zwangsvorstellungen der Neurastheniker gesondert ins Auge fassen. Es haben Ihnen die vorstehenden Ausführungen zur Genüge darthun können, daß diesen Kranken pathologische Reiz- und Hemmungssymptome auf intellektuellem Gebiete in ausgiebigem Maße eigentümlich sind. Freilich waren es ausschließlich formale Störungen der Denkthätigkeit.

Diese letzteren sind es, welche das so häufige Auftreten von Zwangsvorstellungen im Verlaufe der Neurasthenie erklären lassen. Es ist schon von Meynert darauf hingewiesen worden, daß die kortikale Schwäche die Bedingung der Zwangsvorstellungen sei. Entsprechend seiner Theorie von der lokalisierten reizbaren Schwäche erklärt er dieselben dadurch, daß in den Hemisphären von subnormaler Erregungsschwäche Gedankengänge die Oberhand gewinnen, welche zu gleichzeitig vorhandenen subkortikalen Erregungen (Angstgefühl, Vagusempfindung, sexuelle Impulse) in associative Beziehung treten. Auch meine früher gegebenen patho-physiologischen Ausführungen haben das gleichzeitige Bestehen von Erregungsschwäche und Uebererregung freilich in einer Auffassung, die von derjenigen Meynert's in wesentlichen Dingen abwich, darzulegen versucht. Auch ich glaube, daß die geistigen Ermüdungserscheinungen die hauptsächlichste Ursache der neurasthenischen Zwangsvorstellungen sind. Die Dauerermüdung zieht, wie wir gesehen haben, in erster Linie die höchststehenden und kompliziertesten Denkvorgänge in ihr Bereich, vor allem diejenigen associativen Vorgänge, welche der Urteilsbildung zu Grunde liegen. Bei der neurasthenischen Zwangsvorstellung handelt es sich in

erster Linie darum, daß gewisse Urteilsbildungen sich
einseitig zwangsweise und mit besonderer Gewalt hervor-
drängen und daß dementsprechend andere Urteilsassociationen, welche das Irrige dieser ersten Vorstellungsverbindung zu berichtigen imstande wären, wohl auftauchen, jedoch machtlos bleiben.

Bei dieser Form der Zwangsvorstellung treten am häufigsten im
Anschluß an bestimmte Sinneseindrücke Vorstellungsreihen auf, die mit
einer furchterregenden Zielvorstellung ihren Abschluß finden. Irgend
welche in der näheren oder ferneren Zukunft gelegene, die eigene
Existenz oder diejenige anderer Persönlichkeiten gefährdende, unheil-
schwangere Ereignisse schweben dem Geiste vor. Ich knüpfe am besten
die Schilderung dieses geistigen Zustandes an eine typische Krankheits-
beobachtung an.

Krg.
No. 12. Ich behandelte eine 65-jährige Dame, welche früher schon zweimal,
zuerst vor 10, dann vor 5 Jahren meine Hilfe in Anspruch genommen
hat. Die Patientin stammt von einer „etwas schwermütigen, menschen-
scheuen" Mutter. Sonstige Nerven- oder Geisteskrankheiten sind in ihrer
Ascendenz nicht aufgetreten, hingegen ist ihre Nachkommenschaft stärker
belastet. Einer ihrer Söhne hat in einem neurasthenischen Angstanfall
sich erschossen, ein Enkelkind (Tochter dieses Sohnes) zeigt schon jetzt,
in ihrem 12. Lebensjahre, eine eigentümliche Furcht vor Krankheiten;
vor allem wird sie von der Befürchtung gequält, in der Schule von
ihren Mitschülerinnen mit Diphtheritis, Scharlach oder Masern angesteckt
zu werden. Pat. hat sich als Kind ganz normal entwickelt und war ein
gesundes fröhliches junges Mädchen. Aber schon bald nach ihrer Verheiratung (in ihrem 21. Lebensjahre) wurde sie von ihrem Manne mit
ihrer übertriebenen Schreckhaftigkeit geneckt. Sie war, trotzdem sie
ihren Mann in seiner geschäftlichen Thätigkeit in vorzüglicher Weise
unterstützte, die Bücher führte, das Ladengeschäft leitete, auffallend
unselbständig und entschlußunfähig, sobald sie aus der gewohnten und
täglich geübten Sphäre ihrer beruflichen und häuslichen Thätigkeit heraus-
treten sollte. Besonders aber zeigte sie eine übertriebene Aengstlichkeit
in der Pflege ihrer 3 Kinder, die in den ersten Jahren ihrer Ehe rasch
aufeinander folgten. Sie konnte abends vor dem Gedanken nicht einschlafen, ob die Kinder richtig gebettet seien, ob die Fenster in den
Kinderzimmer richtig verschlossen, ob die Einrichtungsgegenstände desselben alle an ihrem richtigen Platze wären, und sie schlief erst ein,
nachdem sie sich einige Male im Kinderzimmer von der Sachlage überzeugt hatte. Auch späterhin, als die Kinder die Schule besuchten, wurde
sie öfters von der Vorstellung befallen, es könnte den Kindern auf dem
Schulwege etwas passiert sein. Sie wurde abends immer von der Sorge
gequält, ob auch alle Gashähne richtig geschlossen seien. Es war ihr unmöglich, allein oder mit ihren Kindern, ohne Begleitung ihres Mannes,
eine Reise zu unternehmen, da sie schon auf dem Wege zum Bahnhofe
von angstvollen Vorstellungen beherrscht wurde, es würde ihr irgend ein
Unglück auf dieser Reise widerfahren.

Eine bestimmte Gestaltung gewannen aber diese Furchtvorstellungen
erst in ihren späteren Lebensjahren nach dem Tode ihres Mannes (vor
20 Jahren), welcher 6 Jahre lang leidend gewesen und dessen Pflege
sie neben allen geschäftlichen Sorgen und Mühewaltungen zu leiten hatte.
Der Schlaf der Pat. war während der Leidenszeit des Mannes vielfach

gestört, die allgemeine Aengstlichkeit war durch den an sich berechtigten Gedanken, es würde die unheilbare Krankheit des Mannes bald tödlich enden, dauernd verstärkt worden. Als der Tod wirklich eintrat, war sie körperlich und geistig völlig erschöpft. Drei Tage nach dem Tode tauchte ganz plötzlich und unvermittelt „wie ein Blitz aus ' heiterem Himmel" und ohne daß eine besondere gemütliche Erregung voraufgegangen war, die Vorstellung auf, sie hätte den Tod ihres Mannes ver-. schuldet, indem sie eine Salbe, welche dem Patienten im Nacken hätte eingerieben werden sollen, vielleicht seinem Munde nahe gebracht und ihn vergiftet habe. Sie war sich der Absurdität dieser Gedankenreihe vollständig bewußt, konnte dieselbe aber gar nicht überwinden.

Erst nach einigen Wochen verlor sich dieselbe. „Ich hatte viel zu viel im Geschäft zu thun, als daß ich über die Sache hätte nachdenken können." Ein Vierteljahr später erlebte sie eine heftige Gemütsbewegung, indem ein Laufbursche des Geschäftes sich erhenkt hatte. Sofort tauchte die Vorstellung auf, sie wäre an dem Tode dieses Jungen schuld, sie hätte ihm vielleicht den Strick umgelegt. Der Gedanke peinigte sie längere Zeit; alle Gegenvorstellungen waren fruchtlos. Pat. überlegte vollständig klar, daß sie zu jener Zeit den 3 Treppen hoch gelegenen Bodenraum nie betreten habe, daß also auch der weitere Gedanke, sie könnte wenigstens den Strick aus Fahrlässigkeit an jener Stelle niedergelegt haben. auf durchaus unmöglichen Voraussetzungen beruhe. Auch diese Vorstellung schwand im Laufe des nächsten halben Jahres.

Ein Jahr später entwickelten sich dann die Zwangsvorstellungen, welche die Kranke bis auf den heutigen Tag mit wechselnder Intensität beherrschen. Sie stellten sich ein, nachdem eine vieljährige Hausgenossin, welche die Patientin bei ihrer Thätigkeit treulich unterstützt und die ihr durch ihren starken energischen Charakter 'viele Entschließungen abgenommen hatte, schwer erkrankt war. Unsere Pat. wurde jetzt wiederum von der Vorstellung befangen, sie wäre an dieser Erkrankung schuld. Alle Haus- und Wirtschaftsgegenstände wurden in ihrem Geist in die engste ursächliche Beziehung zu diesem Gedanken gebracht, z. B. sie könnte durch Schwefelhölzer, Glasscherben, Kohlen, unreine Eß- und Trinkgeschirre, unsaubere Wäsche Gift resp. einen Infektionskeim zugetragen haben (es war damals eine Typhusepidemie in jener Stadt). Die Zwangsvorstellung erweiterte sich allmählich dahin, daß sie überhaupt Schaden stifte durch alle Verrichtungen. Alles, was sie erlebte, trat mit dieser Vorstellung in enge Beziehung. Am gefährlichsten war für sie der Anblick von Stecknadeln, Scheren, Messern, überhaupt von spitzigen Gegenständen, weil sofort der Gedanke auftauchte, sie könnte mit denselben jemanden verletzen. Wenn sie ein Eßgeschirr erblickte, so spann sie die Vorstellungsreihe aus, sie könnte Gift an dasselbe gebracht haben und einer ihrer Hausgenossen könnte durch Benutzung desselben in Krankheit verfallen.

So lebte Pat. in steter Furcht und Sorge; wenn sich die Zwangsvorstellungen häuften, so traten die heftigsten Angstanfälle auf, in denen sie wimmerte, weinte und klagte über bohrende Angstgefühle, die von der Wirbelsäule zum Brustbeine durchdrängen. Ein Frostgefühl befiel sie, die Glieder starben ihr ab, ein allgemeines Zittern packte sie, in ihrer Angst und Verzweiflung warf sie sich auf den Boden, brach in konvulsivisches Weinen aus und flehte den Himmel an, sie von ihren Leiden durch den Tod zu erlösen. „Diese Vorstellungen sind furchtbar, das Widersinnige empört mich: folge ich ihnen nicht, suche ich mit Auf-

bietung aller meiner Kräfte ihnen zu entrinnen, so steigert sich die
Angst nur noch mehr, und ich finde sogar eine Art von Erlösung, wenn
ich wieder zu den Gedanken zurückkehre. Ich lebe in unaufhörlichem
Kampfe, der mich gemütlich aufreibt und dem Selbstmord nahe
bringt."

Gelegentlich sind es weit ausgesponnene Gedankenreihen widersinnigen Inhalts, welche an bestimmte Sinneseindrücke sich anknüpfen.
Sieht Pat. z. B. den Ofen in ihrem Wohnzimmer, so drängt sich ihr
selbst im Sommer, also zu einer Zeit, in welcher gar nicht geheizt wird,
folgende Gedankenreihe auf: „Du könntest eine brennende Kohle aus
dem Ofen genommen und auf die Straße geworfen haben. Diese Kohle
könnte in ein vorüberfahrendes Gefährt gefallen sein, ohne daß die Insassen etwas davon gemerkt hätten. Zu Hause angelangt, wurde der
Wagen in einen Schuppen gestellt, geriet dann in Brand und war so
das Kohlenstück die Ursache, daß der ganze Bauernhof abbrannte." Sie
studiert dann die Zeitung ihrer Vaterstadt, ob nicht derartige Unglücks-
fälle darin verzeichnet seien. Gleiche oder ähnliche Gedankenreihen
tauchen auf, wenn Pat. an das Fenster ihres Wohnzimmers tritt
und ein zufällig vorüberfahrendes Gefährt erblickt. Oft ist es nur die
allgemeine Vorstellung, sie könnte etwas Schädliches auf die Insassen
des Gefährtes haben einwirken lassen. Eine andere Vorstellungsreihe
macht ihr den Aufenthalt in ihrem Wohnzimmer oft unerträglich. Ein
Fenster dieses Zimmers ist der Speisekammer eines Nachbarhauses zu-
gewandt; in diesem Hause wohnt ein seit Jahren rückenmarksleidender
Mann. Sobald sie das Fenster dieser Speisekammer erblickt, entsteht in
ihr der Gedanke, sie habe auf irgend eine, ihr selbst unerklärliche Weise
giftige Substanzen auf die in der Kammer aufbewahrten Eßwaren gebracht. Der Genuß dieser vergifteten Speisen sei die Ursache der Erkrankung des Nachbarn.

Die Zwangsvorstellungen treten, wie schon oben erwähnt, mit sehr
wechselnder Intensität auf. In den Zeiten körperlichen Wohlbefindens,
besonders wenn der Nachtschlaf ausgiebig vorhanden ist, vermag Pat.
dieselben im Keime zu unterdrücken, indem sie ihre Aufmerksamkeit
anderen Gegenständen zuwendet. Sie ist in diesen ruhigen Zeiten eine
treffliche Hausfrau, die ihre häuslichen und Vermögensangelegenheiten
ganz selbständig verwaltet. Irgend ein körperliches Uebelbefinden aber
oder gesteigerte Anforderungen an ihre Muskelthätigkeit oder Gemütsbewegungen und geistige Ueberanstrengungen haben ein verstärktes Auftreten der Zwangsvorstellungen zur Folge. Zuerst entwickelt sich, wie
Pat. mit aller Bestimmtheit angiebt, ein allgemeines unbestimmtes
Angstgefühl und die ganz vage Vorstellung, sie hätte irgend ein Unheil
angerichtet. Erst wenn dieser Zustand einige Tage angedauert hat, erfolgt ein paroxystischer Ausbruch, in welchem die geschilderten einzelnen
Zwangsvorstellungen mit aller Gewalt auf sie einstürmen und jene Zustände völliger Haltlosigkeit und Verzweiflung bedingen.

Kleine Dosen von Opium (0,05, 2—3mal täglich) wirken auf die
Kranke völlig beruhigend. Mit dieser arzneilichen Behandlung werden
die Angstgefühle unterdrückt und die Patientin gewinnt dann die Herrschaft über die Zwangsvorstellungen wieder. Es sind aber im Laufe
der Jahre drei größere, über viele Wochen ausgedehnte, heftige Erregungszustände aufgetreten, welche jedesmal die Entfernung aus ihrer
Häuslichkeit und eine klinische Behandlung notwendig gemacht haben.
Die Intelligenz der Kranken ist auch heute noch, soweit nicht die

Zwangsvorstellungen in Frage kommen, durchaus unbeschädigt, vor allem ist ihr treffliches Gedächtnis bemerkenswert.

Man wird darüber streiten können, ob die vorstehende Beobachtung noch in den Rahmen der Neurasthenie mit Zwangsvorstellungen passe oder dem sogenannten Irresein mit Zwangsvorstellungen zuzurechnen sei; für jeden Fall ist sie geeignet, die häufigste Erscheinungsform der Zwangsvorstellungen bei unseren Neurasthenikern zu illustrieren.

Sie werden schon selbst die Berührungspunkte aufgefunden haben, welche besonders in den ersten Entwickelungsphasen dieses Leidens mit bestimmten, schon unter gesunden Verhältnissen vorhandenen Richtungen der Vorstellungsthätigkeit bestehen. Wie viele ängstliche Naturen sind geneigt, alle irgendwie möglichen unglücklichen Ausgänge eines Ereignisses des täglichen Lebens, welches die eigene oder die fremde Existenz gefährden könnte, sich auszumalen. Am häufigsten sind Uebertreibungen der an sich zweckmäßigen Fürsorge, welche ängstliche Eltern ihren Kindern auf Grund solcher Gedankengänge angedeihen lassen. Die emotive Grundlage, eine allgemein gesteigerte Schreckhaftigkeit und Furchtsamkeit ist bei all diesen Individuen unverkennbar. Bei vielen ist diese gesteigerte Furchtsamkeit ein elterliches Erbteil. Schon in der Kindheit tritt sie deutlich hervor; ich brauche Sie nur an die maßlose Aengstlichkeit zu erinnern, von welcher viele Kinder befallen werden, sobald man sie allein läßt, oder wenn sie einen dunklen Raum betreten sollen. Doch wird sie auch anerzogen durch schlechtes Beispiel, besonders aber dadurch, daß die kindliche Phantasie mit schreckhaften Bildern durch unzweckmäßige Erzählungen erfüllt wird. In einer anderen Gruppe von Fällen können Sie nachweisen, daß eine gesteigerte Gemütsreizbarkeit und das Vorwalten von Angstgefühlen und Furchtvorstellungen sich im Anschluß an eine langdauernde Rekonvalescenz, z. B. nach erschöpfenden Wochenbetten, entwickelt haben. Aus diesen Befürchtungen heraus entstehen nun Zwangsvorstellungen, sobald eine weitere Abschwächung der geistigen Energie stattgefunden hat. Diese ungünstige Vorbedingung ist in der neurasthenischen Geistesbeschaffenheit vollauf gegeben.

Die Zwangsvorstellungen entwickeln sich bei diesen Kranken aus dem Gefühl der Unzulänglichkeit ihres geistigen Fassungs- und Urteilsvermögens. Die Erschwerung aller komplizierteren logischen Denkoperationen, welche den Neurasthenikern durch die damit verbundenen pathologisch gesteigerten Ermüdungsempfindungen sehr qualvoll zum Bewußtsein gelangt, erzeugt eine Unsicherheit und steten Zweifel. Daraus erklärt sich, daß gerade bei dieser Krankheit eine schon seit Jahren genauer erforschte Varietät der Zwangsvorstellungen, die sog. Zweifelsucht (folie du doute von LE GRAND DU SAULLE), in welcher die Furchtvorstellungen vorherrschen, sehr häufig sich vorfindet. Die Kranken werden stetig, selbst bei den einfachsten und unbedeutendsten Handlungen, von dem Gedanken gequält, daß sie etwas Unrechtes, Unzweckmäßiges, Schadenbringendes zu thun im Begriffe seien oder gethan hätten. „Habe ich auch recht gethan?" das ist das Leitmotiv ihrer ganzen Denkarbeit. Die vorstehende Krankengeschichte enthält zahlreiche Züge dieses Krankheitsbildes.

Bei der einfachen Neurasthenie sind die Zwangsvorstellungen dieser Art nur selten so scharf ausgeprägt und im einzelnen ausgemalt. Viel häufiger treten sie uns in einfachen Abwehr- und Hemmungsvorstellungen entgegen, welche an eine Zielvorstellung anknüpfen, dieselbe verdrängen oder ihr nachfolgen. In den leichtesten Fällen sind es nur einzelne intentierte oder ausgeführte Handlungen, welche diese Befürchtungen und Zweifel wachrufen, nämlich diejenigen, welche ein gesteigertes Gefühl von Verantwortung und damit lebhaftere Affekte bedingen, Handlungen, welchen ein stärkeres und länger ausgedehntes Spiel der Motive voraufgeht, welche also das Mitschwingen einer größeren Zahl von Vorstellungen und Gegenvorstellungen und gleichzeitig eine schwankende Gemütslage voraussetzen. Die Ausführung einer Reise, der Ankauf eines Hauses, die Entschließung über einen Berufswechsel u. a. m., also Entschließungen und Handlungen, welche schon in gesunden Tagen mit ausgedehnten Erwägungen verknüpft sind, erzeugen bei Neurasthenikern Zwangsvorstellungen, über die sie nicht hinwegkommen können.

Als wir die affektiven Störungen betrachteten, machte ich schon auf die besonders die Zielvorstellung begleitende Affekterregung aufmerksam, und bemerkte, daß dieselbe eine Reihe von Angstvorstellungen wachrufe. Die Steigerung zur Zweifelsucht bei solchen Anlässen wird nur durch ein intensiveres Hervortreten dieser Angst- resp. Furchtvorstellungen bedingt. Die Patienten werden oft wochen- und monatelang unfähig gemacht, wirklich zum Entschluß zu kommen, die innere Unruhe und Angst ruft immer neue Zweifel und Bedenken hervor; eine Lösung des Konflikts wird oft gewaltsam dadurch herbeigeführt, daß die Kranken durch Aufgeben des Projekts der Entschließung enthoben sind.

Diese Zweifelsucht ist bei manchen Neurasthenikern schon bemerkbar, wenn es sich um viel einfachere Entschließungen handelt. Die Zahl der auftauchenden Gegenvorstellungen, welche wiederum den Charakter der Sorge, der Angst und Schuldvorstellung tragen, ist unverhältnismäßig groß im Hinblick auf die relativ geringe Tragweite der Entschließung. Am deutlichsten werden Ihnen diese krankhaften Gewissensskrupel, wenn Sie neurasthenische Mütter und Hausfrauen genauer über ihre geistigen Vorgänge befragen. Sehr oft verrät Ihnen schon das unstäte, hastige, wenig plan- und zielbewußte Handeln solcher Patientinnen das innerlich erregte Gedankenspiel; in anderen Fällen aber giebt das ruhige, verschlossene oder scheu zurückhaltende Benehmen keinerlei Kunde von diesem Sturme der Gefühle und Vorstellungen. Erst wenn Sie das Vertrauen der Patientinnen erworben haben, werden Sie von qualvollen schlaflosen Nächten hören, in denen immer wieder die gleichen Erwägungen, Befürchtungen und Zweifel an der Richtigkeit und Zweckmäßigkeit der tagsüber geplanten und ausgeführten Handlungen unablässig hervorbrechen. „Ein unbestimmtes Schuldbewußtsein peinigt mich und raubt mir alles Selbstvertrauen. Ich fürchte, bei jeder Handlung die unrichtige Entschließung gefaßt, meinen Mann, meine Kinder, meine Dienstboten, geschädigt zu haben."

Auch hier lösen besonders Handlungen, deren unrichtige oder unzweckmäßige oder unvollkommene Ausführung thatsächlich einen Schaden oder größeres Unheil veranlassen kann, solche Zwangsvorstellungen aus. „Sind die Lichter richtig ausgelöscht, habe ich nicht Brand angestiftet, oder hat nicht ein anderer unvorsichtiger Hausgenosse z. B. durch das Wegwerfen eines glimmenden Zündholzes Feuer verursacht? Sind die Thüren richtig verschlossen, damit keine Diebe eindringen können? Ist das Gas abgedreht worden?" Es sind dies Fragen, die an sich bei jeder gewissenhaften Hausfrau durchaus berechtigt sind, die aber als krankhafte Zweifel und Befürchtungen gelten müssen, sobald sie, trotzdem ihre Haltlosigkeit im Einzelfalle durch den Augenschein festgestellt werden konnte, immer wieder zwangsweise auftauchen. Ich betone hier nochmals, daß eine scharfe Grenze zwischen der übertriebenen Vorsicht und Pedanterie ängstlicher Naturen und der krankhaft gesteigerten, durch Zwangsvorstellungen hervorgerufenen Fürsorge für das eigene Wohl und dasjenige seiner Mitmenschen nicht besteht.

Auch wird Ihnen aufgefallen sein, daß unmerkliche Uebergänge zwischen den als Zwangsdenken bezeichneten geistigen Vorgängen und dieser Art von Zwangsvorstellungen bestehen. Wenn nämlich der Gedankeninhalt ganz allgemein in einer bestimmten Richtung längere Zeit zwangsweise festgehalten wird, wenn immer die gleiche Gedankenreihe einförmig einer Entschließung voraufgeht und ihr Zustandekommen verhindert, so ist eine genaue Unterscheidung von dem einfachen Zwangsdenken kaum aufzufinden.

Eine zweite Gruppe von Zwangsvorstellungen wurde früher unter der Bezeichnung B e r ü h r u n g s f u r c h t (folie de toucher von LE GRANDE DU LAULLE) und neuerdings für manche Fälle zutreffender als M y s o p h o b i e (HAMMOND) zusammengefaßt. Die oben mitgeteilte Krankengeschichte enthält auch für diese Zwangsvorstellungen treffende Beispiele. Die Befürchtungen, sich oder anderen durch Gift zu schaden oder mit spitzen oder schneidenden Gegenständen zu verletzen oder durch ungenügend gereinigte Wäsche- und Kleidungsstücke Krankheitsstoffe auf andere zu übertragen, sind die häufigsten Zwangsvorstellungen dieser Art. Die Kranken waschen sich unaufhörlich die Hände, um Schmutz oder andere Krankheitsträger zu beseitigen. Sie werden die Diagnose auf das Bestehen solcher Zwangsvorstellungen schon aus der rauhen Beschaffenheit und der Färbung der Hände, ähnlich derjenigen, wie sie bei Wäscherinnen vorfinden, stellen können. Die Kranken schützen sich nach Möglichkeit, irgend einen Gegenstand anzufassen, vor allem Eß- und Trinkgeschirre zu berühren, anderen besonders ihnen nahestehenden Personen die Hand zu drücken oder sie zu küssen. Wechseln sie ein Kleidungsstück, so wird das abgelegte einer umständlichen Reinigung unterzogen, gebürstet, geschüttelt, sorglich in den Schrank verschlossen, von neuem herausgeholt und unablässig wieder gereinigt. Das neue, in Gebrauch zu nehmende Kleidungsstück wird gleichen Prozeduren unterworfen, und so vergehen oft Stunden, bis die Patientinnen (es handelt sich hier vorwiegend um weibliche Kranke) mit dieser einfachen Thätigkeit zu Ende gekommen sind. Am schlimmsten ist diese krankhafte Furcht vor Beschmutzungen beim Zubettegehen ausgeprägt.

Ich habe eine hochgebildete, in allen anderen Fragen durchaus Krg. No. 13. urteilsfähige Dame gekannt, die seit Jahren nie mehr vor dem Morgengrauen zu Bette gekommen war. Die ganze Nacht verging mit solchen Reinigungsprozeduren. Der ganze Körper wurde zahlreichen gründlichen Waschungen unterworfen, alle Kleidungsstücke immer wieder gebürstet, geklopft, vor dem Fenster ausgeschüttelt, alle Gebrauchsgegenstände des Zimmers wiederholt abgewischt, sogar der Fußboden gebürstet, bis schließlich die Kranke vor Erschöpfung zusammenbrach. Die Vormittage verbrachte sie schlafend, sobald sie aber aufwachte, begann das aufreibende Spiel von neuem. Die Patientin wurde selbstverständlich für alle anderen Interessen allmählich abgestumpft, und mußte der Anstaltspflege überwiesen werden.

Sie haben damit die Skizze eines Krankheitsvorfalles, welcher aus dem Rahmen der Neurasthenie heraustritt und dem Irresein aus Zwangsvorstellungen zugerechnet werden muß. Ueberhaupt finden Sie diese Fälle von Zwangsvorstellungen sehr häufig, ohne ausgeprägte neurasthenische Krankheitserscheinungen, als einen selbständigen psychopathischen Zustand, welcher auf dem Boden einer erblich degenerativen Veranlagung zu Geisteskrankheiten entstanden ist. Sie können dann die Anfänge eines krankhaften Reinlichkeitsdranges, der aus der Furcht vor der Berührung mit schädlichen Stoffen hervorgeht, schon bis auf die Kinder- resp. Entwickelungsjahre zurückverfolgen. Das 12-jährige Enkelkind der vorhin genauer geschilderten Kranken zeigte diese Anfänge in deutlicher Weise. Die Zwangsvorstellungen der Neurastheniker erreichen diese Höhe nur in den selteneren Fällen.

Im großen und ganzen werden Sie die Annahme bestätigt finden, daß das Auftreten von Zwangsvorstellungen im Verlaufe der Neurasthenie auf eine ererbte neuropathische Disposition zurückzuführen sei. Sie können auch nicht selten den Nachweis leisten, daß bei erblich belasteten Individuen die Zwangsvorstellungen als selbständige psychopathische Erscheinung schon lange vor der Entwickelung der Neurasthenie bestanden haben. In solchen Fällen treten sie Ihnen auch ganz im Sinne WESTPHAL's ohne emotive Grundlage als primäre Denkstörungen entgegen.

So habe ich, um Ihnen wenigstens ein Beispiel hier anzuführen, einen jungen, erblich belasteten Menschen behandelt, der schon jahrelang vor dem Einsetzen seiner neurasthenischen Beschwerden, sobald er einen Rohrstuhl sah, von der eigentümlichen Zwangsvorstellung befallen wurde, er müßte die Löcher des Rohrgeflechtes zählen. Auch andere durchlöcherte Sitzbretter, z. B. sog. amerikanischer Stühle, lösten die gleiche Vorstellung aus. Er kam nicht dazu, auf einem solchen Sitze Platz zu nehmen, weil er immer wieder die Zahl der Oeffnungen revidieren mußte. In der Litteratur sind eine ganze Reihe ähnlicher Fälle niedergelegt, in welchen die Kranken entweder einzelne Zahlenbegriffe nicht aus ihren Gedanken verbannen konnten, oder aber beständig zwangsweise sich mit mathematischen Problemen abquälen mußten.

Aber auch ohne jede erbliche Belastung oder neuropathische Veranlagung, also bei erworbenen neuropathischen Zuständen, kommen vorübergehend Zwangsvorstellungen vor.

Krg.
No. 14   Eine junge, früher durchaus gesunde Frau, welche rasch hintereinander zwei Kinder geboren hatte, erkrankte, während sie das zweite Kind stillte, an einem ausgeprägten neurasthenischen Erschöpfungszustand, der sich durch leichte Angstgefühle, Schlaflosigkeit, Denkunfähigkeit, nächtliche Reminiscenzenflucht, große motorische Hinfälligkeit u. s. w. kennzeichnete. Am quälendsten war ihr aber eine „thörichte, blasphemische" Gedankenreihe, welche sich ganz plötzlich gelegentlich einer Konversation mit einer befreundeten Dame entwickelt hatte und sie nun seit mehreren Wochen unablässig verfolgte. In dem Gespräche war seitens ihrer Freundin der so überaus gebräuchliche Ausdruck: „Ach Gott!" gefallen. Sofort fielen ihr die Anfangsworte des zweiten Gebotes:

„Du sollst den Namen deines Gottes nicht mißbrauchen" ein. Daran schloß sich der weitere Gedanke: „Du hast deinen Gott beleidigt, du bist eine Sünderin." Seit dieser Zeit konnte sie es nicht mehr ertragen, daß jemand in ihrer Umgebung das Wort Gott aussprach, sie konnte auch nichts Gedrucktes oder Geschriebenes lesen, in welchem dieses Wort enthalten war, weil sofort immer die oben erwähnte Gedankenreihe auftauchte. Schließlich kamen aber auch die Zwangsvorstellungen ohne jede äußere Veranlassung und peinigten sie Tag und Nacht. Die Patientin war sich der Krankhaftigkeit dieses geistigen Vorganges durchaus bewußt; ein längerer Aufenthalt auf dem Lande bei absoluter geistiger und körperlicher Ruhe und kräftiger Ernährung bewirkte eine völlige Genesung, sowohl von allen neurasthenischen Beschwerden als auch den Zwangsvorstellungen.

Die eigentümlichsten Zwangsvorstellungen finden sich bei jenen neurasthenischen Individuen, welche in ihrer ganzen geistigen und körperlichen Veranlagung die deutlichen Merkmale einer erblich d e g e n e r a t i v e n Belastung aufweisen und bei denen die funktionelle Erschöpfung des Nervensystems gewissermaßen nur die erste Etappe in der Weiterentwickelung der krankhaften Anlage darstellt. Eigentümliche sexuelle Zwangsvorstellungen, die zum Teil perverse homosexuelle Neigungen verraten, zum Teil von gemeinstem, zotenhaftem Charakter sind, finden Sie hier sehr häufig. Sie begegnen auch einem merkwürdigen Gemisch von sexuellen, erotischen und religiösen Vorstellungen; auch ganz widersinnige Wortverbindungen tauchen auf.

Der krankhafte F r a g e z w a n g und die sog. G r ü b e l s u c h t kommt ebenfalls vornehmlich bei erblich degenerativ belasteten Neurasthenikern zur Beobachtung. Hier treten Zwangsvorstellungen fast ausschließlich in der Frageform auf. Entweder knüpfen sich an beliebige Sinneseindrücke ganz nutzlose, kindisch zu nennende Fragen über die Ursache, Beschaffenheit oder Zweckmäßigkeit bestimmter Gegenstände und Einrichtungen an. „Warum hat der Mensch zwei Beine? Warum hat der Hund vier Beine? Warum ist der Tisch aus Holz gemacht?" Oder es sind Grübeleien und „Schöpfungsfragen": „Warum giebt es einen Gott? Wie entstehen die Menschen? Warum ist der Himmel unendlich?" In diese und ähnliche Grübeleien verrennen sich die Patienten, und das erschöpfte Gehirn zermartert sich an unfruchtbaren Spekulationen, ohne davon loszukommen.

6. Vorlesung.

M. H.! Sie werden aus der vorstehenden Darstellung ersehen
haben, daß ich für die Mehrzahl der auf dem Boden der Neurasthenie
entstandenen Zwangsvorstellungen eine emotive Grundlage für gegeben erachte. Ich will hier kurz den Grundgedanken wiederholen,
der mich infolge meiner klinischen Erfahrungen zu dieser Annahme
geführt hat.

Die herabgeminderte geistige Leistungsfähigkeit, welche in den
leichteren Erkrankungsfällen sich weniger in einer Schwächung der
Urteilsoperationen, als in einer rascher erfolgenden, länger dauernden
und intensiveren Erschöpfung der intellektuellen Leistungen kundgiebt, in schwereren Fällen aber die Ausführung komplizierterer
Denkprozesse überhaupt unmöglich macht, führt ein Gefühl der Unsicherheit, der Unfähigkeit und damit die Vorstellung der Unzulänglichkeit des eigenen Urteils herbei. Auf diesem Boden entwickeln
sich vor allem jene Zwangsvorstellungen, die wir als Zweifelsucht
kennen gelernt haben. Auch die Berührungsfurcht entspringt aus
diesem innersten Mißtrauen gegen die Zweckmäßigkeit und Richtigkeit
der im Spiel der Motive nach dem Uebergewicht ringenden Vorstellungen, welche der Ausgangspunkt von Handlungen werden sollen.
Erinnern Sie sich ferner, daß leichte Angstgefühle untrennbare Begleiterscheinungen der neurasthenischen Denkstörungen sind, daß sie
sehr leicht eine Steigerung zu stärkeren Angstaffekten erfahren und
damit hemmend auf die Ablaufsgeschwindigkeiten der Ideenassociation
einwirken können. Der besondere Inhalt der Vorstellungen wird
aber außerdem geradezu durch die Angstaffekte bestimmt; es schieben
sich in den Ablauf der eine Entschließung vermittelnden Gedankenreihe Angstvorstellungen ein, welche vermöge der stärkeren Gefühlsbetonung eine hervorragende Stellung in der Ideenassociation gewinnen und dieselbe völlig zwangsweise beherrschen können. Diese
Angstvorstellungen, welche, wie wir ja früher ausführlich erörtert
haben, in letzter Linie nur eine sekundäre Motivierung der Angst
darstellen, wecken nicht selten eine ganze Reihe verwandter, in
engster associativer Verbindung stehender Vorstellungen. Es entstehen so jene verwickelteren, weit ausgesponnenen Reihen von
Zwangsvorstellungen, die schließlich das ganze Denken der Kranken
gefangen halten. Auf diese Weise erklärt sich die Weiterentwickelung
der einfachen neurasthenischen Zwangsvorstellungen zu jenen chronischen psychischen Krankheitzuständen, deren wir mehrfach unter

der Bezeichnung „Irresein aus Zwangsvorstellungen" Erwähnung gethan haben.

Ich habe diesen Gedankengang hier wiederholt, weil mir derselbe ganz besonders geeignet erscheint, die pathogenetische Bedeutung der sog. Phobien ins rechte Licht zu stellen. Ich knüpfe an das bekannteste Symptombild der Agoraphobie (Platzfurcht, Platzangst) an. Auch hier wird man jeder Darstellung die klassische Schilderung, welche WESTPHAL bei seiner ersten Publikation über diesen Gegenstand im Jahre 1871 gegeben hat, zu Grunde legen müssen. Bei gewissen Personen entsteht in dem Augenblicke, in welchem sie einen freien Platz zu überschreiten im Begriffe sind, ein enormes Angstgefühl, eine wahre Todesangst, verbunden mit allgemeinem Zittern, Kompression der Brust, Herzklopfen, Gefühl von Frost oder nach dem Kopf aufsteigender Wärme, Schweißausbruch; ein Gefühl an den Boden gefesselt zu sein oder von lähmungsartiger Schwäche der Extremitäten, mit der Angst, hinzustürzen; nicht selten ist die Angst begleitet von mannigfachen anderen Sensationen (Flimmern vor den Augen, Ohrensausen, Uebelkeit u. s. w.). Die Patienten sind infolge dieses Zustandes unfähig, den Platz zu überschreiten. Meist steigert sich dieser Angstzustand während des Versuches, und sie müssen auf halbem Wege wieder umkehren. Die Angst verringert sich und verschwindet vollständig, wenn die Patienten beim Ueberschreiten eines Platzes von jemandem begleitet werden. Es genügt oft schon die Begleitung eines Kindes oder der Anschluß an einen zufällig denselben Weg gehenden Menschen, oder indem die Kranken den Spuren eines vorüberfahrenden Wagens folgen.

In manchen Fällen bewirkt schon das Betreten einer menschenleeren oder lang ausgedehnten, geradlinigen Straße das gleiche Angstgefühl. Weiterhin werden vielfach auch die Fälle hierher gerechnet, bei welchen solche Angstaffekte in größeren Versammlungslokalen (Theatern, Konzerthallen, Kirchen) auftreten oder beim Aufenthalt in zu engen Räumen (z. B. Eisenbahnwagen) oder schließlich beim Alleinsein zustande kommen. Man hat diese letzteren Zustände als Claustro- resp. Monophobie bezeichnet. Ebenso gehört hierher die Stasophobie (BOUVERET), d. h. die Furcht vor aufrechter Körperhaltung, welche mit der von NEFTEL als Atremie beschriebenen Krankheitserscheinung, bei welcher die Patienten sofort von abnormen Angstempfindungen befallen wurden, sobald sie das Bett verlassen mußten, identisch ist. Die ganze große Gruppe von Angstzuständen im Anschluß an Empfindungen und Vorstellungen des Raumes faßt man unter dem Namen Topophobie zusammen.

In mehr oder weniger ausgeprägtem Maße finden sich topophobische Zustände bei einer großen Zahl von Neurasthenikern. Sie treten manchmal als bleibende, während des ganzen Krankheitsverlaufes nachweisbare psychopathische Erscheinungen auf, viel häufiger aber sind sie nur vorübergehend bei Exacerbationen des neurasthenischen Krankheitszustandes, insbesondere bei allgemein gesteigerter psychischer Reizbarkeit und Aengstlichkeit vorhanden.

Ich habe schon an anderer Stelle (Artikel Agoraphobie in der EULENBURG'schen Realencyclopädie, 3. Aufl.) darauf hingewiesen, daß sich bei dem Symptombild der Agoraphobie vier Gruppen von Krank-

heitsbeobachtungen unterscheiden lassen. Erstens die ursprüngliche
Form WESTPHAL's, welche, psychologisch betrachtet, einen relativ einfachen Vorgang darstellt: eine Sinnesempfindung (Gesichtsempfindung eines weiten Raumes) löst eine negative
Affektschwankung aus, durch welche motorische Hem-
mungs- und Reizerscheinungen hervorgerufen werden.
Daneben bestehen ebenfalls als Begleiterscheinungen der Angst zahlreiche parästhetische Empfindungen und vasomotorische Störungen.
Es ist leicht verständlich, daß bei der krankhaften Affektlage des
Neurasthenikers, bei welcher auch die weitgehendsten Irradiationen
psychischer Störungen auf das körperliche Gebiet stattfinden, die
günstigsten Bedingungen für das Zustandekommen dieses Symptom-
komplexes gegeben sind.

Ich habe außerdem in der gedachten Arbeit darauf hingewiesen,
daß auch hier das Auftauchen bestimmter Vorstellungen,
z. B. der motorischen Hilflosigkeit, das erstmalige Zustandekommen des Angstgefühls bewirkt habe. Diese Voraussetzung trifft,
wie sich aus den früheren Darlegungen des Geisteszustandes unserer
Patienten ergiebt, hier ganz besonders zu. Das Gefühl der allgemeinen Unsicherheit, des Unvermögens, der Leistungsunfähigkeit verläßt die Kranken wenigstens in den schwereren Fällen fast niemals.
Sie werden außerdem noch später kennen lernen, welch breiten Raum
die durch die motorische Schwäche gespeisten Vorstellungen über
die Unzulänglichkeit der Muskelthätigkeit einnehmen. Es ist so der
Boden präpariert, um selbst bei geringfügigen Anlässen, die nur eine
unbedeutende Steigerung der motorischen Ansprüche darstellen, diese
Vorstellungen und damit gehäufte Angstgefühle hervorzurufen.

Das Eigentümliche dieser bestimmten Form von Angstempfindungen
ist also darin gelegen, daß sie nur bei ganz bestimmten Situationen
und unter genau vorgezeichneten äußeren Bedingungen in den reinen
Formen zustande kommt. Der ganze psychische Vorgang läuft so
blitzartig ab, daß eine Erinnerung an den das Angstgefühl auslösenden
Vorstellungskomplex dem betreffenden Individuum nicht erhalten bleibt.
Auch ist es sicherlich nicht notwendig, daß bei längerem Bestande
des Leidens die ursprüngliche Reihe psychischer Vorgänge, welche
den erstmaligen Anfall bedingt hatten, bei neuen Anfällen in gleicher
Weise in Erscheinung tritt. Es wird dann das Zwischenglied der
die Angst auslösenden Vorstellungsreihe teilweise oder ganz ausfallen können. Die Gesichtsempfindung weckt ausschließlich die Vorstellung des weiten Raumes und das sie begleitende Angstgefühl.

Daß Vorstellungen eine entscheidende Rolle bei dem Zustandekommen der Platzangst eingeräumt werden muß, beweist außerdem
die Thatsache, daß Kontrastvorstellungen, welche der Furchtvorstellung der Hilflosigkeit, des motorischen Unvermögens in den Weg
treten und dieselbe aus der associativen Reihe verdrängen, den ganzen
Symptomkomplex verhüten oder zum Schwinden bringen können.
Schon die einfache Ablenkung der Aufmerksamkeit, d. h. das Fern-
halten der Raumvorstellungen genügt, um dem Anfall vorzubeugen.
WESTPHAL hat auf diese Erscheinungen ebenfalls aufmerksam gemacht. Ich erinnere hier nur daran, daß die Begleitung eines Kindes,
das Tragen eines Stockes oder Schirmes diesen Kranken nicht
selten möglich macht, einen Platz zu überschreiten, ohne von dem
Angstgefühl befallen zu werden. Ja, die bloße Vorstellung, der

Patient könnte in einen Wagen steigen, kann das Sicherheitsgefühl ihm wiedergeben. Auf Grund dieser Analyse des psychologischen Ursprungs kam ich schon früher zu dem Schlusse, daß eine strikte Trennung der Agoraphobie von den Zwangsvorstellungen nicht durchführbar sei.

Als zweite Gruppe der symptomatologisch hierher gehörigen Fälle habe ich diejenigen bezeichnet, bei welchen die Agoraphobie nur eine Teilerscheinung eines komplizierteren durch Zwangsvorstellungen bedingten psychopathischen Zustandes erschien. Hier läßt sich die den Affektshock hervorrufende Vorstellungsreihe direkt nachweisen. Auch bei den Neurasthenikern werden solche Krankenbeobachtungen vorkommen, meist aber gehören sie dem Irresein aus Zwangsvorstellungen an.

Die dritte Gruppe gehört den von LUDWIG MEYER zuerst genauer beschriebenen Intentionpsychosen an. Die Neurastheniker bieten sehr häufig diese besondere Form der Agoraphobie dar. Es entwickelt sich bei einer bestimmten Situation auf Grund der verschiedensten Schädlichkeiten (Ueberermüdung, übermäßiger Alkoholgenuß, Tabakvergiftung u. s. w.) ein Schwächezustand mit Ohnmacht- und Angstempfindungen. In der Folge treten bei gleichen äußeren Situationen die gleichen pathologischen Empfindungen auf, ohne daß dann in dem körperlichen Zustande des Patienten irgend welche Ursache zur Entwickelung dieses Schwächezustandes gegeben wäre. Diese Varietät der Agoraphobie geht unmerklich in die als Abasie und Astasie benannten Krankheitszustände über. Daß aber auch typische Platzangsterscheinungen auf diesem Wege zustande kommen, lehrt die folgende Beobachtung von L. MEYER.

Ein nervös veranlagter Mann glitt während einer Erholungsreise auf einem gepflasterten Saumpfad der Alpen aus und verstauchte sich den Fuß, zugleich fühlte er den Drang hinzufallen. Als er auf dem Rückwege dieselbe (NB. ganz ungefährliche) Stelle wieder passierte, überfiel ihn eine Schwäche, so daß er sich längere Zeit auf seinen Führer stützen mußte. Seitdem überfällt ihn, sobald er in seiner Heimatstadt gepflasterte Plätze oder sehr breite gepflasterte Straßen zu überschreiten hatte, große Angst. *Krg. No. 15.*

Die vierte Gruppe der Agoraphobie besitzt die innigsten Beziehungen zum Höhenschwindel (Hypsophobie). Ich werde Ihnen später bei Besprechung der Accommodationsstörungen einen höchst charakteristischen Fall mitteilen, in welchem heftige Angst- und Ohnmachtsempfindungen im Anschluß an Ueberanstrengungen und Ermüdungen der inneren und äußeren Augenmuskeln beim Accommodationsakte veranlaßt wurden. Aehnliche neurasthenische Innervationsstörungen des Accommodationsapparates können beim Betreten weiter Räume, langer menschenleerer Gassen oder überhaupt beim Ausblick von einem freien Standpunkt aus hervorgerufen werden. Auf solche Fälle hat zuerst BENEDIKT aufmerksam gemacht. Der Höhenschwindel tritt aber bei neurasthenischen Patienten auch ohne eine eigentliche Accommodationsparese auf. Es ist von KAAN darauf hingewiesen worden, daß die gesteigerten Innervationsgefühle (d. h. Muskelempfindungen), bei längerem Blicken nach unten schon unter physiologischen Verhältnissen rasch Ermüdungserscheinungen herbeiführen und damit das subjektive Empfinden eines unruhigen, verschwommenen optischen Eindrucks und des Schwankens der Netzhautbilder verursachen. Bei neurasthenischen Individuen werden derartige Störungen noch in gesteigertem Maße wachgerufen und mit dem Verschwimmen des Gesichtsfeldes die Vorstellungen eines Ohnmachts- oder Schwindelanfalls associativ erweckt. Je geringer die Uebung, je labiler die Stimmungslage, je leichter durch Angstgefühle parästhetische Empfindungen und vasomotorische Störungen veranlaßt werden, und schließlich je häufiger schon ähnliche Zustände voraufgegangen sind, desto leichter wird der Patient solchen Anfällen von Höhenschwindel ausgesetzt sein.

Daß auch hier die Vorstellung eines gefahrvollen Unternehmens, welchem die eigene Kraft nicht gewachsen ist, von maßgebendem Einfluß bei der Entwickelung und Verstärkung der Angstgefühle sein muß, beweist der Umstand, daß bei neurasthenischen Patienten derartige Anfälle sich plötzlich an ganz gefahrlosen Stellen, welche durchaus keinen weiten Blick in die Tiefe ermöglichen, einstellen können. Gewöhnlich tritt dies bei Biegungen des Weges ein, welche die kommende Wegestrecke vorerst verdecken; der Patient stutzt, zögert, die Vorstellung eines unbekannten, aber seine Kräfte übersteigenden Wagnisses bemächtigt sich seiner, er wird von einem heftigen Angstgefühl befallen, das ihn motorisch völlig unfähig macht. Ich erinnere mich folgender Beobachtung:

Krg. No. 10. Eine neurasthenische Dame, welche eine im Verhältnis zu ihrer motorischen Leistungsfähigkeit zu ansehnliche Fußwanderung zurückgelegt hatte und im Begriffe war, die Spitze eines Hügels zu ersteigen, wurde ganz plötzlich von heftigen Angst- und Schwindelzuständen befallen, als sie kurz vor dem Ziele ein kleines Wässerchen zu überspringen genötigt war. Diese geringfügige Steigerung der Ansprüche an ihre Muskelleistungen löste einen so schweren Anfall völliger motorischer Hilflosigkeit aus, daß die Patientin am Rande des Wässerchens zusammenbrach und längere Zeit nicht zu bewegen war, einen Schritt vorwärts oder rückwärts zu thun. Hier waren sicherlich weder forcierte und ungewohnte Augenmuskelbewegungen, noch die Vorstellung einer gefahrdrohenden Tiefe das auslösende Moment des Schwindelanfalls (als solchen bezeichnete die Pat. ausdrücklich den Zustand). Wohl aber waren früherhin sehr häufig wirkliche Höhenschwindelanfälle vorhanden gewesen, und diesmal wurde das gleiche Symptombild allein aus der Vorstellung des motorischen Unvermögens wachgerufen.

Es ist übrigens durchaus nicht sichergestellt, daß bei allen unter der Rubrik Höhenschwindel mitgeteilten Krankenbeobachtungen thatsächlich Schwindelerscheinungen vorhanden gewesen sind. Sehr oft werden nämlich die mit der Angst verbundenen abnormen Sensationen im Schädelinnern, sowie die aus der Angst hervorgehenden motorischen Hemmungs- und Reizerscheinungen einfach als Schwindel bezeichnet, während Sie bei genauerem Nachforschen finden werden, daß weder eine Scheinbewegung der Objekte im Raum, noch des eigenen Körpers (Drehschwindel) vorhanden gewesen sind. Diese Mißdeutung der Krankheitserscheinungen hat auch dazu geführt, die Agoraphobie als Platzschwindel zu bezeichnen.

Was ich hier über die Pathogenese und die Begleiterscheinungen der Topophobien ausführlicher berichtet habe, gilt in gleichem Maße für alle anderen Phobien, welche von BEARD und anderen Bearbeitern der Neurasthenie noch besonders hervorgehoben worden sind. Ich will Ihnen der Vollständigkeit halber dieselben hier aufzählen, einigen sind wir in den früheren Ausführungen schon gerecht geworden: Anthropophobie (Furcht vor dem Umgang mit Menschen), Siderophobie oder Astrophobie (Furcht vor Blitzschlag und Gewittern), Siderodromophobie (Furcht vor Eisenbahnfahrten), Batophobie (Furcht vor dem Einstürzen hoher Gegenstände, ZIEMSSEN), Taurophobie (Furcht vor weidendem Rindvieh), Nyktophobie und Angor nocturnus (LÖWENFELD), Pathophobie (Furcht vor Krankheiten), Phobophobie (Furcht vor Angstanfällen) und endlich Pantophobie (Furcht vor allem und jedem).

Es ist damit die Reihe der möglichen Furchtempfindungen und -vorstellungen keineswegs erschöpft, vielmehr werden Sie, wenn Sie eine große Zahl neurasthenischer Kranken kennen gelernt haben werden, noch einer ganzen Reihe anderer, bisher namenloser Furchtzustände begegnen.

Im allgemeinen werden Sie nachweisen können, daß die besonders gearteten Furchtzustände mit den Lebensbedingungen der betreffenden Patienten innig zusammenhängen oder an bestimmte, den Kranken besonders lästige, körperliche Störungen anknüpfen. So wird der Geistliche von Furchtzuständen befallen, wenn er eine Predigt zu halten hat. Sie werden auch da wieder verschiedenen Variationen begegnen: der eine Geistliche hat solche Furchtzustände nur dann, wenn er von der Kanzel herab, ein anderer, wenn er am offenen Grabe zu sprechen hat, ein dritter fürchtet sich, Traureden vom Altar aus zu halten u. s. w. Ein Gymnasiallehrer wird von Furchtzuständen befallen, wenn er das Katheder des Schulzimmers besteigt, während ihm das Unterrichten keine unangenehmen Gefühle erregt, sobald er in der Nähe der ersten Schulbank sich hält. Speciell bei neurasthenischen Kollegen ist mehrfach (ZIEMSSEN, LÖWENFELD) ein Furchtzustand beobachtet worden, wenn sie auf ihrer Praxis Wagenfahrten unternehmen mußten. Doch giebt es Patienten, die bei j e d e m, mit ihrem Berufe verknüpften öffentlichen Auftreten in solche Furchtzustände geraten: so der Musiker, wenn er im Konzert auftritt, der Kaufmann, wenn er die Börse besuchen soll, der Parlamentarier, wenn er in Volksversammlungen reden muß u. s. w. Bei Frauen finden Sie solche Furchtzustände nicht selten an bestimmte häusliche Verrichtungen geknüpft: das Abstauben von Möbelstücken, besonders aber von Gegenständen, die an den Wänden oder an der Decke befestigt sind, verursacht die Furcht, von dem herabstürzenden Gegenstand erschlagen zu werden. In einem Falle fürchtete sich eine Patientin in den Keller hinabzusteigen, weil sie von der unklaren Vorstellung beherrscht wurde, sie könnte nicht mehr ans Tageslicht heraufkommen, es würde ihr in der Tiefe ein Unheil widerfahren.

In einer anderen Gruppe von Krankheitsfällen begegnen Sie solchen Furchtzuständen, sobald die Patienten in ihnen ungewohntere Situationen versetzt werden, z. B. wenn sie Kahn oder Dampfboot fahren, oder wenn die Städterin auf dem Lande auf schmutzigen und holperigen Fußwegen oder zwischen hohen Hecken oder durch hohes Gras gehen muß. Eine besondere Erwähnung verdienen noch diejenigen Furchtzustände, welche durch bestimmte körperliche Störungen hervorgerufen werden. Es sind meistens eingewurzelte, häufig wieder-

kehrende und scharf lokalisierte abnorme Sensationen und Parästhesien
oder motorische Reizerscheinungen oder vasomotorische Störungen,
welche einseitig die Aufmerksamkeit der Patienten fesseln und einen
bestimmenden Einfluß auf ihren Vorstellungsinhalt gewonnen haben.
Es leidet z. B. eine Patientin an anfallsweise auftretenden parästhetischen Empfindungen im Bereiche der Urethra und der Blase oder
an einem krankhaft gesteigertem Harndrang. Wenn diese Störungen
auftreten, so ist die Kranke im ersteren Falle unfähig, längere Zeit
still zu sitzen, weil die quälende Empfindung dadurch vermehrt wird,
während im letzteren Falle die Kranke geradezu gezwungen ist, öfters
das Zimmer zu verlassen. Solche Kranken werden sehr leicht ein-
siedlerisch und menschenscheu; sie vermeiden es, Besuche zu machen
oder zu empfangen, weil sofort beim Zusammensein mit Fremden die
Furchtvorstellung in ihnen auftaucht, sie könnten von ihrem quälenden
Zustand befallen werden und würden dann durch ihr weiteres Verhalten lächerlich werden oder Aergernis erregen.

Ich kann mich mit dieser Aufzählung einzelner Gelegenheitsursachen, welche Furchtzustände auslösen können, begnügen. Wir
haben jetzt eine ausreichende Grundlage gewonnen, um rückschauend
die Unterschiede zwischen den einfachen Angstanfällen und den
zusammengesetzten Angstzuständen, den Phobien zu erkennen. Die
Angst ist ein psychopathischer Vorgang, welcher anknüpft an eine
äußere Sinnes- oder eine Organempfindung und sich von den physiologischen Angstzuständen durch das Mißverhältnis zwischen dem
auslösenden Reiz und dem mächtigen Affektshock unterscheidet. Solche
einfache Angstaffekte finden Sie bei den verschiedenartigsten Neurosen
und Psychosen; auch diejenigen Angstaffekte, welchen eine Störung der
intellektuellen Gefühlstöne zu Grunde liegt, rechnen wir den einfachen
Angstzuständen zu, indem auch hier vielfach unabhängig von dem
Inhalt der Vorstellungen oder wenigstens in einem grellen Mißverhältnis
zu ihrer physiologischen Gefühlsbetonung diese Affektstörung auftritt.
Gerade bei der Neurasthenie, bei welcher die Irradiation von pathologischen Erregungen eine weittragende Bedeutung besitzt, ist die
Uebertragung pathologischer Gefühlstöne, die einer bestimmten Empfindung oder Vorstellung anhaften, auf sämtliche Vorstellungen
eine sehr häufige Erscheinung. Ebenso häufig werden aber auch
krankhaft veränderte Gefühlstöne von Vorstellungen gewissermaßen
rückläufig auf die Empfindungen übertragen, welche ursprünglich die
Entstehung dieser Vorstellungen verursacht hatten (Reflexion der Gefühlstöne). Diese Vorgänge bewirken es, daß die ängstliche Grundstimmung alles Empfinden und Vorstellen schließlich beherrschen kann.

Die neurasthenische Furcht ist eine psychopathische Erscheinung, welche aus diesen Angstgefühlen sekundär entsteht. Ihr
wesentlichstes Merkmal besteht darin, daß, anknüpfend an eine negative Affektschwankung, welche durch einen bestimmten psychischen
Vorgang ausgelöst ist, sich die Vorstellung eines künftigen, die
Existenz gefährdenden oder vernichtenden Unheils entwickelt. Die
Furcht ist also immer ein zusammengesetzter psychischer Vorgang, welcher durch die besondere inhaltliche
Färbung der Angstvorstellungen, durch die Furchtvorstellung ausgezeichnet ist. Unter physiologischen Bedingungen entstehen Furchtvorstellungen, wenn Sinneseindrücke stattfinden,
welche früherhin von angsterregenden Geschehnissen begleitet wurden.

Wird ein Kind von einem Hunde zum erstenmale heftig an-
gebellt oder umgerannt, so wird dasselbe in Angst und Schrecken
versetzt. Späterhin, bei erneutem Anblicke eines Hundes taucht das
Erinnerungsbild der früheren Begegnung mit dem Hunde und die
Vorstellung eines zu erwartenden Angriffs auf, eine Vorstellungsreihe,
welche von lebhaften Angstgefühlen begleitet ist. Das Kind fürchtet
sich vor dem Hunde. Diese Furchtvorstellung wird wieder beseitigt,
wenn wir das Kind von der Ungefährlichkeit des Hundes allmählich
überzeugt haben. Gewiß war schon die Reproduktion des Erinnerungs-
bildes des Hundes, entsprechend dem Gesetze der Reflexion der Gefühlstöne, von einem negativen Gefühlston begleitet, welcher die
Wiedererweckung der mit dieser Vorstellung associativ verknüpften
Erinnerungsbilder des früheren Erlebnisses begünstigte. Die Höhe
der negativen Affektschwankung wurde aber erst dadurch erreicht,
daß die mit diesen Vorstellungen verbundenen negativen Gefühlstöne
hinzukamen. Freilich läuft die ganze psychische Reihe, vom Anblick
des Hundes bis zur Entstehung der Furchtvorstellung, außerordentlich rasch ab, so daß nur die Anfangs- und Endglieder, ja nur die
auslösende Sinnesempfindung und die Begleit- und Folgeerscheinungen
des Angstshocks zum Bewußtsein gelangen können.

Bei unseren Nervenkranken sind die günstigsten Bedingungen
für die Erregung von Furchtvorstellungen und den zugehörigen Angstgefühlen vorhanden. Die psychische Hyperalgesie bringt es mit sich,
daß an sich unter- oder geringschmerzliche Reize verschiedenster
Art die heftigsten Unlustreaktionen erwecken. Hat irgend eine
Speise mehrfach schmerzhafte parästhetische Empfindungen der Magenschleimhaut erzeugt, so erregt schon der Wiederanblick dieser Speise
gelegentlich, besonders wenn die charakteristische neurasthenische
Stimmungslage vorhanden ist, die Furchtvorstellung eines erneuten
Schmerzanfalles und damit lebhafte Unlust- und Angstgefühle. Die
Ausführung irgend einer körperlichen oder geistigen Leistung, welche
bei früheren gleichartigen Anlässen hochgradige Erschöpfungszustände
und deren Begleiterscheinungen (Ohnmachts- resp. Lähmungsgefühle,
vasomotorische Störungen, Kopfdruckerscheinungen, Angstanfälle u. s. w.)
gezeitigt hatte, kann schon beim Beginn oder während der Ausführung
die Furchtvorstellung des zu erwartenden Schwächezustandes erwecken; das damit verknüpfte Angstgefühl löst eine Reihe abnormer
Sensationen aus, die ihrerseits der Furchtvorstellung neue Nahrung
zuführen und ihren Einfluß auf den momentanen Stimmungsinhalt
verstärken; dieser Circulus vitiosus gipfelt in der Entstehung der
Todesfurcht d. h. in der Vorstellung des Erlöschens aller Lebens-
funktionen.

Diese Ausführungen lehren uns die innigen Beziehungen kennen,
welche der Symptomkomplex der Furcht zu den Zwangsvorstellungen
besitzt. In letzter Linie ist die Furchtvorstellung nichts
anderes als eine Zwangsvorstellung. Die Furchtvorstellung
besitzt die gleiche psycho-pathologische Entwickelung, welche wir früher
für die sogenannten Intentionspsychosen kennen gelernt haben. Ich
hielt diese nochmalige Hervorhebung der Pathogenese der Furchtzustände für zweckmäßig, da die Behandlung dieser Krankheitserscheinungen ohne eine genaue Kenntnis ihrer psycho-pathologischen Bedingungen völlig unmöglich erscheint.

Auch aus der Furcht- und anderen Zwangsvorstellungen resultieren besondere Störungen des Handelns. Sie erinnern sich, wie besonders die Berührungsfurcht und Zweifelsucht nicht nur zu absurden Vorstellungen, sondern auch zu einer völligen Verkehrung des Handelns führt. Sie werden, bevor Sie die Kranken einem genaueren Examen unterworfen haben, schon aus der eigentümlichen Zaghaftigkeit und Unschlüssigkeit, welche im ganzen Gebahren der Kranken sich ausprägt, vor allem aber durch die wiederholten vergeblichen Ansätze, welche mit der Ausführung irgend einer Handlung verknüpft sind, den Schluß auf das Bestehen solcher Furchtvorstellungen ziehen können.

Krg. No. 17. Ein Kranker meiner Beobachtung brauchte regelmäßig 4—5 Minuten, bis er den Entschluß zur Ausführung bringen konnte, zur Thüre hinauszugehen. Jede einzelne Zielvorstellung, z. B. die Thürklinke zu fassen, dieselbe anzudrücken, die Thüre zu öffnen, die Schwelle zu überschreiten und die Thür wieder hinter sich zu schließen, wurde durch die Furchtvorstellung gehemmt, daß mit Ausführung dieser Handlung eine ihm unbekannte Gefahr verbunden sei. Der Pat. sprang erst mit raschen, überstürzten Schritten auf die Thüre zu, prallte in dem Momente, wo er die Klinke fassen wollte zurück, sprang mehrere Schritte in das Zimmer zurück, wiederholte dann mehrfach diesen Vorgang, bis er schließlich die Thürklinke erfassen und die Thüre aufreißen konnte. Vor dem Ueberschreiten der Schwelle spielte sich die gleiche Scene von neuem ab, ebenso kehrte er, nachdem er das Zimmer glücklich verlassen, mehrfach zur Thüre zurück, bevor er endgiltig diese kleine Reihe von Handlungen zum Abschluß bringen konnte. In gleicher Weise wurden alle anderen einfachen Handlungen erst nach zahlreichen Wiederholungen zu Ende gebracht, und damit war das Tagewerk des Kranken völlig ausgefüllt. Der sehr intelligente Mann litt unter diesen anfallsweise auftretenden Zuständen außerordentlich.

Ich habe Ihnen hier die Skizze eines sehr ausgeprägten Falles als Beispiel angeführt. Mehr oder weniger deutlich werden Sie den Drang nach Unterbrechung und Wiederholung einer durch Furchtvorstellung gefährdeten Handlung bei allen solchen Fällen nachweisen können. Eigenartige Störungen des Handelns entstehen nicht selten bei jenen Patienten, bei welchen die Zwangsvorstellungen in Bewegungsvorstellungen absurden oder gemeingefährlichen Inhalts bestehen.

Krg. No. 18. Eine neurasthenische Dame wurde beim Anblick von Hühnern, Enten und Gänsen von der Zwangsvorstellung befallen, sie müßte dieselben auf die Füße treten. Es bestand dann ein „innerer" triebartiger Zwang, dieser Regung nachzugeben, welcher nur mühsam (durch die Gegenvorstellung der Lächerlichkeit des Vorhabens) unterdrückt werden konnte.

Krg. No. 19. Ein neurasthenischer Referendar, welcher nebenbei an zahlreichen anderen Zwangsvorstellungen litt, wurde im ersten Range des Theaters von der Zwangsvorstellung heimgesucht, er müßte über die Brüstung hinweg den Leuten im Parquet auf die Köpfe springen. Diese Vorstellung löste einen heftigen Angstparoxysmus mit Schwindel- und Ohnmachtsgefühlen aus, sodaß der Patient aus dem Theater weggeführt werden mußte.

Hierher gehört auch die relativ häufige, sehr peinliche Zwangsvorstellung, welche beim Anblick eines spitzigen oder schneidigen Instruments (Messer, Schere u. s. w.) auftaucht, daß der Patient mit diesem Werkzeug einen Mord begehen müßte. Meistens sind es ganz bestimmte Persönlichkeiten, gegen welche sich diese Mordvorstellung richtet. Es handelt sich hier zum Unterschied von den früher erwähnten Befürchtungen, mit spitzigen oder schneidigen Gegenständen Schaden anzustiften, um den direkten Antrieb zur Ausführung einer schädlichen Handlung. Daß aber beide psychopathologischen Vorgänge innerlich zusammenhängen, lehrte mich folgende Beobachtung:

Ein 40-jähr. Kaufmann, welcher an einer Reihe typischer neur-
asthenischer Krankheitserscheinungen seit Jahren litt und verschiedene
Exacerbationen seiner Krankheit durchgemacht hatte, hatte zuerst nur die Symptome der Berührungsfurcht. Wenn er ein Messer liegen sah, so wurde er von der Furchtvorstellung befallen, er könnte bei Benützung dieses Messers sich oder anderen unbeabsichtigt ein Unheil zufügen. In einer späteren Steigerung seiner Krankheit trat dann die Vorstellung auf, er müßte das Messer ergreifen und es seinem Kinde in die Brust stechen. Er war sich der Wandlung der Zwangsvorstellungen selbst völlig bewußt. „Die erste Zwangsvorstellung flößte mir Angst, die zweite Grauen vor mir selbst ein. Ich lebte in steter Angst, die Selbstbeherrschung zu verlieren, das Messer zu ergreifen und mein Liebstes auf der Welt töten zu müssen."

Fig. No. 20.

Dieser Patient hat das Kennzeichnende dieser letzteren Art von Zwangsvorstellungen ganz richtig bezeichnet: Es ist der trieb-artige, auf die motorische Vollendung einer Willensregung gerichtete Vorstellungsinhalt, welcher die Ausführung einer Handlung außerordentlich nahe gerückt erscheinen läßt. Der Kranke gab geradezu an, er fühle eine eigentümliche motorische Spannung in seinem rechten Arm, ja es krampften sich sogar beim Anblick eines Messers die Finger zusammen.

Es sind mir keine Fälle aus der Litteratur bekannt, in denen wirklich neurasthenische Kranke verbrecherische Handlungen auf Grund solcher Zwangsvorstellungen ausgeübt haben, wohl aber können die Kranken in anderweitigen motorischen Entladungen eine Erlösung von dem Zwange suchen und auch finden. Es treten dann Zwangs-handlungen auf, die den Charakter einer zwecklosen Kraftäußerung besitzen.

Viel häufiger führen jene krankhaften Antriebe zu gleich-giltigen, widersinnigen oder sogar absurden Handlungen zur Ausführung der Handlung selbst. Es begleiten dann gelegentlich unbestimmte Furchtvorstellungen die Bewegungsimpulse, es könnte irgend ein Unheil dem Kranken oder anderen widerfahren, wenn er die Ausführung der Handlung unterließe. Der Komplex von Bewegungsvorstellungen, welcher dieser Handlung zu Grunde liegt, wird mit einer solchen Intensität erregt, daß alle mit lebhaften Unlustaffekten verknüpften hemmenden Vorstellungen im Spiel der Motive unterliegen.

Der obenerwähnte (s. S. 126) Patient, welcher zwangsweise die Löcher eines Rohrstuhles zählen mußte, wurde gelegentlich von der weiteren Zwangs-vorstellung befallen, er müßte auf alle Rohrstühle niedersitzen. Wenn er allein war und sich unbeobachtet glaubte, so führte er dies auch aus und setzte sich für einen Augenblick auf jeden der im Zimmer anwesenden Stühle nieder; befand er sich aber in Gesellschaft, so siegte die Gegenvorstellung, daß er sich durch sein Gebahren lächerlich mache. Der Kampf zwischen dem krankhaften Antrieb und dieser Gegenvorstel-

lung versetzte ihn in die heftigste psychische Erregung; es traten lebhafte Angstaffekte mit objektiv erkennbaren vasomotorischen Störungen
auf (beschleunigte und verstärkte Herzaktion, starke Rötung des Gesichts)
und er beruhigte sich erst, nachdem er das Lokal verlassen hatte.

Von praktisch-forensischer Bedeutung sind die Antriebe
zur Ausführung obscöner Handlungen, welche weniger auf
bestimmten Zwangsvorstellungen, als auf der durch bestimmte Gelegenheitsursachen bewirkten Auslösung pathologisch gesteigerter
Geschlechtsempfindungen beruhen. Hierher gehören die sog. Ex-
hibitionisten, jene pathologischen Individuen, welche beim Anblick weiblicher Personen von dem Drange befallen werden, sich
zu entblößen. Wir berühren hiermit das Gebiet der pathologischen
Triebhandlungen, welche bei bestimmten Formen der Geistesstörungen sehr bedeutsame Krankheitserscheinungen darstellen,
jedoch bei den Neurasthenikern wohl zu den Seltenheiten gehören.
In gleicher Weise, wie wir denselben innerhalb der psychischen
Krankheitszustände fast ausschließlich bei der erblich degenerativen
Geistesstörung begegnen, so werden wir triebartig auftauchende
motorische Krankheitserscheinungen nur bei der auf erblich degenerativer Basis entstandenen Neurasthenie vorfinden.

An dieser Stelle ist eines der hervorstechendsten Krankheitssymptome der Neurasthenie anzureihen, nämlich die Störungen
des Schlafes.

Die Aufgabe des physiologischen Schlafes ist die Herbeiführung
des Ersatzes des mit der Arbeitsleistung verknüpften Kraftverbrauches.
Bei dem heutigen Stande unserer Kenntnisse müssen wir von einer
Erörterung absehen, ob die körperliche und geistige Ermüdung, welche
den Eintritt des Schlafes veranlaßt, durch chemische Veränderungen
der kortikalen Nervensubstanz diese Wirkung ausübt, oder ob die mit
der funktionellen Ermüdung unlöslich verknüpften vasomotorischen
Vorgänge diese Zustandsänderung unseres psychischen Centralorgans
herbeiführen. Sie wissen, daß man hauptsächlich partielle Anämien
der Großhirnrinde für das Zustandekommen des Schlafes verantwortlich macht. Wir können auf die Diskussion dieser Fragen um so
mehr verzichten, als wir aus ihr wohl schwerlich heute schon einen
Aufschluß über die mannigfachen klinischen Varietäten der Schlafstörung erlangen können.

Die klinische Wertschätzung dieser Störungen ergiebt sich aus
der einfachen Erwägung, daß dasjenige, was wir vorstehend als Ersatz verbrauchter Arbeitsmengen bezeichnet haben, nur erreicht werden
kann durch eine genügende lange Dauer und Tiefe des Schlafes.
Sie erinnern sich, daß in den Beispielen, die ich für die physiologische
Ueberermüdung in einer früheren Vorlesung herangezogen habe, die
Störungen des Schlafes nach diesen beiden Richtungen hin vorhanden
gewesen sind. Sowohl beim geistig als auch beim körperlich übermüdeten Menschen verzögert sich der Moment des Einschlafens in
unliebsamer Weise; trotz gesteigerter Ermüdungsempfindungen gelangt
der betreffende Mensch lange Zeit nicht über die eigenartig veränderte Uebergangsphase zwischen wachem und schlafendem Zustande
hinaus. Er verharrt in einem Stadium, in welchem der Einfluß der

Sinnesreize auf die Hirnthätigkeit wohl quantitativ verringert, jedoch einseitig gesteigert sein kann, der Vorstellungsinhalt eingeengt, der Vorstellungsablauf beschleunigt und die Intensität der Vorstellungserregung gesteigert ist. In erhöhtem Maße stellt sich dieser Zustand ein bei jener neurasthenischen Schlafstörung, die wohl die häufigste ist und die eigentliche Schlaflosigkeit vortäuscht, nämlich bei dem neurasthenischen Halbschlafe.

Das Schlafbedürfnis der Kranken ist durchweg gesteigert, sie sehnen sich unendlich nach Ruhe, und doch ist ihnen in schwereren Fällen monate- und jahrelang dieselbe versagt. Diese Art der Schlafstörung tritt oft als das erste und prägnanteste Krankheitssymptom auf. An Stelle eines erquickenden, ruhigen, tiefen, traumarmen Schlafes tritt ein erquickungsloser Halbschlummer, welcher nur zum Fortspinnen oder zur fast gleichlautenden Reproduktion der Gedankenarbeit des Tages dient. Ein Teil der Sinneseindrücke des verflossenen Tages tauchen in beschleunigtem Tempo mit peinlicher Klarheit, oft in gleicher Reihenfolge, oft phantastisch gruppiert und aufgeputzt, aus dem halbverdunkelten Bewußtsein hervor, wie die Bilder der Laterna magica auf engen, hellerleuchteten Raum gezaubert werden.

In diesem gesteigerten Traumleben kommen besonders schreckhafte Traumbilder vor, welche in phantastischen Verwebungen früherer oder jüngster Erlebnisse mit gefahrvollen Situationen bestehen. Die Kranken befinden sich z. B. auf einer Landpartie und werden plötzlich von irgend einem gefährlichen Tiere überfallen; sie spüren die Berührung des Tieres an ihrem Körper, z. B. den Biß des Hundes, der Schlange, den Stoß des Stieres und fahren erschreckt aus ihrem Traum empor. Oder sie sind im Traume von Einbrechern bedroht und fühlen das Messer des Mörders auf der Brust sitzen, die Faust desselben schnürt ihnen die Kehle zu oder sie glauben sich durch seine Arme zu Boden gedrückt u. s. w. Auch andere nicht weniger peinliche Träume werden von den Kranken berichtet, deren Inhalt Ihnen schon Aufschluß über den Ursprung geben kann. Sie hören von Frauen, daß sie häufig im Traume alle Scenen einer Niederkunft mit den begleitenden Empfindungen und Schmerzen durchmachen. Auch andere „unanständige" Träume, die mit bestimmten Empfindungen in den Genitalorganen verknüpft sind und zum Teil im Traume erlebte Kohabitationen mit sinnlicher Anschaulichkeit enthalten, werden Ihnen gelegentlich berichtet werden. Oder die Patienten träumen von fürchterlichen Operationen, die an den verschiedensten Körperteilen und hauptsächlich an den mannigfachsten Eingeweideteilen ausgeführt werden.

Alle diese Träume, besonders die letztgenannten, stehen augenscheinlich im Zusammenhange mit pathologischen Organempfindungen, welche die Kranken auch im wachen Zustande am meisten belästigen. Wir werden mit der Annahme nicht fehlgreifen, daß dieselben sowohl auf den besonderen Inhalt als auch die körperliche Lokalisation der Traumvorstellungen bestimmend einwirken. Man hat die Träume wegen der gesteigerten sinnlichen Lebhaftigkeit der Traumvorstellungen auch als Schlafhallucinationen bezeichnet. Bei unseren Patienten ist diese Bezeichnung ganz besonders gerechtfertigt, denn Sie werden von intelligenten Patienten, welche über das Wesen und die Erscheinung von Sinnestäuschungen hinlänglich unterrichtet sind, den Ausdruck hören, daß sie im Schlafe halluciniert hätten. Sie haben die Traumgestalten leibhaftig gesehen, die Stimmen gehört, die körperliche Berührung empfunden.

Sie müssen, wie aus dem Vorstehenden ersichtlich ist, in dem Traumleben unserer Patienten zwei Reihen von Vorgängen unterscheiden: Erstens illusionäre Um- und Ausarbeitungen pathologischer Empfindungsreize (Organ-, Gemein-, Schmerzempfindungen u. s. w.), zweitens halluzinierte Traumbilder, welche aus dem illusionären Trauminhalt hervorgehen. Wir werden aber nicht immer einen solchen Zusammenhang beider nachweisen können, vielmehr tauchen bei manchen Kranken in dem wirren und bunten Wechsel der sich rasch ablösenden und inhaltlich kaum mehr zusammenhängenden Traumvorstellungen eine ganze Masse von Vorstellungsreihen auf, welche in keiner Beziehung zu solchen illusionären Vorgängen stehen.

Dieser Halbschlaf der Patienten wird mit Recht ein unruhiger genannt. Die Kranken werfen sich im Bette umher, machen Abwehrbewegungen mit den oberen und unteren Extremitäten und zeigen nicht selten eine beschleunigte, keuchende Atmung. Es sind dies zum Teil Angstbewegungen, denn diese Träume sind von gesteigerten negativen Affekten begleitet, zum Teil sind es motorische Aeußerungen, welche durch Bewegungsvorstellungen ausgelöst sind. Die geringe Tiefe dieses Halbschlafes wird besonders dadurch gekennzeichnet, daß viele Sinneseindrücke, welche bei mittlerer Tiefe des Schlafes nicht wahrgenommen werden, z. B. das Schlagen einer fernen Uhr, das leichte „Knaxen" eines Möbelstückes, das Plätschern des Regens, das Zwitschern der Vögel u. s. w. genügen, um die Kranken zu wecken. Sie bleiben dann längere oder kürzere Zeit völlig wach und erst allmählich sinken sie in ihren oberflächlichen Schlaf zurück.

Daraus erklärt sich teilweise, daß sie glauben, überhaupt nicht geschlafen zu haben. „Ich habe die Uhr immer schlagen hören, folglich muß ich die ganze Nacht schlaflos gelegen haben." Aber auch wenn sie überführt werden, daß sie zu bestimmten Stunden die ominöse Uhr nicht haben schlagen hören, so werden Ihnen doch viele Kranken bestreiten, daß sie in dieser Zeit wirklich geschlafen hätten. Sie rechnen diesen oberflächlichen, traumdurchwühlten Schlummer vielmehr dem wachen als dem Schlafzustand zu. „Ich schlafe bei diesen Träumen nicht, ich fühle ja immer meinen Körper, ich weiß alles, was um mich vorgeht, mein Bewußtsein ist gar nicht aufgehoben, ich bin nur betäubt" Und auf den Einwand, daß sie zu dieser oder jener Zeit doch geschlafen haben müssen, da sie ja das leise Oeffnen einer Thüre nicht gehört haben, antworten sie erstaunt: „Da muß ich zufällig geschlafen haben, aber das kann nur wenige Augenblicke gewesen sein, denn kurze Zeit darnach war ich wirklich wach und habe auf die Uhr geschaut u. s. w."

Sie müssen nun nicht glauben, daß die Kranken mit diesen Angaben sich und andere täuschen wollen, vielmehr werden Sie die Thatsache aus diesen Erörterungen entnehmen können, daß wirklich einerseits für kurze Zeit dieser Halbschlaf ganz plötzlich und unvermittelt in einen tiefen Schlaf übergehen kann und andererseits dem Patienten diese Fragmente wirklichen Schlafes nicht bewußt werden. Erst längere, zusammenhängende Phasen eines tieferen, wenn auch noch unruhigen und traumvollen Schlafes werden von den Patienten bei den morgendlichen Berichten und tabellarischen Aufzeichnungen ihrer Schlaflosigkeit als solche anerkannt. Kranke, welche jahrelang an solchen Schlafstörungen leiden, erlangen allmählich eine Virtuosität, die Perioden völligen Wachseins und diejenigen des Halbschlafs während einer Nacht mit ziemlicher Sicherheit abzuschätzen und beide zusammen den tieferen Schlafzuständen als die Zeit der Schlaflosigkeit entgegenzustellen. Ich habe eine ganze Reihe wochen- und monatelang durchgeführter Schlaftabellen in meinem Besitze, in welchen die Zeiten des Halbschlafs von dem völligen Wachzustand genau geschieden sind.

Sie werden immer wieder von neuem überrascht, wenn Sie solche an „Schlaflosigkeit" leidende Patienten trotz jahrelangem Bestehen des Uebels oft noch relativ frisch und leistungsfähig finden. Durchaus glaubwürdige Kranken werden Ihnen erzählen, daß sie nur ganz selten und ausnahmsweise mehr wie 2—3 Stunden des Nachts geschlafen haben. Solche Fälle gehören fast durchwegs in die Kategorie der geschilderten Schlafstörungen. Der Halbschlummer wird, da er nicht erquickend ist und die Kranken sofort aus ihm durch Sinnesreize geweckt werden können, nicht mitgerechnet, ebenso werden die kleinen Abschnitte eines tieferen Schlafes — nach meiner Erfahrung diejenigen, welche nur wenige Minuten dauern — völlig außer acht gelassen. Die Stunden eines mittleren normalen Schlafes sind, falls sie überhaupt zusammenhängen, zumeist in den ersten Stunden nach Mitternacht gelegen. Doch läßt sich hierüber ein bestimmtes Gesetz nicht aufstellen. Sie werden Patienten begegnen, welche erst in den späteren Morgenstunden wirklichen d. h. Schlaf mittlerer Tiefe finden. Sehr selten ist bei dieser Form von Schlafstörung ein normaler Schlaf im Beginn der Nacht vorhanden, an den sich dann erst diese Halbschlafzustände für die ganze Dauer der Nacht anreihen.

Die zweite Gruppe der Schlafstörungen umfaßt diejenigen Fälle, bei welchen nicht die Tiefe des Schlafes, sondern nur seine Dauer geschädigt ist. Hier werden Sie, abgesehen von den nach meiner Erfahrung durchaus unerwiesenen Fällen absoluter Schlaflosigkeit, hauptsächlich drei Varietäten zu unterscheiden haben. Erstens Fälle, in welchen die Kranken nicht einschlafen können; zweitens solche, in welchen nach einer relativ kurzen Vorbereitungszeit ein normaler Schlaf eintritt, die Schlaffähigkeit aber nach wenigen Stunden ihr Ende erreicht hat, die Kranken dann den übrigen Teil der Nacht in völlig wachem Zustand verbringen und erst in späteren Morgenstunden gelegentlich 1—2 Stunden Schlaf finden können; drittens Fälle mit unterbrochenem Schlaf, in welchen Perioden von 1—2 Stunden eines tiefen erquickenden Schlafes mit annähernd gleich langen Zeiträumen völligen Wachseins abwechseln. Sie werden Kranken begegnen, bei welchen Sie oft jahrelang gleichmäßig eine dieser Varietäten für sich allein vorfinden.

Die Gründe, welche die Kranken selbst für diese Schlafverkürzungen angeben, sind sehr mannigfaltige. Sie können sie in psychische und somatische Ursachen trennen. In ersterer Hinsicht sind geistige Ueberanstrengungen und gemütliche Aufregungen, sowie die gesteigerte Empfindlichkeit gegen Sinneseindrücke als die wesentlichsten Momente hervorzuheben. Jede Abweichung von der gewohnten Lebensbeschäftigung und Tageseinteilung, jede intellektuelle

Mehrleistung, jedes freudige oder traurige Ereignis ruft Schlaflosigkeit hervor Vor allem folgt jeder Beschäftigung oder geselligen Verpflichtung während der späteren Abendstunden eine „schlaflose" Nacht. Allmählich wächst die Schlafverringerung trotz steigenden Schlafbedürfnisses, indem die Kranken durch den ungenügenden Schlaf eine weitere Einbuße der Leistungsfähigkeit und eine Steigerung der krankhaften Müdigkeitsempfindungen erleiden. Schließlich ist der Schlaf auch ohne jede äußere Veranlassung, bei sorgfältigster Vermeidung aller psychisch erregenden Momente äußerst unvollkommen. Hier wirken hauptsächlich die Hyperästhesien auf den verschiedensten Sinnesgebieten verschlimmernd ein. Das geringste Geräusch, jeder Lichtschein, die leiseste Berührung der Haut, z. B. die Verschiebung der Bettdecke, die Lagerung des Kopfes, die Beschaffenheit des Leintuches verhindert die Kranken am Einschlafen oder weckt sie, nachdem sie endlich eingeschlafen sind, wieder auf.

Die körperlichen Ursachen bestehen zum großen Teil in krankhaften Organempfindungen und mannigfachen Schmerzen, von denen die Patienten heimgesucht sind, und die ich Ihnen früher geschildert habe. Ich will Sie kurz auf drei Symptombilder hinweisen, die nach meiner Erfahrung am meisten zu Beeinträchtigungen des Schlafes führen: die Störungen der Herzthätigkeit mit oder ohne Oppressions- und Angstempfindungen (Alpdrücken), abnorm gesteigerte Darmbewegungen mit gesteigertem Stuhldrang und endlich Störungen der Blasenfunktionen (nervöse Polyurie).

Sehr mannigfaltig sind die Einwirkungen, welche diese Schlafstörungen auf das ganze Gebahren und die Lebensführung unserer Kranken allmählich ausüben. Fassen wir zuerst die schlaflosen Kranken ins Auge, welche gegen Sinneseindrücke überempfindlich sind. Das Schlafzimmer wird völlig verdunkelt, blauschwarze Rouleaux, dichtschließende Fensterläden halten jeden Lichtstrahl ab, dicke Vorhänge und Portièren, welche an Thüren und Fenstern angebracht sind, sollen jedes Geräusch abhalten, welches im Hause entsteht oder von der Straße heraufdringt. Die Patienten werden völlig zu Sklaven dieser Anpassungen an ihre Krankheitsäußerungen. Jede kleine Veränderung, vor allem aber die Notwendigkeit, z. B. auf Reisen in anderen Schlafräumen die Nacht zubringen zu müssen, vermehrt die Schlaflosigkeit. Diese Kategorie von Kranken ist in den Hotels und Nervenanstalten wohlbekannt und gefürchtet. Sie mustern jedes Zimmer, bevor sie dasselbe beziehen, auf das sorgfältigste, prüfen Thüren und Schlösser, untersuchen das Bett nach allen Richtungen, erforschen die nähere und weitere Umgebung des Schlafzimmers, ob ein Dienstbotenzimmer, ein Servierraum, ein Klosett oder eine Haustreppe in der Nähe sei, ob unter den Fenstern des Zimmers ein laufender Brunnen, Stallungen, Hühnerhof, Werkstätten u. s. w. sich befinden, ob über oder unter ihnen störende Hausgenossen wohnen — es ist fast unmöglich, daß alle Anforderungen dieser Kranken an absolute Fernhaltung der Geräusche erfüllt werden können. Die Patienten ziehen von einem Zimmer ins andere, um schließlich verzweifelt abzureisen oder durch Anbringung von Schutzvorrichtungen sich die Nächte einigermaßen erträglich zu machen.

Viele Patienten vermeiden es ängstlich, abends resp. in den frühen Nachtstunden mit fremden Menschen zusammenzukommen oder Theater oder Konzerte zu besuchen; sie ziehen sich frühzeitig zurück und verbringen oft einen großen Teil der Nacht mit der Aufgabe, ihre übererregten Nerven zu beruhigen, die Eindrücke des Tages abklingen zu lassen, um so die geistige Entspannung zu finden, welche für das Einschlafen notwendig ist. Andere hinwiederum versuchen umgekehrt, ihrer Schlaflosigkeit durch den Besuch von Gesellschaften zu entfliehen oder durch „spannende" Lektüre sich über dieselbe hinwegzuhelfen, und wieder andere suchen die Abend- und Nachtstunden, in welchen sie eine erhöhte geistige Lebhaftigkeit besitzen, möglichst auszunützen, um die Aufgaben zu bewältigen, für deren Erfüllung ihnen während des Tages die Frische und Spannkraft des Geistes und Körpers gefehlt hat. Sie schreiben bis tief in die Nacht hinein Briefe, führen ihre Haushaltungs- und Geschäftsbücher, sind wissenschaftlich produktiv thätig u. s. w. Besonders charakteristisch ist jene Kategorie schlafloser Frauen, welche tagsüber müde und erschöpft auf dem Sopha liegen oder stundenlang nach der Mittagsmahlzeit im verdunkelten Schlafzimmer unfähig zu jeder geistigen oder körperlichen Thätigkeit verharren, um dann, wenn alle Hausgenossen zur Ruhe gegangen sind, eine überstürzte Thätigkeit zu entfalten. Die Garderobe der Kinder wird nachgesehen, schriftliche Anordnungen für die Hausgeschäfte der folgenden Tage ausgearbeitet, Korrespondenzen erledigt u. s. w. Erst mit dem Morgengrauen suchen sie erschöpft ihr Lager auf, um dann bis weit in den Vormittag hinein den mühsam erkämpften Schlaf zu genießen.

Sie werden bei den therapeutischen Erörterungen noch genauer kennen lernen, welch hohe Bedeutung die Schlaflosigkeit oder, richtiger gesagt, die Schlafverringerung für den Verlauf der Krankheit besitzt und wie eine der ersten Aufgaben jeder kausalen Behandlung die Beseitigung dieses meist außerordentlich hartnäckigen Uebels ist. Sie werden auch sehen, daß vielfach nur eine grundsätzliche Aenderung der Lebensbedingungen und Lebensgewohnheiten zum Ziele führt. Ich hielt es deshalb für wichtig, Ihnen an dieser Stelle wenigstens in Umrissen die Bilder darzustellen, welche der „schlaflose" Neurastheniker darbietet.

Uebrigens dürfen Sie nicht glauben, daß Schlafstörungen eine regelmäßige Begleiterscheinung der Neurasthenie sind. Unter 120 bezüglich der Symptomatologie genau durchforschten Fällen fanden sich 62 mit ausgeprägten, länger dauernden Schlafstörungen, 33 mit nur geringfügigen, ganz vorübergehenden und 25 Fälle, bei welchen ausdrücklich bemerkt ist, daß der Schlaf keine Störung aufweist.

Die oben durchgeführte Scheidung der Störungen der Schlaftiefe und -dauer ist sowohl aus theoretischen als aus praktischen Gründen durchaus gerechtfertigt, indem ich über eine genügende Anzahl von Krankenbeobachtungen verfüge, in welchen eine dieser beiden Störungen für sich allein bestanden hat. Bei der Mehrzahl „schlafloser" Patienten werden die beiden Störungen gleichzeitig oder wenigstens einander ablösend bei einem und demselben Patienten beobachtet. Typische neurasthenische Schlafstörungen zeigt folgende Beobachtung.

Ein 46-jähriger Gymnasiallehrer, welcher erblich nicht belastet ist Krg. No. 21. und sich früher einer guten Gesundheit erfreut, jedoch seit mehreren Jahren sich durch die Berufsarbeit und private wissenschaftliche Thätigkeit über Gebühr angestrengt gefühlt hatte, erkrankte vor 2 Jahren im

Anschluß an einen Rachen- und Kehlkopfkatarrh mit polypösen Wucherungen ganz akut an hochgradiger Agrypnie. Zu gleicher Zeit nahm seine geistige und körperliche Leistungsfähigkeit rapide ab. Er konnte nicht mehr lange gehen und stehen, weil er gesteigerte Ermüdungsempfindungen im Rücken und in der Muskulatur der Extremitäten verspürte. Das Aufmerken beim Unterricht war erschwert, seine Gemütsstimmung verdüstert (ohne Angstaffekte), und die allgemeine geistige Abspannung nahm im Laufe des ersten halben Jahres dieses Krankheitszustandes so zu, daß der Pat. sich beurlauben lassen mußte und $1\frac{1}{2}$ Jahre in den verschiedensten Nervenanstalten und Luftkurorten (Höhen- und Seeklima) die Heilung von seinem Leiden gesucht hat. Eine genauere Beobachtung seiner Schlafstörungen ergiebt nach der niederschriftlichen Mitteilung des Pat. selbst folgendes:

„Ich legte mich zwischen 9 und $\frac{1}{2}$10 Uhr abends zu Bett, sobald eine gewisse Müdigkeit vorhanden zu sein schien. Diese Müdigkeit und damit die Neigung zum Schlaf pflegte sich nach $\frac{1}{4}-\frac{1}{2}$ Stunde zu verlieren, und ich war nun längere Zeit vollständig wach (1—3 Stunden, bisweilen noch länger). Ein Bewußtsein von dem Zeitpunkt des Einschlafens war beim Erwachen nicht vorhanden. Dieser Zeitpunkt konnte daher nur vermutungsweise bestimmt werden, z. B. etwa $\frac{1}{2}$ Stunde nach 11 Uhr, wo ich zum letzten Male die Glocke hatte schlagen hören. Auch von dem Augenblick des Erwachens fehlte zuweilen das Bewußtsein. Daraus erklärt sich wohl, daß ich mitunter die subjektive Empfindung hatte, noch nicht eingeschlafen zu sein, während gewisse Beobachtungen zu dem Schlusse führten, daß ich eine Zeitlang geschlafen haben mußte. Die durchschnittliche Dauer das Schlafes während der Nacht betrug etwa 3 Stunden. Während des Tages kam ich nur selten und dann immer nur auf ganz kurze Zeit zum Einschlafen. Von beunruhigenden Gedanken während des Wachens wurde ich selten gequält, ebensowenig von beunruhigenden Träumen während des Schlafens, wenn es auch bisweilen vorkam, daß ich irgend einen (meist sehr unbedeutenden) Gedanken während der Nacht weder im Wachen noch im Schlafen los werden konnte. — Der Schlaf war in jeder Nacht häufig unterbrochen, auch wenn ich Schlafmittel genommen hatte. Gewöhnlich erfolgte durchschnittlich nach 1 Stunde eine Unterbrechung; die dazwischen liegenden Pausen des Wachseins waren verschieden lang, und zwar desto kürzer, je früher ich eingeschlafen war. Nach 5 Uhr morgens kam ich selten wieder zum Einschlafen. Je früher ich eingeschlafen war, um so später erfolgte das letzte Erwachen. — Die Tiefe des Schlafes war verschieden. Bisweilen fühlte ich schon nach 3 Stunden Schlaf eine gewisse Erquickung, bisweilen fühlte ich mich nach 4-stündigem Schlafe matter als abends zuvor beim Zubettgehen."

Bemerkenswert ist, und diese Beobachtung gilt für die überwiegende Mehrzahl der Fälle, daß vereinzelte gute Nächte keinen wesentlichen Einfluß auf das Allgemeinbefinden, besonders auf die körperliche oder geistige Frische der Kranken haben. Im Gegenteil klagen sie gerade nach guten Nächten, daß es ihnen bleischwer in den Gliedern liege, daß sie sich besonders matt und angegriffen fühlten. Erst wenn es Ihnen gelingt, eine längere Reihe guter Nächte herbeizuführen, werden Sie eine sichtliche Hebung der Kräfte bemerken.

Es ist übrigens staunenswert, wie lange hochgradige Schlafstörungen, z. B. eine Schlafverringerung auf durchschnittlich 2 bis 3 Stunden pro Nacht, ohne tiefer greifende Schädigungen des Allgemeinbefindens und des Ernährungszustandes, vor allem aber der geistigen Kräfte, der Urteilsschärfe und des Gedächtnisses ertragen werden. Ich möchte Ihnen dies durch ein sehr markantes Beispiel beweisen:

Eine 52-jährige Lehrerin, erblich belastet, leidet, wie durch ärztliche Krg. No. 22. Zeugnisse bewiesen wird, seit 27 Jahren an hochgradiger Schlaflosigkeit. Die durchaus glaubwürdige Pat. giebt an, daß sie ohne künstliche Mittel nie mehr als 2 Stunden geschlafen hat. Ich habe die Pat. während mehrerer Monate beobachten und durch nächtliche Kontrolle feststellen können, daß ihre Angaben richtig sind. Sie hat während dieser ganzen Jahre ihre Thätigkeit nur wenig eingeschränkt, und nur vereinzelte Male für 3 bis 4 Wochen Urlaub genommen. Es geschah dies nur dann, wenn sie nach länger dauerndem Chloralmißbrauch zu einer Entwöhnung von diesem Mittel sich gezwungen sah. Als sie in meiner Behandlung war, versuchte ich durch möglichste Einschränkung aller körperlichen und geistigen Thätigkeit, durch möglichste Fernhaltung aller Sinnesreize eine Verlängerung des Schlafes herbeizuführen. Es gelang mir schließlich, einen 4-stündigen Schlaf zu erzielen. Die Pat. war durch dieses Ergebnis hocherfreut und erklärte eine volle Erfrischung durch diese Schlafdauer erreicht zu haben. Der Erfolg war leider nur vorübergehend. Wenige Monate nach der Rückkehr in ihre Berufsarbeit war der alte Zustand wieder da.

Nur ganz selten begegnen Sie vorübergehend schlafsüchtigen Zuständen. Hier findet das erhöhte Schlafbedürfnis, das der Mehrzahl unserer Kranken eigentümlich ist, eine übermäßige Befriedigung. Ein dumpfer, drückender, bleierner Schlaf hält sie viele Stunden lang, bei Tag und Nacht gefangen; ermattet und zerschlagen erwachen sie aus ihrer Lethargie, unfähig zu jeder geistigen und körperlichen Thätigkeit. Nur ganz allmählich schütteln die Kranken das schmerzhaft empfundene Joch geistiger Unfreiheit von sich ab und betrachten fast, ausgesöhnt mit ihrem Schicksal, die altvertraute „Schlaflosigkeit" als das geringere Uebel.

7. Vorlesung.

Wir wenden uns in dieser Vorlesung zu den Störungen der Muskelthätigkeit. Auf keinem anderen Gebiete treten Ihnen die Erscheinungen und Folgezustände der Ueber- resp. Dauerermüdung und Erschöpfung so prägnant entgegen, wie hier. Nirgends werden Sie aber auch besser den Einfluß psychischer Vorgänge auf scheinbar völlig außerhalb der psychischen Sphäre gelegene nervöse Leistungen studieren können.

Wenn wir die Leistungen unseres willkürlich erregbaren lokomotorischen Apparats überblicken, so lassen sich dieselben im wesentlichen in 4 Teile zerlegen:

1) den psychischen Anstoß, d. h. die Auslösung einer Bewegungsvorstellung,
2) die kortiko-motorische Erregung im engeren Sinne und ihre Zuleitung zu dem infrakortikalen motorischen Apparate,
3) die infrakortikale (einschließlich der spinalen) Erregung und ihre Zuleitung zum Muskel,
4) die Muskelkontraktion.

Funktionelle Störungen werden, theoretisch betrachtet, bei der Neurasthenie entweder die Gesamtheit oder nur einzelne dieser Teilabschnitte betreffen können. In praxi werden sie sowohl dem Kranken selbst, als auch dem ärztlichen Beobachter immer nur an den veränderten Leistungen des Muskelsystems kundwerden.

Sie finden vor allem bei den französischen Autoren als eines der Kardinalsymptome der Neurasthenie die Muskelschwäche, die „Amyosthenie", verzeichnet. Es wird durch diese Bezeichnung der für das therapeutische Handeln vielfach verhängnisvolle Irrtum wachgerufen, als ob thatsächlich eine Schwäche des Muskelsystems im engeren Sinne eines der hauptsächlichsten und häufigsten neurasthenischen Krankheitsmerkmale sei. Wir werden im einzelnen noch kennen lernen, daß diese Auffassung für die Mehrzahl unserer Kranken gerade nicht zutreffend ist, indem von einer Abnahme der Muskelleistung im engeren Sinne nicht gesprochen werden kann.

Bevor wir uns aber mit der speciellen Schilderung und Erklärung der motorischen Störungen beschäftigen, wird es gut sein, uns das Zustandekommen einer sog. Willkürbewegung vom psycho-physiologischen Standpunkt aus zu vergegenwärtigen. Als Anstoß derselben haben wir oben die Auslösung einer Bewegungsvorstellung bezeichnet.

Es ist hier nicht der Ort, in eine Diskussion darüber einzutreten, inwieweit dieser Begriff überhaupt Existenzberechtigung hat, und welche psychologische Stellung demselben in Beziehung auf die kortikomotorischen Funktionen, d. h. die Auslösung eines sog. motorischen Willensimpulses zukommt. Die allgemeine Thatsache ist sicher unbestritten, daß der Ausführung einer sog. Willenshandlung ein intellektueller Vorgang, ein mehr oder weniger ausgedehntes „Spiel der Motive" voraufgeht, dessen Endergebnis eben jene Handlung, eine motorische Leistung ist. Ist der psychische Prozeß nach irgend einer Richtung gestört, so wird auch das Handeln der Kranken eine Beeinträchtigung erfahren. Wie mannigfach die Störungen der Handlungen im Verlauf der psychischen Krankheiten sein können, haben Sie in der psychiatrischen Klinik kennen gelernt. Den Einfluß, welchen die neurasthenischen Denkstörungen auf das Handeln besitzen, haben wir in den vorhergehenden Vorlesungen eingehender erörtert.

Es ist wiederholt betont worden, daß eines der hauptsächlichsten Krankheitsmerkmale der Neurasthenie die Ueberempfindlichkeit ist. Centripetale Erregungsvorgänge, welche unter physiologischen Verhältnissen keine oder nur geringwertige, vor allem aber nicht schmerzhafte Empfindungen auslösen, sind bei unseren Kranken die Ursache intensiver und langwährender sensibler Reizerscheinungen. Aehnlich wie die visceralen Organempfindungen Ausgangspunkt schmerzhafter Gefühle sind, so führen auch alle mit unseren statischen und lokomotorischen Leistungen verknüpften Muskel-, Gelenk- und Hautempfindungen zu den mannigfachsten, oft außerordentlich schwer definierbaren Schmerzen. Wir haben sie schon früherhin als Ermüdungsgefühle und Schmerzen, als Hautparästhesien, Arthralgien etc. kennen gelernt. Gerade diese Empfindungen üben eine mächtige Wirkung auf die gesamte Affektlage, auf die Richtung unseres Vorstellungsinhalts und auf das Zustandekommen von Handlungen aus.

Um weitläufige psychologische Deduktionen zu vermeiden, will ich dies an mehreren praktischen Beispielen veranschaulichen.

G., Lehrer, 28 Jahre alt; über erbliche Belastung nichts Sicheres bekannt. Sehr schwächliches Kind, körperlich stets etwas zurück, immer sehr schlafbedürftig; besuchte mit gutem Erfolg und ohne Mühe die Bürgerschule, Präparantenschule und das Seminar (bis zum 20. Jahre). Masturbation vom 16.—19. Jahre; auch jetzt noch eine geschlechtlich erregte Phantasie, aber niemals sexueller Verkehr. 1885 Lehrer an der Volksschule. Im Anschluß an die Masturbation wöchentlich 3—5 Pollutionen; Pat. hatte Hitzegefühle und „reizende" Sensationen im Gesicht. Er fühlte sich unlustig zu jeder Arbeit; zuweilen trat auch leichter allgemeiner Kopfschmerz und reizbare Verstimmung auf; doch keine hypochondrischen Gedanken. Sommer 1887 „katarrhalische Affektion der Harnröhre", d. h. Absonderung einer klaren Flüssigkeit; Besserung durch kalte Bäder. Frühjahr 1888 Rückfall dieser „Affektion". Einspritzungen (wegen Trippervordachts vom Arzte verordnet) halfen nichts, kalte Waschungen wirkten günstig. Schon Sommer 1887 hatte Pat. nach längeren körperlichen und geistigen Anstrengungen Schmerzen im Kreuz, die 1888 zunahmen. Abends fühlte er sich so müde, daß er sich kaum mehr aufrecht erhalten konnte. Der Schuldienst und nebenbei noch Musikstudien strengten ihn übermäßig an. Die Rückenschmerzen waren

10*

morgens am stärksten; die Stimmung war bald reizbar, bald „melancholisch-gleichgiltig". Wegen der Rückenschmerzen und allgemeiner Schwäche nahm Pat. September 1888 Urlaub. Schon damals konnte er nicht mehr als 1 Stunde geben. $^1/_4$ Jahr lang ausgeführte kalte Waschungen übten auf das Befinden des Pat. keinen günstigen Einfluß aus, namentlich glaubte Pat., daß seine Herzthätigkeit darunter leide (Unregelmäßigkeit des Pulses). Ein Versuch, Schlittschuh zu laufen, erzeugte ganz ähnliche Beschwerden, wie die Abreibungen. Die Herzthätigkeit blieb danach dauernd erregt.

Ende Januar 1889 mußte Pat. wegen seiner Rückenschmerzen und Schwäche stundenweise am Tage liegen. Digitalis und Arsen halfen nichts. Ein 8-tägiger Landaufenthalt im März besserte nur vorübergehend. Einige Wochen lebte er nach der „Naturheilmethode", kam aber dadurch nur noch mehr herunter. Am 25. April versuchte er wieder zu unterrichten, aber schon nach 1 Stunde versagte ihm die Stimme, und die Rückenschmerzen wurden zu heftig. Er wurde zur Disposition gestellt. Bei einem 3-wöchentlichen Kuraufenthalt bekam er den ersten Angstanfall (im Kopf lokalisiert). Er nahm sehr ab, die Haut wurde „weißlicher", er konnte nur noch 10 Minuten gehen. Nach einer vorübergehenden Erholung trat im Herbst nach etwas intensiverer Bethätigung im Geschäfte der Mutter wieder eine Verschlimmerung ein: Brustschmerzen, Atembeschwerden, Reizbarkeit. Er konnte nur $^1/_4$—$^1/_2$ Stunde außer Bett sein, dann mußte er 1—1$^1/_2$ Stunde liegen, bis er wieder aufstehen konnte. Im Sommer 1890 Erholung durch Landaufenthalt, konnte wieder 1 Stunde außer Bett bleiben. Im Winter, infolge zu langen Lesens, Wiederverschlimmerung. Frühjahr 1891 Rückfall: nebenan wurde gebaut; er konnte den Lärm nicht vertragen und zog deshalb in einen Gasthof, dort behauptet er, infolge „zu weicher Matratze eine Verdehnung der Brust" davongetragen zu haben. Er flüchtet aufs Land, bleibt 4$^1/_2$ Monate, ohne eine Besserung zu erzielen. 1892 zu Hause, durch den Lärm Kopfschmerzen, die wieder auf den Rücken wirkten. Er konnte zuletzt wieder nur $^1/_4$—$^1/_2$ Stunde auf sein, dann mußte er 1—1$^1/_2$ Stunde ruhen. Schmerzen hatte er dann nur bei besonderen Anlässen (Kopf- und Rückenschmerzen bei Lärm, Brustschmerzen bei längerem Sprechen). Zu gleicher Zeit traten wieder vermehrte Pollutionen auf.

Schlaf bei regelmäßigem Leben gut, Appetit ausreichend, Stuhl selten angehalten; Herzthätigkeit leicht erregbar; nur ab und zu Flimmern und Ohrensausen. Keine besonderen hypochondrischen Vorstellungen, keine Angstanfälle mehr. Friert leicht, sonst keine Parästhesie. Besinnt sich oft schwer und vermag seine Gedanken nicht zu ordnen; Oxyakoia. Auf ärztlichen Rat Eintritt in die Klinik

Aus dem Stat. praesens, 18. Oktober 1892: Größe 184 cm, Gewicht 120 Pfd., Fettpolster sehr gering; Zunge stark belegt; Herztöne rein, Herzdämpfung normal, Puls in Rückenlage 108, beim Aufrichten im Bett auf 136 steigend, beim Zähneaufeinanderpressen und Verharren in Rückenlage nicht zunehmend. Pupillen etwas weit, Reaktionen wenig ausgiebig; Lichtreaktion rasch unter Hippus zurückgehend; mäßige sekundäre Innendeviation beiderseits; XII. und VII. normal, symmetrisch; leichter Tremor der gespreizten Finger; keine Ataxie; Händedruck, gemessen in Pausen von 10 Sekunden:

r.: 73—113—132—110— 92—130—110—89— 89—106—95—109
l.: 97—117—108— 95—122— 98— 97—99—104— 88—94— 97

in Pausen von 1 Minute gemessen:

r.: 82—121—117

l.: 83— 95— 92.

Grobe motorische Kraft der Beine etwas herabgesetzt; Sehnenphänomene durchwegs (Kniephänomen besonders) gesteigert; Hautreflexe normal; Gesichtsnervenaustritte und VALLEIX'sche Pp. etwas druckempfindlich, desgleichen beide Iliakalgegenden; bei Druck auf dieselben rasche, mäßige Steigerung der Pulsfrequenz. Geringes ROMBERG'sches Schwanken, leichtes Lidflattern; ab und zu isolierte Kontraktionen einzelner Muskeln, z. B. des Vastus med., Adductor magn. und Pect. major.

Ordo: 2-stündige Ernährung, Massage, abendliche Einpackungen, täglich 2 Arsenpillen. Nach mehrwöchentlicher Rubekur werden methodische Gehübungen mit dem Pat. angestellt; er richtet sich mit Mühe auf, stellt sich behutsam und zögernd mit ängstlichem, bekümmertem und schmerzhaft verzogenem Gesichtsausdruck auf die Füße, geht zitternd und schwankend, breitspurig und mit vornübergebeugtem Oberkörper 10—20 Schritte, behauptet dann, infolge von Entkräftung, von Schwindel und Ohnmachtsempfindungen, Angst und Herzklopfen, nicht weiter zu können und stützt sich kraftlos auf den Wärter. Nach einer Ruhepause werden dann die Gehübungen fortgesetzt und so mühsam anfänglich 50—60 Schritte ausgeführt. Jede erzwungene Mehrleistung endigte mit „ohnmachtähnlicher" Schwäche, in welcher jede aktive Muskelleistung versagt; Brust-, Rücken-, Kopf- und Gliederschmerzen von dumpfem, brennendem und drückendem Charakter verursachen die „Lähmung". Die Schmerzen sitzen überall „in der Haut, den Gelenken, den Muskeln und Knochen". Sie rufen vermehrtes Herzklopfen, Angst und Betäubung hervor, die oft stundenlang nach solchem erzwungenen Gehversuch anhält und ihm den Nachtschlaf raubt. Besonders der Brustkorb ist der Sitz der Schmerzen; die Atmung ist dadurch behindert, „ich habe nicht mehr die Kraft einzuatmen"; wird der Kranke in diesem Zustande zu weiteren Gehversuchen angehalten, so steigert sich die Angst; zornige Verzweifelung übermannt ihn, und er verweigert den Gehorsam. Es treten dann Ekelempfindungen, Würgbewegungen und profuse Schweißausbrüche hinzu.

Dieses Beispiel lehrt uns folgendes: Bei jeder aktiven Muskelleistung empfindet der Patient zahllose Beschwerden, welche zum Teil auf das Skelett-, Muskel- und Hautsystem bezogen, zum Teil in andere Organe lokalisiert werden. Auch das Gehirn und Rückenmark wird zum Sitz solcher schmerzhafter Empfindungen, welche sich in ihrer Gesamtheit als Müdigkeits-, Schwäche-, Erschöpfungs- und Ohnmachtsempfindungen bezeichnen lassen. Der Kranke gerät hierdurch schon bei kurzdauernden Versuchen, aktive Bewegungen auszuführen, in einen Zustand heftigster psychischer Erregung, welcher zu den negativen Affektzuständen der Angst, Zorn und Furcht sich steigert und zugleich zu ganz bestimmten Vorstellungen der motorischen Hilflosigkeit, der Ohnmacht oder der körperlichen Vernichtung führt. Diese Vorstellungen beherrschen den Patienten vollständig und wirken hemmend auf die Auslösung von neuen Bewegungsvorstellungen. Der Kranke sinkt müde und kraftlos zusammen. Begünstigt und verstärkt wird dieser Vorgang durch die erregenden und hemmenden Einwirkungen auf Cirkulation, Atmung und Muskulatur, welche durch den Affektshock sekundär bedingt sind.

Ich habe dieses Beispiel gewählt, um die psychische Beeinflussung der Muskelleistungen klarzulegen. Wir können dasselbe aber auch benutzen, um in der Zergliederung der die Störungen der Muskelthätigkeit bedingenden Faktoren fortzufahren. Es würde nämlich eine sehr einseitige Auffassung sein, wenn wir in diesen sowie in allen analogen Fällen die Ursache der motorischen Schwäche ausschließlich in den psycho-pathologischen Vorgängen suchen wollten.

Bekanntlich sind die Störungen der psychischen Vorgänge nur ein Teil der kortikalen Störungen überhaupt. Sie sind gewissermaßen nur die Signale des pathologisch veränderten Erregbarkeitszustandes der Hirnrinde und des gestörten Ablaufes der associativen Vorgänge. Die gleichen Innervationsstörungen bieten auch die kortikalen Prozesse dar, welche der psychischen Parallelprozesse entbehren. Das Hauptgebiet dieser Leistungen sind sicherlich die kortiko-motorischen. Daß auf dem Boden der centralen Uebererregung durch pathologische Irradiationen auch wahre Hemmungsinsulte (im Sinne BROWN-SÉQUARD's) im kortiko-motorischen Gebiete auftreten, lehrte mich zuerst der folgende instruktive Fall:

Krg. No. 24. L., verheiratet, Ende der 40er Jahre; alle Familienmitglieder väterlicherseits sollen aufgeregte, aber begabte Menschen gewesen sein. Ueber das Verhalten bis 1884 sind keine genaueren Angaben vorhanden, angeblich bis dahin gesund, aber überarbeitet durch geschäftliche Unternehmungen und Erfindungen, gedrückt durch Geschäftssorgen und Aerger vor Beginn der Krankheit (November 1884).

Damals traten 3 in 8-tägigen Zwischenräumen sich wiederholende „Anfälle" auf: Lähmung der Spitzen der Gefäßnerven, kalte Füße, Kongestionen nach dem Kopf, schwache Nahrungsaufnahme. Große Mengen fast farblosen Urins, Unvermögen zu sprechen, zu lesen und zu schreiben. Wegen Schwindelgefühlen wurde er bettlägerig. Rötung und Schwellung umschriebener Stellen des Kopfes, besonders rechts, die durch Eisbeutel bekämpft wurden. In einer Nacht trat Schüttelfrost auf; Kongestionen nach dem Kopf mit stärkstem Herzklopfen stellten sich anfallsweise mit Meteorismus ein. Bei Entleerung der „Magengase" schwand der Zustand. Völlige Appetitlosigkeit, anfallsweise Unvermögen, gekaute Speisen hinunterzuschlucken, bei Ablenkung der Aufmerksamkeit („Gemütsablenkung") ging das Schlucken ganz gut. Das Körpergewicht nahm in 4 Wochen um 14 Pfd. ab. Auf der Höhe dieses 3-wöchentlichen Krankheitszustandes bestand ein Schmerzgefühl, welches sich von der warmen Kopfstelle aus über das Zungenband nach der linken Seite der Unterlippe hinzog. Das Bewußtsein war nie getrübt. Jede geistige Anstrengung vermehrte die Schmerzen im Kopfe, das Angstgefühl und das Herzklopfen. Am quälendsten waren für den Pat. die Gasansammlungen im Darme, die bei mangelnder Darmthätigkeit nicht nach unten entwichen, sondern sich nach oben durch den Mund entleerten und auf das Herz drückten. Als Ursache dieses Zustandes wurde damals von den Aerzten die Lähmung eines Nervencentrums im Unterleibe bezeichnet. Die Krankheit kam plötzlich, vorher war guter Appetit vorhanden. Auch während der Krankheit bestand keine hartnäckige Verstopfung, meist spontane Stuhlentleerung, nur selten Nachhilfe.

Die Nerventhätigkeit im rechten Bein war eine schlechte geworden, doch waren abnorme Gefühle (Taubheitsgefühl) nicht vorhanden. Das Heben der Fußsohle beim Gehen konnte nur mit größter Anstrengung ausgeführt werden. Nach 6-wöchentlichem Stubenaufenthalt konnte er wieder Spaziergänge machen (³/₄ Stunden). Seit dem Anfall hatte er abnorme Pulsationen im rechten Ohre und das Gefühl, als ob der rechte Backenknochen angeschwollen sei. Ende Januar 1885 wich fast plötzlich der lähmungsartige Zustand, die Kopfstelle blieb kühl; Pat. konnte wieder geläufig sprechen, lesen und schreiben ohne Schwindel und abnorme Ermüdung. Nach erneuten intellektuellen und emotiven Ueberanstrengungen traten im Lauf der Jahre immer wieder ähnliche, wenn auch milde Symptome hervor, besonders die Schwäche des rechten Beines kam immer wieder anfallsweise zum Vorschein. Bei den verschiedenen Kurversuchen im Laufe der nächsten Jahre machte er die Beobachtung, daß Massage des rechten Beines auf die motorische Leistungsfähigkeit des linken Beines eine üble Wirkung hatte, so daß er dann fast gar nicht mehr gehen konnte. Ueberhaupt waren alle hydriatischen und anderen physikalischen Heilmittel eher schädlich, da sie seine Erregbarkeit steigerten und insbesondere Herzklopfen und Angstaffekte hervorriefen.

· Pat. war von früher Jugend auf musikalisch, selbst ausübender Musiker und nennt sich eine „musikalische Seele", indem schon in frühen Jahren „Tonfügungen ihm Schauer über den Rücken jagen konnten". „Ergreifende Tongebilde können mich noch jetzt in einen Zustand nervöser Erstarrung bringen." Seit Ende 1884 konnte er musikalische Aufführungen nicht mehr besuchen, da sie seine nervösen Zustände wachriefen. „Erwache ich 3 oder 4 Uhr nachts, und es steigt in mir ein Tongebilde empor, so ist es sicher mit dem Schlaf vorbei, so sehr ich mir auch Mühe gebe, in mir Ruhe zu schaffen, und mit aller Willensgewalt das Tönen in die Ferne weise. Es naht unbemerkt wieder, variiert und gewinnt einen Ausdruck, als ob ich die Musik auf der Taste oder Saite selbst hervorriefe. Erschöpft stehe ich auf." Aehnliche gesteigerte Vorstellungsthätigkeit im Schlaf und Nachtwachen stellt sich ein, wenn er von Konstruktionsarbeiten, die sich auf seine Fabrik beziehen, träumt.

Sehr lehrreich sind seine Angaben über die zu verschiedenen Tageszeiten wechselnden Nervenzustände, so auch in den guten, leistungsfähigen Zeiten: Er steht ¹/₂7 Uhr auf, beginnt im Sommer 7 Uhr, im Winter 8 Uhr seine berufliche Thätigkeit, indem er die Korrespondenzen und die gewerblichen Zeitungsnotizen durchfliegt, „ohne auf dieselben weiter einzugehen". Erst nach dem 2. Frühstück um 9 Uhr (das aus warmem Fleisch, Butterbrot, 2 Gläsern Rotwein und 1 Apfel besteht) „weiß ich die Nerven in arbeitskräftigem Zustand, begebe mich in die Fabrik, treffe Anordnungen, beschäftige mich mit den Konstruktionen, diktiere Briefe, nehme Geschäftsbesuche entgegen u. s. w.". Nach dem Mittagbrot übt er wiederum erst eine Stunde lang von 3—4 Uhr eine „kontrollierende" Thätigkeit aus, geht dann eine Stunde bei jedem Wetter spazieren und arbeitet dann weiter produktiv bis ¹/₂7 Uhr. Um 7 Uhr Abendbrot (¹/₂ Flasche Bayrisch Bier und 1 Cognac); den Abend verlebt er im Kreis seiner Familie, da er Geselligkeit nicht erträgt. Bei dieser regelmäßigen Lebensführung verspürt er keine geistige oder körperliche Erschöpfung, im Gegenteil, die Entbehrung dieser Arbeit wirkt gemütlich verstimmend auf ihn. Zur „Entlüftung" des Unterleibes treibt Pat. seit 1885 SCHREBER'sche Zimmergymnastik (Stabschwingen), wobei die Luft nur nach oben entweicht.

Anfangs 1891 stellte sich beim Stabschwingen über den Kopf eine
stechende Empfindung auf der rechten Achsel ein, die jedoch keineswegs
Schmerz zu nennen war; zu einem solchen wurde sie ganz allmählich
im Laufe eines halben Jahres und zwar bei der Bewegung des vertikal
herabhängenden Arms nach dem Rücken zu. Eine „sympathische"
Empfindung trat nach und nach auch im linken Arm auf, ohne daß bis
jetzt dessen Bewegungsumfang beeinträchtigt worden ist. Alle Kurversuche waren erfolglos (Einreibungen, Badekur). Im Gegenteil haben
sich jetzt auch spontane Schmerzen in den großen Nervensträngen des
rechten Oberarms hinzugesellt. Das Schreiben mit der Feder ist Pat.
anstrengender als mit dem Bleistift. „Ich achte möglichst auf den Zeitpunkt, wo die Nerventhätigkeit sich dem Verbrauche nähert, und unter-
breche dann die Arbeit."

„Kurz zusammengefaßt, ist mein jetziger (1892) Zustand folgender:
Ich befinde mich erträglich, oft wohl, im allgemeinen schmerzfrei. Ich
habe eine leise, spannende Empfindung in der rechten Gesichtsseite, der
Kopf ist öfter benommen, jedoch auch oft frei. Meine Stimmung ist
meist ziemlich gut, nicht selten in Heiterkeit übergehend. Gedrückte
Stimmung suche ich mit probierten Mitteln zu bekämpfen und Stimmungs-
excesse (Zornausbrüche), wie sie seit 1884 äußerst gewaltsam eintreten,
zurückzudrängen. Bei kühler und kalter Witterung fühle ich mich
wohler, und mein Kopf ist freier, als bei heißer. Zum Wohlbefinden ist
eine reichliche Ernährung Hauptbedingung. Während des Tages finden
nur vereinzelte Luftausstoßungen statt, während der Nacht erfolgen dieselben in einem Zeitraum von $1\frac{1}{2}$ Stunden in reichlicher Anzahl. Jede
Bewegung einer Luftblase im Körper und das Aufstoßen derselben bringt
mir Erleichterung. Dann tritt Ruhe und Schlaf ein, der aber nur
6 Stunden tief und erquickend ist. Das Körpergewicht schwankte in den
Jahren 1884—92 vielfach zwischen 148—158 Pfd. Der Appetit ist bei
den Mahlzeiten meistens rege. Große Ruhe befördert mein Wohlbefinden
nicht, letzterem sind die täglichen Anregungen durch das Geschäft dien-
licher. Wenn sich Zwängen in den Schläfen und Benommenheit des
Kopfes einstellt, so habe ich die Empfindung, nur im labilen Gleichgewicht zu sein. Im Laufe des letzten Jahres ist eine Abmagerung der
gesammten Extremitätenmuskulatur deutlich erkennbar. Seit Beginn der
Erkrankung (1884) traten beim Bergangehen selbst bei der geringsten
Steigung Herzklopfen, Schwindel und Heißwerden des Kopfes auf, doch
haben sich diese Erscheinungen in den letzten Jahren vermindert."

So weit der Bericht des Pat. Derselbe bot bei der Aufnahme in
die Klinik 1892 das folgende Bild: Mittelgroßer, magerer Mann; Haupthaar stark ergraut; Gesicht gefurcht; scharfer, lebhafter Blick, lebendiges
Mienenspiel und Sprechen. Schädel symmetrisch gebaut, Helix wenig
umgelegt, Spina helicis beiderseits; die Zunge etwas belegt; vasomotorisches Nachröten gesteigert; Herztöne rein; Urin eiweißfrei; sehr
zahlreiche Varicen an den unteren Extremitäten. Die genaue Untersuchung des Nervensystems ergab folgendes: Pupillen eng, gut reagierend,
Augenbewegungen frei; Gesichtsfelder intakt; für Grün sehr groß, mit
dem für Rot sich fast deckend; Facialis und Hypoglossus symmetrisch inner-
nerviert; Geruch symmetrisch; Intelligenz und Sprache völlig intakt;
Arm- und Beinbewegungen kräftig, koordiniert; Händedruck rechts 120,
links 118; leichter Tremor manuum; Knie-, Achillessehnenphänomen,
Plantarreflex kaum gesteigert; epigastrischer Reflex nicht erhältlich;
Cremasterreflex etwas schwach; Sensibilität überall intakt und sym-

metrisch: Druckschmerzpunkt links supraorbital und unbedeutende beiderseitige Iliakaldruckempfindlichkeit, keine Spinalirritation; idiomuskuläre Erregbarkeit gesteigert; kein ROMBERO'sches Schwanken; kraniotympanale Leitung erhalten.

Die subjektiven Klagen des Pat. beziehen sich hauptsächlich auf spontane Schmerzen auf der vorderen Schulterfläche und äußerstem $1/_3$ der Supra- und Infraklavikulargruben rechts und in geringem Maße auch links. Am empfindlichsten ist die Gegend des Akromioklavikulargelenks, ebenda findet sich auch eine ganz geringe Druckempfindlichkeit. Bezüglich der übrigen subjektiven Klagen vergl. vorstehende Autoanamnese!

Ordination: Genaue Diätvorschriften (Verminderung der flüssigen Nahrung; wenig Kohlehydrate), Solbäder; Faradisation der Magengegend; Anodenbehandlung der rechten Schulter.

Pat., der ein leicht erregbares Wesen zeigt und dessen Reizbarkeit sich bei den geringfügigsten Anlässen zu zornig verbitterter Verstimmung steigert, fühlt sich nach kaum 8 Tagen unbehaglich und wird deshalb zur weiteren Fortsetzung der Kur in eine Nervenheilanstalt geschickt, in der er aber auch nur ganz kurze Zeit ausharrt.

Wir werden demgemäß annehmen müssen, daß bei den Störungen der Muskelthätigkeit neben dem psychischen Einfluß auch eine d i r e k t e Schädigung der kortiko-motorischen Entladungen selbst besteht. Die innigen Zusammenhänge zwischen psychischen und motorischen Störungen zeigt Ihnen in anderer Weise folgende Beobachtung.

X., 43 Jahre alt, hereditär belastet; geistig sehr gut veranlagt, doch Krg. No. 25. schon seit Mitte der 20er Jahre gelegentlich nervöse Erschöpfungszustände, die aber immer wieder durch Erholungen ausgeglichen werden konnten. Steigerung der Krankheitserscheinungen in den letzten Jahren (nach Aufzeichnungen des Pat.): 1) Bei sonstigem Wohlsein Spannung im Kopf mit Unbesinnlichkeit und Unfähigkeit, das Gelesene festzuhalten, Untauglichkeit zu produktiver geistiger Arbeit. Auch bei viel Bewegung im Freien leichte Spannung, doch erst abends. 2) Nächte stets unruhig durch Träume und öfteres Erwachen; auch Aufschrecken. Früh meist gehirnmüde und gliedermatt: Stehen sehr angreifend; zwischen 9 und 10 Uhr fast immer das Bedürfnis, 15—20 Minuten auf dem Sopha zu ruhen. Reiten wirkt oft vorübergehend belebend und aufmunternd („ähnlich der Wirkung eines elektrischen Stromes"); Spaziergänge auf Bergwegen wirken meist wohlthätig auf das Gehirn, doch folgt mitunter auch Kopfweh (in späteren Jahren Spaziergänge wegen motorischer Schwäche und Spinalirritation unmöglich). 3) Niedergeschlagenheit, Mutlosigkeit, große Reizbarkeit, oft matt und erregt zugleich. Steter Wechsel von Ueberreizung und Abspannung, unzureichender Schlaf, Gehirn fast immer übermüdet. 4) Eine andere Form: ziemlich reichlicher Schlaf, doch von öfterem Aufwachen und Kopfweh im Hinterkopf unterbrochen; den Tag über Müdigkeit und Kopfschmerz: ein gewisser Zusammenhang zwischen Kopfschmerz und Schlaf, z. B. nach schweren Migränetagen guter Schlaf. 5) Im Mai und Juni 1884 folgender Zustand: Einige Stunden Schlaf, dann Aufwachen mit Kopfweh, dann unruhiger, mit Kopfweh begleiteter und unterbrochener Schlaf. Im Laufe des Vormittags läßt das Kopfweh nach, doch bleibt Ermattung zurück. Zuweilen ist das Kopfweh so heftig, daß Pat. nicht wieder einschlafen kann und das Kopfweh den ganzen Tag fortdauert. Im Mai trat dies

16mal, im Juni ebenfalls 16mal auf: zu geistiger Arbeit war Pat. zu dieser Zeit vollständig untauglich. Flußbäder im Juli bei 19° beseitigen Kopfschmerzen und Schlafmangel nicht, doch wirken sie geistig erfrischend.

Eine Alpenreise vom 19. Juli bis 19. [August hatte starke, anhaltende Erschöpfung mit viel Kopfweh und geistiger Ermüdung zur Folge. Massagebehandlung und mäßige Mastkur bringen in 7 Wochen eine Gewichtszunahme von 7 Pfd., zeitweilig besseren Schlaf, jedoch viel Kopfweh; hydropathische Einpackungen bedingen Schlaflosigkeit und rheumatische Schmerzen in der linken Hand und Schulter. Keine weitere Besserung; die motorische Erschöpfung nimmt eher zu. In der Nachkur hebt sich die Arbeitsfähigkeit wieder, doch wechselnder Schlaf, viel Kopfschmerz. In der 6. Woche nach der Kur zunehmende geistige Rüstigkeit, die, kleine vereinzelte Recidive abgerechnet, den Pat. zu angestrengter geistiger Thätigkeit fähig macht; der Schlaf im Durchschnitt regelmäßiger, doch nicht ausreichend, meist anfangs einige Stunden gut, dann unruhig bis zum Morgen: öfters kalte Füße. Motorische Thätigkeit dauernd herabgesetzt. Spaziergänge von 20 bis 30 Minuten rufen peinigende Ermüdungsgefühle im Kopfe, Rücken und Extremitäten hervor, die schließlich in Ohnmachtsempfindungen gipfeln.

Aus den späteren Berichten ist hervorzuheben: Sehr wechselnder Zustand: sehr häufig Abspannung des Körpers und des Geistes. Nach einem Aufenthalt an der Riviera starke Schlafbeschwerden und erhöhte körperliche Mattigkeit. Auch Heilgymnastik, vegetarianische Lebensweise, Kaltwasserkuren brachten keine Besserung. In späteren Jahren zunehmende „Rückenschwäche"; Patient wird unfähig, auch nur kleinere Strecken zu gehen, er läßt sich bei den geringsten Entfernungen (6—7 Minuten) im Fahrstuhle fahren. Dabei ist Patient geistig frisch und leistungsfähig, schriftstellerisch thätig, doch Stimmungsschwankungen unterworfen. Im Jahre 1891 im Anschluß an eine Wurzelperiostitis im Januar tritt wieder heftige Schlaflosigkeit und psychische Reizbarkeit in erhöhtem Maße hervor.

In der vorstehenden klinischen Beobachtung treten die Erschöpfungsphänomene in den Vordergrund. In anderen Fällen werden Sie durch das Auftreten von sogenannten unwillkürlichen d. h. nicht durch bestimmte Bewegungsvorstellungen ausgelösten koordinierten Muskelbewegungen über das Vorkommen von Reizsymptomen belehrt. Hauptsächlich durch dieses eigentümliche Widerspiel von Reiz- und Schwächesymptomen auf motorischem Gebiete war der Begriff der reizbaren Schwäche zur Geltung gekommen. Man glaubte der früher entwickelten Auffassung entsprechend, daß in einem und demselben funktionellen Centrum (hier ein Komplex motorischer Nervenzellen und ihrer intercellulären leitenden Verbindungen) gleichzeitig Funktionssteigerung und Funktionsunsfall sich abspielen. Ich habe Ihnen früherhin darzulegen versucht, daß eine derartige Vereinigung zweier heterogener Funktionsanomalien physiologisch unerklärlich ist, daß es sich vielmehr hier um Krankheitsäußerungen handelt, welche wohl auf einer einheitlichen pathogenetischen Grundlage beruhen, aber zeitlich und örtlich durchaus nicht zusammenfallen.

Ich habe auch dort schon darauf hingewiesen, daß speciell die motorischen Störungen die beweiskräftigsten Belege für diese Auffassung der patho-physiologischen Kardinalsymptome darbieten. Ein wichtiger Beleg für diese zeitliche Aufeinanderfolge der Zeichen der Uebererregung und Funktionsverminderung ist das Verhalten der motorisch geschwächten Patienten nach Erholungspausen. Wenn nach einer Muskelleistung der Kranke einige Zeit ausgeruht hat, so tritt mit fortschreitender Erholung nicht selten Muskelunruhe auf, während vorher der Kranke im Stadium völligster Erschöpfung von solchen unwillkürlichen Bewegungen frei gewesen war. Sie können dies am besten beobachten, wenn die Kranken einige Stunden geschlafen haben; sie werden dann durch die auftretenden Muskelkontraktionen („Zusammenzucken, ruckartige Stöße") aus dem Schlafe geweckt. Wird dieses Stadium der Uebererregung überwunden, tritt neuerdings erquickender Schlaf ein, so schwinden auch diese Zeichen. Und umgekehrt treten, wie ich schon früher an dem Beispiele der physiologischen Ueberermüdung erörtert habe, bei unseren Patienten nach größeren körperlichen Leistungen zuerst neben den Ermüdungsempfindungen Mitbewegungen und gesteigerte Reflexaktionen auf. Wird dann die Körperleistung noch weiter forciert, so erfolgt die Erschöpfung. Dann sind auch alle anderen nervösen Leistungen hochgradig geschädigt: Unfähigkeit zu geistiger Arbeit, Schlaflosigkeit, Verdauungsschwäche, Herzschwäche etc. Und fernerhin: Bietet ein Patient ein sehr wechselndes Verhalten dar, indem in Zeiten geringer kortiko-motorischer Leistungen, z. B. bei Bettruhe, zahlreiche und funktionell recht verschiedenwertige motorische Reizphänomene vorhanden sind, so ist damit der Beweis geliefert, daß die motorischen Leistungen seitens des höchststehenden Abschnittes der Bewegungscentren zweifellos geschädigt sind und daß Kraftleistungen auf motorischem Gebiete (Spazierengehen, gymnastische Uebungen u. s. w.) dem Kranken nur in ganz beschränktem Maße unter sorgsamster Berücksichtigung des vorhandenen Kraftvorrats zugemutet werden dürfen. Wie oft wird gerade gegen diese so einfach und selbstverständlich klingende Vorschrift gesündigt! Ich will Ihnen das an einem anderen Beispiel erläutern, welches Ihnen zugleich als Paradigma einer konstitutionellen Entwickelungsstörung dienen kann.

Ein 17-jähr. Jüngling, hereditär schwer belastet, intellektuell sehr gut veranlagt, von Kind auf in seinem Muskelsystem dürftig entwickelt und recht anämisch, erkrankt im Anschluß an die Pubertätsentwickelung unter den Zeichen der nervösen Erschöpfung: geistige Müdigkeit, Unfähigkeit, im Gymnasialunterricht und bei den häuslichen Arbeiten seine Aufmerksamkeit zu konzentrieren, Schlaflosigkeit, Kopfdruck, Herzklopfen, Appetitlosigkeit. Vor allem aber klagt er über gesteigerte Muskelmüdigkeit, Unfähigkeit längere Zeit aufrecht zu stehen oder ohne Pause zu gehen (10—20 Minuten). Zu gleicher Zeit treten unwillkürliche Gliederbewegungen in der Ruhe auf: beständiges Spielen mit den Fingern und andere koordinierte Bewegungen (zupfende Bewegungen), Schleuderbewegungen der Arme, Strampeln mit den Füßen, Zehenbewegungen belästigten den Pat. besonders nachts und verhinderten das Einschlafen. Der erste ärztliche Rat lautete: Fernbleiben von der Schule und ausgiebige aktive Muskelleistungen. Die Folge war, daß der junge Pat. motorisch völlig zusammenbrach. Der Kranke kommt zur Konsultation

im Wagen angefahren, wird mit Unterstützung zweier Leute aus dem
Wagen gehoben, geht mühsam bis zum Hause, muß sich vor Entkräftung
und Erschöpfung an der Pforte niedersetzen. Zu diesem Behuf führt er
selbst unter dem Arme einen kleinen Tragstuhl, der, wie der Vater versichert, von dem Pat. niemals entbehrt werden kann. Immer schon nach
·10—50 Schritten müssen längere Ruhepausen eingeschoben werden:
absolute Schwäche der Beine, Herzklopfen, Magendruck, Gefühl von
Leere des Kopfes und Absterben der Füße sind die subjektiven und objektiven Zeichen der Erschöpfung. Daher bedarf ein $^1/_4$-stündiger
Spazierweg des Zeitraumes von 1—2 Stunden. Geistige Arbeiten mußte
der Kranke seit 3 Jahren vollständig meiden. Selbst lesen konnte er
absolut nichts mehr. Schon nach wenigen Zeilen trat ein Gefühl von
völliger Unfähigkeit, die Buchstaben mit den Augen aufzunehmen und
zu verstehen, auf, das Gefühl von Druck im Kopfe steigerte sich. Der
Scheitel wurde dann „wie wund". „Wenn ich auf der linken Seite liege,
so fühle ich das Blut in Kopf und Füßen ordentlich rieseln. Dann wird
der Kopf so schwer, und ich bekomme Hitze auf der ganzen Körperhälfte. Wenn ich früher las, bekam ich einen solchen Druck, daß ich
aufhören mußte; sogar im Magen und im Leibe drückte es, wenn ich
las." —

Status praesens vom 10. Juni: Außerordentlich abgemagerter, junger
Mensch von 17 Jahren mit gracilem, dürftigem Gliederbau, mit der
Muskulatur eines 5-jährigen Kindes, absolut fehlendem Fettpolster;
Körpergewicht 55 Pfd.; dünne, leicht in Falten zu hebende Haut. Die
Haut der Hände hellrot gefärbt, von glatter, glänzender Beschaffenheit,
besonders links auf der Dorsalfläche der ersten Phalangen und über den
Handgelenken an beiden Knöcheln. Rechts ist die Haut der Hand
(dorsal und volar) im ganzen mehr kupferbraun und blaurötlich gefärbt,
besonders die Kuppen der Finger. Die Extremitäten fühlen sich dabei,
besonders die Fingerspitzen, sehr kühl an. Die Füße, besonders auf der
Rückenfläche bis oben über die Knöchel noch etwa 5 cm hinausreichend,
haben eine hellrote, braune, fleckige Färbung, in welcher mehr ziegelrot
gefärbte Streifen und Flecken hervortreten. Die Haut ist glatt, leicht
schilfrig bedeckt, glänzend; die Temperatur dem Gefühle nach nicht
wesentlich erniedrigt. Die Fußsohlen zeigen eine normale blaß-graugelbe Färbung. Die Nasenspitze ist hellblau-rot, kühl anzufühlen, die
Ohren mittlerer Temperatur. Das Gesicht ist mager, eingefallen, die
Backenknochen und Unterkieferwinkel scharf hervorspringend, die Augen
tiefliegend. Das ganze Gesicht hat etwas Totes, Skeletartiges. Der Blick
ist meist trübe, apathisch, glanzlos, der Gesamtausdruck leidend, fast
unbeweglich.

Mons pubis ist noch kaum behaart, Penis noch ganz infantil, Testikel
ebenfalls klein, Scrotum schlaff; Kremasterreflex deutlich ausgeprägt;
Kniephänomen entschieden etwas gesteigert. Betasten des Unterleibes,
selbst tieferes Eindrücken im Hypochondrium, in der Cöcalgegend,
Colon transversum, Druck in die Magengrube nirgends schmerzhaft;
Thorax skeletartig abgemagert, etwas Hühnerbrust; Atmung ruhig, langsam; ganz schwache Herzerhebungen, kein deutlicher Spitzenstoß; die
Töne leicht gespalten, der 2. klappend; keine Geräusche; Töne an sich
deutlich, kräftig; ebenso wie an der Herzspitze über der Basis; an der
Aorta und Pulmonalis ist diese Spaltung nicht erkennbar, über letzterer
aber stärker klappend; die Geräusche an der Spitze der Apices pulmo-

num etwas schwach, noch mit Deutlichkeit vesikulär und ohne Begleiterscheinung.

13. Juni: 68 Pulse; der Puls ist entschieden etwas voller, die Radialis gespannter, von mittlerer Weite. Abends subjektives Hitzegefühl im Kopfe, dumpfer Druck, Stiche, Stirnkopfschmerz beiderseits in der Gegend der Tubera frontalia; Schlaf relativ schlecht; etwas Druck im Magen nach dem Essen; nach Weingenuß wird er entschieden besser; überall Hautjucken nach dem Bade; keine fibrillären Zuckungen; keine stärkeren Kontraktionen; kein vermehrtes Spannungsgefühl in den Muskeln nach der Massage. Außer der großen motorischen Schwäche standen im Mittelpunkte der Klagen des Pat. die Magensymptome: Er hatte schlechten Appetit, Magendrücken, saures Aufstoßen, „Jucken im Magen, Wälzungen des Magens beim Aufstoßen", doch kein Erbrechen. Er konnte nicht lesen wegen Druckes im Kopf und im Magen. Stuhlgang erfolgte alle drei Tage nach Eingießung. Wenn er sich anstrengte, fühlte er sich ganz beklommen. Ein Gefühl von Leere bestand nicht im Kopf, dagegen ein Gefühl von Beengung in der Brust und aufsteigende Hitze zum Kopf. Pat. bemerkt, wie das Blut aus dem Innern auf die Körperoberfläche ströme und umgekehrt. Wenn er still sitzt, ist es ihm oft, als ob das Blut in den Gliedern stockte.

Nach 3-monatlicher Kur (kombiniertes Heilverfahren, vergl. Therapie) wurde Pat. gebessert entlassen. Nach einem Jahre schreibt der Vater, daß zur völligen Herstellung des Pat. nur noch wenig gehört. Das Aussehen desselben sei ein sehr blühendes, und das Körpergewicht habe sich seit seiner Ankunft in Jena verdoppelt. Wenn sich auch beim Gehen auf größere Strecken Kopfschmerzen und Abspannung einstellten, so sei doch eine allmähliche Besserung nicht zu verkennen.

In den letzten 3 Fällen liegt nun die Frage nahe, welcher Anteil bei der hochgradigen Beeinträchtigung der Muskelleistungen den kortiko-motorischen, und welcher den tiefergelegenen motorischen Centren oder vielleicht den Leitungsbahnen zuzumessen sei. Wir gelangen damit zu dem Punkte zurück, den wir im Beginn dieser Vorlesung schon berührt haben. Die Beantwortung dieser Frage gestaltet sich in praxi viel schwieriger, als die so einfache theoretische Erwägung über die einzelnen Abschnitte des funktionellen Systems der sogenannten Willkürbewegungen vermuten läßt. Denn wir sind heute noch nicht in der Lage, genau festzustellen und abzugrenzen, wo sowohl die einfacheren, als auch die komplizierten, auf dem koordinierten Zusammenwirken verschiedener Muskelgruppen beruhenden motorischen Leistungen stattfinden. Führen wir z. B. eine Beugung oder Streckung des rechten Zeigefingers aus, so wird durch die Bewegungsvorstellung resp. durch den ihr zu Grunde liegenden kortikalen Erregungsvorgang das funktionelle Rindencentrum dieser Fingerbewegung miterregt, die Erregung auf bestimmten Pyramidenbahnfasern bestimmten Vorderhornzellen des Rückenmarks übermittelt, hier gewissermaßen umgeschaltet und dann weiterhin auf den Bahnen des N. medianus resp. N. radialis dem M. flexor dig. comm. resp. extensor indicis propr. zugeführt. Ist diese specielle Muskelleistung geschädigt, zeigt sich z. B. bei ihrer wiederholten Ausführung eine auffällig rasche Abnahme in der Ausgiebigkeit und Schnelligkeit der Fingerbewegung, ermüdet mit einem Worte der Finger rasch, so kann die Ursache hierfür sowohl (wenn wir vom psychischen Impuls hier ganz absehen) in einer rascheren Ermüdbarkeit des kortikalen Centrums als auch in vermehrten Leitungswiderständen der Pyramidenbahnen oder in einer funktionellen Schwäche der Vorderhornzelle oder in Leitungsstörungen des peripheren Nerven oder endlich in einer gestörten Kontraktilität der Fingermuskeln gelegen sein. Während uns bei organischen Erkrankungen (d. h. fortgeschritteneren Ernährungsstörungen des funktionstragenden Nervengewebes, welche zu makroskopisch oder mikroskopisch erkennbaren Veränderungen der Nervenzelle und Nervenfaser geführt haben) das Verhalten der elektrischen Erregbarkeit und das Auftreten von Muskelatrophien und Dystrophien über den Sitz der Läsion ziemlich genau informieren, entbehren die funktionellen Störungen jeglichen dorartigen Merkzeichens. Wir sind hier nur auf Vermutungen und Schlußfolgerungen angewiesen, welche teils der physiologischen Erwägung, teils der klinischen Beobachtung entnommen sind.

Ist eine völlige funktionelle Lähmung einer bestimmten motorischen Leistung vorhanden, wie wir sie z. B. bei der Hysterie vorfinden, so kann die Entscheidung, ob hier psychische oder kortikomotorische oder infrakortikale Störungen ausschlaggebend gewesen sind, ungeheuer schwierig, ja fast unmöglich sein. Bei den Erklärungsversuchen der hysterischen Lähmungen, welche Sie in den Lehrbüchern vorfinden, wird bald diese, bald jene Störungen als die Hauptsache betrachtet, je nach den herrschenden Anschauungen über das Wesen der hysterischen Erkrankung überhaupt. Für die Erklärung der neurasthenischen Motilitätsstörungen liegen die Verhältnisse etwas einfacher. Hier sind niemals vollendete Lähmungen vorhanden. Sie werden sogar Kranke, welche unfähig sind, auch nur wenige Minuten hintereinander eine bestimmte Muskelleistung mit gleichmäßiger und genügender Kraft auszuführen, z. B. 50 Schritte zu gehen, eine einmalige motorische Arbeitsleistung der gleichen Muskelgruppen mit relativ großer Kraft vollbringen sehen. Aber schon bei der zweiten oder dritten gleichen Leistung erlahmt der Kranke sichtlich, die Kraftanstrengung bleibt schließlich, in schwereren Fällen oft schon nach wenigen Uebungen, fruchtlos. Es treten die beschriebenen Ermüdungs- und Schmerzempfindungen auf, Kopfdruck, Angstaffekte, Herzklopfen u. s. w.

Ein Hilfsmittel, die motorische Leistungsfähigkeit objektiv festzustellen, bieten methodisch durchgeführte dynamometrische Untersuchungen dar. Sie können auf diese Weise nicht nur die einmalige Kraftleistung, sondern auch bis zu gewissem Maße die Höhe des Kraftvorrates bestimmen. Man wird mit einiger Vorsicht operieren müssen, da zu lange fortgesetzte oder zu häufig wiederholte Kraftleistungen dieser Art die Patienten längere Zeit für jede andere Leistung unfähig machen.

Solche Untersuchungen belehren uns in erster Linie darüber, daß durchaus nicht alle Fälle von motorischer Schwäche deutlich erkennbare Ermüdungserscheinungen darbieten. Wir werden also zuerst eine Gruppe auszuscheiden haben, welche wohl über gesteigerte Ermüdungsempfindungen und irradiierte Schmerzgefühle bei kürzer oder länger dauernder Muskelarbeit klagen, bei denen aber aus dem Maße der motorischen Kraft und dem Grade der Erschöpfbarkeit auf Grund dynamometrischer Prüfungen ein Rückschluß auf die zu Grunde liegenden Störungen nicht gezogen werden kann. Hierher gehört der Fall G. (Krg. No. 23), welcher trotz hochgradigster Insufficienz der aktiven Muskelleistungen sehr gute dynamometrische Ergebnisse aufwies. Eine zweite Gruppe umfaßt die Fälle, welche bei der erstmaligen Ausführung des dynamometrischen Versuches einen Verlust an grober motorischer Kraft nicht erkennen lassen, bei denen aber die raschere Erschöpfbarkeit der motorischen Leistungen schon nach wenigen Versuchen unzweideutig hervortritt. Die dritte Gruppe schließt die Fälle in sich, bei welchen der dynamometrische Versuch schon bei der erstmaligen Ausführung der Uebung ein deutlich verringertes Kraftmaß erkennen läßt. In diesen Fällen ist auch die rasche Ermüdung bei weiteren Versuchen deutlich ausgeprägt [1]).

Für die hier vorliegenden Fragen sind nur die Kranken der zweiten und dritten Kategorie von Bedeutung. Man kann dieselben sehr häufig auch schon nach dem Ergebnis der Aufnahme des allgemeinen Körperstatus voneinander unterscheiden. Während die zweite vornehmlich Kranke enthält, welche körperlich kräftig gebaut sind, eine gute Skeletentwickelung und Muskeln von mittlerem, oft sogar stärkerem Volumen darbieten (letzteres dann, wenn sie in gesunden Tagen regelmäßige gymnastische Uebungen gepflogen haben), und deren sichtbare Schleimhäute, sowie die Pulsbeschaffenheit und Blutuntersuchung keinerlei Zeichen von Anämie aufweisen, finden sich in der dritten vornehmlich gracil gebaute, muskelschwächliche, blasse, anämische Kranke. Es ist diese Unterscheidung praktisch wichtig, weil man bei der Erwägung der therapeutischen Maßnahmen zur Hebung der motorischen Schwäche dieses verschiedenartige Verhalten der Pat. berücksichtigen muß.

Bei den relativ kräftigen Individuen mit normaler Blutbildung und Blutbeschaffenheit und guter Muskulatur werden wir kaum an Ernährungsstörungen der peripheren Nerven und Muskeln selbst denken dürfen [2]).

---

1) Bei all diesen Versuchen ist eine Voraussetzung, daß der Pat. zuerst mit der Handhabung des Dynamometers genau vertraut gemacht wird. Es bedarf hierzu auch einiger vorbereitender Uebungen, um die richtige Lagerung in der Hand, die Art der Zusammenpressung der Dynamometerfeder u. s. w. kennen zu lernen. Selbst muskelkräftige, gesunde Individuen leisten, wie ich mich öfters bei Dynamometerübungen mit meinen Zuhörern unterrichten konnte, anfänglich eine auffällig geringe Arbeit mit demselben. Es ist zu dem gedachten Zwecke neben einer richtigen Innervation der Beuger die möglichste Ausschaltung der antagonistischen Muskelthätigkeiten notwendig.

2) Die abweichenden Schlußfolgerungen von STSCHERSTSCHERBAK fanden in seinen eigenen Untersuchungen keine genügende Stütze. Auch aus den Untersuchungen über den elektrischen Leitungswiderstand bei Neurasthenikern (vergl. BASILE, Centralbl. f. Nervenh., 1886), welche an und für sich durchaus nicht einwandsfrei sind, läßt sich irgend ein Schluß über pathologische Reaktionen des peripheren Nerven-Muskelabschnittes nicht entnehmen. Viel wichtiger für die Entscheidung dieser Frage können Versuche sein, welche im Anschluß an die früherhin erwähnten Experimente von MOSSO und L. WARREN die Differenz zwischen central bedingter und peripherer Ermüdung zu ergründen bestimmt sind. Läßt man einen Pat. mit gesteigerter motorischer Ermüdbarkeit eine größere

Wesentlich anders können die Verhältnisse bei muskelarmen, schlecht ernährten Kranken liegen. Sei es daß der nervös - kachektische Gesamtzustand auf konstitutionellen Schwächezuständen beruht, sei es, daß langdauernde Verdauungsstörungen oder interkurrente Erkrankungen eine allgemeine Schädigung der Gewebsernährung herbeigeführt haben, so ist für alle diese Fälle die Annahme nicht von der Hand zu weisen, daß auch die peripheren Nerven und Muskeln auf Grund solcher Ernährungsstörungen eine pathologisch geänderte Leistungsfähigkeit besitzen, welche sich in einer gesteigerten Ermüdbarkeit kundgiebt. Wir besitzen freilich hierfür keine strikten Beweise. Bislang hat die Elektrodiagnostik keine Abweichungen der elektrischen Erregbarkeit oder des Leitungswiderstandes für solche noch funktionelle Schädigungen des Muskel- und Nervengewebes aufgefunden.

Vielleicht darf aber eine andere Erscheinung in diesem Sinne gedeutet werden. Es ist schon länger bekannt, daß bei manchen Neurasthenikern und zwar besonders bei solchen, die eine schwache, welke, dürftige Muskulatur besitzen, die mechanische Muskelerregbarkeit herabgesetzt ist. Sie finden dann beim Beklopfen besonders der Brust- und auch der Vorderarmmuskulatur der sog. stehenden Querwulst und die langsam wurmartig sich fortwälzenden Muskelkontraktionen. Es muß aber hinzugefügt werden, daß wir in anderen Fällen deutliche Symptome der Uebererregbarkeit bei mechanischer Reizung der Muskeln vorfinden. Aehnliches ist auch für die Nervenstämme nachgewiesen. VON FRANKL-HOCHWART hat zuerst auch bei Neurasthenikern das sog. Facialisphänomen aufgefunden. „Beklopfen der Wange etwas unterhalb des vorderen Teiles des Processus zygomaticus ruft eine blitzartige Zuckung hervor: die Oberlippe an der betreffenden Seite wird gehoben, der Nasenflügel zuckt scharf nach aufwärts"[1]. Diese mechanische Muskelreizung konnte zugleich auch von anderen Nervenstämmen aus in einzelnen Fällen nachgewiesen werden. Es genügte eine mäßige Perkussion, gelegentlich sogar ein leichtes Darüberstreichen, um Muskelzuckungen auszulösen. SCHLESINGER hat das Facialisphänomen ebenfalls bei Neurasthenikern und zwar gelegentlich in einem so ausgeprägten Maße, wie bei der Tetanie, beobachtet. Er macht ferner darauf aufmerksam, daß dieser Befund sehr wechselnd ist, und deutlich abhängig erscheint von dem jeweiligen Kräftezustand der Kranken, dem Maße der voraufgegangenen Arbeitsleistung oder anderen erregenden Einflüssen (kaltes Bad.

Anzahl von Dynamometerpressungen ausführen und setzt dieselben solange fort, bis die Kraftleistungen auf Null oder nahezu auf Null gesunken sind, so kann man durch darauf folgende galvanische oder faradische Reizungen des N. medianus resp. Ulnaris Kontraktionen der Beugemuskeln der Hand und der Finger in völlig normaler Weise hervorrufen. Bei anämischen muskelarmen Pat., bei welchen periphere Störungen vermutet wurden, ergaben solche Versuche bislang keine eindeutigen Resultate; die Zahl der Fälle, die mir zur Verfügung standen, ist noch zu gering, um bestimmte Schlüsse ziehen zu dürfen.

1) Vergl. hierzu die Untersuchungen von FRIEDRICH SCHULTZE, Berl. klin. Wochenschr., 1874, S. 86, und Deutsche med. Wochenschr., 1882, No. 20, 21.

Genuß von starkem Wein). Eine Uebereinstimmung der Ergebnisse
der direkten mechanischen Reizung der Muskeln mit denjenigen der
Nerven ist nicht vorhanden. Er findet außerdem noch andere Reizerscheinungen nach ermüdender Muskelarbeit besonders bei diesen
schlecht ernährten Individuen, fibrilläre Zuckungen und wogende Bewegungen in den durch mehrfache willkürliche Kontraktionen thätig
gewesenen Muskelgruppen.

Alle diese Erscheinungen weisen darauf hin, daß eine periphere
Ueberermüdung thatsächlich vorliegen kann, welche sich teils durch
Erscheinungen der Uebererregung, teils durch direkte Funktions-
herabsetzungen äußert.

Wir können also nur folgern, daß bei der neurasthenischen Muskelschwäche eine direkte Beteiligung des peripheren motorischen Abschnittes an der
funktionellen Störung im allgemeinen unwahrscheinlich ist, jedoch bei Fällen von nervöser Kachexie vielleicht eine, wenn auch nebensächliche Rolle spielt.

Bei dieser Auffassung müssen wir also den Hauptsitz der funktionellen Schädigung in das centrale Nervensystem verlegen. Dabei
erhebt sich aber die Frage, welchen Anteil wir der Hirnrinde und
welchen wir den infrakortikalen (einschließlich der spinalen) Bewegungscentren zumessen wollen. Es kann wohl nicht zweifelhaft sein, daß
ich entsprechend den früheren Auseinandersetzungen über die vor-
waltende Beteiligung der Hirnrinde an dem ganzen Krankheitsprozesse der Ansicht zuneige, daß es hauptsächlich psychische und
kortikomotorische Störungen sind, welche die motorischen Ermüdungs-
und Schwächeerscheinungen zeitigen. Auch habe ich schon im Eingang dieser Vorlesung den psycho-pathologischen Mechanismus skizziert, welcher die motorische Unfähigkeit wenigstens in einem Teil der
Fälle zu erklären imstande ist. Es bleibt aber noch eine große Gruppe
von Neurasthenikern übrig, für welche diese Erklärung nicht ausreicht.

Sie finden nämlich bei den Patienten mit ausgeprägten motorischen
Störungen sehr häufig jenen Komplex von subjektiven und objektiven
Krankheitserscheinungen, welche seit Anfang dieses Jahrhunderts besonders von englischen Aerzten unter dem Begriff der Spinalirritation
zusammengefaßt wurden. In Deutschland hat sich diese Krankheitsbezeichnung seit den 40er Jahren definitiv eingebürgert, seitdem
STILLING derselben eine wissenschaftliche Begründung zu geben versucht hatte. Es ist hier nicht der Ort, die Geschichte der Spinalirritation Ihnen vorzuführen. Ich will Sie nur auf dieselbe aufmerksam machen, weil sie in lehrreicher Weise darthut, zu welch
verhängnisvollen Irrtümern und Fehlern es führen muß, wenn einzelne Krankheitserscheinungen als Krankheiten sui generis beschrieben
werden.

Durch den langwährenden wissenschaftlichen und litterarischen
Streit über die Berechtigung dieses Krankheitsbegriffes ist nur die
eine Thatsache festgestellt worden, daß bei verschiedenen funktionellen
Nervenkrankheiten, unter denen ich hier besonders die Hysterie, Epilepsie und Hypochondrie nenne, sich nicht selten Fälle vorfinden,
welche durch eine gesteigerte Schmerzhaftigkeit der Wirbelsäule ausgezeichnet sind. Der Rückenschmerz, die Rhachialgie,
ist verknüpft mit motorischen Reiz- und Schwächesymptomen sowie
mit zahlreichen neuralgiformen Schmerzen und Parästhesien in den

verschiedensten Körperregionen, am häufigsten in den Extremitäten, Eingeweiden, Genitalien und im Herzen. Die Rhachialgie im engeren Sinne ist gekennzeichnet einerseits durch spontane Schmerzen einzelner Wirbel oder der ganzen Wirbelsäule, welche besonders nach Bewegungen, aber auch beim Stehen, Sitzen, seltener beim Liegen die Kranken peinigen, andererseits durch Schmerzen, welche durch Druck auf die Dornfortsätze, in schwereren Fällen aber auch durch leise Berührungen der Rückenhaut oder ganz geringen Druck der Dornfortsätze und der Wirbelbögen ausgelöst werden.

Wenn es noch eines Beweises dafür bedurft hätte, daß die Spinalirritation als Krankheitsbegriff durchaus wertlos und unberechtigt ist, so würde das gerade die Entwickelung unserer Kenntnisse über die neurasthenischen Krankheitszustände dargethan haben. Es ist wohl heute unbestritten, daß die spinalen Symptome der Neurasthenie immer nur eine Teilerscheinung dieser allgemeinen diffusen Neurose sind und daß bei genauer Untersuchung der Kranken in allen Fällen neben diesen hervorstechendsten Krankheitsmerkmalen sich noch anderweitige charakteristische Symptome der Neurasthenie vorfinden. Denn auch diejenigen Autoren, welche der „Neurasthenia spinalis“ oder Myelasthenie eine gewisse selbständige Stellung einräumen wollen, haben bei der Schilderung des Krankheitsbildes es nicht unterlassen, der psychischen, vasomotorischen, dyspeptischen, sexuellen u. s. w. Symptome Erwähnung zu thun. Die Fälle, die ich Ihnen zuletzt mitgeteilt habe, zeigen das Symptom der Rückenschwäche und des Rückenschmerzes in ausgeprägtem Maße; stellen Sie dasselbe in den Mittelpunkt der Krankheitsschilderung, so können Sie auch hier von einer Neurasthenia spinalis sprechen.

Mit dieser Einschränkung läßt sich im Anschluß an die geschilderten Krankenbeobachtungen das folgende Zustandsbild zeichnen: Die motorische Schwäche und rasche Ermüdbarkeit betrifft vor allem den Rumpf und die unteren Extremitäten; die Kranken sind außerstande, auch nur kurze Zeit aufrecht zu stehen, sie sinken kraftlos zusammen, haschen nach einem Stützpunkt, klagen über unerträgliche Schmerzen, das Gefühl vollständiger Erlahmung. „Die Wirbelsäule bricht zusammen. Ich habe das Gefühl, als ob das Rückenmark abstirbt.“ Unter Aechzen und Stöhnen lassen sie sich auf die Erde niedergleiten, wenn kein anderer bequemerer Ruhesitz ihnen geboten wird. Aber auch in sitzender Stellung werden alle Bewegungen der Wirbelsäule kraftlos ausgeführt, und zwar nicht nur wegen der damit verknüpften Wirbelschmerzen und Hautparästhesien, sondern auch wegen direkter gesteigerter Ermüdungsempfindungen in den Rückenmuskeln. Ferner sind die respiratorischen Bewegungen des Brustkorbs beim Sitzen nur mit größeren Kraftanstrengungen und gesteigerten Ermüdungsempfindungen ausführbar. Die Nahrungsaufnahme, das Kauen, Schlucken machen die gleichen Beschwerden. Beim Gehen genügen schon wenige Schritte in vollentwickelten Fällen, um jede zum Gehakt notwendige aktive Muskelleistung unmöglich zu machen. Die Kranken versuchen dann vergeblich, die Füße vom Boden abzuheben, stehen hilflos zusammengesunken da, ein kraftloses Schwanken und Zittern befällt sie; mit Unterstützung vermögen sie sich dann noch einige Schritte bis zu einem Ruhesitze mühsam weiterzuschleppen. Ein solcher Gehversuch endigt in einer oft stundenlang währenden, todähnlichen Ermattung, in welcher die Kranken zu keinerlei, weder psychischen, noch körperlichen Leistung fähig sind. In den schwersten Fällen sind die Kranken unfähig, allein auch nur einen Schritt zu gehen. Sie sind entweder dauernd ans Bett gefesselt oder werden mühsam morgens angekleidet, wobei die Kranken ängstlich jede aktive Muskelbewegung des Rumpfes und der unteren Extremitäten zu vermeiden bestrebt sind, und verbringen dann den Tag entweder auf einem Ruhebett, ebenfalls in liegender Körperhaltung, oder in bequem konstruierten Krankenstühlen, welche eine halbsitzende Stellung bei vollständiger fester Lagerung der Wirbelsäule gestatten. Hier tritt dann häufig die Klage über die Schwäche der Nackenmuskulatur hervor. „Die Muskeln des Halses und des Nackens sind wie tot, unfähig den Kopf zu halten." Die Pat. bedienen sich beständig eines Nackenkissens, um den durch Ueberanstrengung verursachten quälenden Nackenschmerzen vorzubeugen. Auch in diesen schwersten Fällen kann die Gebrauchsfähigkeit der oberen Extremitäten noch teilweise erhalten sein. Die Pat. sind dann imstande, für kurze Zeit sich mit leichten mechanischen Arbeiten zu beschäftigen. Doch werden auch diese durch die damit verknüpften Schmerzen in den bewegten Extremitäten, dem Rücken, Kopfe u. s. w. möglichst eingeschränkt. Die Kranken unterscheiden diese durch die Bewegung ausgelösten Schmerzen, welche in die Haut, die großen Nervenstämme, Gelenke und Knochen lokalisiert werden, genau von den Ermüdungsschmerzen, welche in den Muskeln selbst durch ihre Thätigkeit hervorgerufen werden. Ich habe auf diesen besonderen Ermüdungsschmerz schon mehrfach hingewiesen. Er ist völlig identisch mit jenen Muskelschmerzen, welche wir alle gelegentlich nach forcierten Muskelleistungen verspürt haben. Die Muskeln sind dann thatsächlich auf Druck besonders schmerzempfindlich.

Es ist mir unmöglich, Ihnen die mannigfachen Abstufungen von der einfachen gesteigerten Ermüdbarkeit bis zu der vollständigen motorischen Hilflosigkeit in einzelnen Krankheitsbildern vorzuführen. Ich werde Ihnen späterhin noch einen exquisiten Fall einer Spinalirritation mitteilen. (S. Krg. No. 30.) Bevor ich aber auf denselben eingehe, müssen wir noch die motorischen Reizerscheinungen betrachten, welche im Zustandsbilde der „Spinalirritation" eine so hervorragende Rolle spielen.

Ich habe sie schon oben bei der Schilderung der gewöhnlichen neurasthenischen „Muskelschwäche" gestreift; diejenigen, welche der Spinalirritation im engeren Sinne eigentümlich sind, stellen nur intensivere Störungen dieser Art dar, sind also grundsätzlich von ihnen nicht verschieden. Ich schalte diesen Satz hier ein, um Ihnen verständlich zu machen, daß die nachfolgende Darstellung dieser Reizsymptome für alle mit Motilitätsstörungen verknüpften Fälle von Neurasthenie Geltung hat, namentlich auch für diejenigen, welche vorübergehend nach relativ starken Muskelleistungen übermäßige Ermüdungssymptome aufweisen.

Wir knüpfen am besten an diese vorübergehenden Zeichen der Uebererregung auf dem Boden der Dauerermüdung an. Als kortikomotorische, zum Teil psychisch bedingte Reizphänomene haben wir die Muskelunruhe kennen gelernt, denn ich erwähnte schon im Eingang dieses Kapitels jene unwillkürlichen, aber koordinierten Muskel- und Gliederbewegungen. Diese Muskelunruhe ist entweder

allgemein, die Patienten sind unfähig, sich auch nur für kurze Zeit
ruhig zu halten, es beherrscht sie ein unwiderstehlicher Drang, mit
den Beinen zu strampeln, mit den Zehen zu spielen, zupfende und
schnippende Bewegungen mit den Fingern auszuführen, den Kopf
ruhelos herumzuwerfen, bald diesen, bald jenen Gegenstand zu ergreifen und mit ihm zu spielen — kurzum immer eine, wenn auch
zwecklose, Thätigkeit auszuführen. Ihr Benehmen gleicht demjenigen
unerzogener Kinder, welche noch nicht gelernt haben, ihre Muskelthätigkeit zu beherrschen. Diese allgemeine Muskelunruhe hängt in
einer großen Zahl von Fällen zweifellos von psychischen Erregungen
ab und steht auf einer Stufe mit den schon früher als Affekt- resp.
Angstbewegungen geschilderten Vorgängen. In anderen Fällen sind
sie Folgezustände von gesteigerten motorischen Arbeitsleistungen;
während die Kranken, erschöpft und überermüdet, sich nach Ruhe
sehnen, peinigt sie dieses Stadium der motorischen Uebererregung.
Wie schon früher erwähnt, ist dieser gesteigerte Bewegungsdrang besonders nachts vor dem Einschlafen, wenn die überreizten Kranken
glauben, endlich Ruhe finden zu können, vorhanden.

Krg.
No. 27.
     Eigentümliche Krampfbewegungen bot ein 40-jähriger Postbeamter,
welcher, hereditär belastet, von Jugend auf schwächlich und nervös gewesen war. Nach einer langwierigen Influenza hochgradiger geistiger
und körperlicher Erschöpfungszustand. Während der Berufsarbeit
(Schalterdienst) stellten sich seit dieser Zeit Anfälle von geistiger Betäubung mit Erschwerung der Sprache („ich konnte nicht sinnent-
sprechend antworten, die Zunge war wie gelähmt") ein; mußte er dann
schreiben, so versagte die rechte Hand den Dienst. Es traten
dann gelegentlich veitstanzähnliche Bewegungen der
Hände auf, Greifbewegungen der Arme, „ich reckte
den Kopf wie ein Neugieriger, ich will dies alles nicht, es
widerspricht meinem Naturell, ich wundere mich selbst darüber." Nachts
Muskelunruhe in den Beinen und fibrilläre Zuckungen. Zugleich
das Gefühl von Schwäche in den Armen und Beinen, „wie gelähmt
und ohnmächtig, als ob die Gelenke gelöst wären und die Glieder ab-
fielen".

    Von diesen Zuständen ist zu unterscheiden die partielle
Muskelunruhe oder vielleicht richtiger gesagt, der partielle
Muskelkrampf. Sie wissen, daß Krampfzustände von tonisch-
klonischem oder, ausschließlich klonischem Charakter in einzelnen
Muskeln oder Muskelgruppen resp. Nervenmuskelgebieten als isolierte
Krankheitsphänomene bei sog. neuropathischen Individuen vorübergehend, aber auch dauernd bestehen können, ohne daß im übrigen
die Zeichen der Neurasthenie oder einer anderen großen Neurose
deutlich ausgeprägt sind. Ich erinnere Sie an den Spasmus nictitans
(klonischer Lidkrampf), den Trismus (Kaumuskelkrampf), den Tic
convulsif (mimischer Gesichtskrampf), den Accessoriuskrampf, den
Nickkrampf („Salaamkrampf") u. s. w. Alle diese Krampfformen werden
auch im Verlaufe der Neurasthenie entweder vereinzelt beobachtet
oder sie treten als kombinierte Muskelkrämpfe in den verschiedensten
Gebieten auf. Es handelt sich hier meist um vorübergehende Krankheitserscheinungen entweder im Anschluß an einen psychischen Shock
oder im Verlaufe von Exacerbationen, welche durch die verschiedensten körperlichen Ursachen bedingt sein können. Am häufigsten

werden als veranlassende Momente Ueberanstrengungen oder interkurrente fieberhafte Erkrankungen angegeben.

Ich habe einen Fall beobachtet (25-jähriger hereditär belasteter Neur- Krg. No. 28.
astheniker), in welchem sich im Anschluß an eine Influenza ein mehrere
Monate lang bestehender linksseitiger kombinierter Muskelkrampf entwickelt hatte. Es traten bei leichten psychischen Erregungen, z. B. beim
Betreten eines Zimmers, in welchem eine größere Gesellschaft versammelt
war, zuckende Bewegungen in der Gesichts-, Hals-, Nacken-, Schulter-
und Armmuskulatur auf, durch welche der Kopf in rhythmischer Weise
5—6mal der linken Schulter genähert und die Schulter und der Arm
emporgeschleudert wurde. Der Patient konnte diesen Anfällen entgehen,
wenn er z. B. vor dem Betreten eines Gesellschaftszimmers einige Augenblicke vor der Thüre stille stand. Bemerkenswert ist, daß neben diesen
motorischen Reizerscheinungen ein lebhaftes Erröten beider Gesichtshälften
auftrat. Dieses Erröten, welches der gebildete Kranke selbst als Verlegen-
heitsaffekt bezeichnete, hatte schon früherhin bestanden und peinigte den
Kranken sehr. Ein Aufenthalt im Hochgebirge, welcher eine erhebliche
Kräftigung des Allgemeinbefindens herbeiführte, brachte diese Krampf-
attacken zum Schwinden, während das anfallsweise Erröten fortbestand.

Sodann möchte ich Sie darauf aufmerksam machen, daß die
als Beschäftigungsneurosen beschriebenen Krampfzustände
(Schreibkrampf, Klavierspielkrampf, Violinspielkrampf, Näherinnen-
krampf) ebenfalls bei neurasthenischen Individuen beobachtet werden
können. Alle diese Reizerscheinungen auf motorischem Gebiete
treten auf, ohne daß die früher geschilderten motorischen Erschöpfungszustände gleichzeitig vorhanden sind. In welchen Central-
teilen des kortikomotorischen Systems sie ausgelöst werden, ist noch
völlig unaufgeklärt; ich neige der Ansicht zu, daß wir es hier mit
Erregungsvorgängen zu thun haben, die in infrakortikalen motorischen
Centren ihren Sitz haben, und daß sie teils durch psychische resp.
kortikale Irradiationen, teils durch Reflexvorgänge ausgelöst werden.
Wir wenden uns nun den Krampferscheinungen zu, welche typisch
mit ausgeprägten motorischen Schwächezuständen vergesellschaftet
sind und am deutlichsten bei den oben als Spinalirritation gekennzeichneten Fällen beobachtet werden können. Hier steht in erster
Linie der Tremor. Sie werden hier zuerst jenen affektiven
Tremor ausscheiden müssen, welcher als Begleit- oder Folgeerscheinung der neurasthenischen Gemütserregung so sehr häufig ist. Derselbe tritt uns auch bei Kranken entgegen, welche keine oder nur
geringfügige motorische Erschöpfungszustände darbieten. Hier ist
der Tremor nicht ein allgemeiner, doch findet er sich auch
beschränkt auf einzelne Körperregionen, z. B. auf Kopf und Hals
oder die oberen Extremitäten, besonders die Hände. Sind die
Patienten in geistigem und körperlichem Ruhezustand, so finden Sie
keine Spur dieses Tremors; er tritt erst auf, wenn die Kranken sich
beobachtet wähnen, wenn sie beunruhigt sind durch pathologische
Organempfindungen, durch Schmerzanfälle oder durch die früher erwähnten intellektuellen Störungen. Er kann sich zu einem förmlichen
Anfall eines allgemeinen oder lokalisierten Schütteltremor verstärken,
welcher, wenn gleichzeitig vasomotorische Störungen vorliegen, auch
Schüttelfrost vortäuscht.

Der einfache Affekttremor ist ein feines, schnelles Zittern

(tremblement vibratoire, PITRES) mit unregelmäßigen Oscillationen sowohl hinsichtlich der Häufigkeit als auch der Exkursionsweite. Man hat mit Recht darauf aufmerksam gemacht, daß Verwechslungen mit dem alkoholistischen Zittern sehr naheliegen. Auch mit den feinen Zitterbewegungen bei Morbus Basedowii hat man diesen Tremor verglichen; ich glaube, daß es sich dann nicht mehr um einen einfachen affektiven Tremor handelt. Denn Sie finden diese beschleunigten, feinen und irregulären Oscillationen immer im Anschluß an stärkere Muskelleistungen, vorzugsweise bei schlecht ernährten, muskelschwachen Individuen. Es liegt dann vielmehr ein asthenischer Tremor im Sinne von GOWERS vor. Die Unterscheidung vom affektiven Tremor wird dadurch erschwert, daß gerade im Zustande von motorischer Ermüdung die affektive Erregbarkeit gesteigert ist und demzufolge die geringfügigsten Anlässe den Affekttremor auslösen.

Damit ist aber der Schwierigkeit Erwähnung gethan, welche einer scharfen Gliederung des neurasthenischen Tremors überhaupt im Wege steht.

Bei den hereditär bedingten Neurasthenien, und zwar vorzugsweise bei weiblichen Kranken, sind ganz fließende Uebergänge zu den verschiedenen Arten des hysterischen Tremors vorhanden, welche neuerdings durch die CHARCOT'sche Schule eine sorgfältige Bearbeitung erfahren haben. Am häufigsten ist jene Mischform zwischen dem vorstehend erwähnten Affekttremor und dem remittierenden Intentionstremor. Die im ganzen rhythmisch erfolgenden Oscillationen von größerer Exkursionsweite und langsamerer Aufeinanderfolge der einzelnen Schwingungen (5—7 Oscillationen in der Sekunde) entstehen bei jeder Muskelleistung und nehmen an Dauer und Intensität zu, sobald die motorisch außerordentlich geschwächten Individuen irgend einer körperlichen Anstrengung sich aussetzen müssen. Es entstehen dann allgemeine Schüttelbewegungen, die in der Ruhe ganz langsam abklingen. Dieser Intentionstremor wird aber weiter beeinflußt durch Gemütsbewegungen.

Krg. No. 29. Ich beobachte seit Jahren eine jetzt 50-jährige Dame, erblich sehr belastet, welche seit ihrer Jugend gelegentlich an Zittern der oberen Extremitäten bei längeren Handarbeiten oder allgemeiner körperlicher Ermüdung (Bergsteigen) litt, seit Mitte der 20er Jahre im Anschluß an eine Puerperalaffektion (Parametritis?) paraparetische Erscheinungen der unteren Extremitäten darbot, die niemals wieder ganz geschwunden sind. Als ich die Pat. zum erstenmal sah, wurde folgender Status erhoben:

Subjektive Beschwerden: Schlaflosigkeit (oft nur $1\frac{1}{2}$ Stunden Nachtschlaf), diffuse Kopfschmerzen, bohrende Schmerzen hinter den Augäpfeln, Lichtscheu, Ohrensausen und Glockengeläute, erhöhte psychische Reizbarkeit, unbestimmte Angst- und Furchtaffekte, hochgradigste Erschöpfung, welche durch geringfügige geistige und körperliche Anstrengungen oder Gemütsbewegungen zu ohnmachtsähnlichen Schwächezuständen gesteigert werden konnte. In diesen Anfällen versagte die Zunge vollständig; die Lider sanken schwer herab, sie konnte die Augen nicht mehr öffnen; unwillkürlicher Urinabgang. Einmal fiel sie um, als sie sich im Beginn des Anfalles nicht gleich hinsetzen konnte. Einmal im Anfalle heftiges Erbrechen. Dauer der Anfälle, in welchen die Besinnung völlig erhalten war, bis zu 2 Stunden. Doch geschah es auch, daß nach einem solchen Anfalle die Pat. mehrere Tage schwer besinnlich, „regungslos wie Blei" im Bette lag. Dabei viel Kopfhitze und „Todesangst". Die Hauptklagen bezogen sich auf die Insufficienz der motorischen Leistungen. Schon geringfügige Leistungen, z. B. längeres Halten eines Buches, das Schreiben einer Briefkarte, die Handbewegungen beim Essen, Spaziergang durch den Garten, lösten in den Zeiten der „Abspannung" lähmungsartige Zustände in den bewegten Gliedern aus, die stundenlang andauerten. So versagte einmal beim Einsteigen in einen Wagen der rechte Fuß, sie konnte ihn absolut nicht hochheben, oder der Löffel fiel ihr aus der Hand, oder beim Heben eines Gegenstandes erlahmte plötzlich der Arm, „er war wie angewachsen". Alle diese Schwächeanfälle betrafen überwiegend die rechte Körperhälfte. Am störendsten waren die Zitterbewegungen, welche seit 7 Jahren mit sehr wechselnder Intensität („je nachdem ich körperlich und geistig in Anspruch genommen werde") die motorische Schwäche begleiteten. Sowohl in den Armen als auch in den Beinen stellte sich dann bei jeder intendierten Bewegung ein immer stärker werdendes Zittern ein: zuerst bestanden feine, schnelle, unregelmäßig aufeinander folgende Oscillationen, welche sich auch zu groben, ausgiebigen, stoßweisen Schüttelbewegungen steigerten; die Kranke war unfähig, irgend eine Willkürbewegung zu Ende zu führen, wenn diese zweite Phase des Tremors hinzutrat. Bei langem Sprechen geriet auch die Zunge in zitternde und schwankende Bewegung. — Zu erwähnen sind noch heftige Rückenschmerzen, rheumatisches Ziehen in den Beinen, besonders rechts. Armschmerz.

Objektiver Befund· Sensibilität intakt; Druckpunkte überall längs der Wirbelsäule; VALLEIX'scher Punkt, Mammal- und Scapularpunkt rechts. Reflexe allgemein sehr gesteigert (Fußklonus).

Man wird darüber streiten können, ob dieser und ähnliche Fälle noch den einfacheren funktionellen Erschöpfungszuständen der Neurasthenie oder der Hysterie zugerechnet werden sollen. Das Fehlen aller hysterischen Paroxysmen spricht für die erstere Annahme, ebenso der Mangel von Sensibilitätsstörungen, während das vorwaltend hemilaterale Auftreten der spontanen und Druckschmerzen, der motorischen Schwäche und des Tremors außerhalb des Bildes der einfachen Neurasthenie gelegen sind. Besonders die französischen Autoren haben im Hinblick auf diese diagnostischen Schwierigkeiten eine Zwischenform der Hystero-Neurasthenie geschaffen. Wir können vorerst diese Beobachtung unter diese Rubrik einreihen, ich habe sie hauptsächlich hier angeführt, weil sie auch eine Mittelstellung einnimmt hinsichtlich des Zitterns. Sie leitet uns nämlich hinüber zu jenen mehr lokalisierten Tremorerscheinungen, welche wir bei den motorischen Erschöpfungszuständen der sog. spinalen Neurasthenie vorfinden.

Das hauptsächlichste Merkmal dieses Erschöpfungstremors besteht darin, daß die Bewegungen langsamer und gröber als bei dem Affekt- und dem Ermüdungstremor erfolgen. Er gehört zu dem klonusartigen Zittern (tremblement trépidatoire, PITRES). Er verbindet sich mit anderweitigen spastischen Phänomenen, befällt vorzugsweise die unteren Extremitäten, ist am deutlichsten, wenn die Kranken sitzen oder stehen, und verliert sich bei völliger Ruhe, während jeder Versuch einer aktiven Muskelleistung (das Heben, Beugen der Beine, oder vor allem Gehversuche) ihn sofort steigert. Man wird ihn am besten vergleichen mit dem Tremor bei der sog. spastischen Paraplegie.

Es frägt sich, ob diese Form des spastischen Zitterns überhaupt noch den einfachen Zitterbewegungen zuzurechnen ist, da unmerkliche Uebergänge zu anderen spasmodischen Erscheinungen in den paretischen Gliedern bestehen, welche deutlich als reflektorisch erregte tonische Krampfzustände erkannt werden können. Es genügt z. B. im Einzelfalle, eine leichte passive Beugung in einem Kniegelenk auszuführen, um das Bein in zitternde und schüttelnde Bewegungen zu versetzen. Wird die gleiche Beugung etwas rascher ausgeführt, oder verstärkt man dieselbe unvermittelt, so tritt ein tonischer Krampf zuerst in der Streckmuskulatur und schließlich in der ganzen Muskulatur des Oberschenkels auf. Das Gleiche können Sie auch bei aktiven Innervationsversuchen beobachten: erst spastisches Zittern und dann tonischer Krampf in dem mühsam bewegten Glied.

Man wird also keine scharfe Grenze zwischen den ausgeprägteren Muskelspasmen und den arhythmisch unterbrochenen zitternden Muskelkontraktionen bei der „Myelasthenie" ziehen können. Die Hauptsache ist, daß es sich hier um reflektorisch erregte Krampfzustände in paretischen Gliedern handelt, die bald nur einzelne Muskeln (z. B. Quadriceps femoris oder die Wadenmuskulatur), bald größere Muskelgruppen oder schließlich ganze Körperabschnitte betreffen. Sie werden ausgelöst nicht nur durch Willkürbewegungen oder passive Dehnungen der Muskeln und Sehnen, sondern auch durch Hautreize, wie Sie z. B. in dem Falle L. (Krg. No. 24) deutlich erkennen können. Nicht alle Beobachtungen von ausgeprägter Erschöpfungsparese bieten diese spasmodischen Erscheinungen dar. Hingegen werden Sie niemals die fibrillären Zuckungen vermissen, welche besonders in der Oberschenkelmuskulatur (im Vastusgebiet und in den Adduktoren) häufig sind. Gerade in diesen Muskelgruppen werden sie gelegentlich so massenhaft, daß ein „Wogen" des Muskels beobachtet wird.

Auf die Hautreflexe und die Sehnenphänomene werden wir später im Zusammenhange nochmals zu sprechen kommen. Hier möchte ich nur einschalten, daß die gesteigerte Reflexerregbarkeit und die dadurch bedingte Erhöhung des Muskeltonus (die Erzeugung intermittierender Spasmen und tonischer Muskelkontraktionen) beim Streichen der Haut und Beklopfen des Muskels oder der Sehnen unverkennbar zu Tage tritt. Sie können sowohl Patellar- als auch Fußklonus mit Leichtigkeit erzeugen.

Die Kombination von spastischen und paretischen Symptomen besitzt eine eminente klinische Bedeutung, indem sie nicht selten das Krankheitsbild eines organischen Spinalleidens vortäuschen kann. In den beiden Beobachtungen (Krg. No. 29 u. 30) ist von verschiedenen Kollegen die Diagnose auf eine organische Läsion gestellt worden, und ich bin selbst längere Zeit im Zweifel gewesen, ob hier ein rein funktionelles Leiden vorliege. Die Krankheiten, die in Frage kommen können, sind die Transversalmyelitis, die multiple Sklerose und die freilich noch strittige Lateralsklerose. Die ganze Entwickelung und der Krankheitsverlauf, sowie die Gruppierung der Symptome weisen aber unzweideutig auf den funktionellen Charakter dieser Störungen hin. Ich mache Sie besonders in letzterer Beziehung auf den psychischen Status aufmerksam.

Sie werden aber auch akut einsetzenden, schweren Erschöpfungszuständen begegnen, bei welchen die spinalen Symptome sowohl bezüglich der Lokalisation der Schmerzempfindungen als auch der motorischen Reiz- und Schwächesymptome vorwiegen. Ich will Ihnen einen solchen Fall hier nur kurz skizzieren:

Ein Geistlicher im Anfang der 40er Jahre, intellektuell sehr hochstehend, hereditär angeblich nicht belastet, von gracilem Körperbau, anämischem Habitus, geringer motorischer Leistungsfähigkeit, erkrankte, nachdem er früher schon mehrmals paroxystisch auftretende neurasthenische Beschwerden dargeboten hatte (Kopfdruck, Schlaflosigkeit, psychosensorische Hyperästhesie), an folgenden Erscheinungen: heftigstem diffusen Kopfschmerz, Lichtscheu, Ohrensausen, absoluter Schlaflosigkeit, allgemeiner Kraftlosigkeit, stechenden, bohrenden und brennenden Schmerzen im Bereich der ganzen Wirbelsäule, welche über den ganzen Thorax und die seitlichen und vorderen Bauchflächen ausstrahlten, fast völliger Unfähigkeit, die unteren Extremitäten aktiv zu bewegen, brennenden, flächenhaft ausgedehnten Schmerzen in der Haut der unteren Extremitäten, stechenden und bohrenden Schmerzen in beiden Knie- und Fußgelenken, schmerzhaften Ermüdungs- und Spannungsempfindungen besonders in der Wadenmuskulatur. Die Untersuchung ergab: Hochgradige psychische Erregbarkeit, Jaktation der Vorstellungen, zahlreiche hypochondrische Ideen, gesteigerte Gemütsreizbarkeit, Angstzustände, anfallsweise auftretendes heftiges Weinen, zahlreiche Druckschmerzpunkte am Kopfe, enorme Druckschmerzempfindlickeit der Wirbelsäule längs der Dornfortsätze, interkostale Druckschmerzpunkte am ganzen Thorax, Iliakaldruckschmerz beiderseits, leise Berührung des Skrotums und der Testikel außerordentlich schmerzhaft; hochgradige Hyperästhesie und Hyperalgesie der Haut des Abdomens und beider unteren Extremitäten; aktive Bewegungen der Arme frei, aber kraftlos, keine spastischen Phänomene in den oberen Extremitäten; keine Störungen der Sensibilität; die unteren Extremitäten hochgradig paretisch; der Pat. ist in der Rückenlage nur imstande, die Beine etwa 1 cm hoch mühsam von der Unterlage zu erheben; bei jedem Versuch treten starke zitternde und schüttelnde Bewegungen im ganzen Gliede auf; die Muskeln des Oberschenkels geraten in tonischen Krampfzustand, Beugungen im Kniegelenk können nur spurweise ausgeführt werden, indem sofort ein Krampf im Quadriceps femoris auftritt; Plantar- und Dorsalflexionen werden ganz langsam und wenig ausgeführt; die Zehen werden gut bewegt; passive Bewegungen sind in sämtlichen Gelenken sehr schmerzhaft: rasche Streckungen und Beugungen im Knie- und Fußgelenk werden außerdem durch die eintretenden Spasmen erschwert; ausgeprägter Patellar- und Fußklonus; keine objektiv nachweisbaren Sensibilitätsstörungen; Blase und Mastdarm frei; Pat. klagt nur über lästige, schmerzhafte Erektionen während der Nacht und krampfhafte Empfindungen in der Blasengegend. Dieser Zustand hatte sich infolge angestrengter beruflicher Thätigkeit (gehäufte Predigten während der Feiertage, öffentliche Reden in Volksversammlungen, vermehrte Nachtarbeit u. s. w.) und gemütlicher Erregungen ziemlich plötzlich eingestellt, nachdem Schlaflosigkeit, geistige und körperliche Ueberermüdung schon längere Zeit vorher bestanden hatten.

Die Diagnose war anfänglich auf eine Leptomeningitis spinalis ge-

Krg. No. 30.

stellt worden, während ich einen funktionellen Erschöpfungszustand des
ganzen Centralnervensystems mit vorwaltender Beteiligung der Medulla
spinalis als die Grundlage dieser Krankheitserscheinungen annahm. Bei
absoluter geistiger und körperlicher Ruhe, roborirender Diät, Darreichung
von Bromsalzen trat im Verlauf von 4 Wochen eine erhebliche Besserung ein. Die spinalen Schmerzen, die kutane Hyperalgesie, die motorische Parese und die Spasmen in den unteren Extremitäten schwanden
vollständig, es bestand nur noch eine hochgradige Kraftlosigkeit resp.
rasche Ermüdbarkeit in allen Muskelgebieten, vornehmlich aber der
unteren Extremitäten, Schlaflosigkeit, Hyperakusis, Unfähigkeit zu geistiger
Arbeit und Gemütsreizbarkeit. Ein längerer Gebirgsaufenthalt brachte
völlige Genesung.

Aber auch zur Beantwortung der eingangs angeregten Fragen
über den mutmaßlichen Sitz dieser motorischen Störungen bieten
diese Fälle sehr wertvolle Unterlagen. Sie weisen mit Bestimmtheit
darauf hin, daß auch die infrakortikalen einschließlich der spinalen
motorischen Centralapparate an dem Krankheitsprozeß sehr stark beteiligt sein können. Ich unterlasse es dabei, aus den im Eingang
dieses Buches erörterten Gründen die Frage eingehend zu diskutieren,
wohin wir vom anatomischen Standpunkte aus die spinalen Erschöpfungszustände lokalisieren sollen. Ob es sich, ganz abgesehen
von den grauen Massen der Stammganglien des Kleinhirns und des
verlängerten Marks, um gestörte Ernährungsvorgänge in den motorischen Vorderhornzellen oder den Endbäumen der kortikofugalen
Neurone oder in den Strangzellen u. s. w. handelt; ob die supponierte
Molekularschädigung auf einzelne Segmente beschränkt oder ob das
ganze Rückenmark gleichmäßig beteiligt ist, wer vermag dies zu entscheiden bei einem Krankheitsvorgang, welcher bleibende anatomische
Veränderungen in der Regel nicht hervorbringt [1]?

Wir fassen demgemäß den Begriff der motorischen Centralapparate hier als einen rein funktionellen auf und wollen darunter den
Mechanismus verstehen, welcher einerseits vom Cortex herstammende
Erregungen aufnimmt, umsetzt und weiter fortpflanzt, und andererseits Reflexaktionen vermittelt, welche durch centripetal-anlangende
Reize ausgelöst werden. Wir haben in den früheren Vorlesungen
eingehender die verschiedenartigen Wechselbeziehungen zwischen den
kortikalen und infrakortikalen resp. spinalen Centralapparaten erörtert.
Es geht aus jenen Betrachtungen hervor, daß letztere nur eine sehr
begrenzte funktionelle Selbständigkeit besitzen, indem zahlreiche und
mannigfache hemmende und bahnende Einflüsse auf sie vom Cortex
her wirksam sind, welche ihre Thätigkeit bald in dieser, bald in jener

---

1) Die Frage ist durchaus noch offenstehend, ob nicht bei jahrelangem Bestande dieser paretischen Zustände schließlich anatomische Veränderungen nicht nur in den dauernd unthätigen Muskeln, sondern auch
in den peripheren und centralen Abschnitten des Nervensystems auftreten können. Mir selbst stehen nach dieser Richtung einwandsfreie
Erfahrungen nicht zur Verfügung, ich möchte aber auf die analogen
Fälle bei der Hysterie wenigstens hinweisen, welche die Möglichkeit
sicherstellen, daß chronisch gewordene funktionelle Störungen Ausgangspunkte von anatomischen Veränderungen werden.

Richtung pathologisch beeinflussen können. Dies schließt aber keineswegs aus, daß sie selbst der Sitz von Funktionsstörungen sind. Die klinische Erfahrung weist uns darauf hin, daß diese funktionelle Schädigung bei den neurasthenischen Krankheitszuständen hauptsächlich in der ungenügenden Anspruchsfähigkeit auf kortikale Reize (sog. Willkürerregungen) besteht, während zu gleicher Zeit die Reflexaktionen in erhöhtem Maße vorhanden sind. Doch giebt es sicherlich auch bei der Neurasthenie noch weitergehende Schädigungen dieser untergeordneten Centralapparate, indem auch die Reflexthätigkeit herabgemindert ist.

Was wir hier für die ausgesprochenen Fälle paretischer und spastischer Störungen der sog. Myelasthenie als feststehend erachten, gilt wohl bis zu gewissem Maße für alle Fälle neurasthenischer motorischer Funktionsstörungen. Denn auch die einfache gesteigerte Ermüdbarkeit, welche wir im Beginn dieser Vorlesung als ein charakteristisches Merkmal dieser Krankheit kennen gelernt haben, kann auf einen geringeren Vorrat von potenziellen Energien in diesen Abschnitten beruhen. Hierfür sprechen die, wenn auch rasch vorübergehenden, so doch hinsichtlich der motorischen Unfähigkeit der unteren Extremitäten durchaus gleichwertigen Anfälle motorischer Erschöpfung, welche wir bei „muskelschwachen" Neurasthenikern gelegentlich nach größeren Anstrengungen (längeren Märschen u. s. w.) beobachten können, und ferner die heftigen, zweifellos reflektorisch erregten Muskelzuckungen in der Beuge- und Adduktorenmuskulatur des Oberschenkels oder die umschriebenen Wadenkrämpfe (Crampi), von welchen die Kranken besonders des Nachts nach ausgedehnteren Gehübungen befallen werden. Sie sehen also, daß ich eine Mitbeteiligung der unterhalb der Rinde gelegenen Abschnitte des Centralnervensystems auch für die einfacheren Störungen der Motilität durchaus nicht ablehne, obgleich, wie ich nochmals hervorheben möchte, der Hauptanteil den motorischen Rindencentren zufällt.

Bevor wir dieses Gebiet verlassen, muß ich noch einige besondere Motilitätsstörungen besprechen, welche ein erhöhtes praktisches Interesse besitzen. Koordinationsstörungen (im Sinne der wahren infrakortikal bedingten Ataxie) werden bei der Neurasthenie nicht beobachtet. Vor allem finden wir niemals, selbst bei den schwersten Fällen der Myelasthenie, die schleudernden und stampfenden Gehstörungen, welche für die Tabes dorsalis charakteristisch sind. Auch grobe ataktische Störungen der oberen Extremitäten kommen nicht vor. Hingegen werden Störungen feinerer komplizierterer koordinatorischer Akte bei muskelschwachen, ermüdeten Individuen gar nicht selten beobachtet. Die feineren Bewegungen der Hand, vor allem beim Schreiben, sodann bei weiblichen Handarbeiten und anderen mechanischen Beschäftigungen werden dann schwankend, unsicher, ungeschickt. Auch die Koordinationsstörung der artikulatorischen Bewegungen in den Zeiten körperlicher Erschöpfung ist oft deutlich ausgeprägt. Die Sprache wird stockend, unsicher. Es treten litterale Störungen auf, indem Verwechslungen einzelner Konsonanten stattfinden, ähnlich wie wir dies ja bei völlig gesunden Menschen bei Zerstreutheit oder in Zeiten der Ermüdung vorfinden. Gröbere artikulatorische Störungen sind der Neurasthenie nicht eigentümlich. Ich will hier ein Beispiel anreihen.

Ein hereditär belasteter Kollege, intellektuell sehr gut begabt, aber
seit den Studienjahren zeitweilig an geistigen Erschöpfungszuständen,
verbunden mit zahlreichen körperlichen Beschwerden, leidend, wurde infolge anstrengender beruflicher Thätigkeit und in direktem Anschluß an
einen subakut verlaufenden multiplen Gelenkrheumatismus von einem
erneuten Anfall heimgesucht. Seine Hauptbeschwerden waren: 1) Abnahme des Gedächtnisses, Vergeßlichkeit in alltäglichen, meist nebensächlichen Dingen, 2) Störungen des Schlafes, 3) Parästhesien, 4) Sprachstörungen. Ich gehe hier nur auf letztere ein und füge seine eigene
Schilderung an: Ausfall von Buchstaben und Versetzen von Buchstaben
und Silben, z. B. boß statt bloß, Künster statt Künstler, Teppe statt
Treppe, Benandlung statt Behandlung, Gesichtsfel statt Gesichtsfeld.
Meist wird ein später kommender und in Gedanken vorschwebender
Buchstabe an unrichtiger Stelle zu früh eingesetzt, z. B. broße Brust
statt bloße Brust, Lettungs . . . statt Rettungsleiter. Pat. hatte das Wort
nur in seinen ersten Silben ausgesprochen und dann abgebrochen, weil
er den Sprachfehler bemerkte. Solche Störungen traten nur selten auf.
Pat. wurde durch sie sehr beunruhigt, da in ihm der Gedanke an eine
beginnende progressive Paralyse auftauchte. Sehr interessant ist seine
Angabe, daß er vielleicht psychisch infiziert worden sei durch das Silben-
stolpern eines Mannes (wirklicher Paralytiker), den er täglich besuchte.
Er hat diese Besuche aufgegeben, um der Furchtvorstellung, daß er an
gleicher Sprachstörung leide, sich zu entziehen. Nachdem ihm durch
eine gründliche Untersuchung seines somatischen Zustandes die Grund-
losigkeit seiner hypochondrischen Vorstellungen überzeugend dargethan
und eine Erholungsreise verordnet worden war, schwanden mit den hypochondrischen Befürchtungen auch die Sprachstörungen.

     Von wesentlicher Bedeutung für das Zustandekommen solcher
S p r a c h s t ö r u n g e n ist die gesteigerte affektive Erregbarkeit. Kranke,
die in Zeiten gemütlicher Ruhe durchaus korrekt und fließend sprechen,
überstürzen sich bei Angst- und Zornaffekten im sprachlichen Ausdruck; oder der Affekt bedingt Hemmungen, die Worte werden nur
stockend und stammelnd hervorgebracht, ähnlich wie wir dies bei der
hysterischen Sprachstörung vorfinden. Auf die Schädigung des sprachlichen Ausdrucks infolge intellektueller Ermüdungsvorgänge habe ich
schon in einer früheren Vorlesung hingewiesen. Ich habe Sie darauf
aufmerksam gemacht, daß bei einzelnen Kranken Kontrastvorstellungen
statt der gesuchten Begriffsvorstellung auftauchen, z. B. weiß statt
schwarz. Obgleich in der Mehrzahl der Fälle die Kranken sofort
diese fehlerhafte associative Thätigkeit selbst wahrnehmen und korrigieren, so wird doch gelegentlich die zugehörige Sprechbewegungs-
vorstellung innerviert und das falsche Wort also ausgesprochen.
Auch die sprachliche Verquickung inhaltlich nahe verwandter Rede-
wendungen ist ein Zeichen der gelockerten Associationsthätigkeit.
v. Hösslin citiert ein gutes Beispiel dieser Art; aus „die nötigen
Schritte thun und alle Vorkehrungen treffen" wird gebildet „die nötigen
Schritte treffen". Auf gleicher Stufe stehen die Verdrehungen einzelner sprichwörtlicher Redensarten, z. B. aus: „es ist noch nicht aller
Tage Abend" wird „es ist noch nicht aller Abend Tage". v. Hösslin
erwähnt außerdem noch eine syntaktische Sprachstörung, bei welcher
es zu völlig neuen Wortbildungen und zur Aneinanderreihung von
durchaus nicht zusammengehörigen Worten kommt. Er hat dies bei

einem schweren Fall von Neurasthenie beobachtet: Der Kranke war
so willenlos und ließ sich so gehen, daß er wie ein schwer paranoisch
Erkrankter sprach. Es genügte, ihn gehörig wegen seines schwachen
und energielosen Wesens auszuschelten, um ihn wieder normal sprechen
zu lassen. Man wird diese Art sprachlicher Inkohärenz als ein Zeichen
der intellektuellen (associativen) Ueberermüdung auffassen müssen.
Verstärkt werden diese neurasthenischen Sprachstörungen durch das
Auftreten bestimmter nosophobischer Vorstellungen, wie die obige
Krankengeschichte sehr instruktiv darthut.

Die gleiche Betrachtungsweise werden wir bei der Analyse der
S c h r e i b s t ö r u n g e n anwenden können. Hier treten uns die nämlichen
feineren Koordinationsstörungen entgegen: Versetzen und Auslassen
von Buchstaben und Silben, undeutliche zitterige Schrift mit ungleich
großen, oft schwer lesbaren Buchstaben. Besonders die Endsilben
der Worte stellen ein undeutliches Gekritzel dar. Die Schrift ist
ferner ausgezeichnet durch angefangene unvollendete Worte und abgerissene Satzbildungen. Diese Störungen sind aber nur in schweren
Fällen neurasthenischer Erschöpfung in gehäuftem Maße vorhanden
und können dann geradezu die paralytische Schriftstörung vortäuschen.
Sie geben zu den weitgehendsten hypochondrischen Befürchtungen
Veranlassung und werden ebenfalls durch Angstaffekte und nosophobische Vorstellungen erheblich verstärkt.

Ein junger Kollege, der bei mir als Volontärarzt fungierte, war auf ^{Krg.}
Grund schwerer hereditärer Belastung, erschöpfender Blutverluste (Men- ^{No. 32.}
suren während der Studienzeit) und der Examensarbeiten in schwere
Neurasthenie verfallen. Der 24-jähr. junge Mann wurde besonders beunruhigt durch Störungen der Schrift, wie sie vorstehend erwähnt wurden.
Es setzte sich in ihm die Vorstellung fest, daß er an Paralyse erkrankt
sei. Während eines Urlaubs, der ihm zu seiner Erholung erteilt wurde,
beging er in einem heftigen Angstanfall Selbstmord.

Ebenfalls durch Affektstörungen und nosophobische Vorstellungen
sind k o o r d i n a t o r i s c h e S t ö r u n g e n d e s G e h e n s u n d
S t e h e n s (ROMBERG'sches Phänomen, breitspuriger, taumelnder Gang)
bedingt, welche die Patienten mit vorwaltend spinalen Schwächesymptomen nicht allzu selten darbieten. Sie geben zu diagnostischen
Verwechslungen mit der Tabes Veranlassung.

Eine besondere Beachtung verdienen ferner die motorischen
Störungen der a s s o c i i e r t e n A u g e n b e w e g u n g e n, welche beim
einfachen und direkten Sehen nötig sind. Bei allgemeiner motorischer
Schwäche sind Ermüdungserscheinungen im Gebiete der äußeren
Augenmuskeln recht häufig vorhanden. Am schärfsten ausgeprägt
sind sie bei neurasthenischen Kranken, welche durch ihre Berufsthätigkeit zu einer einseitigen und übermäßigen Anstrengung des Seh-
organs gezwungen sind.

Es sind hier vor allem die Geometer zu nennen, welche bei
ihren Vermessungsarbeiten unaufhörlich Konvergenz- und Divergenz-
bewegungen, Verschiebungen des Blicks in wagerechter Ebene und
Hebungen und Senkungen des Blicks ausführen müssen. Am meisten
sind die Accommodationsbewegungen der Ermüdung ausgesetzt, und dementsprechend finden wir auch diese Bewegungen am ehesten geschädigt
(A s t h e n o p i a a c c o m m o d a t i v a). Wahrscheinlich besteht neben
der Ermüdung der Recti interni auch eine solche des Accommodations-

muskels bei dieser neurasthenischen Sehstörung. Die Kranken klagen
über gesteigerte, schmerzhafte Ermüdungsempfindungen iu den Augen.
Verschwimmen des fixierten Gegenstandes, Schwindelempfindungen
und schließlich völlige Unfähigkeit, sich im Raum zu orientieren.
Treten diese Ermüdungserscheinungen anfallsweise auf, so verknüpfen
sie sich mit der Furchtvorstellung körperlicher und geistiger Hilflosigkeit und rufen heftige Angstaffekte mit abasischen, astasischen
und agoraphobischen Symptomen hervor.

Krg.
Nr. 33. 36 - jähriger Geometer; hereditär belastet, verheiratet; 4 gesunde
Kinder, ein fünftes starb an Hirnkrämpfen, sechstes Kind zu früh geboren, nicht lebensfähig. Pat. hat keine Kindernervenkrankheiten durchgemacht, abgesehen von einem Fall von Bewußtlosigkeit im 3. Lebensjahre, über den er nähere Angaben nicht zu machen vermag. Mittlere
Schulleistungen (Bürgerschule); in der Pubertätszeit strenge Lehre bei
einem Vermessungsbeamten; infolge körperlicher Mißhandlung 3 Anfälle
von Weinkrampf; vom 20.—22. Lebensjahre Militärdienst; im 25. Jahre
Verheiratung; arbeitete seit seiner Entlassung vom Militärdienst als
Vermessungsgehilfe beim Katasteramt. Schon in seinem 24. Jahre über-
raschte ihn nach 5½-stündiger ununterbrochener Rechnungsarbeit auf
dem Wege zum Mittagessen plötzlicher „Taumel, als ob ich nicht mehr fest
auf den Füßen stände. Es war ein Gefühl als drehe die Erde sich.“
Keine Scheinbewegungen der Objekte, keine Uebelkeit; nach einigen
Sekunden, abgesehen von etwas Angst über den Anfall, wieder völlig
wohl. Einige Wochen nach der Heirat stieß er mit dem Kopf gegen
eine Thürbekleidung, dabei fühlte er auch momentan einen Taumel;
6 Wochen später bei einem Abendspaziergang Gefühl von Schwäche und
Uebelkeit; zu Hause angelangt, saß er zwei Stunden lang auf einem
Sopha in einem „halbduseligen“ Zustande. Er ließ deshalb gegen Mitter-
nacht einen Arzt holen; er mußte Eisaufschläge machen und 8 Tage zu
Bett liegen, da der Arzt eine Gefäßzerreißung im Gehirn annahm; im
nächsten Sommer ab und zu leichte Schwindelanfälle: er fühlte eine
Neigung zum Fallen, bald nach links, bald nach rechts: „ein fallendes
Gefühl, als ob ich mich auf den Beinen nicht recht stark fühlte“; dann
mehrere Jahre bis auf eine etwas gesteigerte geistige Ermüdbarkeit
völlig wohl. In seinem 30. Jahre ein Ohnmachtsanfall im Freien, als
Pat. die Geschichte von einer schrecklichen Operation erzählen hörte:
Säuseln in den Ohren, dann Gefühl des Hinsterbens ohne Drehempfin-
dungen, Dauer eine halbe Stunde. Anfangs September 1890 (33. Lebensjahr) nach forciertem Bergsteigen auf Geröll versagte das Stehen zuweilen, wenn er aufwärts oder abwärts sah. Im weiteren Verlauf des
Herbstes ohne Bergsteigen leichte Schwindelanfälle: bald hatte er mehr
das Gefühl des Drehens, bald mehr das Gefühl, als stünde er nicht mehr
fest auf den Beinen. Ein ähnlicher Anfall (30. Oktober 1891) mit Schwarzwerden vor den Augen, Taumeln nach rechts und momentane Bewußtlosigkeit. Dezember 1891 bis Juli 1892 anstrengende Bureauarbeiten;
danach bei einem Marsche mit seinem Chef unterwegs ein „einmaliger
Knall“ in der linken Kopfhälfte; mußte sich einen Augenblick anhalten,
weil er eine Neigung zum Fallen nach links spürte; für den Rest des Tages
fühlte er sich sehr müde und unbehaglich. Im ganzen Winter 1891—92
bestand abends ein unsicherer Gang; Pat. schlich deshalb abends auf der
Straße an den Häusern hin: schon eine leichte Berührung einer
Hausmauer gab ihm das Gefühl der Sicherheit wieder;

namentlich bei dem Gehen über freie Plätze stellte sich' erst die Angst, sich nicht mehr festhalten zu können, und dann ein Gefühl ein, als schwanke sein Körper bald nach rechts, bald nach links. Im Januar 1892 befiel ihn in der Eisenbahn, bevor der Zug sich in Bewegung setzte, das Gefühl, als drehe sich momentan der ganze Eisenbahnwagen um ihn herum. Er konsultierte einen Augenarzt, welcher ihm schwache Konvexgläser verschrieb. Anfang Juli erfolgte dann der vorstehend beschriebene Anfall. An dem folgenden Tage klagte Pat. über unsicheres Auftreten, über das Gefühl, als schwanke der Boden, als werfe ihn jeder Luftzug um. Beim Ablesen der Meßzahlen vergaß er diese sofort wieder. Am zweiten Tage konnte er noch arbeiten, am dritten steigerte sich alles erheblich: „es war ein furchtbar zerstreuter Zustand"; es gesellte sich Angst hinzu, der Blick soll starr, die Nase ganz weiß gewesen sein (Aussage des Meßarbeiters). Gegen 10 Uhr fiel er nach links über, der Arbeiter fing ihn auf; zugleich trat ein leichter Flexionskrampf beider Arme, eine $^1/_2$ bis 1 Stunde dauernd, ein. Man schaffte ihn in ein Haus. Dort wurde starkes Flimmern in der beiderseitigen Adduktorenmuskulatur des Oberschenkels beobachtet. Auch das artikulierte Sprechen fiel ihm schwer. Der herbeigerufene Arzt konstatierte Nervenüberreizung und ließ ihn nach Hause reisen. Der Hausarzt betrachtete den Anfall als einen epileptiformen und gab Brom.

Seit dieser Zeit ist der Pat. bis heute (Januar 1893) krankheitshalber beurlaubt und völlig arbeitsunfähig. Taumel- und Ohnmachtsanfälle kehrten noch häufig wieder. Ende Juli überfiel ihn auf dem Spaziergang ein blitzartiges Zusammenfahren, Taumeln nach rechts 6 — 8 Schritte weit und momentane Bewußtlosigkeit. Er ging allein nach Hause (etwa 10 Minuten weit), durfte aber weder nach rechts, noch nach links, noch nach oben und unten sehen, geschweige denn sich umdrehen, sonst trat sofort Schwindel ein. Zu Hause war er sehr denkfaul. Anfangs September bei der Stuhlentleerung Kongestion, Schlagen aller Glieder, eiskalte Füße; Pat. dachte sterben zu müssen, der ganze Körper „lebte", und Kopf und Herz pulsierten stark. Der Anfall dauerte die ganze Nacht fort; es waren demselben einige Stunden mit dem Gefühl von Heißhunger voraufgegangen. Auch beim Waschen hatte Pat. zweimal einen Anfall: er stierte bei Bewußtsein einige Augenblicke vor sich hin und konnte sich nicht rühren. Er getraute sich nicht allein durch die Stube zu gehen. Ein anderes Mal hatte er bei einer heftigen Bewegung (er reichte einen Gegenstand in die Höhe) einen Anfall, indem er hintenüberfiel, ohne jedoch das Bewußtsein zu verlieren. Namentlich auch beim Urinlassen fühlte Pat. eine Unsicherheit im Stehen. Er vermochte auch nicht sofort Urin zu lassen. Auch eine Neigung zu tiefem Gähnen stellte sich ein. Wenn er unterwegs ein Gitter oder Bäume neben sich hatte, so war das Schwindelgefühl stärker, desgleichen vermehrten Gespräche, die er unterwegs führte, die Neigung zu Schwindel. Besonders störend war ihm auch, wenn er auf dem Fußboden bei Wind die Schatten des Laubs der Bäume spielen sah. Seit September war kein schwerer Anfall mehr aufgetreten, wohl aber wöchentlich 1—2 kleine Anfälle.

Aus dem Status praesens bei der Aufnahme in die Klinik, 9. Januar 1893, ist folgendes hervorzuheben: Mittelgroßer, 166 cm großer Mann, 134 Pfd. Körpergewicht, Iris beider Augen grau, stark asymmetrisch gefleckt; Zähne sehr eng, unregelmäßig gestellt; Gaumen normal; strahlige Narbe im rechten Velum; Zunge belegt; im Gesicht die Conjunctivae

normal gerötet; Arterien geschlängelt, weich; Pulsfrequenz ziemlich
konstant: Nachröten gesteigert; keine Drüsenschwellungen; eine kleine
Narbe mit pigmentiertem Rand an der Haut des Penis; Pupillen gleich,
mittelweit; sämtliche Reaktionen prompt und ausgiebig; linke Augen-
spalte etwas enger; sekundäre Innendeviation nur rechts vorhanden;
Facialisinnervation symmetrisch; Arm- und Beinbewegung kräftig, gut
koordiniert; Muskelgefühl intakt; kein Romberg'sches Schwanken; Gang
normal; idiomuskuläre Erregbarkeit stark gesteigert; Querwulst sehr
deutlich; Anconäus-Sehnenphänomen (besonders links stärker), Kniephänomen (beiderseits sehr stark, links stärker als rechts), Achillessehnenphänomen sehr stark gesteigert: Fußklonus angedeutet, Plantarreflex beiderseits gesteigert; Cremaster- und epigastrischer Reflex rechts etwas stärker.
Berührungsempfindlichkeit intakt; Lokalisationsfehler nach einiger Uebung
mittelgroß; symmetrische Stiche bald rechts, bald links mehr empfunden:
Kopfperkussion links spurweise empfindlicher; Gesichtsnervenaustritts-
punkte annähernd symmetrisch, druckempfindlich; am Rumpf keine besonderen Druckpunkte; Sprachartikulation intakt; Geruch, Gehör intakt:
Gesichtsausdruck natürlich; durchaus orientiert; volles Krankheitsbewußt-
sein; Intelligenz intakt; zur Zeit der Untersuchung keine Angst.

Am Abend der Aufnahme Klopfen im Kopf und ein Gefühl, als
seien die Beine wie abgehackt; zugleich Druck in beiden Augäpfeln:
bei der Untersuchung war die rechte Pupille etwas enger.   An den
folgenden Tagen klagt Pat. über Augenschmerzen; beim Blick in
die Ferne ein Gefühl der Anstrengung in beiden Augen,
als ob das Wasser aus den Augen liefe (objektiv keine vermehrte Thränensekretion).   „Sobald ich beim Gehen müde werde, wird
das Sehen unsicher." Der Schlaf während der Anstaltsbeobachtung anfänglich schlecht; häufiges Gefühl des Pulsierens im Kopfe, bei Armbewegungen Gefühl der Erschütterung im Rücken und Hinterkopf; bei
heftigen Bewegungen Schwindelsensationen; Pat. klagt oft
über Muskelzuckungen oberhalb des rechten Knies; bei Gehversuchen
erst Schmerz- und Druckempfindungen auf dem Scheitel, dann Hemmungs-
gefühl im Gehen, dann im Sprechen, dann Gefühl des Taumelns;
öfter Schmerzen über den Augenbrauen. — Beim Gehen am Rande eines
seichten Baches unbestimmte Angstempfindungen. Pat. äußert selbst: „Ich
glaube, daß der Gedanke dazu beigetragen hat." — Die Behandlung besteht anfänglich in Bettruhe mit Massage des Kopfes und der unteren
Extremitäten, faradischen Bädern, später methodischen Gehübungen.
Spaziergänge kann Pat. anfänglich nur in Begleitung unternehmen. Am
Schluß der klinischen Behandlung (25. März 1893) sind Schwindelanfälle
nicht mehr aufgetreten. Pat. wagt es wieder allein spazieren zu gehen.
Juni 1893 stellte er sich wieder vor. Sein subjektives Allgemeinbefinden
ist „erheblich" besser; im einzelnen klagt er noch über folgendes:
1) „Früh morgens beim Gang ins Bureau bin ich immer
etwas taumelig." 2) Die dienstlichen Arbeiten verrichtet er 2 bis
3 Stunden. Jede geistige Arbeit strengt noch an. „Ich werde zu schwerfällig, um weiter zu denken, und kann eine gesprächsweise Sache nicht
mehr gut verfolgen.   Das Gehen wird mir dann ebenfalls schwer."
3) „Sprechen im Stehen oder Gehen wird mir noch schwer, werde unruhig
auf den Beinen (Wackeln des linken Fußes)." 4) „Absehen von
steilen Höhen noch schlecht. Beim Uebergang über größere freie
Plätze fehlt mir noch der richtige Mut. Ebenso, sobald ich einen anderen
Weg einschlage, als den mir gewohnten, tritt ein Gefühl an mich heran,

als wenn ich nicht weiter könne. Dann werde ich aber auch wirklich stumpf." 5) Gefühl von Eingeschlafensein der Finger der linken Hand, besonders nach dem Erwachen, zugleich ein Gefühl von Steifigkeit.

Die vorstehende Beobachtung zeigt uns, wie mannigfaltig die Ursachen sein können, welche Schwindel- und Ohnmachtsempfindungen auslösen. Die accommodative Ermüdung ist hier nur eine der vielen Quellen hierfür. Die Anamnese läßt erkennen, daß die Neigung zu Gleichgewichtsstörungen schon frühzeitig bei dem von Kind auf neuropathischen Manne sich im Anschluß an körperliche und geistige Ermüdung einstellte. Mit fortschreitender Entwickelung der neurasthenischen Ueberermüdung häuften sich diese Krankheitsvorgänge, bis sie sich schließlich mit schweren Angstzuständen, vasomotorischen Störungen, Agoraphobie komplizierten. Der Zusammenbruch der Kräfte wurde durch einen schweren Ohnmachtsanfall mit leichten motorischen Reizerscheinungen eingeleitet. Darauf mehrmonatlicher körperlicher und geistiger Erschöpfungszustand mit abasischen und astasischen Erscheinungen, langsame Besserung bei körperlicher und geistiger Ruhe, mechanischer Beschäftigung, Gymnastik, Gehübungen und vor allem psychischer Behandlung.

Man wird die raschere Ermüdbarkeit der Augenbewegungen in manchen Fällen auch objektiv nachweisen können. Es tritt nämlich bei motorisch leicht erschöpfbaren Individuen schon nach wenigen Versuchen, der durch den vorgehaltenen Finger vorgeschriebenen Blickrichtung rasch und ausgiebig zu folgen, nicht allein erhöhtes Ermüdungsgefühl in beiden Bulbi ein; die Augenmuskeln versagen bald, der Blick irrt ab, die Patienten schließen ermüdet die Augen und behaupten, nicht länger fixieren zu können. Auch eine Beeinträchtigung der Konvergenzbewegungen ist zu konstatieren. Beim Fixieren naher Gegenstände weicht in solchen Fällen bald das eine oder beide Augen nach außen ab. Oder es treten leichte, horizontale nystagmusartige Zitterbewegungen ein, wenn z. B. bei der konjugierten Augenbewegung von rechts nach links das Auge die Mittellinie überschreitet. Sie finden dieses Symptom übrigens auch bei gesunden, hochgradig myopischen Individuen, so daß ihm eine absolute Beweiskraft für die neurasthenische Ermüdung nicht beigemessen werden kann.

Von Bedeutung sind weiterhin die Störungen der sekundären Innendeviation, indem sie uns über die relative Insufficienz der Recti interni Aufschluß geben. Sie finden fast bei allen Menschen eine ungenügende Einstellung des verdeckten Auges, während Sie das unbedeckte ein näheres Objekt fixieren lassen. Es läßt sich also aus dieser Erscheinung irgend ein Schluß auf das Bestehen der neurasthenischen Augenmuskelermüdung nicht ziehen, wie dies manche Autoren, u. a. v. HÖSSLIN, annehmen.

Als sekundäre Innendeviation im engeren Sinne können wir nur den Vorgang bezeichnen, daß bei Fixation eines Nahpunktes das ursprünglich verdeckte Auge sofort, nachdem die Bedeckung entfernt wird, sich ebenfalls vollständig auf den Nahpunkt einstellt. Diese Einstellung erfolgt auch bei Gesunden nicht immer vollständig und prompt. Wir können deshalb die mangelhafte sekundäre Innendeviation diagnostisch kaum verwerten, wenn beide Augen gleichmäßig diese Störung darbieten.

Wohl aber ist die unvollständige sekundäre Innendeviation dann diagnostisch bedeutsam, wenn sie nur **einseitig** oder in **ungleicher Intensität auf beiden Augen** gestört ist. Freilich ist dieses Symptom nicht ausschließlich für die Konvergenzschwäche des Neurasthenikers verwertbar, indem es auch bei organischen Hirnleiden (z. B. bei der Dementia paralytica) konstatiert werden kann.

Die rasche Ermüdbarkeit der Accommodationsmuskulatur, die **neurasthenische Accommodationsschwäche**, ist von den Augenärzten mehrfach beschrieben worden. Es entstehen hierdurch ebenfalls asthenopische Beschwerden, welche den Kranken besonders beim Schreiben und Lesen, bei Handarbeiten, überhaupt bei jeder Naharbeit in empfindlicher Weise bemerkbar werden. In diesem Zustand der Accommodationsschwäche ist nach SCHELL die Pupille etwas erweitert. Sie kontrahiert sich beim Nahesehen nicht, und es tritt gleichzeitig ein „Zittern" der Iris bei Augenbewegungen auf.

Alle die genannten Innervationsstörungen der Augenmuskeln führen nur äußerst selten zur Entstehung von Doppelbildern. Ich persönlich habe niemals solche bei Neurasthenikern beobachtet. Die von manchen Seiten hervorgehobene geringe, meist einseitige **Ptosis** wird, wie auch v. HÖSSLIN mit Recht hervorhebt, nicht als eine Parese des N. oculomotorius, sondern als eine Folge einer ungenügenden Sympathicusinnervation aufgefaßt werden müssen. Hierfür spricht vor allem die gleichzeitige Verengerung der entsprechenden Pupille.

Im Anschluß hieran muß ich noch kurz eines Symptoms gedenken, welchem ROSENBACH für die Diagnose der Neurasthenie eine größere Bedeutung zugeschrieben hat. Es ist dies der **mangelhafte Lidschluß beim Zusammenkneifen der Augen.** ROSENBACH hat bei Prüfungen des ROMBERG'schen Phänomens beobachtet, daß viele Neurastheniker dem Befehle, die Augen fest zu schließen, nicht sofort nachkommen, sondern blinzeln und das Auge nur unvollständig ohne kräftigen Lidschluß schließen. Er hebt dies als differentiell-diagnostisches Merkmal gegenüber der Tabes hervor, indem Tabiker eine Störung des Lidschlusses nicht aufweisen. Ob diese Erscheinung, die ich in Uebereinstimmung mit ROSENBACH als eine sehr häufige bei der Neurasthenie bezeichnen kann, wirklich immer als Zeichen einer Innervationsschwäche aufgefaßt werden darf, ist mir sehr fraglich. Einen mindestens ebenso großen Anteil als die motorische Schwäche besitzt die affektive Erregung, welche die Patienten bei all solchen Untersuchungen befällt. Es handelt sich hier also ganz ähnlich, wie wir dies oben bei dem Tremor auseinandergesetzt haben, um eine Krankheitserscheinung, welche auch bei Individuen, welche keine Zeichen von Muskelschwäche in dem früher erörterten Sinne darbieten, aus rein psychischen Ursachen auftreten kann.

Eine gesonderte Besprechung gebührt der **Reflexthätigkeit.** Sie wissen, wie bedeutsam die Untersuchung der Reflexerregbarkeit für die Diagnose vieler organischer Gehirn- und Rückenmarkserkrankungen in der neueren Zeit geworden ist. Der Ausfall einer bestimmten Reflexaktion kann uns darüber belehren, daß in gewissen Bezirken des Rückenmarks oder in den zuführenden sensiblen peripheren Nervenbahnen oder in den motorischen Nerven organische Veränderungen Platz gegriffen haben. Es gilt dies vor allem von den sog. tiefen, den Sehnen-, Fascien- und Periostreflexen, sowie den Pupillarreflexen. Es ist hier nicht der Ort, auf die Fehlerquellen hinzuweisen, welche bei der Prüfung dieser Reflexe besonders dem minder geübten Untersucher verhängnisvoll werden können. Ich darf Sie aber auf die Ausführungen hinweisen, welche ich in der ersten Vorlesung von allgemeinen patho-physiologischen Gesichtspunkten aus über die Beeinflussung des Patellarsehnenphänomens durch psychische Vorgänge (im Sinne der Hemmung und Bahnung) gemacht habe. Auch auf die bahnende und hemmende Einwirkung peripherer Reize habe ich dort hingewiesen. Es gilt dies bis zu gewissem Maße sowohl für die tiefen, als auch für die oberflächlichen (Haut- und Schleimhaut-) Reflexe. Völlig unabhängig von psychischen Einflüssen ist der Pupillarreflex und deshalb auch am unzweideutigsten.

Bei der Neurasthenie finden wir, wenn wir die Hemmungen durch psychische Vorgänge ausschalten, niemals eine Aufhebung der Reflexthätigkeit, während eine beträchtliche Herabsetzung gelegentlich, wenn auch selten, bei schwersten cerebralen und spinalen Erschöpfungszuständen vorübergehend auftreten kann. In der überwiegenden Mehrzahl finden wir eine Steigerung der Reflexerregbarkeit. Da wir aber einen physiologischen Durchschnittswert für die einzelne Reflexaktion nicht besitzen, so ist es recht schwierig, festzustellen, ob im Einzelfalle diese Steigerung der Reflexerregbarkeit als eine pathologische Erscheinung aufgefaßt werden darf. Nur durch eine größere Erfahrung, durch vielfache Untersuchungen gesunder und nervöser Personen werden Sie allmählich in den Stand gesetzt, die pathologischen Steigerungen von den physiologischen Grenzwerten unterscheiden zu können. Sie werden dann bald zu der Ueberzeugung kommen, daß die erhöhte Reflexerregbarkeit des Neurasthenikers von den verschiedensten Bedingungen abhängig ist. Sicher ist es nicht allein die Uebererregbarkeit der infrakortikalen Reflexmechanismen, welche durch den Wegfall oder die Schwächung kortikaler hemmender Einflüsse unschwer erklärt wird. Von vielleicht nicht geringerem Einflusse sind die zahlreichen irradiierten Erregungen, welche von den verschiedensten Seiten her das in Thätigkeit versetzte Reflexcentrum treffen und bahnend beeinflussen.

Lassen Sie uns nach diesen allgemeinen Bemerkungen kurz die wichtigsten Reflexaktionen hinsichtlich ihrer diagnostischen Bedeutung hier durchgehen.

A. Tiefe Reflexe.

1) Das Kniephänomen. Es ist schon früher darauf hingewiesen worden, daß wir es hier nicht ausschließlich mit einer Reflexaktion zu thun haben. Die Kontraktion des Quadriceps bei Beklopfen der Sehne beruht in erster Linie auf der direkten mechanischen Reizung der quergestreiften Muskelfasern. Sie ist aber weiterhin abhängig von dem reflektorisch bedingten Spannungszustand des Quadriceps. Die centralen Mechanismen, welche diese Reflexthätigkeit vermitteln und unterhalten, sind bekanntlich im untersten Dorsal- und obersten Lendenmark gelegen. Der dauernde und völlige Verlust des Kniephänomens („WESTPHAL'sches Zeichen") kommt nur zustande, wenn der Reflexbogen selbst in toto oder in einzelnen Teilen zerstört ist.

Dies trifft natürlich nur für organische Läsionen zu. Eine vorübergehende Aufhebung des Kniephänomens finden Sie, wenn Sie von gewissen Fernwirkungen absehen (z. B. bei Herderkrankungen des Gehirns), auch bei funktionellen Nervenkrankheiten, z. B. nach dem epileptischen Anfall. **Bei der Neurasthenie ist noch in keinem Falle das** WESTPHAL'**sche Zeichen vorhanden gewesen. Es kann dies nicht genugsam betont werden.** Denn es ergiebt sich hieraus die Folgerung, **daß dieser pathologische Befund immer auf ein anderes Leiden hinweist und daß am wahrscheinlichsten eine organische Erkrankung des Gehirns und Rückenmarks (progressive Paralyse, Tabes) die Ursache ist.** Doch werden Sie nie vergessen dürfen, daß das WESTPHAL'sche Zeichen auch bei kachektischen Individuen (Tuberkulose, Carcinose, Malaria, Diabetes) oder infolge neuritischer Affektionen, besonders nach Infektionskrankheiten und Intoxikationen (Blei, Arsen) vorhanden sein kann. Hier wird natürlich nur die weitere Untersuchung des Kranken über die Tragweite dieser Krankheitserscheinung aufklären. Ich möchte bei dieser Gelegenheit Sie darauf aufmerksam machen, daß Sie das WESTPHAL'sche Zeichen immer als eine pathologische Erscheinung auffassen müssen; ich halte es für durchaus unerwiesen, daß bei gesunden Individuen das Kniephänomen fehlen kann. Es ist mir persönlich mehrfach gelungen, das Kniephänomen bei Menschen unzweideutig nachzuweisen, die mir als gesund mit dem WESTPHAL'schen Zeichen behaftet zur Untersuchung zugewiesen worden sind.

Was oben über die individuell äußerst verschiedene Intensität der Reflexe im allgemeinen gesagt worden ist, gilt auch für das Kniephänomen. Hier ist von besonderer Bedeutung die Lagerung und Spannung der Patellarsehne und die Beschaffenheit der Quadricepsmuskulatur. Sie können bei muskelschwachen Neurasthenikern recht bedeutende Herabsetzungen des Kniephänomens beobachten, es wird Ihnen aber gelingen, mittelst des JENDRASSIK'schen Kunstgriffs dasselbe beträchtlich zu verstärken. Sehr auffällig ist es, wenn einseitig das Kniephänomen herabgesetzt, auf der anderen Seite dagegen normal oder sogar gesteigert ist. Hier ist der Verdacht auf ein organisches Leiden sehr naheliegend, wenn nicht lokale, in der Beschaffenheit der Sehne und des Muskels gelegene Gründe für die Schwächung des Kniephänomens vorliegen.

Viel häufiger, ja für die überwiegende Mehrzahl der Neurastheniker geradezu gesetzmäßig ist die Steigerung der Kniephänomene. Diese Erscheinung steht durchaus im Einklang mit der allgemeinen Steigerung der reflektorischen Vorgänge. Die cerebrale Ermüdung steigert schon bei Gesunden das Kniephänomen. Die Dauerermüdung unserer Patienten läßt diesen Einfluß der cerebralen Ermüdung noch deutlicher erkennen. Die labilen Erregbarkeitsverhältnisse des gesamten Centralnervensystems werden durch die gesteigerten bahnenden Einflüsse, welche gleichzeitig erfolgende psychische, sensible und sensorische Reize, sowie motorische Innervationen auf das Kniephänomen ausüben, am sinnenfälligsten illustriert. Außerdem ist diese Steigerung des Kniephänomens ein weiterer Beleg für die früher erörterte Ansicht, daß die gesteigerte motorische Erschöpfbarkeit des Neurasthenikers auf centrale Ermüdungsvorgänge hinweist. Denn gerade bei den motorisch Erschöpften finden Sie die Steigerung des Kniephänomens am stärksten ausgeprägt. Eine Ausnahme machen nur die früher erörterten Fälle, welche durch jahrelang bestehende paretische Zustände eine schlaffe und welke Beinmuskulatur besitzen.

Ein exaktes Maß für den Grad der Steigerung des Kniephänomens besitzen wir nicht. Wir sind auch hier nur auf die durch viele Uebung gewonnene Erfahrung angewiesen. Zweifellos pathologisch ist die Steigerung, wenn gleichzeitig Fußklonus[1]) besteht, d. h. wenn man durch eine plötzliche und rasch ausgeführte Dorsalflexion des Fußes eine längere oder kürzere Reihe abwechselnd auftretender Plantar- und Dorsalflexionen des Fußes auslösen kann. Bei gewissen organischen Krankheiten, sowie bei schweren Fällen hysterischer Paresen ist der Fußklonus viel ausgeprägter und länger dauernd als bei der Neurasthenie, doch werden Sie 4—5 Gruppen von Plantar- und Dorsalflexionen bei dem neurasthenischen Fußklonus meist deutlich nachweisen können. Bei den als Spinalirritation bezeichneten Fällen, welche mit gesteigerten spastischen Erscheinungen einhergehen, werden Sie den Fußklonus nicht vermissen. Aber auch bei den anderen Typen der Neurasthenie finden Sie die Steigerung der Kniephänomene relativ häufig mit dem Fußklonus vereinigt vor, nach einer früheren Berechnung von ZIEHEN in 20—30 Proz. der ausgesprochenen Fälle von Neurasthenie. Ist das Kniephänomen einseitig gesteigert, so werden wir meistens auch die Parästhesien und Hyperalgesien auf dieser Körperhälfte lokalisiert vorfinden. Auch der Fußklonus ist dann einseitig. Wenn die beiden Kniephänomene ungleich gesteigert sind, so findet man die stärkere Steigerung häufiger rechts. Bei sehr lebhafter Steigerung des Kniephänomens können Sie auch gelegentlich reinen Knieklonus nachweisen d. h. Sie können durch plötzliches starkes Herabzerren der Kniescheibe rasch aufeinander folgende Kontraktionen der Beuger und Strecker des Unterschenkels hervorrufen.

2) Das Fußphänomen (Achillessehnenphänomen) ist analog dem Kniephänomen fast durchwegs gesteigert. Als pathologisch kann aber die Steigerung nur dann mit Sicherheit bezeichnet werden, wenn der oben erwähnte Fußklonus vorhanden ist. Einseitiges oder doppelseitiges Fehlen der Achillessehnenphänomene ist diagnostisch ebenso wichtig, wie das WESTPHAL'sche Zeichen, und wird, falls nicht periphere neuritische Prozesse vorliegen, auf eine Erkrankung des Centralnervensystems hinweisen (Lues des Centralnervensystems, progressive Paralyse).

3) Das Anconäussehnenphänomen ist ebenfalls in der Mehrzahl der Fälle gesteigert. Eine besondere diagnostische Bedeutung ist demselben für die Neurasthenie nicht beizumessen.

B. Oberflächliche Reflexe.

1) Hautreflexe. Von den Hautreflexen besitzen der Fußsohlen-, der epigastrische und der Cremasterreflex einige Be-

---

1) Tritt Fußklonus bei Kindern auf, so kann ihm überhaupt keine pathologische Bedeutung beigemessen werden; vergl. FARAGO, Arch. für Kinderheilk., 1887.

deutung. Sie werden in der Mehrzahl der Fälle eine Steigerung
dieser Reflexe nachweisen können. Es ist aber schon vorstehend
darauf hingewiesen worden, daß all diesen Reflexen eine Konstanz
nicht zugesprochen werden kann und daß auch das Maß der Reflexaktion nicht nur von individuellen Vorbedingungen abhängig ist,
sondern auch von der Masse und der Intensität der interferierenden,
den einzelnen Reflex bahnend oder hemmend beeinflussenden centralen
und peripheren Erregungsvorgänge. Berücksichtigen wir diese die
Prüfung erschwerenden Verhältnisse, so können wir vom klinischen
Standpunkte aus nur dann diese Hautreflexe als pathologisch gesteigert erachten, wenn bei geringer oder mittlerer Reizstärke (leichtes
Streichen oder Stechen) nicht nur eine umschriebene Reflexaktion von
der gereizten Partie aus, z. B. beim Fußsohlenreflex nicht nur eine
Dorsalflexion der Zehen des gereizten Fußes erfolgt, sondern die
Reflexbewegung, annähernd dem PFLÜGER'schen Gesetze folgend, sich
auf andere Muskelgruppen sowohl der gleichen als auch der gegen-
überliegenden Körperhälfte ausbreitet, also beim Fußsohlenreflex sich
in einer brüsken Beugung und Abwehrbewegung des ganzen Beines
oder auch beider Beine äußert. Bei hochgradiger Steigerung der
Reflexerregbarkeit gerät dann auch die Rumpf-, Arm- und Hals-
muskulatur in zuckende Bewegung. Sie werden aber nicht außer
acht lassen dürfen, daß eine solche Verbreiterung der Reflexerregung
auch durch langdauernde Reizung der Fußsohle (Summationswirkung)
einerseits bei gesunden Personen hervorgerufen werden kann, andererseits ein marquantes Symptom einer neuropathischen Belastung —
auch ohne ausgesprochene neurasthenische Erkrankung — sein kann.

Eine größere Bedeutung als die allgemeine Steigerung der
Hautreflexe besitzt die einseitige Erhöhung. Sie werden nicht
selten die Erfahrung machen, daß der epigastrische und der Fußsohlenreflex, aber auch andere, recht inkonstante Hautreflexe (Scapula-,
Glutäal- u. s. w. -Reflexe) auf der Körperhälfte gesteigert sind, auf
welcher hyperalgetische Erscheinungen sich vorfinden, z. B. zahlreiche
Schmerzpunkte, gesteigerte Schmerzempfindlichkeit bei leichten Nadel-
stichen, spontane neuralgiforme und topalgische Schmerzen; doch
können Sie auch die gegenteilige Beobachtung machen, daß nämlich
auf der hyperalgetischen Seite die Hautreflexe eher verringert sind.
Sie sehen also, daß aus der Prüfung der Hautreflexe nach dieser
Richtung hin ein sicherer Schluß nicht gezogen werden kann; nur
das eine geht immer aus einer einseitigen Steigerung der Hautreflexe
hervor, daß die Störungen der Sensibilität vorwaltend einen hemilateralen Charakter tragen.

2) Schleimhautreflexe. Von praktischer Bedeutung sind
hier nur der Schling- und der Würgreflex. Berühren Sie mit
dem Finger oder dem Stiele des Perkussionshammers die Zungen-
wurzel oder die hintere Rachenwand, so treten bekanntlich auch beim
Gesunden Schling- und Würgbewegungen auf, welche aber individuell
sehr verschieden stark ausfallen. Diese Reflexe sind nicht selten lebhaft
gesteigert. Bei einer freilich kleinen Gruppe von Kranken ist diese
Steigerung so lebhaft, daß der physiologische Schlingakt bei der Nahrungsaufnahme durch unregelmäßige Schling- und Würgbewegungen
gestört ist. Es genügt z. B. ein etwas größerer Bissen oder ein
rascher Schluck, um diese gesteigerten Reflexaktionen auszulösen, zu

denen sich noch krampfartige Bewegungen des Larynx und in einzelnen Fällen auch Singultus hinzugesellen. Aufhebungen dieser Reflexe habe ich bei der Neurasthenie nicht beobachtet. Es ist dies bemerkenswert, weil das Fehlen des Würg- und Schlingreflexes bei der Hysterie recht häufig konstatiert werden kann (CHARCOT).

C. Pupillarreflex.

Die Untersuchung der Pupillen erstreckt sich natürlich sowohl auf die Licht- und Konvergenzreaktion, als auch auf die Beeinflussung der Pupillenweite durch schmerzhafte Hautreize. Auch hier spielen die Steigerungen des Reflexes ausschließlich eine Rolle; eine sinnenfällige Abschwächung oder gar Aufhebung der Lichtreaktion allein oder gleichzeitig mit einer solchen der accommodativen Verengerung können als ein sicheres Zeichen dafür gelten, daß das vorhandene Nervenleiden nicht mehr in den Rahmen einer rein funktionellen Erkrankung hineingehört. In erster Linie wird in Ihnen der Verdacht entstehen müssen, daß in einem solchen Falle Tabes oder Dementia paralytica oder eine umschriebene Erkrankung im Bereiche des Reflexbogens (N. opticus, Tractus opticus, Pupillarcentrum im centralen Höhlengrau, centrifugale Bahn des Oculomotorius) vorliegt. Speciell werden Sie bei reflektorischer Pupillenstarre mit Wegfall der accommodativen Verengerung an umschriebene syphilitische Prozesse zu denken haben. Selbstverständlich müssen Sie Störungen der Pupillarreaktion durch Erkrankungen des Auges selbst ausschließen können.

Bei dieser Gelegenheit möchte ich Sie auf die Kombination einer durch den syphilitischen Krankheitsprozeß lokal bedingten reflektorischen Pupillenstarre mit allgemeinen neurasthenischen Beschwerden hinweisen. In solchen Fällen sind wir immer geneigt, auch die geistigen Ermüdungserscheinungen, die psychische Reizbarkeit, die Parästhesien u. s. w. auf eine organische Läsion des Centralnervensystems zu beziehen und die weitere Entwickelung des Krankheitsfalles zu ausgesprochener Tabes oder Dementia paralytica für unvermeidlich zu erachten. Ein solcher Schluß ist aber voreilig und ungerechtfertigt. Ich habe im Laufe der letzten 12 Jahre drei Fälle ausgesprochener reflektorischer Pupillenstarre bei früherhin syphilitisch erkrankten neurasthenischen Individuen beobachten können, bei welchen sich bislang keine weiteren Zeichen eines organischen Leidens des Centralnervensystems hinzugesellt haben; im Gegenteil die neurasthenischen Krankheitsbeschwerden ("Syphilisneurasthenie") schwanden bei geeigneter Behandlung, die reflektorische Pupillenstarre blieb unverändert bestehen.

Einseitige Aufhebung der Lichtreaktion mit Mydriasis und Accommodationslähmung bei früher überstandener Syphilis besteht bei einem meiner neurasthenischen Patienten seit 15 Jahren.

Vor 11 Jahren erkrankte er nach geschäftlichen Mißerfolgen und intellektueller Ueberanstrengung unter folgenden Symptomen: Schlaflosigkeit, hochgradige psychische Reizbarkeit, leichte Angstzustände, gesteigerte geistige Ermüdbarkeit, Abnahme des Gedächtnisses, parästhetische Empfindungen (Hitze, Frost, Kribbeln u. s. w.) in den unteren Extremitäten, hartnäckige Obstipation und Appetitlosigkeit. Bei den

luetischen Antecedentien, besonders aber bei der ausgesprochenen Pupillar-
störung glaubte ich die Diagnose auf eine beginnende progressive
Paralyse stellen zu müssen. Es wurde eine energische Schmierkur ohne
sichtlichen Erfolg durchgeführt; der Kranke wurde dann auf Reisen geschickt und nachher völlige Enthaltung von seiner geschäftlichen Thätigkeit angeordnet. Der Pat. erholte sich ganz langsam von seinem nervösen
Erschöpfungszustande; nach Ablauf von 3 Jahren hatte er seine frühere
geistige Frische und körperliche Rüstigkeit wiedergewonnen und ist bis
heute gesund geblieben.

Sie sehen also, daß organische Läsionen im Gebiete des Reflexbogens sich mit neurasthenischen Krankheitserscheinungen verbinden
können, ohne daß diese letzteren die ominösen Vorboten einer organischen Allgemeinerkrankung des Centralnervensystems sein müssen.
Solche Fälle sind aber immerhin selten; viel häufiger sind derartige
Befunde thatsächlich Teilerscheinungen der Tabes oder Dementia
paralytica.

Charakteristisch für die Neurasthenie sind pathologische
Steigerungen des Pupillarreflexes, welche sich sehr häufig mit
Ermüdungserscheinungen verbinden. Wenn Sie die Kranken auf ihre
Lichtreaction prüfen, so wird Ihnen erst der rasche Wechsel zwischen
Verengerung und Erweiterung selbst bei geringfügigen Veränderungen
des Lichtreizes auffallen. Hierauf hat schon BEARD aufmerksam gemacht. Als Ermüdungssymptom fasse ich die Erscheinung auf, daß
nach einer mehrmaligen Kontraktion der Pupille infolge eines starken
Lichtreizes (z. B. bei Prüfung mittels einer Sammellinse) plötzlich
selbst bei fortdauernder Einwirkung dieses Lichtreizes der Kontraktion
der Iris sofort eine starke mydriatische Erweiterung nachfolgt. Diese
wird dann wieder abgelöst von einer erneuten, etwas geringeren
Pupillarverengerung. Wird der Versuch fortgesetzt, so treten noch
mehrfache Hippus-artige Schwankungen zwischen Verengerung und
Erweiterung auf. Aber auch bei gewöhnlicher mittlerer Belichtung
können Sie bei gemütlich leicht erregbaren und an angioneurotischen
Störungen leidenden Kranken eine förmliche Unruhe der Pupillar-
bewegung konstatieren. Auf diesen neurasthenischen Hippus hat
DAMSCH hingewiesen. Er bemerkt, daß diese eigentümliche andauernde Unruhe der Pupillen gleichzeitig mit anderen Zeichen einer
gesteigerten Reflexaktion, insbesondere mit einer Steigerung des Kniephänomens, auftritt, und daß die Intensität des Hippus mit dem Grade
der Erregung wechselt. Er faßt ihn als eine Steigerung einer an und
für sich physiologischen Erscheinung auf, die bei der Neurasthenie
durch eine energischere Wirkung der physiologischen Reize erklärt
werden kann.

Eine besondere Berücksichtigung verdient auch die Ungleich-
heit der Pupillen bei Neurasthenikern. Während BEARD geneigt
war, dies als ein Zeichen organischer Erkrankung aufzufassen, bewies
PELIZAEUS, daß einseitige Pupillenerweiterung resp. -verengerung bei
Neurasthenikern vorkommen kann, bei welchen eine organische Erkrankung auszuschließen war. Er fand unter 320 Neurasthenikern
11 mal Pupillendifferenz. In 6 Fällen war die Mydriasis eine wech-
selnde und springende. Mit der Besserung kann auch die Pupillendifferenz schwinden; auch nach mehr als einjährigem Bestehen kann
sie noch zurückgehen. Meine eigenen Erfahrungen decken sich mit

diesem Ergebnis. Der neurasthenischen Pupillendifferenz kann ein
größeres Gewicht in differentiell - diagnostischer Beziehung nicht zugewiesen werden, solange die Pupillarreaktion ungeschädigt oder
eher gesteigert ist. Nur wenn einseitige Pupillenverengerung oder
-erweiterung mit einer auffallenden Verlangsamung und geringeren
Ausgiebigkeit der Iriskontraktion verbunden ist, ist — freilich immer
unter Berücksichtigung der oben angedeuteten Fälle — die Diagnose
auf eine organische Erkrankung näherliegend. Die einseitige Mydriasis
oder Miosis der Neurasthenie kennzeichnet sich außerdem dadurch,
daß sehr rasche Uebergänge in der Pupillarweite fast die Regel sind;
denn wir dürfen nicht vergessen, daß nicht allein die Lichtreize die
Pupillenweite bestimmen, sondern daß sensible Reize, besonders bei
hyperästhetischen resp. hyperalgetischen Individuen, sowie psychische
Erregungen (wahrscheinlich eine Wirkung der Affekte auf die Vasomotoren) eine Erweiterung der Pupille herbeiführen. Eine abnorme
einseitige Verengerung der Pupille finden Sie ferner gelegentlich bei
Kranken, welche deutliche Zeichen einer einseitigen und paroxystisch
auftretenden Sympathicusparese darbieten (z. B. bei Migräneanfällen).
Die einseitige Mydriasis wird bei anderweitigen vasomotorischen
Störungen (z. B. cirkumskripten vasoparalytischen Zuständen der Hautgefäße) mit Recht auf Störungen der Sympathicusreizung bezogen
werden.

8. Vorlesung.

Einer gesonderten Betrachtung bedürfen die Störungen der
Blutbewegung, die wir als angioneurotische Erscheinungen
der Neurasthenie zusammenfassen. Sie finden in der Litteratur zahlreiche Arbeiten über diesen Gegenstand; es sind dieselben aber nur
zum geringsten Teile der speciellen Litteratur über Neurasthenie zugehörig; vielmehr sind diese Störungen in früheren Zeiten in der Pathologie der Herz- und Gefäßkrankheiten als isolierte funktionelle Erkrankungen des vasomotorischen Systems aufgeführt und genauer beschrieben worden. Oder sie wurden als selbständige Erkrankungen des
Gefäßnervensystems betrachtet und demgemäß als besondere, von den
großen diffusen Neurosen zu trennende Krankheitszustände angesehen.
So finden Sie, um einige Beispiele anzuführen, diesen Symptomenkomplex von KRISHABER als neuropathie cérébro-cardiaque im
Jahre 1873 beschrieben, während HUCHARD in seinen Vorlesungen
über die Erkrankungen des Herzens und der Gefäße den funktionellen
Störungen der Herzinnervation („les pseudoangines des hystériques,
des neurasthéniques, des dyspeptiques etc.") eine erschöpfende Darstellung widmet. Auch unter den Krankheitsbildern der Vagus-
neurosen, der Angina pectoris, des Asthma cardiacum finden Sie
typische Schilderungen der angioneurotischen Erscheinungen der
Neurasthenie versteckt. Je mehr aber der konstitutionelle Charakter
der Neurasthenie bekannt wurde, je geklärter die Anschauungen über
die unlösbaren Zusammenhänge der verschiedenartigen, auf dem
Boden dieser allgemeinen krankhaften Veränderung des Nervensystems entstandenen Krankheitszustände wurden, desto deutlicher
wurde auch die Erkenntnis, daß eine Loslösung der Neurosen des
Herzens und der Gefäße weder wissenschaftlich gerechtfertigt noch
praktisch zweckmäßig sei.

In der neuesten Litteratur ist dieser Entwickelung unserer Anschauungen durchwegs Rechnung getragen. Sie finden den Symptomenkomplex der „nervösen Herzschwäche", der „Neurasthenia cordis"
oder „vasomotoria" in den Lehrbüchern der Neurasthenie und in
Monographien gebührend gewürdigt.

Es dürfen diese Störungen ein ganz besonderes Interesse beanspruchen, da sie zu den quälendsten, paroxystisch auftretenden Krankheitsäußerungen Veranlassung sind. Nur unter steter Berücksichtigung
des unaufhörlichen Wechsels zwischen Uebererregung und Erschöpfung, Bahnung und Hemmung, sowie der verschiedenartigen

Bedeutung kortikaler und infrakortikaler, irradiierter und reflektorischer Erregung werden wir die scheinbar widerspruchsvollen und sich mit blitzartiger Schnelle ablösenden angioneurotischen Symptome der Neurasthenie gliedern und ihre Zugehörigkeit zu dem nervösen Allgemeinleiden verstehen lernen. Verläßt man den Boden der pathogenetischen Betrachtungsweise und versucht man den Krankheitszustand aus den vorwaltenden Symptomen begrifflich zu erklären, so wird man sehr leicht in Widersprüche verwickelt oder reißt willkürlich eng zusammengehörige Krankheitszustände auseinander.

So ist es durchaus unzulässig, von der nervösen „Schwäche" des Herzens die „Herzpalpitationen" als eine besondere Neurose abzutrennen. Wenn wir auch berücksichtigen, daß eine erhöhte und beschleunigte Herzthätigkeit aus den verschiedensten Ursachen (z. B. Tabakvergiftung oder pathologisch erhöhte Reize innerhalb des Digestionstraktus) entstehen kann und durchaus nicht nur bei neuropathischen Individuen beobachtet wird, so gehört doch die Mehrzahl der Fälle von nervösem Herzklopfen zu unserer Krankheit. Die erste Aufgabe wird in solchen Fällen immer sein, die nosologische Bedeutung dieses Symptoms festzustellen und nach anderen Krankheitszeichen zu fahnden, welche im Verein mit dem nervösen Herzklopfen die Diagnose einer nervösen Allgemeinerkrankung sichern können. Ist dies gelungen, so wird auch unschwer nachzuweisen sein, daß das Herzklopfen (die Hyperkinesis cordis, der Cardiopalmus, der Cardiognmus) nur vorübergehend die Scene beherrscht und daß zu anderen Zeiten jenes Symptombild, welches als nervöse Herzschwäche bezeichnet wird, vorhanden ist. Es ist auch charakteristisch für die Wertlosigkeit solcher symptomatischer Bezeichnungen, daß dasjenige, was wir nervöse Herzschwäche nennen, von den englischen Autoren als „irritable heart" bezeichnet wird. Es ist fast unnötig, hier nochmals anzuführen, daß die erhöhte Reizbarkeit demjenigen entspricht, was wir die Phase der Uebererregung nannten, während die Schwäche dem darauf folgenden Stadium der funktionellen Erschöpfung zugehört. Wir dürfen dabei aber nicht vergessen, daß sowohl die abnorme Beschleunigung als auch die auffällige Verlangsamung der Herzaktion der Uebererregung eigentümlich sein kann, wenn nämlich die Verlangsamung auf pathologisch verstärkten Hemmungen beruht. Kennzeichnend für das Schwäche- oder, besser gesagt, Erschöpfungsstadium ist weniger die Schlagzahl als die Intensität der Herzkontraktionen.

Wir werden über diese Fragen am raschesten klar werden, wenn wir einen, wenn auch ganz summarischen, Ueberblick über die Herzinnervation einschalten. Es ist wohl unbestritten, daß beim Menschen die Herzarbeit durch die tonische Erregung des Vaguscentrums in verlängerten Mark beherrscht wird. Vor allem ist die Schlagfolge von der Vaguswirkung abhängig, doch steht auch der Tonus, d. h. der in der Diastole bleibende Kontraktionsgrad des Herzmuskels unter dem Einfluß des Vaguscentrums. Denn Vagusreizung bewirkt nicht nur eine Verlangsamung, sondern auch eine Schwächung der Herzschläge und verstärkt die diastolische Erschlaffung. Dieses medulläre Herzcentrum wird in seiner Thätigkeit beeinflußt 1) durch die Blutbeschaffenheit (Sauerstoff- und Kohlensäuregehalt), 2) durch den arteriellen Blutdruck (Erhöhung des Drucks verlangsamt, Verminderung des Blutdrucks beschleunigt die Herzaktion), 3) durch direkte mechanische Reizungen (bei erhöhtem Hirndruck), 4) durch Erregungen, welche ihm von den verschiedenartigsten über- und untergeordneten Nervencentren zugeführt werden. Sicher sind schon bei physiologischen Erregbarkeitszuständen des Herzcentrums psychische und vor allem affektive Vorgänge von mächtigem Einfluß auf das medulläre Centrum des Herzvagus. Es ist bekannt, daß plötzlicher Schreck nicht nur eine starke Verlangsamung, sondern auch einen vorübergehenden Stillstand des Herzens hervorrufen kann. Unter den Affekten ist besonders noch der Schmerz zu nennen, welcher starke sensible Reize begleitet und einen deutlich nachweisbaren Einfluß auf die Herzthätigkeit ausübt. Aber auch heftige und plötzliche Sinneserregungen beeinflussen dieses Centrum und bewirken Verlangsamung der Herzaktion. Sie werden als reflektorische Einwirkungen bezeichnet, man könnte sie aber auch nach den früher entwickelten Gesichtspunkten irradiierte Erregungen nennen, welche von den höheren Sinnescentren auf den Vagus übergreifen.

Schwieriger ist die unzweifelhaft bestehende Wirkungsweise spinaler und peripherer Erregungen auf das Herzbewegungscentrum richtig zu deuten. Am bekanntesten ist der GOLTZ'sche Klopfversuch, bei welchem durch Beklopfen des Abdomens (N. splanchnicus) Herzstillstand in Diastole hervorgerufen wird. Den gleichen Erfolg hat die mechanische Reizung des Magen und Darmkanals sowohl von der Serosa als auch der Mucosa aus, ferner die elektrische Reizung des Grenzstrangs in der Bauchhöhle, sodann die Reizung des Halssympathicus und wahrscheinlich auch die sympathischer Fasern, welche zu den Urogenitalorganen gehen. Inwieweit die Reizung anderer sensibler Nerven reflektorisch durch den Vagus auf die Herzthätigkeit einwirkt, ist noch als eine offenstehende Frage zu betrachten. Denn diese reflektorischen Einwirkungen bedingen nicht ausschließlich Verlangsamungen, sondern gelegentlich auch Beschleunigungen der Schlagfolge. Wir werden aber nachher sehen, daß eine Erklärung dieser widerstreitenden Versuchsergebnisse gerade durch pathologische Beobachtungen sehr nahegerückt wird.

Den entgegengesetzten Einfluß auf die Herzthätigkeit haben Reizungen der beschleunigenden Nerven, welche vorzugsweise auf den Bahnen des Sympathicus, und sehr wahrscheinlich auch des Vagus, vom Gehirn und Rückenmark dem Herzen zugehen. Das Centrum dieser Beschleunigungsnerven ist ebenfalls in dem verlängerten Mark gelegen, wird aber nicht dauernd erregt, sondern nur vorübergehend unter dem Einfluß irradiierter und reflektorisch zugeführter Reize, welche von über- und untergeordneten Centralapparaten ihm zugehen. Es spielen hier auch psychische resp. Großhirnerregungen die Hauptrolle, sodann sensorische und sensible Reize, doch ist bei diesen letzteren immer fraglich, ob nicht der erregende Einfluß durch den Schmerzaffekt ausgelöst wird. Von Wichtigkeit ist die Thatsache, daß die sympathischen Acceleratoren auch Fasern enthalten, welche den Herzschlag verstärken. Es steht dieser experimentelle Befund im Einklang mit der ebenfalls experimentell gefundenen Thatsache, daß die im Vagus verlaufenden beschleunigenden Fasern gleichfalls eine den Herzschlag verstärkende Wirkung besitzen.

Wir wollen uns mit diesem kurzen Ueberblick begnügen; für jeden Fall zeigen uns die hier angeführten Thatsachen, daß die Herzarbeit sowohl bezüglich der Schlagfolge als auch der Intensität der

Herzaktion von den mannigfachsten centralen und peripheren Erregungsvorgängen abhängt, welche durch Vermittelung zweier ganz verschiedenartig wirkender medullärer Mechanismen und durch besondere Leitungsbahnen dem Herzen zugeführt werden. Wenn wir uns erinnern, daß alle einem Nervencentrum zufließenden Erregungen auf dasselbe einen zwiefachen Einfluß ausüben, einen bahnenden und einen hemmenden; wenn wir uns ferner vergegenwärtigen, daß bei dem unendlichen Reichtum der in jeder Zeiteinheit den nervösen Centralorganen von oben und unten zufließenden Erregungen beide Centren ununterbrochen funktionelle Anregungen erhalten; wenn wir endlich berücksichtigen, daß das Ergebnis (ob eine Erregung bahnend oder hemmend wirkt) von der Intensität dieser Erregungen und von dem Thätigkeitszustand des erregten Centrums abhängt, so wird von vornherein einleuchten, daß wir uns über die Art und das Maß dieser Einwirkungen schon unter physiologischen Verhältnissen bei vorübergehend geänderter Schlagfolge oder Intensität der Herzaktion ein bestimmtes Bild nicht machen können. Wer will im Einzelfall entscheiden, ob eine Beschleunigung der Herzaktion auf Reizung des Accelerans oder Hemmung des sogenannten Vaguscentrums beruhe?

Um Ihnen die Möglichkeiten anschaulich zu machen, welche bei den neurasthenischen Innervationsstörungen des Herzens vorliegen, lohnt es sich, kurz ihre klinisch wahrnehmbaren Merkmale zu klassifizieren:

a) Ein erregender Vorgang wirkt bahnend auf die Thätigkeit des Vaguscentrums — die Schlagfolge des Herzens wird verlangsamt, die Intensität der Herzrevolution verringert.

b) Ein erregender Vorgang wirkt hemmend auf das Vaguscentrum — die Schlagfolge wird beschleunigt, die Intensität der Herzrevolution gesteigert.

c) Eine Erregung wirkt bahnend auf das Beschleunigungscentrum, welches durch anderweitige Erregungen in Thätigkeit versetzt worden ist — die Schlagfolge wird beschleunigt, die Intensität der Herzrevolution verstärkt.

d) Eine Erregung wirkt hemmend auf das in Thätigkeit befindliche Beschleunigungscentrum — die Schlagfolge wird verlangsamt, die Intensität der Herzrevolution verringert[1]).

Es ergiebt sich hieraus, daß die klinischen Zeichen bahnender Einwirkungen auf das Vagus- und hemmender auf das Beschleunigungscentrum sich annähernd gleich sind. Dasselbe gilt von den hemmenden auf das Vagus- und den bahnenden auf das Beschleunigungscentrum. Dies mahnt uns, bei den „Neurosen des Herzens" mit den Begriffen der Vagus- oder Sympathicusaffektion recht sparsam zu werden; denn was schon für bahnende und hemmende Einflüsse unter physiologischen Erregbarkeitszuständen des Central-

---

1) Die intrakardiale (hemmende?) Beeinflussung der Herzinnervation ist hier absichtlich außer Betracht gelassen. Bei funktionellen Erkrankungen (ohne gröbere Ernährungsstörungen des Herzmuskels und der intrakardialen Nervenzellenkomplexe) spielt sie vermutlich eine untergeordnete Rolle; bedeutsamer werden diese intrakardialen Störungen bei schweren Anämien, Intoxikationen u. s. w. sein.

nervensystems gilt, gewinnt bei der Labilität des neurasthenischen Nervensystems eine erhöhte Bedeutung. Im Stadium der Uebererregung werden Reize auf diese medullären Centren einen unter physiologischen Bedingungen ungewöhnlichen Einfluß ausüben. Wir stehen wechselnden Bahnungen und Hemmungen gegenüber, welche die Schlagfolge und die Intensität der Herzrevolutionen für kürzere oder längere Frist und in raschem Wechsel der klinischen Erscheinungen pathologisch beeinflussen können. Hierzu kommt noch ein weiterer Umstand, welcher die Mannigfaltigkeit dieser pathologisch verstärkten Einwirkungen steigern muß, die raschere Erschöpfbarkeit dieser Centren bei erhöhter Inanspruchnahme. Soweit es gestattet ist, aus dem Tierexperiment Schlüsse auf die menschliche Pathologie zu ziehen, muß der Vermutung Raum gegeben werden, daß bei Erschöpfung des Vaguscentrums Reizungen der beschleunigenden Fasern auf die Herzthätigkeit noch eine Wirkung ausüben. Ist diese Voraussetzung zutreffend, so muß angenommen werden, daß die Beschleunigung der Herzthätigkeit, welche wir so häufig nach erschöpfenden Einflüssen (körperlichen und geistigen Ueberanstrengungen) bei Neurasthenikern vorfinden, nicht allein durch die Funktionsschädigung des Vaguscentrums, sondern auch durch bahnende Einwirkungen auf die Beschleunigungsnerven zustande kommt. Hierfür spricht die klinische Thatsache, daß allgemeine Erschöpfungszustände zuerst eine relativ mäßige Steigerung der Herzrevolutionen (100—110 Schläge) herbeiführen und erst unter der Einwirkung von Affekten oder peripheren sensorischen und sensiblen Reizen die Schlagzahl eine Steigerung (bis zu 130) erfährt. Erholt sich das Vaguscentrum, so tritt seine hemmende Thätigkeit wieder in Kraft, und werden zugleich verstärkte bahnende Einflüsse auf dasselbe wirksam, so kann ziemlich unvermittelt eine auffällige Verlangsamung der Schlagfolge eintreten. Es geht aus dieser Betrachtung hervor, daß die Bedeutsamkeit hemmender und bahnender Einflüsse recht verschieden sein wird, je nachdem der gesamte Kräftezustand des Neurasthenikers und insbesondere derjenige der genannten medullären Herzcentren zur Zeit der Krankenbeobachtung beschaffen ist.

Untrennbar verknüpft mit diesen mannigfachen pathologischen Zuständen der medullären Herzinnervationscentren sind die Störungen, welche auf das medulläre Gefäßcentrum (vasomotorisches Centrum) gemeinhin bezogen werden. Alle die vorgenannten pathophysiologischen Erwägungen sind auch für die Thätigkeitsäußerungen dieses Centrums maßgebend. Eine funktionelle Steigerung wird in der Phase der Uebererregung durch verschiedenartige bahnende Einwirkungen auf dasselbe stattfinden können. Solche tonus- und blutdruckerhöhende, pressorische Einwirkungen auf das vasomotorische Centrum werden außer durch die Kohlensäureüberladung des Blutes (welche durch die verschiedensten Ursachen bedingt sein kann und wahrscheinlich direkt dieses Centrum erregt) am häufigsten hervorgerufen durch psychische Erregungen, sodann durch centripetale Reize, welche von der Körperoberfläche, den Schleimhäuten und den inneren Organen aus erzeugt werden. Aber alle diese indirekten Einwirkungen auf das Gefäßcentrum können einen entgegengesetzten hemmenden, depressorischen Einfluß ausüben, d. h. den Gefäßtonus und den allgemeinen Blutdruck herabmindern.

Es ist in praxi außerordentlich schwierig, ja geradezu unmöglich, bei der Neurasthenie festzustellen, welche angioneurotische Störungen in erster Linie oder ausschließlich auf die medullären Herz-centren oder auf das vasomotorische Centrum zu beziehen sind. Bei dem komplizierten Ineinandergreifen der den Blutdruck und die Herzthätigkeit regulierenden nervösen Einrichtungen ist der Anteil, welcher jeder von ihnen bei den pathologischen Vorgängen der Blutbewegung zukommt, nicht zu berechnen. Auch in klinischer Richtung ist die Untersuchung des Herzens und der großen Körperarterien durchaus zusammengehörig; demgemäß werden wir in der Folge die Schilderung des Pulses den einzelnen als Herzinnervationsstörungen bezeichneten Symptomgruppen direkt anreihen.

Betrachten wir zuerst die klinischen Erscheinungen, welche der Phase der Uebererregung (im Stadium der Dauerermüdung) ent-sprechen. Wir sind ihnen schon Eingangs unter der Bezeichnung des nervösen Herzklopfens begegnet.

Ich habe schon oben kurz einige Momente aufgezählt, welche die vorübergehende Beschleunigung der Herzthätigkeit bedingen; ich möchte hier nur zufügen, daß der Genuß von Alcoholicis, Thee, Kaffee, gewissen Arzneimitteln (Canab. indic., Morphium, Sulfonal u. s. w.), stärkere Hautreize (z. B. Zugluft, plötzliche Abkühlungen der Körperoberfläche), Aenderungen der Körperhaltung nicht selten bei Neurasthenikern die Anfälle von Herzklopfen hervorrufen. Am mäch-tigsten sind, um es hier besonders hervorzuheben, affektive Erre-gungen (vergl. die Ausführungen über Angst- und Furchtvorstellungen), Störungen im Digestionstraktus und geschlechtliche Vorgänge. Bei muskelschwachen Individuen (in dem früher erörterten Sinne) gehört das Herzklopfen zu den landläufigen Symptomen; bei den schwe-reren Formen neurasthenischer Motilitätsstörungen kommt der volle Symptomenkomplex der kardialen Neurasthenie zu den übrigen Er-scheinungen hinzu, es treten dieselben also sehr häufig aus dem Rahmen des einfachen Herzklopfens heraus.

Es ist von ROSENBACH mit Recht darauf hingewiesen worden, daß bei Klagen über Herzklopfen streng auseinandergehalten werden muß, ob dieselben nur subjektive, dem kranken Individuum allein kundwerdende Krankheitserscheinungen sind, oder ob zugleich ob-jektiv wahrnehmbare Beschleunigungen und Intensitätsschwankungen der Herzinnervation vorhanden sind. Sie werden diese Unterscheidung gerade bei den Neurasthenikern sehr gerechtfertigt finden. Betrachten Sie die Fälle mit „subjektivem Herzklopfen" genauer, so werden Sie unschwer nachweisen können, daß es sich um Patienten mit ausge-prägter allgemeiner Hyperästhesie resp. Hyperalgesie handelt. Neben den fast unzählbaren Klagen über neuralgiforme Schmerzen und Par-ästhesien in den verschiedensten peripheren und visceralen Nerven-gebieten, neben rhachialgischen Schmerzen, abnormen Sensationen im Schädelinnern nehmen zeitweilig die Klagen über krankhafte Herz-empfindungen einen breiten Raum ein.

Untersuchen Sie die Herzthätigkeit außerhalb dieser paroxys-malen Beschwerden, so werden Sie in der Regel nichts Auffälliges weder bei der Inspektion noch der Auskultation und Perkussion fest-stellen können. Ueberwiegend ist die Schlagzahl eine mittlere (72 bis

84 in der Minute), die Schlagfolge ist regelmäßig, die Herzrevolutionen
annähernd von mittlerer Intensität. Doch wird Ihnen auch bei Fällen,
die über keine intensiveren Störungen, besonders nicht über Anfälle von Herzschwäche klagen, gelegentlich die relativ schwache
Herzaktion auffällig sein; der Spitzenstoß ist dann selbst bei mageren
Personen kaum fühlbar, bei der Auskultation ist der erste Ton an
der Spitze leiser und von einem leichten, blasenden Geräusche begleitet. Der Radialispuls ist weich, mittelweit, leicht unterdrückbar,
die Gefäßwand von geringer Spannung.

. Untersuchen Sie dann den Kranken späterhin, während er von
seinem „Herzklopfen" heimgesucht wird, so finden Sie die Herzaktion
entweder gar nicht oder nur in geringem Maße beschleunigt, die
Steigerung der Schlagzahl beträgt höchstens 4—10 in der Minute, die
Intensität ist nicht verstärkt, wenigstens können Sie keine Verstärkung
des Spitzenstoßes oder eine Aenderung der auskultatorischen Phänomene nachweisen; der Puls zeigt außer einer geringen Beschleunigung
ebenfalls keine Abweichungen. Mit diesem dürftigen Befunde stehen
dann die Klagen der Kranken in grellem Widerspruch. Vorherrschend
ist ein Gefühl von Druck und Spannung in der Herzgegend, welches
bei vielen Kranken sich bis zur Präkordialangst steigert. Die Herzrevolutionen werden von „krampfartigen, wogenden und pressenden"
Empfindungen begleitet, welche mit jedem Herzschlage anschwellen
und als quälende, beängstigende Pulsationen bald im Epigastrium,
bald in der Carotidengegend, bald im Schädelinnern mitempfunden
werden. Damit verbinden sich, wenn die Anfälle länger dauern, Gefühle von Luftmangel (ohne jedes sichtbare Zeichen von Dyspnoë),
von Konstriktionsempfindungen im Halse, vermehrtem Blutandrang
zum Kopf (Benommenheitsempfindungen), verstärkten Pulsationen in
den gesamten Körper- und Gehirnarterien („ich fühle, wie das Blut
durch die Adern fließt") und schließlich schmerzhafte Empfindungen
(„fressendes", „bohrendes", „sägendes" Gefühl) in der Herzgegend,
über die ganze linke Thoraxhälfte als „Nervenschmerzen" ausstrahlend
oder gürtelförmig den ganzen Thorax in der Höhe des Brustbeins
zusammenpressend. Als einziges objektives Phänomen dieser Anfälle
von subjektivem Herzklopfen besteht mitunter ein ausgeprägter Druckschmerz im 3. und 5. Interkostalraum links in der Mammillarlinie.

Man wird diese Anfälle nur verstehen können, wenn man den
psychischen Zustand des Kranken richtig zu beurteilen vermag. Ich
verweise Sie auf die ausführlichen Schilderungen der affektiven und
intellektuellen Störungen und möchte hier nur hinzufügen, daß ein
Teil dieser Anfälle nichts anderes darstellt als vasomotorische Begleiterscheinungen bestimmter Angst- und Furchtvorstellungen. Bei anderen
Kranken ist der Kausalnexus ein umgekehrter: geringfügige und durch
verschiedenste Ursachen bedingte Schwankungen der Herzinnervation
rufen diese quälenden Herzempfindungen und die Angst wach, welche
ihrerseits die vasomotorischen Symptome und damit die subjektiven
Beschwerden steigern.

Daß diese Zustände nervösen Herzklopfens nur Teilerscheinungen
konstitutioneller Neuropathien sind und sich mit den mannigfachsten
neurasthenischen Symptomen auf psychischem und somatischem Gebiete zusammen vorfinden, mag Ihnen die folgende Beobachtung
lehren. Sie gewinnt noch dadurch ein besonderes Interesse, daß uns

durch die genauere Kenntnis der Familiengeschichte ein Einblick in die Grundlage dieser konstitutionellen Neuropathie gewährt wird. Tuberkulöse Durchseuchung der väterlichen Familie hat durch Keimesschädigungen bei diesem Patienten einen allgemeinen angeborenen Schwächezustand verursacht, welcher schon im 1. Lebensjahre zu schweren Störungen der cerebralen Funktionen geführt hatte. Der weitere Verlauf wird Sie darüber belehren, daß die intellektuelle Entwickelung trotz dieses und späterer Zwischenfälle keine dauernde Hemmung erfahren hat; wohl aber finden sich bei dem Patienten vereinzelte psychopathologische Erscheinungen (Fragezwang, homosexuelle Neigungen), welche auf degenerative erbliche Belastung hinweisen:

30-jähriger Landwirt; in der väterlichen Familie zahlreiche Fälle Krg. Nr. 35. von Tuberkulose; Vater starb im 33. Lebensjahre an einer „Unterleibsentzündung"; Mutter gesund, aber von leicht reizbarem Naturell; von 5 Kindern (2 Knaben, 3 Mädchen) starben die weiblichen Kinder in den ersten Lebensmonaten; der Bruder des Pat. war bis zum 12. Jahre ganz gesund, erkrankte dann an „Lungenkatarrh" und ging im 13. Lebensjahre an Hämoptoë zu Grunde.

Pat. wurde als gesundes Kind geboren, hatte mit $^3/_4$ Jahren eine „Krisis" zu überstehen. „Der mich damals behandelnde Arzt erklärte das Leiden als Wasserkopf und gab jede Hoffnung verloren." Im Alter von 1 Jahre soll Pat. ein kräftiges Kind gewesen sein. Mit 10 Jahren traten infolge „ungünstiger körperlicher Verhältnisse" (schnelles Wachstum) und von Gemütserschütterungen (Familienzwistigkeiten) nervöse Schwächezustände ein. Während er bis dahin ein sehr guter Schüler gewesen war, war er jetzt immer müde. „Es fielen mir bisweilen während des Unterrichtes die Augen zu." Er soll damals sehr bleichsüchtig und muskelschwach gewesen sein. Er war reizbar, konnte das laute Lärmen der übrigen Knaben in der Freiviertelstunde nicht ertragen, wurde ängstlich und vom Lehrer nach Hause geschickt. Auf Grund eines ärztlichen Zeugnisses wurde er im 13. Lebensjahre wegen Körper- und Nervenschwäche vorzeitig aus der Schule entlassen. Er verbrachte 2 Jahre fast unthätig zu Hause. Dann wurde ihm Privatunterricht im Lateinischen, Französischen, Englischen, Mathematik etc. erteilt, um ihn auf die Forstkarriere vorzubereiten. Nach einiger Zeit (im 16. Lebensjahre) verhinderte „allzu große Augenschwäche" die Fortsetzung des Studiums. Im folgenden Winter besuchte er die landwirtschaftliche Winterschule mit gutem Erfolg. Im 17. Jahre nach 5-monatlicher Vorbereitung Absolvierung des Einjährig-Freiwilligen-Examens und nach weiterem 3-monatlichem Privatunterricht im 18. Jahre Nachprüfung im Latein (Reife für die Obersekunda eines Realgymnasiums), um sich dem Apothekerberufe widmen zu können. Doch reichte diese Berechtigung nicht aus; er mußte im 20. Jahre noch einmal den vollen Kursus der Obersekunda des Realgymnasiums mitmachen. Besonders die Mathematik verursachte ihm viel Schwierigkeiten.

Während dieser Zeit traten des öfteren ganz leichte und kurzdauernde Herzpalpitationen auf, auf die Pat. „keinen Wert legte". In der Nacht vor dem letzten Examen (Frühling 1885) bekam er einen sehr heftigen Anfall von Herzklopfen. „Seit dieser Zeit, also seit mehr als 9 Jahren, hat es mich nicht mehr verlassen. Zuerst erschreckte mich das Ungewohnte der Herzpalpitationen furchtbar. Erst nach und nach fand ich mich in das Unabänderliche." Im 21. Jahre Magendarmkatarrh und „nervöse Zwangsvorstellungen". „Ich fragte mich mitunter beim Ansehen eines Gegenstandes: Warum heißt dies so und nicht anders?" Besuch einer Nervenheilanstalt. 1. Anfall von Todesfurcht mit furcht-barem Herzklopfen, Hitze- und Kälteempfindungen im Kopfe. Die Diagnose des Arztes lautete auf Neurasthenie. Eine Wasserkur brachte wesentliche Besserung. Nach 3-monatlichem Aufenthalt in einer Apotheke Verschlimmerung des Zustandes. Deshalb führte er einen Berufswechsel durch und wurde Landwirt und Gärtner.

Eine zweite Wasserkur zur Beseitigung seines Herzklopfens in einer Kaltwasserheilanstalt soll ihn sehr geschwächt haben, ohne das Leiden zu mildern. Im 24. Lebensjahre genügte er seiner Militärpflicht; die Herzpalpitationen traten während dieser Zeit mehr zurück; das Manöver konnte er wegen eines langwierigen Magenkatarrhs nicht mitmachen. Im 26. Jahre machte er eine schwere Influenzaerkrankung durch, „welche alle durch das Militärjahr errungenen Vorteile in Bezug auf die Herz-geschichte zu nichte machte; war sonst das Herzklopfen vereinzelt auf-getreten, so zeigte es sich von jetzt an täglich so und so vielmal." Geistige Arbeit verstärkte das Herzklopfen. Praktische Arbeiten waren nützlich, doch durfte er sich nicht zu oft bücken. Er wurde menschenscheu, da ihn der gesellige Verkehr aufregte und er überall „das Widrige, Unangenehme herausfand".

Er studierte an verschiedenen landwirtschaftlichen Hochschulen und pomologischen Instituten und arbeitete während der Sommermonate in großen Gärtnereien des In- und Auslandes. Auffallend waren ihm „stür-mische, das Gemüt tief ergreifende, rein platonische Liebesneigungen", welche er zu wiederholten Malen zu jungen Männern faßte.

Eine 1893 absolvierte Kur bei Pfarrer Kneipp hatte einen sehr schlechten Erfolg; sie häufte die Zahl der Anfälle von Herzpalpitation. Ebenso wirkte die Anwendung vegetarischer Diät ungünstig. Er wurde entschlußlos, andauernd ängstlich, fürchtete sich vor dem Alleinsein, grübelte beständig über seine Krankheit nach. Im Wintersemester 1893/94 studierte er an hiesiger Hochschule und trat im Februar 1894 in meine Behandlung. ·

Status: Mittelgroßer, magerer, blutarmer, junger Mann; Gesichtsaus-druck scheu, ängstlich und gedrückt; Sprache leise, lispelnd und hastig; zahlreiche mimische Mitbewegungen beim Sprechen. Pat. ist anfänglich sehr zurückhaltend und mißtrauisch und teilt mir seine Krankengeschichte erst nach 3 Monaten genau mit, während er vorher sein Vorleben als „schauderhaft traurig und trostlos, merkwürdig" bezeichnet hatte. „Ich möchte lieber darüber nicht sprechen."

Die subjektiven Klagen bezogen sich erstens auf die anfallsweise auf-tretenden Herzpalpitationen. Innerhalb 24 Stunden hat er bis zu 58 solcher Anfälle gezählt. Die übergroße Mehrzahl derselben er-reichte etwa die Zeitdauer von 15 Sekunden, einige Anfälle dehnten sich bis zu $\frac{1}{2}$ Minute aus. Die Anfälle kommen ohne alle Vorboten und werden hervorgerufen durch jeden Wechsel der Stimmung, heftige Sinneseindrücke, trübe Gedanken, Nahrungsaufnahme, vieles Sprechen, kurzum durch alles, „was die Nerven aufregt". In seiner gärtnerischen Thätigkeit fühlt er sich am wohlsten, körperliche Arbeit schadet nichts, solange sie nicht zu anstrengend ist, im Gegenteil, sie beschäftigt seinen Geist und lenkt ihn von seinen grüblerischen Gedanken ab. Nur häufiges, schnelles Bücken muß er vermeiden. Der Kollegienbesuch strengt ihn sehr an. Er ist außerstande, täglich mehr wie 2 Stunden geistig thätig zu sein, da Flimmern vor den Augen, Kopfdruck, Abspannung und vermehrtes Herzklopfen auftritt.

Die Anfälle selbst schildert er folgendermaßen: „Das Herz ist stürmisch erregt; alles Blut drängt zum Herzen; die Herzspitze wird in beschleunigtem Tempo und mit großer Gewalt gegen die Brustwand gestoßen. Die Herzbewegungen sind krampfhaft, und diese Krampfempfindung erregt eine furchtbare Beängstigung, die vom Herzen nach dem Kopf ausstrahlt. Im Augenblick des Herzklopfens kann ich an nichts anderes denken."

Die Untersuchung des Herzens ergiebt durchaus normale Verhältnisse. Der Spitzenstoß ist im 5. Interkostalraum in normaler Weise sicht- und fühlbar; keine diffuse Erschütterung. Der Puls ist klein, weich, leicht unterdrückbar, durchschnittlich 80—84 in der Minute. In den Anfällen ist er entschieden voller und bis zu 126 beschleunigt. Bei der Adspektion der Herzgegend werden dabei keine diffusen Erschütterungen bemerkt, und der Herzstoß ist dem Gefühle nach nur ganz wenig verstärkt. Für jeden Fall stehen die subjektiven Klagen des Pat. nicht im Einklang mit der beobachteten Herzaktion. Die sphygmographische Untersuchung der Radialis ergab außer einer leichten Verstärkung der ersten Sekundärelevation nichts Besonderes.

Die weiteren Klagen des Pat. bezogen sich auf gestörte Verdauung. Er sei außerstande, die Wirtshausküche zu essen, sie sei zu stark gewürzt, mache ihm Druck und Fülle im Magen, Aufstoßen, Brechreiz, Uebelkeit. Thatsächlich erkrankte er nach 2 Monaten unter Fieber bis zu 39,5 an einem akuten Magendarmkatarrh mit Erbrechen schleimigen und wässerigen, gallig gefärbten Mageninhalts, enormer Schmerzhaftigkeit der Magengegend. Zunge stark belegt; starker Foetor ex ore; die erbrochenen Massen stark sauer. Er erholte sich ganz langsam bei geeigneter diätetischer Behandlung.

Alle therapeutischen Versuche, das Herzklopfen zu beseitigen, waren erfolglos. Es wurde wohl vorübergehend Besserung erzielt, sobald der Pat. unter günstige, psychisch-hygienische Verhältnisse gebracht wurde. Sich selbst überlassen, verfiel er sofort wieder seiner grüblerischen Selbstbeobachtung, und unter dem Einfluß erhöhter psychischer Reizbarkeit traten die Herzpalpitationen häufiger und heftiger hervor.

Hinsichtlich der Herzstörungen steht dieser Fall auf der Grenzlinie zwischen den Beobachtungen mit subjektivem oder objektivem Herzklopfen.

Wesentlich anders gestaltet sich das äußere Bild in den Fällen, in welchen die Anfälle von Herzklopfen mit objektiv wahrnehmbaren Zeichen gestörter Herzinnervation verbunden sind. Um Wiederholungen zu vermeiden, werden wir hier nur die klinischen Zeichen einer gesteigerten Herzthätigkeit betrachten, während die Anfälle von Herzklopfen mit verringerter Herzthätigkeit bei dem Symptomenkomplex der nervösen Herzschwäche berücksichtigt werden. Daß zwischen beiden, von pathophysiologischem Standpunkt aus betrachtet, ein prinzipieller Unterschied nicht besteht, ist schon in der Einleitung dieser Vorlesung hervorgehoben. Der Befund außerhalb der Anfälle kann sich mit der oben gegebenen Darstellung decken;

in anderen Fällen sind schon außerhalb der Anfälle von Herzklopfen
Zeichen einer erregten Herzthätigkeit vorhanden.   Der Spitzenstoß
ist kräftig, aber an normaler Stelle sicht- und fühlbar, die Herztöne
sind laut, namentlich der erste verstärkt, der Puls voll, die Radialis
mittelweit, stärker gespannt, die Schlagzahl ist mäßig vermehrt
(88—92); die Kranken haben ein lebhaft gerötetes Antlitz; das vasomotorische Nachröten, welches Sie am besten prüfen,· indem Sie mit
dem Stiele des Perkussionshammers Striche mit mäßigem Druck auf
der vorderen Thoraxfläche ziehen, ist gesteigert.

Im Anfall selbst ist das Bild deutlicher ausgeprägt, welches
von manchen Autoren der nervösen Tachycardie zugerechnet wird.
Diese neurastheinischen Krankheitserscheinungen dürfen nicht mit dem
wohlcharakterisierten Krankheitsbilde der sogenannten essentiellen,
paroxysmalen Tachycardie verwechselt werden, welches neuerdings von Martius als Symptom einer anfallsweis auftretenden
akuten Herzerweiterung gedeutet worden ist.   Die Schlagzahl schwankt
zwischen 110—130, die Herzaktion ist beträchtlich verstärkt, mit einer diffusen Erschütterung der ganzen
Brustwand verbunden.   Auskultatorisch   sind   die   Herztöne rein, kurz klappend und nicht selten von einem metallisch
klingenden Nachhall (cliquétis métallique) begleitet, welcher seine
Ursache in der starken Erschütterung der Brustwand mancher Individuen hat (ROSENBACH).   Die Pulsfrequenz ist entsprechend gesteigert, die sichtbaren Arterien besonders am Halse prall gespannt, erweitert, ihre Pulsationen verstärkt, klopfend und häm-
mernd, auch die pulsatorischen Erhebungen im Epigastrium sind
bedeutend verstärkt.   Das Gesicht ist lebhaft gerötet, die Augen
glänzend, die Pupillen erweitert, die Atmung beschleunigt.   Die subjektiven Empfindungen sind dieselben wie in den früher beschriebenen
Anfällen ohne objektive Anzeichen, nur sind die Krankheitsäußerungen
stürmischer, ausdrucksvoller, indem die Angstgefühle die mannigfachsten Angstbewegungen hervorrufen.   Die Gesichtszüge sind ver-
zerrt, die Hände werden gegen die Stirne oder gegen die Herzgegend
gepreßt, die Kranken liegen, leise wimmernd oder laut stöhnend, zu
Bett oder auf dem Sopha zusammengekauert, oder sie laufen ruhelos
auf und ab, bis sie vor Erschöpfung zusammenbrechen.

Wenn Sie zum erstenmal einen solchen Anfall beobachten, so
wird Ihnen, falls Ihnen das neurasthenische Allgemeinleiden unbekannt geblieben ist, immer der Symptomenkomplex der Angina pectoris
vor Augen schweben, besonders wenn Auskultation und Perkussion
das Bestehen eines Klappenfehlers ausschließen läßt.   Wir werden
späterhin sehen, daß thatsächlich die differentielle Diagnose zwischen
diesen nervösen Herzpalpitationen und der Angina pectoris sich recht
schwierig gestalten kann.   Haben Sie aber jugendliche Individuen in
der Pubertätsperiode oder bis zur Mitte der 30er Jahre vor sich —
und gerade in diesen Lebensaltern sind die Anfälle von nervösem
Herzklopfen am häufigsten — so wird es sehr unwahrscheinlich, daß
die wahre Angina pectoris, d. h. die auf Erkrankungen der Koronararterien beruhende Störung der Herzernährung und intrakardialen
Herzinnervation vorhanden ist.   Viel eher wird dann der Verdacht
auf das Bestehen eines Morbus Basedowii gerechtfertigt sein.   Hier
wird Sie nur die genaueste Untersuchung des Kranken zum richtigen
Urteil führen.

Nicht unerwähnt will ich lassen, daß die Beschleunigung und Verstärkung der Herzthätigkeit durchaus nicht immer den Charakter eines paroxysmalen Ereignisses besitzt; besonders wenn die Innervationsstörungen seitens des Herzens längere Zeit angedauert haben, ist eine Beschleunigung der Schlagfolge ein regelmäßiger Befund. Die Frequenz der Herzrevolutionen beträgt dann im Mittel 100—130. Aber auch hier werden Sie ein An- und Abschwellen der geschilderten Krankheitserscheinungen je nach dem Allgemeinbefinden bei körperlicher und geistiger Ruhe, gemütlicher Aufregung u. s. w. feststellen können. Jede, selbst geringfügige Steigerung der Herzaktion kann das ganze Heer von subjektiven Beschwerden hervorrufen.

Ich will es nicht unterlassen, Ihnen einen nicht ganz aufgeklärten Fall hier mitzuteilen, welcher unter der Diagnose „nervöses Herzklopfen" mir zur Behandlung überwiesen worden ist. Die schwere familiäre Disposition zu Herzerkrankungen, sowie die Vermengung arthritischer und nervöser Beschwerden bei der Patientin selbst weisen den Fall jener in dem allgemein-ätiologischen Kapitel erwähnten Gruppe von Kranken zu, welche mit der „nervös-arthritischen Diathese" behaftet sind:

31-jähriges Fräulein, früher Erzieherin; Vater an einem Herzleiden [Fig. No. 36.] gestorben; Mutter lebt und ist gesund; 5 Geschwister, davon 3 mit Herzbeschwerden behaftet; 1 Bruder der Mutter an Herzleiden gestorben; Pat. als Kind (5.—6. Jahr) „Hirnentzündung"; seitdem viel Kopfschmerzen, besonders vor $4\frac{1}{2}$ Jahren (1891) starke Hinterkopfschmerzen (symmetrisch, ohne Uebelkeit) und Rückenschmerzen; zu gleicher Zeit Blutvergiftung (große Phlegmone); 1893 viel Schmerzen im linken Handgelenk zugleich mit Schwellung (Fieber fraglich, Pat. fühlte sich sehr elend, erhielt Salicyl); seit Februar 1894 im Anschluß an eine Gemütsbewegung Schmerz in der Herzgegend; März 1894 kam „Herzkrampf" mit Herzklopfen, starker Pulsbeschleunigung und Angst hinzu; seitdem kehrt ein solcher Anfall öfter in unregelmäßigen Zwischenräumen wieder, Dauer 1 Stunde, inkl. der Nachwirkungen bis zu 2 Tagen; Zwischenraum meist mehrere Wochen, im Winter zuweilen weniger als 1 Woche: Gehen, namentlich Treppensteigen seit Winter 1894 erschwert, oft Absterben der Füße; Respiration bei jeder Bewegung, Erregung etc. auf 30—40 steigend; im Winter mehrere Wochen lang Erbrechen im Anschluß an im linksseitigen Gebiet der beiden oberen Trigeminusäste aufgetretene Schmerzen; in den letzten 6 Wochen waren beide Knie-, Fuß- und Handgelenke geschwollen und schmerzhaft; Schlaf schlecht (höchstens 3 Stunden).

Status praesens (in der Sprechstunde) vom 11. Juni 1895: Pupillen erweitert, rechts weniger, Lichtreaktion nicht sehr ausgiebig; Herzdämpfung links eben die Mammillarlinie überschreitend; 1. Mitralton spurweise unrein; zur Zeit kein Oedem; Puls außerhalb des Anfalls ziemlich voll, etwas stärker gespannt, 76—80, keine Arhythmie; Urin eiweiß- und zuckerfrei; VII, XII intakt; starker Tremor manuum; Sensibilität, Gesichtsfeld intakt.

Wir haben bisher die klinischen Merkmale einer übererregten Herzinnervation betrachtet und zugleich auch die pathologischen Herzempfindungen rekapituliert, welche dieselbe begleiten oder vortäuschen können. Wir wenden uns nun der Schilderung derjenigen Innervationsstörungen zu, welche klinisch als Erschöpfungssymptome bezeichnet werden müssen; patho-physiologisch betrachtet, ist eine strenge

Lokalisation in bestimmte Nervencentren oder eine Scheidung nach
bestimmten hemmenden oder bahnenden Einwirkungen undurchführbar.
Ich hebe dies hier nochmals hervor, weil in den hier zu besprechen-
den Krankheitsbildern sich auch Herzsymptome vorfinden, welche bei
einseitiger Betrachtung der Frequenz der Herzrevolutionen als Zeichen
der Ueberorregung gedeutet werden könnten. Ich halte übrigens die
Scheidung der Symptombilder je nach dem Kräftehaushalt der centralen Innervationsmechanismen gerade bei Anomalien der Herzthätigkeit nur für eine schematisch-didaktische, um eine Gruppierung
dieser Krankheitserscheinungen zu erleichtern. Denn wir werden ja
nie vergessen dürfen, daß dieser Kräftehaushalt außerordentlich rasch
wechseln kann. Wie mannigfach und schwankend sind die Anforderungen, welche an die centralen Innervations - und Regulierungs-
mechanismen während des ganzen Lebens gestellt werden! Wie leicht
sind die Uebergänge zwischen relativer Erschöpfung und Erholung
bei einem an sich in seinem Kraftmaße und seiner Leistungsfähigkeit
herabgeminderten Nervensystem! Wie ineinanderfließend oder rasch
wechselnd demgemäß auch die klinischen Merkmale! So erklärt es
sich, daß die „reizbare Schwäche" bei der Schilderung der
Krankheitserscheinungen seitens des Herzens von allen Autoren in den
Mittelpunkt ihrer Betrachtungen gestellt worden ist.

Wenn wir mit diesen Einschränkungen eine Einteilung der Krankheitsbilder weiterhin durchzuführen bemüht sind, so werden wir uns von
den subjektiv und objektiv wahrnehmbaren Zeichen der Erschöpfung,
von den Symptomen der Herzschwäche leiten lassen. Es
ist die Kraft der Herzrevolutionen, welche in erster Linie in Frage
kommt. Um uns über die Entstehungsbedingungen und die klinischen
Varietäten dieser Innervationsstörung einen einigermaßen vollständigen Ueberblick zu verschaffen, so ist es zweckmäßig, eine Scheidung
in leichte und schwere Fälle durchzuführen.

Die ersteren umfassen die Fälle, in welchen unter den subjektiven Beschwerden die Symptome der Herzschwäche, entweder
dauernd oder anfallsweise, die Hauptklagen der Kranken bilden, bei
denen aber die objektiven Befunde keine intensiven
Störungen der Herzinnervation erkennen lassen.

Die zweite Gruppe betrifft die Fälle, in welchen objektiv
nachweisbare Störungen der Schlagfolge resp. Intensität die subjektiven Symptome begleiten und anfallsweise schwere allgemeine Störungen hervorrufen.

Bei der Betrachtung der leichteren Fälle wird es von vornherein
klar, daß sie nicht scharf von den früher geschilderten Zuständen
subjektiven Herzklopfens getrennt werden können. Das subjektive
Gefühl verringerter Herzthätigkeit, welches die Kranken fast dauernd
beherrscht, wird durch die verschiedensten Gelegenheitsursachen, oft
auch ohne jede erkennbare äußere Einwirkung, vorübergehend von
den Symptomen übererregter Herzthätigkeit begleitet, während zu
anderen Zeiten unter den gleichen äußeren Bedingungen die Zeichen
einer Herzschwäche verstärkt auftreten. Gerade im Hinblick auf
diese völlig unberechenbaren Schwankungen der Herzsymptome habe
ich die vorstehenden Erörterungen über den mannigfachen Wechsel
zwischen Ueberanstrengung und Erschöpfung eingeschaltet. Für diese
Fälle ist die Bezeichnung des reizbaren Herzens (irritable heart)
wohl verständlich.

Eine erneute Aufzählung aller diese Schwankungen veranlassenden Momente kann ich mir hier ersparen, da sie sich völlig mit denjenigen decken, die ich bei der Schilderung der subjektiv erhöhten Herzpalpitationen aufgezählt habe; nur ist der Umstand bemerkenswert, daß bei dem geschwächten resp. erschöpften Zustand der Herzinnervationscentren alle bahnenden und hemmenden Einwirkungen auf dieselben viel rascher und ausgiebiger klinisch bemerkbar werden. So genügt rasches Umwenden oder Aufrichten aus der Horizontallage im Bette oder selbst die geringfügigste Affekterregung, z. B. die bloße Anwesenheit des Arztes oder die Schilderung eines schmerzlichen Erlebnisses, um alle subjektiven Beschwerden mit oder ohne objektiven Befund hervorzurufen. Wir werden am raschesten einen Einblick in diese für die Kranken höchst beängstigenden und quälenden Krankheitsvorgänge erhalten, wenn wir einen typischen Krankheitsfall in seinen einzelnen Verlaufsphasen zusammen betrachten:

Es handelt sich um eine 38-jährige Dame, von mütterlicher Seite aus erblich belastet, „von Kind auf nervös". In den Entwickelungsjahren hochgradig chlorotisch und schlaflos. Heirat im 23. Jahre. Seit der ersten Geburt (im 24. Lebensjahr) vielfach an Kopf- und Gliederschmerzen leidend. Sie hat 3 Kinder geboren; Schwangerschaften und Wochenbette verliefen völlig normal. Schlaf seit 11—12 Jahren nicht „mehr besonders". „Bei viel Trubel leicht Schwindel." Vor 1½ Jahren erkrankte ihr jüngstes 5-jähriges Kind an Diphtheritis; in der Rekonvalescenz stellten sich schwere Hirnsymptome ein. Die Mutter pflegte das erkrankte Kind selbst, durchwachte viele Nächte am Krankenbett und verzehrte sich vor Sorge um ihren Liebling. Nach 8-wöchentlichem Krankenlager starb das Kind, die Mutter war vor Schmerz 14 Tage völlig teilnahmslos, nahm fast gar keine Nahrung zu sich, schlief nicht; sie erholte sich dann scheinbar, war aber reizbar, ermüdete bei jeder geringfügigen geistigen und körperlichen Leistung, verlor dann Appetit und Schlaf für mehrere Tage, war im Kopfe benommen („dösig") und klagte vor allem über Schwäche der Herzthätigkeit. „Sie fühle, wie das Herz absterbe, die Schläge werden immer leiser, ein eigentümliches nagendes Gefühl, als ob das Blut wegriesele etc., in der ganzen Herzgegend."

Allmähliche Kräftigung und Schwinden dieser Symptome im Laufe eines Vierteljahres. Doch schon nach 4-wöchentlichem Wohlbefinden Rückfall ohne bestimmte Gelegenheitsursache. Es trat wieder allgemeine Schwäche, Gemütsreizbarkeit (Weinen bei geringfügigsten Anlässen), Scheu vor Verkehr mit „fremden" Menschen, „Augenschwäche" (Schwindel beim Blick nach unten, Ermüdungsempfindungen mit Kopfschmerz und Benommenheit nach Lesen oder Schreiben von wenigen Zeilen), anfallsweise Herzschmerzen mit Druck, Schwäche- und Leerheitsempfindungen an der Herzspitze auf. Waren die Anfälle stärker, so bestand hochgradige Angst, allgemeiner Schweißausbruch, Furcht, sterben zu müssen.

Status praesens vom 24. Februar 1895: Große, kräftig gebaute Dame, mit reichlichem Fettpolster, gut entwickelter, aber schlaffer Muskulatur; Farbe des Gesichts und der sichtbaren Schleimhäute blaß; Gesichtsausdruck leidend; die Kranke ruht auf einer Chaiselongue, vermeidet rasche Bewegungen des Körpers, wendet beim Gespräche nur

Krg. No. 37.

ungern den Kopf resp. den Blick zur Seite, weil sofort Schwäche-, Ohnmacht- und Schwindelempfindungen hierdurch erzeugt werden. Gesichtsnervenaustritte nicht druckempfindlich; ebensowenig Druck auf die Interkostalräume rechts oder links. Keine Rhachialgie. Ein konstanter Druckschmerzpunkt ist rechts 2 cm vom Nabel, bei tiefem Druck hyperalgetische Hautzone im rechten Hypochondrium, nach hinten bis zur Wirbelsäule bandförmig (handbreit) reichend (HEAD'sche Zone).

Die physikalische Untersuchung des Herzens ergiebt durchaus normale Verhältnisse. Puls weich, ziemlich voll, leichter unterdrückbar, regelmäßig, 76—80 in der Minute. Bei den Anfällen, die meist nachts auftraten und fast täglich wiederkehrten, stieg die Pulsfrequenz auf 104—112; die Schlagfolge regelmäßig, die Welle klein, leicht unterdrückbar. Zu anderen Zeiten war der Puls in den Anfällen verlangsamt, 64—72 in der Minute, Herzaktion entschieden schwächer, Puls klein, Arterie schlecht gespannt. Dauer der Anfälle 10 Minuten bis ¹/₂ Stunde; prämenstrual waren die Herzsymptome am quälendsten.

Alle Behandlungsversuche scheiterten anfänglich an der Uebererregbarkeit der Herzthätigkeit; jede Muskelübung, jedes Bad, jede faradische Behandlung steigerte die Herzbeschwerden und führte gehäufte Anfälle herbei. Schließlich bewirkten methodische langsame Gehübungen und genaue Diätvorschriften (kleine konzentrierte Mahlzeiten, wenig Flüssigkeit) eine Kräftigung der Patientin. Die Herzsymptome verloren sich aber erst völlig, nachdem eine Retroflexio uteri durch gynäkologische Behandlung beseitigt worden war (vergl. hierzu die Ausführungen im Kapitel Aetiologie).

An dieser Stelle will ich Ihnen noch einen zweiten Fall etwas ausführlicher mitteilen, welcher nach verschiedenen Richtungen hin bemerkenswert ist: 1) Wegen der Entstehung des Leidens; die relativ geringfügige neuropathische Veranlagung wird durch eine Infektion mit Malariagift in einen ausgeprägten neuropathischen Zustand übergeführt. 2) Wegen der bunten Mischung subjektiver und objektiver Herzbeschwerden; die pathologische Uebererregbarkeit der Herznervencentren wird Ihnen aus den unaufhörlichen Schwankungen der Herzarbeit sehr klar vor Augen geführt. 3) Wegen der Menge parästhetischer Empfindungen und affektiver Erregungen, welche die Herzbeschwerden einleiten und begleiten. 4) Wegen des deutlichen Zusammenhanges der Herzstörungen mit Verdauungsbeschwerden.

Krg.
No. 38.
38-jähriger Jurist; Eintritt in die klinische Behandlung am 16. Mai 1894. Vater starb 61-jährig am Herzschlag (schwere Arteriosklerose), Mutter lebt und ist nervös (Migräne); einzige Schwester zart, anämisch. Pat. ist verheiratet, hat 3 Kinder, von denen das mittlere rachitisch ist. Zur Vorgeschichte der Erkrankung ist folgendes zu bemerken:

Pat. war als Kind sehr zart, blutarm, bei Muskelleistungen rasch ermüdend; in der Pubertätszeit rapides Wachstum; als Gymnasiast erkrankte er an Intermittens; im Anschluß daran rechtsseitige Supraorbitalneuralgie, welche durch Chininbehandlung beseitigt wurde. Im 19. Jahre gelegentlich gymnastischer Uebungen ein Anfall von starkem Herzklopfen; der Arzt verordnete mehrtägige Bettruhe; bei der Arbeit für das Abiturium Konstriktionsgefühle (Globus) im Halse, die beim Essen verschwanden. Im 28. Lebensjahre „Kolikanfälle" nach hartnäckiger Obstipation; im 35. Lebensjahre neuralgische Schmerzen in der linken

Schulter, welche auf Chininbehandlung schwinden. Im Oktober 1891
(35. Lebensjahr) öfters Schwindelzustände, die durch Bromsalze zum
Schwinden gebracht werden. Seit dieser Zeit gelegentlich, namentlich
bei Anstrengungen, bei erregtem Reden, im Hungerzustande, neuerdings
auch bei stärkerem Bücken oder in der Seitenlage das Gefühl des
„Herzaussetzens".

Am 11. November 1893 trat während einer Eisenbahnfahrt der erste
Angstanfall ein: schwere Oppression in der Herzgegend, Schulterschmerz, Kältegefühl in den Händen, keine Ohnmacht, kein Schwindel.
Dieser Anfall trat ganz unvermittelt auf. Pat. bringt ihn aber in Zusammenhang mit einer gemütlichen Aufregung, welche 2 Tage vorher stattgefunden hatte (öffentliches Auftreten als Violinspieler). Dauer dieses Anfalls einige Minuten. Nach Beendigung der Eisenbahnfahrt trat ein
2. Anfall von „Herzdruck und Herzschwäche" mit heftiger
Angst auf. Bei der Untersuchung durch einen internen Kliniker wurde
das Herz absolut normal gefunden.

Im Anschluß an diese Anfälle stellten sich Schmerzen in der Herzgegend, welche in den linken Arm ausstrahlten, anfallsweise ein. Sie
dauerten oft halbe Tage lang und wurden durch Chininbehandlung nur
wenig beeinflußt. Seit dieser Zeit fühlt sich Pat. fast andauernd unbehaglich: Druck- und Völlegefühl, leichte Angstgefühle, Brustschmerzen,
Schwäche- und Ohnmachtsempfindungen bei motorischen Leistungen beherrschen ihn in wechselnder Intensität. Im Januar 1894 trat vorübergehend Druckschmerzhaftigkeit des 3. Brustwirbels auf, von dem Pat.
selbst in der Rückenlage konstatiert. Seit Frühjahr 1894 stellt sich oft
ein abnormes (stechendes) Gefühl am inneren seitlichen Rande der linken
Scapula ein.

Aus dem körperlichen Status bei der Aufnahme ist folgendes hervorzuheben: Großer, hagerer Mann (Körpergewicht 141 Pfd.) mit blasser
Gesichtsfarbe; Conjunctivae sehr bleich. Pupillen über mittelweit, gut
reagierend; Herzdämpfung normal, Herztöne rein; keine Pulsarhythmie;
Radialis mittelweit, Puls weich, 72 in der Minute. Druckschmerzpunkte
im 3. und 4. Interkostalraum in der Axillarlinie links; 3. Brustwirbel
auf Druck leicht schmerzhaft; Infraklavikular- und Skapulardruckpunkt
links; bei passiven Bewegungen im linken Schultergelenk leichtes Knarren.

Aus dem Krankenjournal und den eigenen Aufzeichnungen des Pat.
sollen hier die Schilderungen einzelner Tagesbeobachtungen Platz finden:
19./20. Mai 1894 nachmittags 5 Uhr Druckempfindung am Ansatz
des Sternums, Stiche am linken Schulterblatt, Gefühl des Herzklopfens
mit leichter Angst (Puls 75—80). Objektiv keine verstärkte Herzthätigkeit. Dauer des Anfalls 2³/₄ Stunden. Nach einer Eingießung in den
Darm, durch welche harte Kotmassen entfernt werden, fühlt sich Pat.
völlig wohl. Nachtschlaf von 10—5³/₄ Uhr unruhig, durch Schmerzen im
Schulterblatt gestört. Nach dem Aufwachen morgens leiser Schmerz in der
Herzgegend, bis zum Schlüsselbein links ausstrahlend. Viel Blähungen.
22./23. Mai Stuhlverhaltung. Leise Schmerzempfindungen bis vormittags 11 Uhr in der Herzgegend mit „minutenlang währendem" Herzklopfen (Puls 84); 12 Uhr mittags Eingießung ohne Erfolg; nachmittags
4 Uhr Globusempfindungen in der Halsgrube und vorübergehendes, damit
korrespondierendes Druckgefühl im Rücken, öfter Angstgefühle; leise
ziehende Empfindungen seit 5 Uhr abends in der ganzen linken Körperhälfte: nach gutem Nachtschlaf (Suppositorium mit 0,05 Extr. op. und
0,02 Extr. Belladonnae) 6 Uhr morgens Erwachen mit Herzklopfen (Puls

voll 84). Körpertemperatur 36,2 (im Rectum). Nach dem Frühstück 7³/₄ Uhr durch Irrigation reichliche Stuhlentleerung; danach beschleunigte Herzthätigkeit (100), Angst, subjektives Herzklopfen, kalte Extremitäten; doppelseitiger Kopfschmerz über den Augen. Am Nachmittag desselben Tages (4 Uhr) „Stichempfindungen" in der linken Seite, Globusgefühl, dumpfer Rückenschmerz. Abends 9 Uhr Stiche in der linken Körperseite, **subjektives Gefühl des Herzaussetzens** („sekundenlang"), ziehende Schmerzen in beiden Beinen, Wärmegefühl und Brennen in Händen und Füßen, wechselnd mit abnormen Kältegefühlen.

28./29. Mai **„schwerer Anfall"** nach einem Spaziergang von ³/₄ Stunden. Schon während des Spaziergangs (nach der 1. Viertelstunde) trat Schwächegefühl mit Leere des Kopfes auf. Nach dem Spaziergang stechender Schmerz unter dem linken Schlüsselbein und Stuhldrang. Nachts ordentlicher Schlaf („besser wie in anderen Nächten"), von ¹/₂10—1 Uhr und von 3—4 Uhr; beim Aufwachen unbehagliches Gefühl, Stuhldrang, reichliche spontane Stuhlentleerung. Steigerung des Unbehagens nach dem 2. Frühstück: abnorme Kältegefühle in beiden Füßen; Puls leicht beschleunigt (84). 11 Uhr vormittags kleiner Spaziergang im Garten (¹/₄ Stunde). Danach Schwäche- und Ohnmachtsempfindungen, eiskalte Füße, Brennen im Magen und Rücken, Herzklopfen; aufsteigende Angst, „innerliches Zittern" (vom Leibe nach der Brust und Kopf aufsteigend), Schmerzen in der Herzgegend, Zähneklappern, Todesfurcht, kalter Schweiß auf Stirn und Händen; affektiver Tremor der oberen Extremitäten und leichte Strampel- und Schlagbewegungen mit den Füßen. Bei der ärztlichen Untersuchung mittags 12 Uhr: Weite Pupillen, blasses Aussehen, voller, gespannter Puls (84), eingesunkener, weicher Leib, bei Palpation nirgends schmerzhaft. Nachmittags nach einem kurzen Schlafe wachte er mit brennend heißer Haut auf, dabei bestand auch starkes Brennen im Magen. Nach Genuß von Kakao 2. heftiger Angstanfall (1 Stunde), in die Brust lokalisiert. Leise Schmerzen im Bereich des 2. und 3. Interkostalraums, Körpertemperatur 37,3 (im Rectum). Puls 100, stärker gespannt, voll; allgemeines Zittern mit Zähneklappern. Nach einem Opiumsuppositorium Beruhigung. 3. Anfall abends 8 Uhr: heiße Haut (Rektaltemperatur 37,4), Angst, Zittern, Zähneklappern (ohne Frostgefühl), Dauer über 1 Stunde.

In der folgenden Nacht kehrten noch 2 Anfälle wieder von halbstündiger Dauer. Puls am Morgen des 30. Mai 108. Nach einer größeren Zahl von Blähungen (im warmen Bade mit kühlen Uebergießungen auf Rücken und Abdomen) steigendes Wohlbefinden. Am folgenden Tage in den Vormittagsstunden Kollern im Leibe, Stuhlentleerung, Gefühl, „daß etwas im Leibe zurückgeblieben ist", Druck in der Blinddarmgegend, welcher „sich schon beim Ende des Stuhlgangs bemerkbar macht"; die Stuhlentleerung ist sehr reichlich (nach 2-tägiger hartnäckiger Obstipation durch hohe Eingießung bewerkstelligt); es werden 10 sehr feste, „kastaniengroße" Kotstücke und viel Brei entleert. Während der Stuhlentleerung sehr viele Blähungen, nach der Stuhlentleerung sehr ermattet; Puls 70, klein, weich, leicht unterdrückbar. Ganz plötzlich treten kalte Füße, Brennen der Fußsohlen, vom Leib zum Herzen und Kopf aufsteigende Angst, Zittern der unteren Extremitäten auf. Puls 78—82. Dauer ³/₄ Stunden. Nach dem Anfall Schmerzen im rechten Bein, welche den ganzen Tag andauern und den Pat. in der folgenden Nacht nach 1¹/₂-stündigem Schlafe wieder aufwecken.

Die Nahrungsaufnahme war während dieser von gehäuften Anfällen besetzten Tage sehr mangelhaft. Jede Nahrungsaufnahme ruft vermehrtes „Unbehagen" im Herzen („Kribbeln"), Brennen im Leibe, gelegentlich Sausen im Kopfe, Angstgefühle, Zähneklappern, Zittern der Glieder wach. „Schon nach wenigen Minuten mit dem Eintritt von Blähungen und Verdauungsbewegungen (Rhabarbertabletten) schwindet dieser peinliche Zustand und macht einem Gefühl von Wohlbefinden Platz, welches stundenlang anhält." Das Verhalten der Herzthätigkeit resp. des Pulses ist hierbei ganz wechselnd. So ist bemerkt: Puls gespannt (86), „im Rücken fühlbares Herzklopfen", Puls weich. beschleunigt (84—90), „Herzaussetzen" bei weichem, mäßig beschleunigtem Puls (objektiv ist beim Gefühl des Herzaussetzens kaum eine Veränderung der Pulswelle mit dem Finger fühlbar). Zu anderen Zeiten ist trotz erhöhter subjektiver Beschwerden bemerkt: (10. Juni) Puls völlig normal (78); (8. Juni) Arterie eher eng, keine Arhythmie, Puls 84; (6. Juni) Puls 88, völlig regelmäßig, Dicrotie eher etwas gesteigert. Hervorzuheben ist die folgende Selbstbeobachtung des Pat.: Am 31. Mai stellten sich beim ärztlichen Besuch nach tiefen Palpationen des Unterleibs, welche dem Pat. überall schmerzhaft waren, spontane Schmerzempfindungen in der linken Brusthälfte am unteren Ende des Brustbeins und unter den benachbarten Rippen ein. Sie waren in die Haut und in die Tiefe lokalisiert; Berührung dieser Hautpartien (selbst leise Berührung des Hemdes) waren ihm unangenehm, ja schmerzhaft (HEAD'sche Zone). Diese Schmerzen kehrten an diesem Tage nach jeder Mahlzeit momentweise wieder. In der folgenden Nacht unruhiger Schlaf mit öfterem halben Erwachen und ängstlichen Träumen; heiße Füße und Hände. Puls anfangs ruhig, später etwas beschleunigt.

Der weitere Krankheitsverlauf läßt sich kurz dahin zusammenfassen: Die Herz- und Verdauungsstörungen bessern sich langsam, ebenso schwinden die Parästhesien und Angstaffekte ganz allmählich. Ein völliges Gleichgewicht der Herzinnervation ist aber selbst nach Ablauf eines Jahres noch nicht erreicht, trotzdem der Pat. seine Berufsthätigkeit bis Ende 1894 ausgesetzt und in mäßigem Höhenklima, sowie an der See Erholung gesucht hat. Das Seeklima wurde nicht ertragen. Es stellten sich im Nordseebade (ohne daß Pat. gebadet hätte) wieder Angstaffekte und Herzklopfen ein. Nach der Rückkehr in seinen Beruf lebt der Pat. ganz zurückgezogen, meidet alle Geselligkeit und hat seine Violine nicht mehr angerührt. „Trotz alledem ist mein Befinden ein unaufhörlich schwankendes, so daß ich nicht von einem Tag zum anderen rechnen kann."

Man kann an der Hand dieser und ähnlicher Fälle [folgendes Paradigma der „kardialen Neurasthenie". „nervösen Herzschwäche" aufstellen: Hereditäre oder erworbene Prädisposition, anämisch-chlorotische Störungen in der Entwickelungsperiode mit sensiblen und sensoriellen Störungen; zeitweilig Agrypnie mit geistiger oder körperlicher Ermüdung und Schwindelempfindungen; in der Zwischenzeit aber normale Leistungs- und Genußfähigkeit. Scheinbar akuter Ausbruch des nervösen Allgemeinleidens nach körperlichen Ueberanstrengungen oder einer gemütlich aufreibenden (familiären oder finanziellen) Katastrophe; Zusammenbruch der Kräfte mit Schwäche-, Schwindel-, Ohnmachtsempfindungen und dem subjektiven Gefühle gestörter Herzfunktion („Flattern, Erlahmen, Zittern, Wogen, Pressen, Wühlen des Herzens"); dumpfe Schmerzen, über den ganzen Brustkorb nach den Schultern, Nacken und Hinterhaupt ausstrahlend. Die Herzthätigkeit

ist hierbei beschleunigt (100—120 Schläge in der Minute), die Herzkontraktion schwach, aber rhythmisch, der Spitzenstoß kaum fühlbar.
Vereinzelt finden sich blasende, systolische Geräusche an der Herzspitze. Der Puls ist klein, weich, leicht unterdrückbar, die Radialis
von geringer Füllung, mittelweit. Das Aussehen der Kranken ist im
Anfall blaß, besonders die Conjunctivae sehr blutarm, der Temporal-
puls nicht sicht- und fühlbar, die Carotis schlecht gespannt und mittelweit. Die Extremitäten sind blaß und kühler anzufühlen, die Haut
nicht selten, besonders in der Schläfen- und Brustgegend, mit kleinen
Schweißtropfen bedeckt.

Dieser Anfall erfüllt die Patienten mit Angst und Entsetzen und
erweckt fast unweigerlich die Furchtvorstellung, daß das Leben er-
lösche. Die Dauer dieses ersten Anfalles ist meist, soweit es die Herzbeschwerden betrifft, eine relativ kurze (10—20 Minuten). Die Schwäche-,
Schwindel- und Ohnmachtsempfindungen bestehen aber meist noch
einige Tage lang, wenn auch in verminderter Stärke. Ist der Patient
imstande, sich zu schonen und die direkt veranlassende Schädlichkeit
zu meiden, Ueberanstrengungen aus dem Wege zu gehen, den Kummer
und die Sorge zu bannen, so tritt scheinbar völlige Genesung ein. Aber
nach einer länger oder kürzer dauernden Pause, die zwischen Wochen
und Monaten schwanken kann, tritt entweder ohne jede nachweisbare
Gelegenheitsursache oder nach ganz geringfügigen körperlichen Anstrengungen oder nach einer unruhigen Nacht oder einem unbedeutenden
Aerger ein neuer Schwächezustand auf, in welchem von vornherein die
Herzbeschwerden und die hierdurch veranlaßten Furchtvorstellungen
das ganze Krankheitsbild beherrschen. Dem Arzte werden sehr häufig
nur diese Symptome kundgegeben und dadurch die irrtümliche Ansicht
erweckt, daß die Herzschwäche die ausschließliche Störung sei. Der
grelle Gegensatz zwischen den geringfügigen, objektiv nachweisbaren
Störungen der Herzthätigkeit und den schweren allgemeinen Schwächeempfindungen bleibt ihm dann völlig unverständlich.

Diesem zweiten Anfall folgen dann in kürzeren Zwischenräumen
meist unvermittelt, sehr häufig während der Nacht, zahlreiche neue,
und schließlich tritt ein dauernder Zustand allgemeiner Erschöpfung mit
vorwaltenden Herzbeschwerden ein, ähnlich demjenigen, welchen der
Aufnahmestatus in der vorstehenden Krankenbeobachtung wiedergiebt.

Verfolgen wir auf dieser Höhe der Krankheitsentwickelung die
Beschaffenheit der Herzthätigkeit und des Pulses längere Zeit, so
finden wir, daß bei absoluter Ruhe die Frequenz zwischen 70 und 80
sich bewegt, bei geringen körperlichen und geistigen Leistungen bis
zu 100 und 110 steigt, und bei Steigerung der „Herzschwäche" durchschnittlich etwa 120 beträgt. Bei ruhiger Herzaktion ist der Herzschlag mittelkräftig und durchaus regelmäßig, bei beschleunigter aber
finden wir meist die Herzrevolution abgeschwächt, doch begegnen wir
auch Phasen, in welchen die Beschleunigung mit einer verstärkten
Herzaktion verbunden ist. Dann tritt an Stelle des subjektiven Ge-
fühls der Herzschwäche dasjenige, was wir früher als Herzpalpitationen
kennen gelernt haben. Es schieben sich also vorübergehend Zustände
von Uebererregung zwischen die Schwächesymptome ein. Es ist dies
aber nur dann der Fall, wenn unter dem Einfluß von Excitantien
(Alkohol, Thee, Kaffee u. s. w.) oder nach längerer völliger Ruhe und
relativer Erholung ein neuer Herzsturm auftritt. So erklärt es sich,
daß das Gefühl von Herzklopfen mit Herzbeschleunigung besonders

häufig nach guten Nächten zur Ueberraschung und Bestürzung der Kranken sich morgens einstellt und der schon tiefgewurzelten Sorge, schwer herzkrank zu sein, neue Nahrung zuführt. Sehr bald tritt dann der alte Schwächezustand an Stelle der Erregung. Gerade diese kombinierten Herzstörungen rufen länger dauernde allgemeine Erschöpfungszustände hervor und werfen die Kranken um Wochen zurück.

Es ist sicherlich die mühevollste Arbeit des Arztes, mit diesen Kranken fertig zu werden, sie geistig zu beherrschen und die Geduld nicht zu verlieren, wenn bei dem ewigen Wechsel der Krankheitserscheinungen, bei dem Auf- und Niederschwanken des Kräftezustandes, bei den unberechenbaren Rückfällen die Kranken die Kunst des Arztes schließlich anzweifeln, seine Behandlung bemängeln und in gereizter, angstvoll gequälter Gemütsstimmung nicht nur ihre ganze übrige Umgebung, sondern auch ihn selbst fast ununterbrochen in Thätigkeit halten. Jede Verordnung wird beschuldigt, den Ausbruch eines neuen Anfalls bewirkt zu haben, alles wird versucht und nichts durchgeführt. So kommt es, daß diese „Herzneurastheniker", die, wie ich gleich hier einschalten will, gegenüber den Fällen mit einfachen Uebererregungssymptomen in der Ueberzahl sich befinden, nicht bloß der Schrecken des Hausarztes, sondern auch der Nervenheilanstalten werden. Für diese Fälle gewinnt der Ausspruch, daß die Psychotherapie der maßgebendste Faktor bei der Behandlung der Neurasthenie sei, eine ganz besondere Bedeutung.

Wir gelangen zu den Fällen, welche sich durch ausgeprägte nervöse Tachykardie kennzeichnen.

Es giebt nämlich Kranke, bei welchen fast andauernd die Pulsfrequenz auf 100—120 Schläge erhöht ist. Die Intensität der Herzaktion ist dabei für gewöhnlich nicht wesentlich geändert, das Gefühl von Herzpalpitationen nur vorübergehend und unter dem Einfluß irgendwelcher die Herzthätigkeit abändernder Gelegenheitsursachen vorhanden. Die Pulsfrequenz steigt dann auf 120—140, die Herzaktionen sind weniger kräftig, der Puls dementsprechend kleiner, die Radialis von geringerer Spannung und Füllung. Die subjektiven Empfindungen sind diejenigen des Herzklopfens mit Herzschwäche.

Bouveret hat auf das Symptom der permanenten Tachykardie ein besonderes Gewicht gelegt. Er berichtet von Fällen „gutartiger" neurasthenischer Tachykardie, in welchen die Pulsfrequenz bis zu 120—180 sich steigerte, und von einer zweiten schlimmen Form, bei welcher 160—180, ja sogar 200 Pulsschläge gezählt wurden. Er erwähnt eine 68-jährige Kranke, welche an dieser schlimmen Form infolge von Gemütsbewegungen erkrankt war und nach 15-tägiger Hospitalbeobachtung unter den Symptomen der Herzschwäche starb. Die Sektion ergab keinerlei Veränderungen am Herzen, welche die Tachykardie erklären konnten. Dasselbe war „ein wenig erweitert, aber ganz gesund"; keine Endocarditis, keine Klappenerkrankung, keine Myocarditis, keine Erkrankung der Koronararterien konnte makroskopisch nachgewiesen werden.

Es ist nicht ganz verständlich, warum Bouveret diesen zweifellos sehr interessanten, aber nicht genügend aufgeklärten Fall der Neurasthenie zuteilt. Die psychischen Krankheitserscheinungen entsprechen durchaus dem Bilde der Melancholie mit Angstaffekten, Schlaflosigkeit, Appetitlosigkeit, Abmagerung und schließlicher Entkräftung.

Ich erinnere mich einer durchaus ähnlichen Beobachtung: Hereditär belastete 50-jährige Dame; subakute Entwickelung einer ausgeprägten Melancholie infolge heftiger Gemütserschütterungen (unglückliche Verlobung der Tochter); heftige Angstaffekte, Suicidiumstendenzen, Selbstanklagen; Schlaflosigkeit, Verlust des Appetits u. s. w. Das quälendste Symptom war aber ein fast unaufhörliches Herzklopfen; Pulsfrequenz 160—170 in der Minute; die Herzaktionen fast durchweg verstärkt; deutlich sichtbare Pulsation der Karotiden und der Aort. abdominalis; subjektiv sehr quälende Empfindungen gesteigerter Pulsationen im Schädelinnern, welche die Unruhe und Angst beständig unterhielten und erhöhten. Zeitweilig traten Anfälle von Herzschwäche auf mit gesteigerten Oppressionsempfindungen, sehr beschleunigtem Pulse (170—180), die Herzaktion war deutlich abgeschwächt, der Puls klein, weich, die Arterie schlecht gespannt, leicht unterdrückbar. Die Pat. bot in diesen Anfällen das Bild einer schwer Kollabierten dar. Die Perkussion ergab keine Vergrößerung des Herzens, auskultatorisch fand sich während der Anfälle ein leichtes systolisches Blasen an der Herzspitze. Anamnestisch ist hervorzuheben, daß Pat. früher öfter an gichtischen Beschwerden gelitten hatte. Einige Monate später starb die Kranke in einer auswärtigen Heilanstalt, nachdem sich wenige Tage vor dem Tode hohes Fieber ohne nachweisbare Ursache eingestellt hatte, unter den Erscheinungen der Herzschwäche

Auch dieser Krankheitsfall wurde anfänglich als Neurasthenie aufgefaßt, während der weitere Verlauf das Bestehen einer schweren Melancholie zweifellos machte. Mir war es in dieser Beobachtung wahrscheinlich, daß die Grundlage dieser Herzstörung in einer gichtischen Erkrankung zu suchen sei. Da in beiden Fällen eine genauere mikroskopische Untersuchung des Herzmuskels versäumt wurde, so läßt sich auch die Annahme nicht von der Hand weisen, daß die Malignität dieser Krankheitsfälle direkt durch fettige Degenerationen des Herzmuskels verursacht worden sei; bei dieser Annahme bleibt freilich die Frage immer nicht gelöst, ob diese degenerativen Prozesse die schwere Tachykardie verschuldet, oder ob sie nicht vielmehr erst die Folge der monatelang dauernden Ueberanstrengung des Herzens gewesen sind.

Analogen Beobachtungen bin ich bei reinen Fällen von Neurasthenie niemals begegnet, so daß ich in Uebereinstimmung mit anderen Autoren vorerst die Berechtigung zur Aufstellung einer malignen neurasthenischen Tachykardie nicht anerkennen kann. Ich gehe aber noch weiter. Es ist mir nämlich auch zweifelhaft, ob die gutartige Form BOUVERET's als eine reine funktionelle Erkrankung der „moderierenden Centren des Pneumogastricus" aufgefaßt werden darf, bei welcher also anatomische Veränderungen des Herzmuskels für das Zustandekommen des Krankheitsbildes auszuschließen sind.

Das von ihm citierte Beispiel betrifft eine Frau von 50 Jahren, welche nach dem Verluste ihres Mannes und ihrer drei Kinder und infolge materieller Not im Alter von 45 Jahren in einen schwer neurasthenischen Krankheitszustand verfallen war. Ihre Hauptbeschwerden bestanden in intensiven und dauernden Herzpalpitationen; der Puls war sehr schwach, kaum fühlbar, aber der Herzstoß sehr kräftig. Bei verschiedenen Untersuchungen wurden von B. 120—180 Pulsationen in der

Minute gezählt. Auskultatorisch wurde nichts Krankhaftes entdeckt; über die perkutorische Bestimmung der Herzgrenzen ist nichts verzeichnet. Dieser Zustand beschleunigter Herzthätigkeit bestand seit Beginn der Erkrankung (also 5 Jahre) mit mehr oder weniger langdauernden und häufigen Perioden von Remissionen, in welchen aber die Herzfrequenz nie zur Norm zurückkehrte.

Solche Beobachtungen wird man bei älteren neurasthenischen Personen, d. h. nach dem 45. Lebensjahre, gar nicht so selten machen können. Die dauernde Beschleunigung der Herzaktion mit oder ohne Verstärkung der Intensität der Herzrevolutionen ist dann verknüpft mit dem somatischen Befunde einer allgemeinen Gefäßerkrankung (Arteriosklerose) oder einer wenn auch geringen Herzdilatation, welche auf Erschlaffungszustände oder myokarditische Veränderungen oder beginnende fettige Degenerationen des Herzmuskels hindeuten. Es ist also viel wahrscheinlicher, daß hier Komplikationen der nervösen Erschöpfungszustände mit lokalen Ernährungsstörungen des Herzens vorhanden sind, welche, sei es durch die veränderte Beschaffenheit des Herzmuskels direkt, sei es durch Reizung der Herzganglien auf reflektorischem Wege, die Schlagzahl dauernd veränderten.

Diese Betrachtungsweise trifft aber auch für jüngere Individuen zu, welche mit länger dauernden tachykardischen Zuständen behaftet sind. Entweder sind es hereditär belastete oder durch voraufgegangene Krankheiten geschwächte oder konstitutionell chlorotisch-anämische Individuen, welche in der Pubertätszeit von äußerst quälenden Herzbeschwerden heimgesucht werden, unter denen die dauernde Beschleunigung der Herzthätigkeit im Vordergrund steht. Die Frequenz der Herzrevolutionen beträgt 100—120, steigert sich aber bei geringfügigen körperlichen Anstrengungen oder gemütlichen Erregungen bis zu 140—150. Die Intensität der Herzthätigkeit ist entschieden gesteigert, doch treten auch hier vorübergehend, besonders nach paroxystischen Beschleunigungen, Zustände von subjektiver und objektiver Herzschwäche auf, in welchen die früher geschilderten Symptome deutlich nachweisbar sind. Neuere Beobachtungen, welche durch die Untersuchungen KREHL's und seines Schülers BACHUS über das Auftreten von geringen Hypertrophien und Dilatationen des Herzens (vornehmlich des linken Ventrikels) angeregt worden sind, haben mich gelehrt, daß in diesen Fällen eine geringe, aber deutlich nachweisbare Vergrößerung des ganzen Herzens gar nicht selten festgestellt werden kann. Auch kann ich die alte Erfahrung bestätigen, daß sexuelle Aufregungen, insbesondere onanistische Reizungen, in der überwiegenden Mehrzahl dieser Fälle anamnestisch eine große Rolle spielen. Ich kann mich aber nicht der Meinung anschließen, daß die durch die Masturbation bedingte Beschleunigung und Steigerung der Herzthätigkeit die vornehmliche Ursache der Herzvergrößerung sei. Ich glaube vielmehr, daß wir es hier mit einer Reihe koordinierter Erscheinungen zu thun haben: neuropathische Disposition, gesteigerte sexuelle Erregbarkeit, masturbatorische Reizungen, erhöhte Anspruchsfähigkeit der nervösen Centralapparate der Herzbewegungen. Diese Vorgänge führen sicher oft vereint zu der juvenilen, neurasthenischen Tachykardie. Doch sind nicht alle Glieder dieser Kette notwendig, um diesen Krankheitszustand zu veranlassen. Auch ohne die von so

vielen Autoren als hauptsächlichste Ursache beschuldigte Masturbation
ich tritt diese Tachykardie gelegentlich sehr deutlich hervor. Hier glaube
vor allem die A n ä m i e als ursächliches Moment dieser Innervationsstörungen des Herzens bezichtigen zu müssen. Wenigstens lehrt uns
die klinische Erfahrung, daß „nervöse" Knaben und Mädchen mit vorwaltenden Herzbeschwerden genannter Art die charakteristischen Merkmale der Anämie resp. Chlorose in ausgeprägtem Maße darbieten.¶

Krg.
No. 40. 23-jähriges junges Mädchen; Vater starb an einem Rückenmarksleiden; Mutter sehr erregbar, seit einem halben Jahre Monoplegie des
Armes und aphasische Störungen nach einem apoplektischen Insult;
5 Geschwister, ebenso die Großeltern nervengesund.

    Pat. war immer zart, b l u t a r m ; Verlobung vor einem Jahre, viel
Gemütserregungen und nach dem Tode des Vaters körperliche und
geistige Ueberanstrengungen, da sie das väterliche Geschäft fast allein
zu besorgen hatte. Allgemeine Abmagerung und Entkräftung; einige
Monate vor der Aufnahme in die Klinik kurze fieberhafte Erkrankung;
seit dieser Zeit Herzklopfen.

    Stat. praes. bei der Aufnahme: Kleine, sehr gracile Person, Körper-
gewicht 84 Pfd., Conjunctiva sehr bleich, 2 1/4 M i l l i o n e n r o t e B l u t -
k ö r p e r c h e n a u f d e n c m m ; Herzdämpfung normal; leichtes systolisches
Geräusch an der Herzspitze; P u l s b e s c h l e u n i g t (100 — 110), arhythmisch; Urin eiweißfrei; Sehnenphänomene und idiomuskuläre Erregbarkeit
gesteigert; vasomotorisches Nachröten mäßig; Sensibilität intakt.

    Subjektive Beschwerden: Ueberall das Gefühl lebhafter Pulsation,
besonders heftige Stöße in der Herzgrube; das Herzklopfen steigert sich
öfter zu Anfällen von Angst und Atemnot. Es werden in der Klinik mehrere
Anfälle von Herzklopfen beobachtet: die Herzaktion ist entschieden verstärkt, Spitzenstoß deutlich sichtbar, diffuse Erschütterung der Herzgegend; P u l s f r e q u e n z b i s 1 3 6 . Die Anfälle treten meistens nach dem
Essen auf (Pat. ißt außerordentlich viel) und sind zuweilen mit Uebelkeit verbunden. Nach den Anfällen, welche oft mehrere Stunden dauern,
fühlt sie Eingeschlafensein und Kribbeln in den Füßen. Die Massage
ruft leicht Anfälle von Tachykardie hervor. Nach Verlauf einiger
Wochen mit Hebung der Ernährung (Mastkur mit Zunahme des Körpergewichts um wöchentlich 2—3 Pfd.) wird das Herzklopfen seltener. Pat. ist
zeitweilig psychisch deprimiert und klagt über erhöhte Angstgefühle,
besonders nachts; Nachtschlaf unregelmäßig; schreckhafte Träume; öfters
Aufwachen durch Herzklopfen.

    Pat. verläßt die Klinik nach 6-wöchentlicher Kur, weil weitere Be-
suche des Bräutigams, die jedesmal einen Anfall von Herzklopfen verursachen, nicht mehr zugelassen werden.

    **Ob bei leichteren Fällen die Anämie nur als funktioneller Reiz
auf sensible Ganglienapparate des Herzens aufzufassen ist, oder ob
die Anämie zur fettigen Entartung einzelner Herzmuskelfasern und
so zu einer direkten chemischen Reizung der intrakardialen Ganglien
geführt hat, will ich hier nur zur Erwägung anheimstellen; eine Entscheidung dieser Frage wird sich bei diesen ausgleichbaren, nicht
zum Tode führenden Störungen kaum treffen lassen. Daß aber bei
hochgradig anämischen neuropathischen jugendlichen Individuen fettige
Degenerationen des Herzmuskels thatsächlich eine hohe Bedeutung**

gewinnen können, beweisen jene gar nicht so selten auftretenden
Anfälle von plötzlicher Herzschwäche mit beschleunigtem und elendem
Pulse, welche nach heftigen körperlichen Anstrengungen (Tanzen) und
psychischen Einwirkungen tiefe Ohnmachten bewirken und, wie zahl-
reiche klinische Erfahrungen lehren, den tödlichen Ausgang unter den
Symptomen der Herzlähmung herbeiführen können.

Ganz ähnlich sind die Fälle von permanenter neurasthenischer
Tachykardie bei chronisch unterernährten oder vorübergehend durch
konsumierende Krankheiten in ihrem Kräftezustand reduzierten Neurasthenikern des mittleren Lebensalters aufzufassen. Hier ist
das Bindeglied der nervösen Dyspepsie, das wir später ausführlich zu
erörtern haben, sehr wichtig. Die sensiblen, motorischen und
sekretorischen Störungen des Magens führen zu einer ungenügenden
Nahrungsaufnahme, zu mangelhaftem Stoffumsatz, zu Anämie und so
zu sekundären Störungen der Herzinnervation. Freilich ist dieser
Kausalnexus nur für einen Teil der Fälle zutreffend, in welchen die
neurasthenischen Herzsymptome erst späterhin im Gefolge jahrelanger dyspeptischer Beschwerden auftauchen.

Sodann spielt die Anämie bei den Zuständen nervöser Tachykardie
im Verlaufe der sog. puerperalen Neurasthenie eine wesentliche
Rolle. Ich habe hier jene jungen Mütter im Auge, welche, nervös
veranlagt, gracil und schlecht genährt in die Ehe gegangen sind und
oft schon nach der ersten Geburt, häufiger aber, wenn mehrere
Kinder rasch aufeinander gefolgt sind, protrahierten nervösen
Erschöpfungszuständen unterliegen. Sie zeigen dann neben anderen
nervösen Symptomen vorübergehend, aber auch gelegentlich dauernd
eine abnorme Beschleunigung der Herzthätigkeit mit zahlreichen subjektiven Herzbeschwerden. In die gleiche Gruppe gehören auch jene
scheinbar gut genährten, aber muskelschwachen und blutarmen Frauen,
bei welchen ein ungesundes Fettpolster nur den Unkundigen über
den wirklichen Zustand der Körperernährung und der Blutbeschaffenheit täuschen kann.

Es lehrt uns schon diese summarische Betrachtung, daß die
neurasthenische Tachykardie ein relativ häufiges und
durch die verschiedensten Ursachen bedingtes Vorkommnis ist, welches sowohl in den Phasen der Uebererregung als auch der Erschöpfung beobachtet wird.
Ich halte es nicht für angängig, vornehmlich aus der Pulsfrequenz
auf den pathophysiologischen Zustand des Centralnervensystems einen
Schluß ziehen zu wollen, wie dies von manchen Beobachtern, u. a.
von LEHR in seiner verdienstvollen Monographie geschehen ist. Er
nimmt für sein „Reizstadium" der Neurasthenia vasomotoria, welches
unserer Uebererregungsphase entspricht, 72—84 Herzrevolutionen in
der Minute an; durch geringfügige, meist seelische Veranlassungen
oder auch ohne nachweisbare Ursache steigert sich die Pulszahl auf
96—100 Schläge. In dem zweiten, dem „depressorischen Stadium" oder
„der Lähmungsform" (unserer Erschöpfungsphase) ist nach LEHR die
Herzthätigkeit auch in der anfallsfreien Zeit meist auf 96—120 Herzrevolutionen erhöht und steigert sich selbst bei minimalsten Anlässen bis zu 130—140 Schlägen. Er versucht den Beweis zu führen,
daß bei der „reizbaren Form" die reflektorisch erleichterte und dadurch
verstärkt zum Ausdruck gelangende Thätigkeit des Beschleunigungs-
nervensystems" die Hauptursache sei, während „das Lähmungsstadium

der Ausdruck einer vorübergehenden, aber erheblichen Parese des
Herzhemmungscentrums" sei. Ich habe aber früher schon hervorgehoben, daß bei dem heutigen Standpunkt unserer Kenntnisse
über die beschleunigenden und hemmenden Einwirkungen auf die
Herzthätigkeit eine solche strikte Scheidung durchaus unausführbar
ist. Ich habe mich oft davon überzeugen können, daß sowohl in der
Uebererregungs- als auch in der Erschöpfungsphase anfallsweise
Steigerungen der Pulsfrequenz bis zu 120 nicht selten beobachtet
werden können, während die durchschnittliche Pulsfrequenz in Stadien
relativer Ruhe bald in der Uebererregungsphase, bald im Erschöpfungsstadium erhöht erscheint. So ist, um nur ein Beispiel anzuführen, in
einem vorhererwähnten Falle (Krg. Nr. 37), in welchem alle übrigen
Symptome ganz deutlich die Lähmungsform LEHR's erkennen lassen,
die durchschnittliche Pulsfrequenz immer zwischen 72—84 gewesen,
und umgekehrt habe ich in einem anderen, welcher einen juvenilen
Hereditarier mit einer typischen Pubertätsneurasthenie und allen
Zeichen der Reizungsform betraf, mehrere Monate hindurch eine
durchschnittliche Pulsfrequenz von 110—120 Schlägen beobachtet.
Ich gebe aber zu, daß die höhere Pulsfrequenz häufiger in der Erschöpfungsphase vorhanden ist; meine Bemerkungen haben also nur
den Zweck, Sie davor zu warnen, die Pulszählung für den jeweiligen funktionellen Zustand des Centralnervensystems maßgebend
zu erachten. Aber mit Recht hebt LEHR ein anderes unter-
scheidendes Merkmal zwischen beiden Formen, nämlich die Intensität der Herzkontraktionen und die Beschaffenheit des Pulses
hervor. Es decken sich seine Angaben nach dieser Richtung mit
meinen eigenen Erfahrungen.

Als ein zweites klinisch bedeutsames Zeichen der schwereren
Grade neurasthenischer Herzstörungen betrachte ich die nicht selten
auftretenden Arhythmien und Allorhythmien.

Am häufigsten finden Sie folgendes Bild: Während Sie den Puls
des Kranken untersuchen, fallen Ihnen sehr erhebliche Schwankungen
sowohl bezüglich der Schlagfolge als auch der Wellenhöhe auf. Drei,
vier, sechs volle und relativ langsam aufeinander folgende Pulse
werden von einer annähernd gleichgroßen Reihe kleiner und beschleunigter Pulse abgelöst. Daß hier im wesentlichen Aenderungen
der Herzthätigkeit selbst in Frage stehen, können Sie durch die
direkte Untersuchung der Herzrevolutionen feststellen. Eine Gesetz-
mäßigkeit bei diesem Wechsel zwischen kräftigen und schwachen
Herzkontraktionen besteht nur in seltenen Fällen. Je länger oder je
häufiger Sie solche Kranke auf ihre Herz- und Gefäßinnervation
untersuchen, desto klarer werden Sie sich darüber werden, daß diese
fast unaufhörlichen Schwankungen durch „nervöse" (bahnende oder
hemmende) Einwirkungen ganz unvermittelt und unberechenbar zustande kommen. Diese neurasthenische Allorhythmie ist der prägnanteste Ausdruck sowohl für den außerordentlich raschen Wechsel
und die Unbeständigkeit des Kräftezustandes der Herz- und Gefäßcentren als auch für die erhöhte Anspruchsfähigkeit derselben auf
reflektorische und irradiierte Reize. Es läßt sich hier durchaus kein
sicherer Schluß auf den überwiegend vorhandenen Zustand des
Centralnervensystems ziehen. Bald hat man den Eindruck einer
ausgeprägten Uebererregungsphase, bald einer in ihrer Leistung hochgradig herabgesetzten Herzthätigkeit.

Da die Abschätzung des wirklich vorhandenen Kräftemaßes unserer Patienten, unabhängig von ihren subjektiven Klagen, im Hinblick auf die therapeutischen Maßnahmen von großer Wichtigkeit ist, und weil gerade die Pulsbeschaffenheit vornehmlich nach dieser Richtung hin verwertet wird, so möchte ich auf einige Punkte aufmerksam machen, welche die Beurteilung dieser Fälle mit ausgeprägter Allorhythmie etwas erleichtern: das Vorwiegen der Uebererregungsphase ist wahrscheinlicher, wenn der Wechsel in der Schlagzahl und Schlagfolge sich häufiger, gleichmäßig und fast unvermittelt vollzieht. Treten z. B. 3—4 schnellende, hohe und volle Pulsschläge wechselnd mit 5—10 schwächeren, leicht unterdrückbaren, beschleunigten Pulsen auf, und wiederholt sich dieser Wechsel annähernd gleichmäßig, so ist ein Zustand von Herzschwäche recht unwahrscheinlich. Der umgekehrte Schluß ist gestattet, wenn länger dauernde Tachykardie ganz unregelmäßig und unter allmählichem Anschwellen der Pulshöhe von kräftigeren und langsameren Schlägen unterbrochen wird. Das Herz resp. seine medullären Centren erholen sich wahrscheinlich im Erschöpfungsstadium nur langsam zu dem Zustande, in welchem das Vaguscentrum seine Leistungsfähigkeit wiedererlangt hat und bahnende Einflüsse auf dasselbe zur vollen Geltung gelangen können. Nach einer kurzen Phase erhöhter und verstärkter Herzthätigkeit stellt sich dann wieder die beschleunigte und kraftlose Herzaktion ganz allmählich ein. Diese Erwägungen haben dann ein praktisches Interesse, wenn Sie Kranke mit Allorhythmie länger unter sehr wechselnden Anforderungen an ihre Leistungsfähigkeit untersuchen können. Geringfügige geistige oder körperliche Anstrengungen können den Typus der Allorhythmie völlig verschieben. Die Pulsbeschleunigung tritt in den Vordergrund, der schwache, leicht unterdrückbare Puls wird zur Regel, die Allorhythmie ist der neurasthenischen Tachykardie gewichen, und es bedarf meist einer längeren Erholungspause, bis der Puls wieder zum alten Zustand zurückgekehrt ist.

Solange die neurasthenische Allorhythmie nur diesen unbestimmten und völlig ungesetzmäßigen Charakter der Schwankungen in der Schlagfolge und -intensität darbietet, wird man sie von den Arhythmien und Allorhythmien bei organischen Erkrankungen des Herzens und der Gefäße oder von den Innervationsstörungen bei organischen Gehirnkrankheiten und Vergiftungen unschwer unterscheiden können. Viel schwieriger wird die Aufgabe, wenn ganz bestimmte und gleichmäßige Irregularitäten die neurasthenischen Beschwerden begleiten. So begegnen Sie Fällen, welche den Pulsus bigeminus TRAUBE's oder ein Aussetzen oder eine Verdoppelung von Herzschlägen nach dem 10., 15. oder 20. Schlage u. s. w. neben der oben geschilderten neurasthenischen Allorhythmie darbieten. Es handelt sich hierbei um Kranke, welche entweder an der Grenze des Greisenalters stehen oder hochgradig anämisch sind oder gewisse Intoxikationen resp. Allgemeininfektionen erlitten haben (Tabakmißbrauch, sportsmäßige Ueberanstrengung des Herzens, Morphinismus, Syphilis) oder mit gichtischen Affektionen behaftet sind. In all diesen Fällen ist die Annahme wohl gerechtfertigt, daß diese Arhythmien superponierte, der Neurasthenie nicht zugehörige Krankheitserscheinungen sind, welche auf Veränderungen des Herzmuskels resp. der intrakardialen Ganglien bezogen werden müssen.

Ich will Ihnen hier einen solchen Grenzfall mitteilen:

44-jähriger Kaufmann: Vater geisteskrank (chronische Paranoia):
im Alter schwere Atheromatose; Mutter gestorben, Herzerweiterung und
sekundäres Nierenleiden, ein Bruder nervöses Herzleiden; Pat. ist verheiratet, kinderlos; 2mal Tripper; täglich 4—5 Glas Bier und 3—4 Cigarren;
nach Rauchen schon seit ca. 10 Jahren „Pulsaussetzen":
viel (Gemütsbewegungen (stets etwas erregbar); täglich ca. 9 Stunden Bureau-
arbeit; Onanie bis zum 21. Jahr; damals gehäufte Pollutionen; sehr abgespannt; ab und zu Ohnmachten, keine hypochondrischen Vorstellungen.
Vor 3 Jahren plötzliche Mattigkeit im linken Arm (er fürchtete einen Schlaganfall), Kraftlosigkeit, aber alle Bewegungen möglich. Der Zustand dauerte ein paar Stunden und
wich sofort, als ein alter Ohrpfropf (links) durch Ausspritzen entfernt
ward. Seit 2 Jahren auch ohne stärkeres Rauchen Pulsaussetzen (ohne Schmerz, ohne Angst, ohne Absterben der peripheren
Körperteile). Pat. spürt es, wie die Herzthätigkeit zugleich erregt ist.
Nur in den schlimmsten Fällen „Angstwelle, die von der Magengrube
aufsteigt"; zuweilen auch beim Aussetzen des Pulses ein unbeschreib-
barer „nervöser Zug" durch den Unterleib; im Liegen selten Aussetzen.
   Status: Herzdämpfung normal; Herztöne rein; Arterien geschlängelt, weich; Puls bei der Untersuchung nicht arhythmisch, jedoch ab
und zu Verschiedenheiten der Wellenhöhe; periphere Körperteile warm;
Nachröten gesteigert; Stuhl normal; Schlaf und Appetit gut; mitunter isolierte Mattigkeit im linken Arm; spurweise Romberg; Plantar- und epigastrischer Reflex gesteigert; die übrigen Reflexe normal; keine Druckpunkte; Sensibilität (auch im linken Arm) intakt; Urin stark uratreich.
   Während 5-tägiger klinischer Beobachtung konnte mehrfach das
„Pulsaussetzen" auch objektiv festgestellt werden. Irregularitäten hinsichtlich der Frequenz bestanden nicht (die durchschnittliche Schlagzahl
war 76—80 in der Minute), dagegen unterlag die Intensität erheblichen
Schwankungen. Nach körperlichen Anstrengungen, nach der Nahrungsaufnahme, schriftlichen Arbeiten etc. bestand gelegentlich innerhalb der
nächsten 10 Minuten die folgende Allorhythmie: die Pulswelle
wurde unter dem tastenden Finger beim 14. (zu anderen
Zeiten 16. oder 17.) Schlage ganz unvermittelt niedriger,
der darauf folgende Schlag war kaum fühlbar, während
der dritte wieder die mittlere Höhe hatte. Pat. berichtete,
daß in seinen häuslichen und beruflichen Verhältnissen dieses „Pulsaussetzen" viel häufiger, oft in 1 Stunde 4—5mal komme.

   In solchen Fällen werden Sie sehr vorsichtig mit der Diagnose
neurasthenischer Herzstörungen sein müssen; die Prognose ist entschieden schlechter, wenn typisch neurasthenische Individuen diese
Störungen aufweisen. Mir sind 2 derartige Fälle bekannt, die plötzlich unter den Symptomen der Herzlähmung zu Grunde gegangen
sind (vergl. Fall No. 39).
   Die letzte Gruppe neurasthenischer Herzstörungen begegnet bezüglich ihrer diagnostischen Verwertung ähnlichen Schwierigkeiten wie
die vorstehend geschilderten Arhythmien. Es sind dies die Fälle mit
ausgeprägter Pulsverlangsamung (Bradykardie). In der
Uebererregungsphase sind bei einzelnen Kranken kurzdauernde
Pulsverlangsamungen infolge heftiger Gemütserregungen oder
lebhafter Sinneseindrücke (grelles Sonnenlicht, heftige Geräusche) zu

beobachten, während ausgeprägte Pulsbeschleunigungen bei ihnen alternierend vorhanden sein, aber auch fehlen können. Am häufigstenbegegnen Sie solchen Zuständen paroxysmaler Bradykardie bei jugendlichen, in der Pubertätsperiode befindlichen Personen.

Ein 16-jähriger Gymnasiast, welcher angeblich hereditär nicht belastet ist und früher immer nervengesund gewesen war (Onanie wird strikte in Abrede gestellt), erkrankte mit 15 Jahren ganz plötzlich und unvermittelt an Zuständen von Herzklopfen, Schwindelempfindungen ohne Umnachtung des Bewußtseins und ohne Scheinbewegungen der Objekte im Raum. Er wurde affektiv sehr erregbar und das geistige Arbeiten wurde ihm schwerer. Am auffälligsten war dem Vater die große Schreckhaftigkeit des Knaben. Bei leichten Geräuschen, bei unerwarteten Begegnungen mit Hunden, Fuhrwerken u. s. w. wurde er wie gelähmt, verlor die Sprache, konnte sich nicht mehr aufrecht erhalten, taumelte, sank in den Knien zusammen. Es vergingen oft einige Minuten, bis er die Herrschaft über die Sprache und die Glieder wieder gewonnen hatte. In diesen Anfällen, die nach Schilderung des Pat. auch ohne jede Gelegenheitsursache ausbrechen konnten, fühlte er einen heftigen Druck in der Herzgegend. Es war ihm, als ob das Herz stille stände, erschlaffte. Die Untersuchung ergab dann einen sehr verlangsamten „stockenden" Herzschlag.

Während der klinischen Beobachtung, die nur 6 Tage dauerte, wurde folgender Status erhoben: Verhältnismäßig großer, sehr magerer und äußerst blasser junger Mensch; Zunge leicht belegt; linker Mundfacialis etwas stärker innerviert; Sehnenphänomen gesteigert; grobe motorische Kraft links wesentlich herabgesetzt (Händedruck rechts 83,82 — links 53,34), starker Affekttremor beider Hände, links überwiegend; Sensibilität überall intakt; Plantarreflex normal; Herzdämpfung normal; die Herzthätigkeit in der Regel gesteigert, sowohl an Intensität als auch Frequenz der Herzrevolution (100—110). Bei Affekterregungen plötzliche Pulsverlangsamungen auf 50—60, mit deutlicher Abschwächung der Herzaktion. Nach wenigen Minuten sind diese Anfälle vorüber, die Herzthätigkeit geht langsam wieder zur beschleunigten Phase über. Wenn der Pat. sich subjektiv sehr unbehaglich fühlt (besonders nach körperlichen Anstrengungen), ist eine deutliche Arhythmie vorhanden: auf 7—8—10 beschleunigte Herzaktionen folgen 3—4 langsame und abgeschwächte.

Man wird nicht fehlgehen, wenn man diese Erscheinungen auf vorübergehende Steigerung der Thätigkeit des Herzhemmungscentrums zurückführt. Mit diesen Pulsverlangsamungen ist dann immer das Gefühl eines erhöhten Herzdrucks verknüpft: treten diese Zustände ganz plötzlich und unvermittelt und in Verbindung mit anderweitigen, vor allem vasomotorischen und motorischen Störungen auf, so kommt es zur Entwickelung von schweren Synkopezuständen oder bei erhaltenem Bewußtsein von Schwindelanfällen mit motorischen Hemmungserscheinungen, wie die vorstehende Beobachtung lehrt. In der früher mitgeteilten Krankenbeobachtung (No. 24) waren die inhibitorischen Erscheinungen seitens der Motilität halbseitig; in solchen Fällen erzählen die Pat. dem Arzt, daß sie einen Schlaganfall erlitten hätten.

Während diese juvenile paroxysmale Bradykardie als ein rein neur-

Fig.
No. 42.

asthenischer d. i. funktioneller Krankheitszustand aufgefaßt werden
darf, möchte ich für die sogenannte permanente Bradykardie,
der wir gelegentlich bei der Neurasthenie begegnen, den rein funktionellen Charakter bezweifeln. Sie finden den dauernd verlangsamten
Puls fast ausschließlich bei älteren Patienten (in den 50er Lebensjahren), welche jahrelangen körperlichen oder geistigen Ueberanstrengungen ausgesetzt waren. Sie können auch meist nachweisen,
daß rheumatische oder gichtige Affektionen oder chronischer Tabakmißbrauch der „nervösen" Erkrankung zu Grunde liegen. Subjektiv
ist das Gefühl andauernder Herzschwäche vorherrschend, welches
schon bei geringfügigen Anstrengungen schwere Kollapszustände mit
Umnebelungen des Bewußtseins herbeiführt. Die Herzaktion ist auf
56—64 Schläge reduziert (beweiskräftig sind natürlich nur diejenigen
Fälle, bei welchen nachgewiesen werden kann, daß sie vor dem Beginn ihrer Herzstörungen eine höhere Frequenz gehabt haben).
Morgens nach einer durch unterbrochenen und traumgequälten Schlaf
ausgefüllten Nacht ist die Herzthätigkeit noch mehr verlangsamt. Sie
sinkt bis auf 52 Schläge herab. Nach irgend einer Arbeitsleistung
oder im Hungerzustande finden sie ebenfalls das Sinken der Herzthätigkeit. Auch die früher beschriebenen Arhythmien und Allorhythmien werden bei diesen Patienten sehr häufig wahrgenommen.
Weder die Auskultation noch Perkussion ergiebt deutliche, für eine
organische Erkrankung des Herzens sprechende Befunde. Die Radialis
und die Temporalarterien fühlen sich rigider an; der Puls ist von
wechselnder Beschaffenheit, bald voller, bald auffallend klein und
leicht unterdrückbar.

Die häufigsten Begleiterscheinungen sind: die vorhin erwähnten
Schlafstörungen, gesteigerte gemütliche Reizbarkeit, bedeutende Abnahme der geistigen Leistungsfähigkeit, insbesondere des Gedächtnisses (z. T. mit aphasischen Störungen), hypochondrischer Vorstellungsinhalt (Todesfurcht), enorm gesteigerte Ermüdbarkeit bei körperlichen
Leistungen, zahlreiche parästhetische Empfindungen (Kribbeln, Taub-,
Pelzigsein in den Extremitäten, Kopfdrucksymptome). Der allgemeine
Ernährungszustand ist meist trotz ausreichenden Appetits herabgesetzt. Die Haut und die Körpermuskulatur zeigt eine welke,
schlaffe Beschaffenheit. Die Hände, Füße und Lippen sind blaß,
leicht cyanotisch und dem Gefühle nach kühl.

Sie werden, wenn Sie diese Krankenschilderung überschauen,
mit mir der Ansicht sein, daß die an der Schwelle der Involution
auftretende „nervöse Herzschwäche" den Verdacht auf anatomische
Veränderungen des Herzmuskels oder atheromatöse Erkrankungen
der Coronararterien erweckt. Dieser Verdacht wird durch den Verlauf des Leidens wesentlich bestärkt, indem eine völlige Heilung
auch bei langdauernder Enthaltung von körperlichen und geistigen
Anstrengungen, sowie bei zweckentsprechender ärztlicher Behandlung
nicht erreicht wird. Wohl aber sind wesentliche Besserungen zu erzielen.
Durch Ernährungskuren, mäßige Hydrotherapie, methodische milde Gymnastik, Aufenthalt in mittleren Höhenlagen werden die Patienten soweit
gekräftigt, daß sie einen wesentlich eingeschränkten Wirkungskreis noch
mehrere Jahre ausfüllen können. In anderen Fällen geht der Krankheitsprozeß unaufhaltsam weiter. Auf somatischem Gebiete habe ich aus diesen
Anfängen heraus chronische Nephritiden, Diabetes, wahre Angina
pectoris sich entwickeln sehen. Es stellen sich aber auch schwere

psychische Erkrankungen, welche dem großen Gebiet der senilen Psychosen zugehören. gelegentlich ein. Sie gehören der von mir als arteriosklerotische Hirndegeneration beschriebenen Krankheitsform an.

Ein anderes Bild bieten die recht seltenen Fälle permanenter Bradykardie bei jüngeren Individuen dar. Ich habe nur zwei Beobachtungen dieser Art gesehen. Beide boten recht verwickelte neurasthenische Krankheitszustände dar. In beiden waren Schädlichkeiten wirksam gewesen, welche eine toxische Einwirkung auf das Herz resp. die Herznervencentren erfahrungsgemäß besitzen. Ich will Ihnen den ersten Fall hier genauer mitteilen, den zweiten wenigstens skizzieren.

Ein 29-jähriger, erblich belasteter Mann; früher immer gesund mit **Erg. No. 43.** Ausnahme einer nach Gonorrhoe auftretenden „rheumatischen" Affektion; körperliche und geistige Entwickelung durchaus normal. Im 20. Lebensjahre während der Militärdienstzeit Ueberanstrengung des Herzens beim Eilmarsch; er verspürte starkes Herzklopfen, konnte nicht mehr weiter und warf sich seitlich in ein Feld. Nach kurzer Zeit fühlte er sich wieder wohl. Seit 3 Jahren angestrengte wissenschaftliche Thätigkeit; Tabakmißbrauch und übermäßige muskuläre Leistungen bei unregelmäßiger Ernährung.

Ohne daß irgendwelche Vorboten voraufgegangen waren (der Pat. hatte wohl nach Anstrengungen und Gemütsbewegungen schon ca. ein halbes Jahr vorher zeitweise stechende Schmerzen in der Gegend der Herzspitze und Herzklopfen verspürt), brach Pat. plötzlich beim Spaziergange auf der Straße zusammen. Er fühlte, daß die Herzthätigkeit langsamer wurde und für einen Augenblick versagte. Es wurde ihm schwarz vor den Augen, es traten Schwindel- und Ohnmachtsempfindungen auf, das Bewußtsein verlor er jedoch nicht. Die Muskeln waren wie erschlafft, er konnte sich nicht mehr aufrecht erhalten, so daß er sich zur Erde niederlassen mußte. Nach wenigen Augenblicken richtete er sich mit Unterstützung empor, fühlte sich am ganzen Körper wie zerschlagen und schlich, auf den Arm eines Begleiters gestützt, mühsam nach Hause. Die Beine waren ihm centnerschwer, er konnte die Füße kaum vom Erdboden hochbringen; die Hände, Arme, Unterschenkel und Füße dünkten ihm auffallend kalt. Dabei hatte er beständig das Gefühl, wiederum zusammenbrechen zu müssen, da nach wenigen Schritten die Herzthätigkeit immer stockend und langsam wurde. „Ich sah meinen Tod vor Augen, ich glaubte, das Herz müßte binnen kurzem ganz stille stehen."

Nach einigen Stunden Ruhe fühlte er sich vollständig erfrischt. Sobald er sich aber hochrichtete oder heftige plötzliche Muskelbewegungen machte, traten Druck in der Herzgegend und Lähmungsempfindungen besonders in den unteren Extremitäten auf. Im Anschluß an diesen Anfall entwickelte sich ein $1\frac{1}{2}$ Jahre mit wechselnder Intensität andauernder neurasthenischer Zustand, dessen hauptsächlichste Symptome die folgenden waren:

a) Seitens der psychischen Funktionen: geistige Müdigkeit, Unfähigkeit, die Gedanken länger als einige Minuten auf einen wissenschaftlichen Gegenstand konzentrieren zu können; Schreiben und Lesen verursachte ihm größte Mühe. Es stellten sich bald Flimmern vor den Augen, Spannungsempfindungen an der Stirn und allgemeiner Kopfdruck ein, der sich bandartig von den Schläfen zum Hinterkopf ausbreitete. Außerdem bestand ein Gefühl der Schwere in Kopf und Nacken und noch andere Empfindungsstörungen, wie Parästhesien in Armen und Beinen, abnorme Pulsationen im Kopf, vorwiegend auf dem Scheitel und im Hinterkopf, und oft mehr oder weniger starkes Sausen im Kopf und in den Ohren. Auf affektivem Gebiete herrschte eine eigentümliche stumpfe Stimmungslage vor. „Ich habe das Interesse an allem verloren.‟ Sobald er an seine Krankheit dachte, oder wenn er sich zu irgend einer erhöhten Leistung zwingen wollte, beschlichen ihn Angstgefühle, die er in die Herzgegend oder den Kopf lokalisierte. „Ich scheue mich ordentlich, mir etwas vorzunehmen. Selbst einfache, an sich gleichgiltige Ueberlegungen und Aufgaben können mich schon aufregen.‟ Bisweilen war die Stimmung eine sehr deprimierte, weinerliche oder stark sentimentale. Am quälendsten war ihm aber die hartnäckige Schlaflosigkeit. Er konnte stundenlang den Nachtschlaf nicht finden, ohne daß besondere psychische Erregungen damit verknüpft waren. Es bestand keine Gedankenjagd, kein Zwangsdenken. „Ich kann einfach nicht einschlafen.‟ Hatte er Schlaf gefunden, so quälten ihn wüste, schreckhafte Träume. Nach 3—4 Stunden wachte er „wie zerschlagen‟ auf.

b) Störungen des Herzens: Subjektiv bestand in den ersten Monaten fast andauernd ein Gefühl von Druck in der Herzgegend, der sich zu ziemlich heftigem Schmerz steigern konnte, bei ruhiger Körperhaltung oft mit lokalen Schwächeempfindungen verknüpft. „Es ist mir, als ob das Herz schlaff und welk wäre, sich nicht kräftig zusammenzöge. Es beschleicht mich auch ein fressendes Gefühl an der Herzspitze, als ob etwas durch die Wand durchbrechen wollte‟, oder es bestand ein Gefühl von Taubsein und leichte Schmerzen (Wundgefühl), zuweilen stellten sich dann auch Schmerzen im linken Arm ein. Sobald er sich aber körperlich anstrengte, änderten sich die subjektiven Empfindungen. Es trat dann das Gefühl des Voll- und Gespanntseins in der Herzgegend auf, als ob „der vorher schlaffe Sack nun zu sehr gefüllt und dem Zerspringen nahe sei‟. Dann mehrte sich auch der Kopfdruck, gelegentlich trat auch Ohrensausen ein. Ganz plötzlich konnte dann die Spannung schwinden und einem vermehrten Schwächegefühl Platz machen.

Die Untersuchung des Herzens ergab: durchaus normale Herzgrenzen, Spitzenstoß nicht sichtbar, ganz schwach im 5. Interkostalraum in der Mammillarlinie fühlbar. Die Herztöne rein, etwas schwächer, die Herzaktion sehr verlangsamt, der erste Ton etwas langgezogen. Pulsfrequenz 54—60 (mehrmals wurden 50, einmal 48 Schläge in der Minute beobachtet); der Radialispuls war weich, wenig voll, das Gefäßrohr von mittlerer Spannung, ziemlich weit. Zwischen den langsam, aber regelmäßig erfolgenden Pulswellen fühlte sich das Arterienrohr bald weich und schlaff, bald gespannt an. Ließ man den Pat. einige kräftige Armbewegungen oder eine Reihe dynamometrischer Uebungen ausführen, so hob sich der Puls vorübergehend auf 60—64. Bei körperlichen und psychischen Effekten konnte eine Steigerung der Pulsfrequenz von 54 auf 120—140 eintreten. Es war aber auffallend, daß die Intensität der Herzaktion und des Pulses unregelmäßig wurden. Auf 4—5 kräftige Schläge folgten 1—2 schwache, leicht unterdrückbare. Pat. fühlte selbst ganz genau die schwache Herzkontraktion und sagte mit großer Bestimmtheit voraus: „Jetzt kommt ein schwacher Puls.‟ Diese Irregularität der Herzthätigkeit dauerte 10—15 Minuten. In den späteren Monaten beobachtete Pat. Pulsverlangsamungen selten, wohl aber ab und zu eine Zunahme der Pulsfrequenz (auf 100—110). Manchmal stellte sich Herzklopfen ein, z. B. nachts nach einem unruhigen Traume. Es handelte sich meist um ca. 10—15 starke Schläge, dann fühlte Pat. subjektiv nichts mehr.

c) Motorische Störungen[: Vorwaltend war das Gefühl großer Muskelschwäche und -müdigkeit. In den ersten Wochen nach dem Anfall ermüdeten den Pat. schon Gehübungen von 300—400 Schritten. Außer den genannten Herzbeschwerden trat das Gefühl allgemeiner Schwäche und Kraftlosigkeit auf. Er mußte einige Minuten stehen bleiben, langsam und tief Luft holen, um drohende Ohnmachtsanwandlungen hintanzuhalten. Er hatte dann auch das Gefühl, als ob ihm die Glieder abstürben: parästhetische Empfindungen, Taubsein, Kribbeln stellten sich in den Füßen ein, die zu anderen Zeiten von Hitzegefühl und brennenden Empfindungen ersetzt wurden. Ganz selten hatte Pat. Schmerzen im Rücken und Kreuz (ca. 5—6 mal während der ganzen Krankheit, ziemlich heftig 2—3 Tage andauernd). Der willensstarke Pat. nahm trotz dieser Empfindungen seine Gehübungen immer wieder von neuem auf und führte auch regelmäßige Uebungen mit dem LANGIADER'schen Arm- und Bruststärker aus. Er brachte es so allmählich zu Spaziergängen von halbstündiger Dauer 4 mal täglich. Mit dieser Leistung waren dann seine Kräfte völlig erschöpft. Gesteigerte Kopfdruckerscheinungen, Müdigkeitschmerzen in den Extremitäten, Störungen in der Herzinnervation zwangen ihn nach jedem Spaziergang zu mehrstündiger Ruhe. Während einer Exacerbation des Krankheitszustandes sank seine körperliche Leistungsfähigkeit wieder auf ein Minimum: es wurde ihm schwer, mehrere Male im Zimmer auf und ab zu gehen. Er war nicht in der Lage, $\frac{1}{2}$ Stunde aufrecht zu sitzen und mußte permanent den Kopf stützen.

Erst nach $1\frac{1}{2}$-jährigem Krankheitsverlaufe war die Erholung so weit gediehen, daß Pat. neben seinen körperlichen Uebungen ($1\frac{1}{2}$-stündige Spaziergänge sind das Maximum) seine wissenschaftliche Thätigkeit (morgens $1—1\frac{1}{2}$, nachmittags 2 Stunden mit Unterbrechungen), wenn auch in ganz beschränktem Maße, aufnehmen konnte. Die volle Leistungsfähigkeit hat er auch heute (nach $2\frac{1}{2}$ Jahren) noch nicht wieder erreicht.

In dem zweiten Falle war die Erkrankung nach einem längeren Aufenthalt im tropischen Klima, nachdem der Pat. eine schwere Malariaerkrankung überstanden hatte, ein Jahr nach der Rückkehr nach Deutschland, aufgetreten. Pat. (aktiver Offizier) hatte sich stärkeren körperlichen Strapazen aussetzen müssen. Die Störungen der Herzthätigkeit waren mit denjenigen im vorliegenden Falle identisch und mit heftigen Angstaffekten und Todesfurcht verknüpft. Die interparoxystischen Erscheinungen waren weniger ausgeprägt. Insbesondere war eine Schädigung der intellektuellen Leistungsfähigkeit nicht vorhanden. Nach Ablauf eines Jahres genas Pat. vollständig.

Sie haben also hier wiederum eine Uebergangsform zwischen funktioneller und organischer Erkrankung des Herzens resp. seiner Nervenapparate. Gerade diese Fälle belehren uns darüber, wie schwierig, ja manchmal geradezu unmöglich die Feststellung der differentiellen Diagnose, ob Herz- oder Nervenleiden vorliegt, sein kann.

Sie sind in den vorstehenden Schilderungen Krankheitsbildern sehr häufig begegnet, welche dem Symptombild der Angina pectoris sehr nahe stehen. Man hat vielfach versucht, die nervös bedingte Angina pectoris von derjenigen, welche durch Erkrankungen des

Herzens resp. der Koronararterien erzeugt wird, klinisch scharf zu unterscheiden. Indem ich Sie hinsichtlich einer genaueren Erörterung dieser in prognostischer Beziehung so hochwichtigen Fragen auf die Lehrbücher der inneren Medizin, vor allem auf die „Krankheiten des Herzens" von HUCHARD verweise, möchte ich nur kurz die Kriterien zusammenstellen, welche die „nervösen" Angina pectoris-Anfälle erkennen lassen.

Wahre Angina pectoris:

1) Die wahre Angina pectoris ist vornehmlich eine Erkrankung des reifen Mannesalters und der Uebergangsperiode zur senilen Involution, also der Altersperiode zwischen dem 45. und 55. Jahre, in welcher die Arteriosklerose so häufig sich entwickelt.

2) Die wahre Angina pectoris ist vorwiegend eine Erkrankung des männlichen Geschlechtes, bei welchem bekanntlich die arteriosklerotischen Veränderungen bedeutend überwiegen.

3) Die wahre Angina pectoris entwickelt sich meist aus relativ kleinen Anfängen, indem zuerst nur Anfälle mit lebhaften Angstgefühlen, dumpfem, bohrendem, substernalem Druckschmerz und nach der linken Schulter und Oberarm ausstrahlenden Schmerzen, ohne jede objektiv nachweisbare Störung der Herzthätigkeit sich einstellen und erst nach längerem Bestehen des Leidens die Erscheinungen der geschwächten Herzthätigkeit sich hinzugesellen.

Pseudoangina (soweit die Neurasthenie in Betracht kommt):

1) Sie findet sich häufig in früheren Lebensjahren, z. T. schon in der Pubertätsentwickelung, am häufigsten aber in dem Alter zwischen 30 und 40 Jahren.

2) Es werden zwar auch mehr Männer befallen als Frauen, jedoch ist der Prozentsatz des weiblichen Geschlechts bedeutend größer als bei der wahren Angina pectoris.

3) Die neurasthenische Pseudoangina beginnt immer mit objektiv nachweisbarer gestörter Herzinnervation (entweder ausgeprägter Tachykardie oder hochgradiger Bradykardie). Bei der Herzuntersuchung ist eine erhebliche Steigerung oder Abschwächung der Intensität der Herzaktion unverkennbar. Bei Erhebung der Anamnese findet man, daß diesen schweren Anfällen schon früher die Zeichen der nervösen Herzschwäche vorausgegangen sind. Eine Ausnahme hiervon bilden jene Fälle, bei welchen die Symptome des Herzanfalls reflektorisch durch dyspeptische Störungen ganz unvermittelt hervorgerufen werden. Der typische substernale Druckschmerz fehlt, dagegen findet sich der bohrende und stechende Schmerz an der Herzspitze und ausstrahlende Schmerzen in die linke Schulter und den Oberarm, sowie die gelegentlich bei der wahren Angina pectoris beobachteten weitergehenden Schmerzirradiationen.

Eine solche **reflektorisch bedingte Pseudoangina** will ich Ihnen in folgender Beobachtung vorführen:

40-jähriger Mann (Jurist) aus nichtnervöser Familie; rasches Wachstum in der Pubertätszeit bei relativ dürftig entwickelter Muskulatur. Im 29. Jahre ein kleiner **Anfall von Atemnot** und **Herzbeklemmung während der Nacht, angeblich nach Verdauungsstörungen,** ein zweiter im folgenden Jahre. Im 32. Lebensjahre Schlaflosigkeit, schwacher Puls, körperliche Erschöpfung nach geistiger Ueberarbeitung: nach 4 Wochen völlige Genesung. In den folgenden Jahren körperlich und geistig völlig leistungsfähig, jedoch auffällig disponiert zu Verdauungsstörungen mit Diarrhöen. Im 40. Lebensjahre erhöhte Magen- und Darmbeschwerden (nachts Kollern im Leibe, Meteorismus) und unruhiger Schlaf. Als Ursache werden Reitstunden, welche direkt auf das Mittagessen folgten, bezichtigt. [Krg. No. 45.]

Es trat nun eine Reihe von Anfällen auf, die sich folgendermaßen abspielten und den Pat. zum Eintritt in die Klinik bewogen. 28./29. April nachts 1. **Anfall**: 2 Uhr Aufwachen aus tiefem Schlaf mit Beängstigungen, Atemnot, Gefühl von Herzstillstand, Denkstörungen (Furcht, den Verstand zu verlieren). Der Anfall dauerte mehrere Stunden. 5 Tage später nach einem Spaziergang abends starker Durchfall. 4./5. Mai morgens 4 Uhr 2. **Anfall**: Atmung nicht gestört, nur Herz- und Denkstörung. 5. Mai mehrstündige Gerichtssitzung; während derselben mitunter Herzklopfen. In der folgenden Nacht 3. **Anfall**: Heftige Todesängstigung, Furcht, daß er den Verstand verliere und seiner Frau im Schlafe etwas anthun könnte. Dieselbe muß sich deshalb etwas entfernt von seinem Bette halten; fortwährende Blähungen und Aufstoßen. Der Zustand dauerte 2 Tage an: Melancholische Gemütsstimmung, Hyperästhesie gegen Geräusche, Argwohn gegen seine Umgebung, man könnte ihm etwas zu leide thun. Durch 6-tägige Bettruhe anscheinend völlige Erholung. 15. Mai kleiner Spaziergang ohne Störung ertragen. 16. Mai abends 6 Uhr 4. **Anfall**: Unmittelbar nach dem Stuhlgang trat fahles Aussehen und Zittern ein. Herzthätigkeit eine Stunde ganz unregelmäßig, Puls oft aussetzend, flatternd. Die Nacht vom 16./17. verlief „leidlich". Am anderen Morgen nach dem Frühstück 5. **Anfall**: Steigerung der Erscheinungen von Herzschwäche resp. unregelmäßiger Herzthätigkeit; abends große innere Unruhe, Todesangst, Verlust der Selbstbeherrschung, die ganze Nacht hindurch. Zu gleicher Zeit quälten ihn eigentümliche Vorstellungen, die Krankenwärterin könnte in den Verdacht kommen, Uhr und Portemonnaie, die auf dem Nachttisch lagen, gestohlen zu haben. Er bittet seine Frau, beide Gegenstände zu sich zu nehmen, in die Tasche zu stecken, ja zu versenken (in die Abtrittsgrube). Die Frau darf ihn die ganze Zeit nicht verlassen, die Angst treibt ihn gelegentlich zum Bett heraus: auch andere argwöhnische Gedanken, es würde etwas gegen ihn geplant, falsche Verdächtigungen erhoben, quälten ihn fortwährend. Dieser unruhige Zustand dauerte noch den ganzen folgenden Tag und verstärkte sich nach dem Mittagessen wieder. Erst abends 7 Uhr nach einer Stuhlentleerung tritt Erleichterung und Ruhe ein.

Beim Eintritt in die Klinik, welcher nach dem letztgenannten Anfalle erfolgte, wurde folgender Status erhoben: Sehr großer, hagerer Mann mit fahler Gesichtsfarbe, tiefliegenden Augen und mattem Blick; die sichtbaren Schleimhäute sehr blaß. Zunge leicht belegt, kein Foetor

ex ore. Sprache leise, matt; psychischer Zustand vollständig normal.
Pat. erzählt die Vorgeschichte seiner Erkrankung und ist sich des
psycho-pathologischen Charakters seiner während der Anfälle auftretenden
Zwangsvorstellungen vollständig bewußt. Seine subjektiven Klagen beziehen sich vornehmlich auf allgemeine körperliche Schwäche, geistige
Abgeschlagenheit und erhöhte affektive Reizbarkeit. „Ich mag an gar
nichts denken, alles regt mich auf." Er liegt in etwas zusammen-
gesunkener Rückenlage, vermeidet ängstlich jede rasche Bewegung, weil
sie sofort das Gefühl der Herzschwäche und leichte Angst hervorruft.
Die physikalische Untersuchung des Herzens ergiebt
durchaus normale Verhältnisse. Auffällig ist nur die Schwäche
der Herzaktion. Die Radialis ist von mittlerer Weite, schlechter Spannung: Puls weich, leicht unterdrückbar, in der Ruhe 72—76, nach
längerem Sprechen oder ausgiebigeren Muskelbewegungen und nach der
Nahrungsaufnahme mäßig beschleunigt (bis zu 88). Die sonstigen Klagen
des Pat. beziehen sich auf Druck und Fülle in der Magengegend, gestörte
Defäkation (steter Wechsel zwischen Obstipation und Diarrhöe). Die
Untersuchung des Abdomens ergiebt nichts Abnormes.

Ordination: Absolute Bettruhe, 2-stündige Ernährung, leichte Massage des ganzen Körpers, 3 mal wöchentlich ein Soolbad.

Während der ganzen klinischen Beobachtung (2 Monate) wurde kein
Herzanfall beobachtet; die Kräfte hoben sich langsam, Pat. nahm regelmäßig an Körpergewicht zu. In den ersten Wochen war der Schlaf
sehr schlecht, indem der Pat. nur schwer einschlafen konnte und meist
schon nach halbstündigem Schlafe durch schreckhafte Träume, Herz-
beklemmungen, Blähungen, Stuhldrang geweckt wurde. Mit fortschreitender Hebung des Körpergewichts wurde erst passive Gymnastik, dann
aktive Muskelübungen in den Kurplan eingeschaltet und von dem Pat.
gut ertragen. Nach mehrmonatlicher Nachkur in mittlerem Höhenklima
konnte Pat. seine berufliche Thätigkeit wieder aufnehmen. Er ist in
der Folgezeit gesund geblieben, lebt außerordentlich regelmäßig, hütet
sich vor allem vor Ueberladungen des Magens, da dieselben von Uebelkeit, Aufstoßen, beschleunigten Magendarmbewegungen und Diarrhöen
gefolgt sind.

Es erübrigt noch, darauf hinzuweisen, daß bei der überwiegenden
Mehrzahl der protrahiert verlaufenden Fälle von Neurasthenie lokalisierte und paroxystisch auftretende vasomotorische
Störungen sehr häufige Erscheinungen sind. Entweder sind sie
mit den vorstehend geschilderten Innervationsstörungen des Herzens
vergesellschaftet und treten dann nur als Teilerscheinungen dieser
angioneurotischen Krankheitssymptome auf oder sie sind ganz unabhängig von solchen.

Am häufigsten sind die anfallsweise auftretenden Kongestionen
zu Kopfe. Die Patienten klagen über rasch und unvermittelt aufsteigende Hitzempfindungen in der Hals- und Kopfgegend und im
Schädelinnern, verstärkte und fast schmerzhaft subjektiv wahrzu-
nehmende Pulsationen der großen Halsgefäße und der Schädel-
arterien, pulsatorische Ohrgeräusche, dumpfen Druck in den Augäpfeln, Verdunkelung des Gesichtsfeldes, welche nicht selten mit
Photopsien (Flimmerskotome) verknüpft sind. Auf der Höhe des
Anfalls klagen die Kranken über Schwindelempfindungen, Betäubungsgefühle, hochgradige Kopfangst mit der Furchtvorstellung, den Verstand zu verlieren, „verrückt" zu werden. Objektiv lassen sich in

diesen Anfällen diffuse Rötungen der Hals- und Gesichtshaut, gesteigerte pulsatorische Bewegungen der Halsgefäße, erweiterte Pupillen,
stärkere Injektion der Konjunktivalgefäße, Rötungen der Ohren
nachweisen. Am ausgeprägtesten finden Sie diese Anfälle bei jugendlichen Individuen (mit oder ohne Masturbation), welche die früher
geschilderten Symptome von übererregter Herzthätigkeit darbieten.
Meist können Sie nachweisen, daß irgend eine stärkere körperliche
oder geistige Anstrengung dem Anfall voraufgegangen ist; bei manchen
Individuen genügt aber schon der physiologische Anreiz der Verdauungsthätigkeit nach einer reichlichen Mahlzeit, um den Anfall
auszulösen. Manche Patienten werden auch nachts im Schlafe durch
Kopfkongestionen überrascht und aufgeschreckt.

Andere lokalisierte vasomotorische Störungen des Kopfes bieten
ein wesentlich verschiedenes Bild. Während die eben geschilderten
Anfälle als aktive hyperämische Zustände, sogenannte fluxionäre
Hyperämien bezeichnet werden müssen und ihnen den heutigen
physiologischen Anschauungen gemäß hemmende Einwirkungen auf
die Thätigkeit des Hals- resp. Kopfsympathicus zu Grunde .gelegt
werden müssen, kann diese zweite Form der vasomotorischen Störung
als eine ischämische, durch bahnende Einwirkungen auf den Halssympathicus zustande gekommene bezeichnet werden. Die psychischen
Symptome sind mit denjenigen der Kongestivanfälle fast identisch.
Am hervorstechendsten sind die Ohnmachtsgefühle mit der Furchtvorstellung des herannahenden Todes. Die Patienten bieten das
Bild eines völlig kollabierten Menschen dar; das Gesicht ist auffallend
blaß und kühl, ebenso die sichtbaren Schleimhäute (Lippen, Conjunctiva). Meist bedeckt ein spärlicher Schweiß die Stirnhaut, die
Augen sind eingesunken, matt: die Atmung oberflächlich, etwas be- .
schleunigt. Auf der Höhe des Anfalls tritt nicht selten eine kurzdauernde Ausschaltung des Bewußtseins ein, so daß ein wahrer
Ohnmachtszustand erreicht wird. Derartige Anfälle sind am häufigsten bei anämischen und hochgradig erschöpften Neurasthenikern und
entwickeln sich fast immer nur nach intensiven körperlichen oder
geistigen Anstrengungen. Die häufigste Gelegenheitsursache sind
schwere, unvermittelt einsetzende Gemütserschütterungen.

In ähnlicher Weise finden Sie lokale ischämische und hyperämische Zustände im Bereich der peripheren Körpergefäßgebiete
und im abdominellen Gefäßbezirk. Hierher gehören z. T. auch die
Anfälle von Absterben einzelner Glieder, verbunden mit sehr quälenden parästhetischen Empfindungen (Taubsein, Kribbeln, Ameisen-
kriechen), während die Patienten zu anderen Zeiten über einen abnormen
Blutzufluß in einzelne Körpergebiete klagen, welche mit sehr lästigen
brennenden Hitzeempfindungen verknüpft sind.

In vereinzelten Fällen habe ich eigenartige, auf kleineren
Hautbezirken umschriebene vasomotorische Störungen
beobachtet, welche sich objektiv durch abnorme Rötung und subjektiv
durch Parästhesie kundgeben.

G., Oekonomieverwalter, 21 Jahre alt; erblich wenig belastet, tritt
am 16. Dezember 1894 freiwillig in die Klinik ein. Ueber seine Krankheitsgeschichte giebt Pat. folgendes an: Normale Entwickelung in der
Kindheit; mit 13 Jahren Bandwurm; in der Schule mittlere Leistungen,
lernte die Landwirtschaft; immer etwas ängstlicher Natur; seit ca. 3

Krg
No. 46.

Jahren stellte sich lebhaftes Gesichtsröten ein, namentlich mittags und abends nach dem Essen, nach alkoholischen Getränken und affektiven Erregungen. Der Gedanke, er würde jetzt erröten, soll dem Eintritt der Röte nicht voraufgehen, und es macht keinen wesentlichen Unterschied, ob andere zugegen sind oder nicht. Dauer der Rötung $1/_2$—1 Stunde. Mit der Rötung ist leichte Aengstlichkeit in der Herzgegend verbunden; wenn die Rötung aufhört, tritt Kopfschmerz ein. Pat. trinkt alle 2—3 Tage ein Glas Bier, Schnaps sehr selten; Masturbation bestritten; Pollutionen wöchentlich 1—2mal, auch öfter, seit einigen Jahren; sexueller Verkehr bestritten; Schlaf gut.

Bei der poliklinischen Untersuchung hatten wir Gelegenheit, einen „Anfall" bei dem Pat. zu sehen: Gesicht stark, völlig diffus gerötet, am stärksten über dem Sternocleidomastoideus, den beiden Ohren und über dem Jochbein; medialwärts schneidet die Röte scharf mit der Nasolabialfalte ab; Nase, Stirn und Oberlippe sind bleich. Pupillen äußerst weit; Reaktionen prompt, aber minimal; starke, etwas fleckige Rötung der Brust, z. T. auch des Abdomens. Enormes vasomotorisches Nachröten auf Brust und Abdomen; im Gesicht wird die Rötung durch mechanische Reize nur unbedeutend verstärkt; Arterie sehr eng, abnorm wenig dikrot, Hände eher kühl.

Aus dem sonst der Norm entsprechenden Status hebe ich zum Vergleich mit dem „Anfall" hervor: Puls 56; vasomotorisches Nachröten normal, nachhaltig, auf intensiveres Streichen Zurückbleiben eines deutlichen Striemens; Pupillen etwas weit, gleich, Lichtreaktionen prompt und ausgiebig, unter Hippus rasch zurückgehend; Reflexerregbarkeit durchweg gesteigert; Supra- und Infraorbitalpunkt, Supra- und Infraklavikularpunkt beiderseits stark druckempfindlich, desgleichen sämtliche Interkostalräume, Iliakalpunkte, Inguinalpunkte; Hoden auf Druck nicht schmerzempfindlich; keine Spinalirritation.

Aus dem Krankenjournal sind folgende Daten bemerkenswert:

17. Dezember 1894. Anfall von Rötung ohne ersichtliches Motiv: Rötung der Wangen, Weiterschreiten der Rötung vom Pat. nicht beobachtet; Angst nicht vorhanden; beim Schwinden der Rötung (nach $1/_2$ Stunde) Stirn-Kopfschmerz symmetrisch ohne Augenflimmern.

19. Dezember. Leichter Anfall: Pat. klagt über Stechen und Spannen unter den Augen.

2. Januar 1895. Anfälle jetzt kürzer ohne nachfolgenden Kopfschmerz; aber oft schmerzhafte Empfindungen unter den unteren Augenlidern.

5. Januar. Im Anfalle heute schneidet die Rötung in der Verlängerung der Nasolabialfalten nach oben und unten ab, so daß Nase und Kinn blaß sind. Stirn, Brust und Hals blaß, Ohren noch gerötet; Pupillen weit; Beginn der Anfälle immer rechts. Pupillen 6 Stunden nach dem Anfall maximalweit.

8. Januar. Auf beiden Seiten der Nase Rötung mit stechendem Schmerz (Prickeln).

22. Januar. Ganz unregelmäßige Fleckung: Thalergroßer Fleck auf dem Hals unter dem linken Ohr, ein größerer auf und unter dem linken Unterkiefer, ein anderer auf der rechten Wange.

25. Januar. Zum erstenmal Rötung oberhalb beider Handgelenke in Flecken, links stärker, ohne gleichzeitige Gesichtsrötung.

27. Januar. Während eines Anfalles kleinfleckige Rötung auf der Vorderfläche beider Oberarme, mehr konfluierende Rötung auf der Brust.

17. Februar. 2½-stündiger Anfall: Beginn linke Wange, dann beide Gesichtshälften ziemlich symmetrisch; Brust ziemlich symmetrisch bis dicht unter den Mammae; lateral etwas über die Mammillarlinie hinausgehend; Schultern und Rücken fleckig; lebhaftes Jucken am ganzen Körper; Hyperalgesie der geröteten Flecken; vor und während des Anfalles Präkordialangst; giebt neuerdings an, schon vor den Anfällen, wenn diese nicht mit Kopfschmerzen beginnen, ängstlich zu sein.

Vom 1. März an anhaltende Besserung.

13. März. Entlassen.

Die so häufigen Klagen über abnorme Kälteempfindungen im Kopfe und in den Extremitäten, welchen wir bei so vielen Neurasthenikern, vor allen weiblichen Patienten begegnen, werden sicherlich zum großen Teile in cirkulatorischen Störungen in den betreffenden Körperabschnitten ihren Grund haben. Viele Kranke können nachts nicht einschlafen, weil ihnen der Kopf eiskalt ist. Ich habe mich oft bemüht, eine genauere Lokalisation dieser subjektiven Kälteempfindung (denn objektiv läßt sich nur eine ganz geringe Abkühlung der Gesichtshaut, insbesondere der Stirn- und Schläfegegend nachweisen) seitens des Kranken zu erlangen. Vorwiegend wird die Kälteempfindung in die Hautdecken selbst lokalisiert, doch besteht gleichzeitig ein Kälte- und Leeregefühl im Schädelinnern. Manche Kranke schlafen ganz gut ein, wachen aber nach kurzem Schlafe infolge dieses Kältegefühls auf. Ganz ähnlich wird das Einschlafen verzögert durch abnorme Kälteempfindungen besonders in den unteren Extremitäten. „Die Füße sind mir wie zu Eis erstarrt, ich werde überhaupt nie warm aus eigener Kraft ohne künstliche Wärmezufuhr (Wärmflasche)". Diese Klagen wiederholen sich fast bei allen weiblichen Kranken und zwar sind es nicht immer anämisch-chlorotische Patientinnen. Man ist im Gegenteil oft überrascht, daß trotz blühenden Aussehens und ganz leidlicher Pulsbeschaffenheit über diese chronische Blutleere in den Füßen geklagt wird. Bei der Untersuchung finden Sie dann auch die Hautdecken dort auffallend kühl und blaß, die Zehen teilweise cyanotisch.

Es ist schwer zu sagen, welcher Anteil einer mangelnden Triebkraft des Herzens oder einer abnormen Kleinheit und Dürftigkeit des gesamten Gefäßsystems (vergl. die Ausführungen in der allgemeinen Pathologie) oder einem verkümmerten Wärmehaushalt des Gesamtorganismus bei diesem fast typischen Zeichen nervöser Kraftlosigkeit zuzumessen ist.

9. Vorlesung.

M. H.! Wir betreten heute dasjenige Gebiet der neurasthenischen Krankheitsäußerungen, auf welchem eine übersichtliche Anordnung der Symptome nur unter steter Verwertung der allgemeinen Aetiologie möglich ist, nämlich der **Störungen des Stoffwechsels und der Ernährung.** Man kann in letzter Linie alle anderen Krankheitserscheinungen auf sie zurückführen, indem jede Leistung des Gesamtorganismus oder einzelner Organsysteme von dem Ernährungszustande, dem Kraftvorrat, dem Kraft- resp. Stoffwechsel innerhalb des funktionstragenden Gewebes abhängig ist. Es zerfällt dieses Gebiet theoretisch in 2 Abschnitte:

1) in die **allgemeinen Ernährungsstörungen,** welche durch eine pathologische Beschaffenheit der gesamten Körpergewebe oder genauer gesagt des Protoplasmas der Gewebszellen — „des lebenden Eiweißes" – bedingt sind (**nutritive** Störungen) und

2) diejenigen, welche durch **Funktionsanomalien der Verdauungsorgane** im engeren Sinne verursacht werden (**digestive** Störungen).

In praxi wird diese Scheidung naturgemäß sehr häufig hinfällig, wenn bei ein und demselben Kranken beide Krankheitsvorgänge vereint vorhanden sind; aber auch hier empfiehlt es sich, nicht nur aus didaktischen, sondern noch vielmehr aus therapeutischen Gründen, die Ernährungsstörungen auf diese beiden Grundursachen zurückzuführen. Wir werden so in den Stand gesetzt, die **assimilatorische** Bedeutung aller lebenden Strukturelemente unabhängig von der Arbeitsleistung der specifischen Verdauungsorgane in ihrer Bedeutung zu würdigen. Der Satz der Ernährungsphysiologie ist heutzutage wohl unbestritten, daß die Stoffaufnahme und der Stoffumsatz eine Funktion des Zellprotoplasmas der Gewebselemente der einzelnen Organsysteme, der nervösen, der muskulären, der Skeletteile u. s. w. ist und mit ihrer specifischen Arbeitsleistung zusammenfällt. Ist unter normalen Verhältnissen die Arbeitsleistung erhöht, so wächst der Stoffverbrauch und damit der „intracelluläre Stoffhunger". Er bewirkt eine vermehrte Umsetzung der mit dem Säftestrom zugeführten Nährmaterialien. Ist die vitale Thätigkeit dieser Zellen durch irgend eine Ursache geschädigt, so entspricht der Minderleistung der eingeschränkten Krafthaushalt der Zelle, ein verringerter Stoffbedarf und Stoffumsatz. Beschränkt sich diese Schwächung der Arbeitsenergie auf ein bestimmtes Organsystem, so kann ausschließlich sein Stoffwechsel und seine Ernährung trotz normaler Beschaffenheit der zugeführten Gewebssäfte krankhaft vermindert sein.

Ist, um auf unsere Nervenkranken zurückzukommen, eine Schädigung der specifischen Nervenelemente vorhanden, so können trotz normaler Funktion des Verdauungstraktus und normaler Säftemischung die specifischen Ernährungsvorgänge der Nervenelemente unvollkommen sein. So erklärt es sich, daß sowohl bei Patienten mit angeborener Prädisposition als auch bei erworbenen neuropathischen Zuständen, z. B. nach der Einwirkung specifischer Nervengifte oder anderer Schädlichkeiten, welche vorwaltend die Leistungsfähigkeit des Nervensystems beeinträchtigen, die allgemeine Ernährung völlig ungestört sein kann trotz der funktionellen Untüchtigkeit des nervösen Mechanismus.

Ich habe eine Reihe von neuerdings klinisch behandelten Kranken, bei welchen die Körpergröße und das Körpergewicht bei der Aufnahme verzeichnet worden sind, tabellarisch zusammengestellt und (auf Grund der QUETELET'schen Angaben) das Verhältnis zwischen Körpergröße und Körpergewicht ermittelt. Unter 82 Neurasthenikern befanden sich 20 (8 Männer, 12 Frauen) mit normalem, 39 (18 M., 21 Fr.) mit übernormalem und 23 (7 M. und 16 Fr.) mit subnormalem Verhältnis. Diese Statistik zeigt ohne weiteres, daß ein recht erheblicher Prozentsatz der Neurastheniker einen mittleren oder sogar übermäßigen Ernährungszustand aufweist.

Der kräftige Körperbau, das gesunde und blühende Aussehen, die kraftvolle Muskulatur stehen dann im Widerspruch mit den gehäuften subjektiven Klagen. Ich erinnere Sie an das Beispiel hartnäckigster Schlaflosigkeit und geistiger Insufficienz bei dem muskelstarken, gutgenährten Patienten (vergl. Krg. No. 21). Hierher gehört ferner ein Teil der hereditären Neuropathen, welche von Kind auf ein widerstandsloses, in seiner Leistungsfähigkeit herabgesetztes Nervensystem besitzen, dabei aber sich einer durchaus ungestörten körperlichen Entwickelung erfreuen. Das sind die frischen, blühend aussehenden, gutgenährten Nervenkranken, bei welchen die Mehrzahl der Lebensäußerungen von pathologischen nervösen Reaktionen begleitet ist. Eine wesentliche Beeinträchtigung der Gesamternährung ist selbst trotz mannigfachster Klagen über Verdauungsstörungen nicht vorhanden; der ganze Krankheitsverlauf weist darauf hin, daß eine gestörte Gewebsthätigkeit in den verschiedenen Organsystemen außerhalb des Nervensystems nicht besteht.

Daß aber auch bei dieser Gruppe die nutritiven Vorgänge durch den neurasthenischen Zustand beeinflußt werden können, beweisen die nicht seltenen Fälle, bei welchen jede größere Schwankung des psychischen Befindens von beträchtlichen Aenderungen des Körpergewichts begleitet wird. Ich habe Gewichtsabnahmen von 20—30 Pfd. beobachtet, ohne daß irgendwelche gastrische oder intestinale Krankheitssymptome vorhanden gewesen waren. Die Abmagerung erfolgt sogar bei normaler oder gesteigerter Nahrungszufuhr, so daß eine Störung der assimilatorischen Vorgänge unverkennbar ist. Mit dem Schwinden der kortiko-psychischen Krankheitssymptome stellt sich in kurzer Zeit das frühere Körpergewicht wieder her.

Betrachten wir die Patienten genauer, bei welchen das nervöse Leiden mit andauernden allgemeinen Ernährungsstörungen verknüpft ist, so lassen sich zwei Kategorien von Krankheitsfällen unterscheiden:

1) die allgemeine Ernährungsstörung geht der Entwickelung der neurasthenischen Symptome voraus. Vom ätiologischen Standpunkt werden Sie hierbei auseinanderzuhalten haben:

a) die chronisch-konstitutionellen Schwächezustände, welche auf dem Boden einer angeborenen Prädisposition erwachsen und

b) diejenigen Fälle, bei welchen auf Grund bestimmter Schädlichkeiten (große Blutverluste, mangelhafte Ernährung, infektiöse und toxische Einwirkungen) sich eine allgemeine Ernährungsstörung entwickelt, die erst in der Folge nervöse Krankheitserscheinungen zeitigt.

2) Die Neurasthenie befällt Individuen, deren Ernährungszustand vor dem Einsetzen der Erkrankung keine Störungen aufwies. Hier ist es wohl unzweifelhaft, daß die gestörten Funktionen des Centralnervensystems die Schädigung der Stoffwechselvorgänge bewirkt haben. Am häufigsten werden Sie aus dem klinischen Verlaufe entnehmen können, daß die fortschreitende Abmagerung durch die verringerten Arbeitsleistungen des Digestionstraktus verursacht ist. Die Störungen der sekretorischen, motorischen und resorptiven Vorgänge, welche der oberflächlichen (CLAUDE BERNARD) oder sekretiven Verdauung zu Grunde liegen, machen sich schon frühzeitig in den mannigfachsten lokalen Krankheitsbeschwerden geltend, welche unter dem Symptombild der nervösen Dyspepsie oder Neurasthenia dyspeptica zusammengefaßt werden.

Sie werden aber auch in dieser Kategorie Fällen begegnen, bei welchen ohne subjektive Beschwerden oder objektiv nachweisbare Störungen seitens der Verdauungsorgane schon im Beginn des Leidens mit der Steigerung der psychischen, motorischen, angioneurotischen u. s. w. Störungen eine auffällige Abnahme des Körpergewichts einhergeht. In solchen Fällen wird der pathologisch veränderte Krafthaushalt des Centralnervensystems in erster Linie zu einer verringerten Arbeitsleistung des Nerven-, Muskel-, Drüsenu. s. w. Gewebes und damit zu einer Verringerung der interstitiellen (CLAUDE BERNARD) oder cellularen (KRUKENBERG) Verdauung führen. Die reinsten hierher gehörigen Beobachtungen liefern die traumatisch bedingten Neurasthenien, bei welchen langdauernde Zustände von Unterernährung ohne ausgeprägte dyspeptische Störungen ein wesentliches Merkmal des Nervenleidens sind. Ich rechne die Abnahme des Nahrungsbedürfnisses und damit des Hungergefühls, welche diesen Kranken eigentümlich ist, nicht zu den dyspeptischen Störungen im engeren Sinne. Denn diese Appetitlosigkeit entspringt vorwaltend aus psychischen resp. affektiven Störungen, ist aber auch direkt abhängig von dem verringerten Nahrungsbedürfnis der Gewebe.

Betrachten wir zuerst die konstitutionell schwächlichen Patienten. Hier ist es leicht verständlich, daß bei der chronischen Unterernährung auch das Nervensystem in all seinen Teilen in Mitleidenschaft gezogen ist und jeder Mehrleistung auf diesem Gebiet ein ungenügender Kraftvorrat, sowie ein mangelhafter Ersatz verbrauchter potentieller Energien hindernd im Wege steht. Der ge-

s a m t e Lebensprozeß dieser Patienten ist unter eine mittlere Leistungsfähigkeit herabgedrückt: die Blutmenge und die Blutbeschaffenheit,
die Triebkraft des Herzens, die Elastizität der Gefäßwände, die
Mechanik und der Chemismus der Lungenatmung, die Drüsenthätig-
keit und die mechanischen Vorgänge der Verdauung, Resorption und
Assimilation, die Leistungsfähigkeit der Körpermuskulatur, die Wärmebildung, kurzum alles muß unter dieser organischen Schwäche des
Stoffvorrates und Stoffumsatzes leiden. Wenn wir uns die in der
allgemeinen Aetiologie erörterten Folgezustände pathologischer Keimesvariationen und Keimesschädigungen vergegenwärtigen, so verstehen
wir, daß die verschiedenen Organsysteme in ihrem anatomischen Aufbau und ihrer Leistungsfähigkeit bei diesen allgemeinen konstitutionellen Schwächezuständen individuell ganz verschiedenartig geschädigt
sein können. Klinisch treten am häufigsten gemeinsam hervor: d i e
A n ä m i e, d e r M a n g e l a n F e t t a n s a t z, d i e D ü r f t i g k e i t
d e r M u s k u l a t u r u n d d i e r a s c h e E r s c h ö p f b a r k e i t d e r
g e s a m t e n n e r v ö s e n L e i s t u n g e n.
      Wenn Sie die Geschichte der Nervosität überschauen, so werden
Sie finden, daß dieser Zusammenhang schon frühzeitig erkannt worden
ist. Freilich wurde von den verschiedensten Autoren bald diese,
bald jene Gruppe von Krankheitszeichen als die wesentlichste betrachtet und die anderen Symptome als Folgezustände dieses nach
ihrer Ansicht bedeutsamsten pathologischen Vorganges bezeichnet.
Die einen haben der Erkrankung des Nervensystems auch bei diesen
Formen die Hauptrolle zugeteilt und sie als n e r v ö s e K a c h e x i e
(SANDRAS), c h r o n i s c h e n N e r v o s i s m u s (BOUCHUT) bezeichnet,
andere haben die Störungen der Blutbildung und Blutbeschaffenheit
für das Maßgebendste erachtet und demgemäß auch die nervösen
Krankheitserscheinungen und die gestörte Gesamternährung als
Folgen der Chlorose und Anämie (BOUILLAUD) aufgefaßt. Und
wiederum andere verlegten den Sitz des Leidens in die Organe,
welche der Ernährung und Verdauung im engeren Sinne vorstehen.
und erklärten die Störungen der Nervenfunktion durch den gestörten
Chemismus der Gewebsflüssigkeit im allgemeinen und der specifischen
Nervenelemente im besonderen. Diese letztere Anschauung hat
neuerdings in der Lehre der Autointoxikationen eine theoretische Begründung erhalten.
      N a c h m e i n e r A u f f a s s u n g, die ich schon zu wiederholten
Malen in diesen Vorlesungen vertreten habe, s i n d a l l d i e s e
S t ö r u n g e n g l e i c h w e r t i g e K r a n k h e i t s ä u ß e r u n g e n a l l-
g e m e i n e r E n t w i c k e l u n g s s t ö r u n g e n. Dabei verkenne ich
keineswegs die innige Wechselbeziehung, welche zwischen den Leistungen der verschiedenen Organsysteme besteht; ebensowenig bestreite ich, daß innerhalb der großen Gruppe angeborener Schwächezustände bald diese, bald jene Störung überwiegt. So begegnen Sie,
um nur zwei typische Erscheinungen herauszugreifen, „nervösen" Individuen, welche auch in reiferen Lebensaltern in ihrer gesamten
Körperentwickelung einen kindlichen Habitus bewahrt haben: kleine,
gracil gebaute Individuen mit dürftiger Muskulatur, kleinem Herzen,
schmalen zartwandigen Gefäßen. spärlicher Ausbildung der Epithelial-
gebilde, verkümmerter geschlechtlicher Ausreifung (bei Männern auffallend kleine Hoden, Aspermie, bei Frauen infantiler Uterus, Sterilität). Hier wird wohl kaum ein Zweifel bestehen, daß die Störungen

der nervösen Funktionen auf ähnliche anatomische Entwickelungsstörungen des Nervensystems zurückzuführen sind.

Fig. No. 47. Frau D., 38 Jahre alt; hereditär belastet; immer ein schwächliches und zartes Kind mit gracilem Körperbau und
schwacher Muskulatur; geistig gut veranlagt, doch immer leicht
ermüdbar. Anfang der 80er Jahre (im 27. Lebensjahr) machte die Pat.
eine schwere Intermittens durch. Seit dieser Zeit war sie „leidend und
blutarm"; der Ernährungszustand war ein ganz schlechter. Außerdem
bestanden menstruelle Beschwerden und Sterilität. Ein
Frauenarzt konstatierte infantilen Uterus und machte wegen
hochgradiger Enge des Orif. ext. ut. (Stecknadelkopfgröße) eine Stomatoplastik. Da sich der Ernährungszustand nicht hob, wurde im Jahre 1885
die erste Mastkur mit Gewichtszunahme und Kräftigung durchgeführt.

Bald darauf siedelte der Gatte der Pat. in eine größere Stadt über.
Pat. konnte die Stadtluft und das geräuschvolle Treiben nicht ertragen.
Es stellten sich intensivere nervöse Beschwerden ein: Stimmungsanomalien
(meist trübe, hoffnungslose Stimmung), Ueberempfindlichkeit gegen Geräusche, Gefühl der Leere im Kopf, Grübeln über die Sterilität. Verschiedene Kuren (Luftkuren, Nervenanstalten) brachten Besserung.

Im Winter 1889/90 Influenzaanfall; daraufhin ganz kraftloser Zustand und erneute Hoffnungslosigkeit, nicht wieder gesund werden zu
können. Eine Reise nach dem Süden kräftigte Pat. körperlich und
geistig; aber bald nach der Rückkehr in die Heimat trat erneute Mattigkeit, Kopfdruck, trübe Verstimmung mit erhöhter Reizbarkeit, Präkordialangst und Furcht, geisteskrank zu werden, auf. Symptome, die sich rapid
verschlimmerten. Oktober 1891 Aufnahme in die Klinik.

Stat. praes. vom 11. Oktober 1891: Zarte, kleine (153 cm) Frau mit
äußerst geringem Fettpolster und spärlicher Muskulatur (Körpergewicht
83 Pfd.); Conjunctivae sehr bleich; Herzdämpfung normal; anämische
Herzgeräusche; leichte Conjunctivitis; Nachröten gesteigert; keine
Degenerationszeichen; Pupillen gleich, weit; Reaktion prompt; sehr starke
sekundäre Innendeviation; VII. und XII. symmetrisch innerviert; allenthalben Affekttremor; grobe motorische Kraft äußerst gering; Hyperaesthesia retinae; Oxyakoia; Hyperosmie; Sensibilität intakt, symmetrisch;
Gesichtsfeld intakt; Kniephänomen gesteigert, Plantarreflex schwach; oft
hypnagoge Visionen; allenthalben am Rumpf symmetrische Druckpunkte;
Kopfperkussion nicht empfindlich.

Die subjektiven Beschwerden der Pat. sind folgende: Labile Gemütsstimmung, meist trostlos, gedrückt, weinerlich; körperlich und geistig
hilflos; geistige Leere und Benommenheit; mangelndes Gedächtnis; reizbar,
muskelunruhig; Schlaf meist schlecht, vielfach unterbrochen und durch
angstvolle Träume gestört. — Größte körperliche Ermüdung und Muskelschwäche; vielfach Schmerzen im Rücken beim aufrechten Stehen und
Gehen; Druckschmerzen fast im ganzen Bereich der Wirbelsäule und in
den Interkostalräumen; zahlreiche ziehende und spannende Schmerzen in
den verschiedensten Muskeln und Hautgebieten an Intensität sehr wechselnd,
bei körperlicher und geistiger Thätigkeit gesteigert; Herzklopfen; Oppressionsempfindungen auf der Brust mit Angstgefühl.

Ordination: WEIR-MITCHELL'sche Kur; gute Zunahme des Körpergewichts; geringe Besserung der nervösen Beschwerden.

Eine zweite Gruppe bilden diejenigen Fälle, bei welchen die körperliche Entwickelung bis zum Eintritt der Pubertät einen gleichmäßigen

und ungestörten Verlauf nimmt; zu dieser Zeit tritt aber ein **auffälliges Mißverhältnis zwischen dem rapiden Wachs-
tum einzelner Organsysteme, vor allem des Skeletsystems,**
und dem Zurückbleiben anderer, hauptsächlich des Gefäßsystems und
der Muskulatur, hervor. Hier wirkt die **einseitige** und **vorzeitige**
Verringerung physiologischer Wachstumstendenzen der harmonischen
Entwickelung des Gesamtorganismus entgegen und beeinträchtigt
nicht nur in der Pubertätsperiode, sondern auch späterhin die nutritiven Leistungen. Die nervösen Funktionen unterliegen entweder
gleichzeitig mit dem Einsetzen dieser Entwickelungsstörung krankhaften Veränderungen oder sie werden erst sekundär durch die
mangelhafte Ernährung des Nervengewebes in Mitleidenschaft gezogen.
Als Beispiel für die erstgenannte Gliederung der Krankheitserscheinungen erinnere ich Sie an die Krg. No. 26. Für die andere Entstehung der Neurasthenie ist folgende Beobachtung typisch:

X., 34 Jahre alt; Vater völlig gesund, Mutter tuberkulös, starb **Krg.
No. 48.**
nach der Geburt des 5. Kindes; Pat. stets zart; im 12. Lebensjahr
angeblich eine „Bauchfellentzündung"; in den Studienjahren Masern mit
protrahierter Rekonvaleszenz; bei körperlichen Ueberanstrengungen z. B.
während der Militärzeit hin und wieder kurze „Fieberanfälle" (allgemeines
Unbehagen, Frostschauer mit Herpes labialis). Nach Beendigung der
Examina im 24. Lebensjahr **infolge ungünstiger äußerer Verhältnisse** (schlechte Ernährung in einem Dorfwirtshause, Wohnung
in einer Flußniederung) **schlechtes Allgemeinbefinden, welches
sich durch Abmagerung, Neigung zu Bronchialkatarrhen,
neuralgischen Schmerzen in der Schulter** äußerte. Heirat
im 28. Lebensjahr, nachdem ein hervorragender Specialarzt seine .
Lungen für vollständig gesund erklärt hatte. Im 30. Jahre erkrankte
er, „nachdem er schon längere Zeit vorher sich am Magen und Rücken
unwohl gefühlt hatte", an krampfartigen Schmerzen in Gesäß und in
den Waden mit Herpeseruptionen an den Lippen und an der Brust.
Vorübergehend soll starkes Fieber bestanden haben. An diese akute
Erkrankung schloß sich ein länger dauernder Stirnkopfschmerz und Augenschmerzen mit Unfähigkeit zu geistiger Arbeit an. Nach ½-jährigem
Urlaub völlige Erholung und Ausübung einer ausgedehnten litterarischen
und praktischen Thätigkeit.

Die ersten Anzeichen einer Wiederkehr der nervösen Krankheitserscheinungen bestanden in äußerlich sichtbaren Zuckungen der Wadenmuskulatur, die anfallsweise auftraten, Tremor der rechten Hand beim
Schreiben und Ameisenlaufen in der Kopfhaut. Seit einigen Wochen
wird Pat. durch anfallsweise auftretenden Kopfdruck bei angestrengter
geistiger Arbeit heimgesucht. Er schwindet, wenn Pat. „faulenzt". Auch
die bei der ersten Erkrankung so störenden Augenschmerzen stellten
sich manchmal wieder ein. Ferner belästigten ihn gehäufte Pollutionen
(Pat. ist kinderlos verheiratet; die mikroskopische Untersuchung des
Ejakulats ergab normale, durchaus lebensfähige Spermatozoen). Der
Coitus wirkt verschlimmernd auf seine nervösen Beschwerden.-

Pat. ist ein sanguinisch, im ganzen heiter veranlagter Mensch, unterliegt aber bei geringfügigen körperlichen Störungen oder beruflichen
Schwierigkeiten sehr heftigen Gemütsbewegungen, welche eine grüblerische, „das Gemüt sehr angreifende Gedankenarbeit" hervorrufen. Zu

Zeiten gemütlicher Erregungen stellt sich auch Diarrhöe ein.   Es besteht
sehr großes Schlafbedürfnis.   Pat. schläft aber meist schlecht, selten die
ganze Nacht durch und ist dann morgens müde und zerschlagen.

Bei der körperlichen Untersuchung fällt vor allem die große Mager-
keit des übermittelgroßen Mannes auf (184 cm, Körpergewicht 140 Pfd.):
Gesichtsfarbe sehr blaß, die sichtbaren Schleimhäute auffallend blutleer:
Puls klein, weich, leicht unterdrückbar, von mittlerer Frequenz (72).
Die Untersuchung des Blutes mit dem ABBE'schen Zähl-
apparat ergab nur 3½ Millionen rote Blutkörperchen auf
1 cmm.   Die inneren Organe sind gesund.

Wenn wir nach einem physiologisch-chemischen Ausdruck suchen,
welcher diese Fälle chronischer Unterernährung begrifflich noch genauer fixieren läßt, so wird man in erster Linie an die Scheidung
der Organbestandteile in Gerüstsubstanzen, lebendes Protoplasma und
Säfte einerseits und Reservestoffe andererseits denken können. Diese
letztgenannten, das cirkulierende Eiweiß, das Glykogen und das Fett,
unterhalten beim gesunden Menschen bei genügender Nahrungszufuhr
den Stoffhaushalt einschließlich der Wärmebildung, befähigen ihn bei
erhöhten Anforderungen zu vermehrter Arbeitsleistung und beschützen
bei vorübergehendem Mangel an Nahrungszufuhr die lebende Substanz
vor dem Zerfall.   In Anlehnung an diese Lehren der Ernährungsphysiologie kann man die Vermutung aussprechen, daß bei konstitutionellen Schwächezuständen die Arbeitsleistungen aller oder
einzelner Gewebsbildner während der Wachstumsperiode auf einer
tieferen Stufe verharren.

Ihre Thätigkeit scheint knapp hinzureichen, die Körperorgane
aufzubauen und mit dem absolut notwendigen Kraftvorrat auszustatten.
Die genügende Ausbildung von Reservestoffen ist diesen konstitutionellen Schwächlingen versagt. Aehnlich wie bei dem Stoffwechsel
hungernder Organismen muß bei jeder Mehrleistung ein Mehrver-
brauch von Organeiweiß stattfinden, deren Ersatz nur langsam und
mühsam erfolgt.

Bei einer nicht geringen Zahl dieser konstitutionellen Nervenkranken mit chronischer Unterernährung können Sie bei länger fortgesetzter klinischer Beobachtung der Stoffwechselvorgänge des Gesamtorganismus Beweise für den physiologischen Lehrsatz sammeln,
daß der Stoffumsatz der Gewebe vornehmlich von den Funktionen
der Gewebszellen, sodann aber auch von bislang noch unbekannten
Nerveneinflüssen beherrscht wird.   Sie finden nämlich besonders
unter den großen, hageren Neurasthenikern Individuen, welche sich
durch ein andauernd erhöhtes Nahrungsbedürfnis, das
nicht selten den Charakter der Gefräßigkeit annimmt, sich auszeichnen
und diesem Bedürfnisse entsprechend unglaubliche Mengen von
Nahrung zu sich nehmen. Trotz dieser gesteigerten Nahrungszufuhr
bleiben diese Patienten mager, ihr Kraftvorrat ist gering, die Uebermüdung mit ihren Folgen tritt bei körperlichen und geistigen Leistungen
sehr rasch ein. Da diese Kranken auf Grund ihrer neurasthenischen
Zustände ihre Arbeitsleistungen möglichst einschränken, so ist der
Einwand, die gesteigerte Nahrungszufuhr entspräche einem durch vermehrte Arbeitsleistungen erhöhten Stoffumsatze, hinfällig.   Vielmehr
ist anzunehmen, daß, wie schon im Eingange dieser Vorlesung hervorgehoben wurde, die verringerten assimilatorischen Leistungen der

verschiedenen Körpergewebe in erster Linie von ihrer funktionellen Minderwertigkeit abhängig sind.

Wir haben natürlich auch hier nur diejenigen Fälle von Entwickelungsstörungen im Auge, bei welchen gröbere, bei der anatomischen Untersuchung sinnenfällige Strukturveränderungen der Körpergewebe nicht vorhanden sind, sondern nur die gestörte Funktion von der Minderwertigkeit der Organentwickelung Kunde giebt.

Ich möchte nicht den Gedanken in Ihnen erwecken, als ob alle konstitutionell schwächlichen und chronisch unterernährten Individuen eine neuropathische Beschaffenheit in dem früher entwickelten Sinne darbieten müßten. Es giebt genug Fälle, in welchen ein auffälliges Mißverhältnis zwischen verkümmerter körperlicher Entwickelung und ausgezeichneter geistiger Veranlagung und Ausbildung beobachtet werden kann. Hier muß angenommen werden, daß sowohl in der ursprünglichen Keimanlage als auch dem späteren Wachstum das centrale Nervensystem von schädigenden Einflüssen verschont geblieben ist. Selbst über die Klippe der Pubertätsentwickelung hinaus hält trotz schlechter Allgemeinernährung das Centralnervensystem erhöhten intellektuellen Anforderungen Stand. Dabei werden infolge der Schwächung der Gewebsthätigkeit, selbst durch geringfügige Schädlichkeiten, z. B. muskuläre Ueberanstrengungen, Temperaturschwankungen oder leichte Verdauungsstörungen, gar nicht selten schwere Erkrankungen in anderen Organen entstehen [1].

Ich kenne hervorragende Gelehrte, unermüdliche Kopfarbeiter von schwächlicher Konstitution, welche durch geringe Abweichungen in der täglich geübten Lebensweise in Beziehung auf Ernährung, Kleidung, Körperbewegung u. s. w. die weitgehendsten Störungen des Allgemeinbefindens davontragen, während sie der dauernden geistigen Ueberanstrengung gegenüber auffällig widerstandsfähig sind. Ich mahne aber in solchen Fällen immer zur Vorsicht, dem Kraftvorrat der Nervenzelle nicht zu viel zumuten zu wollen. Denn unter dem Einfluß interkurrenter körperlicher Erkrankungen findet nicht allzu selten ein Uebergreifen der nutritiven Störungen auf das Nervensystem und damit der Zusammenbruch der intellektuellen Leistungsfähigkeit statt.

In die zweite Kategorie der unterernährten Neurastheniker haben wir oben diejenigen Fälle gestellt, bei welchen früher gesunde, g.ternährte und leistungsfähige Menschen unter dem Einfluß körperlicher und geistiger Schädlichkeiten einen mehr oder weniger raschen Verfall ihrer Körperkräfte, ihres Ernährungszustandes und ihrer nervösen Leistungsfähigkeit erleiden. Die Schädlichkeiten, welche hier wirksam sind, sind in der speciellen Aetiologie genauer erörtert, so daß wir hier auf diese Frage nicht näher eingehen müssen. Ich möchte nur auf die Bedeutung der Intoxikationen

---

1) Daß das fertige Gehirn und Rückenmark gestörten Ernährungsbedingungen eine relativ große Widerstandkraft entgegensetzen können, beweisen u. a. die Untersuchungen, welche über den Gewebsverlust an Inanition zu Grunde gegangener Tiere gewonnen sind. Während Fettgewebe, Drüsen und Muskeln enorme Gewichtsabnahmen aufweisen, bleibt das Nervensystem fast unversehrt (Verlust 2—3 Proz. des Normalgewichts).

und Infektionen nochmals hinweisen, weil sie der chemischen Theorie
über die Pathogenese der Neurasthenie für eine verhältnismäßig große
Zahl von Fällen Vorschub leistet. Man wird sich aber auch hier vor
Fehlschlüssen hüten müssen. Ich habe mich sehr häufig mit nervös-
kachektischen Kranken zu beschäftigen, welche ihr ganzes Leiden auf
eine vor kürzerer oder längerer Zeit erlittene Influenzainfektion
zurückführen. Es laufen hier viele Fälle mit unter, bei welchen die
Kranken i r r t ü m l i c h die Entstehung ihres Leidens zeitlich und ur-
sächlich auf die Influenza zurückführen. Die genaue Anamnese ergiebt dann, daß die Anfänge des Leidens weiter zurückliegen und
die Influenza nur als accidentelles, den nervösen Zustand steigerndes
Ereignis betrachtet werden darf.

Bei der überwiegenden Mehrzahl dieser Fälle erworbener langdauernder und schwerer Unterernährung spielt der Zustand des
D i g e s t i o n s t r a k t u s eine wesentliche Rolle. Da unsere therapeutischen Maßnahmen bei der Behandlung der Unterernährung hauptsächlich
von unseren Anschauungen über die ätiologische und nosologische
Bedeutung der neurasthenischen Verdauungsstörungen abhängen, so
möchte ich Ihnen, bevor ich auf die Schilderung der digestiven
Störungen eingehe, meinen Standpunkt in dieser Frage mitteilen:
S o b e d e u t u n g s v o l l f ü r d i e S y m p t o m a t o l o g i e u n d B e -
h a n d l u n g d e r N e u r a s t h e n i e d e r d y s p e p t i s c h e S y m -
p t o m e n k o m p l e x a u c h i s t , s o d a r f e r d o c h n u r a l s T e i l -
e r s c h e i n u n g d e s a l l g e m e i n e n f u n k t i o n e l l e n S c h w ä c h e -
z u s t a n d e s u n d n i c h t a l s K r a n k h e i t s u i g e n e r i s
b e t r a c h t e t w e r d e n . Er besitzt die größte Bedeutung für die
Fortdauer und Weiterentwickelung der Gesamterkrankung. Solange
die Arbeitsleistung der Verdauungsorgane darniederliegt, so lange ist
auch die vermehrte Stoff- und Kraftzufuhr zu den Geweben ge-
hindert. Nicht nur die Hebung der Gesamternährung, sondern auch
die Kräftigung der specifischen Elemente des Centralnervensystems
ist von der Hebung der digestiven Störungen abhängig. A b e r
t r o t z d i e s e r s y m p t o m a t o l o g i s c h e n B e d e u t u n g k ö n n e n
s i e d o c h n i c h t d e n a n d e r e n n e u r a s t h e n i s c h e n K r a n k -
h e i t s e r s c h e i n u n g e n g e g e n ü b e r e i n U e b e r g e w i c h t b e -
a n s p r u c h e n .

Diese Sätze sind durchaus nicht unbestritten. Wenn Sie die
reichhaltige Litteratur über nervöse Dyspepsie studieren, so werden
Sie finden, daß sowohl von seiten mancher Nervenärzte als auch besonders der Magenspecialisten dieses Symptombild in den Mittelpunkt
des neurasthenischen Allgemeinleidens gerückt wird. Wenn wir
diesen Beobachtern Glauben schenken dürften, so wäre das Rätsel
der Neurasthenie in der Mehrzahl der Fälle leicht zu lösen. Die
Sekretionsanomalien der Magen- und Darmschleimheit, die Atonie der
Magen- und Darmmuskulatur, die Gastro- und Enteroptose (Symptome, die Sie nachher kennen lernen werden) trügen ausschließlich
die Schuld nicht nur an den allgemeinen Ernährungsstörungen,
sondern auch an den psychischen, angioneurotischen etc. Störungen
der Neurasthenie überhaupt.

Wenn Sie sich ausschließlich auf die Angaben der Patienten
stützen, so werden Sie leicht zu einer solchen irrtümlichen Auffassung
gelangen. Sie haben z. B. einen nervenschwachen Patienten vor sich,
der bei genauerer Untersuchung die verschiedensten Krankheits-

symptome darbietet: mangelnde geistige Leistungsfähigkeit, gestörter Schlaf, gemütliche Reizbarkeit, muskuläre Kraftlosigkeit, Herz-klopfen u. s. w. Im Mittelpunkte all dieser Störungen stehen aber meistens die Klagen über „geschwächte Verdauung" in ihren so mannigfachen Erscheinungsformen. Sie sind dem Patienten am sinnenfälligsten, weil sie zu den quälendsten Gemeinschmerzen führen. Durch die weitgehendsten Irradiationen dieser pathologischen Organ-empfindungen werden alle anderen neurasthenischen Beschwerden wachgerufen oder verstärkt und so in ihm die Anschauung erweckt, daß in dem Digestionstraktus der Herd des Uebels zu suchen sei.

Indem ich Sie vor Ueberschätzung der digestiven Störungen — so-weit sie als Ursache des Allgemeinleidens in Betracht kommen — warnen möchte, will ich keineswegs ihre Bedeutung als Krankheits-erscheinung schmälern. Sie werden in der Folge noch öfter durch Krankenbeobachtungen darüber belehrt werden, daß bei konstitu-tionellen Schwächezuständen die Magen-Darmfunktionen so häufig zuerst oder doch gleichzeitig mit den psychischen Vorgängen Schaden leiden. Dies erklärt sich aus der besonderen Beschaffenheit und Bedeutung dieser Organsysteme. Das Gehirn ist vermöge seiner verfeinerten und komplizierten Leistungen am leichtesten Schädi-gungen ausgesetzt, während der widerstandskräftigere Digestionstraktus vom Anbeginne des extrauterinen Daseins ab dauernd den Kampf gegen mechanische und chemische Insulte sowie gegen bakterielle Feinde zu führen hat. Je geringwertiger die ursprüngliche Organ-entwickelung, desto früher die funktionelle Abnützung. So kommt es, daß bei konstitutionellen Schwächlingen schon im Beginne der Pubertätszeit (ja oft schon früher) Gehirn und Magen zu striken be-ginnen. Bei der erworbenen Neurasthenie tritt aus gleichen Gründen die digestive Störung so frühzeitig auf. Daß sie die intellektuellen Ermüdungssymptome verdeckt, ist nicht allein durch die begleitenden Organempfindungen verursacht. Es muß hier auch die schon in früheren Vorlesungen hervorgehobene Unfähigkeit vieler Kranken zur Selbstbeobachtung berücksichtigt werden. Die geistige Abnahme wird nur dann im Beginne der Erkrankung in ihrer Bedeutung erkannt und gewürdigt werden, wenn schon sehr frühzeitig peinliche Kopfdruckempfindungen oder ausgeprägte Kopfschmerzen oder hart-näckige Schlaflosigkeit die Aufmerksamkeit auf diese Störungen hin-lenken.

Für die subjektive Ueberschätzung der Magen-Darmsymptome ist ausschlaggebend der gewaltige affektive Einfluß, welchen die pathologischen Empfindungen der Unterleibsorgane ausüben. Wie sehr die Stimmung auch beim Nervengesunden von der Verdauung abhängt, zeigt Ihnen jeder Magenkranke. Beim überempfindlichen Neurastheniker mit labiler Affektlage kann · die geringfügigste Ver-dauungsstörung eine unruhige, ängstliche und zornige Wallung her-vorrufen und damit seine Aufmerksamkeit in ungebührlicher Weise fesseln. Am klarsten wird Ihnen diese subjektive Verschärfung der Krankheitserscheinungen bei den Fällen nervöser Anorexie in der Pubertätsentwickelung. Hier sind die digestiven Störungen die früh-zeitigsten und hartnäckigsten Begleiter der cerebralen Erschöpfung und beherrschen durch ihren verderblichen Einfluß auf die Gesamter-nährung die ganze Scene. .

Betrachten wir die digestiven Störungen im einzelnen, so empfiehlt es sich, systematisch die verschiedenen Abschnitte des Verdauungsapparates durchzumustern. Die Funktionsanomalien betreffen nicht allein die sekretorischen Vorgänge, sondern auch die für die Zerkleinerung, Vermischung und Fortbewegung der Speisen unentbehrlichen Muskelleistungen. Drittens kommen in Betracht die durch die Verdauungsthätigkeit angeregten Empfindungen. Es setzen sich also die Funktionsstörungen zusammen aus sekretorischen, motorischen und sensiblen Krankheitsvorgängen.

1) Schon die Einspeichelung, das Kauen und Schlucken ist bei vielen Kranken durchaus ungenügend. Sie hören von den dyspeptischen Patienten die Klage, daß sie nur spärlichen, zähen und klebrigen Speichel produzieren, welcher einen säuerlichen Geschmack besitzt und ungeeignet sei, sich mit den Speiseteilen zu vermengen. Selbst wenn das Kaugeschäft ungehindert von statten geht, kostet es dem Patienten große Mühe, die zähen, trockenen, zusammengeballten Speisemengen zu schlucken. „Es bleibt mir der Bissen im Halse stecken, ich muß ihn förmlich hinunterwürgen oder durch einen Schluck Flüssigkeit hinunterspülen, sonst komme ich mit der Nahrungsaufnahme überhaupt nicht zustande." Diese Klagen stammen von einer jungen, anämischen und muskelschwachen Dame, welche infolge mangelhafter Nahrungsaufnahme hochgradig abgemagert ist. Sie braucht zu jeder Mahlzeit, welche nicht bloß aus flüssiger Nahrung besteht, $^1/_2$—1 Stunde Zeit. Sie bewegt den Bissen langsam im Munde hin und her, läßt ihn in einer Backentasche einige Zeit liegen, macht verschiedene Schluckversuche und spült ihn dann endlich mit einem Schluck Wasser in den Oesophagus hinunter. Um eine Ernährungskur durchführen zu können, wurden ihr nur flüssige, breiige oder fein zerhackte Speisen vorgesetzt.

Die Hauptklage ist immer die auffallende Trockenheit der Mundschleimhaut, der säuerliche, gelegentlich unausstehlich bittere Geschmack und die rasche Ermüdung beim Kaugeschäft. Sicherlich spielt in diesem wie in ähnlichen Fällen die ungenügende motorische Leistung der Kau- und Zungenmuskulatur eine wesentliche Rolle; sowohl das Beißen als das Zermalmen der Speisen, also die Thätigkeit der gesamten hierher gehörigen Muskulatur ist geschwächt. Auch die Zungenbewegungen sind langsamer, schwerfälliger und rascher Ermüdung unterworfen. Es läßt sich schwer entscheiden, ob die gestörte Muskelthätigkeit erst die Sekretionsanomalie auslöst oder umgekehrt infolge der mangelhaften Einspeichelung dem Kauapparat eine unverhältnismäßig große, nicht zu bewältigende Arbeit erwächst. In dem vorstehend citierten Falle möchte ich die letztgenannte Störung für die Hauptquelle der mangelhaften Nahrungsaufnahme halten. Hierfür sprechen die hochgradigen Ermüdungsempfindungen, welche in die Kaumuskeln lokalisiert werden. In gleicher Weise ist die Störung des Schluckens zu erklären. Sie begegnen aber auch Patienten mit gleichen Klagen über Erschwerung des Kauens und der Fortbewegung der Speisen, ohne daß eine Beeinträchtigung der Muskelarbeit nachweisbar ist. Hier liegen gesteigerte Schmerzempfindungen zu Grunde, welche durch die Berührung der Mund- und Pharynxschleimhaut mit den Speisen ausgelöst werden. Brennende, ätzende, stechende Empfindungen stellen sich bei jedem Bissen ein und machen so die Nahrungsaufnahme zu einer recht mühevollen und schmerzhaften Aufgabe. „Der Mund brennt mir wie Feuer", äußerte eine Patientin von mir. Die Schmerzen werden sehr häufig auch in die Zungenschleimhaut lokalisiert; besonders die seitlichen Ränder sind schmerzhaft. Die Kranken glauben dort kleine geschwürige Stellen zu haben, welche durch scharfe, gezackte Zahnränder verursacht seien. Bei der Untersuchung wird man leichte, ganz oberflächliche Epithelabschürfungen finden, wie sie von gesunden Individuen ohne besondere Beschwerden ertragen werden: bei unseren Kranken werden sie durch die erhöhte Schmerzempfindlichkeit zum Ausgangspunkt „unerträglicher", die Nahrungsaufnahme erheblich beeinträchtigender krankhafter Erscheinungen.

Eine weitere recht häufige Klage, welche vorübergehend die Nahrungsaufnahme behindert, bezieht sich auf stechende und ätzende Empfindungen an der seitlichen Rachenwand, besonders an der Tonsille. Der Patient kommt zum Arzte mit der Behauptung, eine Gräte oder einen feinen Knochensplitter geschluckt zu haben, welcher sich an dieser Stelle in die Schleimhaut eingebohrt haben soll. Die genaueste Untersuchung läßt die Angabe als eine irrige erkennen. Es handelt sich hier um krankhafte Nachempfindungen, welche durch eine ganz vorübergehende mechanische Reizung der betreffenden Schleimhautpartie ausgelöst worden sind. Am häufigsten werden diese Klagen von Patienten geäußert, bei welchen thatsächlich einmal in ihrem Leben durch einen kleinen Knochensplitter oder eine Fischgräte eine Verletzung der Schleimhaut stattgefunden hatte. Eine neurasthenische Dame, welche, wie ich besonders hervorheben will, durchaus nicht hysterisch ist, klagt sehr häufig, daß beim Fischessen eine kleine Gräte in ihrer linken Tonsille stecken geblieben sei, die ihr stundenlang stechende Schmerzen und Würgbewegungen hervorrufe. Sie ist sich allmählich der Subjektivität dieser Beschwerden vollständig klar geworden.

Als parästhetische Empfindungen können auch Konstriktionsgefühle bezeichnet werden, welche die Kranken oft in sehr störender Weise beim Schlingakte empfinden, welche aber auch unabhängig von der Nahrungsaufnahme als Globusgefühle auftreten und den Aerzten schon seit langer Zeit bekannt sind. Sie sind früherhin fälschlich als ein charakteristisches Merkmal der Hysterie bezeichnet worden. Sie kommen aber auch bei einfachen neurasthenischen Individuen vor. Sie sind als pathologische Muskelempfindungen vielleicht der Constrictores pharyngis oder des oberen Drittels der Oesophagusmuskulatur aufzufassen und werden ausgelöst durch die physiologische Thätigkeit des Schlingaktes oder durch pathologische Reflexaktionen, welche in diesen Muskelgruppen durch unbekannte Ursachen entstehen.

Eine seltenere Behinderung des Kaugeschäfts findet sich bei nervösen jugendlichen Individuen durch sehr peinigende schmerzhafte Empfindungen im Kiefergelenk, welche bei jeder Kaubewegung entstehen und sehr häufig einerseits nach dem Hinterkopf, andererseits längs des ganzen Unterkiefers ausstrahlen. Leichter Druck auf das Kiefergelenk ist schmerzhaft. Eine Gelenkerkrankung ist nicht auffindbar.

2) Die Magenverdauung.

Die überwiegende Mehrzahl der dyspeptischen Patienten klagt über Störungen der Magenfunktionen. Es ist schon bei den allgemeinen Ernährungsstörungen darauf hingewiesen worden, daß überhaupt die Mehrzahl der Neurastheniker entweder schon im Beginne ihres Leidens oder späterhin über die lästigsten Verdauungsbeschwerden klagen. Wir haben dies auf die hervorragende funktionelle Inanspruchnahme des Digestionstraktus bei der Verarbeitung der für den Lebensunterhalt notwendigen Nahrungsmengen zurückgeführt. Es kommt aber noch ein anderes Moment in Betracht, das auch schon vorübergehend gestreift wurde. Das ist die enorme Empfindlichkeit, welche der Digestionstraktus, vor allem aber der Magen gegen jede Abweichung von der normalen Thätigkeit besitzt.

Es ist Ihnen gewiß aus eigener Erfahrung bekannt, wie rasch und ausgiebig sich jede Ueberanstrengung der Magenleistungen durch ganz besondere schwer definierbare Beschwerden rächt.

Die akademischen Bräuche, welche eine Ueberlastung des Magens mit alkoholischen Getränken leider nur allzu häufig herbeiführen, können als Paradigma gelten. Der Katzenjammer wird gewiß zum Teil auf eine Nachwirkung der Alkoholintoxikation auf das Gehirn zurückzuführen sein, der wesentlichste Anteil aber fällt der Magenverstimmung zu. Außer den Erscheinungen der Appetitlosigkeit, des Widerwillens gegen Nahrungsaufnahme, der belegten Zunge, dem Brechreiz treten die krankhaften Organempfindungen seitens des Magens besonders hervor. Das Gefühl von Druck, Spannung, Schwere in der Magengegend ruft ein ganz specifisches Unbehagen hervor, welches sich als eine dumpfe geistige Schwerfälligkeit und Leere, als Kopfdruck mit oder ohne lokalisiertem Kopfschmerz auf das Gehirn ausbreitet und den Alkoholpatienten zu jeder andauernden geistigen Thätigkeit unfähig macht. Wie sehr dieser Zustand den krankhaften Empfindungen unserer Neurastheniker ähnelt, geht daraus hervor, daß akademisch gebildete Patienten mit Vorliebe das Bild des „katzenjämmerlichen Brummschädels" verwerten, um dem Arzte ihren Zustand verständlich zu machen. Es ist auffällig, daß gerade die Organe, welche unter physiologischen Arbeitsbedingungen keinerlei bewußte Empfindungen erwecken, selbst durch geringfügige Zustandsänderungen äußerst lästige, das psychische Allgemeinbefinden tief schädigende Empfindungsstörungen hervorrufen.

Die nervöse Dyspepsie, unter welchem Namen die neurasthenischen Magensymptome bekanntlich zusammengefaßt werden, ist durch diese krankhaften Empfindungen ausgezeichnet.

Es genügt aber bei der übergroßen Empfindlichkeit der neurasthenischen Patienten schon der physiologische Reiz der normalen Verdauungsthätigkeit, um die gastrischen Beschwerden und die Fernwirkungen auf das Gehirn herbeizuführen. Der Aufnahme der Speisen folgt sehr bald das Gefühl der Schwere, des Drucks und abnormer Spannung in der Magengegend, welches bald zu einem allgemeinen Unlustgefühl und psychischer Reizbarkeit, ja bis zu ausgeprägten Angstgefühlen sich steigern kann. Hierzu gesellen sich parästhetische Empfindungen im Schädelinnern, abnormes Hitzegefühl, Eingenommensein, Kopfdruck und Schwindelempfindungen. Während der Magenverdauung steigern sich diese Symptome; es tritt Uebelkeit und Brechneigung hinzu, sowie angioneurotische Symptome, welche bald als spastische (Erblassen des Gesichtes, kleiner Carotidenpuls, Ohnmachtsempfindungen), bald als paralytische (heftige congestiones ad caput, subjektive pulsatorische Empfindungen im Schädelinnern) zu deuten sind.

Aber auch bei leerem Magen treten Parästhesien, welche in das Innere desselben lokalisiert werden, vor allem brennende und ätzende Empfindungen auf; hierzu gesellen sich noch Störungen komplizierterer Organempfindungen, welche mit dem Nahrungsbedürfnis zusammenhängen: Hunger-, Durst-, Sättigungsgefühle. Die p a t h o l o g i s c h e n D u r s t e m p f i n d u n g e n fallen mit den oben erwähnten Parästhesien der Schlund- und Oesophagusschleimhaut zusammen. S t ö r u n g e n d e s H u n g e r g e f ü h l s bestehen sowohl in einer einseitigen Steigerung (B u l i m i e) als auch in einem Fehlen des Hungers. Die B u l i m i e d. h. das Auftreten eines excessiven, impulsiven Hungergefühls ist bei der Neurasthenie recht selten. Viel häufiger ist das Fehlen d e s N a h r u n g s b e d ü r f n i s s e s, welches in den leichteren Fällen als einfache Appetitlosigkeit, Darniederliegen der Eßlust auftritt, in schwereren Fällen aber mit ausgeprägtem Widerwillen und Ekelempfindungen gegen die Speiseaufnahme einhergeht. Dieser Zustand, welcher als n e r v ö s e A n o r e x i e bezeichnet wird, ist meistens mit dem Mangel an Hungerempfindungen verbunden, doch begegnen Sie auch Kranken, welche über Appetitlosigkeit bei erhaltenem Hungergefühl klagen. Die nervöse Anorexie kann monatelang andauern, tritt am häufigsten bei hereditär belasteten weiblichen Individuen in der Pubertätsentwickelung auf und führt zu den extremsten Abmagerungen. Sie werden bei diesen Kranken mit Leichtigkeit die anderen charakteristischen Symptome der Neurasthenie nachweisen können. Am ausgeprägtesten sind die affektiven und intellektuellen Störungen, sowie die allgemeine Hyperalgesie. Die Schmerzhaftigkeit des Magens beim Verdauungsgeschäft hemmt oder vernichtet das Verlangen nach Speise, welches unter physiologischen Bedingungen durch gewisse Empfindungen der Leerheit des Magens ausgelöst wird. Die Kranken essen nur genügend, wenn ihnen die Speisen aufgenötigt werden. Sie empfinden auch kein normales Sättigungsgefühl. Diese Zustände sind fast immer verbunden mit dem D a r n i e d e r l i e g e n d e r G e s c h m a c k s e m p f i n d u n g e n. Ich habe wenigstens in allen Fällen die Klage gehört, daß die Speisen alle gleich resp. nach nichts schmecken. Es handelt sich hier sicher auch um eigenartige psychische Krankheitsvorgänge, bei welchen alle sog. instinktiven Organempfindungen, welche mit den Regulationseinrichtungen für die Stetigkeit der Ernährungsvorgänge verbunden sind, ausfallen. Man wird aber auch daran denken müssen, daß das Darniederliegen dieser „Nahrungstriebe" nur die psychische Begleiterscheinung des Darniederliegens der assimilatorischen Zellthätigkeit, daß also die Störung der nutritiven Vorgänge das Primäre und Wesentliche ist. Für die Entstehung der nervösen Anorexie ist dieser Mangel an Nahrungsbedarf von wesentlichster Bedeutung.

Frl. X., 27 Jahre, Aufnahme Juni 1887; Vater Melancholiker, Suicidium; stets sonderbares Kind, mürrisch, mißtrauisch, in der Pubertätsentwickelung Aenderung des Charakters, liebenswürdig, heiter; im 18. Jahr Krg. No. 40.

hochgradige Anämie, Anfälle von Appetitlosigkeit und Verstimmung; im 24. Jahre angeblich nach Malariainfektion Magenschmerzen, Verdauungs-störungen, Abmagerung. Sinken des Körpergewichts bis auf 98 Pfd. Zugleich trübe Stimmung, Kopfschmerzen, brennende Empfindungen im Kehlkopf.

Status bei der Aufnahme: Mittelgroße, blaß aussehende, ziemlich abgemagerte Dame. Innere Körperorgane ganz gesund (kein Milztumor); Extremitäten auffallend kühl und blaß; Körpertemperatur niedrig, durch-schnittlich 36°, morgens zeitweilig 35°; Puls auffallend verlangsamt, durchschnittlich 60, sank in Zuständen großer Erschöpfung bis auf 47. Bei der Nahrungsaufnahme heftiges Uebelbefinden, Druckgefühl im ganzen Abdomen; Stuhlgang retardiert, auf Eingießungen werden kleine ver-härtete Kotballen entleert; Zunge belegt.

Ord.: Mastkur; Zunahme des Körpergewichts innerhalb 12 Wochen um 18 Pfd. Nachkur in den Alpen und im Winter im südlichen Klima bringt völlige und dauernde Wiederherstellung.

Krg. No. 50.
Frl. O., 22 Jahre alt; eine Tante mütterlicherseits geisteskrank, Eltern gesund, ein Bruder schwächlich; Pat. als kleines Kind kräftig entwickelt, keine Kindernervenkrankheiten, gute geistige Veranlagung und übermäßig fleißige Schülerin (war die erste in der Klasse). Nahrungs-aufnahme schon in den Schuljahren mangelhaft wegen Appetitlosigkeit, infolgedessen immer schlecht genährt. Im 16. Jahr Eintritt der Periode, dieselbe war spärlich und wiederholte sich nur einige Male; zu gleicher Zeit starke geistige Ueberanstrengung (Vorbereitung zur Abgangsprüfung auf der höheren Töchterschule); Abkürzung des Nachtschlafs (Pat. stand schon 5 Uhr morgens auf, um zu lernen); völlige Appetitlosigkeit, Ge-fühl von Völle und Druck im Magen bei Aufnahme von geringen Nah-rungsmengen; rasche Abmagerung (Abnahme des Gewichts von 100 auf 80 Pfd.), Unterbrechung des Schulunterrichts, Landaufenthalt. Mit 18 Jahren Ernährungskur zu Hause und medikamentöse Behandlung; vorübergehende Besserung. Im 19. Lebensjahr Wasserkur bei gleich-zeitiger motorischer Ueberanstrengung (es waren der Pat. große Spazier-gänge verordnet); daraufhin erneute Abmagerung. „nervöser" Bronchial-katarrh, unaufhörliches Gähnen. Im 20. Jahr Trinkkur in Kissingen, geringe Hebung des Appetits und Körpergewichts. Mit 21 Jahren nach Gemütsbewegungen erneuter Rückschlag; fast völlige Nahrungsabstinenz, rapider Kräfteverfall, Abmagerung bis zu 52 Pfd. (bei einer Körper-größe von 168 cm). Die Pat. schlich dabei herum; sie war so schwach, daß sie, wenn sie von einem Stuhl zum anderen ging, zusammenbrach, aber ohne ohnmächtig zu werden.

Ihr Allgemeinbefinden war trotz der Kraftlosigkeit ein relativ gutes. Sie war, wenn sie keine Nahrung zu sich nahm, frei von Schmerzen und Uebelkeit. Der Appetit fehlte völlig; es bestand sogar Ekel vor dem Essen. Wurde sie zur Nahrungsaufnahme gezwungen, so stellten sich lebhafte würgende und stechende Schmerzen im Magen ein, welche in die linke Brustkorbhälfte bis zur Schulter hin ausstrahlten. Diese Schmerzen hielten auch nach der Nahrungsaufnahme noch längere Zeit an.

Bei der Aufnahme wurde folgendes festgestellt: Ueber mittelgroße, extrem abgemagerte junge Dame mit tief eingefallenen Augen; Skelet-konturen an Gesicht und Körper überall mit erschreckender Deutlichkeit

hervortretend; Hautdecken sehr blaß und kühl anzufühlen; Herzthätigkeit normal; Puls klein, regelmäßig, etwas verlangsamt (64—68); Körpertemperatur erniedrigt (durchschnittlich 36—36,4). Auffällig war eine
starke Vergrößerung der Leber, deren unterer sichtbarer Rand bis zur
Nabellinie reichte (es war von anderer Seite auf Grund dieser Leberschwellung die Diagnose auf Pseudoleukämie gestellt worden). Die
weitere Untersuchung des Nervensystems und der übrigen Körperorgane
ergab nichts Krankhaftes, insbesondere bestanden keine somatischen
Zeichen von Hysterie.

Ordo: Methodische Mastkur. Dieselbe war anfänglich recht schwer
durchzuführen, da die eigensinnige und reizbare Pat. sowohl der permanenten Bettruhe als auch der Nahrungsannahme passiven und aktiven
Widerstand entgegensetzte. Nachdem durch entsprechende psychische
Behandlung der Widerstand gebrochen war, nahm die Kur einen ungestörten Fortgang. Das Körpergewicht hob sich ganz regelmäßig (die Gewichtszunahme in 14-tägigen Perioden schwankte zwischen 4 und 6 Pfd.),
Pat. konnte nach ¹/₄ Jahr mit einem Gewicht von 78 Pfd. entlassen
werden. In der Nachkur, die zu Hause nach meinen Vorschriften durchgeführt wurde, machte die Gewichtszunahme weitere Fortschritte. Nach
Ablauf eines Jahres stellte sich mir die blühend und frisch aussehende
Pat. mit einem Körpergewicht von 106 Pfd. vor. Ich habe sie in der
Folge gelegentlich wiedergesehen, sie ist andauernd gesund geblieben,
hat normalen Appetit und ist in vollem Maße leistungsfähig.

Die Störung des Sättigungsgefühls führt, wenn sie mit
normalem oder gesteigertem Hungergefühl einhergeht, zur Polyphagie, einer bei männlichen Neurasthenikern sehr häufigen Krankheitserscheinung. Die Kranken essen unmäßig, weil ihnen die physiologische normale Regulierung der Sättigungsempfindung fehlt.
Nicht nur die Menge der Einzelmahlzeit wird abnorm gesteigert,
sondern auch ihre Zahl. Die polyphagen Neurastheniker sind höchst
unglückliche Menschen. Essen sie nicht oder wenig, so werden sie
von Hungerempfindungen, die sich psychisch durch gesteigerte reizbare Verstimmung bis zu Zornausbrüchen kundgeben, gequält; essen sie
viel, so treten in der Verdauungsperiode auf Grund der vermehrten
Arbeitsleistung des Digestionstraktus ebenfalls die quälendsten Allgemeinsymptome, Kopfdruck, Schwindel, Benommensein auf.

Ein wirklicher, man möchte sagen greifbarer Schmerz ist nur in
den selteneren Fällen schwerer nervöser Dyspepsie vorhanden. Er
tritt dann auf, wenn Speisen dem Magen zugeführt werden, und verstärkt sich zu fast unerträglichen, meist in den Pylorusteil lokalisierten, stechenden Schmerzen während der Magenverdauung. Viel
häufiger ist ein Druckschmerz, welcher ebenfalls in den Pylorusteil
lokalisiert, bei Perkussion der Magengegend erweckt wird.

Aber auch die Leere des Magens am Ende der Verdauung verursacht gelegentlich lebhafte Schmerzempfindungen, welche sich als
spontaner oder Druckschmerz in der Magengrube äußern und in
den schweren ausgeprägten Fällen quer durchs Abdomen „wie ein
Dolchstich" bis zur Wirbelsäule sich erstrecken, bei jedem Atemzuge
sich verstärken. Dieser zwingt den Kranken zu einer oberflächlichen
Atmung, bei welcher jede stärkere Inanspruchnahme des Zwerchfells
fast instinktiv vermieden wird. Diese schmerzhafte Magen-
leere, für welche auch schon ein besonderer Name (Gastralgo-

kenose, Boas) gefunden worden ist, tritt meistens paroxystisch und
bei Nacht auf, weckt die Kranken aus dem Schlaf und geht sofort
vorüber, wenn sie Nahrung zu sich nehmen. Man hat diese Anfälle fälschlich mit den Attacken von Bulimie resp. Polyphagie zu-
sammengeworfen.

Andere von der Nahrungsaufnahme durchaus unabhängige At-
tacken heftiger epigastrischer Schmerzen werden als n e r v ö s e G a s t r a-
a l g i e oder G a s t r o d y n i e oder K a r d i a l g i e im engeren Sinne
bezeichnet. Es sind krampfartig zusammenschnürende, reißende und
bohrende Schmerzen, welche vom Epigastrium nach rechts und links
in die Hypochondrien ausstrahlen und auf der Höhe des Anfalls bis
in die Tiefe des Rückens sich erstrecken. Sie finden diese Schmerzen
besonders bei anämischen jugendlichen Individuen mit allgemeinen
psychischen und körperlichen Erschöpfungssymptomen, bei der Syphilisneurasthenie, sowie bei den Neurasthenikern, welche vorwaltend über
Genitalstörungen klagen. Man hat diese Anfälle, symptomatologisch
betrachtet, mit Recht mit den gastrischen Krisen der Tabiker
verglichen. Sie dürfen aber nie vergessen, daß diese Gastralgien, die
Magenkrämpfe der Laien, sehr häufig nur eine Teilerscheinung bestimmter anatomisch nachweisbarer Erkrankungen der Abdominalorgane, z. B. des Ulcus und Carcinoma ventriculi, chronischer adhäsiver
Peritonitiden, der Gallensteinkrankheit und Abdominaltumoren sind.

Ich will Ihnen hier einen Fall von Kardialgie mitteilen.

Krg.   42-jähriger Mann, erblich nicht belastet, geistig und körperlich
No. 51. früher gesund mit Ausnahme einer „katarrhalischen" Magenerkrankung,
von welcher er vor einigen Jahren mehrere Monate heimgesucht war.
Es soll damals eine leichte Magenerweiterung bestanden haben. Pat.,
welcher geschäftlich immer überanstrengt und durch lange Erkrankung
seiner Frau viel Gemütsbewegungen ausgesetzt war, verspürte in den
letzten Jahren eine Abnahme seiner Leistungsfähigkeit. Die körperlichen
und geistigen Anstrengungen seines Berufes ermüdeten ihn sehr, aber
eigentlich krank fühlte er sich nicht.

Vor etwa Jahresfrist stellte sich der erste „Zufall" ein. In der
linken Mamillarlinie (Schilderung des Hausarztes), im 7. Interkostalraume
beginnt eine kleine umschriebene Stelle zu schmerzen. Der Puls verlangsamt sich, die Herzthätigkeit wird schwach, es tritt Schweratmigkeit
auf. Die Schmerzen strahlen nach dem Schultergelenk und den Muskeln
des Schultergürtels aus, so daß, wie der Pat. sich ausdrückt, es ihn förmlich krumm ziehe. Während des Anfalls ist der 2. Brustwirbel auf
Druck stark schmerzhaft und steigert der Druck auf denselben die gesamten Erscheinungen zu erneuter großer Heftigkeit. In diesem Stadium
endigt meist der Anfall, indem die Schmerzen langsam, nach und nach
verschwinden und sich nach Verlauf von einigen Stunden einige dünne
flüssige Stühle einstellen, worauf dann meistenteils alle Beschwerden verschwunden sind. Nur die körperliche Mattigkeit, die jeder Anfall im
Gefolge hat, hält mehrere Tage an. Einzelne Anfälle aber steigern sich
derartig, daß sich unter Ausbruch von heftigem Angstschweiß eine
minutenlange tiefe Ohnmacht einstellt, nach deren Beseitigung der Rest
des Anfalles sich ebenso wie oben geschildert abspielt.

Die Anfälle stellten sich gewöhnlich dann ein, wenn Pat. in seinem
Geschäfte körperlich wie geistig stark in Anspruch genommen war oder
wenn er auf Reisen gezwungen war, von seiner sonst sehr regelmäßigen
Lebensweise abzuweichen.

Stat. bei der Aufnahme in die Klinik: Mittelgroßer, ziemlich kräftig gebauter Mann, etwas abgemagert; Gesichtsfarbe blaß, Gesichtsausdruck leidend: die objektive Untersuchung ergiebt nichts Abnormes, insbesondere bestehen zur Zeit keine Schmerzdruckpunkte. Seine subjektiven Klagen beziehen sich auf allgemeine Mattigkeit, erhöhte Ermüdungsgefühle bei körperlicher und geistiger Thätigkeit. — Die Untersuchung des Mageninhalts ergiebt normale Verhältnisse.

Verordnung: Viel Ruhe in horizontaler Rückenlage, leichte allgemeine Körpermassage, Soolbäder, roborierende Diät. — Pat. erholt sich zusehends. Anfälle sind während 3-wöchentlicher Anstaltsbehandlung nicht aufgetreten. Nach neuerdings eingezogenen Erkundigungen erfreut sich der Pat. seit dieser Zeit (1891) dauernden Wohlbefindens.

Manche Autoren haben diesen Hauptbeschwerden entsprechend die n e r v ö s e D y s p e p s i e geradezu als e i n e s e n s i b l e M a g e n - n e u r o s e bezeichnet.

Es wäre nun sehr wertvoll für die diagnostische Bedeutung dieser subjektiven Klagen der Patienten, ganz bestimmte Anhaltspunkte durch die objektive Untersuchung gewinnen zu können. Bei vielen, jedoch nicht allen Fällen nervöser Dyspepsie lassen sich bestimmte Druckschmerzen nachweisen. Zuerst ist zu nennen die H y p e r ä s t h e s i e d e r B a u c h h a u t über dem Magen; schon leichte Berührungen oder das Reiben der Kleidungsstücke rufen unerträgliche Schmerzen hervor. Dieselben sind am ausgeprägtesten nach der Nahrungsaufnahme, oder wenn der Magen durch Luftansammlungen stärker aufgetrieben ist. Die Patienten sind dann wegen der brennenden und juckenden Empfindungen gezwungen, die Kleider zu öffnen. Die S c h m e r z - h a f t i g k e i t d e r M a g e n w ä n d e selbst auf Druck ist schon oben erwähnt worden. Drittens gehören hierher die S c h m e r z d r u c k - p u n k t e, welche i n d e r T i e f e d e s A b d o m e n s besonders bei mageren Individuen nachgewiesen werden können. Bei den Patienten mit nervöser Anorexie, welche sich meist durch einen auffallend kahnförmig eingesunkenen Leib auszeichnen, habe ich sie niemals vermißt. Drückt man ungefähr in der Mitte zwischen unterem Teil des Brustbeins und dem Nabel, 2 cm rechts von der Medianlinie entfernt, tief gegen die Wirbelsäule, so empfinden die Kranken einen heftigen Schmerz, der sie oft zu lautem Aufschreien zwingt. Diese Lokalisation entspricht dem sympathischen Nervengeflecht (Plexus coeliacus). Viertens findet sich eine a b n o r m e D r u c k e m p f i n d - l i c h k e i t d e r D o r n f o r t s ä t z e des 3.—5. Brustwirbels. Auf letzteren Befund möchte ich dann ein besonderes Gewicht legen, wenn sich im ganzen übrigen Bereich der Wirbelsäule keinerlei erhöhte Druckempfindlichkeit nachweisen läßt.

Ich erinnere mich eines Falles von Neurasthenie mit vorwaltend dyspeptischen resp. gastrischen Symptomen, in welchem mir dieser lokalisierte Druckschmerz bei der Feststellung der Diagnose von entscheidender Bedeutung war. Der Pat. war lange Zeit hindurch an einer Gastritis chronica behandelt worden. Die penibelsten Vorschriften hatten schließlich dazu geführt, daß der Pat. nur noch ganz wenige Speisen, ganz bestimmte Fleischsorten und Suppenmehle ertragen konnte und auch nur dann, wenn sie von seiner Köchin auf ganz bestimmte Weise präpariert worden waren. Pat. war deshalb gezwungen, auf Reisen dieselbe mitzunehmen. Es gelang, den Pat. durch eine hydriatische und galvanische

Binswanger, Pathologie u. Therapie der Neurasthenie. 16

Behandlung (Kathode auf den druckempfindlichen Wirbeln) völlig herzustellen. Er kam so weit, daß er schließlich alle Speisen ohne jegliche Magenbeschwerden aufnehmen und verarbeiten konnte.

Finden sich die gesamten hier verzeichneten Druckschmerzen gleichzeitig vor, so ist an der nervösen d. i. funktionellen Natur der dyspeptischen Beschwerden wohl kaum zu zweifeln. Sind nur einzelne vorhanden z. B. der Druckschmerz auf dem Plexus coeliacus, so wird man immer an eine Komplikation mit Gastro- resp. Enteroptose denken müssen.

Wenn wir den Ursachen der geschilderten Symptome weiter nachgehen, so zeigt es sich für die überwiegende Mehrzahl der Fälle, daß die Begriffsbestimmung der nervösen Dyspepsie als sensible Magenneurose sicherlich zu eng gefaßt ist. Wir können nämlich nachweisen, daß ein großer Anteil der Störungen den motorischen Funktionen zugemessen werden muß. Wir werden sie zweckmäßig in Schwäche- und Reizsymptome trennen.

Die ersteren sind klinisch-symptomatologisch den atonischen Gastrektasien unterzuordnen, welche erfahrungsgemäß durch ganz verschiedenartige Magenerkrankungen, aber auch durch organische und funktionelle Leiden des Centralnervensystems hervorgerufen werden können. Die mechanische Insufficienz des Magens (wie heutzutage die Magenatonie richtiger genannt wird), des Neurasthenikers beruht in erster Linie zweifellos auf der allgemeinen Herabsetzung der nervösen Leistungsfähigkeit, von welcher die Schwächung der motorischen Magenfunktionen eine aus den früher dargelegten Gründen freilich sehr häufige Teilerscheinung ist. Sie wird unterstützt und befördert durch unzweckmäßige Lebensweise, durch Ueberanstrengungen, häufige Ueberladungen des Magens, sodann durch die allgemeinen Ernährungsstörungen (Anämie, Chlorose), welche die neurasthenischen Krankheitszustände so häufig bedingen und komplizieren. Man wird diesen letztgenannten disponierenden Ursachen der mechanischen Mageninsufficienz nur insoweit eine direkte Bedeutung zumessen, als die allgemeine Ernährungsstörung auch zu einer unzureichenden Ernährung der glatten Muskelfasern der Magenwandung Veranlassung wird. Viel wichtiger ist die Herabminderung der centralen Impulse, welche KUSSMAUL als Torpor peristalticus d. i. herabgesetzte Erregbarkeit des peristaltischen Nervenapparates bezeichnet hat. Freilich wissen wir über den die Magenperistaltik beherrschenden Mechanismus außerordentlich wenig. Man kann nur sagen, daß entweder durch die mechanische Wirkung der Speisen oder durch die Magensäure die Magenbewegungen ausgelöst werden. Die klinischen Erscheinungen einer mangelhaften motorischen Thätigkeit können aber auch dadurch hervorgerufen werden, daß der chemische oder mechanische Reiz durch Einschaltung abnormer Widerstände in den Reflexapparat erst verspätet die motorische Thätigkeit auslöst. In diesem Falle würde der Torpor peristalticus weniger in einer Verringerung als einer verlangsamten Entfaltung der motorischen Impulse bestehen, und könnte deshalb von einer Atonie im engeren Sinne kaum gesprochen werden. Daß ein solcher pathologischer Zustand bei der Neurasthenie gelegentlich vorhanden ist, beweisen die Fälle, in welchen keine Zeichen mechanischer Insufficienz auffindbar sind und trotzdem eine verzögerte Fortbewegung des Chymus bei der

Magenausheberung nachweisbar ist. KUSSMAUL erwähnt aber noch als weitere Ursache eine Hemmung der peristaltischen Thätigkeit des Magens von anderen Gebieten des Nervensystems aus und führt als Ursache davon emotionelle Erregungen an. Sie sehen, daß dieser hervorragende Kenner der Magenkrankheiten den weitgehenden Einfluß centraler Innervationsstörungen auf die Entstehung dieses von vielen Magenspecialisten als selbständige Krankheitsform beschriebenen Symptomenkomplexes schon frühzeitig hervorgehoben hat.

Wir schließen auf den Zustand von Atonie der Magenwandung einmal aus den subjektiven Beschwerden der Patienten, die wir oben schon bei den Empfindungsstörungen erörtert haben, sodann aus der physikalischen Untersuchung des Magens. Wir müssen natürlich an dieser Stelle darauf verzichten, eine genaue Darlegung der hierfür verwendbaren Untersuchungsmethoden und der Art ihrer Ausführung zu geben und beschränken uns auf einige praktisch wichtige Winke. Die Größe und Lage des Magens unterliegt schon bei gesunden Individuen den weitgehendsten Schwankungen, so daß aus der durch Palpation, Perkussion und Auskultation gewonnenen Kenntnis der Magengrenzen bei leichteren Fällen mechanischer Insufficienz, wie sie den gewöhnlichen Neurasthenikern eigentümlich sind, ein endgiltiges Urteil nicht gewonnen werden kann. Es ist deshalb das Hauptgewicht auf die Untersuchung des künstlich durch Einführung von Flüssigkeit oder Luft resp. Kohlensäure ausgedehnten Magens gelegt worden. Hierzu führte die Erwägung, daß der kranke „myasthenische" Magen diesen dehnenden Einwirkungen einen geringeren Widerstand entgegensetzen wird. In selteneren Fällen übernimmt der Kranke das Experiment der Füllung des Magens mit Luft selbst, indem er die Fähigkeit besitzt, in nüchternem Zustande Luft in größeren Massen zu schlucken. Oder die Füllung erfolgt dadurch, daß eine krankhaft gesteigerte Gasentwickelung (Milch- und Buttersäuregährung) stattfindet, welche den Magen trommelartig ausdehnt. Hier gelingt es dann besonders bei schlaffen fettarmen Bauchdecken, durch Inspektion die große Kurvatur mit Leichtigkeit zu erkennen oder bei der Palpation den lufthaltigen Magen abzutasten. Bei nicht allzu starker Anfüllung mit Gasen und Flüssigkeit werden bei der Perkussion Plätschergeräusche in ausgedehntestem Maße hervorgerufen.

Während früherhin diese Befunde fast ausnahmslos für die Diagnose einer wirklichen Magenerweiterung verwertet worden sind, hat die neuere kritische Prüfung dieser Untersuchungsmethoden ergeben, daß die gleichen Erscheinungen der einfachen Atonie der Magenwandung, zugehören. Für gewöhnlich werden Sie aber der künstlichen Einführung von Luft oder besser, nach dem Vorschlag von LEUBE von Flüssigkeit bedürfen, um eine übergroße Ausdehnung des erschlafften Magens perkutorisch nachzuweisen. Sie können dann den unteren Rand der Magendämpfung unter Nabelhöhe recht häufig konstatieren. Bei der mechanischen Insufficienz des Magens ohne wirkliche Erweiterung geht nach dem Ausehebern der Flüssigkeit diese untere Magengrenze wieder auf die normale Höhe zurück.

Von größter Wichtigkeit für die Bestimmung des funktionellen Zustandes der Magenwandung ist die Feststellung des Zeitraumes, welchen der Magen braucht, um bestimmte Speisemengen zu bewältigen. Während der normale Magen in 6—7 Stunden die LEUBE'sche Probemahlzeit vollständig verdaut und weiterbefördert hat, finden Sie bei

den atonischen Zuständen nach dieser Zeit noch Speisereste bei der
Aussheberung. Boas schlägt ganz zweckmäßig ein Probeabendessen vor
(2 Tassen Thee, 2 Brötchen und kaltes Fleisch). Bei der morgens
stattfindenden Aussheberung bei dem nüchternen Patienten sind bei
der einfachen Magenatonie keine makroskopisch sichtbaren Speisereste
mehr vorhanden.

Von Ebstein ist eine Inkontinenz des Pylorus auf
nervöser Basis beschrieben worden. Es handelt sich hierbei um
eine Erschlaffung des Sphinct. pylori während der Verdauungsperiode
bei organischen und funktionellen Nervenkrankheiten. Aufhören des
Erbrechens, welches vorher bestanden hat, das Auftreten von Darm-
tympanie und Diarrhöen werden als die charakteristischen Zeichen
dieses Krankheitszustandes genannt. Ich persönlich besitze über diese
Krankheitserscheinung keine Erfahrung.

Von den motorischen Reizerscheinungen beansprucht das Haupt-
interesse das nervöse Erbrechen, weil es für den allgemeinen
Ernährungszustand der Patienten die unangenehmsten Folgen hat und
die Behandlung in manchen Fällen außerordentlich erschwert. Charakte-
ristisch für dasselbe ist die enorme Leichtigkeit, mit welcher der
Brechakt erfolgt, der mächtige Einfluß, welchen Affekte auf sein Zustandekommen besitzen, sowie der Umstand, daß die Auswahl und die
Menge der Nahrungsmittel fast ohne jeden Einfluß auf dasselbe sind.
Auch bei leerem Magen stellt sich die Brechbewegung nicht selten
ein. Das Paradigma des nervösen Erbrechens bietet das kindliche
Lebensalter dar; bei hereditär belasteten oder durch voraufgegangene
Krankheiten oder durch geistige Arbeit überanstrengten Kindern entwickelt sich ein habituelles Erbrechen, welches oft wochenlang täglich
sich einstellt und nur durch allgemeine Kräftigung, Fernhaltung aller
geistigen und gemütlichen Reize beseitigt werden kann. Die Anfälle
sind verknüpft mit auffallender Blässe, Pupillenerweiterung und Pulsverlangsamung. Aber auch bei den in der Pubertätsentwicklung einsetzenden Neurasthenien ist das Erbrechen eine recht häufige Erscheinung und entspricht dann ganz dem Bilde, welches Leyden bei
seiner Schilderung des periodischen Erbrechens gezeichnet hat. Es
entwickelt sich mit oder ohne Uebelkeit, Kopfschmerz, dem Gefühl
allgemeiner Abgeschlagenheit und ist meist von heftigen, krampfartigen Schmerzen in der Magengegend begleitet, welche nach dem
Rücken ausstrahlen. Der Brechakt setzt unabhängig von der Nahrungsaufnahme bei leerem Magen oder bei dem Versuch eine Mahlzeit einzunehmen ein, in anderen seltenen Fällen ist die Nahrungsaufnahme ungehindert, und erfolgt das Erbrechen während der Verdauungsperiode. Das Erbrochene besteht außer etwa vorhandenen
Speiseresten aus einer schleimig-wässerigen Flüssigkeit, die mit Galle
vermischt ist; für gewöhnlich ist das Erbrochene schwach sauer, in
anderen Fällen läßt sich eine Hyperacidität nachweisen.

Die dyspeptischen Störungen neurasthenischer Patienten im reifen
Lebensalter sind, was im Gegensatz zur Hysterie bemerkt werden
muß, nur in Ausnahmefällen von gehäuftem Erbrechen begleitet. Nur
wenn nach jahrelanger Entwöhnung von regelmäßiger und ausreichen-
der Nahrungsaufnahme (infolge der pathologischen Organempfindungen)
eine Ernährungskur begonnen wird, hat man anfänglich bei manchen
Kranken gegen eine erhöhte Brechneigung anzukämpfen.

Von dem nervösen Erbrechen ist zu trennen die Regurgitation

der Speisen, welche bei einzelnen Neurasthenikern zu Zeiten heftigerer Magenbeschwerden auftritt. Es treten hierbei nicht Würgbewegungen, wie bei dem Erbrechen, ein, auch fehlt Uebelkeit, vielmehr handelt es sich um ein einfaches Hinaufbefördern unzerkauter Speiseteile vermittelst der Bauchpresse oder unwillkürlicher, reflektorisch eingeleiteter Antiperistaltik des Oesophagus bei gleichzeitiger Erschlaffung der Cardia. In einem von mir beobachteten Falle war die Regurgitation mit ausgeprägtem Merycismus verbunden. Die Patientin, die mir als Neurasthenica zugeschickt worden war, entpuppte sich als Hysterica.

Zum mindesten für den Kranken ebenso peinlich und vielleicht noch lästiger für die Umgebung ist das sog. nervöse Aufstoßen (Eructatio nervosa). Es handelt sich um krampfartige, sich öfter wiederholende und meist serienweise auftretende Rülpsattacken, bei welchen atmosphärische Luft ausgestoßen wird. Während Oser krampfartige, wechselweise erfolgende Kontraktionen und Erschlaffungen der cirkulären Muskelfasern als Grund der Aspiration und Ausstoßung der Luft annimmt, vertritt Bouveret die Anschauung, daß durch spastische Vorgänge der Pharynxmuskulatur krampfartige Schluckbewegungen mit vermehrter Aspiration und Exspiration von Luft aus dem Oesophagus und dem Magen hervorgerufen werden. Man hat früherhin diese Anfälle von nervösem Aufstoßen als ein charakteristisches Merkmal der Hysterie bezeichnet, sie finden sich aber auch bei weiblichen und männlichen Neurasthenikern, welchen die somatischen und psychischen Stigmata der Hysterie vollständig fehlen.

Ebenso kommt auch die Trommelsucht (Pneumatose) nicht nur bei hysterischen, sondern auch neurasthenischen Patienten vor und ruft die als Asthma dyspepticum bezeichneten Anfälle von Atemnot und Präkordialangst hervor. Es handelt sich hierbei wahrscheinlich um einen krankhaften Verschluß der Sphinct. pylori und cardiae, nachdem vorher eine abnorme Luftansammlung in dem atonischen Magen stattgefunden hat. Der Magen ist dann „luftkissenförmig" hervorgetrieben, die Respiration keuchend und rasch, der Puls klein, beschleunigt oder unregelmäßig, die Extremitäten kühl und leicht cyanotisch. Der für die Kranken äußerst qualvolle Zustand wird durch Entweichen der Luft nach oben oder unten beendigt. Ich habe derartige Anfälle bisher nur bei zwei neurasthenischen Patienten gesehen, welche an ausgeprägt angioneurotischen und dyspeptischen Symptomen gelitten haben. Die Anfälle können ganz unvermittelt, aber glücklicherweise selten (im Laufe eines Jahres 2—3 mal) auftreten. Eine bestimmte Gelegenheitsursache war in meinen Fällen nicht nachzuweisen. Sie schwanden mit der Besserung des Allgemeinleidens.

Im Anschluß hieran möchte ich ganz kurz einen Fall von Kardio- **Krg. No. 53.** spasmus erwähnen, welchen ich bei einer 40-jährigen Frau beobachtet habe, die angeblich früher nicht nervös gewesen ist und erst durch dieses Leiden kraftlos, reizbar und psychisch verstimmt geworden sein will. Bei der Nahrungsaufnahme entwickelte sich ein krampfhafter Zustand mit intensiver Schmerzhaftigkeit im unteren Abschnitt des Oesophagus, zugleich Würgbewegungen, bis der größere Teil der Mahlzeit wieder durch den Mund entleert worden war. Diese Anfälle traten glücklicherweise nicht bei jeder Mahlzeit auf, hatten aber doch eine durchaus mangelhafte Ernährung zur Folge. Die chemische Untersuchung der herausgepreßten Nahrungsmittel ließ niemals freie Säure nachweisen. Bei der Sondierung mußte in dem unteren Teil des Oesophagus ein gewisser Widerstand überwunden werden, bevor die Sonde in den Magen glitt. Da eine kleine Struma bestand, so wurde angenommen, daß durch dieselbe reflektorisch dieser Krampfparoxysmus ausgelöst werde. Nachdem die Struma operativ entfernt worden war, blieben die Anfälle aus.

Ein weiteres Symptom ist die von KUSSMAUL zuerst beschriebene peristaltische Unruhe des Magens. Es finden sich gesteigerte peristaltische und antiperistaltische Bewegungen des Magens und des oberen Teils des Darmrohrs, welche von den Kranken als ein sehr quälendes Zusammenziehen und Wogen im Leibe empfunden werden und bei der Inspektion als lebhafte Bewegungen des ganzen Mesogastriums wahrgenommen werden. Sie können ganz unabhängig von der Nahrungsaufnahme auftreten und die Nachtruhe der Patienten in empfindlichster Weise stören. Unter den von KUSSMAUL zuerst beschriebenen Fällen dieser „Motilitätsneurose" handelt es sich bei der ersten Beobachtung um eine etwas nervöse und erregbare 58-jährige Frau, welche infolge deprimierender Gemütsaffekte seit 3 Jahren vorwaltend unter dyspeptischen Erscheinungen an allgemeiner Ernährungsstörung erkrankt war. Der 2. Fall betraf eine 36-jährige, sehr abgemagerte Frau, welche seit 14 Jahren über Verdauungsstörungen klagte, die sich allmählich steigerten und mit erhöhter Brechneigung, Erbrechen von Wasser und Schleim, besonders in der Nacht und gegen Morgen verbunden waren. Als Ursache der Erkrankung waren ungehörige und unmäßige sexuelle Reizungen, welche eine allgemeine Schwächung des Nervensystems und eine chronisch-atrophische Parametritis herbeigeführt hatten, beschuldigt worden.

Zum Schlusse möchte ich noch einer klinischen Erfahrung Erwähnung thun, welche vielleicht weniger auf eine erhöhte, als eine beschleunigte motorische Thätigkeit des Magens hinweist. Man findet bei den Untersuchungen mittels Aushebung vereinzelte Fälle, in welchen eine abnorm rasche, frühzeitige Fortbewegung des Speisebreies aus dem Magen in den Darm stattgefunden hat. Denn es wird der Magen zu einer Zeit leer befunden, in welcher seine Verdauungsthätigkeit normaler Weise nicht beendigt sein kann und deshalb auch die Speisen der digestiven Einwirkung des Magensaftes nur in unvollkommener Weise ausgesetzt gewesen sind. In solchen Fällen findet man auch dieser Thatsache entsprechend in den Faeces unverdaute Speiseteile. Es handelt sich hier um eine Störung der regulatorischen Vorrichtungen, welche im Gegensatz zu dem Torpor peristalticus eine vorzeitige Peristole des Magens herbeigeführt hat.

Eine viel geringere Bedeutung als die vorgenannten besitzen die sekretorischen Störungen. Es mag Ihnen dies auffallend erscheinen, da sowohl Laien wie Aerzte bei Störungen der Magenfunktionen immer in erster Linie eine Aenderung der sekretorischen Thätigkeit anzunehmen geneigt sind. Es soll auch thatsächlich nicht in Abrede gestellt werden, daß bei den Neurasthenikern mit vorwaltend dyspeptischen Symptomen sehr häufig quantitative Abweichungen von der mittleren Salzsäuresekretion, sei es im Sinne der Hypo- oder Hyperchlorhydrie, durch die chemische Untersuchung des Mageninhalts nachgewiesen werden können. Es kommt aber hierbei in Betracht, daß, wie die Untersuchungen der letzten Jahre von JAKSCH, EWALD, BOAS, RIEGEL, KAHN und MERING u. a. gelehrt haben, schon unter physiologischen Bedingungen sehr erhebliche individuelle Schwankungen des Salzsäuregehalts stattfinden (zwischen 1,5—3 $^0/_{0n}$). LEUBUSCHER und ZIEHEN haben die Grenzen genauer festgestellt. Nach ihren Untersuchungen schwankt die normale Salzsäuresekretion zwischen 1,5 und 2,5 $^0/_{00}$, während BOAS den normalen Salzsäuregehalt zwischen 1 und 2 $^0/_{u0}$ schwanken läßt.

Es werden seit Jahren bei sämtlichen von mir klinisch behandelten Fällen sog. nervöser Dyspepsie quantitative Analysen des Salzsäuregehalts des Mageninhalts ausgeführt. Dieselben berechtigen zu dem Schlusse, daß bei den reinen Fällen nervöser Dyspepsie, d. h. denjenigen, welche keinerlei Zeichen einer katarrhalischen Affektion der Magenschleimhaut darbieten, die Beschaffenheit und Intensität der Magenbeschwerden durchaus unabhängig sein können von dem Grade der Salzsäureabscheidung. Denn Sie finden die gleichen subjektiven Klagen bei Fällen mit ausgesprochener Hypochlorhydrie, bei normaler und bei gesteigerter Salzsäureabscheidung. Es kann geradezu· als charakteristisch für viele Fälle von nervöser Dyspepsie die Thatsache gelten, daß bei der quantitativen Bestimmung der gebundenen und freien Salzsäure bei ein und demselben Patienten bei gleicher Untersuchungsmethode zu verschiedenen Zeiten ganz ungleichartige Ergebnisse ermittelt werden, sodaß von einer bestimmten Funktionsstörung des sekretorischen Drüsenapparates nicht die Rede sein kann.

Daneben werden freilich andere Fälle beobachtet, bei welchen längere Zeit hindurch die dyspeptischen Beschwerden von einseitigen Störungen der Salzsäureabscheidung begleitet sind. Es sind in der Litteratur und auch in meiner Klinik genugsam Fälle verzeichnet, in welchen konstant eine Anchlorhydrie und Hypochlorhydrie bei Neurasthenikern gefunden wurde. Es kann hierbei aber die Verdauungsthätigkeit des Magens ganz ungestört sein; auch darf nicht übersehen werden, daß selbst vollständige Anacidität ohne jede lokale pathologische Organempfindung bestehen kann. Viel häufiger ist aber die Hyperchlorhydrie eine kontinuierliche Krankheitserscheinung, welche dann auch zu dem bekannten Sodbrennen, brennenden bohrenden Schmerzen in der Magengegend und im Oesophagus führt (Pyrosis hydrochlorica). Aber auch darauf muß hingewiesen werden, daß die subjektiven Symptome der Superacidität vorhanden sein können, ohne daß ein abnormer Salzsäuregehalt durch die chemische Untersuchung des Mageninhaltes festgestellt werden kann.

Seltene Erscheinungen bei Neurasthenikern sind der periodische Magensaftfluß und die von ROSSBACH zuerst beschriebene Gastroxynsis. In beiden Fällen entwickeln sich unter dem Einfluß psychischer Schädlichkeiten oder Intoxikationen (Tabak) oder lokaler mechanischer und chemischer Reizungen der Magenschleimhaut Anfälle brennender, bohrender, ätzender und krampfartiger Schmerzen in der Magengegend, nachdem schon längere oder kürzere Zeit vorher die Vorboten in Gestalt von Kopfdruck, allgemeiner Abgeschlagenheit, Uebelkeit und vor allem penetrierender Kopfschmerzen sich eingestellt hatten. Auf der Höhe der Anfälle fühlen sich die Kranken sehr elend. Die Schmerzen werden fast unerträglich, bis durch Erbrechen eines dünnflüssigen, stark sauer reagierenden Mageninhalts der Anfall beendigt wird. Am schlimmsten sind die Fälle, in welchen sich die Paroxysmen innerhalb weniger Tage mehrfach wiederholen. Die Kranken kommen in der Ernährung sehr herunter; es besteht völlige Appetitlosigkeit, hartnäckige Obstipation, Brechreiz, gürtelförmige spannende und bohrende Schmerzen in der Magengegend. Die Untersuchung des Erbrochenen oder Ausgeheberten ergiebt eine starke Vermehrung des Salzsäuregehalts (in einer ROSSBACH'schen Beobachtung bis zu 4 $^0/_{00}$); doch sind die Erfahrungen von BOAS nicht außer acht zu lassen, daß in solchen Fällen auch in der anfallsfreien Zeit eine gesteigerte Säurebildung vorhanden sein kann, sowie daß die Magensaftmenge während des Anfalls gegen die in der Intervallszeit nicht wesentlich vermehrt zu sein braucht. Er wirft mit Recht die Frage auf, ob nicht in solchen Fällen das die Anfälle auslösende Moment in der dauernden Resorption des stark sauren und vermehrten Magensaftes ins Blut zu suchen sei.

Wir begegnen aber bei Neurasthenikern mit dyspeptischen Beschwerden auch Krankheitsbildern, bei welchen die Untersuchung das Vorhandensein akuter und chronischer katarrhalischer Affektionen der Magenschleimhaut feststellt. Es ist dies nicht verwunderlich, wenn wir berücksichtigen, daß sowohl die pathologischen Schwankungen der Sekretionsvorgänge, als auch besonders die funktionelle Atonie durch die unvollkommene verdauende Thätigkeit oder durch das allzu lange Verweilen der Ingesta im Magen zu mechanischen Reizungen der Magenschleimhaut geradezu prädisponieren. Bei unzweckmäßigem diätetischen Verhalten besonders bei polyphagischen Neurasthenikern wird die Entwickelung akuter und chronischer Gastritiden gefördert. Die Hauptkriterien dieser Komplikation der nervösen Dyspepsie sind die vermehrte Schleimabsonderung besonders bei den akuten Formen, welche sich durch die Untersuchung des Erbrochenen oder Ausgeheberten leicht feststellen läßt, die erhöhte Neigung zur Entwickelung der Milch- und Buttersäuregährung, sowie die Druckempfindlichkeit in der Magengegend, die Neigung zu starker Auftreibung des Magens, der starke grauweiße Zungenbelag, das Aufstoßen übelriechender, sauerschmeckender Gase und Speisegemenge. Alle diese Erscheinungen können, wie aus dem früher Gesagten ersichtlich ist, auch bei der einfachen nervösen Dyspepsie vorhanden sein. Das Hauptgewicht möchte ich auf die Schleimvermehrung legen; deshalb ist es von Bedeutung, daß nach neueren Untersuchungen das Verhalten des Labferments und des Labcymogens wenigstens in den chronischen Fällen bestimmtere differentiell-diagnostische Schlüsse gestattet. Wie BOUVERET, JAWORSKY und BOAS gezeigt haben, nehmen beide bei länger dauerndem Krankheitszustande mehr und mehr an Intensität ab und schwinden schließlich völlig.

Die theoretische Erklärung dieser klinischen Thatsachen ist recht unsicher; entweder kann man an eine direkte trophische Störung d. h. eine alterierte Funktion der Schleimdrüsen („Catarrhus mucosus") denken, oder die gestörte Salzsäureausscheidung und die Entwickelung von Milch- und Buttersäure bewirken die Verdauungsstörungen und sekundär mechanische Reizungen der Magenschleimhaut, oder endlich die neurasthenische Magenatonie bedingt eine verlangsamte und unvollkommene Vermischung und Fortbewegung der Speisen und dadurch eine katarrhalische Magenaffektion.

Werden durch die Untersuchung unzweifelhafte Zeichen e i n e r
mechanischen Insufficienz mit bleibender Magenerweiterung (Stauungsinsufficienz, NAUNYN) aufgedeckt, so sind
wir nicht berechtigt, diesen Befund als einen Teil des neurasthenischen
Symptomenkomplexes aufzufassen. Vielmehr handelt es sich bei den
wahren Magenektasien um eine Komplikation des nervösen
Krankheitszustandes, bei welcher im Einzelfalle die Feststellung sehr
schwierig sein kann, inwieweit die neurasthenischen Krankheitserscheinungen durch das bestehende Magenleiden ausgelöst oder verstärkt werden. In dieser Beziehung erinnere ich Sie daran, daß entweder durch Autointoxikation infolge des gestörten Stoffwechsels oder
durch pathologische Reflexwirkung die chronische Magenektasie schwere
Nervenleiden, z. B. die Tetanie, hervorrufen kann. So häufig die
atonische Magenerweiterung bei der Neurasthenie ist, so selten treffen
wir diese schwerere Form mechanischer Insufficienz, bei welcher der
Magen nicht mehr imstande ist, seinen Inhalt völlig auszutreiben.
Ich will Ihnen hier einen Fall skizzieren.

Frau D., 38 Jahre alt, hereditär belastet. In den Entwickelungsjahren Krg.
No. 34.
profuse Menses, die alle 14 Tage wiederkehrten. Im Anschluß daran
Magenkrämpfe in der Form heftiger, stundenlang dauernder Schmerzen, die
durch jede Bewegung hervorgerufen wurden. Nur ruhige Lage auf dem
Bauch brachte Linderung, der Leib war in den Anfällen sehr gespannt
und aufgetrieben. Pat. war sehr anämisch und litt auch öfter an Bronchialkatarrhen (Phthisis?). Im 24. Jahr stellte sich Erbrechen ein, das eine
Abnahme der Schmerzen herbeiführte. Verheiratung im 25. Lebensjahre;
2 Aborte im 5. Monate; während der Gravidität kein Erbrechen: die
Kranke führte zuerst beim Brechreiz den Brechakt selbst herbei. Nach
11-jährigen Magenschmerzen stellte sich meist nach den Hauptmahlzeiten
Erbrechen ein, anfangs nur Schleim mit wenig Speisen, später alles Genossene; vor Eintritt des Erbrechens aufgetriebener Magen und Leib
mit schmerzhaften Empfindungen. „Der Magen wird plötzlich dick und
verweigert jede Speise." Appetit ist auch bei stärkstem Brechreiz vorhanden. Es besteht hartnäckige Obstipation. Bei Eingießungen werden
kleine eingedickte Kotkugeln entleert. Die früher bestandenen Krampf-
schmerzen verloren sich allmählich. Im Frühling und im Herbst waren
die Krankheitserscheinungen am heftigsten, es bestanden dann oft während 2 Monaten Krankheitsperioden, wo täglich jegliche Speise heraus-
gebrochen wurde. Das Erbrochene hatte stark sauren Geruch und enthielt
nicht selten alte Speisereste von Mahlzeiten, die 1—2 Tage vorher eingenommen waren. Die Pat. magerte hochgradig ab und war matt. Gemütsbewegungen und körperliche Anstrengungen brachten sofort Brechen
hervor. Vom Oktober 1883 bis August 1885 Anwendung der Magenpumpe.
Die Ernährung bestand nur aus Fleisch und Milchspeisen, wenig Flüssigkeit, Getränke wurden gar nicht genossen. Im Jahre 1880 traten zweimal
Anfälle auf mit ikterischer Hautfärbung, großer Mattigkeit und Blutabgang
bei der Defäktion. Zeitweilig Schlaflosigkeit und gemütliche Reizbarkeit.
Beim Eintritt in die Klinik Körpergewicht der großen Frau 97 Pfd.
Behandlung mit Massage, Hydrotherapie und elektrischen Bädern. Der
Brechreiz tritt in unregelmäßigen Zwischenräumen ungefähr alle 10 Tage
ein, in ¹/₂-stündigen Anfällen. Der Magen erscheint bei Palpation stark
kontrahiert verkleinert, während er in der anfallsfreien Zeit wie ein
schlaffer Sack bis unter den Nabel herabhängt. Reiben des Rückens, be-

sonders in der Gegend des 4.—6. Dorsalwirbels, oder Faradisation der
Bauchhaut löst den Magenkrampf vorübergehend. Nur selten sind die Anfälle von Schmerzen im linken Hypochondrium begleitet, die sich bei
schwereren und längerdauernden Brechanfällen über den ganzen Leib ver-
breiten und von Aufgetriebensein des ganzen Abdomens begleitet sind.
Liegen auf der rechten Seite oder hastige Körperbewegungen rufen Anfälle auch nachts hervor. In den anfallsfreien Zeiten sind Schlaf und
Stimmung sehr gut. Das Körpergewicht steigt in der Behandlung vom
9. Okt. bis 16. Dez. nur um 3 Pfd. Die Anfälle aber sind im ganzen
seltener. Objektiv ergab sich: Druck auf den 4.—6. Dorsalwirbel
schmerzhaft, keine Sensibilitätsstörung, keine Ovarie; Zunge trocken;
Magen auf Druck schmerzhaft; Aushederung des Magens zeigte keine
sekretorischen Anomalien mit Ausnahme vermehrter Schleimsekretion.
Beim Eintritt des Brechreizes ist öfter krampfhaftes Gähnen vorhanden.

　　Nach Rückkehr in die Heimat anfänglich wesentliche Besserung.
Sehr selten Anfälle von Brechreiz, die durch Faradisation des Bauches
hie und da schwanden, ohne wirkliches Brechen herbeigeführt zu haben.
Doch ruft körperliche Anstrengung Unbehaglichkeit, Spannung im Magen
und kollapsähnliche Schwächezustände hervor. Das psychische Verhalten
hat durch die Kur sehr gewonnen. Pat. ist ruhiger geworden, die Reizbarkeit ist geschwunden, die motorische Leistungsfähigkeit gehoben. Nach
späteren Mitteilungen treten die Brechreize alle 6 Wochen etwa 8 bis
10 Tage nach den Menses auf.

　　Es ist dies ein schwerer Krankheitszustand, bei welchem eine
völlige Heilung nur selten erreicht wird, die Kranken einer chronischen
Unterernährung anheimfallen, eine immer größere Einbuße an Reserve-
kräften erleiden und schließlich entweder an Entkräftung oder, was
häufiger ist, infolge interkurrenter Krankheiten zu Grunde gehen.

　　Eine viel größere Bedeutung, besonders in der Neuzeit unter dem
Einfluß der Arbeiten von GLÉNARD, ist der Gastroenteroptose als
Komplikation oder, wie der französische Autor will, als Ursache der
Neurasthenie zugemessen worden.　Ueber die Berechtigung der genetischen und symptomatologischen Anschauungen dieses Autors hat
sich eine ausgedehnte Diskussion unter den internen Klinikern erhoben. Ich nenne Ihnen besonders die Arbeit von EWALD, welcher
die gesamten hier auftauchenden Fragen eingehend kritisiert. So gern
wir anerkennen, daß bei schlechtgenährten, rasch abgemagerten, neurasthenischen Individuen gar nicht selten eine Dislokation des Magens
vorkommt und dadurch die Zahl der neurasthenischen Beschwerden
noch vermehrt wird, so wenig können wir der Ansicht von GLÉNARD
zustimmen, daß durch die Dislokation des Magens (und der übrigen
Abdominalorgane: Enteroptose) die Neurasthenie verursacht sei.
Es wurde von diesem Autor aus der Gleichartigkeit mancher nervöser
Störungen der Gastroenteroptose und der Neurasthenie der falsche
Schluß gezogen, daß beide Krankheiten identisch seien.

　　Wenn man die Fälle genauer analysiert, so kommt man zu folgenden Schlüssen: Erstens, neuropathische oder früher nervengesunde
Individuen erkranken durch irgendwelche Schädlichkeiten an Neurasthenie mit konsekutiver Abmagerung und Gastroenteroptose. Durch
diese letztere werden die neurasthenischen Beschwerden verstärkt. Am
häufigsten findet man diese Form bei jugendlichen chlorotisch-anämischen Individuen. Zweitens, es besteht Gastroenteroptose bei

nicht neuropathisch veranlagten Individuen, welche zu bestimmten Störungen der Magen- und Darmfunktionen sowie zu mannigfachen nervösen Symptomen Veranlassung wird. Differentiell - diagnostisch unterscheidet sich diese zweite Gruppe von der ersten dadurch, daß die Krankheitsgeschichte in erster Linie auf eine Störung der Magen- und Darmfunktion hinweist, während die allgemeinen nervösen Krank- heitssymptome sich erst später hinzugesellt haben, sodann durch den Erfolg der Therapie. Werden die mechanischen Schädlichkeiten der Gastroenteroptose durch zweckentsprechende Bandagen beseitigt, so schwinden die nervösen Symptome sofort bei der zweiten Gruppe. Es darf aber nicht außer acht gelassen werden, daß sowohl der Descensus ventriculi et coli als auch die Dislokation anderer Bauch- eingeweide (Leber, Niere u. s. w.) symptomlos vorhanden sein kann, während in anderen Fällen ganz geringfügige Lageveränderungen schon die ausgedehntesten Beschwerden verursachen können. Man wird nicht fehlgehen, wenn man bei diesen letztgenannten Fällen das Mißverhältnis zwischen dem lokalen Leiden und den durch dasselbe verursachten Beschwerden auf Rechnung einer nervösen Konstitution setzt und dem Lokalleiden nur einen höchst bedingten Wert bei der Beurteilung des gesamten Krankheitszustandes beimißt. Man kann demgemäß noch eine dritte Gruppe unterscheiden: neuropathisch ver- anlagte Individuen, welche eine geringfügige Gastroenteroptose mit markanten Lokalsymptomen aufweisen. Erkranken dieselben an allgemeiner Neurasthenie, so kombinieren sich beide Krankheits- erscheinungen zu einem höchst verwickelten Krankheitsbilde. Der Arzt wird erst durch sein therapeutisches Handeln über die Bedeutung der einzelnen Symptome klar werden.

Auf die häufigen Zusammenhänge zwischen Anämie resp. Chlorose mit Gastroenteroptose hat neuerdings E. MEYNERT die Aufmerksam- keit gelenkt.

3) Darm.

Auch hier besitzen die pathologischen Organempfindungen, welche durch die funktionellen Störungen der Darmthätigkeit hervorgerufen werden, die größte Bedeutung. Während die allgemeinen, die Stim- mung, die intellektuelle Leistungsfähigkeit, die vasomotorischen und respiratorischen Vorgänge u. s. w. beeinträchtigenden Krankheits- erscheinungen die gleichen sind wie bei den Störungen der Magen- thätigkeit, besitzen die lokalen Symptome manche Besonderheiten. Zwar sind auch hier bei den unkomplizierten Fällen (d. h. denjenigen ohne katarrhalische Schleimhautaffektionen oder ohne Dislokationen des Enteron oder Residuen abgelaufener peritonitischer Prozesse) scharf umschriebene und streng charakterisierte Schmerzen erheblich seltener als die unbestimmten dumpfen Druck-, Schwere-, Völle- empfindungen, welche wir schon beim Magen kennen gelernt haben.

Dieser Darmschmerz besitzt aber eine viel größere Hartnäckig- keit als der gleichartige Magenschmerz. Denn letzterer tritt in der überwiegenden Mehrzahl der Fälle nur in bestimmten Phasen der Verdauungsthätigkeit ein, während ersterer vor allem durch mecha- nische Vorgänge, durch die Störungen der peristaltischen Darmbe- wegung und ihre Folgeerscheinungen fast dauernd unterhalten wird und demgemäß die Aufmerksamkeit der Kranken in erhöhtem Maße fesselt. Ist der ganze Darmtraktus von diesen Störungen betroffen, so sind die schmerzhaften Empfindungen auch diffus über das ganze

Abdomen verbreitet; das Gefühl von Spannung, Druck und abnormer
Füllung wird am lästigsten im Gebiete des Quercolon empfunden.
Am häufigsten lassen sich diese pathologischen Spannungsempfindungen
bei abnormer Auftreibung der Därme durch Gase feststellen. Es ist
also die mechanische Störung nicht selten der Intensität und Ausdehnung der subjektiven Beschwerden durchaus kongruent. In anderen
Fällen aber besteht ein sichtliches Mißverhältnis zwischen den peinlichen, die ganze psychische Thätigkeit des Patienten gefangen nehmenden Darmempfindungen und den objektiv nachweisbaren motorischen
Störungen.

Sie begegnen Kranken, welche schon durch die normale Darmthätigkeit im höchsten Maße belästigt werden. Die Ueberempfindlichkeit der Darmwandung verbietet z. B. den Patienten, abends
nach 6 Uhr irgend eine Mahlzeit einzunehmen, weil sonst während der
ganzen Nacht die Därme schmerzhaft sind und den Nachtschlaf verhindern. Oder in einem anderen Falle genügt die durchaus physiologische Fortbewegung der Kotmassen durch den Dickdarm, um
kneipende, pressende und würgende Bewegungen während der ganzen
Nacht hervorzurufen. Eine meiner Kranken schläft nur, wenn sie
obstipiert ist d. h. der Darm während der Nacht Ruhe hat. Hat sie
normale natürliche Magenverdauung, so ist die Nachtruhe verloren.
Die Darmbewegungen sind begleitet von gurgelnden, kollernden, knur-
renden Geräuschen ("Borborygmen") auch in den Fällen, in welchen eine
größere Ansammlung von Gasen objektiv nicht nachweislich ist. Hat die
Darmentleerung stattgefunden, so schwindet bei diesen hyperalgetischen
Patienten die krankhafte Empfindung keineswegs immer. Selbst nach
wiederholtem, ausreichendem Stuhlgang klagen solche Patienten über
Druck und Fülle im Unterleib und greifen zu den stärksten Purgantien, um
die nach ihrer Ansicht eingedickten Kotballen endlich herauszubefördern.

Krg.
No. 55.　　　Ich behandelte vor einigen Jahren eine fast skeletartig abgemagerte
Dame, welche Schweizerpillen, Tamarinden u. s. w. in ununterbrochener
Folge in erschrecklichen Quantitäten eingenommen hatte, um endlich
eine völlige Entleerung des Darmes herbeizuführen. Durch die fast
ganz fettlosen Bauchdecken ließ sich der Darm mit Leichtigkeit ab-
tasten, und konnte so der Nachweis geliefert werden, daß derselbe
total leer war. Bei der Ernährungskur wurden prinzipiell alle Abführmittel beiseite gelassen. Es gelang durch Milchdiät und späterhin durch
Darreichung von Lipanin eine ausreichende, spontane Darmentleerung
alle zwei Tage zu erzielen. Gegen die parästhetischen Darmempfindungen
wurde lokale hydriatische Behandlung, farado-kutane Pinselung des Abdomens, Wärmereize u. s. w. mit Erfolg angewandt.

Außer den unbestimmten Empfindungen finden wir bei diesen
deutlich hyperalgetischen Individuen auch ganz scharf lokalisierte
und kontinuierliche Schmerzen, welche dann den Gedanken
nicht bloß im Patienten, sondern auch im Arzte wachrufen, daß eine
materiell begründete, lokale Erkrankung des Darmes die Ursache
dieser brennenden, bohrenden, stechenden Schmerzen sei.

Krg.
No. 56.　　　Ich kenne einen Fall (38-jähriger neurasthenischer Offizier), bei
welchem monatelang neben anderen pathologischen Organempfindungen
eine etwa thalergroße schmerzhafte Partie im Uebergangsteil des Quercolon zum absteigenden Colon bestanden hatte. Der Patient war fast
niemals ganz schmerzfrei. Während der Verdauungsperiode aber steigerten

sich diese Schmerzen außerordentlich. Der Pat. behauptete, er fühle, wie die mechanische Reizung dieser Darmstelle durch vorbeipassierende Kotmassen diese heftigen Schmerzen auslöste. Auch Druck durch die Bauchdecken hindurch auf diese Partie verstärkte den Schmerz. Da Pat. früherhin luetisch infiziert gewesen war und längere Zeit hindurch an ausgeprägten Darmkatarrhen gelitten hatte, so war der Gedanke schließlich nicht von der Hand zu weisen, daß diesem lokalisierten Schmerze eine anatomische Erkrankung und zwar eine narbige Verengerung des Darmrohres als Residuen eines syphilitischen Geschwürs entspreche. Der Kranke quälte so lange, bis seitens eines Chirurgen die Laparotomie gemacht wurde, um die erkrankte Darmpartie zu entfernen. Aber die genaueste Untersuchung des Dickdarms und der vorliegenden Dünndarmschlingen ließ absolut nichts Krankhaftes erkennen. Dem Pat. wurde nachher mitgeteilt, es hätte sich eine Verlagerung der Darmschlingen gefunden, die nun beseitigt sei. Von Stund an verlor sich der lokalisierte Schmerz und kehrte auch in späteren Jahren nicht wieder.

Besonders qualvoll werden die Schmerzen, wenn sie mit anfallsweise auftretenden, kolikartigen, würgenden, zusammenziehenden Empfindungen verknüpft sind. Es können dann schwere Allgemeinsymptome hinzutreten: Ohnmachtsgefühle, Schwindelempfindungen, Herzklopfen, kühle, blaße Extremitäten u. s. w. FÜRBRINGER beschrieb Schmerzanfälle, welche mit denen der Gallensteinkolik vollständig übereinstimmten, ohne daß die objektiven Zeichen einer Gallensteinerkrankung vorhanden gewesen wären. Diese Anfälle traten bei neurasthenischen und hysterischen Individuen auf, welche auch die übrigen Symptome nervöser Ueberempfindlichkeit darboten.

Diese krankhaften Darmempfindungen sind übrigens die besten Belege für die in der allgemeinen Pathologie vertretene Anschauung, daß weniger der Zustand des peripheren Nervenapparates, hier der sympathischen (?) Darmnerven, als die central bedingte Hyperalgesie für die neurasthenischen Schmerzen verantwortlich gemacht werden kann. Sind unsere Patienten relativ wohl d. h. ausgeruht oder geistig angenehm beschäftigt oder durch Alcoholica vorübergehend in ihrer psychischen Leistungsfähigkeit erhöht, so fallen auch die Darmbeschwerden weg, während umgekehrt bei allen Exacerbationen des neurasthenischen Erschöpfungszustandes oder im Gefolge deprimierender Gemütsaffekte eine Zunahme dieser Beschwerden unverkennbar ist. Die Schilderungen, welche die älteren Autoren von den Hämorrhoidalhypochondern gegeben haben, sind auch heute noch für den einfachen Darmneurastheniker zutreffend. Sein Sinnen und Trachten ist vollständig ausgefüllt durch die Aufgabe, jede Belastung des Darms zu verhüten, jedem Kollern und Gurgeln nachzuspüren und einer stärkeren Gasansammlung durch nicht selten aktiv bewirkte Flatulenz vorzubeugen. Vormittags sind diese Patienten meist ungenießbar, bis sie das so wichtige Geschäft der Darmentleerung endgiltig besorgt haben. Selbst gebildete und in gesunden Tagen wohlanständige Menschen werden völlig gesellschaftsunfähig, indem sich ihre unaufhörliche Beschäftigung mit den Defäkationsvorgängen auch in ihrer Redeweise wiederspiegelt.

Wir haben schon bemerkt, daß ein Teil dieser Beschwerden durch motorische Störungen hervorgerufen wird. Die häufigste Störung ist das **D a r n i e d e r l i e g e n d e r p e r i s t a l t i s c h e n D a r m b e w e g u n g** und

die dadurch bewirkte Stuhlverstopfung. $^3/_4$ der mit Magen-
und Darmbeschwerden behafteten Neurastheniker klagen über dieses
Symptom. Sie finden sehr viele Kranke, die jahrelang nur durch künstliche Mittel Darmentleerungen bewirken konnten. Die verdauende
Thätigkeit des Darmes braucht hierbei durchaus nicht geschädigt zu
sein. Ebenso scheint die Dünndarmperistaltik nur in seltenen Fällen
zu leiden. Während bei ungestörter Darmthätigkeit der durch die
Resorption der Nährstoffe eingedickte Darminhalt erst in der Flexura
sigmoidea sich zu kompakteren Kotmassen gestaltet, bleiben in diesen
Fällen die Kotballen im Coecum und in den Haustris coli liegen. Sie
werden hier schon eingedickt und ausgetrocknet und veranlassen
mechanische Reizungen der Schleimhaut und reflektorisch ausgelöste
irreguläre Darmbewegungen.

Bei dem längeren Verweilen der Faeces tritt eine gehäufte Bildung
von Zersetzungs- und Fäulnisprodukten wahrscheinlich unter dem
Einfluß der Darmbakterien ein; so erklärt sich die abnorme Gasentwickelung im gesamten Dickdarm, welche zu starker Auftreibung
des Leibes und zu erhöhter Flatulenz führt (nervöser Meteorismus). Es sind dies für den Patienten sehr lästige Krankheitserscheinungen; sie treten glücklicherweise nur selten dauernd auf.
Meist entwickeln sie sich anfallsweise, falls gröbere Diätfehler begangen werden oder resorptive Störungen . (vgl. unten) sich in ver-
stärktem Maße einstellen. Der Leib ist trommelartig aufgetrieben,
besonders die oberen und seitlichen Partien treten wulstförmig hervor.
Da eine ausgiebige Palpation wegen der Schmerzhaftigkeit der Bauchdecken und der Darmwände während dieser Attacken unausführbar
ist, so ist im Einzelfalle dieser Zustand von der Magentympanie
recht schwer zu unterscheiden. Die vorstehend geschilderten Beschwerden sind immer an diese Form der Stuhlträgheit geknüpft.

Aber auch der Einfluß der Darmbeschwerden auf den allgemeinen
Zustand wird von vielen Autoren der langdauernden Obstipation zugeschrieben. Durch das lange Verweilen von Zersetzungsprodukten
im Darm wird die Resorption toxischer Substanzen begünstigt. Kopfschmerz, Benommenheit, Schwindel, geistige Trägheit werden als
solche Folgeerscheinungen einer Autointoxikation betrachtet. Es wird
hier zweifellos Ursache und Wirkung vielfach verwechselt. Bei genauer Erhebung der Anamnese wird man meist feststellen können,
daß erst die geistige Insufficienz, die intellektuellen Ermüdungs- und
Erschöpfungssymptome, dann die dyspeptischen Beschwerden einschließlich der Obstipation aufgetreten sind, daß also unter dem Einfluß cerebraler Krankheitsvorgänge die Darminnervation erst sekundär
geschädigt wurde. Daß psychische Momente, besonders deprimierende
Affekte einen solchen Einfluß auf die Darmthätigkeit besitzen, ist eine
allgemeine Erfahrung; daß langdauernde deprimierende Affekte die
gleichen Folgeerscheinungen zeitigen, beweisen Ihnen besonders die
somatischen Begleiterscheinungen der Melancholie. Doch ist auch
beim Neurastheniker unverkennbar, daß mit der Entwickelung der
Magen- und Darmbeschwerden die übrigen Krankheitserscheinungen
beträchtlich zunehmen. Wie weit dies auf den emotiven Einfluß der
durch sie verursachten Organempfindungen, inwieweit es auf Autointoxikationen zurückgeführt werden soll, läßt sich bei dem heutigen
Stande unserer Kenntnisse kaum entscheiden.

Es soll aber nicht verschwiegen werden, daß es auch eine, wenn auch kleine Gruppe von nervösen Kranken giebt, bei welchen unzweideutig eine chronische, durch unzweckmäßige, sitzende Lebensweise und dauernde Ueberfütterung herbeigeführte Obstipation der Ausgangspunkt ihrer nervösen Zustände gewesen ist. Es handelt sich meist um Kranke in mittleren Lebensjahren mit deutlichen Hämorrhoidalbeschwerden. In diesen Fällen finden Sie auch die ausgebreitesten Parästhesien in der Rückenhaut, besonders über der Kreuzbeingegend, brennende und ätzende Empfindungen in der Mastdarmschleimhaut, kitzelnde und juckende Gefühle am After und Perinaeum, ausstrahlende Schmerzen in die Glutäal- und Oberschenkelgegend, erhöhte Steifigkeit und Müdigkeit der unteren Extremitäten. Man wird nicht fehlgehen, wenn man einen großen Teil dieser Störungen auf die venöse Stase im großen abdominellen Gefäßbezirk einschließlich der Venen des Wirbelkanales zurückführt.

Daß anhaltende Darmträgheit schließlich auch die Magenfunktionen schädlich beeinflußt, ist durch die Untersuchungen von v. PFUNGEN sichergestellt. So sehen wir, daß bei vielen Neurasthenikern, welche nicht zu der oben erwähnten Gruppe von Hämorrhoidariern gehören, nach langem Bestande der Obstipation Störungen der Magenfunktionen sich hinzugesellen.

Die weiteren Konsequenzen der chronischen Obstipation stellen einen für den Patienten recht verhängnisvollen Circulus vitiosus her. Die Anhäufung der Kotmassen führt meist zu einer weiteren Hemmung der Peristaltik und so zu erneuter Anstauung und vermehrter Gasbildung. Dauern diese Zustände länger an (besonders von Frauen werden hartnäckige Koprostasen auffallend lange vernachlässigt), so kommt es zu einer vollständigen Erschlaffung des Dickdarms.

In manchen Fällen führen aber die Kotstauungen zu einer reflektorisch bedingten erhöhten Darmthätigkeit. Es kommt zu partiellen, den Partien der Kotstauungen entsprechenden oder allgemeinen krampfhaften Zusammenziehungen der Därme, welche zu den oben erwähnten kolikartigen Schmerzen in enger Beziehung stehen. Unter dem Einfluß dieser erhöhten Darmperistaltik treten bei gleichzeitiger mechanischer Reizung der Darmschleimhaut während der Obstipation krampfartige diarrhoische Entleerungen ein, wobei freilich durch die meist spärliche, schleimig-wässerige Ausleerung keineswegs der eingedickte Darminhalt mit fortgeschafft wird. Man wird sich also durch derartige Diarrhöen niemals täuschen lassen dürfen. Sie sind nur der Ausdruck der durch die Koprostase bedingten Darmreizung und führen keine Beseitigung der Kotstauungen herbei.

Wohl aber giebt es Fälle, bei welchen ein fast regelmäßiger Wechsel zwischen Perioden gehemmter und gesteigerter Darmperistaltik beobachtet wird. Hier handelt es sich nicht um die chronische Obstipation, von der vorstehend die Rede war. Gelingt es, durch zweckmäßige therapeutische Maßregeln die chronische Obstipation zu bekämpfen, so schwinden auch die sog. katarrhalischen Dickdarmaffektionen, welche nicht selten die äußere Veranlassung dafür sind, daß die Patienten die Hilfe des Arztes beanspruchen. Haben Sie durch künstliche Mittel eine Entleerung der harten, zu kleinen, ziegenkotähnlichen Kugeln eingedickten schwärzlichen Faeces herbeigeführt, so wird meistens bei dieser sehr mühsamen und schmerzhaften Prozedur ein schleimiger, zähflüssiger und blutig tingierter Darminhalt mitentleert, in welchem auch kleinere und größere, gallertig ge-

quollene membranöse und klumpige Bestandteile enthalten sind. Es
handelt sich hierbei sehr oft, wie ich hier einschalten will, um Beimengungen unverdauter, aufgequellter Cellulose und Fleischbestand-
teile, dann aber auch um wirkliche schleimige Absonderungen und
abgestoßene Darmepithelien. Nicht selten ist der eingedickte Kot
von einer dicken Schleimschicht überzogen, welche streifig-blutige Ein-
lagen enthält. An der Entwickelung dieser Obstipationskatarrhe
tragen gewiß unzweckmäßige Abführmittel eine große Schuld. Man
sieht sie aber auch im Verlaufe hartnäckiger, jahrelang währender
Obstipationen anfallsweise auftreten, ohne daß man fehlerhafte therapeutische Eingriffe als Ursache für ihr Entstehen beschuldigen könnte.
Es kommt dann zur rapiden Entwickelung fieberhafter Zustände mit
großer Kraftlosigkeit, Frösteln, heftigen kolikartigen Schmerzen, besonders in der Gegend des Coecums und des S romanum, und diarrhoischen Entleerungen, in welchen die erwähnten gallertigen, klumpigen
und fadenförmigen Schleimmassen mit kleinen steinharten Kotkonkre-
menten vermengt sind.

Krg.
No. 57.   Die fieberhaften Zustände dauerten in einem meiner Fälle 10 bis
14 Tage lang und erweckten zuerst in dem behandelnden Arzte den
Verdacht einer typhösen Erkrankung. Bei einem späteren Anfall
war die Diagnose auf Dysenterie gestellt worden, da eine außerordentliche Schmerzhaftigkeit und erhöhte Druckempfindlichkeit der linken
Fossa iliaca bestand und die dünnen, wässerigen Stuhlgänge eine blaß-
rötliche Färbung hatten. Die Temperatur war in beiden Anfällen bis
zu 40° gesteigert; das Fieber hatte einen deutlich remittierenden Typus.
Bei der betreffenden Patientin, welche nachweislich seit über 20 Jahren
an Obstipation leidet, trat der erste derartige Anfall in der Gravidität
auf, der zweite 4 Jahre später nach einer 12-stündigen Eisenbahnfahrt.

Man wird der Auffassung BOUVERET's beipflichten, daß diese
fieberhaften Zustände von der Resorption septischer Substanzen ins
Blut, welche von den intestinalen Fäulnisprozessen herstammen, hervorgerufen werden. Diese Resorption wird erleichtert durch die
oberflächlichen Verletzungen der Darmschleimhaut, welche durch harte,
kantige Kotkonkremente verursacht werden.

Der Akt der Defäkation ist aber nicht nur mit umschriebenen,
in den Mastdarm und die Sphinkteren lokalisierten Schmerzen ver-
knüpft. Es treten nicht selten gerade hierbei intensive kolikartige
Schmerzen im ganzen Abdomen hinzu. Sind die Patienten durch
voraufgegangene fruchtlose Versuche schon sehr erschöpft, so ist die
Defäkation von schweren angiospastischen Symptomen begleitet; die
Extremitäten sind kühl, die Stirn ist mit einem kalten, klebrigen
Schweiße bedeckt, die sichtbaren Schleimhäute auffallend blaß, der
Puls klein, fadenförmig. Ohnmachts- und Schwindelempfindungen
treten auf, die sich zu wahren Synkopeanfällen steigern können.

Aus der vorstehenden Schilderung ergiebt sich, daß die Reizsymptome, d. h. eine pathologisch gesteigerte Darmperistaltik, sehr
häufig als Folgezustände der chronischen Darmträgheit vorkommen.
Es sei deshalb hier nur noch auf einige klinische Besonderheiten hingewiesen, welche durch lokalisierte Krampfzustände der Darmmuskulatur hervorgerufen werden. Es giebt Fälle, in welchen ein
ganz eng umschriebener, nur die dem Kotballen eng anliegende Darm-
wand betreffender Krampf der Ringmuskulatur stattfindet, wodurch ein

weiteres Auspressen des Cybalons verursacht wird. Führen diese ganz lokalisierten Krampfzustände zu sehr heftigen örtlichen Schmerzen und finden sie fast immer an derselben Stelle statt, so wird die schon oben erwähnte Täuschung erregt, als ob es sich um eine organische Läsion handle.

Eine mir seit Jahren bekannte neurasthenische Dame, welche jahre- *Krg. No. 58.* lang unter höchst qualvollen Darmbeschwerden litt und oft wochenlang nur federkioldicke, langgezogene, harte, schwärzliche Kotmassen unter Anwendung stärkster Drastika entleeren konnte, sollte, da sie dauernd einen ganz bestimmten örtlichen Schmerz am Uebergang zwischen Colon transv. und desc. empfand und dieser Darmabschnitt thatsächlich dem tastenden Finger verengt und verdickt erschien, einem operativen Eingriff unterworfen werden. Es gelang mir, denselben zu verhüten, indem ich dem betreffenden Arzte die Mitteilung machte, daß dieser Zustand zu verschiedenen Zeiten unter dem Einfluß langwieriger Verdauungsstörungen vorübergehend aufgetreten war und durch mechanische und diätetische Behandlung gehoben werden konnte.

Eine zweite wichtige Folge krampfhafter, ringförmiger Einschnürungen einzelner Darmabschnitte ist die umschriebene Aufblähung. Auch hier ist wie bei dem diffusen, nervösen Meteorismus das Primäre eine gesteigerte Gasentwickelung in atonischen, mit stagnierenden Kotmassen gefüllten Darmabschnitten. Durch den ringförmigen Verschluß einer Darmstelle tritt in dem anstoßenden Darmstücke eine Stauung der Gase ein, durch welche die atonische Darmwandung abnorm ausgedehnt wird. Bei mageren Individuen treten die geblähten Darmstücke als wurstförmige, härter anzufühlende Gebilde hervor; besonders in der Gegend der Ileocöcalklappe sind Anhäufungen von Gasen schon bei der Adspektion und bei der Palpation festzustellen. Fast ebenso häufig finden sich diese lokalen Darmaufblähungen im Uebergangsteil des Col. transv. und descendens. Die Kenntnis dieser Zustände ist deshalb wichtig, weil sie sehr leicht die Täuschung erwecken, es bestünde ein Abdominaltumor. Es bestehen nämlich dieselben in die Tiefe des Abdomens ausstrahlenden Schmerzen wie bei Darm- und Nierengeschwülsten.

Es genügt ein geringer Druck, um lebhafte wurmförmige Bewegungen dieses Darmabschnitts und laute, kollernde Geräusche hervorzubringen. Bei stärkerem Kneten entweichen die angesammelten Gase. Freilich wird diese mechanische Behandlung durch die erhöhte Druckschmerzempfindlichkeit der Patienten manchem Widerstand begegnen. Uebrigens verlieren sich diese Krampfzustände auch spontan, und unter erhöhter Flatulenz sinkt der aufgeblähte Darm zusammen.

Die früher erwähnten Diarrhöen bei gleichzeitiger Obstipation sind auf Rechnung reflektorisch - erregter und gesteigerter Darmperistaltik zu setzen. Sie sind fast immer mit kolikartigen Schmerzen verknüpft, welche, wenn sie einen lokalen Charakter haben, am besten über den Ausgangspunkt dieser interkurrenten Obstipationsdiarrhoe Auskunft geben. Es handelt sich hierbei nicht mehr um eine lokalisiert bleibende, sondern um eine allgemeine Steigerung der Darmperistaltik.

Aber auch ganz unabhängig von chronischen Kotstauungen treten bei Neurasthenikern diarrhoische Attacken auf. Sie beruhen auf einer an sich gesteigerten Reflexerregbarkeit des Intestinaltraktus. so daß schon der mechanische Reiz, welchen der normale Darminhalt

auf die sensiblen Darmnerven ausübt, eine pathologisch gesteigerte
Darmperistaltik veranlaßt. Diese „nervösen" Diarrhöen finden sich
bei manchen Kranken fast andauernd. In anderen Fällen aber
treten sie in regelmäßigen Intervallen (z. B. zur Zeit der Menses)
auf und bei einer dritten Gruppe werden sie nur unter dem Einfluß bestimmter psychischer Schädlichkeiten, vor allem heftiger
Gemütsbewegungen, beobachtet. Die gesteigerte Darmthätigkeit und
die Entleerung des Darminhalts, welcher bald kopiös-wässerig, bald
spärlicher dünnschleimig ist, tritt in der Mehrzahl der Fälle ganz
plötzlich und unvermittelt ein, überrascht die Kranken mitten in ihrer
Thätigkeit oder auf Spaziergängen oder in Gesellschaften und drängt
zu einer sofortigen Defäkation sowohl durch den erhöhten Stuhldrang, als auch durch die plötzliche Erschlaffung der Sphinkteren. Am
günstigsten sind die Patienten daran, bei welchen diese Diarrhöen
fast regelmäßig zu derselben Stunde des Tages wiederkehren. Stellen
sie sich ganz unregelmäßig und unverhofft unter dem Einfluß gering-
fügigster emotiver Erregungen bei allen möglichen Anlässen ein, so
wird das Leben der Patienten fast unerträglich. Sie werden von
der Furchtvorstellung beherrscht, sie könnten bei einer unpassen-
den Gelegenheit, bei welcher ihnen die Möglichkeit einer sofortigen
Stuhlentleerung fehlt oder doch eine solche nicht, ohne peinliches
Aufsehen zu erregen, erreichbar ist, von dem Stuhldrang überrascht
werden. Sie vermeiden darum jede Geselligkeit, ja ziehen sich in
den schwersten Fällen von dem Besuche aller öffentlichen Lokale
zurück, verzichten auf jegliche Reise, Verwandtschaftsbesuche u. s. w.

Krg.
No. 59.   Frau T., 48 Jahre alt, angeblich aus gesunder Familie stammend; als
Mädchen bleichsüchtig und viel an Diarrhöen leidend; Pat. giebt
an, oft 3—4 mal z. B. vor einem Ball aufs Klosett gegangen zu sein.
Es erfolgten dann immer wässerige Entleerungen. Bemerkenswert ist die
Aussage der Pat., daß ihr Vater und 2 Brüder an der gleichen
„nervösen Diarrhoe" leiden. Als junge Frau wurde Pat. durch
häufige Geburten (11) und große gesellschaftliche Verpflichtungen nervös;
deshalb mehrmaliger Aufenthalt in einem Badeort. In Karlsbad wegen
Gallensteinkolik „ohne Erfolg"; letztere bestand aber nur 2 Jahre (vom
36.—38. Jahre). Nach dem 2. Kinde Eierstockentzündung. Die nervösen
Beschwerden der Pat. bestanden anfangs nur in Diarrhöen, die bei
jeder Gemütsbewegung und geistiger Anstrengung auftraten. Seit dem Tode eines Sohnes im 15. Lebensjahre sind die nervösen Diarrhöen viel schlimmer geworden. Während sie früher nur bei
psychischen Erregungen und körperlichen Anstrengungen auftraten,
kommen sie seit 3 Jahren fast regelmäßig morgens von
8 bis 10 Uhr und zwar 8—10 mal, so daß Pat. in dieser Zeit gar
nichts unternehmen kann. Seitdem ist sie auch reizbarer (hat 3 mal Wein-
krämpfe gehabt) und stellten sich abwechselnd mit den Diarrhöen
Herzbeschwerden ein, die seit 1 1/2 Jahren zugleich mit den Diarrhöen
auftreten. Dieselben äußern sich in unregelmäßiger Schlagfolge des
Herzens und in Kurzatmigkeit. Die Menses sind seit 2 Jahren unregelmäßig, der Appetit ist gut, Schmerzen bestehen nicht, wohl aber große
Mattigkeit bei körperlicher Beschäftigung.

     Es bestehen Druckschmerzpunkte links unterhalb der Mamma 2 Finger
breit unter der Brustwarze und am unteren Rande der Skapula. Herztöne
rein; nur der 1. Ton an der Spitze etwas dumpfer. Radialis von schlechter

Spannung, mittelweit, Puls weich und unregelmäßig (68, leicht unterdrückbar. Es bestehen außerdem spontane Schmerzen an der Herzspitze.

Ueber die Störungen der Darmverdauung besitzen wir äußerst geringe Kenntnisse. Wir schließen auf das Vorhandensein solcher Störungen, wenn die Untersuchungen der Fäkalmassen zahlreiche unverdaute Bestandteile ergeben. Bei genauer gleichzeitiger Kontrolle der aufgenommenen Speisen und des entleerten Darminhalts werden Sie besonders bei den mit träger Verdauung behafteten Patienten sehen können, daß Speisen, z. B. grüne Erbsen, Linsen, unverdaut 4—5 Tage später erst im Stuhlgang wieder auftauchen. Oder Sie finden Fleischstückchen in stark gequollenem Zustande im Stuhlgang vor und es gelingt Ihnen, unter dem Mikroskop die Struktur der Muskelfasern noch deutlich zu erkennen. Diese unverdauten Nahrungsmittel bewirken, falls sie länger im Darm verweilen, jene schleimig-katarrhalischen Affektionen, die ich schon oben erwähnt habe. Oder es bestehen Störungen der Fettverdauung und Fettresorption, sodaß der Stuhl bei Darreichung flüssiger Fette (Lipanin) von einer Oelschicht überzogen ist.

Diese Störungen können beruhen: 1) auf der Trägheit der peristaltischen Darmbewegung, weshalb das Durchkneten der Ingesta und somit ihre Vermengung mit den Verdauungssäften ungenügend ist. Hierdurch wird nicht nur die digestive Einwirkung der Darmsäfte erschwert, sondern auch die bakterielle Zersetzung der Nahrungsstoffe im unteren Teil des Dünndarms und im Dickdarm zu sehr begünstigt. So erklären sich wahrscheinlich jene Befunde von langdauernder Obstipation, bei welchen unverhältnismäßig reichliche, grobklumpige und außerordentlich übelriechende Fäkalmassen bei der Anwendung von Drastika entleert werden. Solche Patienten sind für sich und ihre Umgebung auch dadurch lästig, daß sie durch ihre erhöhte Flatulenz die Luft verpesten. Ich behandle gegenwärtig eine junge Frau, in deren Zimmer trotz umfassender Lüftung fast immer ein ganz abscheulicher Geruch herrscht. Diese erhöhte und beschleunigte Darmfäulnis wird übrigens auch für die allgemeine Ernährung schädlich wirken, weil allzu reichliche bakterielle Zersetzungen der Nährstoffe einen Verlust an Nährmaterial herbeiführen. So erklärt es sich, daß diese Kranken nicht selten ein erhöhtes Nahrungsbedürfnis trotz reichlicher Nahrungszufuhr empfinden.

2) Auf einer quantitativ oder qualitativ ungenügenden Produktion der Verdauungssäfte. In dieser Hinsicht möchte ich Sie darauf aufmerksam machen, daß ich bei manchen Patienten, welche über hartnäckige Verdauungsstörungen klagten, den Stuhl auffällig lehmfarben oder grauweiß und somit äußerst arm an Gallenfarbstoffen fand. Es ist bemerkenswert, daß gerade bei diesen Fällen die Fettverdauung sehr mangelhaft gewesen ist. Zu einer verringerten Einwirkung der Verdauungssäfte auf die Ingesta kommt es auch bei pathologisch gesteigerter Peristaltik; es werden dann in den diarrhoischen Stühlen ebenfalls unverdaute, ja fast völlig unveränderte Speiseteile aufgefunden.

3) Auf einem Darniederliegen der resorptiven Thätigkeit der Zellen der Darmschleimhaut. Bekanntlich geschieht die Resorption der Nährstoffe im Magen und im oberen Dünn-

darmabschnitt. Ist diese vitale Funktion der Schleimhautzellen
herabgemindert, so ist ein längeres Verweilen des Darminhaltes bei
mangelhafter Peristaltik doppelt schädlich und werden die vorstehend
erwähnten Fäulnisvorgänge am ehesten Platz greifen. Auch die
mangelnde Aufnahme der Fette, deren unter 2) gedacht wurde, wird
ebenso sehr auf das Darniederliegen der resorptiven Thätigkeit als
auf die ungenügende Einwirkung der Verdauungssäfte zurückgeführt
werden können.

Hierher gehört auch die von MÖBIUS als n e r v ö s e V e r d a u u n g s -
s c h w ä c h e beschriebene Krankheitserscheinung. Es giebt nämlich
Neurastheniker, welche trotz normalem oder sogar gesteigertem Hungergefühl und reichlicher Speisezufuhr einer fortschreitenden Abmagerung
unterliegen. Die Darmentleerung ist dabei durchaus ungestört, der
Stuhlgang enthält aber öfter unverdaute Speiseteile. In anderen
Fällen aber läßt sich aus der Beschaffenheit des Stuhlganges ein
Rückschluß auf die digestiven und resorptiven Vorgänge nicht ziehen
und wird die allgemeine Ernährungsstörung durch die Alteration
der assimilatorischen Thätigkeit der Gewebszellen, die wir im Eingang dieser Vorlesung berücksichtigt haben, zu erklären sein.

Bei all den intestinalen Störungen kann es im Einzelfalle außerordentlich schwer werden, die rein funktionelle Natur dieser Krankheitserscheinungen festzustellen. Sehen wir ganz ab von der Schwierigkeit
der differentiellen Diagnose, welche zwischen den kolikartigen
Schmerzen des Neurasthenikers, und denjenigen des mit einer organischen Darmaffektion behafteten Patienten bestehen, so bleibt immer
die heikle Frage übrig, inwieweit diese nervösen Darmsymptome auf
krankhaften Zerrungen des Darms und mechanischer Behinderung der
Peristaltik durch akut- oder chronisch-entzündliche Prozesse in der
Umgebung beruhen, welche zu Verwachsungen der Intestina untereinander oder mit benachbarten Unterleibsorganen geführt haben
(lokale Adhäsiv-Peritonitiden). Auch die Verlagerungen der weiblichen
inneren Genitalorgane können für sich allein oder in Verbindung mit
solchen pathologischen Verwachsungen den ganzen vorstehend beschriebenen Symptomenkomplex der Enteralgie hervorrufen.

Ueber den Zusammenhang der Enteroptose mit den neurasthenischen Beschwerden haben wir schon oben gesprochen und können
die dort angeführten Erwägungen auch auf die übrigen hier erwähnten krankhaften Erscheinungen angewandt werden. Zweifellos
können sog. „viscerale Neuralgien", von welchen die Enteralgie ja
nur ein Teil ist, auch bei n i c h t n e r v ö s e n I n d i v i d u e n entstehen, sobald infolge von Verwachsungen und Verlagerungen der
Intestina der Fortbewegung des Darminhalts erhebliche Hindernisse
entgegenstehen. Viel leichter und viel häufiger tritt dies aber ein,
wenn der früher beschriebene hyperalgetische Zustand, welcher die
Neurasthenie kennzeichnet, gleichzeitig vorhanden ist.

Dabei soll nicht in Abrede gestellt werden, wie schon in der spez.
Aetiologie hervorgehoben wurde, daß durch diese abdominellen Erkrankungen die Neurasthenie erst hervorgerufen werden kann. Es tritt
dann jener verhängnisvolle circulus vitiosus ein, welcher besonders
bei den weiblichen Genitalerkrankungen so häufig vorkommt: Lokales
schmerzhaftes Leiden, psychisch und körperlich schädigender Einfluß
der Lokalerkrankung, Entwickelung der Neurasthenie und psychischen
Hyperalgesie und dadurch Steigerung der lokalen Schmerzen. Schließ-

lich stehen diese außer Verhältnis zu der zu Grunde liegenden Lokalerkrankung.

Ich möchte diese Betrachtungen über die digestiven Störungen des Neurasthenikers nicht abschließen, ohne Ihnen die Auffassung Bouveret's, der sich im großen und ganzen Löwenfeld anschließt, mitgeteilt zu haben. Er faßt dieselben unter der Bezeichnung „neurasthenische Gastrointestinalatonie" zusammen und unterscheidet zwei Formen: die leichte und die schwere. Die erste ist dadurch ausgezeichnet, daß die Gesamternährung durch die digestiven Störungen nicht geschädigt wird. In der zweiten, schweren Form gesellt sich die allgemeine Ernährungsstörung zu den digestiven Krankheitssymptomen hinzu. „Die Kranken verlieren ihre Kräfte, werden blaß und magern ab." Aus seiner Schilderung dieser schweren Form läßt sich unschwer erkennen, daß er diese meist rasch einsetzende und recht hartnäckige Abmagerung der Störung der Magendarmthätigkeit ausschließlich zuschreibt. Aus meinen früheren Erörterungen werden Sie meine gegensätzliche Auffassung entnehmen können; nicht diesen digestiven Störungen fällt die Hauptschuld bei der akuten und chronischen Unterernährung zu, vielmehr beruht letztere auf einer Alteration der Gewebsthätigkeit in den verschiedensten Organsystemen, auf Störungen der Blutbildung, der Drüsen-, Muskel-, Nervenzellenthätigkeit. Sie tritt ein ohne und mit digestiven Störungen; sind letztere, insbesondere die motorischen und resorptiven, vorhanden, so wird dadurch zweifellos die Alteration der Assimilierungsvorgänge gesteigert, indem den Geweben das Nährmaterial in ungenügender Menge zugeführt wird.

Es erübrigt noch, einen Blick auf die Stoffwechselkrankheiten zu werfen, welche mit den nutritiven und digestiven Störungen der Neurastheniker sehr häufig in genetische Beziehung gesetzt worden sind.

Zuerst möchte ich noch einmal der Fettleibigkeit gedenken, die wir bei manchen Neurasthenikern finden. In freilich seltenen Fällen steigert sie sich zu wirklicher Fettsucht. Die Fettinfiltrationen und -degenerationen in den Muskeln und inneren Organen können zu den schwersten Funktionsstörungen führen und direkt das Leben der Patienten gefährden. Auch bei den leichteren Graden der Fettleibigkeit finden Sie die weitgehendsten Klagen über Behinderung der Atmung, der Herzthätigkeit und der Verdauungsvorgänge, Beschwerden, welche wohl nicht ausschließlich auf die nervösen Funktionsstörungen zurückgeführt werden dürfen, sondern in den Störungen des Stoffumsatzes und konsekutiven anämischen Zuständen begründet sind.

Inwieweit die pathologische Fettbildung auf nervösen Einflüssen beruht, also mit dem Grundleiden zusammenhängt, läßt sich wissenschaftlich nicht genauer feststellen. Man kann nur sagen, daß ähnlich wie bei der „erblichen Fettleibigkeit", bei welcher die Fettanhäufung ohne chronische Ueberernährung sich einstellt, auch bei unseren Nervenkranken eine auf nervösen Einflüssen beruhende krankhafte Verlangsamung des Stoffumsatzes vorkommt.

Die gleiche Betrachtung kann hinsichtlich der Gicht angestellt werden. Ich habe übrigens schon bei der Aetiologie auf die Beziehungen der harnsauren Diathese zur neuropathischen Konstitution ausführlicher hingewiesen. Ich möchte Sie darauf aufmerksam machen, daß die Patienten der Uroskopie in ausgedehntestem Maße huldigen und ihren Uratausscheidungen eine übermäßige Bedeutung beilegen. Wenn man ihren Erzählungen über massige ziegelrote Ablagerungen im Nachtgeschirr auf den Grund geht, so werden Sie sehr häufig finden, daß die Uratausscheidungen sich in ganz normalen Grenzen bewegen.

Es sind von verschiedenen Autoren noch andere Stoffwechsel- anomalien dem neurasthenischen Krankheitsbilde zugerechnet worden, aber nur insofern, als sie gelegentlich auftreten und durch die Harnuntersuchung kund werden. Hier sind zu nennen Zustände von einfacher Polyurie, von gelegentlicher oder periodischer Albuminurie und Meliturie. Die Polyurie, welche bei Neurasthenikern gar nicht selten beobachtet werden kann, ist nach meiner Ueberzeugung meist sekundärer Natur, hervorgerufen durch übermäßige Wasserzufuhr. Viele Neurastheniker trinken wegen ge- steigerter Durst- und Trockenheitsempfindungen viel zu viel; andere stürzen zu Zeiten gemütlicher Aufregungen große Mengen von Flüs- sigkeit hinunter, und wieder andere sind übereifrige Wasseraposteln und glauben nach berühmten Mustern durch Ueberschwemmung ihres Intestinaltraktus mit Flüssigkeit den Organismus zu „reinigen". In all diesen Fällen hat die vermehrte Urinausscheidung nichts Befremd- liches. Doch giebt es auch eine intermittierende Form nervöser Polyurie, welche im Anschluß an Gemütsbewegungen oder vaso- motorische Attacken auftritt. Die Kranken entleeren dann anfalls- weise große Mengen fast wasserhellen Urins mit niedrigem specifischem Gewicht. Diese nervöse Erscheinung ist schon den Alten bekannt gewesen und von ihnen als Urina spastica bezeichnet worden (vergl. Krg. No. 24 und S. 98).

Die Albuminurie tritt sehr selten auf. Unter meinen etwa 600 Krankengeschichten, bei welchen regelmäßig der Harn untersucht wurde, finden sich nur 2 Beobachtungen mit zeitweiliger Albuminurie. In beiden Fällen aber lag seitens des Vaters Syphilis vor, und beide Patienten hatten in der Kindheit für hereditäre Syphilis verdächtige Erscheinungen dargeboten. Es ist mir deshalb sehr zweifelhaft, ob wir unter diesen Umständen diesen pathologischen Befund dem Nerven- leiden zurechnen dürfen. v. HÖSSLIN berichtet von 3 Fällen unter 822 Neurasthenikern, bei welchen Albuminurie ohne Nierenaffektion bestanden habe. LÖWENFELD fand ebenfalls in 3 Fällen (von Myel- asthenie) Albuminurie und BOUVERET beschreibt einen Fall von Spinalirritation mit dyspeptischen Erscheinungen, bei welchem die vorher vorhandene Albuminurie mit der Besserung des Leidens schwand.

Die Meliturie habe ich nur bei zwei Fällen von Neurasthenie gesehen. Das eine Mal wurden vorübergehend Spuren von Zucker aufgefunden; in dem anderen Falle trat bei einem Neurastheniker nach einem relativ leichten Trauma (Sturz auf einen Steinhaufen) ein jetzt sich über 3 Jahre erstreckender Diabetes mellitus (bis zu 6 Proz.) auf, der zu schweren Störungen des Allgemeinbefindens führte. Meine Erfahrungen lehren mich also, daß Meliturie bei reinen unkomplizierten Formen von Neurasthenie ein sehr seltenes Vorkommnis ist. Es steht dies in einem gewissen Gegensatz zu denen von v. HÖSSLIN, welcher in 1—2 Proz. seiner Beobachtungen Zucker im Urin auffand. Er

berichtet von 0,5—2 Proz. Zucker. Es handelt sich in der Mehrzahl
seiner Fälle um vorübergehende Zuckerausscheidungen, welche auch
ohne daß antidiabetische Kost gegeben wurde, schwanden. In einzelnen Fällen wurden sie durch Darreichung von kohlehydratarmer
Nahrung beseitigt. Bemerkenswert ist seine Beobachtung, daß insbesondere diejenigen Fälle von Nneurasthenie Meliturie zeigen, welche
mit Gemütsdepression einhergehen; „mit dem Verschwinden der Depression hört auch die Meliturie auf". Natürlich dürfen hier die
Diabetiker nicht mit gezählt werden, welche im Verlaufe ihrer Stoffwechselerkrankung vereinzelte nervöse Störungen aufwiesen.
    Als weitere Harnveränderungen werden die Phosphaturie
und die Oxalurie von einzelnen Autoren besonders berücksichtigt.
Es ist außerordentlich schwierig, die Grenze festzustellen, bei welcher
die Ausscheidung von Phosphaten als eine pathologische Erscheinung
aufgefaßt werden darf. So sicher es ist, daß ein erheblicher Prozentsatz von Neurasthenikern, insbesondere von weiblichen Pat. in dem
frisch entleerten Urin größere Mengen von milchig-weißen Nieder-
schlägen phosphorsaurer Salze haben, welche Sie leicht durch chemische
und mikroskopische Untersuchung als solche erkennen können, ebenso
sicher ist es auch, daß Sie ganz analoge Beobachtungen bei anderen
durchaus nicht nervösen Personen machen können. Es ist naheliegend, daß bei der krankhaften Ueberempfindlichkeit der Neurastheniker die gesteigerten Phosphatniederschläge infolge der chemischen
und mechanischen Reizung der Blasen- und Harnröhrenwandung zahlreiche abnorme Sensationen im Gefolge haben (Harndrang, krampfartige
Blasenschmerzen, irritable bladder, brennende Schmerzen in der Harnröhre). Es darf aber nicht übersehen werden, daß die gleichen
schmerzhaften Erscheinungen ohne Phosphaturie beobachtet werden.
Ob, wie Peyer annimmt, die Phosphaturie eine für Neurasthenie und
Hysterie charakteristische Sekretionsanomalie der Niere sei und
reflektorisch durch Affektionen des Urogenitalsystems ausgelöst wird,
unterliegt nach meinen Erfahrungen berechtigten Bedenken. Ich
glaube vielmehr, daß diese, wie von Hösslin mit Recht bemerkt,
auf einer Herabminderung der Gesamtacidität des Urins beruhende
erhöhte Sedimentierung eine unter verschiedensten Bedingungen auftretende Urinanomalie darstellt. Die Hauptrolle spielt wahrscheinlich
die Beschaffenheit der aufgenommenen Nahrungsmittel, vielleicht auch
lokale Erkrankungen in der Gegend des Blasenhalses (Urethritis
posterior chronica), welche eine vermehrte Alkalescenz des Urins bedingen.
    Das Gleiche gilt für manche Fälle von Oxalurie. Auch hier
sind, worin ich Löwenfeld beipflichte, die Beschwerden der an
Oxalurie leidenden Neurastheniker von der Reizung der Blasen- resp.
Harnröhrenschleimhaut durch größere Oxalatkrystalle hervorgerufen.
    Auf die Störungen der Blutbildung, soweit dieselben mit
der Neurasthenie in ursächlichem Zusammenhang stehen, habe ich schon
in der Aetiologie hingewiesen. Es ist hier nur noch die Frage zu erörtern,
ob die klinischen Erfahrungen dafür sprechen, daß die Störungen des
Stoffwechsels und der Verdauung häufig mit anämischen-chloro-
tischen Zuständen verknüpft sind. Wenn man das Aussehen der
unterernährten und auch der fettsüchtigen Pat. als ausschlaggebend
betrachten darf, so wird man unbedingt die Anschauung vertreten, daß
Zustände von Blutarmut recht häufig zum mindesten Begleiterschei-

nungen, wenn nicht die Ursachen der Ernährungsstörungen sind.
Diese Annahme wird durch methodisch durchgeführte Blutunter-
suchungen, soweit es sich um eine Abnahme der Zahl der roten
Blutkörperchen handelt, nicht bestätigt. Die Menge derselben findet
sich nur in Ausnahmefällen (vergl. Krg. No. 40 u. 48) recht erheblich
verringert. Man ist oft überrascht, einen annähernd normalen Gehalt
an roten Blutkörperchen bei Fällen von hochgradiger Abmagerung und
blassem, kachektischem Aussehen vorzufinden.

Krg. No. 60. So habe ich eine 24-jährige junge Frau untersucht, welche bei
einer Körpergröße von 176 cm ein Körpergewicht von 98 Pfd. hat.
Die Abmagerung ist bei der immer etwas zarten, aber früher nicht
nervösen Dame nach drei rasch aufeinanderfolgenden erschöpfenden Geburten eingetreten. Migräneartiger Kopfschmerz, neuralgiforme
springende Schmerzen in den Extremitäten und im Thorax haben sich
erst in den letzten Jahren eingestellt. Intellektuell ist die Pat. vollständig ungeschädigt. Gegenwärtig sind die Hauptklagen: große motorische Schwäche, Ohnmachts- und Schwindelempfindungen beim Stehen
und Gehen, gestörter Schlaf, Appetitlosigkeit, nervöse Schmerzen während
der Verdauung. — Gesicht und die sichtbaren Schleimhäute sehr blaß;
Unterhautzellgewebe sehr fettarm; Muskulatur hochgradig reduziert; die
inneren Organe gesund. — Die Blutuntersuchung ergiebt 4,5
Millionen rote Blutkörperchen auf 1 cmm, also eine relativ
geringfügige Abnahme an Blutkörperchen (normal 5 Mill.). Dagegen sind
die roten Blutkörperchen blasser gefärbt und tritt dadurch die Abnahme des Hämoglobingehaltes deutlich hervor; eine genaue Bestimmung desselben (nach der FLEISCHL'schen Methode) ergab 77 Proz. [1]).

Es decken sich unsere Erfahrungen mit denjenigen vieler Forscher
(u. a. LITTEN), daß die relativ häufigere Veränderung in
der Abnahme des Hämoglobingehaltes liege. Diese ist
meist erheblich größer, als der Verminderung der roten Blutscheiben
entspricht (LITTEN). Es ist diese Thatsache von großer Wichtigkeit,
um die Anämien der Chlorotischen von den schweren perniciösen
trennen zu können, da bei letzteren die Zahl der roten Blutkörperchen
im Verhältnis zum Hämoglobingehalt schon frühzeitig erheblich sinkt.

Daß aber auch progressive perniciöse Anämien bei konstitutionell
nervösen Personen vorkommen, habe ich zweimal gesehen.

Krg. No. 61. Beide Fälle nahmen einen deletären Verlauf. Die nervösen Erschöpfungszustände, die sich vorwaltend auf intellektuellem und digestivem
Gebiete kund gaben, steigerten sich zu schweren psychischen Krankheitserscheinungen, welche dem Bilde des Erschöpfungsstupors und
der Amentia angehörten. In beiden Fällen handelte es sich um weibliche Patienten mit schwerer erblicher Belastung in mittleren Lebensjahren, deren äußere Lebensbedingungen günstige gewesen waren. Irgend
eine bestimmte Gelegenheitsursache zur Entwickelung der Bluterkrankung
ließ sich nicht nachweisen, so daß man gezwungen ist, dieselbe als eine

---

1) In einem anderen jüngst untersuchten Falle (19-jähr. Mädchen),
welcher dem Aussehen nach den Verdacht einer hochgradigen Anämie
erweckte, betrug die Zahl der roten Blutkörperchen 4,1 Millionen auf den
cmm, der Hämoglobingehalt 71 Proz.

Teilerscheinung des konstitutionellen Schwächezustandes aufzufassen. Beide Kranke gingen unter profusen Blutungen zu Grunde.

Ueber das Auftreten leukämischer Krankheitszustände bei neurasthenischen Pat. habe ich keine eigenen Erfahrungen. Auch aus der Litteratur sind mir keine beweiskräftigen Fälle bekannt. In der Krg. Nr. 50 ist die Leberschwellung als eine leukämische bezeichnet worden. Die Blutuntersuchung hat aber diese Diagnose nicht bestätigt. Hingegen habe ich einen Fall von Pseudoleukämie, der im Laufe von 1 ½ Jahren letal verlaufen ist, gesehen, bei welchem ausgeprägte neurasthenische Symptome (Agrypnie, hochgradige geistige Erschöpfbarkeit, Affektveränderungen) zugleich mit dem Auftreten multipler, lymphatischer Tumoren sich einstellten. Daß hier die Bluterkrankung das ursächliche Moment für die nervösen Störungen war, ist mir nicht zweifelhaft.

Bei manchen Pat., welche an langdauernden Störungen des Stoffwechsels und der Verdauung leiden, insbesondere bei denjenigen, welche zugleich die Symptome der nervösen Herzschwäche darbieten, finden Sie Erniedrigungen der Körpertemperatur, welche auf eine Beeinträchtigung des Wärmehaushalts schließen lassen. In verschiedenen Krankengeschichten begegnen Sie solchen Herabsetzungen der Körpertemperatur. Wenn ich die große Zahl einschlägiger Fälle durchmustere, so finde ich, daß die durchschnittliche Morgentemperatur sich selten über 36 - 36,2, die Abendtemperatur über 36,5—36,7 erhebt. In ausgeprägten Fällen kann man Morgentemperaturen beobachten, welche durchschnittlich 35,2—35,6 nicht überschreiten, während Abends eine Temperatur von 35,8—36,0 gemessen wird. Ich bemerke hierzu, daß die Messungen regelmäßig von sachkundigem Pflegepersonal in der Achselhöhle ausgeführt werden.

Mit dieser mangelhaften Wärmebildung hängt sicherlich das erhöhte Kältegefühl bei diesen Kranken und die gesteigerte Abkühlung der Hautdecken eng zusammen. Schon gegen geringfügige Temperaturschwankungen sind die Patienten außerordentlich empfindlich. Haben sie einmal eine stärkere Abkühlung der Hautoberfläche erfahren, so können sie sich nur langsam wieder erwärmen. Auf die Hauptklage dieser Patienten über kalte Hände und Füße, die thatsächlich oft ganz eisig anzufühlen sind, habe ich schon an verschiedenen Stellen aufmerksam gemacht. Diese Erscheinungen sind klinisch recht bedeutsam, weil sie eine Hauptquelle für Schlaflosigkeit und neuralgiforme Schmerzen sind. Daß die erhöhte Witterungsempfindlichkeit auch durch vasomotorische (angiospastische) Störungen verursacht sein können, geht aus der vorigen Vorlesung hervor. Ich will nur hinzufügen, daß die Scheu vor „Erkältungen" und ihren Folgen (Hautparästhesien, rheumatoide Schmerzen, Kopfleere, Schlaflosigkeit) auch bei Neurasthenikern (insbesondere weiblichen) auftritt, ohne daß wir zur Annahme vasomotorischer Störungen oder von Beeinträchtigungen der Wärmebildung berechtigt sind. Man wird dann nicht fehlgreifen, wenn man diese abnorme Wirkung von Temperaturschwankungen auf Rechnung der allgemeinen Ueberempfindlichkeit setzt.

10. Vorlesung.

M. H.! Wenn Sie die Schilderungen mancher neuerer Autoren, welche sich mit dem Wesen und der Symptomatologie der neurasthenischen Genitalstörungen beschäftigt haben, durchlesen, so werden Sie leicht zu der Anschauung kommen, daß diese Krankheitserscheinungen nicht nur vom ätiologischen Standpunkte aus, sondern auch als charakteristische Merkzeichen des allgemeinen nervösen Krankheitszustandes die größte Bedeutung besitzen. Thatsächlich werden Ihnen von Kranken beider Geschlechter die subjektiven Klagen über Krankheitserscheinungen der Genitalsphäre recht häufig, entweder mit epischer Breite oder in heimlich scheuer, zaghafter Weise, aber immer so vorgetragen, daß Sie unschwer erkennen können, welch große Bedeutung die Kranken selbst diesen Symptomen zumessen. Sie werden sich dann aber immer die Frage vorlegen müssen, ob diese subjektive Auffassung berechtigt ist, ob wirklich diese Genitalstörungen zu den hervorstechendsten Symptomen des betreffenden Krankheitsfalles gehören.

Es liegt für viele neuropathische Menschen ein eigentümlicher Reiz darin, ihre sexuellen Empfindungen und Vorgänge genau zu beobachten, darüber zu grübeln und mündlich oder schriftlich den Arzt um Rat anzugehen, ob ihre sexuellen Funktionen der Norm entsprechen oder nicht. Besonders bei Männern veranlaßt jede geschlechtliche Erregung, jede Pollution ausgeprägte hypochondrische Befürchtungen und Selbstquälereien, hauptsächlich dann, wenn Jugendsünden ihr Gewissen belasten und die unzweckmäßige Lektüre populärmedizinischer Schriften diesem Gedankeninhalt immer neue Nahrung zuführt. Wie oft werden Sie solche ängstliche Gemüter beruhigen und ihr Selbstvertrauen stärken können, wenn aus der klinischen Beobachtung hervorgeht, daß all ihre Klagen über eine gesteigerte oder herabgeminderte Geschlechtsthätigkeit durchaus grundlos gewesen sind!

Viel schwieriger wird die Aufgabe, die subjektiven Klagen auf ihr richtiges Maß zurückzuführen, wenn ihnen eine gewisse Berechtigung zukommt, wenn wirklich eine pathologische Steigerung oder Herabminderung der sexuellen Leistungsfähigkeit oder krankhafte parästhetische Empfindungen in den Genitalorganen vorhanden sind. Vergessen Sie den maßgebenden Einfluß nicht, welchen in der Pubertätszeit bewußt oder unbewußt die Ausreifung der Geschlechtsorgane sowie die Entwickelung sexueller Empfindungen und Vorstellungen auf die körperlichen und geistigen Vorgänge besitzen. Die Einflüsse wachsen besonders auf psychischem Gebiete fast ins Ungemessene, sobald sich die obenerwähnten Abweichungen von der Norm in den Entwickelungsjahren, aber auch späterhin einstellen. Gefördert werden diese krankhaften Beziehungen zwischen den psychischen Vorgängen und der sexuellen Thätigkeit, wenn örtliche Leiden (beim Manne die Gonorrhoe und ihre Folgeerscheinungen, Prostataerkrankungen, Störungen der Samenproduktion; bei der Frau dysmenorrhoische Zustände, Uteruskatarrhe, Lageveränderungen, Ovarialerkrankungen u. s. w.) die Aufmerksamkeit der Patienten in einseitiger Weise auf die Vorgänge in der Genitalsphäre hinlenken und festhalten.

Um Wiederholungen zu vermeiden, verweise ich Sie auf die einschlägigen Stellen der allgemeinen Aetiologie und Pathologie. Dort habe ich mich bemüht, die ursächliche Bedeutung der Genitalerkrankungen für die Entstehung der Neurasthenie kritisch zu erörtern. Sie erinnern sich, daß ich ihnen nur einen sehr bedingten Wert nach dieser Richtung hin zuerkennen konnte. Ich gelangte dort zu dem Schlusse, daß die Störungen der Genitalsphäre nur in vereinzelten Fällen der Ausgangspunkt des ganzen Leidens gewesen sind, und daß sie viel häufiger nur als eine Begleiterscheinung der Neurasthenie aufgefaßt werden müssen, welche vermöge der allgemeinen nervösen und psychischen Störungen des neurasthenischen Individuums in erhöhtem Maße zu subjektiven Beschwerden geführt haben.

Zu dem gleichen Schlusse gelange ich bezüglich der nosologischen Bedeutung der Genitalstörungen innerhalb des neurasthenischen Symptomenkomplexes. In der Mehrzahl der Fälle können sie nur insoweit eine größere Wertschätzung beanspruchen, als sie den psychischen Zustand der Kranken in ungünstigster Weise beeinflussen.

Auch wird nicht in Abrede gestellt werden können, daß Neurastheniker unter dem Einfluß sexueller Excesse oder anatomischer Erkrankungen der Genitalorgane eine Verstärkung der spinalen Krankheitserscheinungen erleiden werden; denn die funktionelle Uebererregung und Erschöpfung der spinalen Centren für die Sexualthätigkeit wird auf dem Wege der Irradiation die funktionell verschiedenwertigsten spinalen und cerebralen Centren in Mitleidenschaft ziehen können. Ja Sie werden nicht selten Patienten begegnen, bei welchen schon durch die noch als physiologisch zu betrachtenden sexuellen Leistungen (einen spärlich geübten Coitus oder eine vereinzelte Pollution) nicht bloß die früher erwähnten Verstimmungen und nosophobischen Anwandlungen, sondern auch Symptome der Spinalirritation, Herzpalpitation, dyspeptische Störungen u. s. w. hervorgerufen werden.

Wenn ich so die Bedeutsamkeit der sexualen Funktionen sowohl für die psychische Beschaffenheit des Neurasthenikers als auch für die übrigen nervösen Leistungen durchaus anerkenne, so glaube ich doch, daß sie vielerorts bei dem klinischen Ausbau der Sexualneurasthenie sie eine übertriebene Wertschätzung gewonnen haben. Um Ihnen dies klarzulegen, muß ich Sie kurz mit den verschiedenen Definitionen dieses Krankheitsbegriffes schon hier bekannt machen.

Freilich hat BEARD, der Schöpfer des Begriffes der sexuellen Neurasthenie, nirgends in seinen Arbeiten, auch nicht in seinem unvollendet hinterlassenen Werk über diesen Gegenstand klar ausge-

sprochen, welche Krankheitsfälle eigentlich zu dieser speciellen Form
der Neurasthenie gehören; nur aus der Vorrede seines Mitarbeiters
ROCKWELL kann vermutet werden, daß er hierher ausschließlich die
allgemeinen funktionellen Nervenstörungen und nicht die lokalen und
strukturellen Affektionen der Genitalorgane, welche infolge sexueller
Excesse auftreten, rechnet. Nervenstarke Individuen unterliegen beim
sexuellen Mißbrauch letzteren, während erstere der „Klasse der Nervösen oder Neurastheniker" angehören. Die Unklarheit dieser Auffassung springt sofort in die Augen. Um nichts verständlicher
wird die Anschauung BEARD's durch seine folgende Erläuterung
„dieser speciellen sehr wichtigen und häufig vorkommenden
Form der Neurasthenie". Es sagt nämlich: „Wenn auch diese Form
als Ursache, Effekt oder Begleitzustand der anderen Arten der Neurasthenie — der cerebralen und spinalen Erschöpfung, der nervösen
Verdauungsschwäche (Dyspepsia nervosa) — aufgefaßt werden kann
und auch oft in dieser Weise aufgefaßt wird, so muß sie dennoch in
ihrer vollen Entwickelung von derselben ebenso unterschieden werden,
wie die allgemeine Neurasthenie von der Hysterie, der Hypochondrie
und auch von den verschiedenen organischen Erkrankungen des
Nervensystems, mit welchen sie bis vor kurzem noch zusammen-
geworfen wurde." Dieser Satz läßt sich im Hinblick auf seine Schilderung der Symptome nur so verstehen, daß es sich in den hierher
gehörigen Fällen um eine allgemeine Neurasthenie mit vorwaltend
genitalen Störungen handelt. A potiori fit denominatio.

Im Gegensatz hierzu tritt bei v. KRAFFT-EBING eine ätiologisch-
klinische Begründung dieses Krankheitsbegriffes in den Vordergrund.
Das erste ist nach diesem Autor die genitale Lokalneurose,
d. h. pathologische Reizphänomene im Bereiche der peripheren Genital-
nerven verbunden mit einer erhöhten Reizbarkeit des Ejakulationscentrums (lokale Parästhesien, erhöhte Pollutionen u. s. w.), welche
durch sexuellen Abusus, besonders aber durch die Masturbation hervorgerufen wird. Als zweites Stadium bezeichnet er das der vollentwickelten Neurose des Lendenmarks (spinale Neurose). Sie ist
dadurch gekennzeichnet, daß die Erregbarkeit des Ejakulationscentrums
noch mehr erhöht ist (z. B. Tagespollutionen), dann eine reizbare
Schwäche des Erektioncentrums eintritt (Ejaculatio praecox, neurasthenische Impotenz) und auch Störungen im Harnapparat sich einstellen.
Hier mehren sich aber auch schon die Rückwirkungen (durch Shock,
nicht durch Samenverlust) auf das Gesamtnervensystem und insbesondere auf den psychischen Zustand des Patienten. Paralgien und
und Neuralgien im Plexus lumbo-sacralis eröffnen die Scene, schließlich treten die Symptome einer allgemeinen Spinalirritation hervor.
Das dritte Stadium ist die Ausbreitung und Verallgemeinerung der
Neurose im Gehirn und Rückenmark, die cerebro-spinale
Neurose. Ihm verfallen die neurotisch veranlagten Individuen,
bei welchen das sexuale Nervensystem einen Locus minoris resi-
stentiae ab origine darstellt. Hier verläßt der Autor den ausschließlich
ätiologischen Standpunkt. Er betont zwar, daß selbst geringe direkte
Schädigungen der Sexualapparate abnorm früh und ungewöhnlich
stark nicht bloß Neurasthenia sexualis, sondern auch allgemeine Neurasthenie hervorrufen. Daneben hebt er aber Fälle hervor, bei
welchen keine direkt auf die Sexualorgane einwirkenden Schädlichkeiten vorhanden sind und dennoch Symptome der Neurasthenia

sexualis zugleich mit anderen neurasthenischen Funktionsstörungen auftauchen.

So verdienstvoll eine derartige didaktische Gliederung der unendlich mannigfaltigen Sexalstörungen des Neurasthenikers auf den ersten Blick erscheint, so wenig kann ihr bei genauerer Kenntnis der einschlägigen Krankheitsfälle weder nach der ätiologischen noch nach der klinischen Richtung hin ein größerer Wert zugemessen werden. Die Stadieneinteilung ist nur für einen geringen Bruchteil der nachher zu erörternden onanistischen Neurose und auch nur in allgemeinen Umrissen zutreffend. Im Hinblick auf das in der allgemeinen Pathologie Gesagte begegnet die scharfe Trennung peripherer und spinaler Reiz- und Schwächezustände, sowie die schematische Gliederung der Ausbreitung der Erregung in solche auf nähere oder entferntere funktionelle Apparate berechtigten Bedenken. Wohl aber kann man v. KRAFFT-EBING darin beipflichten, daß der erblich schwer Belastete sehr häufig psycho-sexualen Störungen im Verlauf der Neurasthenie unterliegt. Wir würden in solchen Fällen entsprechend der BEARD'schen Auffassung von einer sexualen Neurasthenie sprechen können, wenn diese Symptomgruppe einseitig und vorwaltend das neurasthenische Krankheitsbild beherrschte.

Auch LÖWENFELD neigt der Auffassung zu, nur diejenigen Fälle als sexuelle Neurasthenie zu betrachten, bei welchen Störungen der sexuellen Verrichtungen entweder allein vorhanden sind oder wenigstens einen hervorragenden Zug im Krankheitsbilde darstellen. Er fügt aber sofort die durchaus richtige Erläuterung hinzu, daß bei dieser Fassung des Krankheitsbildes einerseits die Sexualneurasthenie nicht lediglich als Folge sexueller Schädlichkeiten auftritt und anderseits sexuelle Schädlichkeiten auch andere Formen der Neurasthenie hervorrufen (z. B. Neurasthenia gastrica oder N. cordis etc.). Trotz dieses Zugeständnisses, daß weder ätiologisch noch klinisch-symptomatisch die Sexualneurasthenie scharf von anderen klinischen Typen der Neurasthenie zu trennen ist, versucht er eine schematische Gliederung der Genitalstörungen. Er betrachtet die gehäuften Pollutionen als erstes, die Spermatorrhoe als zweites und die Potenzstörung als drittes Grundphänomen.

Ich kann hier auf eine Kritik dieses Schemas verzichten; die folgenden Ausführungen werden Ihnen zur Genüge zeigen, wie wenig gesichert noch heute unsere Erfahrungen über die Zusammenhänge zwischen Pollutiones nimiae, Spermatorrhoe und Impotenz sind.

Die neuesten Bearbeiter der sexuellen Störungen, FÜRBRINGER und EULENBURG, nehmen, bei voller Würdigung der Schwierigkeiten, dieses Krankheitsbild abzugrenzen, ähnlich wie LÖWENFELD einen vermittelnden Standpunkt ein, indem sie sowohl die ätiologische als auch die klinisch-symptomatologische Beleuchtung des Krankheitsfalles bei Aufstellung des Begriffes der sexuellen Neurasthenie für berechtigt halten; „es gehören diejenigen neurasthenischen Zustände hierher, welche primär oder besonders ausgeprägt und überwiegend genitale resp. sexuelle Störungen darbieten" (EULENBURG).

Am konsequentesten verfährt BOUVERET, welcher die Sexualneurasthenie nur für die Fälle gelten läßt, welche durch Funktionsstörungen oder Erkrankungen der Genitalorgane verursacht sind.

Ich kann mich nach meinen Erfahrungen diesem Standpunkt nur anschließen. Auch ich halte die sexuellen Störungen der

Neurastheniker in der überwiegenden Mehrzahl der
Fälle für sekundäre, auf dem Boden der allgemeinen
Neurose entstandene und mit den übrigen Symptomen
durchaus gleichwertige Krankheitserscheinungen. In
dieser Auffassung darf uns, wie aus der Einleitung zu diesem Kapitel
ersichtlich ist, die Autoanamnese der Kranken nicht irre machen,
auch der Umstand nicht, daß die Neurastheniker so häufig die Hilfe
des Specialarztes für Genitalerkrankungen aufsuchen. Der Begriff
der Sexualneurasthenie muß also beschränkt bleiben,
auf die recht kleine Gruppe von Patienten, bei welchen
unabhängig von den Angaben der Patienten über ihre
gegenwärtigen Lokalbeschwerden, erwiesen ist, daß
die ersten Zeichen der neurasthenischen Erkrankung
in der Genitalsphäre aufgetreten waren und daß thatsächlich der allgemein-neurasthenische Zustand aus
der „lokalen Genitalneurose" hervorgegangen ist.

Diese enge Umgrenzung des Krankheitsbildes ist durchaus
notwendig, wenn wir nicht den klaren Blick über die Einwirkung der
Sexualthätigkeit auf unser geistiges und körperliches Befinden verlieren sollen. Wie leicht gerät der Arzt, welcher die sexuellen Dinge
für das A und das O der neurasthenischen Erkrankung hält, in den
Fehler, durch verfängliche Fragen, durch eindringliches Inquirieren
nach Jugendsünden, gehäuften Pollutionen u. s. w. dem Patienten dieselben verhängnisvollen Autosuggestionen wider seinen Willen zu
erwecken, welche der „persönliche Schutz" und andere ähnliche Bücher
schon ausgiebig züchten.

Wir werden diesen Standpunkt im einzelnen bei Besprechung der
Genitalstörungen zu rechtfertigen haben. Es ist hierbei eine Trennung
der männlichen und weiblichen Patienten von vornherein
geboten.

Bei den männlichen Neurasthenikern begegnet uns, ätiologisch
betrachtet, zuerst die onanistische Neurose (FÜRBRINGER),
welche bei dem Krankheitsbild der Sexualneurasthenie den breitesten
Raum einnimmt. Daß übermäßige, künstlich bewirkte Samenverluste
eine schädliche Rückwirkung auf das Nervensystem besitzen, ist durchaus anzuerkennen: nur dürfen wir nicht vergessen, daß diese schädliche Rückwirkung am häufigsten dann zu Tage tritt, wenn das Individuum infolge seiner neurasthenischen Erkrankung eine pathologisch
erhöhte Erregbarkeit spinaler und cerebraler Nervenmechanismen und
pathologisch gesteigerte Irradiationen zeigt. Die hauptsächlichsten
Störungen in der Genitalsphäre, welche bei der onanistischen Neurose
jugendlicher Individuen verzeichnet werden, sind die krankhaft
gehäuften Pollutionen und die Spermatorrhoe, während
Klagen über Schädigung der Potentia coeundi fast durchwegs nur
von Patienten in den reiferen Mannesjahren und im beginnenden
Senium (40.—55. Lebensjahr) geäußert werden [1].

Hinsichtlich der Bedeutung, welche die gehäuften Pollutionen
und die Spermatorrhoe auf die Gestaltung des neurasthenischen Krankheitsbildes besitzen, unterscheidet FÜRBRINGER drei Gruppen von

---

[1] FÜRBRINGER's jüngster Klient war ein 11-jähriger Knabe. Das
Hauptkontingent seiner onanistischen Patienten mit krankhaft gesteigerten

Patienten: die e r s t e setzt sich aus solchen Klienten zusammen, die lediglich geschreckt durch das häufigere Schauspiel des Samenflusses, insbesondere das Ueberhandnehmen der Pollutionen zum Arzte eilen. Sonstige Krankheitserscheinungen sind ihnen nicht oder kaum bewußt. Die z w e i t e Gruppe wird mehr noch als durch die eben erwähnten Vorgänge ,durch die Begleiterscheinungen beunruhigt.˙ Da die letzteren als direkte Folgen der ersteren g e d e u t e t werden, stellen sie sich dem ärztlichen Berater als Spermatorrhoiker vor. D i e s e G r u p p e s t e l l t d a s w e i t a u s g r ö ß t e K o n t i n g e n t. D r i t t e n s hat der Praktiker solche Leidende, wenn auch in geringerer Anzahl, zu behandeln, deren Klagen mehr oder weniger schwere nervöse Störungen ausdrücken, ohne daß die gleichzeitigen abnormen Samenverluste hervorgehoben werden; ja es kann mitunter selbst erst das Examen unser Symptom ergründen.

An einer anderen Stelle hebt dieser Autor noch besonders hervor, daß die Zahl der Pollutionisten, bei welchen Allgemeinerscheinungen fehlen oder höchstens die eine oder die andere sich leicht angedeutet zeigt, keine geringe ist und daß nach seinen Erfahrungen bei der Mehrzahl der an Defäkationsspermatorrhoe leidenden Patienten (besonders bei chronischer Gonorrhoe) wesentliche Störungen der Gesundheit vermißt werden. Er warnt anderseits vor einer Unterschätzung der Bedeutung übermäßiger mehrjähriger gehäufter Pollutionen.

Es sprechen diese Erfahrungen FÜRBRINGER'S durchaus zu gunsten unserer oben vertretenen Auffassung, d a ß d i e o n a n i s t i s c h e n G e n i t a l s t ö r u n g e n e r s t e i n e s y m p t o m a t o l o g i s c h w i c h t i g e B e d e u t u n g g e w i n n e n, w e n n d a s I n d i v i d u u m s c h o n d u r c h a n d e r e U r s a c h e n n e u r a s t h e n i s c h g e - w o r d e n i s t, d a ß a b e r d i e s e F o l g e z u s t ä n d e e x c e s s i v e r O n a n i e z w e i f e l l o s d a s b e s t e h e n d e L e i d e n v e r s c h ä r f e n k ö n n e n. Ein solcher Zusammenhang ist aber bei den Fällen auszuschließen, bei welchen durch die Anamnese nur v e r e i n z e l t e oder k u r z e Z e i t betriebene Masturbation festgestellt werden kann, oder wo die krankhaft gehäuften Samenverluste nur in der Phantasie der Patienten bestehen. In dieser Richtung muß ich Sie nochmals dringend bitten, den Angaben der Patienten sehr skeptisch gegenüber zu stehen. Erst wenn Sie bei längerer Krankenhausbehandlung und sorgfältigster Kontrolle der Patienten sich von der Thatsächlichkeit ihrer Angaben überzeugt haben, wenn gehäufte pollutionistische oder onanistische Ejakulationen durch Untersuchung der Bett- und Leibwäsche nachgewiesen worden sind, kann ein Zusammenhang der allgemeinen nervösen Beschwerden mit diesen Störungen vermutet werden.

Ich erinnere mich besonders lebhaft eines erblich belasteten 28-jährigen Neurasthenikers, welcher vorwaltend an nosophobischen Zuständen litt und von einem typisch-affektiven Tremor und außerdem angioneurotischen und visceral-parästhetischen Krankheitserscheinungen heimgesucht war. Zu den Hauptklagen gehörten anfangs parästhetische Empfindungen am Skrotum und Perinäum, schmerzhafte Leere „im Lendenmark", sowie

Samenverlusten stellte das 20.—25. Lebensjahr. Jenseits des 45. Jahres haben ihn nur 8 Spermatorrhoiker als solche konsultiert.

Berührungs- und Druckschmerz der Haut in der Kreuzbeingegend. Pat. gab spontan an, vom 16.—'18. Jahre masturbiert zu haben, und erging sich in weitläufigen Klagen über gehäufte, schmerzhafte und enorm schwächende Pollutionen, welche alle seine Leiden verursachten. Er befand sich 10 Wochen in klinischer Behandlung und in der Zeit erfolgten 6 nächtliche Pollutionen, die den Pat. jedesmal mit Angst und Schrecken erfüllten und demgemäß gewissenhaft registriert wurden. Er klagte außerdem über Defäkationsspermatorrhoe. Auch hier ergab sich, daß nur ganz selten, wenn hartnäckige Obstipation bestand, der schließlichen Urinentleerung bei forcierter Anwendung der Bauchpresse ein Tropfen zähflüssigen, trübe durchscheinenden Sekrets nachfolgte, welches bei der mikroskopischen Untersuchung nur vereinzelte normal entwickelte, durchaus lebensfähige Spermatozoen enthielt. Als dem Pat. auf Grund dieser Feststellungen die Haltlosigkeit seiner Klagen über krankhafte Samenverluste bewiesen worden war, verstummten diese bald und verringerten sich auch die subjektiven, auf die Genitalsphäre bezüglichen Beschwerden.

Wenn ich alle derartigen Fälle abziehe, so bleiben mir, trotzdem ich im Laufe der Jahre mehrere Hundert jugendliche Neurastheniker untersucht habe, nur ganz wenig Beobachtungen übrig, bei welchen excessive Onanie anamnestisch festgestellt war und während der klinischen Behandlung krankhaft gesteigerte Pollutionen oder eine ausgeprägte Spermatorrhoe (Miktions- und Defäkationsspermatorrhoe) nachgewiesen werden konnten. Aber auch in diesen Fällen war nachzuweisen, daß die krankhaften Samenverluste den Symptomenkomplex der Neurasthenie bei gleichzeitiger hereditärer Belastung nur scheinbar hervorgerufen haben.

Ich stehe deshalb ganz auf dem Boden der Anschauungen von CURSCHMANN, daß der neurasthenische Symptomenkomplex nicht von den Samenverlusten veranlaßt wird, sondern diesen koordiniert ist und beide ihre Entstehung einer dritten Ursache verdanken.

Es steht dies, wie ich hinzufügen muß, im Gegensatz zu den Erfahrungen BEARD's und FÜRBRINGER's. Letzteren hat „eine wachsende Erfahrung eine stattliche Reihe von Repräsentanten abnormer Samenverluste kennen gelehrt, in welcher jener große Komplex von allgemeinen Nutritionsstörungen und nervösen Erscheinungen offenbar aus der Spermatorrhoe abzuleiten war." Er zählt insbesondere jene Fälle hierher, in denen die Samenverluste bei sonstiger Gesundheit lange Zeit allein in die Erscheinung traten, um erst mit ihrer Häufung andere Störungen nach sich zu ziehen.

Die anderen Schädlichkeiten, welche die sexuelle Neurasthenie hervorrufen sollen, treten gegenüber der Onanie an praktischer Bedeutung weit zurück [1]). Als solche werden genannt: lokale anatomische Erkrankungen des Genitalapparats und seiner Adnexa (Urethritis postica chronica), Excesse in

---

1) v. KRAFFT-EBING zählt unter 114 Fällen von Neurasthenia sexualis beim Manne 88mal Mißbrauch der Zeugungsorgane durch Masturbation.

coitu, der Coitus interruptus und schließlich andauernde sinnliche Erregung ohne Befriedigung.

Die Urethritis posterior chronica ist fast ausschließlich eine Folge der Gonorrhöe und ist die Hauptquelle der Defäkations- und Miktionsspermatorrhöe infolge Erweiterung und Erschlaffung der Ductus ejaculatorii. Der „Tripperneurasthenie" mit dem Lokalsymptom des Samenflusses gebührt ätiologisch-klinisch dieselbe Stellung, die wir oben der onanistischen Neurose zugewiesen haben [1]). Auch bezüglich der Wertschätzung der anderen oben erwähnten Quellen der Sexualneurasthenie darf ich Sie auf die allgemeinen Ausführungen im Beginn dieses Kapitels verweisen.

Die sexuellen Funktionsstörungen lassen sich ebenfalls ungezwungen in Reiz- und Schwäche- resp. Ausfallssymptome trennen. Auch hier gilt die Regel, daß innerhalb des funktionellen Systems, welchem die verschiedenen bei der Geschlechtsthätigkeit wirksamen Vorgänge zugehören, in über- und untergeordneten Centren ein ganz verschiedener Erregungszustand gleichzeitig vorhanden sein kann, und daß auch innerhalb ein und desselben Centrums infolge des Wechsels von hemmenden und bahnenden Einwirkungen sich die Phasen der Funktionssteigerung und der Funktionshemmung rasch ablösen können.

Die sexuellen Leistungen beruhen beim Manne bekanntlich auf der Erregung des im Lendenteile des Rückenmarks gelegenen Erektionscentrums, welches wahrscheinlich dem Vasodilatatorencentrum in der Med. oblongata, sicherlich aber dem Centralorgan der psychischen Vorgänge, der Hirnrinde, untergeordnet ist. Die Erektion wird bei physiologischen Zuständen reflektorisch ausgelöst erstens durch periphere sensible Reize, welche die Haut des Penis, insbesondere das Praeputium und die Glans treffen, zweitens durch Druck der gefüllten Blase auf die Pars prostatica urethrae, drittens durch Reize der Haut des Perinaeums und der Nerven der Gesäßgegend (Züchtigung der Knaben auf den Podex). Viel wichtiger aber beim normalen Geschlechtsakt ist die Auslösung der Erektion durch bahnende Einflüsse, welche dem spinalen Centrum und weiterhin den Nv. erigentes durch psychische Reize zufließen. Man hat diesen physiologisch merkwürdigen Vorgang verglichen mit dem Einflusse, welchen das Schamgefühl als psychische Thätigkeit auf die Vasodilatatoren der Kopfgefäße ausübt. In gleicher Weise sollen Wollustgefühle die gefäßdilatierenden Nv. erigentes (durch Vermittelung des spinalen Centrums) in Thätigkeit versetzen. Wollustgefühle entstehen als Begleiterscheinung von Sinnesempfindungen (bei Tieren und wahrscheinlich auch beim Menschen spielen Geruchsempfindungen eine große Rolle), sodann durch Vorstellungen, welche auf geschlechtliche Vorgänge Bezug haben (erotische Vorstellungen).

---

1) Wie häufig übrigens als Begleiterscheinung der chronischen Gonorrhöe Spermatorrhöe resp. Spermaturie auftreten kann, ohne daß irgend welche auf Neurasthenie deutende Symptome vorhanden sind, lehrt die Statistik FÜRBRINGER's: unter 140 Fällen mit chronischer Gonorrhöe traf dies 25mal zu.

Hemmend wirken auf den Erektionsmechanismus wiederum psychische Vorgänge, z. B. heftige Sinnesreize mit lebhaften Affekterregungen, sodann bestimmte Vorstellungen sittlichen resp. ästhetischen (Schamvorstellungen) oder nosophobischen Inhalts (Furcht vor Ansteckung, Besorgnis vor geschlechtlichem Unvermögen).

Die Wollustgefühle werden zu den sog. instinktiven Gefühlserregungen gerechnet und sind die charakteristischen Merkmale des Geschlechtstriebes, der Libido sexualis. Diese triebartige Erregung wird ausgelöst durch alle vorbezeichneten somatischen und psychischen Reize, welche die Erektion bedingen. Es besteht in dieser Hinsicht die innigste Wechselbeziehung, indem einerseits psychische Vorgänge die Erektion und umgekehrt die Erektion die Libido sexualis wachrufen können. Die letztere ist individuell außerordentlich verschiedenartig entwickelt sowohl bezüglich der Zeitdauer als auch der Intensität der geschlechtlichen Erregung. Während im allgemeinen das Erwachen des männlichen Geschlechtstriebes in die Zeit der Pubertätsreife (15.—16. Jahr) zu verlegen ist (verfrühte geschlechtliche Erregungen sind zweifellos immer als pathologisch zu betrachten), ist sein Erlöschen durchaus nicht an eine bestimmte Altersgrenze gebunden, und sind gerade hier die individuellen Schwankungen auf Grund hereditärer Disposition sehr ausgeprägt.

Krg. No. 63. Ich kenne einen geistig und körperlich ganz gesunden Mann, welcher, in glücklicher Ehe verheiratet, mit dem 36. Lebensjahre sowohl ein Erlöschen seiner früher normalen Libido sexualis als auch der Erektionsfähigkeit zeigte. Excesse in venere oder geschlechtliche Erkrankungen waren nicht voraufgegangen. Merkwürdigerweise war bei seinem Vater, einem rüstigen, gesunden Greise, ein ähnliches frühzeitiges Erlöschen (im 42. Lebensjahre) der geschlechtlichen Funktionen zu konstatieren.

Sie erinnern sich aus der Erörterung der Erblichkeitsfrage, daß ich dort auf das Vorkommen einer vorzeitigen Beendigung der Wachstumstendenzen innerhalb einzelner Organsysteme hingewiesen habe. In gleicher Weise wird man hier von einem auf erblicher Veranlagung beruhenden frühzeitigen Abschluß der Leistungsfähigkeit der Geschlechtsdrüsen sprechen dürfen. Denn im Stadium der Abnahme der Potenz ergab die Untersuchung des Ejakulats das Vorhandensein nur spärlicher, verkümmerter Spermatozoen.

Als Gegenstück hierzu finden wir nicht zu selten die Libido sexualis mit völlig erhaltener Potentia coeundi et generandi bis in das Greisenalter hinein erhalten.

Es ist mir die Geschichte einer Familie bekannt, in welcher drei Generationen hindurch noch zwischen dem 60. und 70. Lebensjahre die Familienväter in 2. Ehe gesunde Nachkommen gezeugt haben. Der Urgroßvater war in 1. Ehe mit einer Dame verheiratet, welche ihm keine Kinder gebar. Als er im 60. Jahre Witwer geworden war, verheiratete er sich zum 2. Male, zeugte noch 7 Söhne, und wurde so Ausgangspunkt einer weitausgebreiteten, blühenden Familie.

Als dritter maßgebender Faktor wird der Orgasmus d. i. „die in der Norm erst durch die mechanischen Momente des peripheren Reizes ausgelöste geschlechtliche Wollust" (FÜRBRINGER) bezeichnet. ROCKWELL hat dieses geschlechtliche Gefühl mit dem Kitzelgefühl in

Analogie gebracht. v. KRAFFT-EBING führt dasselbe auf die Erregung eines in der Hirnrinde gelegenen Wollustcentrums zurück, welches zugleich Sitz der Libido ist. Als auslösendes Moment bezeichnet er die Muskelkontraktionen, welche reflektorisch bei dem Ejakulationsakte zustande kommen. Thatsächlich schwindet der Orgasmus kurze Zeit nach der Ejakulation, welche als das letzte Glied in der Reihe der sexuellen Vorgänge auftritt. Sie ist reflektorisch bedingt durch die peristaltische Kontraktion der Samenbläschen und -gänge, sowie durch rhythmische Kontraktionen der Mm. bulbo- und ischio-cavernosi. Das Centrum dieser reflektorischen Erregung liegt ebenfalls im Lendenmark (Centrum genito-spinale, BUDGE). Bei physiologischen Zuständen unterliegt das Centrum erectionis und ejaculationis beim Geschlechtsakt einer gleichsinnigen Erregung, wobei der Thätigkeitszustand des ersteren die Erregung des letzteren einleitet. Libido und Orgasmus sind 'auf psychischem Gebiete die konstanten Begleiter dieser spinalen Erregungen.

Unter pathologischen Zuständen findet sowohl bei den Reiz-, als auch Schwächesymptomen eine isolierte Schädigung der vorstehend geschilderten sexuellen Vorgänge statt. So finden Sie gelegentlich excessive und protrahierte Erektionen („Priapismus") ohne jegliche Libido sexualis und mit erschwerter Ejakulation, oder stark gesteigerte Libido sexualis mit verzögerter Erektion und ohne jeglichen Orgasmus beim Kopulationsakte.

Bevor wir auf diese sexuellen Störungen im engeren Sinne genauer eingehen, möchte ich Ihnen kurz die anderweitigen Lokalsymptome im Gebiete des Urogenitalapparates vorführen. Zu dieser Einschaltung bin ich genötigt, um Ihnen die hierhergehörigen Krankheitsbeobachtungen verständlich zu machen.

In erster Linie stehen eigenartige Sensibilitätsstörungen. Hauptsächlich handelt es sich um entweder spontan auftretende oder mit der Urinentleerung verbundene Schmerzen drückender, ziehender oder brennender Natur in der Harnröhre. Am häufigsten werden diese hyperalgetischen und parästhetischen Empfindungen in die Gegend des Blasenhalses, der Prostata resp. des prostatischen Teils der Harnröhre oder in die Tiefe des Dammes, in den After und bis zum Kreuzbein hin ausstrahlend lokalisiert. Doch begegnen wir auch ganz gleichen Schmerzempfindungen am Orificium ext. urethrae und an der Glans. Bei langdauernden Priapismen ist aber auch der ganze Penis Sitz qualvollster, brennender und reißender Spannungsempfindungen. In manchen Fällen fehlt jegliche spontane Schmerzempfindung: nur bei der Harnentleerung tritt fast anfallsweise eine intensive Schmerzempfindung im Hals- und Fundusteil der Blase (Dysurie oder Cystalgie, irritable bladder), verbunden mit gesteigertem Harndrang, auf.

Nicht selten findet sich der von den Engländern als irritable testicle beschriebene hyperalgetische Zustand des Hodens. Es handelt sich hierbei um eine krankhaft gesteigerte Ueberempfindlichkeit bei Berührung desselben. Selbst der leiseste Druck löst sehr heftige, blitzartig schießende und in die Funiculi spermatici ausstrahlende Schmerzen aus. Manche Patienten sind gezwungen, dauernd ein Suspensorium zu tragen, weil schon die leichten Zerrungen des Hodens bei aufrechtem Stehen und Gehen diese Schmerzen hervorrufen. In

schweren Fällen dieser „Neuralgia testiculi" (welche auch als isolierte Krankheitserscheinung bei neuropathischen, im übrigen nicht
neurasthenischen Individuen vorkommt) finden Sie Irradiationen dieser
Schmerzen in der Form neuralgiformer Zustände im Beckeninnern
oder der Mm. cruralis und obturatorius. Bei längerer Dauer der Anfälle kann sich Uebelkeit und Erbrechen dazu gesellen.

Krg.
No. 64.

Ich erinnere mich eines Falles, in welchem neben dieser Hyper-
algesia testiculi und zeitweilig ganz unabhängig von derselben spontane
dumpfe, drückende Schmerzen im Testikel auftraten. Es waren damit
parästhetische Empfindungen verbunden, als ob der Hoden anschwelle
zu einem unförmigen, faustgroßen Klumpen. Auch das Scrotum war Sitz
kribbelnder und ziehender Empfindungen.

Sehr häufig verknüpfen sich mit diesen Sensibilitätsstörungen auch
motorische (Reiz- und Schwäche-) Krankheitserscheinungen. . So ist
z. B. die Stranguric (Tenesmus vesicae) vielfach mit der
Dysurie verknüpft. Sie entsteht durch reflektorischen, infolge der
Hyperästhesie und Hyperalgesie der Blasenschleimhaut . ausgelösten
Krampf des Detrusor urinae und äußert sich durch gesteigerten
Harndrang; die Pat. sind genötigt, häufiger Urin zu lassen und
empfinden zugleich, besonders im Beginne der Harnentleerung den
früher beschriebenen lokalisierten Schmerz. Ein ganz ähnliches
Symptombild wird aber auch durch einen reflektorischen Krampf des
Sphincter vesicae hervorgerufen, welcher in erster Linie zur Retentio
urinae, zur spastischen Ischurie führt.

Man begegnet diesen Krankheitserscheinungen besonders häufig
bei denjenigen Neurasthenikern, bei welchen unter den subjektiven
Beschwerden die irritativen Symptome seitens des Rückenmarks
überhaupt eine große Rolle spielen. In manchen Fällen ist die
Strangurie Begleiterscheinung von Priapismen, von angioneurotischen,
respiratorischen und anderen Störungen. Bei der Autoanamnese spielt
dann die Onanie eine Hauptrolle. So ist es leicht verständlich, daß
viele Autoren in gehäuften onanistischen Reizungen die hauptsächlichste Ursache dieser sensiblen und motorischen Reizerscheinungen
zu sehen geneigt sind. Ich muß aber hier von neuem auf den sehr
bedingten Wert dieser Autoanamnesen aufmerksam machen. Viel
wichtiger scheint mir die gonorrhoische Urethritis postica und
Prostatitis zu sein.

Bei längerem Bestehen des Leidens gesellen sich dann motorische Schwächesymptome hinzu, vor allem eine relative Insufficienz
des Sphinct. vesicae, die sich klinisch durch unwillkürliche
Harnentleerungen (Incontinentia urinae) kundgiebt. Es
wird dies besonders dann eintreten, wenn die Schwächung der
Sphincterenthätigkeit mit krampfartigen Zuständen des Detrusor
urinae zusammen vorkommt. Von den Genitalspecialisten werden
katarrhalische Schwellungen und Rötungen der Pars prostatica und
des Blasenhalses, Hypertrophie des Samenhügels (ULTZMANN), paren-
chymatöse Prostataentzündungen als Grundlage dieser Reizphänomene
bezichtigt. Ich stehe diesen Lokalbefunden recht skeptisch gegenüber, hauptsächlich aus dem Grunde, weil in sehr vielen Fällen von
genitalen (sensiblen und motorischen) Reizphänomenen diese objektiven Krankheitszeichen durchaus fehlen. Es liegt überhaupt
viel näher, für all diese Symptome, soweit sie als Teilerscheinungen

einer ausgeprägten Neurasthenie und nicht als isolierte Krankheitssymptome bei sonst gesunden Menschen auftreten, an eine centrale Entstehung, an eine pathologische Uebererregbarkeit und Erschöpfbarkeit spinaler Reflexcentren zu denken oder aber an pathologisch verstärkte Impulse, welche von übergeordneten medullären und cerebralen Centren dem Lendenteile des Rückenmarks zufließen. Auf andere sensible und motorische Reiz- und Schwächesymptome, welche dem Bild der sexuellen Neurasthenie vielfach zugeteilt werden, brauche ich hier nicht weiter einzugehen, da dieselben schon früherhin bei dem Kapitel der Spinalirritation erörtert worden sind.

Durchmustern wir nun im einzelnen die sexuellen Funktionsstörungen im engeren Sinne, so treten unter den Reizsymptomen die krankhaften Pollutionen am meisten hervor. Am häufigsten ist die Klage über vermehrte Pollutiones nocturnae. Sie werden dabei immer die „relative Häufigkeit" (CURSCHMANN) zum Maßstabe nehmen, besonders in den Fällen, in welchen die krankhaften Pollutionen in den Mittelpunkt der neurasthenischen Beschwerden gestellt werden. Erst wenn sie den Nachweis liefern können, daß gegenüber den gesunden Zeiten eine merkliche Vermehrung stattgefunden hat, und Sie die artificielle Auslösung durch onanistische Reizungen ausschließen können, werden Sie die Klagen als berechtigt anerkennen dürfen. Das Auftreten von mehreren Pollutionen innerhalb einer Woche oder sogar einer Nacht ist entschieden als krankhaft zu betrachten. Erhält sich diese Steigerung der Pollutionsfrequenz mehrere Monate hindurch, so tritt rasch eine Abnahme der sexuellen Thätigkeit ein, welche sich zuerst durch eine verringerte Erektionsfähigkeit kundgiebt. Bei manchen Patienten finden Sie geradezu eine gewisse Periodicität der Erscheinungen, indem Zeiten gehäufter Pollutionen mit langen Intervallen sexueller Depression abwechseln.

In den Stadien gesteigerter Pollutionen klagen die Patienten über eine allgemeine Erhöhung der geschlechtlichen Erregung. Schwache mechanische Reize, z. B. das Liegen auf einem harten Lager, Berührung mit einer wollenen Decke, geringfügige Füllung der Blase lösen bei Nacht unfehlbar eine Pollution aus. Aber auch bei Tage genügen ähnliche mechanische Einwirkungen, um langdauernde, mit lebhaften geschlechtlichen Empfindungen verknüpfte Erektionen hervorzurufen, z. B. das Tragen unzweckmäßiger Beinkleider, das Sitzen auf harten Stühlen, Eisenbahnfahren und Reiten (Tagespollutionen).

Viel wichtiger ist aber die krankhaft vermehrte Libido sexualis, welche manchen Kranken die schwersten Gewissensqualen erregt. Der Anblick von Frauenpersonen, ja selbst von weiblichen Kleidungsstücken, von Statuen, Bildern oder Lektüre u. s. w. lösen geschlechtliche Erregungen und protrahierte Erektionen aus. Hier liegen die Berührungspunkte zu jenen psychopathischen Zuständen auf sexuellem Gebiete, welche den hereditär degenerierten Kranken eigentümlich sind. Auch die Tagespollutionen sind ein Symptom dieser abnormen psycho-sexuellen Erregungen.

Ich füge hier aus dem reichen Vorrat von hierher gehörigen Krankengeschichten einige ein, in welchen Klagen über gesteigerte Pollutionen einen breiteren Raum einnehmen.

S., 35 Jahre; Vater † Schlaganfall; Großvater geisteskrank; Mutter _{Krg.} lebt und ist gesund; von den Geschwistern ein Bruder nervös; keine _{No. 65.}

Kindernervenkrankheiten; immer gesund; angeblich keine geschlechtliche Infektion. Mit 18 Jahren Auftreten von Pollutionen; wenig geschlechtlicher Verkehr, aber Onanie zugestanden. Seit ³/₄ Jahren krank. Eine große Tour in Tirol bekam dem Pat. sehr schlecht. Er klagt über große körperliche Schwäche und Erschlaffung. Die geistige Leistungsfähigkeit hat nicht gelitten, wohl aber ist Pat. reizbar und heftig, zeigt eine geringe Vergeßlichkeit und unsicheren Gang. Der Schlaf ist im ganzen gut; nur ab und zu nachts Angstaffekte, besonders wenn er glaubt, „er habe Würmer, und nach den Pollutionen". Die Haupt- klage des Pat. sind die gehäuften Pollutionen, die ihn fast jede Nacht heimsuchen.

Krg. No. 66.   F., 25 Jahre alt; hereditär belastet; als Kind bis auf ein Halsleiden, das jetzt geschwunden ist, ganz gesund. Als Soldat leichten Rheumatis-. mus. Vom 15. Jahre an Onanie, die aber Pat. bald wieder unterließ. Die Onanie hat ihn „nie besonders geschwächt". Seit dem 16. Jahre Pollutionen, die stets lange körperliche und psychische Erschöpfung hinterließ. Im 24. und 25. Jahre wurden die Pollutionen häufiger und schwächender. Auch der Coitus ist für den Pat. sehr erschöpfend, so daß Pat. immer ganz unlustig, ab- geschlagen und verstimmt ist. Nach den Pollutionen besteht Herzklopfen und Schlaflosigkeit, daneben Kopfdruck auf dem ganzen behaarten Kopf und der Stirn. Lokale Sensationen an den Genitalien sind nicht vor- handen. Druck auf die Wirbelsäule ist nicht schmerzhaft.

Pat. wird mit Massage, hydropathischen Einpackungen, Lupulin und Campher und Darmgalvanisation behandelt. Beim Einführen der Elek- trode in den After Husten und Würgbewegungen, die sich bei jedes- maliger Einführung erneuern. Die Aufregung, namentlich aber die Herz- beklemmung, nimmt während der Behandlung anfallsweise zu, auch der Schlaf wird schlechter; dagegen treten keine Pollutionen mehr auf. — Pat. mußte aus äußeren Gründen die Kur unterbrechen.

Krg. No. 67.   X., Lehrer; erblich belastet, 35 Jahre alt; keine Kinderkrank- heiten, normale Entwickelung; in der Schule und als Student geistige Ueberanstrengung, dabei ärmliche Verhältnisse. Im 24. Jahre Reise nach England. Pat. behauptet, durch das Klima, das ihm sehr schlecht bekam, nervös geworden zu sein: Er fühlte zuerst eine „ge- schlechtliche Schwäche", hatte „ungeheuerliche" Pollu- tionen bei schlaffem und erigiertem Penis. Diese Symptome schwanden beim Militärdienst. Bei jeder neuen Reise nach England tritt immer schon nach 4 Wochen ein Rückfall ein: Kribbeln in den Beinen auf der Innenfläche der Ober- und Unterschenkel, Ameisenlaufen, Schmerz- haftigkeit des Hodens. „Bei stärkerer Füllung des Hodens ist's mir, als ob sich der Saft durchbrechen müßte." Im Penis tritt oft Kribbeln auf und nachts „haushohe Erektionen". Druck der Hose ist nicht schmerzhaft, die Hodensackhaut überhaupt nicht, ebensowenig der Hoden selbst auf Druck, aber spontan; kalte Füße be- wirken ein Gefühl der Schwäche in den Hoden, „als ob sie schlaff und kraftlos wären, als ob ich momentan impotent wäre". Der Rücken schmerzt den Pat. oft schrecklich, die Schmerzen strahlen vom Kreuz- ansatz resp. -höhlung nach beiden Seiten aus bis zur Mitte der Wirbelsäule.

Bei geistiger Ruhe fühlt sich Pat. wohl, aber bei produktiver Thätigkeit treten sofort alle genannten Erscheinungen auf, und in wenigen Stunden ist er schlaff und müde. Gehen und Stehen ermüdet den Pat.

nicht, ebenso wenig lange Spaziergänge, hingegen bewirkt langes Sitzen
Schmerzen im Rücken und schlaffes Gefühl im Hoden.

Eine relativ häufige Erscheinung ist auch die Ejaculatio
praecox, welche ULTZMANN als „Impotenz durch reizbare Schwäche"
bezeichnet. Es handelt sich hierbei meist um eine gesteigerte, resp.
beschleunigte, bahnende Einwirkung psychischer Reize auf das spinale
Ejakulationscentrum. In anderen selteneren Fällen ist aber auch eine
erhöhte Anspruchsfähigkeit dieses Centrums auf periphere resp.
reflektorische Reize das ausschlaggebende Moment. Diese Scheidung
wird verständlich, wenn man die vorzeitige Ejakulation in ihrer Beziehung zur Erektion betrachtet. Die häufigste Form ist diejenige,
bei welcher bei Kohabitationsversuchen, ja sogar schon bei der
körperlichen Berührung mit der weiblichen Person sofort Erektion
und fast gleichzeitig damit die Ejakulation erfolgt (E. praecipitata).
Auch die Fälle gehören zu der psychisch bedingten Ejaculatio praecox,
bei welchen beim Kohabitationsversuche die Ejakulation vor völlig er-
reichter Erektion, und bevor eine Friktion stattgefunden hat, eintritt
(Ejaculatio ante introitum). Es ist natürlich auch für diese Fälle
nicht ausgeschlossen, daß das spinale Ejakulationscentrum in einem
Zustand erhöhter Erregbarkeit sich befindet; es werden dann schon
geringfügige psychische Reize die Ejakulation bedingen.

Bemerkenswert ist, daß bei längerer Fortdauer dieser pathologischen Reizzustände erotische Vorstellungen und Wollustem-
findungen die Pollution resp. den Kohabitationsversuch nicht mehr
begleiten. Die Pollution erfolgt schließlich bei schlaffem oder mangelhaft erigiertem Penis und ohne jede orgastische Empfindung, die
Potentia coeundi erlöscht. Solche Vorkommnisse bilden den Uebergang zu den krankhaften Samenverlusten, welche auf dem Boden
sexueller Schwächezustände erwachsen. Man hat dieselben auch
als atonischen Samenfluß (Spermatorrhöe) bezeichnet.
Ich stimme mit FÜRBRINGER überein, daß ein kontinuierliches Ab-
fließen von Samen zu den größten Seltenheiten gehört. In einer später mit-
zuteilenden Krankenbeobachtung (Krg. No. 68) finden Sie dieses Symptom
verzeichnet. Es ist dies der einzige Fall meiner Beobachtung. Eine
absolut scharfe Grenze zwischen der krankhaften Pollution und der Spermatorrhöe, d. h. dem Samenverlust ohne Erektion und Orgasmus kann ich
im Gegensatz zu FÜRBRINGER nicht anerkennen. Ich habe schon vorstehend der Uebergangsformen (vgl. Krg. No. 67) Erwähnung gethan. Darin
wird ihm aber jeder erfahrene Arzt beipflichten, daß bei vielen Neurasthenikern die Reizsymptome (gehäufte Pollutionen) und das Schwäche-
symptom des atonischen Samenflusses durchaus keinen genetischen
Zusammenhang unter einander aufweisen. Es können einerseits
jahrelang krankhafte Pollutionen bestehen, ohne daß sich Spermatorrhöe hinzugesellt, und umgekehrt habe ich bei Patienten, die
niemals sich durch excessive Masturbation geschädigt hatten, Samenfluß beobachtet, ohne daß eine Steigerung der Pollutionen vorausgegangen war. „Defäkations- und Miktionsspermatorrhöe ist keineswegs
notwendig das Endstadium der krankhaften Pollution" (FÜRBRINGER).

Wir haben schon oben bei Schilderung der „onanistischen
Neurose" auf die häufigsten Formen der Spermatorrhöe, die sogenannte Defäkations- und Miktionsspermatorrhöe, und
ihre Grundlagen hingewiesen. Nach meinen Erfahrungen begegnen

wir diesem sexuellen Schwächezustand am häufigten, aber nicht immer,
bei denjenigen Neurasthenikern, welche an Gonorrhöe gelitten haben.
Daß letztere Samenfluß ohne Neurasthenie hervorrufen kann, haben
wir schon früher erwähnt. Es kann also fraglich sein, inwieweit der
atonische Samenfluß als ein neurasthenisches Symptom verzeichnet
werden darf. Maßgebend ist zweifellos nicht der Samenverlust an
sich, sondern die schwerwiegende psychische Schädigung, welche der
grüblerische und selbstquälerische Patient hierdurch erfährt. Die
psychisch bedingte Impotenz des Neurasthenikers ist
eine häufige Folge selbst geringfügiger Defäkations-
spermatorrhöe.

Als specifisch für das Krankheitsbild der sexuellen Neurasthenie
möchte ich nur jene Fälle betrachten, in welchen der atonische
Samenfluß gehäufte Pollutionen, Priapismen, präcipitierte Ejakulationen,
krankhaft gesteigerte Libido sexualis und völlige psycho-sexuelle Anästhesie in bunter Reihe und wechselnder Scenerie das Krankheitsbild beherrschen. Sie werden hierbei die anderweitigen neurasthenischen Krankheitserscheinungen bei Untersuchung der hierher gehörigen Patienten nicht vermissen. Ich teile Ihnen hier in möglichster Kürze einen Krankheitsfall mit, dessen autobiographische
Schilderung viele Bogen umfaßt.

Krg.
No. 64.   Dr. S., Philolog, hereditär belastet, 44¾ Jahre alt, Vater von
5 Kindern (bei dem letzten hegte er Zweifel bezüglich seiner paternitas);
von klein auf krankhaft weichlich, schreckhaft, niemals lebensfroh; sehr
frühzeitig Erektionen; seit der Pubertät Onanie („niemals aus Lange-
weile"), gehäufte Pollutionen; dabei sehr gute geistige Entwickelung, hatte stets sehr gute Censuren, meist No. 1; bei mittelmäßiger Begabung in den Jünglingsjahren geistig überanstrengt durch viele Nachtarbeit; von jeher große Neigung zu Erkältungen und Fieber; keine
Syphilis; seit dem 25. Jahre Muskelerschlaffung, bisweilen Ohnmachten
mit Erbrechen, einmal eine Art Krampfanfall (ohne nähere Schilderung);
seit dem 29. Jahr Rückenschmerzen periodisch intermittierend, erhöhte
Wirbelempfindlichkeit; im 30. Jahr enormer nervöser Kopfschmerz mit
qualvollster Ueberempfindlichkeit gegen Schalleindrücke, welche sehr
häufig krampfartige Muskelzuckungen auslösten und „in das Rückenmark
eindrangen". Die Gehfähigkeit nimmt zugleich rasch ab. Seit dem
31. Jahre vollständiges Festliegen wegen der unerträglichen Rückenschmerzen und der Abnahme der Muskelkraft; alle aktiven Bewegungen
hören mehr und mehr auf, selbst beim Essen muß der Mund passiv auf-
gezogen werden. Diese Verschlimmerung datiert von einer erschüttern-
den Gemütsbewegung her (eheliche Zerwürfnisse, Kummer ohne Ende).
Seitdem sehr häufige Pollutiones diurnae „im impotenten
Zustande" unter namenloser Angst oft mehrmals am Tage,
besonders nach heftigen Gemütsbewegungen und Schreck.
Monatelange Schlaflosigkeit; Spinalirritation so erhöht, daß schon der
leise Tritt über die Diele seitens anderer Personen schmerzerregend war;
„der Rücken war wie ein mit Eiter gefüllter Sack, der ganze Körper
ein Meer von Schmerzen", besonders bei jeder leisesten Berührung, z. B.
der Lippen beim Füttern. Totale Lähmung; selbst Seitwärtsblicken oder
Lachen oder Zungenbewegungen unmöglich. Allmähliche Besserung
gegen Ende der 30er Jahre, besonders der Motilität, seitdem seine
Familienverhältnisse bessere geworden sind. Nun aber steigender

„sexueller Erethismus" mit oft sehr lang dauernden Erectiones nocturnae („sobald er sich nicht mit völlig leerem Magen zu Bette begiebt") und lebhaften Schmerzen im Lendenmark. Bei Tage dann äußerste Erschlaffung und Spermatorrhöe. Sexueller Verkehr sehr selten (1mal im Jahr) wegen der interkurrierenden Pollutionen. Trotzdem dem Pat. psycho-sexuelle Erregung fehlt, schon beim Anblick seiner Frau „blitzschnelle Kongestionen des Rückenmarks und der Prostata" und bei schlaffem Gliede Samenaustritt (mikroskopisch festgestellt) ohne Orgasmus, vielmehr mit Schreck und Angst. Derselbe pathologische Vorgang vollzieht sich auch, so oft sich nur überhaupt die Thür öffnet, obgleich Pat. bestimmt weiß, daß nicht seine Frau, sondern andere Personen eintreten; hochgradige körperliche Abmagerung (96 Pfd. Körpergewicht bei 168 cm Körperlänge).

Status: Subjektive Klagen: Schwindelgefühl (nach der Harnentleerung), Flimmern vor den Augen beim Lesen, Verschwommensein der Buchstaben, Kopfschmerz, Blasenschmerz, brennendes Gefühl in der Harnröhre, schmerzhafter Harndrang, gastrische Schmerzanfälle, dumpfbrennende, zehrende Schmerzen im Rücken und den Knien, Gürtelgefühl ums Zwerchfell, heftige neuralgische Schmerzen in der Nierengegend, Gefühl der Trockenheit durch den ganzen Körper, „dumpfes Schmerz- und Darregefühl im Lendenmark und Cauda equina", Taubheit in der Volarseite der Hände, besonders in den Fingerkuppen. Besonders beunruhigend für den Pat. sind die „enormen, schon makroskopisch sichtbaren Spermaverluste besonders im Nachturin nach allnächtlichen Erektionen."

Objektive Untersuchung: Sehr magerer, hochgradig anämischer Mann mit dürftigster Muskulatur; liegt fast immer in Seitenlage, richtet sich unter heftigsten Schmerzäußerungen auf; alle aktiven Muskelbewegungen langsam, nach kurzer Zeit Erschöpfungstremor; keine Ataxie; beim aufrechten Stehen Schwanken, („sehr schmerzhaft durch Belastung der Wirbelsäule"), das aber bei Augenschluß nicht zunimmt; der Gang unsicher, kraftlos schwankend, bei energischem Zureden aber für wenige Schritte ganz präcise ohne jede Ataxie selbst im Dunkeln. — Nach seiner Angabe ist der Gang am besten „nachts zur Zeit der spinalen Kongestionen". Er kann dann im Zimmer ungehindert auf- und abgehen, am Tage darauf ist er desto schlaffer. Pupillenreaktion und Kniephänomen normal. Verdauung ungestört.

Wenn Sie sich das Krankheitsbild der sog. Spinalirritation vergegenwärtigen, so wird es Ihnen sofort klar werden, daß die vorstehende Krankenbeobachtung zum mindesten mit gleichem Rechte jener klinischen Varietät der Neurasthenie im Hinblick auf die Lokalisation der Schmerzen und die motorischen Schwächesymptome zugeteilt werden kann. Oder aber wenn Sie die psychische resp. intellektuelle Erschöpfung des Mannes, die gesteigerte Gemütsreizbarkeit, die nosophobischen Zustände (ich habe dieselben absichtlich bei der vorstehenden Krankenbeobachtung vernachlässigt; seine weitschweifigen Klagen beziehen sich hauptsächlich darauf, daß er an einer „atypischen Form der Tabes dorsalis leide") in den Mittelpunkt stellen, so könnten Sie den Fall auch als einen Repräsentanten des psycho-cerebralen Typus bezeichnen. Ich möchte Sie darauf hinweisen, daß in vorliegender Beobachtung die sexuellen Reiz- und Schwächesymptome, trotzdem sie viele Jahre in fast unverminderter Heftigkeit bestanden haben,

die Potenz des Kranken nicht vernichteten. Ich habe neuerdings Erkundigungen bei einem befreundeten Arzte eingezogen, welcher mir
schreibt, daß der Patient schon seit dem Jahre 1889 völlig gesund ist,
z. B. große Hochgebirgstouren gemacht hat.

Ich füge hier noch einige Krankengeschichten bei, aus welchen
Sie ersehen können, daß einseitig und fast ausschließlich die Reizphänomene auf sexuellem Gebiete vorhanden sein können. Sie werden
ferner die in der Einleitung vertretene Auffassung bekräftigen, daß
die sexuellen Störungen nur eine und zwar von den Kranken
höchst lästige und peinvoll hervorgehobene Gruppe in dem allgemeinen Krankheitsbild der Neurasthenie darstellen. Entweder vermengen sie sich in bunter Reihe mit motorischen und Intestinal-
störungen oder es löst die eine Gruppe von Krankheitserscheinungen
die andere in gewissen Zeitabschnitten ab. Sie werden auch nicht
den Eindruck gewinnen, daß die sexuellen resp. Genitalstörungen der
Ausgangspunkt des Leidens gewesen sind, vielmehr läßt sich nachweisen, daß auf dem Boden einer neuropathischen Veranlagung andere
interkurrente Erkrankungen die Entwickelung der Neurasthenie bewirkt haben. Besonders verhängnisvoll scheinen lokale Darm-
erkrankungen, z. B. Perityphlitiden oder dysenterische Erkrankungen,
zu sein. Ich bitte Sie, sich bei dieser Gelegenheit die Ausführungen
in dem Kapitel über allgemeine Aetiologie über den Einfluß örtlicher
Krankheitsprozesse auf das Gesamtnervensystem zu vergegenwärtigen.

Fig.
No. 69.   35-jähriger Mann, hereditär belastet (Vater war sehr nervös zur
Zeit der Geburt des Knaben; Mutter schwächlich und nervös; Bruder
moral insanity; Schwester im 30. Jahre vereinzelte epileptische Anfälle);
als Kind ein „Bild der Gesundheit", körperlich gewandt und der kräf-
tigste unter den Altersgenossen; lernte leicht. Im 23. Jahre (1875) anstrengender Dienst in den Tropen (Photographieren in der Sonnenhitze,
häufiger Aufenthalt in der überhitzten Dunkelkammer); schlaff, müde,
schlaflos. Infolge eines Bronchialkatarrhs und einer anschließenden
Lungenentzündung lag Pat. 4 Wochen in der Hängematte. Vorher schon
war er immer hartleibig, oft 5—6 Tage ohne Stuhlgang, aber ohne
Schmerzen. Kaum vom Krankenbett aufgestanden, schiffte er sich ein
um ans Sterbebett seiner Mutter zu eilen; große gemütliche Aufregung,
die ihn sehr mitnahm; Nachtschweiße, Fieber abends, Husten. Nicht
bettlägerig. Nach 4-monatlichem Landaufenthalt trat er wieder in den
Dienst. Da er aber 1877 wieder einen Bronchialkatarrh, 2 Rippenfell-
entzündungen und wieder eine Lungenentzündung durchmachte, nahm
Pat. 1878 den Abschied. Durch einen zweijährigen Aufenthalt in Davos
erholte sich Pat. gut, fühlte sich aber immer etwas „schlapp" und bekam
leichte Schmerzen in den Beinen mit Ermüdungsgefühlen. Nach Bergtouren stellten sich nachts Pollutionen ein; nach Ueberanstrengungen brauchte er immer mehrere Tage, um sich wieder zu erholen.
Zu klagen hatte er ferner über große sexuelle Erregtheit, Hartleibigkeit, Schlaflosigkeit, Schwere in den Beinen. Zeitweilig war der
Stuhl schleimig und blutig und die Faeces „fadendünn".
Im Sommer 1883 fühlte sich Pat. recht matt, empfand besonders
die Waden schwer und müde, längeres Stehen wurde ihm schwer und
er hatte schon nach kleineren Anstrengungen Pollutionen
und schlaflose Nächte. Pat. suchte diesen Zustand durch große Märsche
zu bessern (!). Mitte Oktober 1883 bekam eine Schwester in seiner

Gegenwart einen epileptischen Anfall mit postepileptischem Dämmerzu-
stand. Von diesem Tage an hatte Pat. allnächtlich Pollutionen und es stellte sich ein heißes Gefühl in beiden Lendenpartien
besonders beim Gehen ein. Auch wurde Pat. leicht müde in den Beinen
und im Kreuz. In den ersten Tagen nach der Erkrankung der Schwester
hatte Pat. abends im Dunkeln öfters das Gefühl, „mit dem rechten Bein
in die Luft zu treten". Die Pollutionen traten zuerst regelmäßig um
3 Uhr Nachts auf. Die leichte Bettdecke drückte ihn und schwere
Träume störten den Schlaf. Er träumte oft, daß sich der epileptische
Anfall seiner Schwester wiederhole oder daß er selbst einen solchen bekomme. Dazu kam öfter ein plötzlicher Ruck durch den ganzen Körper
beim Einschlafen. In den Füßen fühlte er heftiges Kribbeln.

Mit der Zeit hörte die allnächtliche Wiederkehr der Pollutionen auf,
aber an ihre Stelle traten Priapismen, von denen Pat. nur dann
befreit wurde, wenn er „einen fahren lassen konnte". Dazu kam noch ein sehr
leichtes Einschlafen aller Glieder und eine sich durch Hinken ausdrückende
Schwäche des rechten Beines. Auch fingen einige Kreuzwirbel an, weh
zu thun; die leichteste Bedeckung drückte. „Die rechte Wade war wie
eine Sehne gespannt", dabei fühlten sich die Muskeln ganz schlaff an.
In der folgenden Zeit verschiedene Kurversuche (Friedrichshaller, Solbäder, Wellenbäder, Elektrisieren des Abdomens) gegen die Hartleibigkeit,
Schmerzen im Kreuz und Schwäche in dem Beine. Kein großer Erfolg.
Im Winter 1884/85 erholte sich Pat. etwas, doch blieben die Priapismen
bestehen und ab und zu trat auch die frühere Schwäche im rechten Bein
wieder auf. Während des Sommers die schrecklichsten
Priapismen verbunden mit den heftigsten Blähungen.
Durch Kurgebrauch und vegetarische Diät merkliche Kräftigung, Milderung der Priapismen, Verschwinden des Schwächegefühls im rechten Bein.
Herbst 1886 in die gewohnte Thätigkeit zurückgekehrt, bemerkte Pat.
eine deutliche Verschlimmerung seiner Beschwerden: Zuerst Müdigkeit,
fast schmerzhaft zwischen den Schultern, größere Schwäche des rechten
Beines, wieder heftige Priapismen, schmerzhaftes Gefühl auf Druck an
mehreren Wirbeln. Die rechte Wade ist immer noch schlaff; die Schenkel
haben abgenommen und seit dem Herbst scheint dem Pat. auch das
Muskelfleisch der linken Wade weicher zu werden.

Eintritt in die Klinik: Großer, kräftiger Mann, mäßig genährt, mit
leidendem Gesichtsausdruck. Hoden mittelgroß; auf Druck nicht schmerzhaft; Penis klein, schlaff, kein Druckschmerz im Abdomen und in den
Interkostalräumen; auf dem Rücken subjektiv das Gefühl von Taubheit
über dem 2. Brust- und letzten Lendenwirbel, objektiv nichts nachweisbar;
Druckschmerz nur ganz isoliert über dem rechten Querfortsatz des
10. Brustwirbels; beide Beine sehr muskulös, bei aktiver Innervation
treten die Muskelbäuche prall hervor, die rechte Wade vielleicht etwas
flacher, aber nicht meßbar dünner; Knie- und Achillessehnenphänomen
beiderseits etwas gesteigert; Anconaeus-Sehnenreflex ebenfalls links etwas
stärker als rechts; keine fibrillären Zuckungen in den Muskeln, leicht
erhöhte mechanische Erregbarkeit derselben.

A., Lehrer, 42 Jahre alt; erblich belastet. Pat. war schon als Kind **Fig.
No. 70.**
immer schwächlich, von mittlerer Begabung, geistig leicht ermüdbar,
sexuell immer leicht erregt. Vom 16.—18. Jahre Masturbation.
Schon in der Knabenzeit „Diarrhöe und Leibschneiden". Als Student: Ulcus
molle (1869), keine luetischen Sekundärerscheinungen, zu gleicher Zeit

viel Magenschmerzen, Verdauungsbeschwerden, Blähungen, Meteorismus, fast beständig Neigung zu Diarrhöen, allgemeine Mattigkeit, Rückenschmerzen und als quälendste Erscheinung langdauernde, meist nachts auftretende Priapismen mit schmerzhaften Empfindungen im Perinaeum, in den Hoden und im Penis, teils mit, teils ohne erotisch-phantastische Erregung. In der Verlobungszeit (1877) verursachten schon die geringsten Zärtlichkeiten sexuelle Erregungen mit Pollutionen. Im Ehestand trat häufig nach dem Coitus ein ungefähr 10 Minuten dauernder „heftiger Nervenschmerz im Steißbein" auf. Im Jahre 1881/82 starke Hämorrhoidalbeschwerden mit Knoten im After. Seit Ostern 1882 „Neuralgie der Magennerven", Schlaflosigkeit, stundenlange nächtliche Erektionen; Pollutionen nur alle 2—4 Wochen. Pollutionen wirken sehr nachteilig auf den Stuhlgang und gemütsverstimmend. Nach heftigen Erektionen treten starke Diarrhöen auf. Als Hauptursache seines Leidens bezeichnet Pat. anstrengende Gebirgsreisen, die er regelmäßig jedes Jahr 6 Wochen lang von 1868 — 80 durchgeführt hat. Pat. ist verheiratet und hat 2 Kinder, von denen das erstgeborene schon seit der Säuglingszeit an ausgeprägter Schlaflosigkeit leidet. Es wurde oft innerhalb 24 Stunden nur 2 Stunden Schlaf erzielt. Es soll sich aber geistig ordentlich entwickelt haben.

Bei der letzten Konsultation (1893) hatte Pat. über folgendes zu klagen: 1) Aufgeregtes, hastiges Wesen, gesteigerte Gemütsreizbarkeit, Zornausbrüche, leichte Angstempfindungen, geistige Müdigkeit, Unfähigkeit zu anhaltender Lehrthätigkeit, Kopfdruck, Spannungsempfindungen in der Gesichtsmuskulatur; stets wüste Träume.

2) Bei gut entwickelter Muskulatur bestehen gesteigerte Ermüdungsempfindungen in den Muskeln beim Gehen und Stehen, leichte Schwindelerscheinungen und Unsicherheit beim Gehen. Nach längerem Sprechen und Singen tritt stundenlanges „Herzzittern" auf, welches jedweden Schlaf benimmt; beim Schreiben häufig gleichzeitig „Nervenzusammenziehen" in der rechten Hand, im Kopf und Magen. Die Aussprache einiger Wörter (besonders mit Kn) macht Schwierigkeit.

3) Spinalirritation im 7. Cervikal- und 3.—4. Dorsalwirbel; ebenda spontane Schmerzen besonders zur Zeit der Priapismen und bei längerem Stehen und Gehen.

4) Brennende, bohrende und stechende Schmerzen im ganzen Abdomen; abnorme Sensationen im Penis zur Zeit der Erektionen; krampfartige Schmerzen im After; „Haarschmerzen", Hautjucken fast immer in Verbindung mit Verdauungsbeschwerden.

5) Kühle Extremitäten, heißer Kopf, Congestiones ad caput, Erröten der Nase bei Magenschmerzen; Ohrensausen.

6) Vollsein, Uebelkeit und Aufstoßen; Abneigung gegen Flüssigkeiten, Durstmangel; fast beständiger Drang zum Stuhlgang, gehäufte wässerige Stühle.

7) Langdauernde, schmerzhafte Erektionen besonders nachts und gegen Morgen. Sexueller Verkehr steigert diese Erscheinungen, aber auch sexuelle Enthaltsamkeit weckt erotische Vorstellungen und Begehrlichkeit. Hochgradige Ermüdung post coitum, sehr rapide Ejakulation mit schmerzhaften Empfindungen im Rücken; körperliche und geistige Thätigkeit steigert die sexuelle Erregung. Die gesteigerte sexuelle Erregbarkeit bekundet die Mitteilung des Pat. aus einem Kurorte, daß ihn die vielen geputzten Frauen auf

der Promenade so hochgradig sexuell erregten, daß er beständig von Erektionen geplagt sei.

Die nervöse Impotenz, welche unter den sexuellen Schwächesymptomen des Neurasthenikers oft das hervorstechendste Krankheitsmerkmal ist, darf eine selbständige Stellung beanspruchen; auch hier ist der Auffassung FÜRBRINGER's beizupflichten, daß die nervöse Impotenz ein den krankhaften Samenverlusten koordiniertes Symptom der Neurasthenie darstellen kann, daß aber in anderen Fällen nur krankhafte Pollutionen oder lediglich nur Impotenz vorhanden sind. Er weist mit Recht die Ausführungen von v. GYURKOVECHKY zurück, welcher für den Samenfluß nur die Onanie, für die Impotenz nur den Exceß in venere verantwortlich machen will.

Für diejenigen Formen der nervösen Impotenz, welche auf Grund sexueller Reizsymptome in der Form der Ejaculatio praecox (meist durch das Zwischenstadium der Pollutiones diurnae hindurch) zustande kommen, läßt sich noch am ehesten der Lehrsatz aufstellen, der besonders von v. KRAFFT-EBING verteidigt wird, daß sie das Endstadium der krankhaften Samenverluste sind, obgleich auch hier, wie gerade die Krg. No. 68 zeigt, sehr bemerkenswerte Ausnahmen vorkommen. Sodann darf nicht vergessen werden, daß das Reizsymptom der Ejaculatio praecox sich bei ein und demselben Kranken mit den nachfolgend zu erörternden Erscheinungen vergesellschaftet. Wie FÜRBRINGER betont, sind Störungen der Potenz viel häufigere Teilsymptome der sexuellen Neurasthenie als sämtliche Formen des Samenflusses. EULENBURG bezeichnet die herabgesetzte Potenz als das essentielle Symptom der sexuellen Neurasthenie.

Merkwürdigerweise ist bei meinen Patienten dieses essentielle Symptom außerordentlich selten gewesen. Wieweit dies auf das verschiedenartige Beobachtungsmaterial (bei FÜRBRINGER, EULENBURG u. a. hauptsächlich großstädtische Patienten, bei mir mehr Patienten aus mittleren und kleinen Städten und aus der Landbevölkerung; dort vorwaltend „Sexualneurastheniker“, bei mir vorwaltend Cerebralneurastheniker und nervöse Gastrointestinalstörungen) zurückzuführen ist, vermag ich nicht zu entscheiden. Ich teile Ihnen zuerst eine statistische Aufstellung von FÜRBRINGER mit:

Das größte Kontingent der Patienten stellte das 4. Decennium, der jüngste impotente Neurastheniker war 18 Jahre alt, 16 Patienten gehörten dem 6. Decennium an, wobei aber das 54. Lebensjahr das höchste war. Bemerkenswert ist, daß Theologen und Lehrer, welche in Bezug auf Pollutionen und Spermatorrhöe obenanstanden, bei dieser Statistik „tief unten rangierten“. Bei 20 Proz. unter ca. 400 Fällen wurden Excesse in venere, bei 30 Proz. Onanie und ebenso bei 30 Proz. Gonorrhöe als Ursache angegeben. In mehreren Fällen waren alle drei Kausalmomente vereinigt, in einer stattlichen Zahl die onanistische und gonorrhoische Neurasthenie. 20 Proz. betrafen die Sexualneurastheniker mit tadelloser Vergangenheit.

Das Maßgebende bei der „nervösen“ Impotenz ist die Schädigung des spinalen Erektionscentrums. Bei jugendlichen Neurasthenikern und zwar, wie ich besonders hervorheben will, auch bei solchen Patienten, welche niemals masturbatorische Excesse begangen haben, findet sich nicht selten eine abnorm rasche Einwirkung bahnender Einflüsse auf das spinale Erektionscentrum. Schon die geringfügigsten psychisch-erotischen Reize oder kurzdauernde und leichte Friktionen des Penis lösen kräftige Erektionen aus. Aber ebenso rasch als die Erektion entstand, schwindet sie wieder. Bei Kohabitationsversuchen wird dadurch eine relative Impotenz herbeigeführt, die von ULTZMANN als „Impotenz durch reizbare Schwäche" bezeichnet wurde.

Wir haben hier zwei Formen zu unterscheiden. Bei der ersten verfliegt die erotische Erregung und schwindet die Erektion scheinbar ganz unvermittelt beim Versuche der Kohabitation ante introitum. Zu einer Ejakulation oder zu einem wahren Orgasmus kommt es überhaupt nicht. Bei der zweiten Form führt die sexuelle Erregung rasch zur Erektion und Ejakulation unter lebhaftem Orgasmus, bevor es überhaupt zum Akt der Kohabitation gekommen ist. Es handelt sich hierbei um die schon oben erwähnte Ejaculatio praecox. FÜR-BRINGER macht darauf aufmerksam, daß bei diesen Fällen verfrühter Ejakulation auch die Erektionsfähigkeit schon Schaden gelitten haben kann. Es erfolgt dann die Ejakulation aus halbschlaffem Gliede, bevor die Glans die Vulva berührt hat. Er stellt diese Reizzustände auf eine Linie mit den Tagespollutionen und rechnet, falls es sich hierbei nicht um vereinzelte Vorkommnisse handelt, diese Ejaculatio ante introitum zu den schwersten Impotenzformen. Er citiert auch zwei Fälle, bei welchen dem Symptom der Ejaculatio praecox sehr rasch ein Sinken der Erektionsfähigkeit überhaupt nachfolgte. In einer zweiten Beobachtung stellte sich zugleich eine hartnäckige atonische Spermatorrhöe ein.

Wenn wir auch diesen Mitteilungen FÜRBRINGER's bei der Beurteilung der Tragweite dieses Symptoms Rechnung tragen müssen, so haben mich doch mehrere eigene Beobachtungen gelehrt, daß diese trüben Erfahrungen keineswegs generalisiert werden dürfen. Wenn man den Ursachen dieser Impotentia coeundi auf den Grund geht, so wird man sicher für die Fälle der ersten Gruppe (Erectio praecipitata sine ejaculatione) den Nachweis erbringen können, daß die sexuelle Funktionsstörung auf einer abnormen Einwirkung hemmender (psychischer) Einflüsse beruht, welche die anfängliche Bahnung sehr rasch ablösen. Es handelt sich also hier vielfach um Zustände psychischer Impotenz (vergl. weiter unten). Die Fälle der zweiten Gruppe (mit ungeschädigter Erektionsfähigkeit) deuten aber auf eine abnorm rasche Erregbarkeit des spinalen Ejakulationscentrums hin. Es bedarf, wie EULENBURG mit Recht ausführt, in solchen Fällen nicht des normalen Reizzuwachses (durch Friktionen intra vaginam), um die Erregung vom Erektions- auf das Ejakulationscentrum fortzupflanzen. Aber auch in dem raschen Erlöschen der Erektion bewahrheitet sich die neurasthenische Grundformel, daß der pathologischen Uebererregung die Erschöpfung auf dem Fuße folgt.

Es läßt sich übrigens, wie von allen Autoren einstimmig bekundet wird, keine absolut scharfe Grenze ziehen zwischen diesem neurasthenischen Krankseitssymptom und der präcipitierten Ejakulation gesunder, geschlechtlich abnorm erregter Männer, bei welchen eben nur dem Uebermaß des „centrifugalen Innervationsreizes" die gewaltsamere Entladung der spinalen Centren entspricht. Wir erkennen aus dieser Parallele, daß auch bei dieser zweiten Form neurasthenischer Impotenz durch präcipitierte Ejakulation eine spinale Schädigung nicht vorzuliegen braucht, nämlich in den Fällen, in welchen wir eine abnorme psychische Erregbarkeit auf sexuellem

Gebiete neben anderen psychischen Reizsymptomen nachweisen können.

Aber auch für die folgenden ausgeprägteren Formen sogenannter nervöser Impotenz ist eine rein psychische Beeinflussung der sexuellen Vorgänge nicht immer auszuschließen. Es sind dies Fälle, bei denen die Erektionsfähigkeit geschwächt oder völlig aufgehoben ist; die Libido sexualis ist vermindert. Ist die Kohabitation noch möglich, so ist die Ejakulation meist retardiert bei verringertem Orgasmus; doch stoßen wir auch hier, wie schon vorstehend erwähnt; gelegentlich auf E. praecipitata. Es ist dies die häufigste Form sogenannter nervöser Impotenz. Man hat dieselbe vielfach mit der senilen Impotenz auf eine Linie gestellt (HAMMOND). Dies ist sicherlich dann gerechtfertigt, wenn es sich um einen dauernden Zustand handelt. Dagegen werden wir nur einen Teil der Fälle von sogenannter temporärer oder relativer Impotenz hieher rechnen dürfen, der andere wird der psychischen Impotenz zugezählt werden müssen.

FÜRBRINGER erwähnt noch 3 weitere Gruppen von Impotenz, die ich hier nur kurz anführen kann: a) normale oder gesteigerte Libido, Abnahme der Facultas erigendi; retardierte oder präcipitierte Ejakulation, verringerter oder aufgehobener Orgasmus; b) normale Libido, verringerte Facultas erigendi, normale Ejaculatio, verminderter Orgasmus; c) fast erloschene Libido, Erectio nur auf intensive mechanische Reize, normale Ejaculatio, kaum herabgesetzter Orgasmus.

Gerade diese letztere Form, welche FÜRBRINGER in Analogie setzt zu der sogenannten Berufsimpotenz (durch geistige Ablenkung, körperliche Ueberanstrengung, sitzende Lebensweise), der ich aber auch gelegentlich bei Neurasthenikern, die durch excessive, jahrelang betriebene Masturbation eine tiefgreifende Störung resp. Abänderung der psycho-sexuellen Erregbarkeit erlitten hatten (in Analogie mit übersättigten Wollüstlingen) begegnet bin, beweist uns aufs schlagenste, wie unzureichend eine Scheidung rein nervöser, auf reizbarer Schwäche beruhender und psychischer Impotenz ist. Es ist dies übrigens auch von FÜRBRINGER auf Grund „seiner fortlaufenden praktischen Erfahrung" ausdrücklich hervorgehoben worden.

Indem ich auf die im Eingang dieser Vorlesung gemachten Ausführungen über die innigen Beziehungen der psychischen Komponente der sexuellen Thätigkeit zu den rein körperlichen Vorgängen beim Geschlechtsakte hinweise, werden Sie meinen Standpunkt wohl begreiflich finden, daß ich auch in den Fällen sog. nervöser Impotenz durch örtliche Genitalstörungen (Hyperästhesie oder Anästhesie der Glans), welche u. a. von HAMMOND als nicht seltene Ursachen der nervösen Impotenz bezeichnet worden sind, mich außer stande sehe, die psychischen Faktoren als nebensächlich zu betrachten. Vielmehr sind gerade parästhetische Zustände im Bereich der äußeren Genitalien sehr wohl geeignet, hypochondrische Vorstellungen auszulösen, welche beim Kohabitationsakte hemmend auf das spinale Erektionscentrum einwirken.

Auch bei der sog. Impotentia paralytica, welche mit der vorstehend erwähnten zweiten Gruppe FÜRBRINGER's viele Berührungspunkte hat, bietet der durch sexuelle Genüsse übersättigte und für natürliche erotische Vorstellungsreize unempfindlich gewordene Libertin viel mehr das Bild einer psychischen als nervösen Impotenz dar. Ich erinnere Sie bei dieser Gelegenheit an jene gewiß seltenen

Fälle, in welchen bei völlig normal entwickelten äußeren Genitalorganen trotz geistiger und körperlicher Gesundheit niemals eine psycho-sexuelle Entwickelung stattgefunden hat. Derartige „naturae frigidae" entbehren dann auch jeglichen Anreizes zu sexueller Thätigkeit. Hier haben wir wohl die reinste Form einer psycho-nervösen Impotenz. In einer anderen Gruppe relativ impotenter Neurastheniker finden Sie die psychischen Hemmungen deutlich ausgeprägt, nämlich bei jenen ängstlichen jungen Ehemännern (mit oder ohne onanistische Antecedentien), bei welchen infolge pathologisch gesteigerter Erwartungs- oder Angstaffekte beim Kohabitationsversuche nur schwächliche oder keine Erektionen auftreten. Ist der erste Versuch mißlungen, so tritt bei späteren Wiederholungen der negative Affekt der Scham als weiteres hemmendes Moment hinzu. Ich möchte Sie aber davor warnen, alle diese unglückseligen Ehestandsnovizen als Sexualneurastheniker bezeichnen zu wollen. Sogar in der Mehrzahl derartiger Fälle werden Sie keine Zeichen einer bestehenden Neurasthenie auffinden können, ja es ist nicht einmal nötig, in allen Fällen auf eine besondere ererbte neuropathische Konstitution zur Erklärung dieser glücklicherweise meist nur vorübergehenden psycho-sexuellen Störungen zu rekurrieren. Sie werden gelegentlich Geständnisse nach dieser Richtung hin von geistig und körperlich durchaus gesunden jungen Männern hören, bei welchen nur die anfängliche Unkenntnis und Ungeschicklichkeit den ersten Mißerfolg herbeigeführt hatte, und dann nach dem Schema der früher erörterten Intentionspsychosen bei der Wiedererweckung sexueller Empfindungen und Vorstellungen sich unweigerlich und unabweisbar das Erinnerungsbild der erlittenen Niederlage und die begleitenden negativen Affekte einstellten. Eine zweckmäßige Psychotherapie wird hier meist baldige Heilung bringen.

Viel schwerwiegender sind die ausgeprägten Formen sog. hypochondrischer Impotenz, die sich gelegentlich auch bei reinen Neurasthenikern vorfindet. Es sind hier nosophobische Vorstellungen (vor allem Furcht vor Ansteckung), welche hemmend in erster Linie die Libido sexualis und dann die Erektion beeinträchtigen oder völlig aufheben. Es spielen auch sexuelle Perversionen hiebei eine bedeutsame Rolle.

Krg. No. 71.　　34-jähriger Dorfschullehrer; von mütterlicher Seite leicht belastet; normale Kinderentwickelung, nur „war die Zunge, namentlich in der Erregung, etwas schwer"; Besuch einer Volksschule, dann eines Unterrealgymnasiums, und endlich einer Lehrerbildungsanstalt; guter Schüler, außer Rechnen; seit 3 Jahren Dorfschullehrer; wohnt im Hause seiner Mutter, weil er stets sehr ängstlich ist.

Ueber sein Geschlechtsleben ist folgendes zu bemerken: Schon im 7. Lebensjahr verspürte er, wenn ein Mitschüler auf den Hintern geschlagen wurde, ein Wollustgefühl. Namentlich wenn von weiblicher Seite ein Junge auf den Hintern geschlagen wurde, regte er sich auf. Er onanierte nie. Bis zum 21. Jahre hatte er ganz unklare sexuelle Vorstellungen und keine sexuellen Triebe; doch sah er schöne Mädchengesichter gern. Er dachte sich gern aus und träumte auch unter wollüstiger Erregung, „wie ihn ein Frauenzimmer auf den Hintern strafte". Sonst dachte er sich höchstens, daß er sich an ein Frauenzimmer anschmiege. Von normalem Beischlaf träumte er gar nicht oder nur mit

dem Inhalt, daß ihm die Ausübung nicht gelinge. Die erste
Erektion bemerkte er ca. im 12. Jahre und zwar, als er sich auf den
Hintern schlug, um sich Wollustgefühle zu erregen. Die erste Pollution
fand angeblich im 17. Jahre im Schlafe statt. Die Selbstmastigation
setzte er nur ¹/₂ Jahr fort, später genügte der bloße Gedanke.

Erster Kohabitationsversuch im 24. Jahr: er war sehr ängstlich; es kam zu keiner Erektion, nur „etwas Schleim ging
ab". Auch die Furcht vor Ansteckung spielte mit. Seit dem 23. Jahr
schon ging bei sexuellen Gedanken, zuweilen auch ohne solche Schleim
ab. März 1893 (34. Jahr) verlobte er sich, weil er fürchtete, wenn
seine Mutter stürbe, allein zu stehen. Kam Pat. in die Nähe seiner
Braut, so ging anfänglich ohne, später mit Erektion Schleim ab. Dabei
hatte er eine eigenartige Angst, wenn er bei ihr war. Schon vor der
Ehe hatte er Furcht, die Erektion könnte in der Ehe
ausbleiben. Nun stellte sich zwar Erektion ein, er
konnte auch sein Glied einführen, aber Ejakulation und
Libido blieb aus. Er veranlaßte seine Frau, nun seinen
Hinteren zu schlagen, und machte ihr Mitteilung über seinen
Zustand.

Seit ca. 10 Jahren tropft nach dem Urinieren noch Harn tropfenweise nach; auch spürt er hier und da ein Brennen beim Wasserlassen.
Wenn bei sexueller Erregung Schleim abgeflossen ist (die Untersuchung
ergiebt in den Abgängen normale, leidlich bewegliche Spermatozoen), will
Pat. ein Anschwellen der Hoden bemerkt haben, begleitet von einem
schmerzhaften Druck in denselben und gefolgt von einem bis zu
30 Stunden andauernden Druckgefühl in der „Geschlechtsgegend".

Seit 14 Jahren besteht Eingenommenheit des Kopfes mit Schwindelgefühlen, die sich bei größerer Bangigkeit und Angst bis zu leichtem Kopfschmerz und Druckgefühl in Stirn und Scheitel steigert. Nach den
Schleimabgängen überwiegt das Gefühl von Dumpfheit und Schwindel.
Augenflimmern besteht nicht, dagegen verschwimmen die Buchstaben
beim Lesen. Die Stimmung war von jeher zur Depression geneigt. Seit
der Heirat ist er nicht mehr „recht froh" gewesen. Die sonstigen Klagen
des Pat. beziehen sich auf: zunehmende Gedächtnisschwäche, Unschlüssigkeit, schlechten Schlaf, Stuhlverstopfung mit Blähungen, kalte Hände
und Füße, nervöses Herzklopfen, Ueberempfindlichkeit gegen Geräusche
und Licht.

Stat. praesens vom 26. Juli 1893: Mittelgroßer Mann (166 cm):
Muskulatur mittelkräftig; Fettpolster gering; erhebliche Struma; Conjunctivae bleich; Arterien etwas geschlängelt, weich; vasomotorisches
Nachröten gesteigert: Herztöne rein, Dämpfung normal: leichte Phimose,
sonst Genitalien normal: Urin eiweißfrei, sauer; VII. und XII. normal:
kein Tremor, keine Ataxie: idiomuskuläre Erregbarkeit gesteigert; Reflexe
normal; keine Druckpunkte; Sprache im Affekt etwas häsitierend und
tremolierend.

Ordo: Bettruhe, Massage, Ueberernährung. Die psychische Behandlung bringt keine Besserung. Die Depression besteht fort, besonders
fehlt dem Pat. jegliches sexuelle Selbstvertrauen. Die
Schleimabgänge bei sexuellen Gedanken schwinden trotz mannigfacher
hydropathischer Versuche nicht. Auf seinen Wunsch wird Pat. unge-
bessert entlassen.

Gehen wir noch einen Schritt weiter, so gelangen wir zu jenen
zweifellos psycho-pathologischen Zuständen, in welchen auf dem Boden

einer erblich degenerativen Belastung sich **sexuelle Abnormitäten** homo- und **heterosexuelle Perversionen** entwickeln
(„**Satyriasis, Nymphomanie, Exhibitionismus, Flagel-
lantismus, Uranismus, Sapphismus**" u. s. w.). Wir müssen
ihrer hier Erwähnung thun, weil sie bei der hereditären Form der
Neurasthenie gelegentlich als sehr unliebsame Begleiterscheinungen auftauchen. Weiter können wir auf dieses neuerdings von den verschiedensten Autoren, u. a. von v. KRAFFT-EBING, EULENBURG, v.
SCHRENCK-NOTZING mit größter Ausführlichkeit bearbeitete Gebiet
hier nicht eingehen. Ich möchte Sie nur vor der irrigen Auffassung
warnen, nun jede abnorme Bethätigung auf sexuellem Gebiete gleich
als Ausfluß eines krankhaften Seelenzustandes auffassen zu wollen,
für den der Thäter nach der ethischen, wie der strafrechtlichen Seite
hin nicht verantwortlich wäre. Hier gilt vor allem der Satz, daß nicht
die Handlung, sondern der Handelnde in den Mittelpunkt der ärztlichen Erwägung zu stellen sei; es werden sehr viele sexuelle Scheuß-
lichkeiten von Leuten begangen, bei welchen man Schritt für Schritt
verfolgen kann, wie sie, allmählich durch sexuelle Excesse den Anreiz
zu normaler Erregung der Libido sexualis verlierend, schließlich zu
jenen „widernatürlichen" Akten herabsinken.

In nur lockerem Zusammenhange mit der Neurasthenie stehen
die Krankheitserscheinungen der **Sterilitas virilis (Impotentia
generandi)**. Die vorstehend gekennzeichnete psycho-nervöse Impotenz kann sich mit einem temporären und wahrscheinlich auch durch
psychische Hemmungen bedingten **Aspermatismus** verbinden. Die
Fälle von kongenitalem und dauerndem Aspermatismus mit wohl-
gebildeten, intakten Genitalien gehören überhaupt nach FÜRBRINGER
zu den Seltenheiten. Es handelt sich hierbei, soweit aus den hierher gehörigen Mitteilungen ein Schluß gezogen werden kann, um Entwickelungshemmungen auf psycho-sexuellem Gebiete. Der organische
(CURSCHMANN) Aspermatismus, welcher auf lokalen Erkrankungen
der Genitalorgane beruht, hat nur insoweit Beziehung zur Neurasthenie, als er die Quelle pathologischer Organempfindungen und
deprimierender Affekte ist.

Auch die **Azoospermie** und **Asthenospermie** sind wohl
gelegentliche Begleiterscheinungen der Neurasthenie und werden dann
von den Patienten fälschlich als Ausgangspunkt ihres nervösen Leidens
aufgefaßt. Es ist dies besonders bei der sog. Tripperneurasthenie der
Fall; es läßt sich aber unschwer nachweisen, daß diese subjektive Begründung des nervösen Krankheitszustandes auf einer irrtümlichen
Auffassung von Ursache und Wirkung beruht. Wohl aber ist die
Azoospermie infolge von Sekretionsunthätigkeit der Keimdrüsen, sei
es, daß dieselbe dauernd vorhanden war, sei es, daß sie erst späterhin nach einem Stadium normaler Geschlechtstüchtigkeit sich einstellt, von weitgehendem ätiologisch-klinischen Interesse. Daß derartige Zustände bei geistig und körperlich völlig normalen Menschen
als vorzeitige Beendigung von „Wachstumstendenzen" thatsächlich
vorkommen können, habe ich früher an einem Beispiele erörtert.
Treffen wir diese Erscheinung bei einem nervös veranlagten und mit
ausgeprägten neuropathischen Krankheitszeichen behafteten Patienten,
so ist im Sinne der klinisch-ätiologischen Erfahrungen über die Erscheinungen erblich degenerativer Erkrankungszustände der Schluß
wohl gerechtfertigt, daß ein innerer Zusammenhang zwischen den

Störungen der Sexualthätigkeit und dem Nervenleiden vorhanden ist. So erinnere ich mich an einen 28-jährigen, erblich außerordentlich schwer belasteten Juristen, welcher an ausgeprägten neurasthenischen Krankheitserscheinungen, vor allem an claustro- und nosophobischen Zwangsvorstellungen litt. Anfänglich betrachtete ich seine Klagen über ein rapides Sinken seiner Geschlechtskraft als rein hypochondrischen Ursprungs. Die mehrfache Untersuchung des Ejakulats ergab aber, daß nur spärliche, verkrüppelte und starre Spermatozoen vorhanden waren. Eine gonorrhoische Infektion hatte früherhin nicht stattgefunden. Es reiht sich diese Beobachtung den in der Litteratur niedergelegten Fällen von Oligo- resp. Azoospermie an.

Wenden wir uns nun den urogenitalen Krankheitszeichen bei w e i b l i c h e n neurasthenischen Patienten zu, so werden Sie bei der Durchsicht der einschlägigen Litteratur zuerst der auffälligen Thatsache begegnen, daß denselben im Vergleich zu den ausführlichen Darstellungen über die männlichen sexualneurasthenischen Krankheitserscheinungen ein außerordentlich dürftiger Raum zugemessen worden ist. Es kommt dies gewiß zum großen Teil daher, daß die weibliche Neurasthenie bis in die neueste Zeit hinein der Hysterie zugerechnet wurde. Ich glaube, daß man, wie ich Ihnen später bei dem Kapitel Diagnose noch ausführlicher darlegen werde, von der Definition „Hysterie" noch vielfach zu verschwenderischen Gebrauch macht, und daß bei einer unbefangenen Würdigung der Thatsachen auch beim weiblichen Geschlecht ein großer Prozentsatz der nervenkranken Individuen viel eher der Neurasthenie als der Hysterie zugeteilt werden muß. Ueber die ätiologische Bedeutung der organischen Genitalerkrankungen des weiblichen Geschlechts habe ich Ihnen schon früher meine Anschauungen entwickelt. Sie werden es begreiflich finden, daß ich dieser Auffassung zufolge die subjektiven und objektiven Genital- und sexuellen Beschwerden weiblicher Neurastheniker viel häufiger als Begleiterscheinungen, denn als Ursachen der Neurasthenie betrachte. Denn vielfach erst auf dem Boden der Neurasthenie gewinnen die von dem Lokalleiden ausgelösten Krankheitszustände die schwerwiegende Bedeutung für das Allgemeinbefinden, welche thatsächlich den Erkrankungen der Genitalsphäre zukommt.

Es treten hier die R e i z s y m p t o m e a u f s e n s i b l e m G e - b i e t e besonders scharf hervor. Sowohl die äußeren als auch die inneren Genitalorgane, die Urethra, die Blase, das Perinaeum und die Analöffnung können Sitz der verschiedenartigsten spontanen und Druckschmerzen, örtlich begrenzter topalgischer Schmerzen oder flächenhaft ausgebreiteter Parästhesien sein. Bezüglich der Harnröhre und der Blase begegnen wir ganz denselben Störungen wie beim Manne. Im Bereiche des Genitalapparates im engeren Sinne treten besonders hervor P r u r i t u s v u l v a e e t v a g i n a e, dumpfe drückende und ziehende Schmerzen im Bereich der breiten Mutterbänder (u. a. die sog. O v a r i e) und in der Tiefe des Uterus, krampf- und wehenartige Empfindungen des unteren Uterinsegments, „als ob alles zur Scheide herausdrängte", ein dumpfer, drückender Schmerz zwischen Uterus und Rectum, sowie anderweitige Topalgien, welche in die Tiefe des Beckens, auf die vordere Kreuzbeinfläche, den Ischiadicusaustritt, die Foramina obturatoria lokalisiert werden.

Alle diese pathologischen Empfindungen können spontan auftreten, viel häufiger aber sind sie bei Lageveränderungen des Körpers,

beim Sitzen, Stehen, raschen Gehen, Fahren u. s. w. Es giebt neurasthenische Mädchen und Frauen, welche diese hyper- und paralgetischen
Zustände fast periodisch und zwar zur Zeit der prämen-
strualen Kongestion oder der Periode darbieten. Sie rauben
dann den Schlaf und wirken psychisch außerordentlich ungünstig. Krankhaft gesteigerte Gemütsreizbarkeit, Schlaflosigkeit, geistige Ruhelosigkeit, aber auch dyspeptische und angioneurotische Phänomene,
erhöhte Muskelmüdigkeit und multiple neuralgiforme Schmerzen in
der Haut, den Muskeln und Knochen resp. Gelenkabschnitten treten
dann in verschärftem Maße hervor und bringen die Patienten oft in
wenigen Tagen in ihrem geistigen und körperlichen Gesundheitszustand enorm zurück. Bei einer nicht geringen Anzahl von weiblichen Patienten findet sich neben diesen menstrualen Symptomen
noch eine intermenstruale, genau 14 Tage vor dem Eintreten der
nächsten Periode gelegene genitale Reizphase, deren Symptome mit
denjenigen der Menstrualzeit durchaus identisch sind.

Es ist mir bisher nicht gelungen, eine Erklärung dieses intermenstrualen Reizzustandes zu finden; auch mir befreundete Gynäkologen, denen diese Erscheinung durchaus nicht fremd war, waren
außerstande, einen Grund für sie anzugeben. Man kann vermuten,
daß das auslösende Moment in einer mit der Ausreifung der GRAAF'schen
Follikel zusammenhängenden Ovarialkongestion gelegen ist. Der Ausdruck sexuale Neurasthenie ist sicherlich für viele dieser weiblichen
Patienten mehr gerechtfertigt, als wir früher bezüglich der männlichen
Neurasthenie zugeben konnten. Denn wir sehen wie die neurasthenischen Symptome entstehen oder wenigstens wachsen mit dem Zeitpunkt
der Geschlechtsreifung und wie sie in fast ununterbrochener Folge die
physiologische Thätigkeit dieser Organe begleiten. Freilich wird der auf-
merksame Beobachter bald erkennen, daß auch außerhalb der Genitalsphäre genugsam Ursachen zur breiteren Entfaltung der niemals
völlig schlummernden neurasthenischen Krankheitszeichen vorhanden
sind. Jede körperliche oder geistige Ueberanstrengung, jede gemütliche Erregung u. a. m. kann in gleicher Weise die Phänomene
der Uebererregung und Erschöpfung des Centralnervensystems wachrufen. Selbst unbedeutende organische Genitalerkrankungen bewirken
dann außerhalb dieser menstrualen oder intermenstrualen Reifepoche
das ganze Heer subjektiver Genitalbeschwerden. Zweifellos besitzen
auch chronische, hartnäckige Obstipationen eine große Bedeutung bei
der Entstehung dieser lokalen Schmerzsymptome.

Wir müssen hier auch kurz auf die Art und Dauer der
Menstruation bei neurasthenischen Patientinnen eingehen. Bei
einem Teil derselben, insbesondere bei juvenilen, chlorotisch-anämischen
unverheirateten Patientinnen ist die Periode sehr spärlich, unregelmäßig, oft monatelang aussetzend. Das sind die relativ günstigen
Fälle; bei ihnen treten die sensiblen Störungen seitens des Genital-
traktus auch mehr in den Hintergrund. Viel schwerer und besonders
vom Standpunkt der Therapie ungünstiger sind die Fälle mit pro-
fuser und protrahierter Periode. Sie begegnen nicht selten neurasthenischen Kranken, welche alle 3 Wochen einen 6—8 Tage
dauernden Menstrualfluß haben. Wenn Sie den Patientinnen, welche
subjektiv unter dieser protrahierten Menstruation enorm leiden, unbedingt Glauben schenken wollen, so ist mit der protrahierten wenigstens in den ersten Tagen immer eine profuse Blutung verknüpft.

Die Kranken klagen, daß sie geradezu im Blute schwämmen, daß neben flüssigem, hellrotem Blute große Klumpen schwarzen, geronnenen Blutes abgingen, und daß erst vom 4. Tage ab die Blutung spärlicher würde. Ich habe mich seit langem gewöhnt, diesen Angaben skeptisch gegenüberzustehen, da mir möglichst unauffällige Untersuchungen der Leib- und Bettwäsche einen solchen übermäßigen Blutverlust sehr oft nicht bestätigten. Doch giebt es zweifellos Patientinnen, bei welchen der schlaffe, mangelhaft kontrahierte Uterus (besonders nach mehrfachen Geburten) und die gelockerte, endometritisch veränderte Schleimhaut thatsächlich langdauernde, übergroße Blutverluste veranlassen. Wir werden diesen Fällen eine erhöhte Aufmerksamkeit schenken müssen, weil diese Blutverluste bei nervös-kachektischen Frauen die ärztliche Behandlung geradezu zu einer Sisyphusarbeit machen können.

Suchen wir bei den weiblichen Patienten nach sexuellen Störungen im engeren Sinne, so begegnen wir zuerst einer freilich recht seltenen Reizerscheinung, welche den männlichen Pollutionen an die Seite zu stellen ist. Es handelt sich hierbei um eine entweder reflektorisch (z. B. durch masturbatorische Friktionen oder durch den Coitus) oder central ausgelöste (erotische Vorstellungen) Erregungen eines spinalen Centrums. Die centrifugale Entladung bewirkt eine peristaltische Kontraktion des unteren Uterinsegments, vielleicht aber auch des ganzen Genitalschlauchs und hierdurch ein Auspressen von Uterin- und Vaginalsekret, sowie des Inhalts der BARTHOLINI'schen Drüsen. v. KRAFFT-EBING, welcher als erster darauf aufmerksam gemacht hat, bezeichnet die Pollution des Weibes als ein regelmäßiges Symptom der „klassischen Form" der Neurasthenia sexualis. Masturbation, „unphysiologischer" Coitus (Coitus interruptus, nicht befriedigender Coitus bei reger Libido), sexuelle Abstinenz (bei hypersexualen oder bei an sexuellen Verkehr gewöhnten Individuen) führen nach diesem Autor sowohl direkt (infolge der fortdauernden nervösen Erregung im Plexus lumbo-sacralis und weiterhin im ganzen Nervensystem), als auch indirekt, seelisch durch abnorme psychische Reaktionen) und körperlich (durch sekundäre gewebliche folgenschwere Veränderungen der Genitalorgane) Neurasthenia sexualis herbei.

Die Pollution des Weibes wird entweder durch erotische Traumvorstellungen oder bei erhöhter Erregbarkeit des Ejakulationscentrums durch Phantasievorstellungen oder bestimmte Sinneswahrnehmungen während des wachen Lebens hervorgerufen. Aber auch taktile Reize (Kuß, Umarmung eines Mannes)· oder Erschütterungen des Körpers (Wagenfahren) können nach v. KRAFFT-EBING im fortgeschrittenen Stadium der Neurose solche Pollutiones diurnae auslösen. Späterhin sind es auch nicht mehr erotische, sondern indifferente oder sogar peinliche Vorstellungen, welche die Traumpollutionen bewirken: es treten dann auch an Stelle der libidinösen anderweitige, selbst schmerzhafte Gefühlsreaktionen dabei auf. Diesem Initialsymptom folgen dann die anderen Erscheinungen der „Lendenmarksneurose", die Hyperalgien und Paralgien in den Bahnen des Plexus lumbo-sacralis, sowie die Par- und Hyperästhesien im Bereich des ganzen Urogenitaltraktus, sowie weiterhin die Symptome der „Neurasthenia spinalis diffusa". Es besteht dann ein Zustand von „Erethismus genitalis" mit „Clitorismus" (analog den Priapismen des Mannes), ein qualvoller Zustand im Sinne kontinuier-

licher Unruhe und Aufregung in den Genitalien. Die Kranken werden
von massenhaften, brennenden, klopfenden, pulsierenden, vibrierenden,
wogenden, pressenden Empfindungen (u. a. auch Kitzelgefühlen) in der
Vulva resp. Vagina und Urethra gepeinigt.

Eine Folge dieses „peinlichen Gefühles, Genitalien zu haben",
ist eine ausgeprägte psychische Verstimmung mit Taedium vitae. „Die
Exploration ergiebt Turgescenz der kleinen Schamlippen, fast permanente. Erektion der Clitoris, heiße hyperämische Vagina mit offenbar erweiterten und stark pulsierenden Arterien, meist auch Fluor."
Libido sexualis tritt nur episodisch infolge erotischer Bilder und
Träume auf, während lebhafter Orgasmus beständig vorhanden ist. Durch
die libidinösen Anwandlungen wird die` Kranke zu Coitus oder
Masturbation verführt, „aber der ejakulatorische Akt vermittelt nicht
Wollust und Erleichterung, sondern Unlust, selbst Schmerz und vermehrt gleich wie die hier sehr häufigen Pollutionen die Beschwerden
bedeutend". Prä- und postmenstrual ist das Leiden am stärksten,
die meist erblich stark belasteten Kranken verfallen aus diesem
Stadium der „sexual-spinalen" Neurose sowohl allgemeiner Neurasthenie, als auch ausgeprägten Psychosen.

Diesen v. KRAFFT-EBING geschilderten Symptomenkomplex des
Erethismus genitalis habe ich in einem Falle (23-jähriges Mädchen
mit hereditärer Belastung) beobachten können. Hier war nachweislich
jahrelang (seit dem 11. Jahre fast ununterbrochen) fortgesetzte Masturbation, welche mit einer verfrühten psycho-sexualen Entwickelung Hand
in Hand ging, die Ursache dieser genitalen Reizsymptome. Dabei bestanden Anfänge von Grübelsucht, Angstaffekte, Schlaflosigkeit, allgemeine Muskelschwäche, Hyperakusis, Kopfdruck, Nackenschmerzen, jedoch
keine Rhachialgie. Bei geeigneter Psychotherapie und einer maßvollen
hydriatischen Behandlung schwanden die genitalen Symptome vollständig.
Auch die übrigen neurasthenischen Beschwerden traten so weit zurück,
daß die Pat. sich einer selbständigen Lebensaufgabe seit Jahren widmen
kann.

Pollutionen habe ich noch bei 3 Patientinnen, welche sonst durchaus nicht über Genitalsymptome klagten, beobachtet.

Es handelte sich immer um Traumpollutionen, welche von ausgeprägten erotischen Traumvorstellungen begleitet waren. Die Pat.
waren verheiratete Frauen, welche direkt angaben, daß die lokalen
Empfindungen mit denjenigen bei der Kohabitation durchaus identisch
seien. Sie waren durch diese Vorgänge aufs tiefste deprimiert, be-
zichtigten sich der Unanständigkeit, ja Verworfenheit. Nur eine derselben (23-jährige Frau) gestand mir, daß sie auch im w a c h e n Zustande, aber erst seit ihrer Erkrankung (neurasthenischer Zustand
nach erschöpfender Laktation, schwere erbliche Belastung) von Kitzelempfindungen im Bereich der Clitoris anfallsweise gequält werde,
welche libidinöse Vorstellungen erweckten und sie dann zu masturbatorischen Handlungen verführten. Sexueller Verkehr wirkte verschlimmernd auf diese Reizzustände, die sich erst ganz allmählich
mit dem Wiedererstarken ihrer Gesundheit verloren.

Derartige Fälle lehren, daß sexuelle Reizsymptome mit Pollutionen
im Verlauf der weiblichen Neurasthenie auftreten können, ohne daß
das von v. KRAFFT-EBING gezeichnete Bild der sexualen Neurasthenie

Fig.
No. 72.

vorhanden ist. Bei der natürlichen Zurückhaltung und Scheu unserer Patientinnen, über ihre sexuellen Vorgänge sich dem Arzte zu offenbaren, liegt es auf der Hand, daß wir nur dann Kenntnis von diesen Störungen erhalten, wenn sie durch ihre Intensität oder häufige Wiederkehr oder durch quälende Allgemeinsymptome (vermehrter Kopfdruck, Abgeschlagenheit, Schlaflosigkeit u. s. w.) die Kranken erschrecken. Bei Frauen, welche an organischen Genitalerkrankungen leiden, finden Sie libidinöse Anwandlungen im Schlaf mit entsprechenden Traumvorstellungen und ausgeprägten parästhetischen Empfindungen in der Genitalsphäre ohne Pollutionen; wohl aber kommt es gelegentlich im Schlafe zu masturbatorischen Reizungen. Meist ist es dann ein abnormer Füllungszustand der Blase oder des Mastdarms, welcher diese Erregungszustände bedingt hat. Die züchtige Frau, welche über diesen Traumbildern erwacht, fühlt sich durch diese Zustände tief gedemütigt. Nicht zu selten werden Sie, wenn Sie den Dingen auf den Grund gehen, als Ursache einer schlechten, fast schlaflos verbrachten Nacht solche Vorkommnisse eruieren können.

—

Bevor ich die Schilderung der neurasthenischen Krankheitssymptome abschließe, möchte ich Sie noch auf zwei Dinge aufmerksam machen: 1) auf gewisse sekretorische Störungen, welche sehr häufig auftreten und von den Kranken selbst sehr peinlich empfunden werden. Es sind dies die Zustände von allgemeiner und lokaler Hyperidrosis. Bei leichtesten körperlichen Anstrengungen, bei geringfügigen gemütlichen Erregungen, bei ungewohnten oder relativ intensiven Sinnesempfindungen (z. B. lärmende Musik), überhaupt bei jeder plötzlichen Steigerung der körperlichen oder geistigen Leistungen sind viele Patienten in Schweiß gebadet. Ich kenne genugsam Patienten (besonders weibliche), welche mehrmals des Tages oder der Nacht (z. B. nach einem schreckhaften Traume) von einem lebhaften Schweißausbruch heimgesucht werden, der so heftig sein kann, daß das Hemd völlig durchnäßt ist. Diese Schweißausbrüche sind immer mit nervöser Aufregung und Ermattung verknüpft. Es ist ein kalter Schweiß, der sehr leicht mit gesteigerten Frostempfindungen einhergeht. Bei anderen Patienten beschränkt sich diese profuse Schweißsekretion auf bestimmte Körperabschnitte, am häufigsten werden Hände und Füße befallen. Löwenfeld berichtet von einer nachts auftretenden reichlichen Schweißabsonderung am Kopfe bei manchen Neurasthenischen. Gelegentlich habe ich und zwar nicht bloß bei Patienten, welche besonders auffällig an sexuellen Störungen litten, Klagen über gesteigerte Schweißsekretion am Scrotum und in der Inguinalgegend gehört.

Manche Autoren berichten auch von einer lokalen Anhidrosis, welche sich in einer abnormen Trockenheit der Haut kundgiebt. Thatsächlich begegnen Sie nicht selten bei recht anämischen, gracil gebauten, langaufgeschossenen jugendlichen Pat. im Verein mit der Klage über kalte Füße einer auffallend spröden und trockenen, schilferigen Beschaffenheit der Haut der Unterschenkel und Füße. Es wird sich aber schwer feststellen lassen, wie viel hierbei auf Rechnung sekretorischer oder cirkulatorischer Störungen zu setzen sei.

Andere sekretorische Störungen sind: vermehrte oder verringerte

Speichel- und Thränenabsonderung. Besonders letztere, die gesteigerte Sekretion der Thränendrüsen, ist für viele Patienten geradezu ein Maßstab ihres „Angegriffenseins". Je übererregter nicht allein auf emotivem, sondern auch intellektuellem Gebiet, je schlafloser und abgehetzter, desto leichter treten bei den geringfügigsten Anlässen — auch ohne besondere affektive Erregung — Weinattacken auf. Manche Patienten begleiten überhaupt jeden geistigen Vorgang sowohl bei der Lektüre als auch dem sprachlichen Gedankenaustausch mit einer leichten Thränenergießung. „Es ist mir unmöglich, das Taschentuch aus der Hand zu lassen", berichtete eine Patientin, „die gleichgiltigsten, selbst dümmsten Gedanken erwecken mir Thränenträufeln." Sie begegnen dieser Erscheinung gelegentlich und vorübergehend bei nicht nervösen jungen Frauen im Wochenbette. Seltener sind Sekretionsanomalien seitens der Mundspeicheldrüsen. Ausgeprägte Salivation habe ich nur ganz vereinzelt beobachtet. Daß es sich hierbei, wie PEYER meint, um einen konsensuellen (reflektorischen) Zusammenhang mit Sexualerkrankungen handelt, kann ich durchaus nicht anerkennen. Viel häufiger ist abnorme Trockenheit des Mundes, eine Erscheinung, die ich schon bei den nutritiven Störungen erwähnt habe.

2) Der Vollständigkeit halber ist auch der relativ seltenen respiratorischen Störungen zu gedenken. Wenn wir von dem vermehrten Hustenreiz mancher Neurastheniker absehen, welcher von der Ueberempfindlichkeit der oberen Luftwege abhängig ist, so kommt nur die Klage über ungenügende Lufterneuerung in den Lungen in Betracht. Die Patienten haben das Gefühl, daß immer ein Rest „ungesunder, drückender, den Brustkorb beengender, verbrauchter" Luft in den Lungen zurückbleibe. Oder sie beklagen sich darüber, daß sie beim Treppensteigen oder raschen Gehen nach wenigen Schritten außer Atem kommen und wegen stechender Empfindungen im Innern des Brustkorbs am tiefen Einatmen verhindert seien. Wenn Sie diesen Krankheitsäußerungen auf den Grund gehen, so werden Sie finden, daß alle objektiven Anzeichen einer wahren Dyspnoë fehlen. Es handelt sich hier augenscheinlich um Ermüdungsempfindungen resp. Schmerzen, welche bei der Thätigkeit der Atmungsmuskulatur entstehen. Hierfür spricht vor allem der Umstand, daß solche Klagen ausschließlich von Patienten geäußert werden, welche an einer abnorm raschen Ermüdbarkeit bei allen motorischen Leistungen leiden. Treten die Symptome von Atemnot und Lufthunger bei Patienten in vorgerückteren Jahren zugleich mit den Erscheinungen der „nervösen Herzschwäche" auf, so werden Sie meist feststellen können, daß arterio-sklerotische Veränderungen die Grundlage der dyspnoëtischen Beschwerden sind.

11. Vorlesung.

M. H.! Schon zu wiederholten Malen habe ich im Verlauf dieser Vorlesungen darauf hingewiesen, daß aus dem vielgestalteten Bilde der Neurasthenie je nach der Gruppierung der Symptome einzelne Typen herausgeschält werden können. Es entspringt dies dem naturgemäßem Bestreben, einerseits den Entwickelungsgang des Leidens, soweit derselbe für die Gestaltung des Krankheitsbildes maßgebend gewesen ist, kurz zu kennzeichnen und anderseits bei der Betrachtung des vollentwickelten Krankheitsbildes die hervorstechendsten und für den Patienten bedeutungsvollsten Krankheitsmerkmale zusammenzufassen.

Nach beiden Richtungen hin sind von den verschiedenen Bearbeitern der Neurasthenie Einzelformen aufgestellt und beschrieben worden. So unterscheidet BEARD sieben klinische Formen: die Cerebrasthenie, die Myelasthenie, die gastrische Form, die genitale Form, die traumatische Neurasthenie, die Hemineurasthenie, die hysterische Form oder die Hystero-Neurasthenie. Diese Klassifikation entspricht zum Teil derjenigen von BOUCHUT, welcher schon vor BEARD die Symptomatologie der Neurasthenie in seiner klinischen Bearbeitung des „Nervosisme" geschildert hat. Nur fügt er noch den nervosisme cardiaque, laryngé, cutané, spasmodique, paralytique, douloureux der Einteilung nach Symptomen hinzu. Im Hinblick auf den Verlauf unterscheidet er eine akute und eine chronische Form des Nervosismus und je nach der Vermischung mit anderen nervösen resp. psychischen Krankheitssymptomen eine einfache, hysterische und hypochondrische Form des Nervosismus.

ARNDT, welcher die Neurasthenie als eine wenigstens in ihren Anlagen gemeiniglich angeborene Erkrankung betrachtet, beschreibt gesondert die Neurasthenie des Säuglingsalters, des eigentlichen Kindesalters, des Knaben- und Mädchenalters, der Pubertätsjahre, des Alters der Reife und als relativ seltenere Form die Neurasthenie des Greisenalters.

BOUVERET beschreibt neun klinische Formen. Die ersten drei: die N. cerebro-spinalis, die Cerebrasthenie und die Myelasthenie, entspringen einer rein klinisch-symptomatologischen Anschauung. Die zweite Gruppe umfaßt die akut neurasthenischen Zustände. Die dritte Form, die hereditäre Neurasthenie, ist ätiologisch-klinisch konstruiert, ebenso die vierte und fünfte, die weibliche und Genitalneurasthenie. In der sechsten und siebenten Form der Hystero-Neurasthenie und der traumatischen Hystero-Neurasthenie beschreibt er die

Uebergangs- und Mischformen, welche besonders von CHARCOT so glänzend dargestellt worden sind.

LÖWENFELD schildert eine psychische (Cerebrasthenie), eine spinale (Myelasthenie) und eine cerebro-spinale Form der Neurasthenie, außerdem eine sexuelle, hereditäre und traumatische Neurasthenie.

v. KRAFFT-EBING giebt fünf Krankheitsbilder der Neurasthenie: die Cerebrasthenie, die Myelasthenie, die N. gastro-intestinalis, N. cordis s. vasomotoria und die N. sexualis.

Es ist Ihnen aus dieser Zusammenstellung ersichtlich, daß eine einheitliche Einteilung der klinischen Varietäten des neurasthenischen Krankheitsbildes nicht erreicht ist. Es ist wohl auch kaum Hoffnung vorhanden, daß dies überhaupt bewirkt werden kann, denn jede Einteilung entspringt der subjektiven Auffassung des Autors über die größere oder geringere Wertschätzung ätiologisch-klinischer oder symptomatologisch-klinischer Gruppierung der Krankheitsbilder. Dazu kommt, wenn wir von dem Verlauf völlig absehen, das weitere Bestreben, die anatomisch-physiologischen Anschauungen bei der Aufstellung der einzelnen Formen zum Ausdruck zu bringen.

Wenn ich es versuche, Ihnen nach rein klinisch-deskriptiven Gesichtspunkten d. h. nach den im einzelnen Falle vorwaltendsten Krankheitserscheinungen eine Einteilung in typische Bilder zu geben, so möchte ich von vornherein der Anschauung entgegentreten, als ob damit scharf abgegrenzte oder während des ganzen Verlaufs der Krankheit unwandelbare Krankheitsbilder geschaffen würden. Im Gegenteil, ich betrachte die Aufstellung von Einzelformen in der Mehrzahl der Fälle nur als Momentphotographien, die uns über die gegenwärtig vorhandene Gruppierung der Symptome Aufschluß geben. Die einzige Ausnahme macht die ätiologisch-klinisch durchaus berechtigte Form der hereditären Neurasthenie, bei welcher man aus bestimmten Kardinalsymptomen, die das Krankheitsbild dauernd beherrschen, direkt Schlüsse auf die Entwickelung und den Verlauf des Leidens ziehen kann. Die Gründe, warum ich eine scharfe Abgrenzung der einzelnen Formen für undurchführbar erachte, sind wohl zur Genüge in den Kapiteln der Aetiologie, allgemeinen Pathologie und Pathogenese erörtert worden. Sie gipfeln in der Auffassung, daß die Neurasthenie eine Allgemeinerkrankung des Centralnervensystems ist, die bald hier, bald dort je nach der anatomischen Anlage und Ausbildung, sodann nach der Inanspruchnahme der einzelnen funktionellen Mechanismen, Störungen der nervösen Leistungen darbietet.

Unter diesen Einschränkungen können Sie folgende klinische Varietäten unterscheiden:

1) die Neurasthenie mit vorwaltend **psychischen** (affektiven und intellektuellen) Störungen:

    a) die hereditäre Form der Neurasthenie;

    b) die erworbene intellektuelle Erschöpfung;

    c) die hyperalgetische Form.

2) die **motorische** Form der Neurasthenie:

    a) mit vorwaltend irritativen Symptomen;

    b) die paretische Form.

3) die **dyspeptische,**

4) die **angioneurotische,**

5) die **sexuelle** Form der Neurasthenie.

Ich werde Ihnen die Mehrzahl dieser Einzelbilder nur in ihren Umrissen zeichnen müssen; hinsichtlich der Gruppierung der Symptome und des Verlaufes darf ich Sie auf die in den früheren Vorlesungen mitgeteilten Krankenbeobachtungen hinweisen. Wo Ergänzungen notwendig sind, werde ich noch weitere einschlägige Beobachtungen Ihnen vorführen.

1) Die **psychische** Form der Neurasthenie.

Die **psychische** Form ließe sich, wollte man all den verschiedenartigen Gruppierungen der psychopathologischen Erscheinungen gerecht werden, in zahllose Unterabteilungen zerlegen. Allen gemeinschaftlich sind die affektiven und intellektuellen Reiz- und Schwächesymptome, welche aus den wechselnden Phasen der Uebererregung und Erschöpfung entspringen. Ich habe dieselben früher so ausführlich geschildert, daß ich mich hier mit einigen kurzen Bemerkungen begnügen kann. Der psychischen Form fehlen niemals einfache primäre Angstgefühle oder auch paroxystische Angst- und Zornaffekte. Unter den Denkstörungen im engeren Sinne stehen neben der Verlangsamung und Erschwerung der Ideenassociation die krankhaften Beschleunigungen (Jaktation der Vorstellungen) im Vordergrund. Eine einseitige Ausdeutung der Krankheitsempfindungen (hypochondrischer Vorstellungsinhalt) ist der Mehrzahl dieser Patienten eigentümlich. Ausgeprägte Nosophobien vom Charakter der Zwangsvorstellungen und Intentionspsychosen finden sich vorwiegend bei der ersten, aber gelegentlich auch bei der zweiten Unterform.

Charakterisch ist das äußere Gebahren dieser Kranken: aus den affektiven Störungen, den geistigen Hemmungen, aus der erschwerten Anbildung von Ziel- und Schlußvorstellungen und schließlich aus interferierenden Zwangsvorstellungen entwickelt sich das typische Bild des entschlußunfähigen, willenlosen und deshalb unthätigen Neurasthenikers, welcher nur lebendig wird, wenn er seine krankhaften Empfindungen mündlich oder schriftlich zum Ausdruck bringen kann oder wenn er unter dem Einfluß künstlicher Reiz- und Betäubungsmittel oder gesellschaftlicher Zerstreuungen (falls er diesen noch zugänglich ist) von seinen pathologischen Empfindungen und Vorstellungen abgelenkt wird. Der psychische Neurastheniker ist der Stammgast der Nerven- und Kaltwasserheilanstalten. Aus der hypochondrischen Färbung des Vorstellungsinhalts, welche die Kranken bei langwierigen und intensiven Krankheitsfällen völlig gefangen hält und von allen anderen geistigen Interessen abzieht, entspringt die nahe Verwandtschaft dieser psychischen Form mit der vollentwickelten Hypochondrie. Wir werden bei der Erörterung der differentiellen Diagnose den schon früher formulierten Satz bestätigt finden, daß eine scharfe Grenze zwischen beiden kaum zu ziehen ist.

Der Symptomkomplex, welcher allen psychischen Neurasthenien eigentümlich ist und die Vorherrschaft über alle pathologischen Organempfindungen ausübt, ist der K o p f d r u c k. Seitdem RUNGE ihn

zum Gegenstand einer eigenen Abhandlung gemacht hat, ist seine
Bedeutung für das psychische Befinden der Patienten allgemein anerkannt. Er darf aber auch als Gradmesser der materiellen cerebralen
Störungen betrachtet werden. Wir haben seiner schon öfter Erwähnung gethan. Indem ich Sie auf die Ausführungen über pathologische Gemeinempfindungen bei der allgemeinen Symptomatologie
verweise, will ich hier nur kurz die klinischen Merkmale des Kopfdrucks zusammenfassen.

Man kann zwei Arten unterscheiden, den lokalisierten und den
diffusen Kopfdruck. Der erstere ist zweifellos häufiger. Er lenkt
die Patienten zuerst auf ihre cerebralen Ermüdungserscheinungen hin.
Bei der intellektuellen Dauerermüdung ist der Stirn- und Schläfen-
druck vorherrschend. Er findet sich entweder flächenhaft ausge-
breitet über die ganze Stirn bis zur vorderen seitlichen Haargrenze
oder er sitzt scharf lokalisiert zwischen den Augenbrauen, von der
Nasenwurzel beginnend sich streifenförmig nach oben über die ganze
mittlere Partie der Stirn erstreckend. Einzelne Kranke klagen
auch über einen in die Tubera frontalia lokalisierten dumpfen Stirndruck. Den diffusen Stirndruck bezeichnen die Patienten am liebsten
mit dem schon trivial gewordenen Ausdruck, sie hätten ein Brett vor
dem Kopf. Es wird damit der oberflächliche, von außen nach
innen wirkende Druck bezeichnet. Sie begegnen aber auch einer
anderen Ausdrucksweise, welche für den in der Tiefe, hinter der
Stirnschale gelegenen Druck bezeichnend ist. Es ist dies ein
pressender, bohrender, quellender Schmerz, welcher sehr häufig mit
pulsatorischen Empfindungen vergesellschaftet ist. „Die Stirn ist
mir so schwer, daß ich den Kopf nicht aufrecht halten kann."

Recht häufig konstatiert man bei diesen Cerebrasthenikern auch
den Hinterhauptdruck. Die Patienten klagen dann über ein
Gefühl von Schwere, Druck und Völle („als ob der Schädel hinten
mit Blei ausgegossen sei") im Inneren des Kopfes. Hiermit verbindet
sich das Gefühl von abnormer Spannung und Zerrung der Nackenmuskulatur („es ist mir, als ob der Kopf nach hinten gezerrt würde")
und abnorme Berührungs- und Druckempfindlichkeit der Nackenhaut.
Die Kranken können infolge dieser Druckschmerzen nur auf weichen
Kissen liegen. Jede Drehung des Kopfes steigert die Druck- und
Spannungsempfindungen zu wirklichen Schmerzen und vermehrt die
bestehenden Schlafstörungen.

Der Scheiteldruck ist am häufigsten bei denjenigen Neurasthenikern, welche mit ausgeprägten kortiko-motorischen Ermüdungserscheinungen behaftet sind. Er besitzt dieselben subjektiven
Merkmale, wie der Stirndruck, doch ist hier der innerliche Druckschmerz häufiger, als der kappenartige, die Scheitelhöhe bedeckende
oberflächliche Kopfdruck. Wenn Sie die Krankengeschichten, welche
den motorischen Störungen beigefügt sind, durchmustern, so werden
Sie manche individuelle Variationen dieses Scheiteldruckschmerzes
leicht erkennen können. Sie werden auch finden, daß dieser Scheitel-
schmerz mit den anderen Druckschmerzen alternierend oder kombiniert auftreten kann. Es ist dies leicht verständlich, wenn Sie sich
die innigen Beziehungen zwischen den intellektuellen und kortiko-
motorischen Störungen vergegenwärtigen.

Ich möchte Sie aber noch auf eine besondere Form des umschriebenen
Kopfdruckes aufmerksam machen, welche wiederum am meisten bei

intellektuell erschöpften Menschen auftritt, der b a n d - o d e r
r e i f e n f ö r m i g e K o p f d r u c k, welcher, von der Mitte der Stirn
ausgehend nach rechts und links etwa 2 Finger breit über die Schläfe
hinweg zum Hinterhaupt zieht und den Schädel einschnürt („es ist
mir, als ob mir eine Hutmaßmaschine über den Schädel gestülpt
wäre").

Der d i f f u s e Kopfdruck entwickelt sich in vielen Fällen bei
längerem Bestehen der neurasthenischen Erkrankung aus den lokalisierten Kopfdrucksymptomen. Es entspricht dann die Verallgemeinerung und Steigerung dieser Beschwerden einer Zunahme der körperlichen und geistigen Erschöpfung. Manche Patienten mit einem sub-
akuten und remittierenden Verlaufe der Neurasthenie benützen diese
Ausbreitung des Kopfdrucks geradezu als Indikator für den Höhe-
punkt ihrer Erkrankung. Während sie den lokalisierten Kopfdruck
zwar als lästige, die berufliche Arbeit erschwerende, aber noch erträgliche Begleiterscheinung ihres nervösen Zustandes betrachten,
zwingt sie der· diffuse zur vorübergehenden Arbeitseinstellung, weil
er ihre Gemütslage in ungünstigster Weise beeinflußt und die weitgehendsten hypochondrischen Befürchtungen beginnender geistiger
Zerrüttung wachruft.

In einer, wenn auch kleineren, Gruppe von Fällen finden Sie von
Anfang an die diffusen Kopfdrucksymptome. Sie sind dann zu dem
Schlusse berechtigt, daß Sie einem schwereren und langwierigeren
Krankheitsfall gegenüberstehen.

Ein höchst instruktives Beispiel von dem An- und Abschwellen
und dem Ausbreiten des Kopfdrucks ist in Krg. No. 78 gegeben. Ich
will Ihnen hier noch einen Fall skizzieren, welcher i m B e g i n n
eines intellektuellen Erschöpfungszustandes schwere· Kopfdrucksymptome darbot:

G., 38 Jahre alt, angeblich erblich nicht belastet, verheiratet; Vater
von 3 Kindern; jüngstes (2-jähriges) Kind rachitisch, nach Aussage des
Hausarztes mit „Ansatz zu Hydrocephalus"; keine Aborte der Frau: Pat.
war bis zum 18. Jahre ganz gesund, erkrankte dann an Spitzenkatarrh,
erholte sich aber nach mehrmonatlicher Kur vollständig; vom Militärdienst wegen allgemeiner Schwächlichkeit befreit; mit 28 Jahren Ulcus
molle mit Bubo, welche durch lokale Behandlung beseitigt wurden; keine
syphilitischen Erscheinungen. Pat. leitet ein großes Geschäft, welches er
durch seine Tüchtigkeit und seinen Eifer zur Blüte gebracht hat. In
den letzten Jahren war er dauernd überanstrengt. Seit 6—8 Wochen
vor der 1. Konsultation verspürte er größere Ermüdung, so daß er sich
„nur mit Mühe vom Kontor in die Wohnung hinaufschleppen konnte und
ihm vor Abspannung das Essen nicht mehr schmeckte". Zu gleicher
Zeit stellte sich ein dem Pat. völlig f r e m d a r t i g e s D r u c k g e f ü h l
im S c h ä d e l i n n e r n ein. „Es w a r m i r, a l s o b m i r ü b e r S t i r n
und S c h e i t e l e i n e K a p p e g e z o g e n s e i, w e l c h e m i r d a s
D e n k e n u n m ö g l i c h m a c h t e. Oft i s t m i r d e r g a n z e K o p f
wie m i t B l e i a u s g e g o s s e n. V e r s u c h e i c h d a n n m i t g r ö ß t e r
A n s t r e n g u n g w e i t e r z u a r b e i t e n, s o g e s e l l t s i c h h i e r z u
ein u n a n g e n e h m e s, s p a n n e n d e s u n d d r ü c k e n d e s G e f ü h l
über d e n R ü c k e n, w e l c h e s, i m H i n t e r k o p f b e g i n n e n d,
l a n g s a m b i s z u m K r e u z h i n a b z i e h t. D i e s e r D r u c k i s t a m
schlimmsten des Abends. Ganz frei bin ich nie. Es ist mir unmöglich,

Krg.
No. 73.

selbst einfache Arbeiten länger als 10 Minuten fortzusetzen, z. B. das
Addieren von Zahlenkolonnen in den Geschäftsbüchern. Versuche ich
meine Aufmerksamkeit länger anzuspannen, so gesellt sich zu dem Kopfdruck ein eigentümlicher brennender und rieselnder Schmerz in der
Kopfhaut, welcher streifenförmig von den beiden Stirnböckern über den
ganzen Kopf hin ausstrahlt. Der Schlaf ist unruhig, oberflächlich und
durch schreckhafte Träume gequält. Ich kann sehr schwer einschlafen,
weil mir alle Geschäftsereignisse im Kopf herumschwirren, und wache
früh mit meinem dumpfen Druck im Schädel wieder auf. Seit einigen
Wochen bin ich auch in meiner Stimmung ganz verändert. Ich bin miß-
mutig, reizbar, rege mich über die geringfügigsten Geschäftsvorkommnisse
auf und werde ganz gegen meine frühere Gewohnheit gegen meine Angestellten heftig und ungerecht."

Der Hauptgrund, warum der Pat. meine Hilfe aufsuchte, war die
Furcht, geisteskrank zu werden (Gehirnerweichung). „Ich bin oft so
ängstlich, als ob ich das größte Unrecht begangen hätte. Die Angst
schnürt mir förmlich die Brust zusammen." Er gesteht auch zu, daß in
ihm gelegentlich „dumme Gedanken, er könnte sich das Leben nehmen",
auftauchten.

Stat. praes.: Mittelgroßer (167 cm), blasser, leidend aussehender
Mann, Körpergewicht 143 Pfd. („ich bin in den letzten Wochen recht
abgemagert"); die Untersuchung der inneren Organe ergiebt nichts Abnormes; Urin frei von Zucker und Eiweiß; keine erhöhten Uratausscheidungen; die Untersuchung des Nervensystems läßt keinerlei Zeichen einer
organischen Erkrankung auffinden; keine Druckschmerzpunkte; Kniephänomen beiderseits gesteigert.

Die vorstehende Beobachtung zeigt Ihnen, daß die subjektiven
Krankheitserscheinungen des diffusen Kopfdrucks sich nur durch die
räumliche Ausbreitung, nicht aber durch eine besondere Qualität von
dem lokalisierten unterscheiden. Erwähnenswert sind noch die Klagen
mancher Patienten, daß der ganze Kopf eigentümlich starr und
empfindungslos „wie von Glas" sei, daß er „zum Auseinanderbersten
voll" sei. Aber auch andere eigenartige Empfindungen werden von
den Kopfdruckpatienten in die Krankheitsschilderungen eingeflochten.
„Oft ist mir der Kopf ganz hohl und leicht. Es ist mir, als ob mir
die ganze Schädeldecke abgehoben wäre." Oder die Patienten klagen
über das Gefühl, als ob der Schädel mit einer zähflüssigen Masse
ausgefüllt sei, welche bei jeder Bewegung des Kopfes sich hin und
her bewegte. Manche behaupten geradezu ein „Schwappen" oder
„feines Reiben" bei Kopfbewegungen im Innern des Schädels zu
spüren.

Ich möchte Sie dann noch auf die parästhetischen Empfindungen in der Kopfhaut aufmerksam machen. In der vorstehenden Beobachtung finden Sie die häufigste Form, das
streifenförmige äußerliche Kopfweh. Andere Patienten
sagen, daß ihnen „alle einzelnen Haarwurzeln weh thäten". Die
leiseste Berührung, z. B. durch einen Hut, verursache ihnen die
qualvollsten, juckenden, kribbelnden und rieselnden Empfindungen,
„als ob ihnen Ungeziefer über den Kopf liefe". Es wird aber auch
ein umschriebener äußerer Kopfschmerz nicht selten angegeben.
„Es ist mir, als ob ein thalergroßes, fressendes Geschwür auf der
Mitte des Scheitels säße." „Ich habe an manchen Stellen des Kopfes

das Gefühl, als. ob ich mit Stecknadeln gespickt würde. Ich darf diese Stellen gar nicht berühren." Es ist charakteristisch für diese umschriebenen Schmerzen, daß leises Streichen sie vermehrt, während starker Druck oft wohlthätig wirkt [1]).

Die verschiedenartigsten Kopfgeräusche, welche wir früher im Anschluß an die sensoriellen Störungen kennen gelernt haben, gesellen sich nicht selten den Kopfdrucksymptomen und äußeren Hautparästhesien hinzu. Sie können aber auch ganz unabhängig von diesen Erscheinungen vorhanden sein.

Nach diesen Vorbemerkungen will ich Ihnen die einzelnen Unterformen der phychischen Neurasthenie kurz vorführen.

a) Die hereditäre Form zeichnet sich vor allem dadurch aus, daß die Anfänge des Leidens sich schon in einer frühen Lebensepoche, meist schon vor der Pubertätsentwickelung geltend machen. Hervorzuheben ist fernerhin der sprungweise, durch zahlreiche Remissionen und Exacerbationen charakterisierte Verlauf. Eine Ausnahme hiervon machen nur diejenigen Fälle, bei welchen die Störung der geistigen und körperlichen Entwickelung sich gleichmäßig und ununterbrochen kundgiebt durch konstitutionelle Schwächezustände, verlangsamte geistige Entwickelung, Unfähigkeit zu jeder geordneten körperlichen oder geistigen Thätigkeit, durch Zusammenbruch des minimalen Kräftevorrats bei jeder erzwungenen Kraftleistung, oder infolge einer interkurrenten Erkrankung. Hier ist das ganze Leben eine ununterbrochene Kette von Krankheitsvorgängen.

Kennzeichnende Symptome für die hereditäre Form sind: Einseitige geistige Veranlagung mit auffälliger Verkümmerung anderer geistiger Fähigkeiten, akute geistige Erschöpfungszustände mit zeitweiligem Stillstand der geistigen Entwickelung in den Jünglingsjahren. Nicht selten tritt geradezu eine Periodizität der geistigen Leistungs-

---

1) Ein Teil dieser Schmerzen sind als hyperalgetische (im Sinne von HEAD) aufzufassen, ein anderer aber zeigt die charakteristischen Merkmale des topalgischen Schmerzes. Eine Erklärung des innerlichen Kopfwehs resp. Kopfdruckes ist außerordentlich schwierig, da es sich hierbei um ganz verschiedenartige Gemeinschmerzen handelt. Hauptsächlich kommen in Betracht pathologische Druck- und Spannungsempfindungen in denjenigen Muskeln, welche bei der sog. willkürlichen Denkarbeit innerviert werden. Der pressende Stirn-, Schläfen- und Hinterhauptsdruck wird solchen abnormen muskulären Ermüdungsempfindungen zugerechnet werden dürfen. Aber auch vaskuläre Schmerzen der in den Hirnhäuten und der Hirnsubstanz verlaufenden Gefäße besitzen sicherlich eine große Bedeutung für die Entstehung des, wenn ich so sagen darf, expansiven Kopfdrucks. Hierfür spricht u. a. der Umstand, daß viele Pat. gleichzeitig mit ihren Kopfdrucksymptomen über Blutwallungen, Kopfkongestionen und pulsatorische Empfindungen klagen. Und schließlich bleibt für manchen ganz unvermittelt bei der Denkarbeit oder motorischen Ermüdung auftauchenden lokalisierten Kopfdruck auch die Erklärung übrig, daß es sich um ideale topalgische Schmerzen handelt. Wir werden uns mit solchen allgemeinen Erwägungen begnügen müssen: Ich halte es nicht für angängig, die Kopfdrucksymptome aus ganz bestimmten patho-

fähigkeit uns entgegen. In der neurasthenischen Phase besteht Insomnie oder pathologische Schlafsucht, Unfähigkeit zu geistiger Konzentration, dabei Zwangsvorstellungen oder allgemeines monotones Zwangsdenken nicht selten nosophobischen Inhalts, hypnagoge Hallucinationen,
somnambule Zustände, paroxystische Angstaffekte. unmotivierte Zornausbrüche, krankhafter Eigensinn, excessive Phantasievorstellungen
(pathologische Lüge), abspringende und inhaltlich widerspruchsvolle
Denkthätigkeit, ethische Verkümmerung, Neigung zu impulsiven Handlungen, nicht selten taedium vitae und Suicidiumstendenzen, frühzeitige Entwickelung (normaler und perverser) sexueller Empfindungen,
Masturbation und sexuelle Erschöpfungszustände. Daneben finden
wir in verschiedenster Gruppierung und wechselnder Intensität die
anderen neurasthenischen Krankheitsmerkmale; am häufigsten sind
die angioneurotischen Störungen.

　　Ich füge hier zur Illustration einige Krankengeschichten ein, in
welchen Sie bei genauerer Durchsicht allen markanten Symptomen
der hereditären Form begegnen werden.

**Krg.
No. 74.** R., 28 Jahr (Mutter geisteskrank); seit frühester Kindheit angeblich nervös. Als 7—8 jähriger Knabe choreatische Zuckungen und Muskelkrämpfe, die der
Schilderung nach Myoclonus waren. Immer schwächlich in den Gym-
nasialjahren, mittelmäßig begabt, leicht ermüdet, leicht erregt.
Im Jahre 1879 (18. Lebensjahr) nach einer nächtlichen Pollution eine
große „Schwäche" im Unterleib und Reizung daselbst. Am Abend des
nächsten Tages steigerten sich die abnormen Empfindungen im Unterleib
zu „Vibrationen der Blase". Die Spannung der Unterleibsorgane wurde
so heftig, daß er beim Spaziergang nach wenigen Minuten umkehren
mußte, da er am ganzen Körper zitterte. Zu Hause entwickelte sich
Schüttelfrost mit gleichzeitigem krampfhaften Zusammenziehen des Unterleibes. Selbst leisester Druck auf 2 Punkte rechts und
links vom Nabel löste ohnmachtsartige Zustände aus.
Der Druck war auf diese Punkte selbst in der Tiefe schmerzhaft. Am
folgenden Tage Erschwerung der Urinentleerung wegen der Vibrationen
der Blase. Bei jeder stärkeren Bewegung des Körpers schmerzhafte
Empfindungen im Unterleib, besonders an den genannten 2 Punkten
und damit verknüpft ohnmachtsartige Schwächeanfälle, Pat. mußte einige
Tage fast bewegungslos im Bette liegen. Nach einigen Tagen war das
Urinieren wieder ungehindert, aber es bestand ein dauernder Druck auf
der Blasengegend, der fast unverändert bis auf den heutigen Tag geblieben ist. Er war im ganzen 8 Wochen zu Bett, bei völliger Ruhe
ohne eigentliche Schmerzen, aber motorisch kraftlos. Ganz allmählich
erholte er sich nur.

　　Von jener Zeit ab haben sich allmählich all die nervösen Erscheinungen entwickelt, die jetzt, trotz vielfältiger Kuren den Kranken peinigen.
Am quälendsten sind die schmerzhaften Pollutionen, die wöchentlich 2—3 Mal auftreten. Der Kranke war besonders während der
Studienzeit geschlechtlich sehr oft stark aufgeregt, ohne den

—

logischen Zuständen erklären zu wollen. Vor allem erachte ich es für
verfehlt und im Hinblick auf unsere therapeutischen Maßnahmen für
verhängnisvoll, den Kopfdruck einseitig als ein Zeichen venöser Stauungs-
hyperämie in den Meningen aufzufassen.

Coitus auszuüben, da er beim einmaligen Versuch des Coitus sich eine syphilitische Infektion geholt hatte. Die Symptome bei der Konsultation waren folgende: Lähmungserscheinungen in den Beinen, krampfartige Schmerzen in den Fingern, Zuckungen der Muskeln beim Gehen. Beim Stehen und Gehen oft die Empfindung, als ob der Boden unter den Füßen schwände und er mit dem Gesicht nach vorwärts stürze. S c h w ä c h e des Rückens, Steifigkeit des Rückens und der Beine, krankhafte Spannungen des Leibes, verbunden mit Angst- und Schweißausbruch. Brennende Schmerzen in der Harnröhre besonders bei und nach den Pollutionen, Schmerzhaftigkeit und krampfartige Spannung der Blase. Gefühl der Erschlaffung des Dammes. Magen: subjektive Druckempfindungen, Stechen, ausstrahlende Schmerzen vom Magen zum Herzen mit Herzklopfen. K o p f d r u c k , besonders im H i n t e r k o p f , rasche Ermüdbarkeit der Augen mit schmerzhaften Empfindungen der Bulbi. Coccygodynie.

Patient machte trotz dieser Beschwerden das Referendarexamen, nachdem er mit dem Studium oft ausgesetzt hatte. Jede anhaltende geistige Thätigkeit verursachte ihm Ueberreizung der Kopfnerven, psychische Unruhe, Gedankenflucht, „Begriffsstutzigkeit", Tremor der Hände und Füße.

W., 48 Jahre, durch die Mutter erblich schwer belastet, welche ~~Krg.~~ in 5 Jahren 5 Kinder gebar, „sehr nervös" war und bei der Geburt ~~No. 75.~~ des 5. Kindes starb: 1. K i n d , Sohn, Epileptiker; 2. K i n d , Sohn, starb bald nach der Geburt an Hydrocephalus; 3. K i n d Pat. selbst; 4. K i n d , Tochter, verheiratet, bis zum 30. Jahr gesund, wurde mit dem 30. Jahr sehr nervös und starb im 35. Lebensjahre, „indem sie hinsiechte"; sie hatte 3 Söhne: a) bis zum 17. Jahr gesund, magerte dann ab, wurde nervös und endete durch Selbstmord, 19 Jahre alt; b) war von Geburt auf schwächlich und starb 19 Jahre alt; c) Weiterentwickelung unbekannt. 5. K i n d , Tochter, von Kind auf schwächlich, heiratete im 25. Lebensjahre, gebar mehrere anscheinend gesunde Kinder, war aber immer kränklich und ist seit 10 Jahren meist bettlägerig.

Pat. selbst ist geboren im April 1838. Er war von Klein auf körperlich und geistig gut entwickelt, aber s c h w e r l e n k b a r , e i g e n w i l l i g und schon als Kind von eigentümlichen Gelüsten gequält: so erregte ihm das Kitzeln der Fußsohlen eine angenehme Empfindung, e r l i e ß s i c h g e r n p e i t s c h e n , w e i l i h m d a s L u s t v e r u r s a c h t e (von sexuellen Empfindungen war dabei nicht die Rede). Schon seit der Kindheit besteht eine eigentümliche Empfindlichkeit gegen Temperaturschwankungen; trat er bei Winterkälte in ein warmes Zimmer, so wurde er von Ohnmachtsanwandlungen befallen. Im 20. Jahre einjähriger Dienst ohne Störung. Die nächsten 3 Jahre im Auslande. Im 24. Jahre d y s p e p t i s c h e E r s c h e i n u n g e n , der bloße Anblick von Speisen erregte schon Erbrechen. Eine leichte Empfindlichkeit des Magens, der durch die oft veränderte Speiseweise in fremden Ländern immer wieder gereizt wird, dauert mehrere Jahre. Im 25. Jahre Verheiratung; intensive geschäftliche und öffentliche Thätigkeit während der folgenden 7 Jahre; zahlreiche Gemütsbewegungen, viel Schlaflosigkeit, zeitweise nervöse Abspannung und Unfähigkeit, die Gedanken zu konzentrieren. Beseitigung der nervösen Beschwerden durch jährliche Erholungsreisen. Besonders im Frühjahr traten vorübergehend „hypochondrische Verstimmungen" auf, die Pat. auf eine nervöse, durch die großen gesellschaftlichen Verpflichtungen des Winters bedingte Abspannung zurückführte. In diesen

Zeiten wurden auch zuerst Unregelmäßigkeiten der Herzthätigkeit beobachtet.

Im Jahre 1870 starke nervöse Abspannung, große körperliche Schwäche, mehrmonatliche Erholungsreise nach Italien. Auffallend ist eine rasch fortschreitende Zerstörung der Zähne; auf denselben zeigen sich Einschnitte kreuz und quer, „wie von einer Feile herrührend". 1871 „Gallenfieber"; heftige Kopfschmerzen, Ikterus; 1872 im Sommer erster „nervöser" Schwindelanfall mit Erkalten und Absterben der Beine, Unfähigkeit zu schreiben und zu denken, Sprech- und Sehstörungen, Anfälle von Weinen; 2-jährige Erholungsreise. In dieser Zeit ausgeprägte Pulsverlangsamung und Herzschwäche; Puls durchschnittlich 50, jeden 3. Schlag aussetzend; bei schwereren Anfällen soll der Puls auf 37 Schläge herabgegangen sein („laut ärztlicher Kontrolle"), jede Mahlzeit schnellte ihn für kurze Zeit empor; jede kleine Erkältung, die sich besonders durch Erregung der Hirnthätigkeit kundgab, brachte ihn auf über 100.

Seit dem Eintreten dieser Herzschwäche und der genannten Anfälle Steigerung der psychischen Reizbarkeit, Anwandlungen tiefster gemütlicher Depression mit Selbstmordgedanken. Allmähliche Kräftigung der Herzthätigkeit. „Mein Herz, das wie eine weiche Molluske gewesen war, kräftigte sich und zog sich wieder zusammen." Doch traten auch in dieser Zeit der Besserung ungefähr alle 6—8 Wochen starke nervöse Anfälle ein, „meist beginnend mit Schwindel, Unfähigkeit zu stehen oder zu gehen. Dann bei vollem Bewußtsein ein scheinbares Aufhören aller Lebensthätigkeit, Puls kaum fühlbar, Absterben, Erstarren und Kaltwerden der Glieder, Gefühllosigkeit, Unvermögen zu sprechen, Blauwerden der Nase und der Fingernägel. Der tiefste Grad der eisigen Erstarrung mag nur ein paar Minuten gedauert haben; dann rieselte ein warmer Strom das Rückgrat entlang und langsam erweichten und erwärmten die Glieder sich wieder." Die Zeitdauer des ganzen Anfalls schwankte zwischen $1/2$—2 Stunden. Jedem Anfall folgte eine große, tagelange Schwäche; mitunter dauerte es auch eine Woche lang, bis Pat. wieder leidlich gehen konnte. Den Anfällen voraufging gewöhnlich eine Veränderung der Urinausscheidung: erst zeigte sich ein paar Tage lang Harndrang und wurden häufig große Mengen fast wasserhellen Urins entleert, dann ein plötzlicher Wechsel: wenig Urin, seltene Entleerung. Urin dunkelbraun gefärbt.

Zu diesen mehr oder weniger regelmäßig bei jedem Anfall sich wiederholenden Erscheinungen gesellten sich andere Störungen im Nervensystem — „Varianten der unerwartetsten Art" —, die sich in der Regel nicht von Anfall zu Anfall wiederholten, sondern fast jedem Anfall einen neuen unheimlichen Charakter verliehen: Zähneklappern, Drehschwindel, Genickstarre, scheinbares Flüssigwerden des Schädelinhaltes. Als selbständige Anfälle ohne Absterben der Glieder traten auf: Vergrößerung des Kopfes und der Hände („der Kopf schwillt zu einem Ballon an, der meinen Körper vom Fußboden emporhebt"), Unfähigkeit zu sprechen bei sonst klarem Verstande, Blindheit bei offenen Augen. „$1^1/2$ Stunden lang konnte ich einmal nichts sehen, während ich hören, fühlen, schmecken, essen und trinken konnte." Diese Nervenanfälle wurden in den folgenden Jahren 1873—77 viel seltener und schwächer. Zwischen den beiden letzten Anfällen in den Jahren 1876 und 1877 lagen 15 Monate. Die Glieder „vergletscherten" nicht mehr, sondern „versteinerten" nur noch.

Später bestand nur noch das Gefühl, als ob sie „verhölzerten", noch später als ob sie „verlederten"; wenn man sie berührte und drückte, fühlte es sich an, als ob „nasses Leder dazwischen wäre".

Von 1878 an hörten die stark prononcierten Anfälle auf. Nur ab und zu wird Pat. noch in Träumen an sie erinnert. Solche Träume sind das Vorzeichen einer Verschlechterung des Allgemeinbefindens. Ganz frei von schwächeren Anfällen ist Pat. auch in späterer Zeit nie gewesen. Es sind dies in längeren unregelmäßigen Perioden wieder-kehrende Anfälle größerer Herzschwäche, verbunden mit Zähneklappern, „Grunzen", Schüttelfrost und einem „naßledernen" Gefühl in den Beinen. Auftreten meist nach Gemütsbewegungen. „Ob aber Schreck, Aerger, Verdruß sie hervorrufen, oder ob die zu solchen Zeiten bereits in mir liegende Prädisposition zu derartigen Nervenstörungen mich als Schreck, Aerger und Verdruß etwas empfinden lassen, was bei besserem Wohl-befinden unbemerkt an mir vorübergehen würde, muß ich dahingestellt sein lassen."

Pat. lebte damals völlig seiner Gesundheit; außerordentlich geregelte Lebensweise; Abstinenz von Alkoholika, Thee, Kaffee und Tabak. Im Jahre 1875 erlitt er zweimal einen Unfall; das erste Mal einen Sturz vom Pferde in einen Wassergraben mit nachfolgender starker Erkältung und mehrwöchentlicher lähmungsartiger Schwäche der Beine. Das zweite Mal Fall aus der Hängematte 2 Fuß tief auf einen Wurzelknorren. „Ein heißes Zittern ging vom Steißbein aus in meinem Körper nach allen Richtungen bis in die Zehen und Fingerspitzen." Er war einige Minuten lang halb betäubt und mußte eine Woche lang das Bett hüten, da er eine starke Blutunterlaufung in der Gegend des Steißbeins davongetragen hatte. Die Gehfähigkeit war 6 Wochen lang infolge der Schmerzen ge-hindert. Im Jahre 1878 stellte sich im Winter ein „mysteriöses nervöses Unbehagen und Hypochondrie", zugleich ein Gefühl von bleierner Schwere in den Beinen ein. Hypnotismus wurde vergeblich versucht; homöo-pathische Behandlung war völlig erfolglos, dagegen eine Diätkur mit fettarmer Kost und drastischen Mitteln zur Stuhlentleerung erfolgreich.

1878—1881 wiederum Aufenthalt in Norddeutschland. Hier wurden klimatische resp. Temperatureinflüsse für ihn oft verhängnisvoll. Im Winter war er, sobald stärkere Kälte auftrat, durch Lähmungserschei-nungen ans Zimmer und oft ans Bett gefesselt. Von ärztlicher Seite wurde das Leiden als Hyperämie der Rückenmarkshäute infolge von Kälteeinflüssen erklärt. Elektrische Behandlung mit galvanischem und faradischem Strom brachte hochgradige psychische Erregung mit Schlaf-losigkeit und sehr lästigen sexuellen Erregungen hervor, so daß derartige Kurversuche bald abgebrochen wurden. Dazu mit wechselnder Intensität und in unregelmäßigen Zwischenräumen: Schlaffheit, Unentschlossenheit, Willenlosigkeit, Leistungsunfähigkeit, tiefe „g e i s t i g e u n d k ö r p e r l i c h e V e r s t i m m u n g". Erst die Uebersiedelung an einen außerdeutschen Küsten-ort mit möglichst geringen Temperaturschwankungen brachte eine relative Besserung, so daß Pat. in den darauffolgenden 6 Jahren ein „erträgliches Dasein" führen konnte. Periodisches, monatelanges Schwanken zwischen geistiger Frische, Lebendigkeit und Leistungsfähigkeit, die sich in schrift-stellerischen und geschäftlichen Arbeiten und in verschiedentlichen körper-lichen Uebungen kundgiebt und (als Reaktion darauf) zwischen Nerven-und Herzschwäche, atonischer Dyspepsie (angeblich mit Leberschwellung). Auffällig ist die außerordentlich verfeinerte Reaktion des Pat. auf medika-mentöse Einwirkungen, welche von seinen Aerzten bestätigt ist. Als er

z. B. 1882 eine minimale Morphiumdosis injiziert bekam, geriet er in
einen Zustand so erhöhter Reflexerregbarkeit, daß bei Berührung vollständige koordinierte Muskelkrämpfe in den oberen und unteren Extremitäten und am Rumpfe auftraten, so daß er im Bette hin-. und herge-
worfen wurde und festgehalten werden mußte. Der Zustand dauerte nur
ganz kurze Zeit. Bezüglich der medikamentösen Einwirkungen sind
folgende sichergestellt: Ganz minimale Dosen von Extract. Belladonnae
riefen Schlundkrämpfe und 2 Tage lang dauernde Unfähigkeit zum
Sprechen hervor; ein Löffel voll eines schwachen Ipecacuanhainfuses verursachte ebenfalls einen Schlundkrampf mit Würgbewegungen, mehrtägigen
Schluckstörungen und krampfartigen Spannungsempfindungen in der gesamten Gesichtsmuskulatur.

Das körperliche Verhalten des Pat. war trotz dieser nervösen
Störungen ein gutes. Der etwas über mittelgroße Mann wog in den
70er Jahren durchschnittlich 185 Pfd., Mitte der 80er Jahre 172 Pfd.
Er war sehr geneigt, auf eigene Faust diätetische Kuren zu machen, da
er sein Leiden selbst gemäß der Auffassung eines englischen Arztes auf
Leberanschoppungen zurückführte. 1876 Bantingkur auf eigene Faust,
die ihn in 4 Wochen um 10 Pfd. magerer machte, zugleich aber auch
seine nervösen Zustände verstärkte. 1886 Oertelkur ebenfalls auf eigene
Faust, nachdem er sich aufs genaueste mit der einschlägigen Litteratur
vertraut gemacht hatte. Neben den diätischen Maßregeln die forciertesten
gymnastischen Uebungen; Pat. kam im Verlauf der Kur enorm herunter:
Schwindelerscheinungen, Herzdruckanfälle und Arhythmie des Pulses. In
Deutschland Konsultation verschiedener Autoritäten für Herzkrankheiten,
die eine mäßige Arbeitshypertrophie des linken Ventrikels konstatierten,
im übrigen aber seine gesamten Beschwerden als nervös bezeichneten.

1886 kam Pat. in relativ abgemagertem Zustande (ca. 150 Pfd.) in
meine Behandlung: Geistig hoch veranlagter Mann mit außerordentlich
klarem Verstande, guter Beobachtungsgabe und enormem Gedächtnisse.
Stimmung zur Zeit der Beobachtung eine gleichmäßig ruhige; es
war sogar auffallend, daß es in anbetracht der in der Anamnese geschilderten Stimmungsanomalien die ihn sehr belästigenden Störungen
der Herzthätigkeit keine hypochondrische Verstimmung im Gefolge hatten.
Die Untersuchung des Herzens ergab eine Verbreiterung der Herzdämpfung nach links, fingerbreit über der Mammillarlinie, der Spitzenstoß
stark im 6. Interkostalraum, $1\frac{1}{2}$ Finger breit nach außen von der
Mammillarlinie fühlbar. Herztöne rein, aber von sehr ungleicher Intensität und unregelmäßiger Zeitfolge. Der Puls entschieden durchschnittlich verlangsamt (60 in der Minute), die höchste Frequenz 76, die
niedrigste 48. Körperbewegung, Bäder, Massage wirkten bald beschleu-
nigend, bald verlangsamend. Zugleich mit der Beschleunigung trat eine
Verkleinerung des Pulses ein, die Pulswelle wurde niedriger, leichter
unterdrückbar; die Art. war schlecht gespannt, von geringer Füllung.
Die Oppressionsempfindungen treten ein, wenn die Herzthätigkeit
schwächer und beschleunigter wird, zugleich besteht Kühle der Extremitäten und das Gefühl von motorischer Schwäche ohne Trübung des
Bewußtseins. Bei regelmäßiger Herzthätigkeit fühlt sich Pat. relativ
wohl, bei verlangsamter treten Angstempfindungen auf ohne lokale Oppressionsempfindungen. Jede körperliche Anstrengung: aktive Gymnastik,
Spaziergänge, Reiten führen zu Anfällen von Herzschwäche, aber auch
längeres Fahren im Wagen bedingt angeblich durch Erschütterungen des
Rückenmarks Störungen der Herzinnervation mit Absterben der Beine.

Strahlende Sonnenwärme wirkt außerordentlich ungünstig auf ihn: er verspürt dann Brennen im Nacken, allgemeine Schwäche der Muskulatur, Ohnmachtsanwandlungen mit Herzschwäche bei vollem Bewußtsein. — Die übrigen Körperfunktionen, Schlaf, Appetit, Verdauung waren zur Zeit meiner Beobachtung gut.

Die Behandlung bestand anfänglich in absoluter Bettruhe, Massage, passiver Gymnastik und leichteren hydropathischen Prozeduren. In diätetischer Hinsicht wurde auf eine langsame Zunahme des Körpergewichts zu der früheren mittleren Höhe Bedacht genommen; weitere Behandlung durch aktive Gymnastik, methodische Spaziergänge u. s. w. Pat. erholte sich bei diesem vorsichtigen Regime. Die Herzattacken verloren sich, der Puls hob sich auf durchschnittlich 68, doch bestand deutliche Arhythmie auch späterhin, indem meist nach dem 18. Schlage 2—3 beschleunigte folgten. Die 2 nächsten Jahre verlebte Pat. in relativem Wohlbefinden. Im Herbst 1888 starb er ganz plötzlich am „Herzschlag", nachdem er sehr anstrengende Jagden mitgemacht hatte. Ueber die Obduktion ist mir nichts bekannt geworden.

Eine eigentümliche Stellung nehmen die hyperalgetischen Zustände ein, welche viele Fälle von hereditärer Neurasthenie fast während des ganzen Lebens begleiten. Wenn wir auch entsprechend den früheren Ausführungen die erhöhte Schmerzempfindlichkeit als ein wesentlich psycho-pathologisches Symptom bezeichnen müssen, so ist doch die periphere Lokalisation sicherlich von Störungen abhängig, welche auch außerhalb der kortikalen Sphäre in den verschiedensten Abschnitten des centralen und peripheren Nervensystems ihren Sitz haben können. Am häufigsten sind hartnäckige Kopfschmerzen, welche schon in früher Jugend zur Zeit des ersten Schulunterrichtes auftreten. Seltener sind sie diffuser Art in der Form schießender, stechender oder bohrender Schmerzen im Schädelinnern, häufiger werden sie als scharf lokalisierte in der Scheitel- oder Stirngegend auftretende Schmerzparoxysmen beschrieben und mit Vorliebe als „Migräne" bezeichnet. Sie haben mit dieser häufig das gemein, daß sie halbseitig auftreten und im Schädelinnern fast unverrückbar an einer Stelle festhaften.

Am ähnlichsten sind diese Attacken dem Migräneschmerz, wenn sich ihr Sitz hinter dem Augapfel befindet. Sie unterscheiden sich aber von der eigentlichen Migräne durch das völlige Fehlen sowohl typischer Vorläufer- und Auraerscheinungen, als auch der bekannten angioneurotischen und dyspeptischen Störungen. Auch treten die Schmerzattacken viel häufiger auf, als dies selbst bei den schwersten Formen der Migräne stattfindet. Es ist nicht selten, daß diese Schmerzanfälle wochen- und monatelang alltäglich während mehrerer Stunden des Tages oder der Nacht wiederkehren und so die jugendlichen Patienten (es handelt sich meist um Schulknaben vom 10.—14. Lebensjahre, also vor dem Eintritt der Pubertät) zu jeder geistigen Thätigkeit unfähig machen. Gelingt es durch geeignete therapeutische Verordnungen den Kopfschmerz zu beseitigen, so können diese jugendlichen Kranken, wie ich mich mehrfach überzeugt habe, jahrelang von jeglichem Kopfschmerz befreit bleiben. Es ist also in diesen Fällen das Vorhandensein der typischen Migräne mit Sicherheit auszuschließen, da diese bekanntlich zu den hartnäckigsten, die Patienten fast während ihres ganzen Lebensganges begleitenden

Nervenleiden gehört und nur in den allerseltensten Fällen jahrelange Remissionen darbietet. Dabei will ich durchaus nicht in Abrede stellen, daß es eine ganze Reihe neurasthenischer, hereditär belasteter Patienten giebt, welche neben den verschiedenartigsten neurasthenischen Krankheitszeichen an wahrer Migräne leiden.

Außer diesem migräneähnlichen Kopf- resp. Augenschmerz finden Sie bei den hereditären Formen der Neurasthenie auch die verschiedenartigsten anderweitigen Schmerzlokalisationen. Die schmerzhaften Haut-, Muskel-, Gelenkteile sind vorwaltend auf der Körperhälfte gelegen, welcher auch der halbseitige Kopfschmerz zugehört. Von der hemilateralen Beschaffenheit dieser Schmerzzustände, wenigstens im Beginn oder bei geringerer Ausdehnung der Schmerzattacken werden Sie am besten durch das Aufsuchen der Schmerzdruckpunkte belehrt. Sie werden in solchen Fällen fast durchwegs nachweisen können, daß Temporal-, Orbital-, Mental-, Clavikular-, Mammal- und andere Druckpunkte auf der affizierten (vorwaltend linken) Körperhälfte vorhanden sind. Hier sind auch die fließenden Uebergänge zur Hysterie resp. den hystero-neuralgischen Zuständen gegeben. Vergessen Sie nicht, daß, wie ich Ihnen in der psychiatrischen Klinik ausgeführt habe, die Hysterie ganz vorwaltend auf dem Boden der hereditären Belastung sich entwickelt und daß eines der markantesten Symptome dieser Krankheit die halbseitigen Gefühlsstörungen sind. Jeder erfahrene Bearbeiter der Neurasthenie hat auf die Uebergangsformen hingewiesen, besonders die französischen Autoren haben eine Mischform, die Hystero-Neurasthenie, den oben aufgezählten Krankheitstypen hinzugesellt.

Ich teile Ihnen im folgenden einen derartigen Grenzfall mit:

Krg. No. 70.   Frau H., 31 Jahre; erblich belastet (Mutter melancholisch; Vater nervös; Tante mütterlicherseits Hysterie; Onkel väterlicherseits Epilepsie; Schwester und Bruder sehr nervös); als Kind skrofulös; mit 12 Jahren kurzsichtig; stets viel gelesen und viel Handarbeit; mit 18 Jahren Müdigkeit beim Sehen; mit 22 Jahren nach rheumatischen Schädlichkeiten Neigung zu Blepharospasmus; mit 23 Jahren Schieloperation, die Augenschmerzen blieben; psychisch durch die geisteskranke Mutter und nervöse Schwester sehr schädlich beeinflußt. Mit 25 Jahren durch körperliche und geistige Ueberanstrengung bei gleichzeitiger Menstruation plötzliche Gehunfähigkeit durch Schmerzen, „sie weinte immerfort"; hinkte mit dem linken Fuße. Der Zustand besserte sich im Sommer, aber nach einer anstrengenden Kletterpartie Rückfall. Seitdem hat sich die Störung niemals verloren. Eine Moorbadkur verschlimmerte den Zustand. Mit 27 Jahren Heirat und Geburt eines Kindes. Seit April 1893 infolge von „Zugluft" Waden- und Fersenschmerzen. Nach dem Urinlassen Zusammenziehen der Blase.

Stat. praes. vom 14. Juli 1893: Geistig wenig begabt, auffallend leichtfertig über ihre Krankheit sprechend, geringe Pudititia; leichte geistige Ermüdbarkeit; Gefühl von Kraftmangel in den Gliedern, „ich greife immer so kraftlos, lasse oft etwas niederfallen"; gehäufte Muskelschmerzen besonders im linken Bein; viel Rückenschmerzen im Verlauf der Wirbelsäule; dumpfe Schmerzen im Becken, über der Blase, in der Hüftgegend besonders links, ebenso im ganzen Oberschenkel; rechtsseitige Migräne, verbunden mit starken Genickschmerzen in der Form von Occipitalneuralgien.

Objektiver Befund: Linke Pupille weiter; sehr starke sekundäre Innendeviation, Reaktionen erhalten: Gaumenhebung symmetrisch; VII und XII symmetrisch; Sprachartikulation etwas gedehnt, sonst intakt; Tremor manuum; grobe motorische Kraft und Koordination intakt, kein Romberg; starkes Lidflattern; Sensibilität in allen Qualitäten intakt; Achillessehnenphänomen rechts etwas, Kniephänomen beiderseits schwach; Druckempfindlichkeit im Verlauf der ganzen Wirbelsäule; cranio-tympanale Leitung erhalten; VALLEIX'scher Druckpunkt rechts stärker; symmetrischer Skapular- und Mammaldruckpunkt; links starker Glutäaldruckpunkt; kein Ischiadicusdruckpunkt deutlich erkennbar, sondern diffuser Schmerz der Nerven und Muskeln des Oberschenkels; Ovarie sehr gering; Gesichtsfeld normal symmetrisch; Benzin links schwächer gerochen.

Ueberhaupt muß ich Sie schon hier darauf aufmerksam machen, daß die hereditäre Neurasthenie das Grenzgebiet zwischen unfertigen Psychopathien und vollentwickelten Geisteskrankheiten beherrscht. Wir haben von ihr einerseits zu scheiden: isolierte psycho- und neuropathische Krankheitsmale erblich belasteter Menschen (z. B. Tic convulsif, vereinzelte Zwangsvorstellungen, somnambule Zustände u. s. w.) und andererseits die ausgeprägten Psychosen: Melancholie, Hypochondrie, das Irresein aus Zwangsvorstellungen, vor allem die ausgesprochenen degenerativen Psychosen (circuläres, periodisches Irresein, moralischer Schwachsinn, Imbezillität). Wir dürfen nie vergessen, daß die Schranken zwischen diesen hereditär begründeten Krankheitszuständen vielfach nur künstlich gezogen werden können, indem sowohl der subjektiven Auffassung, ob hier schon eine ausgeprägte Psychose oder nur ein neurasthenischer Krankheitszustand vorliegt, ein weiter Spielraum gegeben ist, als auch zu jeder Zeit eine leichtere, mit Recht noch als Neurasthenie bezeichnete Krankheitsform in eine schwere Psychose oft mit unheimlicher Schnelligkeit übergehen kann. Ich erinnere Sie hier an die rapide Entwickelung akuter Delirien mit letalem Ausgang (Delirium acutum) aus scheinbar geringfügigen nervösen Erschöpfungszuständen. Ich teile Ihnen im folgenden einen Grenzfall zwischen Neurasthenie und Paranoia mit.

K., stud. jur., Mutter tuberkulös, starb wenige Jahre nach der Geburt des Kindes.

Pat. als Kind und Gymnasiast viel kränklich. In Tertia 1 Jahr Aussetzen des Schulunterrichts und Landaufenthalt wegen allgemeinen nervösen, schlechten Befindens.

Charakterveränderung schon damals, mißtrauisch, ängstlich gegen seine Kameraden, glaubte, daß sie ihm anmerkten, welcher immensen Anspannung aller Kräfte er bedurfte, um den Aufgaben der Schule gerecht zu werden; im I. Studiensemester ertappte er sich auch auf solchen mißtrauischen, mit großer psychischer Erregung verknüpften Gedankengängen, es könnten Bekannte ihn verspotten resp. über ihn sprechen. Im III. Semester, angeblich durch das lärmende Treiben einer großen Universitätsstadt hervorgerufen, sowie durch stärkere geistige Anstrengung „Angstgefühle mit Schlaflosigkeit, Niedergeschlagenheit, Unlust und Unmöglichkeit, sich geistig viel zu beschäftigen". Durch die Gemütsbewegung bei dem Tode seines Vaters verschlimmerte sich dieser Zustand, indem sich das Gefühl eines immensen Kopfdruckes hinzugesellte (das Gefühl, als müßte man etwas aus dem Kopfe herausnehmen). Kur in Wilhelmshöhe brachte Besserung. Wintersemester 85/86 Studium in Jena. Angestrengtere Thätigkeit. Auftauchen der Zwangsvorstellung, unbefähigt zu sein, ausgelöst durch die bald auftretende leichtere Ermüdbarkeit bei geistiger Thätigkeit. Wiederum Auftauchen der Vorstellung, daß andere sich über ihn lustig machten, ihn auslachten, sich über ihn unterhielten. Wenn er in ein Restaurant kam, hatte er das Gefühl, „als sei er alsdann der Mittelpunkt des Gespräches". Diese Vorstellung führte zu heftigen Angstempfindungen, die ihm oft die Thränen in die Augen trieben. Er fing an, mit ängstlicher Scheu Menschen und besonders Versammlungsorte vieler Menschen zu meiden. Im Sommersemester 86 steigerten sich diese Erscheinungen. Er glaubte die Mißbilligung aller Studenten auf sich gezogen zu haben. „Treffe ich auf der Straße Studenten (ich vermeide soviel als möglich auf belebten Straßen zu gehen), so muß ich auch bei den wenigen, denen ich begegne, beobachten, wie sie sich gegenseitig auf mich aufmerksam machen, lachen und mich fixieren, ja ich habe das Gefühl, als sehe man mir nach, sobald ich vorübergegangen bin, dadurch innerlich erregt, kann ich mich nicht mehr der Vorstellung erwehren, Husten, an das Fenster klopfen ebenfalls auf mich zu beziehen."

Er mußte den Kollegbesuch einstellen, weil ihm das Zusammentreffen mit einer größeren Zahl von Kommilitonen „Seelenangst" verursachte. „Oft genug bin ich selbst geneigt, mir einreden zu lassen oder selbst einreden zu wollen, daß ich mich zuweilen täusche oder manches aufgeregter nehme als vielleicht nötig, ähnliche nervöse Erscheinungen sind in unserer Familie nichts Seltenes. — Bei meinen Geschwistern finden sich ähnliche specifische Ideenrichtungen."

Einmal hörte er auch in einem Restaurant seinen Namen rufen, überzeugte sich aber durch genauestes Umherschauen, daß niemand da war, der ihn hätte rufen können. Subjektive Klagen: Eingenommenheit des Kopfes, gesteigerte Angstgefühle, auf Null reduziertes Selbstvertrauen.

Ich habe Ihnen vorstehend das Bild der hereditären Neurasthenie skizziert und mich dabei auf die genauere Schilderung der Form beschränkt, die mannigfache Berührungspunkte mit der vielgestalteten Gruppe der erblich-degenerativen Geistesstörung darbietet. Man könnte mit Fug und Recht für das vorstehend skizzierte Krankheitsbild die Bezeichnung der e r b l i c h - d e g e n e r a t i v e n   N e u r a s t h e - n i e anwenden. Wir dürfen aber nur die erbliche Belastung als ausschlaggebend für die Begriffsbestimmung des neurasthenischen Krankheitsbildes ansehen, wenn eine originäre Entwickelung, (ähnlich wie bei der originären Paranoia), ein charakteristischer (paroxystischer resp. periodischer oder wenigstens intermittierender) Verlauf und eine bestimmte Gruppierung der Symptome unzweifelhaft erkennen lassen, daß der neurasthenische Krankheitszustand auf dem Boden der hereditären Psychopathie erwachsen ist.

Es genügt also nicht der einfache Nachweis, daß eine direkte oder atavistische oder kollaterale Vererbung im einzelnen Falle vorliegt. Es muß vielmehr aus der individuellen Entwickelungsgeschichte geschlossen werden können, daß thatsächlich eine degenerative Vererbung in dem früher entwickelten Sinne stattgefunden hat, welche für sich allein den pathologischen Werdegang verschuldet. Die Entwickelungsstörung ist in der ursprünglichen Keimanlage begründet und führt zu jenen bizarren Krankheitsbildern, in welchen vorschnelle und verzögerte Wachstumstendenzen, Erschöpfungsphänomene neben Zeichen einseitiger geistiger Ueberproduktion während der ganzen Lebensdauer vorhanden sind. Ich wiederhole: **Die erbliche Neurasthenie charakterisiert sich durch die Vermischung mit degenerativen Merkmalen auf körperlichem und geistigem Gebiete (Stigmata degenerationis) und bedarf zu ihrer Entwickelung keinerlei besonderer Gelegenheitsursachen.**

Die anderen Autoren, ich nenne u. A. ARNDT, BOUVERET und LÖWENFELD, haben außerdem die einfache erbliche Belastung, soweit sie sich in einer verminderten Widerstandsfähigkeit gegen schädigende Einflüsse kundgiebt, als Ausgangspunkt bestimmter Unterformen der hereditären Neurasthenie angenommen und je nach der Würdigung des hereditären Faktors den Begriff der hereditären Neurasthenie mehr oder weniger weit ausgedehnt. Am weitesten geht ARNDT, welcher sämtliche Fälle von Neurasthenie auf eine angeborene Schwäche des Nervensystems zurückführt. Ganz abgesehen davon, daß bei dieser allgemeinen Fassung des Begriffes der angeborenen Schwäche des Nervensystems die früher entwickelten Unterscheidungen pathologischer Keimesvariationen, Keimesschädigungen und fötaler Entwickelungsstörungen durchaus nicht zu ihrem Recht gelangen, daß also die Bedeutung des Erblichkeitsfaktors im engeren Sinne hierbei ganz unaufgeklärt bleibt, so müssen wir gegen diese ursächliche Begründung **aller** neuropathischer Zustände vom rein klinischen Standpunkt aus Widerspruch erheben. Wie früher ausführlich dargelegt wurde, giebt es konstitutionell durchaus normal veranlagte Menschen, bei denen ein Uebermaß von sozialen Schädlichkeiten oder schwere interkurrente Erkrankungen die anatomische und funktionelle Tüchtigkeit des Nervensystems vorübergehend oder dauernd tief schädigen. Hier entsteht der neuropathische Zustand aus dem Mißverhältnis zwischen Anforderung und Leistungsfähigkeit. **Es ist also der ARNDT'sche Standpunkt, daß jede Neurasthenie in letzter Linie hereditären Ursprungs sei, als unrichtig zu bezeichnen.**

Auch LÖWENFELD räumt der Erblichkeit eine viel größere Bedeutung für die Entstehung der Neurasthenie ein, als ich es nach meinen Erfahrungen zugeben kann. Nach ihm ist wahrscheinlich bei 75 Proz. aller Neurastheuischen „irgend eine Nuance erblicher Belastung" vorhanden. Er unterscheidet 4 Gruppen von Fällen hinsichtlich der ätiologischen Rolle der erblichen Belastung. Bei der **ersten** ist eine ätiologische Beziehung zwischen der Ausbildung des neurasthenischen Zustandes und der vorhandenen erblichen Disposition überhaupt nicht auffindbar. Hier wird von einer hereditären Neurasthenie folgerichtig kaum gesprochen werden können. Bei der **zweiten** wirken mehrere Schädlichkeiten zusammen: der Einfluß der erblichen Disposition ist hierbei nicht immer zu eruieren. Bei der **dritten** „sehr großen" Gruppe ist der Einfluß der hereditären Disposition in deutlicher Weise erkennbar, indem relativ geringfügige Schädlichkeiten, welche bei nicht belasteten, völlig Individuen die Neurasthenie nicht hervorrufen, die Krankheit erzeugen. Auch die Intensität und Dauer des Leidens steht außer Verhältnis zu den auslösenden Momenten. Für diese Fälle beansprucht LÖWEN-FELD, dem „Usus" sich anschließend, die Bezeichnung der hereditären Neurasthenie, bemerkt aber gleichzeitig, daß nur die v i e r t e Gruppe, welche der von mir gekennzeichneten Form der hereditär-degenerativen Neurasthenie entspricht, als hereditäre Neurasthenie sensu strictiori bezeichnet werden kann. Seine Bemerkung, daß in der Symptomatologie der hereditären Neurasthenie keine Erscheinung sich finde, welche pathognomisch für diese sei, kann sich folgerichtig nur auf seine 3. Gruppe beziehen. Sie steht auch im Widerspruch mit dem gleich darauf folgenden Satze, daß die hereditäre Neurasthenie „oft" in ihrer Gestaltung und ihrem Verlaufe eigenartige Züge aufweise. Solche Widersprüche vermeiden wir, wenn wir die Bezeichnung der hereditären Neurasthenie nur für die degenerativen Fälle reservieren.

BOUVERET, welcher hinsichtlich der Erblichkeitsfrage eine der meinigen ähnliche Auffassung vertritt, faßt als charakteristische Merkmale der hereditären Nervenerschöpfung den jähen Beginn und den hartnäckigen, jeder Behandlung trotzenden Verlauf auf. Er weist auch mit Recht darauf hin, daß die neurasthenischen Symptome im engeren Sinne mannigfachem Wechsel unterliegen und daß jeder geringfügige Anlaß die Gelegenheitsursache neuer Symptome sein kann.

Schließlich erwähne ich noch der Einteilung von LEVILLAIN, welcher den Standpunkt der CHARCOT'schen Schule vertritt. Er unterscheidet drei Varietäten der hereditären Form der Neurasthenie. Bei der ersten handelt es sich um eine durch die gewöhnlichen Ursachen erworbene Neurasthenie, welcher vereinzelte hereditäre (degenerative) Merkmale beigemischt sind (funktionelle Krampfzustände, schwere Angstaffekte, Berührungsfurcht u. s. w.). In der zweiten Gruppe, in welcher die verschiedenen Formen der Hysteroneurasthenie Platz finden, entwickelt sich aus den gewöhnlichen Ursachen eine einfache Neurasthenie, welcher sich erst später ohne das Hinzutreten neuer Schädlichkeiten schwere hysterische Zustände hinzugesellen. Schließlich unterscheidet er eine „ursprünglich-hereditäre" Form der Neurasthenie, bei welcher ebenfalls nur die einfachen „klassischen" Symptome der nervösen Erschöpfung vorhanden sind, die jedoch in einer frühen Lebensepoche und ohne die Einwirkung besonderer Schädlichkeiten einsetzen. Als charakteristisch erwähnt er die gesteigerte Gemütserregbarkeit, hartnäckige Migräne, Phobien und eine große Neigung zu Muskelermüdung.

Wir haben uns ganz gegen meine ursprüngliche Absicht etwas länger bei dieser hereditären Form aufgehalten. Zu meiner Entschuldigung diene der Umstand, daß sie nicht bloß vom rein klinischen Standpunkt aus, sondern auch aus allgemein ethisch-socialen und gerichtsärztlichen Erwägungen das größte Interesse beanspruchen muß. Wenn ich einen drastischen Ausdruck gebrauchen darf, so bergen sich in dieser Gruppe „die neurasthenischen Lumpen", die in den höheren socialen Schichten als Müßiggänger, verschwenderische Taugenichtse, in den niederen Kreisen als Vagabunden und Stromer hervortreten. Nicht bloß die ärztliche Behandlung, sondern auch die civil- und strafrechtlichen Fragen, welche bei diesen Fällen an den Arzt zur Entscheidung herantreten, werden an Ihre praktische Erfahrung große Anforderungen stellen. Bei zweifelhaften Geisteszuständen in foro spielt heutzutage die Neurasthenie eine große Rolle; s o w e n i g

wir den gewöhnlichen Neurastheniker für disposi-
tionsunfähig oder strafrechtlich für unverantwort-
lich erachten können, so häufig werden wir bei dem
erblich degenerativen Neurastheniker beide Fragen
im positiven Sinne beantworten müssen. Freilich dürfen
Sie niemals aus der intellektuellen Ermüdung oder aus ethischen De-
fekten einseitig den Schluß auf Unzurechnungsfähigkeit ziehen, wohl
aber werden schwere Angstzustände, Zwangsvorstellungen und impul-
sive Handlungen, wenn sie bei ausgesprochener erblicher Belastung
das neurasthenische Krankheitsbild komplizieren, die geistige Unfreiheit des Kranken offenkundig machen.

b) Bei der Schilderung der folgenden Form kann ich mich kürzer
fassen. Die erworbene Form der psychischen Neurastheniker umfaßt alle jene Fälle, bei welchen vor dem Einsetzen der Erkrankung
eine durchaus normale intellektuelle Leistungsfähigkeit bestanden
hatte und auch anderweitige Störungen, die dem Krankheitsbilde zugerechnet werden müssen, früherhin nicht vorhanden gewesen sind.
In dieser Gruppe finden gemäß den vorstehenden Ausführungen auch
diejenigen Patienten Raum, welche trotz gewisser hereditär belastender
Momente bislang, d. h. bis zum Einsetzen der Erkrankung eine volle
geistige und körperliche Rüstigkeit dargeboten haben.

In erster Linie ist der Beginn des Leidens charakteristisch. Zu
Zeiten erhöhter geistiger Anforderungen oder nach längerdauernden
und intensiven Gemütserregungen oder in der Rekonvalescenz langwieriger, zehrender Krankheiten (Typhus u. s. w.) entwickeln sich
dem Kranken früher ungewohnte und deshalb völlig fremdartige Ermüdungserscheinungen auf geistigem Gebiete, welche ich Ihnen früher
ausführlich geschildert habe. Sie erinnern sich, daß die ersten
Mahnungen relativer geistiger Ueberbürdung und Ueberermüdung
von den Patienten oft gering geachtet werden, da sie die Leistungsfähigkeit wohl erschweren, jedoch nicht unmöglich machen. Auch
genügen dann noch kürzere Erholungspausen (Ferienreisen), um diese
Krankheitserscheinungen zu beseitigen. Aber jede neue, selbst geringfügigere Thätigkeit ruft sie in der Folge wieder hervor, dieselben
werden intensiver, ihre Beseitigung schwieriger. Sind die Patienten
gezwungen, trotz ihrer Beschwerden weiter zu arbeiten, so treten
schließlich jener völlige Zuammenbruch der geistigen Kräfte und alle
jene subjektiven Beschwerden ein, welche Sie aus früheren Schilderungen kennen. Zur Illustration zwei Beispiele!

A., Philologe, 25 Jahre alt, erblich nicht belastet; gute geistige und **Krg.
No. 78.**
körperliche Veranlagung, aber schon frühzeitig materielle Sorgen und
geistige Ueberanstrengung (Patient hatte neben angestrengter
Thätigkeit für die Schule zahlreiche Privatstunden zu erteilen). Im
18. Lebensjahr kurzdauernde psychische Erschöpfung: geistige Ermüdung, Abnahme des Gedächtnisses, schlechter Schlaf.
Nach einigen Wochen verschwinden diese Krankheitserscheinungen. Im
23. Lebensjahr angestrengteste wissenschaftliche Arbeit zum Doktor-
examen. Allmähliche Entwicklung folgender Symptome: rasche
geistige Ermüdung, Mangel an geistiger Konzentration,
hochgradige Reizbarkeit, Aufwallen bei der harmlosesten Be-

merkung", Unfähigkeit, ein Thema scharf und konsequent durchzudenken ("ich las und wußte nicht, was ich las"), Schlaflosigkeit, Abmagerung. Körperliche Anstrengung brachte nicht Ermüdung, sondern noch mehr Aufregung. Bier, Wein und Kaffee bewirkten Congestiones ad caput. Krankheitsdauer mehrere Monate; nach der Promotion durch einen 2-monatlichen Landaufenthalt völlige Erholung. Nach geistiger Anstrengung wieder Schlaflosigkeit und Reizbarkeit. Ein Jahr später vermehrte geistige Arbeit bei der Vorbereitung zum Staatsexamen, Verschlimmerung des Zustandes. Geistige Arbeit nur stundenweise, schließlich nur viertelstundenlang möglich. Er war "so herunter, daß er kein Buch mehr ansehen konnte". Nach Bestehen des Examens bei rationeller Lebensweise (viel Bewegung im Freien, wenig geistige Arbeit) Erholung, doch schon bei unbedeutenden geistigen Anstrengungen Schlaflosigkeit und körperliche Ermüdung. Einen günstigen Einfluß übte eine 8-wöchentliche militärische Dienstleistung. "Die ersten Wochen strengten mich an, in der zweiten Hälfte der Uebung fühlte ich mich so wohl, wie lange Zeit nicht." Nach der Uebung wieder angestrengte geistige Arbeit. In den ersten 4 Wochen konnte er täglich 5 Stunden schreiben und kollationieren, ohne Unterbrechung, außerdem noch andere kleinere Arbeiten vornehmen. Da traten bald die alten Erscheinungen wieder auf: Ermüdung am ganzen Körper, besonders aber in den Augen, Gefühl der Schwäche im Gehirn, zunächst im Vorderkopf, Gefühl von leichtem Druck, sich weiter nach beiden Seiten des Gehirns und nach dem Hinterkopf ausbreitend, bei weiterer Anstrengung sogar "die Wirbelsäule hinab bis zwischen die Schultern". Bisweilen stechende momentane Schmerzen im Hinterkopf. Hört Pat. bei diesen Anzeichen der Ermüdung nicht auf zu arbeiten, so kommt andauerndes Ohrensausen, das bei Bewegung schwindet. Ab und zu an verschiedenen Stellen der Körperoberfläche Zucken. Körperliche Bewegung sehr anstrengend; kann nur 2—3 Stunden gehen, dann völlige Müdigkeit, während früher Märsche von 3 Stunden gar nicht beachtet wurden. Der Schlaf ist von Träumen gestört, Schlaflosigkeit besteht nicht. Der Appetit ist gut, die Verdauung träge. "Im Kopfe fühle ich jeden Schlag des Herzens nach."

Zur Vervollständigung des Krankheitsbildes füge ich hier noch einen weiteren Fall einer rein erworbenen Neurasthenie ohne jegliche hereditäre Belastung ein, den ich eben jetzt in klinischer Behandlung habe.

Krg No. 79. R., Bankbeamter, verheiratet, 39 Jahre alt: in der Ascendenz keinerlei Nerven- oder Geisteskrankheiten, Geschwister nervengesund; Descendenz: 2 Kinder, das älteste starb, 3 Wochen alt, an Konvulsionen (Ursache unbekannt), das zweite (gegenwärtig 9 Monate alt) ist gesund. Vorgeschichte: normale kindliche Entwickelung, Scharlach, außerdem im 6. Jahre eine fieberhafte Erkrankung, in welcher Pat. viel phantasiert haben soll; Realschule bis Sekunda, guter Schüler; militärfrei wegen geringen Brustmaßes; kein Potus, früher starker Raucher, jetzt weniger; gonorrhoische Infektion im 18. Lebensjahr; Heirat im 28. Jahre, glückliche Ehe; im 30. Jahre geschäftliche Sorgen, nachher bis jetzt durchaus auskömmliche Stellung, aber angestrengte Thätigkeit.

Vor 1½ Jahren zur Zeit verstärkter und gemütlich aufregender geschäftlicher Thätigkeit Mattigkeitsgefühle im Körper. Eines Abends, als er vom Geschäft auf die Straße trat, fingen die Häuser an, sich zu heben. Unter Schwindelerscheinungen kam Pat. nach Hause; in den nächsten Tagen nahm der Schwindel zu, dabei bestand ein ängstliches Gefühl am Herzen (er glaubte, sterben zu müssen), zugleich ein Kribbeln am ganzen Körper, das vom Nacken ausging. Auf einer kurzen Erholungsreise Ohnmachtsgefühle, Brechreiz, Kopfschmerz und allgemeine furchtbare Unruhe; nach einer halben Stunde ging dieser Zustand vorüber. Im Anschluß hieran bildete sich Platzfurcht aus; er konnte nicht mehr über Plätze und leere Straßen gehen und keine Höhe mehr besteigen. Es befiel ihn dann ein unbestimmtes Gefühl, daß ihm etwas passieren würde; das Gefühl ging vom Herzen aus. Schlaf und Appetit gut. Die Erholungszeit dauerte 8 Wochen.

Nachher noch ¹/₂ Jahr poliklinische elektrische und arzneiliche Behandlung (Chinin) bei verminderter beruflicher Thätigkeit. Trotzdem der Zustand nicht völlig gebessert war, war er bis zur Aufnahme in die Klinik wieder in vollem Umfange geschäftlich thätig. Kneippkuren und Naturheilverfahren waren erfolglos.

Beim Eintritt in die Klinik bestanden folgende subjektive Beschwerden: 1) Spannungsempfindungen im Kopf, die von der Stirn aus nach hinten ziehen, öfters ein Gefühl auf der Kopfhaut, als ob da ein Geschwür wäre; 2) bei „schwierigen" Gedanken das Gefühl, als könne er sich nicht auf diesen Gedanken konzentrieren und würde immer wieder abgelenkt; dies Gefühl bemerkt Pat. in der Stirn und auf dem Scheitel; 3) allgemeine Schwächegefühle und gemütliche Unruhe, leichte Schwindelempfindungen und Hautparästhesien, welche vom Nacken über Rücken und Arme ziehen; 4) affektive Erregbarkeit bei geringfügigen Anlässen; nach Aufregungen oder Anstrengungen Platz- und Brückenangst, auch Höhenfurcht, beim Anhören von Krankheitserzählungen Bangigkeitsgefühle mit Atemnot und dem Gefühl von Steifwerden der Beine; Furcht, geisteskrank zu werden; 5) erhöhte Empfindlichkeit gegen Geräusche; 6) hochgradige geistige Erregbarkeit; stürmt mehreres zugleich auf ihn ein, so wird er plötzlich unter Schwindelempfindungen unfähig, irgend etwas zu denken, und tritt das Gefühl motorischer Lähmung ein. Nach solchen Ueberanstrengungen vorübergehende Schlaflosigkeit. Schlaf, Appetit, Stuhl, Urinlassen, sowie die sexuellen Funktionen in Ordnung.

Objektive Untersuchung: Mittelgroßer, gutgenährter Mann mit gutentwickelter Muskulatur; Schädel symmetrisch, Haare dicht, stärker ergraut; Gesicht kongestioniert; Herzdämpfung normal, Herztöne rein, Puls 86, von mittlerer Stärke, regelmäßig, Arterienrohr weich, nicht wesentlich geschlängelt; Pupillen mittelweit, Reaktion prompt und ausgiebig; beiderseits mäßiger Hippus, Strabismus divergens sin. (Schieloperation im 12. Lebensjahr); Gesichtsfacialis symmetrisch innerviert; Zunge gerade, leise zitternd vorgestreckt; geringer unregelmäßiger Tremor der ausgestreckten Finger; Armbewegung gut koordiniert, mäßig kräftig; dynamometrisch rechts 82, 106; links 84, 85 (mittlere Leistung eines Gesunden 120—130 rechts); Beinbewegungen mäßig kräftig, gut koordiniert, Gang normal, kein Romberg; Sehnenphänomene und Hautreflexe von mittlerer Stärke; mechanische Muskelerregbarkeit nicht gesteigert; Berührungs- und Schmerzempfindlichkeit normal, keine Druckpunkte. Höhere Sinnesorgane keine Besonderheiten.

Ordination: Bettruhe, Massage, prolongierte Bäder, absolute geistige

Ruhe; Besserung der Symptome nach 4-wöchentlicher Kur: dann mechanische Beschäftigung, Holzhacken, Gartenarbeit; fortschreitende Besserung.

Sie können aus dieser Beobachtung entnehmen, daß auch bei den erworbenen Fällen ein ganz akutes Einsetzen schwerer Krankheitssymptome stattfindet, daß also die schubweise Entwickelung der Krankheit nur für einen Teil der hierher gehörigen Beobachtungen zutrifft. Hinsichtlich der einzelnen Krankheitserscheinungen möchte ich Sie nur darauf aufmerksam machen, daß auch bei dieser erworbenen psychischen Neurasthenie die Nosophobien eine große Rolle spielen. Sie sehen hier auch die Platzfurcht im Anschluß an Ohnmachts- und Schwindelgefühle vorübergehend auftreten, und zeigt gerade dieser Fall deutlich ihre psycho-pathologische Begründung (Intentionspsychose).

c) Die dritte Varietät der psychischen Neurasthenie, die hyperalgetische Form, besitzt eine rein klinisch-deskriptive Bedeutung. Sie bedarf einer besonderen Erwähnung, weil die pathologisch erhöhte Empfänglichkeit für schmerzauslösende Reize, verbunden mit einer ganz excessiven Irradiation der Schmerzempfindungen, fast ausschließlich die Klagen der Patienten bilden. Sind die Schmerzzustände lange Zeit auf ganz bestimmte periphere Nervenabschnitte beschränkt, so täuschen sie das Krankheitsbild isolierter Neuralgien vor, z. B. Interkostalneuralgien oder Ischias, und lenken in diagnostischer Hinsicht die Aufmerksamkeit des Arztes von dem allgemeinen krankhaften Zustande des Nervensystems ab. Sodann hat mich die praktische Erfahrung gelehrt, daß diese Fälle prognostisch eine besondere Gruppe bilden.

Wenn ich die Fälle der hyperalgetischen Form der Neurasthenie durchmustere, welche ich im Laufe der Jahre genauer zu untersuchen und z. T. längere Zeit zu behandeln Gelegenheit hatte, so ergiebt sich, daß etwa die Hälfte zugleich mit den Krankheitsmerkmalen der hereditären Neurasthenie behaftet ist. Ich habe deshalb auch schon vorhin auf die innigen Beziehungen schwerer hereditärer Belastung zu hartnäckiger Hyperalgesie und auf die fließenden Uebergänge zur Hysterie mit hemilateralen Krankheitssymptomen hinweisen müssen. Ich möchte Sie aber hier darauf aufmerksam machen, daß diese hyperalgetischen Zustände sich auch bei der hereditären Neurasthenie fast durchwegs nur unter dem Einfluß langwieriger und erschöpfender körperlicher Erkrankungen oder infolge schwerer emotiver Schädlichkeiten entwickeln. Am wirksamsten sind natürlich Anlässe, bei welchen körperliche Ueberanstrengungen, Nachtwachen, Kummer und Sorgen zusammen vorhanden sind.

Krg.
No. No.   So behandle ich gegenwärtig eine erblich schwer belastete Dame von 28 Jahren, welche früberhin nur an den Zeichen leichterer geistiger Ermüdbarkeit, leichten, besonders nach motorischen Ueberanstrengungen auftretenden Angstgefühlen, Neigung zu nervösem Husten, Kopfdrucksymptomen und temporärer Schlaflosigkeit (zur Zeit der Menses) gelitten hatte. Vor einigen Jahren geriet ihr Vater infolge von Vermögensverfall in tiefe melancholische Verstimmung, und war das junge, zarte, anämische Mädchen zu einer langwierigen, mit vielen Nachtwachen

verbundenen Krankenpflege gezwungen. Im Anschluß hieran steigerten sich bei ihr die neurasthenischen Beschwerden. Erst trat ein **bohrender und stechender Schmerz hinter dem linken Auge** auf, welcher bis heute mit wechselnder Intensität fortbesteht. Zu Zeiten völliger körperlicher und geistiger Ruhe, d. h. wenn die Kranke den größten Teil des Tages liegt, wenig Menschen um sich sieht, sich nur mit leichten mechanischen Arbeiten beschäftigt und nur kleine Spaziergänge macht, schwindet dieser Augenschmerz fast völlig, nur ein leises Ziehen in der Tiefe der Augenhöhle erinnert dann die Pat. an ihr Leiden. Versucht sie aber, auch nur eine Zeile zu lesen, so tritt ein unangenehmes, brennendes Gefühl im linken Augapfel auf, das sich, wenn der Versuch kurze Zeit fortgesetzt wird, zu einem unerträglichen Schmerz hinter dem Augapfel steigert. Merkwürdigerweise ist die Pat. imstande, kurze Zeit zu schreiben. Das geistig sehr regsame Mädchen läßt sich stundenlang vorlesen und wird nach ihrer Angabe hierdurch nicht angestrengt, sondern eher von ihren krankhaften Empfindungen abgelenkt. — Es giebt aber Zeiten, in welchen ohne erkennbaren Grund sich noch anderweitige neurasthenische Beschwerden hinzugesellen. Es treten dann Beängstigungen, Herzklopfen, Schüttelfröste, glühende, trockene Handflächen, Muskelunruhe und Schlaflosigkeit ein. Die Kranke bezeichnet diese Zustände, die auch mehrere Tage andauern können, als Fieber. Eine Temperatursteigerung ist hierbei nie eingetreten. Der Appetit ist mäßig, die Verdauung gut. Schwindelempfindungen sind nie aufgetreten. Viele Kuren, einschließlich Homöopathie, Land- und Seeaufenthalt, haben keine Besserung gebracht.

Bei der Aufnahme in die Klinik bestanden die folgenden subjektiven Beschwerden: **Bohrende Schmerzen im Genick, in der Stirn- und Scheitelhöhe und im linken Augenhintergrund;** beim Versuch zu lesen sofort Steigerung des Kopf- und Augenschmerzes; grelles Sonnen- oder Lampenlicht steigert den Schmerz ebenfalls: **Frostgefühle** bei geringfügigen Temperaturschwankungen, welche sich von der linken Halsgegend über die ganze linke Rumpfhälfte ausbreiten und dann oft stundenlang von dem Gefühle **glutartiger Hitze** zwischen den Schulterblättern gefolgt sind (Pat. hüllt sich nachts in mehrere Decken ein); interkurrente „Fieber"-Anfälle beschriebener Art, welche oft mit Schwellung und lancinierenden Schmerzen im linken Arme bis zu den Fingerspitzen verknüpft sind. Die Untersuchung deckt eine große Zahl von **linksseitigen Schmerzdruckpunkten** auf, welche der Kranken bislang unbekannt gewesen waren: 1) in der Mitte der linken Koronarnaht, 2) Mitte des Scheitelbeins, 3) unterer Rand des Occiput, 4) Supraorbital-, 5) Infraklavikular-, 6) Skapularpunkt. Weiterhin ist der Dornfortsatz des 2. und 3. Dorsalwirbels sehr druckempfindlich; eine stärkere Schmerzäußerung ruft auch intensiveres Streichen des oberen Halsdreiecks längs des Verlaufs des. Halssympathicus hervor.

Vom allgemeinen Status hebe ich hervor: Mittelgroß, graciler Knochenbau, Fettpolster ziemlich gut entwickelt, Farbe des Gesichts im allgemeinen blaß, die Muskulatur gut entwickelt. Bei der genauesten Sensibilitätsprüfung ergiebt sich normale Berührungs- und Schmerzempfindlichkeit ohne nachweisbare Differenzen zwischen rechts und links.

Ordination: Morgens kühle Abwaschungen des Oberkörpers, leichte Massage der Stirn-, Schläfen-, Nackengegend, der oberen Hälfte des

Rückens und der Arme; nachher ¹/₂ Stunde trockene Einpackung mit
kühlen Kompressen auf Stirn und Nacken; Anodenbehandlung des VAL-
LEIX'schen Temporalpunktes links und des linken Halssympathicus;
abends abwechselnd hydropathische Einpackungen und Soolbäder, am
3. Tage Ruhe. Die Behandlung war wenig erfolgreich; das Körpergewicht, anfänglich 58 kg 400 g, ging um 1 kg zurück, so daß eine
forcierte Ernährung eingeführt werden mußte. Der Schlaf war sehr
wechselnd; es stellte sich Hyperakusis ein; häufige Angstgefühle mit
Herzklopfen; gelegentlich unmotivierte innere Unruhe, Präkordialangst
und schmerzhaftes Zusammenziehen in der Herzgegend (zur Zeit der
Menses); oft psychisch sehr deprimiert, mutlos, zu anderen Zeiten reizbare Stimmung, viel Zwangsdenken. Hier und da wurde mit gutem
Erfolg gegen Schlaflosigkeit 1 Glas Bromwasser oder 1 g Trional gegeben. Die psychische Erregbarkeit wurde durch kleine Chiningaben
(0,05—0,1) herabgemindert. Da die hydropathische und Massagebehandlung in dieser Form eher erregend wirkte, so wurde letztere ganz weggelassen, die Wasserkur auf kurzdauernde Halbbäder mit kühlen Uebergießungen (18°) beschränkt.'

Es kann diese Beobachtung geradezu als ein Schulfall bezeichnet
werden. Die Patientin kam ausschließlich wegen ihres Kopf- und Augenschmerzes, ihrer Lichtscheu und Unfähigkeit zu lesen zu mir, und
erst die genauere Anamnese und die weitere Beobachtung gaben
Klarheit über die hereditär-konstitutionelle Veranlagung und die
anderweitigen neurasthenischen Symptome. Zur Hysterie kann der
Fall nicht gezählt werden, denn es fehlten alle paroxystischen Erscheinungen der ausgeprägten Hysterie und auch der interparoxystische
Zustand, insbesondere die geistige Beschaffenheit zeigte keines jener
degenerativen Merkmale der Hysterie. Nur wegen des vorwaltend
hemilateralen Charakters der Schmerzsymptome und Druckpunkte wird
der Krankheitsfall in das Grenzgebiet zwischen Neurasthenie und
Hysterie versetzt werden müssen.

Ebenso hartnäckig zeigen sich die hyperalgetischen Zustände in
einem zweiten Falle, welcher Ihnen überdies die massenhaften
und ganz gesetzmäßig ablaufenden Irradiationen der
von einem bestimmten Punkt ausgehenden Schmerzen
trefflich illustriert. Der Fall kann zugleich' als Beispiel einer erworbenen hyperalgetischen Neurasthenie dienen.

Krg.
No. 61.
Eine 41-jährige Dame; Mutter affektiv erregbar, sonst aber nicht
nervös; Vater gesund; Pat. bis zum 27. Jahre vollständig gesund. Dann
entwickelte sich infolge übermäßigen Klavierspielens und der Ausführung
feiner, die Augen sehr anstrengender Stick- und Häkelarbeiten ein
rechtsseitiger, in unregelmäßigen Intervallen auftretender Stirn- und Augenschmerz, welcher mehrere Stunden an-
dauerte. Heirat im 30. Lebensjahre. Pat. hat 3 gesunde Kinder geboren,
eine Frühgeburt. Nach der Geburt des 1. Kindes stellte sich
noch im Wochenbett der 1. typische Migräneanfall ein
mit rechtsseitigem Schläfen- und Scheitelkopfschmerz,
Augenflimmern, hochgradigem Schwächegefühl und
öfterem Erbrechen. Die Anfälle kehren seit dieser Zeit alle 14 Tage
regelmäßig wieder. Jede spätere Geburt war mit langdauernden Erschöpfungs-

zuständen verknüpft, die sich in motorischer Schwäche, Schlaflosigkeit und
d i f f u s e n N e r v e n s c h m e r z e n äußerten. Stets 6—8 Monate nach den Geburten stellten sich Schmerzen i n d e n A u g e n bei stärkerer Inanspruchnahme ein, die sich jedesmal wieder verloren, sobald Pat. gravid wurde.
Auch die Migräne pausierte während der Gravidität. Seit der Geburt
des letzten Kindes (vor 2 Jahren) vermehrten sich die nervösen Beschwerden. E s s t e l l t e s i c h z u g l e i c h m i t d e n A u g e n-
s c h m e r z e n Z i e h e n i n A r m e n, B e i n e n u n d i m R ü c k e n,
b a l d i n d e r o b e r e n, b a l d i n d e r u n t e r e n H ä l f t e d e s
K ö r p e r s e i n. Oefters gesellt sich ein Krampfgefühl, vom Rücken
bis in die Magengegend reichend, hinzu. Als Hauptursache dieser
Schmerzzustände benennt Pat. Körperbewegungen. Es genügen gelegentlich schon ganz kurze Spaziergänge oder leichte Hausarbeit, vor allem
aber Handarbeiten und Schreiben, um dieselben auszulösen. Die Dauer
ist sehr wechselnd (mehrere Stunden bis einige Tage); beim Schwinden der
Schmerzen schwere körperliche Ermüdung. Während der Schmerzzustände
besteht Schlaflosigkeit. Die Stimmung ist meist eine gedrückte. Die Pat.
neigt sehr zu hypochondrischen Deutungen der nervösen Krankheitserscheinungen (Furcht vor Gehirn- und Rückenmarksleiden). Die Körperfunktionen sind normal, die Menses schwach und regelmäßig, kein Fluor. Die
Augenschmerzen verbieten der Pat. das Lesen und Schreiben. Auch der
Versuch, das rechte Auge beim Lesen auszuschalten, ist nutzlos. Denn
auch beim ausschließlichen Gebrauch des linken Auges tritt nach längerem
Lesen der beschriebene r e c h t s s e i t i g e Augenschmerz auf.

Bei der Aufnahme in die Klinik ergab sich folgender Befund: Große,
kräftig gebaute Dame von mittlerem Ernährungszustand (Körpergewicht
63 kg), Gesichtsfarbe etwas bleich; die sichtbaren Schleimhäute blaß,
Zunge stark belegt; innere Organe durchwegs gesund; Sensibilität
symmetrisch, normal; sämtliche Gesichtsnervenaustritte symmetrisch druckempfindlich; Haut- und Sehnenphänomene etwas gesteigert, symmetrisch;
Gesichtsfelder intakt; grobe motorische Kraft herabgesetzt, dynamometrisch
rechts $20^1/_2$, links 19 kg; keine ausgeprägten Druckschmerzpunkte der
Wirbelsäule und im Bereich der großen Nervenstämme.

Am 3. Tage nach der Aufnahme intermenstrualer Migräneanfall
rechts, Supraorbitalschmerz, anfänglich ohne Uebelkeit. Kein Augenflimmern, kein Ohrensausen (sonst 24 Stunden vorher Ohrenklingen),
keine vasomotorischen Störungen, keine Pupillarsymptome. 12 Stunden
später endigt der Anfall mit schleimigem, bitterschmeckendem Erbrechen.
Am folgenden Tage kein Kopfschmerz, nur ganz oberflächliches Ziehen
der rechten Stirn- und Wangengegend.

Ordination: Bettruhe, überschüssige Ernährung, Massage, hydropathische Behandlung.

In der Folge mehrfach leichte „Anwandlungen" von Magenschmerzen,
linksseitigem Rückenweh, ziehenden „neuralgischen" Schmerzen im rechten
Arm; öfters gestörter Schlaf. Nach 8-tägiger Kur angenehme, wohlthuende Ermüdung, erhöhtes Schlafbedürfnis, erquickender Nachtschlaf
7—8 Stunden. A m 1 1. T a g e d e r K u r V e r s u c h, e i n e n B r i e f
z u s c h r e i b e n. E i n e S t u n d e s p ä t e r S c h m e r z e n (Z i e h e n u m
d a s A u g e herum, bohrender Schmerz in der Tiefe des
A u g e s, bis ins rechte Ohr hineinschießend). Im Laufe
der nächsten 2 Stunden Ausstrahlungen in den Nacken,
die Schulter und den ganzen rechten Arm bis in die

Fingerspitzen. Die ganze rechte Seite ist während dieser Zeit für Berührung und Druck außerordentlich empfindlich. Pat. kann nicht auf der rechten Seite liegen, weil sich der Schmerz sofort verstärkt und auf die ganze rechte Rücken- und Brusthälfte, das Becken und in die Hinterfläche des Beines (Ischiadicus) fortpflanzt. „Mein ganzes Nervensystem bis in die Fußspitzen herab ist in einer Erschütterung, als ob ich etwas Großartiges geleistet hätte." Gegen Abend legte sich der Schmerz; nachts guter Schlaf, doch vermag die Pat. noch nicht auf der rechten Seite zu liegen, weil sonst der Schmerz sofort wieder beginnt. Am anderen Tage wieder leichtes Ziehen in der rechten Gesichtshälfte, bohrende Schmerzen im Auge bis zum Hinterkopf. Bei dem gestrigen Anfall bestand keine Uebelkeit, kein Erbrechen. Am folgenden Tage typischer Migräneanfall (1 Tag vor Eintritt der Menses).

Allgemeinbefinden in der Folge bedeutend besser, zunehmende Kräftigung (im Verlauf von 8 Wochen Zunahme des Körpergewichts um 8 Pfd.). Pat. macht jetzt Spaziergänge bis zu 1 Stunde. Ueber die hyperalgetischen Zustände während der weiteren Beobachtung ist noch folgendes anzuführen: Gelegentlich Gefühl entzündeter, verweinter Augen, brennendes Gefühl in den Lidern (besonders zur Zeit der Menses). Die rechtsseitigen Gesichts-Augenschmerzen werden selbst durch leichteste Massage der Stirn erhöht. Die Migräneanfälle kehren trotz der Besserung inter- und prämenstrual regelmäßig wieder. In einem Anfall breitete sich der Migräneschmerz auch nach links aus. Kleine Leseübungen werden ohne Irradiation des Schmerzes jetzt ertragen; während früher beim Lesen außer den Schmerzen auch leichte Betäubungsgefühle aufgetreten waren, ist jetzt der Kopf andauernd frei. Nach einer etwas ausgedehnteren Leseübung (1 Seite einer kleingedruckten Zeitung) stellten sich wieder stärkere Ermüdungsgefühle im Kopfe ein. 18 Stunden später „migräneartiges Summen innerlich um das rechte Auge herum; hie und da ein Stich hinter dem Auge; weiter kam es nicht." Einige Tage später neuralgische Schmerzen: „Krampf um beide Augen, in der Haut der Wangen und etwas tiefer in den Gesichtsknochen, kein Kopfschmerz." In der Folge öfters Stiche im linken Supraorbitalgebiet, Gefühl der Verschwellung um beide Augen. Oefters Müdigkeitsempfindungen in beiden Beinen. Nach 6-wöchentlicher Kur kann Pat. 2 Seiten ohne nachfolgende Schmerzen lesen. Oft blitzartige Schmerzen im linken Arm längs der großen Nervenstämme lokalisiert (angeblich nach Erkältung bei Zugwind). Die Schmerzen schwinden nach Ichthyoleinreibungen. Oefters starke Schweißausbrüche und Muskelschmerzen im linken Arm. Als in der 7. Woche die Leseübungen noch weiter ausgedehnt wurden, stellte sich wieder vermehrter Augenschmerz ein. Da zugleich Gemütsbewegungen (Sorgen um die Kinder) stattfanden, so verstärkte sich der Augenschmerz zweimal innerhalb 10 Tagen zu ausgeprägten Migräneanfällen. Pat. giebt als Facit des bisherigen Kurverfahrens an: Stärkung ihres Allgemeinbefindens und ihrer Leistungsfähigkeit, aber erhöhte Neigung zu Migräneanfällen.

Es lag hier ursprünglich die Vermutung nahe — besonders wenn die eigene Schilderung der Patientin bei der Auffassung des Falles ausschließlich verwertet wird — daß es sich um eine Form komplizierter Migräne handle, welche durch besondere Hartnäckigkeit und abnorme Schmerzirradiationen von dem Schulbilde abweicht. Die genaue Beobachtung belehrte mich aber, daß hier der Migräneanfall nur ein vereinzeltes Symptom eines allgemeinen nervösen Erschöpfungszustandes darstellte. Denn es fehlt hier sowohl die charakteristische erbliche Veranlagung als auch der frühzeitige Beginn, welcher der typischen Migräne eigentümlich ist. Daß hier die ersten Symptome des erworbenen nervösen Allgemeinleidens in migräneartigen Kopf- resp. Augenschmerzen sich äußerten, rührt mit großer Wahrscheinlichkeit von der einseitigen Ueberanstrengung des peripheren Sehapparates durch feine Handarbeiten und Notenlesen her. Ich habe wenigstens in anderen Fällen von Neurasthenie ganz ähnliche Augen- resp. Kopfschmerzen vorübergehend konstatieren können, wenn eine erhöhte Inanspruchnahme des Sehapparates voraufgegangen war. Freilich bleibt hierbei noch unaufgeklärt, warum sofort beim Ausbruch des Leidens die Schmerzanfälle immer einen hemilateralen Charakter darboten und warum sich späterhin wahre Migräne hinzugesellte. Gegenwärtig stehen die rechtseitigen Augenschmerzen, die Lichtscheu, die Nacken-, Schulter- und Armschmerzen, sowie die Ausstrahlungen in die ganze rechte Körperhälfte, die Muskelmüdigkeit, die hypochondrische Grundstimmung so im Vordergrund des Krankheitsfalles, daß die Migräneanfälle von der Patientin als nebensächliche und relativ leicht erträgliche Belästigungen. empfunden werden. Wir werden bei dieser Sachlage gut thun, von einer Komplikation der Migräne mit hyperalgetischer Neurasthenie zu sprechen und es dabei offen zu lassen, ob beide als gleichsinnige Krankheitszustände auf dem Boden erworbener nervöser Erschöpfung vorhanden sind, oder ob hier nach der allmählichen Entwickelung der Migräne (erst unvollständige, dann vollständige Anfälle) erst sekundär auf Grund erneuter Schädlichkeiten ein allgemeiner nervöser Erschöpfungszustand mit vorwiegend hyperalgetischen Phänomenen sich entwickelt hat. Die letztere Auffassung scheint mir den Thatsachen am meisten zu entsprechen: Nachdem durch die erworbene Migräne gewissermaßen der Boden vorbereitet war, führten die mit den verschiedenen Schwangerschaften und Geburten einhergehenden Schwächezustände das nervöse Allgemeinleiden herbei. Aus diesem Zusammenhang mit der hemikranischen Veränderung erklärt sich auch der für die erworbene Form durchaus ungewöhnliche hemilaterale Charakter der Krankheitserscheinungen.

Es ist durchaus nicht die Neigung zu theoretisierenden epikritischen Bemerkungen, welche mich zu dieser genaueren pathogenetischen Analyse veranlaßt; vielmehr entspringt sie dem Bedürfnis, für die Prognose und Therapie des Falles eine rationelle Grundlage zu gewinnen. Ist die hyperalgetische Neurasthenie eine sekundäre Allgemeinerkrankung, so wird durch geeignete konstitutionelle Kräftigung eine wesentliche Besserung, vielleicht auch Heilung derselben erzielt werden können. Die Behandlung der Migräneanfälle selbst, welche in ganz bestimmten Intervallen auftreten und zum Teil durch ganz bestimmte Ursachen (menstruale Kongestionen) ausgelöst werden, kann hierbei rein symptomatisch stattfinden. Prognostisch stellt sich der Fall so: Wahrscheinliche Besserung des Allgemeinleidens, während eine Beseitigung der Migräne kaum erwartet werden kann. Aber auch ein völliges Schwinden der Uebererregbarkeit des rechten Sehnerven

21 *

wird kaum zu erreichen sein, da die häufig wiederkehrenden Migräneanfälle diese krankhafte Disposition unterhalten.

Indem ich die Schilderung der hyperalgetischen Form an zwei
Fälle anknüpfte, in welchen die Augensymptome im Vordergrund
standen, könnte in Ihnen die Vorstellung erweckt werden, daß
diese Lokalisation des Schmerzes zu den pathognomischen Zeichen
dieser Krankheitsform gehöre. Das ist aber durchaus nicht der Fall.
Ich könnte vollentwickelte hyperalgetische Neurasthenien vorführen,
bei welchen außer diffusem Kopf- oder lokalisiertem, bohrendem Hinter-
haupt- und Nackenschmerz hauptsächlich topalgischer Schulter- oder
Hüftschmerz mit neuralgiformen Ausstrahlungen in die obere und untere
Extremität die Scene beherrschten. Die Schmerzdruckpunkte sind
dann entsprechend dieser Lokalisation vorhanden. Die Symptome der
Rhachialgie, welche die motorische Varietät der Neurasthenie auszeichnen, können hierbei vorhanden sein oder fehlen; für jeden Fall
treten sie gegen die anderen hyperalgetischen Erscheinungen zurück.
Desto häufiger sind neuralgiforme Schmerzen einzelner Interkostalnerven.

Viel bedeutungsvoller sind die Visceralneuralgien (mit
und ohne chronische Obstipation oder lokalen Genitalerkrankungen),
welche recht quälend werden können. Den mannigfachen parästhetischen Empfindungen, welche die Patienten in die verschiedensten Hautbezirke lokalisieren, sind Sie auch in den erwähnten Krankenbeobachtungen begegnet. Sie finden sie fast durchwegs als Begleiterscheinungen des tiefer sitzenden topalgischen
Schmerzes. Sie sind aber nicht dauernd mit gleicher Intensität vorhanden, sondern treten am stärksten hervor, wenn die Patienten abnormen, an sich recht geringfügigen Reizungen der Haut ausgesetzt
sind. Ein leichter Windhauch z. B., welcher die entblößte Schulter
trifft, kann langdauernde brennende und ätzende oder auch Frostempfindungen an dieser Stelle hervorrufen. Hieraus erklärt sich die
übergroße Furcht der Patienten vor Erkältungen und die krankhafte
Sucht, den ganzen Körper einschließlich des Gesichts des Nachts mit
Wolle zu bepacken.

Krg.
No. 82.   Eine meiner Pat. war durch diese parästhetischen Empfindungen,
welche vor allem im Bereich der Kopf- und Gesichtshaut auftraten, jedoch beim Kleider- und Wäschewechsel durch kleine Temperaturschwankungen in den verschiedensten Körpergegenden hervorgerufen
wurden, so weit gekommen, daß sie monatelang, völlig in Wolle gepackt,
das überheizte Zimmer nicht verließ. Jeder Versuch, welchen die intelligente und sonst willensstarke Pat. von sich aus unternahm, diesem
Zwange zu entfliehen, mißlang. Jede Abkühlung der Haut rief, wie sie
berichtete, nicht nur mannigfache Parästhesien, vor allem Frostempfindungen,
allgemeines Mißbehagen, Betäubungsgefühle, Unfähigkeit zu geistiger
Arbeit und Schlaflosigkeit hervor. Sie war mir späterhin sehr dankbar,
als ich durch eine energische Abhärtungskur d. h. durch Entfernung
der vielen Decken und Tücher, durch Reduktion der mehrfachen Schichten
wollener Unterkleider, durch gradatim fortschreitende Kaltwasserbehandlung, aktive und passive Gymnastik, ihre Widerstandskraft gegen Temperatureinflüsse steigerte und sie so einem thätigen Leben wieder zurück-
geben konnte.

Bei diesen hyperalgetischen Formen finden Sie auch die früher flüchtig erwähnten eigentümlichen ödematösen Schwellungen der Haut und des Unterhautzellgewebes, welche für gewöhnlich als ausgeprägt hysterische Krankheitsmerkmale bezeichnet werden. Ich kann versichern, daß ich sie bei hyperalgetischen Neurasthenikern beobachtet habe, denen jegliches Symptom der Hysterie fehlte. Es handelt sich um bald diffuse, bald umschriebene Schwellungen, welche den topalgischen Bezirk einnehmen, z. B. oft faustgroße, sackartige Schwellungen in der Supra- oder Infraklavikulargrube zu Zeiten schwerer Schmerzanfälle. Die geschwollene Partie bietet bei der Palpation eine teigige, seltener eine derbe Konsistenz dar; die Haut ist an dieser Stelle meist leicht gerötet. Diese Schwellungen können Stunden und Tage lang bestehen. Sie können sie bei diesen Hyperalgetischen künstlich als eine sehr unangenehme und von den Kranken sehr lästig empfundene Nebenwirkung gewisser therapeutischer Anordnungen hervorrufen. Eine kräftige Frottierung der an sich hyperalgetischen Partie, vor allem aber unzweckmäßig ausgeführte Massage, welche die Schmerzzustände paroxystisch steigert, sind oft ganz unmittelbar von solchen lokalisierten Schwellungen gefolgt. Aber auch diffuse Schwellungen des Arms und der Beine schließen sich an Brachialgien oder an ischiasartige Schmerzausstrahlungen an. Handelt es sich um Arthropathien, so ist die Umgebung des Gelenkes recht häufig Sitz leichter Schwellungen. Ich möchte Sie noch darauf aufmerksam machen, daß beim Betasten der geschwellten Partien die Kranken an einzelnen Stellen (Sitz eines Hautnervenastes) sehr lebhafte Schmerzen äußern. Sind die Schwellungen geschwunden, so fühlt man nicht selten kleine verhärtete Stellen dicht unter der Haut, die meist nach einigen Tagen schwinden, jedoch in einem von mir beobachteten Falle dauernd als kleine Knötchen durchzufühlen waren. Aber auch in Fällen hartnäckiger hyperalgetischer Zustände, welche niemals solche ödematöse Schwellungen darboten, findet man in der Gegend der großen Nervenstämme gelegentlich solche knötchenartige Verdickungen.

2) Die **motorische** Form der Neurasthenie.

Auch hier ist die Scheidung in zwei Unterformen, eine irritative und eine paretische Form, vorwaltend aus praktischen Rücksichten erfolgt, um ganz verschiedene Zustandsbilder zu kennzeichnen. Es muß aber gleich hinzugesetzt werden, daß wir Kranken mit vorwaltend motorischen Störungen begegnen, bei welchen die irritativen und paretischen Symptome während des ganzen Krankheitsverlaufes gleichzeitig vorhanden sind. Von der Einfügung von Krankengeschichten kann ich hier Abstand nehmen, da ich schon früher bei der Symptomatologie eine Anzahl hierher gehöriger Fälle genau mitgeteilt habe. So kann der Fall G. (Krg. No. 23) für ein typisches Beispiel der irritativen und der Fall L. (Krg. No. 24) der paretischen Form gelten, während die Beobachtung No. 29 Ihnen die gemischten irritativ-paretischen Zustände zeigte. Ich will an dieser Stelle nur noch einmal kurz die Symptome zusammenstellen und die Beziehungen der motorischen Symptome zu den übrigen Krankheitserscheinungen beleuchten.

Vorher aber muß ich Sie darauf hinweisen, daß diese motorischen Formen von anderen Autoren den Krankheitsbildern der spinalen und cerebro-spinalen Neurasthenie eingereiht werden. Ich habe diese anatomische Begriffsbestimmung, wie schon erwähnt, vermieden, weil, wie aus meinen allgemeinen Ausführungen ersichtlich ist, wir heutzutage noch durchaus nicht in der Lage sind, zu beurteilen, welchen Anteil die kortikomotorischen und welchen die infrakortikalen Centren einschließlich der spinalen an dem Zustandekommen der motorischen Störungen besitzen. Aus den früheren Ausführungen geht überdies hervor, daß bei ausgeprägten Fällen motorischer Störung (und nur um solche kann es sich bei dieser Form der Neurasthenie handeln) die gesamten motorischen Leistungen geschädigt sind. Und anderseits sind ausgeprägte Fälle sog. spinaler Neurasthenie (Myelasthenie) mit so zahlreichen psychischen d. i. kortikalen Krankheitserscheinungen vergesellschaftet, daß die engere Bezeichnung einer spinalen Erkrankungsform dem Gesamtzustand durchaus nicht gerecht würde. Ich glaube, durch derartige enge Lokalisationen wird nur Schaden angestiftet, indem dem Anfänger das Wesen der Neurasthenie als einer Allgemeinerkrankung hierdurch verdunkelt wird, und sodann sehr leicht das therapeutische Handeln auf die Bekämpfung eines einzelnen, besonders hervorstechenden und anatomisch scheinbar leicht zu lokalisierenden Symptoms beschränkt bleibt. Aehnliche Erwägungen haben früherhin dazu geführt, den Krankheitsbegriff der Spinalirritation fallen zu lassen; thatsächlich aber ist die heutige Diagnose Myelasthenie oder spinale Neurasthenie mit ihr gleichbedeutend. Sucht man diesem Uebelstand dadurch abzuhelfen, daß man für diese Krankheitsbilder den Ausdruck „cerebro-spinale Form" verwendet, so ist dem entgegenzuhalten, daß unter dieser Bezeichnung alle neurasthenischen Zustände untergebracht werden können.

a) Bei der irritativen Form finden Sie als subjektive Krankheitserscheinungen den Rückenschmerz, die erhöhte Druckschmerzempfindlichkeit der Dornfortsätze, neuralgiforme Schmerzen im Verlaufe der Interkostalnerven, parästhetische Empfindungen in der Rumpfhaut, Gürtelgefühle, Visceralneuralgien (einschließlich des Urogenitalapparates), Schmerzausstrahlungen in die Extremitäten neuralgiformen Charakters, Muskel- und Gelenkschmerzen, Parästhesien in der Haut der Extremitäten und schmerzhafte Spannungsempfindungen in der Muskulatur der Extremitäten und des Rumpfes.

Unter den objektiven Symptomen treten die motorischen Reizerscheinungen der Rumpf- und Extremitätenmuskulatur besonders hervor. Bei jeder intendierten Bewegung tritt ein tonischer Krampf einzelner bei der Bewegung beteiligter Muskeln auf, zuweilen erfaßt der Spasmus eine größere Zahl von Muskeln der betreffenden Extremität einschließlich der Antagonisten. Auch durch passive Bewegungen der affizierten Glieder treten dieselben spastischen Zustände auf. Daneben findet man fibrilläre Zuckungen, ausgeprägten Tremor, zuckende Stöße ohne jede aktive oder passive Bewegung (ruckartiges Zusammenziehen der Beine besonders nachts), **sehr erhöhte mechanische Muskelerregbarkeit, excessive Steigerung der Sehnenphänomene** (Patellar- und Fußklonus). In der Bettlage sind die Beine meist starr ausgestreckt, fast unbeweglich und adduciert, die Muskeln der Ober- und Unterschenkel sind straff gespannt, die Füße in starker Varoequinusstellung. Die **motorische Schwäche** ist dabei unverkennbar. Die Patienten ermüden bei geringfügigen Muskelleistungen; die Bewegungen werden schwerfällig, unbeholfen und unsicher.

Die geschilderten Symptome sind am häufigsten im Bereich der unteren Extremitäten zu konstatieren, seltener sind die oberen Extremitäten befallen; eine Beteiligung aller Extremitäten habe ich nie beobachtet. Sind die unteren Extremitäten der Sitz der spastischen Phänomene, so entwickelt sich eine charakteristische **Gehstörung**, welche derjenigen der spastischen Spinallähmung außerordentlich ähnelt. Die Fußspitze klebt am Fußboden, da das Bein nur unbeholfen mit steifem Knie und unter Hebung des Beckens vom Fußboden abgewickelt wird. Der Gang ist dadurch schleppend und schlürfend. Treten die motorischen Schwächezustände neben den spastischen Erscheinungen stark hervor und entwickeln sich bei jeder Rumpf- und Gliederbewegung die heftigsten Schmerzen, so vermeiden die Kranken ängstlich jede aktive Muskelthätigkeit, man wird dann keine Gehübungen mehr veranlassen können.

b) Viel häufiger als diese irritative Form ist die **paretische**. Hier ist die **Muskelschwäche**, welche in schweren Fällen bis zur völligen motorischen Hilflosigkeit sich steigern kann, jedoch niemals komplete Lähmungen herbeiführt, das kennzeichnende Symptom. Die Rhachialgie oder andere der oben erwähnten subjektiven Symptome können vorhanden sein, fehlen aber auch bei ausgeprägten Fällen bis auf erhöhte Ermüdungsempfindungen vollständig. Unter den objektiven Krankheitsmerkmalen ist die **Schlaffheit** und **Welkheit der Muskulatur**, welche bei langdauernden Fällen direkt atrophisch erscheint (Inaktivitätsatrophie), bemerkenswert.

Sensibilitätsstörungen fehlen der ersten wie der zweiten Form, hingegen sind sowohl spastische wie paretische Phänomene seitens **der Blase** bei den chronisch verlaufenden Fällen durchaus nicht selten.

Beide Formen bieten dem Arzte gelegentlich die größten Schwierigkeiten dar. Erstere trifft symptomatologisch, wie aus der Gruppierung der Symptome ersichtlich, mit der spastischen Spinalparalyse zusammen. Die letztere entlehnt Symptome von den verschiedensten spinalen Affektionen, teils von den Vorderhornerkrankungen, teils, wenn die Gehstörung außer den paretischen noch ataktische Merkmale darbietet und die subjektiven parästhetischen Empfindungen in den unteren Extremitäten sehr hervorstechend sind, von der Tabes. Hier wird nur die genaueste Untersuchung vor Irrtümern schützen können. Ich muß gestehen, daß bei der ersten Form nur der Verlauf die Diagnose nach der einen oder der anderen Richtung sicher stellt. Daß aber auch bei der zweiten, sog. pseudo-tabischen Form schwerwiegende diagnostische Irrtümer stattfinden können, habe ich vor einigen Jahren gesehen.

Ich behandelte damals einen 59-jährigen, seit mehr als 20 Jahre
nervenleidenden Herrn, welcher an Morphinismus litt. Als er in meine
Behandlung kam, bot er durchaus keine wesentlichen motorischen Störungen dar. Die grobe motorische Kraft war relativ gut, der Gang
normal, die Sehnenphänomene intakt, ebenso fehlte jegliche Sensibilitätsstörung. Nach Beendigung der Entziehungskur, und nachdem sich sein
allgemeiner Ernährungszustand wesentlich gehoben hatte, machte er mehrstündige Spaziergänge über die Berge. Dieser Herr hatte 10 Jahre lang
seine Gehfähigkeit fast vollständig verloren gehabt und mußte im Roll-
stuhle gefahren werden. Die Beine sollen damals zitterig und schwankend, der Gang ganz unsicher, schleudernd und taumelnd gewesen sein.
Es bestanden Gürtelgefühle, lancinierende Schmerzen in der Tiefe des
Beckens und den unteren Extremitäten, Hautparästhesien u. s. w. Von
verschiedenen hervorragenden Nervenärzten wurde damals die Diagnose
Tabes als durchaus gesichert betrachtet. Erst durch das Morphium will
er die bestehenden Schmerzen bekämpft und dadurch die Gehfähigkeit
wiedererlangt haben. Mir fiel dann die Aufgabe zu, ihm das Morphium
zu entziehen. Der Pat. ist bis heute gesund geblieben und erfreut sich
großer körperlicher und geistiger Rüstigkeit.

Auf die engen Beziehungen der motorischen zu den sexuellen
Störungen ist schon früher gelegentlich des Falles No. 68 aufmerksam
gemacht worden. Sie finden demgemäß auch in der Litteratur eine
sexuelle Form der spinalen Neurasthenie verzeichnet; aber auch alle
anderen, die dyspeptischen und angioneurotischen, Symptome sind gelegentlich mehr oder weniger, zu einigen Zeiten sogar in hervor-
stechendem Maße der motorischen Form der Neurasthenie beigemischt.

3) Die dyspeptische Form der Neurasthenie.

Die dyspeptische Form umfaßt diejenigen Fälle von Neurasthenie, bei welchen die Störungen der Gesamternährung und der
Verdauungsorgane im Vordergrund des Krankheitsbildes stehen. Ich
habe früher schon auf die Beziehungen der sog. nervösen Dyspepsie
zur Neurasthenie Ihre Aufmerksamkeit gelenkt und ausgeführt, in
welchem genetischen Zusammenhang die specifischen Funktionsstörungen der Verdauungsorgane zu der chronischen konstitutionellen Unterernährung stehen. Ich erinnere Sie noch einmal daran, daß es einerseits gewisse Formen nervöser Kachexie giebt,
bei welchen die allgemeine Kraftlosigkeit auch zu einer motorischen
Schwäche des Intestinaltraktus Veranlassung ist und weiterhin die
mangelhafte Blutbildung und Blutbeschaffenheit auch Störungen der
sekretorischen und resorptiven Thätigkeit der Magendarmschleimhaut
herbeigeführt hat. Hier ist also der nervös-dyspeptische Zustand
sekundär aus der allgemeinen Ernährungsstörung entstanden. Für
die Behandlung ergiebt sich hieraus die Folgerung, daß ohne besondere Rücksichtnahme auf die dyspeptischen Störungen im engeren
Sinne nur durch eine Kräftigung des Gesamtzustandes eine Heilung
der „Verdauungsschwäche" erreicht werden kann.

Ich habe aber dort zugleich auf eine andere Form hingewiesen,
bei welcher thatsächlich die Störungen des digestiven Apparats zu
den frühzeitigsten Erscheinungen der erworbenen Neurasthenie ge-

hören, ohne daß allgemeine konstitutionelle Schwächezustände vorhanden gewesen sind. Vielmehr finden Sie diese nervös-dyspeptischen Zustände im engeren Sinne bei manchen Fällen erworbener Neurasthenie, bei welchen früher ein blühender Ernährungszustand bestanden hatte und auch eine abnorme Blutbeschaffenheit resp. -bildung nicht angenommen werden konnte. Gerade bei den Formen mit intellektueller Ueberanstrengung und Erschöpfung sehen Sie nicht selten fast gleichzeitig mit den psychischen resp. kortikalen Krankheitserscheinungen die dyspeptischen Störungen sich entwickeln. Auf diese engen Zusammenhänge zwischen dem psychischen Status und der Magen-Darmthätigkeit haben schon die älteren Aerzte aufmerksam gemacht.

Drittens möchte ich Ihnen nochmals die Fälle von gestörter Ernährung ins Gedächtnis zurückrufen, bei welchen sich auf hereditärer Basis meist in der Pubertätszeit schwere hyperalgetische Zustände im Bereich des Intestinaltraktus einstellen, die Schmerzen und Widerwillen gegen die Nahrungsaufnahme, allmählichen Verlust des normalen Hungergefühls, verringerte Nahrungsaufnahme und demgemäß unaufhaltsam fortschreitende Abmagerung bis zu extremem Verlust des Körpergewichts im Gefolge haben. Diese Fälle nervöser Anorexie haben mannigfache Berührungspunkte mit der früher geschilderten Form der hyperalgetischen Neurasthenie. Man begegnet thatsächlich auch Mischformen, wo außerhalb der Pubertätsperiode bei Männern und Frauen die Magen-Darmbeschwerden fast ausschließlich durch subjektive Schmerzäußerungen gekennzeichnet sind, welche einen Bruchteil der allgemein erhöhten Schmerzhaftigkeit darstellen. Es handelt sich hier meist um ausgeprägte Hereditarier.

Bei der Wichtigkeit des Gegenstandes möchte ich Ihnen diese einzelnen neurasthenischen Krankheitszustände mit hervorstechenden Ernährungsstörungen durch geeignete Krankengeschichten illustrieren:

ad 1) Frau O., 26 Jahre alt (Aufnahme in die Klinik Sommer 1889); Kg. No. 84. Vater sehr schwächlich; Schwester konstitutionell schwächlich, anämisch mit schweren nervösen Symptomen; Pat. immer zart, aber gesund, nur leichter ermüdet; dieser konstitutionell schwächliche Zustand dauerte bis zur Heirat im 20. Jahre; in der Ehe zunehmende Abmagerung mit gesteigerten Ermüdungsgefühlen, Magenschmerzen, hartnäckige Obstipation, hochgradige Hyperästhesie gegen Sinnesreize, zunehmende geistige Ermüdbarkeit, Unfähigkeit, sich zu unterhalten, zu lesen und die laufenden Hausgeschäfte zu besorgen. Die Menses verloren sich völlig. Die Kranke lag meist im Bett oder auf dem Sopha. Bei Versuchen, kleine Strecken im Zimmer oder im Freien zu gehen, traten starkes Herzklopfen, Schwindel und Ohnmachtsanwandlungen auf, ebenso heftige Kopfschmerzen. Allmähliche Abmagerung bis auf 76 Pfd.

Methodische Mastkur mit Massage; passiver und aktiver Gymnastik und Hydrotherapie.

Vollständige Erholung: die Menses kehren während der Kur wieder; die Kopfschmerzen schwinden vollständig. Die Muskelkraft kehrt wieder, ebenso die Fähigkeit zu geistiger und körperlicher Arbeit. Die Obstipation verliert sich von selbst, ebenso die schmerzhaften Sensationen im Magen und Darm. Die trübe, schwarzseherische Stimmung macht einer normalen

Platz. **Das Körpergewicht steigt während der Kur auf 103 Pfd. und nimmt zu Hause stetig zu.**

Im Frühjahr 1890 Konception, normale Gravidität, Geburt eines kräftigen Kindes. **Die Pat. ist dauernd gesund geblieben.**

Krg. No. 85. ad 2) Dr. F., Lehrer, 46 Jahre alt, erblich nicht belastet, verheiratet. Pat. war der Erstgeborene, ein gesunder und kräftiger Knabe und hatte keine Kinderkrankheiten durchzumachen. Geistig war er gut veranlagt (1. Censur beim Abiturium). 1866 (als 20-jähriger Student) „Typhus" mit 3 Rückfällen. Von da an stets blutarm und „der Magen blieb jahrelang schlecht". Pat. machte trotzdem ein gutes Staatsexamen. In der Folge brachte ihm seine Lehrthätigkeit viel Arbeit, außerdem trieb er noch privatim fleißig historische Studien. Oeftere Magenstörungen wurden überstanden. 1888 nach geistiger Ueberanstrengung Schlaflosigkeit und gereizte Stimmung. Sommer 1889 Verschlimmerung des Zustandes (Herzklopfen) nach Bergtouren in Tirol. Weihnachten 1889 Influenza. Jetzt trat das Herzklopfen stärker auf, daneben bestand Unregelmäßigkeit des Pulses, der nach dem Essen oft aussetzte. Eine Kur zu Ostern 1890 (kalte Abreibungen, Bewegung, vegetarische Diät) blieb nicht nur erfolglos, sondern hatte noch den Nachteil, daß Pat. um volle 40 Pfd. abmagerte. Michaelis 1890: Rückenschmerzen, rechtsseitiger Schulterschmerz. Weihnachten 1890: Kopfdruck, Ziehen im Nacken, Schmerzen in den Fußsohlen. Ostern 1891: Urlaub wegen dieser Symptome; Kaltwasserkur in einer Anstalt, kombiniert mit Massage des Leibes und Gymnastik, brachte anfangs Besserung. Dann aber wieder Rückgang, sogar rapide Verschlechterung. Pat. hatte jetzt das Gefühl von Trunkenheit (Schwindelerscheinungen), irisierende Figuren vor den Augen, Ohrensausen, Magenschmerzen, Völleempfindungen im Leibe, Meteorismus, krampfartige Schmerzen in der Ileo-Coecalgegend. Der Arzt schloß auf Magenerweiterung; ein hervorragender Specialist verneinte dies und diagnostizierte nervöse Dyspepsie. Bei vernünftiger Diät (Milch, Fleisch, Eier) und dreimonatlichem Aufenthalt im Norden Erholung (8—10 Pfd. Zunahme) und subjektives Wohlbefinden. Heftige Gemütsbewegungen (Bankerott des Schwiegervaters) brachten im November 1891 wieder einen Rückfall, beginnend mit „Magenverstimmung" und rapidem Verfall der Kräfte. Eintritt in die hiesige Behandlung.

Bei der Aufnahme konnte folgendes festgestellt werden:

1) Reizbare, mürrische und querulierende Stimmung wechselnd mit „Galgenhumorstimmung"; gesteigerte Selbstbeobachtung; subjektiv erhöhtes Krankheitsgefühl; hochgradige geistige Ermüdung und Unfähigkeit zur Konzentration der Gedanken, besonders zu wissenschaftlicher Arbeit. Jede Anspannung der Aufmerksamkeit verursacht vermehrte körperliche Müdigkeit, Kopfdruck, Gefühl von Schwindel, Benommenheit. Pat. ist infolgedessen unfähig, Unterricht zu erteilen.

2) Körperliche Abgeschlagenheit, Muskelmüdigkeit, Mehrung des Kopfdruckes beim Gehen und Stehen. Schon geringe Muskelleistungen bedingen Schlaflosigkeit und psychische Erregung, Herzklopfen, kühle Extremitäten, öfter Congestiones ad caput.

3) Kopfdruck nach Nahrungsaufnahme, dumpfer Druck im Magen und in der Herzgegend, Hartnäckige Obstipation, Druck und Fülle im

Abdomen, Meteorismus; belegte Zunge, Trockenheit des Gaumens; öfter Würgbewegungen und Aufstoßen.

4) Ohrensausen und Funkensehen, ziehende Schmerzen im Nacken, Kälte- und Taubheitsgefühl in den Fußsohlen.

Der Status ergiebt außer Steigerung der Sehnenphänomene und geringen Plantarreflexen nichts Abnormes. Gesicht und Schleimhäute sehr bleich; Fettpolster gering, das Haar stark ergraut, das Nachröten langsam, aber etwas gesteigert.

Ordination: anfänglich (14 Tage) Bettruhe, forcierte Ernährung, Massage und Hydrotherapie, leichte mechanische Beschäftigung. Später aktive und passive Gymnastik. Körperliche Arbeit. Völlige Heilung.

ad 3) Frl. B., 18 Jahre alt; Aufnahme in die Klinik Juni 1885; hereditär belastet (Vater und Mutter „nervös", ersterer schlaflos und „dyspeptisch"); bis zur Pubertätszeit gesund, dann allmähliche Abnahme des Appetits seit etwa 1½ Jahren; Klagen über Drücken, Stechen in der Magengegend und Uebelkeit nach jeder Nahrungsaufnahme; Gefühl des Vollseins schon im Beginn des Essens, nach demselben lästige Auftreibung des Leibes. Der Stuhlgang erfolgt nur selten spontan und ist spärlich. Unter zunehmenden Visceralneuralgien wurde die Stimmung trübe, weinerlich und reizbar. Die traurigen Gedanken bestanden vorzugsweise darin, daß Pat. immer an das Essen und die damit verknüpften Schmerzen denken mußte. Sie hatte immer kalte Füße, die stets besonders in ein wollenes Tuch eingeschlagen werden mußten.

Eine intellektuelle Schädigung war nicht nachweislich; Pat. beschäftigte sich bis dicht vor der Kur mit Zeichnen, Klavierspiel, leichter Lektüre etc. Sie ging auch täglich bis zum April vor Tisch ½ Stunde und nachmittags ¾ Stunde ohne scheinbare Anstrengung spazieren. In den letzten Wochen konnte sie allerdings nur noch spazieren fahren.

Im Mai war nach Angabe des Vaters die Nahrungsaufnahme der Pat.: 1) Früh 7½ Uhr eine Tasse Kaffee mit wenig Milch, dazu die Rinde von 3 Pfennigsemmeln mit wenig Butter. Sie mag Milch, Butter, Eier nicht, auch nicht Bayrisch Bier. 2) 10 Uhr: 1 Pfennigsemmel in 2 Scheiben geschnitten, mit wenig Butter und kaltem Aufschnitt; dazu etwas Ungarwein. 3) Mittags 12½ Uhr: starke Bouillonsuppe mit Gries etc., ein Stückchen Braten mit einer Spur Kompott, dazu etwas Brotrinde. 4) 4 Uhr: 1 Tasse Kaffee mit 2 Karlsbader Waffeln. 5) Abends 7 Uhr: Wassersuppe mit Ei oder 1 Tasse Kakao, dann zu einer Brotrinde kalter Braten, Schinken etc. Nach jeder Mahlzeit legte sie sich 1 Stunde aufs Sofa, 9½ Uhr abends zu Bett.

Bei der Aufnahme in die Klinik betrug das Körpergewicht 45 Pfd. Das ziemlich kleine (154 cm) Mädchen war skelettartig abgemagert; die Augen tiefliegend, Blick fast erloschen, Gesichtsausdruck starr, leblos; die Nahtlinien des Schädels unter der dünnen Haut genau abzutasten, Gesichtsknochen totenkopfartig hervorspringend. Sprache klanglos, fast unhörbar leise. Herztöne rein, sehr schwach. Puls fadenförmig, sehr verlangsamt (54—60). Respiration ganz oberflächlich langsam. Leib kahnförmig eingefallen, die stark kontrahierten Darmschlingen deutlich sicht- und fühlbar. Hartnäckige Obstipation, Intelligenz ungeschädigt. Stimmung mürrisch, abweisend. Pat. klagt über absoluten Appetitmangel, ja Ekel gegen Nahrungsaufnahme. Schmerzhafte Empfindungen bei jeder Nahrungsaufnahme im ganzen Leibe. — Jede Nahrungsaufnahme muß anfänglich erzwungen werden. Ich mußte selbst (unter fortwährendem Weinen und Sträuben der Kranken) ihr die Speisen einflößen. Eine methodische Mastkur (vergl. Speisezettel im Kapitel Therapie) bewirkte langsame, aber gleichmäßig fortschreitende Besserung. Nach 13 Wochen hatte sich das Körpergewicht um 38 Pfd. gehoben. In den häuslichen Verhältnissen besserte sich bei einem geeigneten Stundenplan das ganze Befinden stetig, so daß die Pat. nach 2 Jahren 108 Pfd. wog und sich verheiraten konnte.

4) Die angioneurotische Form.

Wenn Sie sich die Symptomatologie vergegenwärtigen, so wird es Ihnen leicht verständlich werden, daß wir auch hier nicht von einem einheitlichen Krankheitsbilde sprechen können. Vielmehr zerfällt diese angioneurotische Form in zahlreiche Unterabteilungen oder, besser gesagt, Einzelbilder, von unendlichster Mannigfaltigkeit. Bald wiegen die Erscheinungen einer gesteigerten und beschleunigten Herzthätigkeit vor, bald überwiegt Herzschwäche mit Beschleunigung oder Verlangsamung der Herzaktion, bald sind es vorwaltend die peripheren Gefäßgebiete, welche Innervationsstörungen darbieten. Ich habe bei der Symptomatologie ausführlich auf die pathophysiologischen Grundlagen dieser verschiedenartigen Funktionsstörungen aufmerksam gemacht und einige markanter hervortretende Krankenbeobachtungen eingeflochten. Ich mache Sie hier nur nochmals darauf aufmerksam, daß wir nicht alle Fälle von Innervationsstörungen des Herzens, für die uns ein näheres Verständnis fehlt, als Neurasthenie cordis s. vasomotoria bezeichnen dürfen, einfach um den diagnostischen Schwierigkeiten aus dem Wege zu gehen. Ich habe Sie deshalb auf verschiedene Herzaffektionen hingewiesen, welche zu schweren, der neurasthenischen Herzstörung ähnlichen Krankheitserscheinungen führen. Ich erinnere Sie an die toxische resp. infektiöse Tachy- und Bradykardie (z. B. bei Malaria larvata), bei Ueberanstrengung des Herzens (vergl. die paroxysmelle Tachykardie) und an die Angina pectoris vasomotoria, welche höchstwahrscheinlich auf Ernährungsstörungen des Herzmuskels resp. seiner Nervenäste (Atherom der Koronararterien) beruht. Vergessen Sie aber auch nicht, daß auch Fälle wahrer Neurasthenie, wenn sie mit schwer anämischen Zuständen einhergehen, zu anatomischen Erkrankungen (Verfettungen und einfach braune Atrophie) des Herzmuskels führen können. In solchen Fällen werden die Herzsymptome durchaus nicht als funktionelle Störungen zu betrachten sein, welche allein aus der Neurasthenie erklärt werden können. Der früher citierte Fall von BOUVERET und der meiner eigenen Beobachtung von maligner Tachykardie können Ihnen als Beispiel dienen.

5) Die sexuelle Neurasthenie bedarf hier keiner besonderen Besprechung, da sowohl ihre ätiologisch-klinische, als auch ihre symptomatologische Bedeutung schon bei der Symptomatologie genauer besprochen worden ist.

Hiermit schließe ich die Skizzierung der Einzelformen der Neurasthenie ab. Daß in der vorstehenden Aufzählung weder die traumatische noch die monosymptomatische Form von PITRES Platz gefunden hat, will ich zum Schluß noch kurz rechtfertigen. Ich bestreite keineswegs, daß die „Unfallsneurose" eine große praktische Bedeutung gerade im Hinblick auf das Unfallsgesetz besitzt und deshalb eine ausführliche klinische Erörterung wohl verdient. Aber ich kann nicht anerkennen, daß dieser höchst komplizierte und im einzelnen der Deutung nach schwer zugängliche Krankheitszustand im Rahmen der Neurasthenie erschöpfend dargestellt werden kann. Vielmehr besitzt er so viel Züge der ausgeprägten Hypochondrie und der Hysterie, daß er mit gleichem oder größerem Recht in Abhandlungen jener Erkrankungen seinen Platz findet.

Wie Sie aus meinen besonderen Vorlesungen über die Unfallsneurosen entnehmen konnten, stehe ich auf dem Standpunkt, daß diese Krankheitsfälle eine gesonderte Stellung einnehmen und ihre Symptomatologie nur verständlich wird, wenn wir den psychologischen Faktor des Unfalls, seine soziale Bedeutung im Hinblick auf unsere Gesetzgebung, sowie die Individualität des Unfallverletzten einer eingehenden Würdigung unterziehen. Da dies uns zu weit führen würde und jede lückenhafte Bearbeitung dieses Themas nur fehlerhafte Vorstellungen erwecken könnte, so habe ich hier ganz darauf verzichtet.

Gegen die Aufstellung der monosymptomatischen Form, welche in Parallele mit der monosymptomatischen Hysterie von PITRES und anderen französischen Autoren gestellt worden ist, hege ich prinzipielle Bedenken. Vereinzelte nervöse Krankheitssymptome berechtigen überhaupt nicht zur Bezeichnung Neurasthenie. Sie entspringen entweder einseitig und ganz lokalisiert wirkenden Schädlichkeiten, welche bei sonst nervengesunden Personen, besonders in der Form von Beschäftigungsneurosen auftreten können, oder sie sind auf dem Boden einer neuropathischen Konstitution als fragmentarische Krankheitsäußerungen hereditärer Belastung entstanden. Ich erinnere Sie hier nochmals an die verschiedenen klonischen Krämpfe (Tic convulsif, Accessoriuskrampf, Nickkrampf, Zwerchfellkrampf u. s. w.), welche gar nicht selten als einziges Krankheitszeichen der ererbten neuropathischen Konstitution auftreten. Derartige Kranke zu Neurasthenikern zu stempeln, ist nicht angängig. An dieser Thatsache ändert der Umstand nichts, daß wir ganz dieselben Symptome gelegentlich bei der vollentwickelten (besonders bei der hereditären Form) der Neurasthenie vorfinden.

12. Vorlesung.

M. H.! Wenn wir den **Verlauf und die Prognose** der Neurasthenie einer kurzen Betrachtung unterziehen wollen, so werden wir
in erster Linie die hereditären Formen, sowie die konstitutionell schwächlichen neurasthenischen Individuen ohne hereditär-degenerative Merkmale (Erkrankungen in der Fötalzeit, schwere
Erkrankungen im Kindesalter, Trauma u. s. w.) von denjenigen zu
trennen haben, bei welchen die Neurasthenie als eine erworbene
Erkrankung des in der Entwickelung fortgeschrittenen, fertigen und
vorher gesunden Menschen auftritt.

Hinsichtlich der hereditären Formen machen mit Recht alle
Autoren darauf aufmerksam, daß sie sich vielfach durch Hartnäckigkeit und Unberechenbarkeit bezüglich der Intensität der Krankheitserscheinungen und des Verlaufs auszeichnen. Ich verweise Sie hier
auf die bei der Schilderung der hereditären Form gemachten Ausführungen. Hinzufügen möchte ich noch, daß gerade hier eine Gene-
ralisierung, in dem Sinne, daß alle hereditär-degenerativen Neurastheniker eine trübe Prognose darbieten, den wirklichen Erfahrungen
nicht entspräche. Vielmehr giebt es auch hier ganz ähnlich wie bei
den hereditär-degenerativen Geistesstörungen jähe und heftige neurasthenische Krankheitsausbrüche, die Monate, ja sogar Jahre dauern,
sodann aber ebenso plötzlich und ohne erkennbaren Grund völlig
schwinden können. Die Patienten bleiben dann jahrelang ganz leistungsfähig, erlangen oft infolge einer guten intellektuellen Begabung einen
größeren Wirkungskreis, dem sie durchaus gewachsen sind. Der Ferner-
stehende wird von abnormer Veranlagung oder Krankheitsäußerungen
in diesen Zeiten relativer Heilung überhaupt nichts merken. Nur der
Eingeweihte, die nächsten Angehörigen, der Hausarzt beobachten gewisse
Idiosynkrasien, bizarre Charakterzüge, absonderliche Neigungen, unmotivierte Stimmungsanomalien, kurzum die Züge, die wir als psychische Stigmata der erblichen Degeneration kennen.

Diese wunderbare Genesung aus schwerer Krankheit ist nur in
seltenen Fällen eine andauernde. Viel häufiger tritt nach kürzeren
oder längeren Intervallen ein erneuter Krankheitsschub auf: entweder
wiederum jene cerebralen Erschöpfungszustände, welche der hereditären Neurasthenie eigentümlich sind einschließlich der psychischen
Anomalien, oder aber es kommt zur Entwickelung ausgeprägter Psychosen (Erschöpfungsstupor, Amentia, Manie, Melancholie u. s. w.).

Auch diese Anfälle gehen wieder in relative Heilung über, ohne wesentliche Intelligenzdefekte herbeizuführen.

Daß auch periodische Formen rein nervöser Erschöpfung auf hereditär-degenerativer Basis vorkommen können, ist früher schon erwähnt worden. Für alle diese Fälle ist also die Prognose hinsichtlich der einzelnen Erkrankungsphase durchaus nicht ungünstig zu stellen. Freilich werden Sie immer wenigstens die Angehörigen auf den wunden Punkt der erhöhten Neigung zu Recidiven aufmerksam machen müssen. Ein typisches Beispiel hierfür ist die Krg. No. 75. Sie finden aber auch statt einer ausgesprochenen Periodicität einen remittierenden Verlaufstypus. Die Patienten erkranken unter dem Einfluß allgemein oder lokal wirkender Schädlichkeiten zu wiederholten Malen an schwerer Neurasthenie. In den Zwischenzeiten zwischen den einzelnen Anfällen erfreuen sie sich voller geistiger und körperlicher Leistungsfähigkeit.

X., 28 Jahre alt; hereditär stark belastet (Vater und 2 Brüder in der Irrenanstalt gestorben); geistig sehr mäßig begabt; schon als Knabe viel Kopfschmerz, gelegentlich mit abendlichem Erbrechen; immer blutarm und schwächlich. Im Alter von ca. 7 Jahren im Schlaf aufrecht stehend aus dem Bett auf den Hinterkopf gefallen; während der ganzen Knabenzeit unruhiger Schlaf mit lautem Sprechen und Herumwandeln. Vom 11.—18. Jahre Neigung zu Erkältung, schmerzhaftes Ohrenleiden. 14/15. Jahr Masern und Lungenentzündung. Vom 16.—20 Jahre starke Masturbation. Im 16. Jahre viele Monate Durchfall. Im 18. Jahre Tripper mit Blasenkartarrh, Bubo (5 Monate lang). Im 20. Lebensjahr 3 Monate starke geschlechtliche Reizbarkeit ohne Coitus mit Schmerzhaftigkeit der Hoden und ziehenden Schmerzen in der Leistengegend. Relative Heilung. Recidiv dieses Zustandes nach sexuellen Excessen und moralischen und psychischen Aufregungen und Ueberanstrengungen. Im 21. Jahre 4 Wochen lang Excesse in venere et baccho; zugleich körperliche Ueberanstrengung. Seit dieser Zeit Spannen in den Augen und im Hinterkopf. Nachher solides Leben, aber Ueberarbeitung bei Uebernahme des Majorats. Mit 23 Jahren 4 Monate lang Darmerschlaffung. Marienbad brachte relative Heilung.

Im 24. Jahre mehrmonatliche körperliche und geistige Abspannung mit Schmerzen im Nacken. Im 25. Jahre Gonorrhöe (6 Monate) mit Blasenaffektion. Nach $1\frac{1}{2}$-jähriger solider Lebensweise erneute sexuelle Excesse, die zu großer körperlicher Abspannung führten. Mit 26 Jahren Schleimabgang aus der Urethra, Behandlung auf chronische Gonorrhöe. Im 27. Jahre Blasenkatarrh und Steigerung aller nervöser Symptome.

Hauptbeschwerden bei der Aufnahme in die Klinik 5. Januar 1892: 1) Lichtscheu, 2) Mattigkeit, 3) leichte Magenverstimmung, 4) Schmerz zwischen den Schultern, leichtes Kopfweh; bei Abspannung Unsicherheit im Auftreten; körperliche Mattigkeit beim Gehen und Fahren; geistige Ermüdung; große Reizbarkeit; „Steifheit" der Zunge und Stottern, in letzter Zeit „Unruhe im Herzen" (namentlich nach dem Essen); Schlaflosigkeit; Klingen in den Ohren.

Außer diesem Verlauf der hereditären Form giebt es auch noch einen anderen viel ungünstigeren: die cerebrale Erschöpfung, die ganz unter dem Bilde einer gewöhnlichen Neur-

Krg. No. 87.

**asthenie einsetzt, ist nur der Beginn eines rapid fort-
schreitenden geistigen Verfalls.** Einen solch verhängnisvollen Ausgang müssen Sie immer im Auge behalten, wenn Sie
bei schwerer erblicher Belastung in den Pubertätsjahren eine Neurasthenie sich entwickeln sehen. Erinnern Sie sich an das, was ich in
der allgemeinen Aetiologie über die vorzeitige Beendigung der Wachstumstendenzen gesagt habe. Hier wird der Stillstand zuerst durch
die Neurasthenie markiert, weil die fortschreitende Zunahme der
geistigen Arbeiten gerade in diesen Jahren die relative Insufficienz
der Gehirnthätigkeit sehr bald durch Erschöpfungszustände verraten
wird.

Einige Patienten erholen sich zwar aus dieser Erschöpfungsphase,
verharren aber dann während ihres ganzen Lebens auf der geistigen
Entwickelungsstufe, welche sie vor der akuten Erkrankung eingenommen hatten. Sie sind wohl fähig, einfachere Berufsarten, in denen
geringe Anforderungen an die geistige Bethätigung gestellt werden,
auszufüllen; zu einer selbständigen verantwortlichen Berufsthätigkeit,
welche eine erhöhte Urteilsfähigkeit, komplizierte Ueberlegungen,
Schlagfertigkeit des Geistes und exakte Entschlußfähigkeit verlangt,
sind sie durchaus ungeeignet. Sobald sie aus einer gewissen Abhängigkeit entlassen und ohne Führung in den Strom des Lebens gestellt werden, erleiden sie ethischen und sozialen Schiffbruch. Das
sind die Defektmenschen, die „Minderwertigen", welche uns Aerzten
strafrechtlich in foro so viel zu schaffen machen. Manche sind intellektuell geschwächt, erscheinen aber dem Richter und dem Laien
nicht als geisteskrank. Hier ist es natürlich vom größten Werte, nicht
nur der erblichen Belastung, sondern auch der Pubertätsneurasthenie in
der Vorgeschichte des Falles nachzuspüren. Können Sie beides mit
absoluter Sicherheit erhärten, so gewinnen Sie für die Beurteilung
des Falles eine wertvolle Grundlage. Sie werden dann im einzelnen den
Grad der Intelligenzschädigung noch festzustellen haben, um die
Fragen, welche der § 51 des R.-Str.-G.-B. aufwirft, beantworten zu
können. Ebenso schwierig wird unter Umständen die Beurteilung
dieser Kranken in civilrechtlicher Beziehung sein. Die abnorme
Lebensführung äußert sich in praxi am häufigsten in plan- und ziel-
loser Verschwendungssucht oder in trunksüchtigen Excessen. Sie
werden vor die Frage gestellt sein, ob man diese Patienten wegen
Geisteskrankheit oder Verschwendung, oder künftighin auf Grund des
neuen bürgerlichen Gesetzbuches wegen Trunksucht entmündigen darf.

Entschuldigen Sie diesen Ausblick in die forensische Psychiatrie;
Sie müssen ihn meiner vieljährigen Erfahrung zu gute halten, welche
mich belehrt hat, wie wichtig die Kenntnis dieser Grenzgebiete der
Zurechnungsfähigkeit für den praktischen Arzt ist.

Viel eindeutiger natürlich liegen die Fälle, bei welchen nicht ein
einfacher Stillstand der geistigen Entwickelung, sondern ein end-
giltiger Verfall der geistigen Kräfte sich an diese Pubertätsneurasthenie anschließt. Sie begegnen dann so ausgesprochenen Zuständen
sekundärer d. h. erworbener Demenz, daß an der aufgehobenen Zu-
rechnungs- resp. Dispositionsfähigkeit nicht gezweifelt werden kann.

Sodann habe ich in prognostischer Hinsicht die konstitutionellen Schwächlinge gesondert Ihnen genannt. Das sind die
Leute, welche mittleren Anforderungen auf körperlichem oder geistigem

Gebiete oft recht gut gewachsen sind, die aber bei jeder Mehrleistung nach einer dieser beiden Richtungen hin versagen und neurasthenisch werden. Ein besonderes Unglück ist für diese Art Menschen, wenn ihre Wünsche und Bestrebungen ständig über das Maß ihrer Kräfte hinausgehen. Dann ist ihr Leben eine Kette von Anläufen und Mißerfolgen, von Ueberanstrengungen und Erschöpfungszuständen. Erst wenn die Kranken durch vielfache üble Erfahrungen belehrt sind, eine gewisse Resignation zu üben, das Ziel ihrer Wünsche kürzer zu stecken und mit ihren Kräften hauszuhalten, kommen sie zu einem leidlichen Dasein und können innerhalb engerer Grenzen eine nutzbringende und befriedigende Thätigkeit entfalten.

Sie werden hier bei Ihren ärztlichen Verordnungen immer zu unterscheiden haben, wes Geistes Kind der betreffende Patient ist. Haben Sie es mit eigensinnigen, beschränkten Leuten zu thun, die immer alles besser wissen, alle ihre Mißerfolge auf eine unglückliche Verkettung widriger Umstände zurückzuführen geneigt sind und niemals die eigene Schwäche und die Fehler ihrer Lebensführung richtig abzuschätzen lernen, so werden Sie mit Ihrer ärztlichen Thätigkeit nicht viel erreichen. Die Patienten fügen sich wohl vorübergehend unter dem Zwange akuter Verschlechterungen ihres neurasthenischen Zustandes bestimmten Verordnungen, suchen auch Hilfe und Heilung in Kaltwasser- und Nervenanstalten, werden vorübergehend gebessert, sinken aber durch unzweckmäßige Lebensführung immer wieder in ihren alten Krankheitszustand zurück. Hierher gehört eine große Zahl übelgelaunter, ewig nörgelnder chronischer Neurastheniker, welche durch ihre „reizbare Verstimmung" schließlich der Schrecken der Aerzte werden.

Viel günstiger sind prognostisch die einsichtsvollen und folgsamen Patienten, die einen kritischen Maßstab an ihre eigene Leistungsfähigkeit legen, sich genau und, was vor allem wichtig ist, richtig beobachten, ihre Arbeit zur rechten Zeit bei den ersten Zeichen der Dauerermüdung einschränken, sich dann Ruhe und Erholung gönnen oder durch Wechsel der Thätigkeit und entsprechende therapeutische Maßnahmen die gesunkenen Kräfte wieder zu heben bestrebt sind. Hier kann das Gleichgewicht zwischen beruflicher Anforderung und Leistungsfähigkeit immer wiederhergestellt werden, wenn nicht völlig unberechenbare Zwischenfälle, z. B. heftige Gemütserschütterungen, interkurrente körperliche Leiden (hier spielen besonders katarrhalische Affektionen der Luftwege, welchen diese anämischen Patienten so leicht unterliegen, eine große Rolle) störend einwirken.

So kenne ich einen ausgezeichneten Gelehrten (den ich schon früher gelegentlich der intrauterinen Entwickelungsschädigungen erwähnt habe), welcher sich jetzt seit Jahren seinem neurasthenischen Krankheitszustand in seiner Lebensweise angepaßt hat und bei diesem vorsichtigen Maßhalten nicht nur seinen Lehrberuf erfüllen kann, sondern auch sehr wertvolle wissenschaftliche Arbeiten produziert hat. Auf alle Fragen, welche gerade bei dieser Gruppe in prognostischer Hinsicht diskutiert werden könnten, gehe ich hier nicht ein, da sie bei der Therapie noch genügend berücksichtigt werden. Ich erwähne wenigstens einige hier: die Prognose der Schlafstörungen, die oft zu den hartnäckigsten Symptomen bei diesen Kranken gehören, die chronische Obstipation einschließlich der Verdauungsschwäche, die motorische Ermüdung u. s. w. Wohl aber möchte ich Sie noch darauf aufmerksam machen, daß bei den ausgesprochen chronischen konstitutionellen Neurasthenien dieser Art sich ganz langsam und fast unmerklich schwere, oft unheilbare Geistesstörungen entwickeln können. Die sog. hypochondrische Paranoia oder das neurasthenische Irresein KRAFFT-EBING's, welche Sie in der psychiatrischen Klinik kennen gelernt haben, sind solche Endbilder einfacher Neurasthenie.

Die dritte große Gruppe, die erworbene Neurasthenie, bietet prognostisch die günstigsten Chancen dar. Jedoch bitte ich Sie, ja nicht zu glauben, daß Sie hier bei geeigneter Behandlung auch nur in der Mehrzahl der Fälle eine dauernde und völlige Heilung des Leidens herbeiführen können. Seien Sie also auch hier mit ihren prognostischen Aussprüchen vorsichtig! Im allgemeinen kann man sagen: Je langsamer und schleichender die Neurasthenie sich entwickelt, je länger und hartnäckiger die Krankheit auf einer gewissen Entwickelungshöhe verharrt, desto ungünstiger ist die Aussicht auf Heilung. Sie sehen, daß nicht die Intensität, sondern der Entwickelungsgang und die Dauer der neurasthenischen Symptome prognostisch von maßgebender Bedeutung sind. Hieraus ergiebt sich, daß selbst leichtere Erkrankungsfälle, bei welchen die hochgradigsten Erschöpfungszustände mit ihren Folgen niemals aufgetreten sind, prognostisch recht ungünstig sein können. Sie werden in solchen Fällen oft durch langdauernde Erholungen und Behandlungen nur geringfügige Besserungen erzielen. Die Patienten sind und bleiben halb invalid und werden ähnlich wie die Neurastheniker mit angeborener konstitutioneller Schwäche erst dann zu einem erträglichen Dasein kommen, wenn sie endgiltig auf jede größere Kraftleistung auf körperlichem oder geistigem Gebiete verzichten.

Viel lieber sind mir die akuten Erschöpfungszustände, selbst wenn die Krankheitserscheinungen recht schwer sind. Welch schöne Heilerfolge man bei solchen Zuständen erzielen kann, möge Ihnen folgende kleine Beobachtung illustrieren:

Krg No. 68. Frau N. (Konsultation Juni 1885), Anfang der 30er Jahre; früher gesund; besorgt seit ihrer Verheiratung Küche und Hauswirtschaft ihres im Sommer sehr besuchten Gasthofs; mehrfache Geburten mit erschöpfender Laktation. Seit ungefähr einem Jahre mit Einsetzen einer cruenten (4.) Gravidität zahlreiche nervöse Beschwerden: Druck und Leere im Kopf, Gedächtnisschwäche, Interesse- und Energielosigkeit, Furcht geisteskrank zu werden. In der Laktation Steigerung dieser Erscheinungen, leichte Angstaffekte, Schlaflosigkeit. — Die objektive Untersuchung ergiebt als auffälligstes Symptom: allgemeine Hyperästhesie der Hautdecken, besonders ausgeprägt eine Hyperästhesie der Vulva, die jede Digitaluntersuchung unmöglich macht infolge eintretenden Vaginismus. — Bei Ruhe, guter Ernährung erfolgt körperliche Erholung und Schwinden aller nervösen Erscheinungen.

Freilich werden Sie bei der psychischen Neurasthenie besonders genau auf die affektiven Störungen achten müssen. Wie mancher dieser prognostisch günstigen Fälle endigt durch Selbstmord, weil ärztlicherseits die psychische Veränderung nicht genügend beachtet und das Hauptaugenmerk auf sinnenfälligere oder dem psychiatrisch nicht geschulten Praktiker geläufigere somatische Störungen (z. B. dyspeptische

oder angioneurotische) gerichtet wurde. Solche Kranke sind für die
ambulante Behandlung nicht geeignet, sie gehören in Nervenheilanstalten resp. -kliniken. Liegt die Möglichkeit einer länger dauernden rationellen Behandlung vor, so können sich die Patienten
vollständig erholen und wieder in ihre alte Berufsthätigkeit zurückkehren. Ich entlasse sie aber immer mit der Mahnung, vorsichtig
zu sein, mit ihren Kräften hauszuhalten und die früheren Fehler
der Lebensführung, welche den Ausbruch des Leidens verschuldet
haben, zu vermeiden. Ich citiere dann gern das schon früher an-
geführte Beispiel des Verschwenders, welcher vom Kapital zehrt
und dann plötzlich vor dem Bankerott steht. Beachten solche
Patienten diese Warnungen nicht, so ist jederzeit ein Rückfall in
das alte Leiden zu befürchten. Stehen die Patienten auf exponierten
Posten, d. h. gestattet ihr Beruf überhaupt keine Schonung ihrer
Kräfte (Offiziere in höheren Stellungen, Verwaltungsbeamte, Bank-
direktoren), so wird man die Prognose von der Aenderung ihrer
Lebensstellung abhängig machen müssen. Eine absolut günstige
Prognose besitzt selbstverständlich auch diese akut erworbene Neurasthenie nicht, auch hier sind Uebergänge in chronische Erschöpfungszustände oder in ausgeprägte Geisteskrankheiten (besonders in langwierige Hypochondrie) gelegentliche Vorkommnisse.

Man hat diese akut einsetzende Neurasthenie mehrfach als eigene
Krankheitsform beschrieben und ihr eine besondere Symptomatologie
zugesprochen; dies halte ich nicht für richtig. Ueberhaupt glaube
ich, daß man mit der Bezeichnung akute Neurasthenie sehr vorsichtig
sein muß; denn wenn auch häufiger eine stürmische Steigerung der
Krankheitserscheinungen ein akutes Einsetzen des Leidens vortäuscht,
so wird doch der gewissenhafte Untersucher sehr oft nachweisen
können, daß mehr oder weniger ausgeprägte Erschöpfungszustände
schon längere Zeit vorher bestanden haben. Man wird in solchen
Fällen nur von akuten Exacerbationen der Neurasthenie sprechen
können.

Ueber die Prognose der in der letzten Vorlesung geschilderten
klinischen Formen der Neurasthenie habe ich die nötigen Bemerkungen
dort eingeflochten; nur bezüglich der hyperalgetischen Form, welcher
ich eine besondere Stellung auch hinsichtlich der Prognose eingeräumt
habe, möchte ich nachholen, daß die mit ihr behafteten Kranken recht
langwierige und für unser ärztliches Handeln oft recht unfruchtbare
Fälle sind. Jeder therapeutische Eingriff vermehrt oft die Leiden.

Die **Diagnose** der Neurasthenie unterliegt mannigfachen
Schwierigkeiten, welche vorwaltend in der durchaus unbestimmten
Abgrenzung dieses Krankheitszustandes von anderen verwandten
diffusen funktionellen Neurosen begründet sind. Nicht umsonst wurde
eine ausführliche Darlegung der ätiologisch-klinischen Gesichtspunkte
unternommen, aus welchen heraus der Krankheitsbegriff der Neurasthenie verständlich gemacht werden sollte. Denn nur auf diesem
Wege gelang es, den Beweis zu liefern, daß wir in der erworbenen
Neurasthenie die nicht vollentwickelten Bilder anderweitiger, längst
bekannter und schärfer charakterisierter Nervenleiden und Geistesstörungen (Hypochondrie, Melancholie, Erschöpfungsstupor u. s. w.) vor

uns haben. Andererseits haben Sie die vorstehenden prognostischen
Erörterungen darüber belehrt, daß bei den ausgeprägten heredi-
tär-konstitutionellen Formen die unfertige und disharmonische
Entwickelung der nervösen Leistungsfähigkeit in dem Krankheitsbilde
der nervösen Schwäche zuerst zu Tage treten kann.

In beiden Fällen werden die Krankheitszustände einer sehr verschiedenartigen Beurteilung unterliegen können: was der eine Beobachter noch in den Rahmen der Neurasthenie stellt, wird der andere
zur Hypochondrie oder Hysterie oder bei den ausgeprägt erblich-
degenerativen Formen zum einfachen und moralischen Schwachsinn,
zum Irresein aus Zwangsvorstellungen, zur degenerativen Hysterie
u. s. w. rechnen.

Um der rein ärztlichen, aber auch sozialen Verantwortung, welche
mit der Stellung einer derartig scharf pointierten Diagnose verbunden
ist, enthoben zu sein, wird vielfach der unbestimmtere, diagnostisch
und prognostisch dehnbarere Begriff der Neurasthenie gewählt, besonders wenn einzelne der Neurasthenie und den anderweitig genannten Krankheiten gleichmäßig angehörige Symptome dieser milderen
Auffassung des Krankheitsfalles Vorschub leisten.

Aber auch nach einer anderen Richtung hin droht eine zu weit
gehende Verallgemeinerung der Diagnose Neurasthenie: es werden
vielfach ganz akut einsetzende und rasch vorübergehende abnorme
Reaktionen des Nervensystems auf übermäßige Anforderungen
der Neurasthenie zugerechnet, sobald nur gewisse Reiz- und Schwächesymptome dieser Krankheit momentan vorhanden sind, während
doch, wie an verschiedenen Stellen hervorgehoben wurde, zur Aufstellung
der Diagnose Neurasthenie das Versagen der nervösen Leistungsfähigkeit gegenüber mittleren oder selbst geringfügigen
Anstrengungen erforderlich ist.

Sodann werden oft durchaus lokalisierte, auf ganz bestimmte
funktionelle oder anatomische Gebiete beschränkte Störungen der
Nerventhätigkeit zur Neurasthenie gezählt, sei es, daß dieselben einseitiger übermäßiger Inanspruchnahme (vergl. die Beschäftigungsneurosen) entspringen, sei es daß bei bestimmten anatomischen
Erkrankungen umschriebene periphere Nervengebiete nebst ihren
centralen Verknüpfungen pathologischen Reizungen ausgesetzt sind.
Hierher gehören vor allem die im Anschluß an Genitalerkrankungen
des weiblichen Geschlechts entstehenden nervösen Krankheitszustände,
aber auch gewisse Genitalneurosen beim Manne, die nervösen Symptome bei organischen Herzerkrankungen, die Visceralneuralgien im
Anschluß an adhäsive Peritonitiden z. B. bei Gallensteinerkrankungen
und Wanderniere, „nervöse" Zustände im Anschluß an Erkrankungen
des Nasenrachenraums u. a. m.

Wir haben nur dann eine Berechtigung, in solchen
Fällen von Neurasthenie zu sprechen: a) wenn uns
anamnestisch der Nachweis gelingt, daß auf dem Boden
einer konstitutionellen (ererbten oder in der frühesten Entwickelung erworbenen) Neuropathie diese lokalen Krankheitsvorgänge, welche dann an und für sich ganz
geringfügig sein können, das ganze Heer der nervösen Beschwerden gezeitigt oder verstärkt haben;
b) wenn uns die genaue Krankenbeobachtung gelehrt
hat, daß aus der lokalen Erkrankung heraus eine allge-

meine Schwächung des Nervensystems sich sekundär
entwickelt hat. In beiden Fällen aber muß der Nachweis
erbracht werden, daß neben den Symptomen der „Lokalerkrankung"
die nachher noch zu erwähnenden Kardinalsymptome der Neurasthenie
im Krankheitsbilde vertreten sind.

Ich lege Ihnen deshalb nochmals, wie ich es schon verschiedent-
lich im Kapitel der Aetiologie und Symptomatologie gethan habe,
ans Herz, nicht leichthin jede lokal bedingte, nervöse Erkrankung,
selbst wenn sie mannigfache Fernwirkungen darbietet, zur Neurasthenie
zu zählen. Sie schädigen hierdurch nicht nur Ihr ärztliches Unter-
scheidungsvermögen, sondern Sie verlieren auch die Richtschnur für
Ihr ärztliches Handeln.

Ferner gehören nicht zur Neurasthenie alle jene vereinzelten
nervösen Krankheitserscheinungen, welche auf dem Boden einer konstitutionellen Neuropathie gelegentlich aufschießen oder als isolierte Krankheitsäußerungen der hereditären Belastung für kürzere
oder längere Zeit, ja oft für das ganze Leben fortbestehen. Als
Paradigma derartiger Zustände habe ich Ihnen schon früher die verschiedenen isolierten Krampfformen aufgezählt.

Endlich möchte ich Sie auf eine Fehlerquelle aufmerksam machen,
welche vorzugsweise bei der Beurteilung der hyperalgetischen Form
der Neurasthenie auftauchen kann. Ganz ähnlich, wie dies neuere
Erfahrungen für die Hysterie gelehrt haben, sehen wir auch bei der
Neurasthenie die verschiedenartigsten anatomisch begründeten Lokalerkrankungen sowohl innerhalb des Nervensystems als auch anderer
Organe auftreten und das Krankheitsbild komplizieren. Man verfällt
dann leicht in den Irrtum, alle Klagen der Patienten auf nervöse
i. e. funktionelle Zustände zurückzuführen. Ich will Ihnen das an
einem Beispiel kurz erläutern. Ich habe Ihnen früher unter den
Symptomen der hyperalgetischen Form die neuralgiformen Schmerzen
der unteren Extremitäten gekennzeichnet, welche sehr leicht zur Verwechslung mit wahrer Ischias führen. Es kann nun vorkommen, daß
Pat., welche mit solchen schmerzhaften Zuständen behaftet waren,
später hin wirklich an Ischias erkranken.

Ich habe gerade jetzt eine Dame in klinischer Behandlung, bei
welcher Sie die Vereinigung einer inveterierten Neurasthenie mit
neuritischen Prozessen mit Leichtigkeit objektiv nachweisen können:

Frl. M., 53 Jahre alt, hereditär belastet; schwächliches Kind; schon **Krg.**
vor dem 9. Jahre Migräne mit Erbrechen; in der Pubertätszeit rasches **No. 69.**
Wachstum; Menses mit 15—16 Jahren; damals sehr blutarm, so daß ihr
die Schwindsucht prophezeit wurde; viel Herzklopfen und Sprechen im
Schlaf. Im 22. Lebensjahr starke Ueberarbeitung zum Lehrerinnen-
examen; Gefühl „unsichtbarer Nackenschläge", plötzliche Schmerzempfindungen auf der Schulter; profuse Menses (alle 14 Tage); viel
Kreuzschmerzen; „Gefühl des Hungers im Unterleibe". Vorübergehende
Besserung durch Stahl- und Moorbäder bei völliger geistiger Ruhe.

Anfangs der 30er Jahre „Unterleibsentzündung", welche durch
homöopathische Mittel geheilt wurde. In der Folge wieder viel Migräne
mit Uebelkeit; im 41. Jahre schwierige Pflege eines chorea-kranken
Kindes mit erneuter Ueberanstrengung; im 43. Jahre Typhus mit langdauernder Besinnungslosigkeit, hohem Fieber und Durchfällen; Behandlung durch kalte Bäder. Im Winter darauf zum erstenmale reißende

Gliederschmerzen angeblich infolge schlechtgeheizter Zimmer. Seit dieser Zeit wird Pat. viel durch nervös-rheumatische Haut-, Muskel- und Gelenkschmerzen geplagt.

Im 49. Jahre erste linksseitige Ischiaserkrankung. Pat. hatte sich durch weite Spaziergänge überanstrengt. Sie war in der Kälte (um die Weihnachtszeit) vor den Schaufenstern „stundenlang" gestanden. Dauer der Erkrankung 3 Wochen; Faradisation brachte Heilung.

Recidiv der Ischias Ostern dieses Jahres. Sie war wieder viel gegangen und hatte im Schnee gestanden.

Eintritt in die Klinik 12. September 1896. Jetzige Klagen: Pat. kann höchstens 10 Minuten ohne Schmerzen im linken Bein gehen; Gefühl, als ginge ein eiserner Draht quer über das Schienbein; Sitzen macht jetzt keine Beschwerden (um Ostern sehr schmerzhaft); Treppensteigen ermüdet die Pat. sehr, Ermüdungsgefühle in beiden unteren Extremitäten. Das linke Bein schmerzt auch nachts, wenn Pat. auf der linken Seite liegt. Der Schmerz strahlt häufig über die ganze linke Körperhälfte aus. Oft stellt sich Zittern im ganzen Körper ein. Der Schlaf ist im Laufe der letzten Monate schlecht geworden.

Stat. praes.: Uebermittelgroß, ziemlich gut genährt; Muskulatur mäßig entwickelt; Gesichtsfarbe blaß, Gesichtsausdruck leidend; Haare mäßig ergraut; Conjunctivae normal injiziert; Arterien kaum rigide. Herzdämpfung normal, Herztöne rein, Puls 88, regelmäßig; vasomotorisches Nachröten stark gesteigert; Lungen intakt; Leberdämpfung normal, Stuhlgang regelmäßig; Urin sauer, frei von Zucker, Spuren von Albumen; Menstruation seit 4 Jahren cessiert; Drüsen nirgends vergrößert; mäßige Varicen an den unteren Extremitäten. — Pupillen mittelweit, gleich; Reaktionen prompt; Augenbewegungen frei; VII. und XII. intakt; Armbewegungen ziemlich kräftig; leichter statischer Tremor; keine Ataxie. Beinbewegungen: Beugen des Unterschenkels links schwächer als rechts, Heben des gestreckten Beines links schmerzhaft, Verschwinden des Schmerzes beim Beugen im Knie; Gang langsam, jedoch nicht gestört: kein Romberg; leichtes Lidflattern bei Augenschluß. Sehnenphänomene normal; Plantarreflex rechts etwas stärker; mechanische Muskelerregbarkeit kaum gesteigert; Berührungsempfindlichkeit nur im Bereiche des linken Beines geschädigt; es besteht leichte Hypästhesie für feinste Berührungen an der Außenfläche des linken Unterschenkels. Schmerzempfindlichkeit überall intakt.

Druckpunkte: VALLEIX'sche Temperalpunkte, Supra- und Infraorbital- und Klavikularpunkte, Interkostal-, Iliakal- und Inguinalpunkte symmetrisch druckempfindlich; gesteigerte Druckempfindlichkeit mit lebhafter Schmerzäußerung bei Druck auf die typischen ischiadischen Schmerzpunkte links (hinterer oberer Kreuzbeinpunkt, Ischiadikusaustritt, Kniekehle, Capitulum fibulae, im äußeren Drittel des Fußrückens).

Umfang des rechten Unterschenkels 33 $^1/_2$, links 34 cm; linke Wadenmuskulatur auffällig schlaff und teigig anzufühlen. Die faradische Erregbarkeit des M. soleus links erheblich herabgesetzt gegenüber rechts. Die direkte galvanische Soleusreizung ergiebt links eine träge, langsam ablaufende Zuckung mit mehrfachen, bei schwachen Strömen für die Gesamtzuckung eintretenden Bündelkontraktionen. Die ASZ ist der KSZ sehr nahe gerückt.

Ordination: Viel Bettruhe; Anodenbehandlung des linken Beines; Salipyrin; warme prolongierte Bäder; späterhin regelmäßige Gehübungen.

— Pat. geht nach 4 Wochen bis zu $^1/_2$ Stunde spazieren, es stellen sich aber noch vielfach brennende und Ermüdungsschmerzen besonders im linken Bein ein; große Witterungsempfindlichkeit; häufig Gesichts- und Kopfschmerzen.

Nachdem wir so den Krankheitsbegriff der Neurasthenie einzuengen versucht haben, erwächst uns nun die Aufgabe, wenigstens kurz anzudeuten, welche Symptome uns die Diagnose der Neurasthenie überhaupt gestatten. Es ist zweifellos das Verdienst von CHARCOT, die häufigsten und bedeutsamsten Krankheitserscheinungen zuerst schärfer hervorgehoben zu haben. Er bezeichnet diese „fundamentalen und typischen" Symptome als n e u r a s t h e n i s c h e S t i g m a t a. Hierher gehören: 1) Der neurasthenische K o p f s c h m e r z (einschließlich der Kopfdrucksymptome), welcher nach LEVILLAIN in $^4/_5$ der Fälle vorhanden ist. 2) D i e S t ö r u n g e n d e s S c h l a f s. 3) D i e R h a c h i a l g i e u n d d i e s p i n a l e H y p e r ä s t h e s i e. 4) D i e M u s k e l s c h w ä c h e (Amyosthenie). 5) D i e d y s p e p t i s c h e n S t ö r u n g e n (nervöse Dyspepsie). 6) D i e G e n i t a l s t ö r u n g e n (beim Manne und bei der Frau). 7) Der g e i s t i g e Z u s t a n d d e r Neurasthenischen: reizbare Verstimmung, psychische Depression, Angstgefühle, gesteigerte geistige Ermüdbarkeit (psychische Asthenie), Entschlußunfähigkeit u. s. w.

Diesen „K a r d i n a l s y m p t o m e n" stellt er d i e s e k u n d ä r e n oder a c c e s s o r i s c h e n gegenüber. Während erstere immer vorhanden und zur Feststellung der Diagnose unerläßlich sind, werden in diese zweite Gruppe alle schwankenden und flüchtigen Krankheitserscheinungen eingereiht. Diese „nebensächlichen und zur Feststellung der Diagnose nicht notwendigen Symptome" besitzen nichts für die Neurasthenie Spezifisches, sie entwickeln sich vielmehr entsprechend der individuellen Prädisposition oder der besonderen ätiologischen Verhältnisse. Hierher gehören die Schwindelempfindungen, Störungen der Augen (vor allem die Asthenopie) und der anderen Spezialsinne, die cirkulatorischen, respiratorischen, sekretorischen und nutritiven Störungen, gewisse Störungen der allgemeinen Sensibilität und Motilität (Hyperästhesie, Parästhesie, neuralgiforme und Druckschmerzen; paretische Zustände, Zittern, fibrilläre Zuckungen, kurzdauernde Muskelspasmen), gewisse Komplikationen der neurasthenischen Dyspepsie (Dilatation, Splanchnoptosis, Colitis, nervöser Ileus), neurasthenisches Fieber und schließlich neurasthenische Idiosynkrasien.

Als dritte Gruppe reiht die CHARCOT'sche Schule diejenigen Symptome an, welche überhaupt nicht zum Krankheitsbild der Neurasthenie im engeren Sinne gehören, sondern als Komplikationen hinzutreten. Hierher sind gerechnet die verschiedenen A n g s t z u s t ä n d e oder P h o b i e n, verschiedene isolierte Krampfformen (Tics) und die motorischen Beschäftigungsneurosen. Alle drei gelten für Komplikationen, welche durch hereditäre Belastung verursacht sind.

Dieser Trennung der Symptome liegt unzweifelhaft die berechtigte Anschauung zu Grunde, daß gewisse Krankheitserscheinungen unlösbar mit dem Bilde der Neurasthenie verknüpft sind, während andere mehr zufällige und individuell sehr schwankende Beigaben darstellen. Man wird aber CHARCOT und seinem Schüler LEVILLAIN in der Gruppierung und Wertschätzung der Symptome durchaus nicht in allen Punkten beipflichten können. Zuerst möchte ich Sie hin-

sichtlich der Kardinalsymptome darauf aufmerksam machen, daß sie
bei den verschiedenen oben skizzierten Typen der Neurasthenie in
sehr verschiedener Gruppierung und ungleicher Intensität vorhanden
sein können. Daß alle 7 genannten Symptome in einer einzelnen
Beobachtung gleichzeitig vorhanden sind, gehört zu den größten
Seltenheiten. Vielmehr werden Sie finden, daß innerhalb gewisser
Zeitperioden immer nur die eine oder die andere Kardinalerscheinung
das Krankheitsbild beherrscht und ihm das besondere Gepräge als
psychische, dyspeptische, angioneurotische u. s. w. Form verleiht.
Daß diese einzelnen klinischen Varietäten sich bei jahrelangem Bestande des Leidens gegenseitig ablösen können, habe ich früher schon
erwähnt. So kann es thatsächlich kommen, daß ein einzelner Patient
die ganze Skala von Krankheitserscheinungen im Laufe der Zeit an
sich erlebt.

Sodann ist es nicht ganz verständlich, warum nicht neben den
dyspeptischen und sexuellen auch die angioneurotischen Störungen
zu den Hauptsymptomen gerechnet worden sind. Entweder muß man
überhaupt darauf verzichten, die funktionellen Schädigungen dieser
einzelnen Organsysteme den Kardinalsymptomen zuzurechnen, oder
man muß auch die Störungen der Herz- und Gefäßinnervation zu der
ersten Gruppe hinüberziehen.

Es wird Ihnen aus meiner Darlegung der Symptome schon klar ge-
worden sein, daß ich d a s H a u p t g e w i c h t a u f d e n e i g e n a r t i g e n
G e i s t e s - u n d G e m ü t s z u s t a n d e i n s c h l i e ß l i c h d e r S c h l a f -
s t ö r u n g e n l e g e. Um diese Krankheitserscheinung lassen sich die
übrigen Haupt- und Nebenerscheinungen ungezwungen gruppieren. Wie
innig aber die gemütliche und intellektuelle Bethätigung des Neurasthenikers von den verschiedenen somatischen, d. h. nicht psychisch bedingten
Symptomen abhängig ist und welch verhängnisvolle psychische Verarbeitung diese verschiedenen Störungen erfahren, ist früher ausführlich besprochen worden. Von dieser subjektiven Verarbeitung der einzelnen
Krankheitserscheinungen hängt vielfach die individuelle Abschätzung
ihrer Bedeutsamkeit ab. So ist es leicht verständlich, daß die Patienten
selbst oft ganz abweichender Meinung sind und die oben als nebensächliche Symptome zusammengestellten Störungen zum Hauptleiden
machen.

Es besteht aber für den Arzt die Notwendigkeit, dieser subjektiven
Färbung des Urteils in besonderen Fällen Rechnung zu tragen. Man
ist z. B. aus rein praktischen Gründen gezwungen, der krankhaft gesteigerten Schmerzempfindlichkeit, trotzdem sie nur eine Teilerscheinung des eigenartigen psychischen Zustandes unserer Kranken ist,
eine erhöhte Bedeutsamkeit zuzumessen, sobald die Störungen der
Sensibilität (der Spezialsinne und der allgemeinen Sensibilität), welche
CHARCOT wegen der relativen Seltenheit zu den accessorischen Symptomen gerechnet hat, im Vordergrund stehen. So kann es kommen,
daß, wie die Aufstellung einer hyperalgetischen Form lehrt, die
Kardinalsymptome gewissermaßen von den nebensächlichen über-
wuchert werden.

Diese Rekapitulation Ihnen jetzt geläufig gewordener klinischer
Erfahrungen lehrt, daß wir noch weit entfernt sind von einer
einheitlichen und überall befriedigenden Klassifikation der Krankheitserscheinungen in diagnostischer Hinsicht. Daran dürfen wir aber
festhalten, daß wir bei der Ausprägung dieser durchaus nicht flüch-

tigen Krankheitssymptome nicht mehr den vieldeutigen Begriff der Nervosität oder des neuropathischen Zustandes diagnostisch verwerten dürfen. Es hat sich dann eben aus diesem allgemeinen, kaum abgrenzbaren Uebergangsgebiete zwischen normaler und krankhafter Nerventhätigkeit eine bestimmte Krankheit, die wir Neurasthenie nennen, herausentwickelt.

Wenn es so auch gelingt, die Grenze nach unten ziemlich scharf zu ziehen, so ist es um so schwieriger, eine Scheidung gegenüber den anderen funktionellen Neurosen überall durchzuführen. Besonders schwer ist die Unterscheidung von der Hypochondrie. Es tauchen bei diesem Krankheitsbilde die Mehrzahl, ja man kann sagen alle neurasthenischen Symptome gelegentlich auf. Man begreift sehr wohl, daß mit dem weiteren Ausbau der Neurasthenie der Krankheitsbegriff der Hypochondrie immer mehr eingeengt worden ist und daß eine nicht geringe Zahl von Autoren überhaupt die Diagnose der Hypochondrie direkt durch diejenige der Neurasthenie ersetzt hat. Ich habe schon früher erklärt, daß ich diese Bestrebungen nicht teile. Es ist zweifellos, daß die Hypochondrie auf dem Boden der Neurasthenie erwächst und nur eine Weiterentwickelung, eine Verschärfung des Nervenleidens nach der psychischen Seite hin darstellt. Neben den beiden gemeinschaftlichen Symptomen tritt aber bei der Hypochondrie das psychopathologische Symptom der einseitigen excessiven und phantastischen Verarbeitung der pathologischen Empfindungen zu sog. hypochondrischen Wahnvorstellungen, sowie die Rückwirkung dieser prädominierenden pathologischen Vorstellungskreise auf körperliche Vorgänge hinzu.

Die allgemeinen, unbestimmten und meistenteils flüchtigen nosophobischen Vorstellungen der Neurasthenie verdichten sich beim Hypochonder zu einseitigen und fixierten hypochondrischen Ideenkreisen, welche den ganzen Vorstellungsinhalt gefangen halten und den Kranken für jegliche Berufsarbeit unfähig machen. Die Unentschlossenheit des Neurasthenikers wird zur hypochondrischen Willensschwäche (Abulie). Die andauernde hypochondrische Verstimmung macht die Kranken schließlich völlig unfähig, mit ihren Angehörigen zusammenzuleben. Krankhaftes Mißtrauen, unbegründete Abneigungen, haßerfüllte Zornausbrüche sind die untrüglichen Anzeichen einer tiefgreifenden egocentrischen Charakterveränderung, aus welcher sich bei jahrelangem Bestehen des Leidens der Beeinträchtigungs- und Verfolgungswahn des Paranoikers entwickelt. Sind in das Gebiet der hypochondrischen Vorstellungen pathologische Verarbeitungen von Bewegungsempfindungen als prädominierende Ideen hineinbezogen, so entstehen leicht jene psychisch bedingten motorischen Störungen, die wir als hypochondrische Krämpfe und Lähmungen kennen. Sind solche Anfälle vorhanden, so kann mit Sicherheit das Bestehen einer einfachen Neurasthenie ausgeschlossen werden. Auch die vollentwickelten Zustände von Abasie und und Astasie, denen wir gelegentlich bei Nicht-Hysterischen begegnen, gehören, sobald sie nicht flüchtiger Natur sind, mehr der Hypochondrie als der Neurasthenie an.

Die gleiche Schwierigkeit ergiebt sich bei dem Versuche, eine scharfe Trennung zwischen Neurasthenie und Hysterie zu finden. Schon bei der Schilderung der hyperalgetischen Form der Neurasthenie

habe ich darauf hingewiesen, daß auch im hysterischen Krankheitsbild typische neurasthenische Symptome prävalieren können. Man
wird dann meist bei dieser „gemischten" Neurose ein rein neurasthenisches Vorstadium nachweisen können, welchem die schweren
ausgeprägten hysterischen Krankheitserscheinungen (hysterische Lähmungen, Krämpfe, Kontrakturen, Hemianästhesie u. s. w.) nachfolgen.
Es sind das meistens hereditär-degenerative Fälle, bei welchen der
neurasthenische Symptomenkomplex nur ein Durchgangsstadium zur
schwereren Erkrankung darstellt. Fast unmöglich ist es aber, die
leichteren Fälle, die sog. kleine Hysterie, welcher die interparoxystischen, hysterischen Kardinalsymptome (ausgeprägte hysterische Sensibilitätsstörungen, Gesichtsfeldveränderungen, permanente Lähmungen
und Kontrakturen u. s. w.) fehlen, von der Neurasthenie des weiblichen
Geschlechtes zu trennen. Finden sich keine hysterischen
Paroxysmen, sog. Krisen, welche selbst beim Fehlen ausgeprägter
hysterischer Stigmata den Charakter des Leidens blitzartig erhellen
können, zeigt der geistige Zustand der Kranken nicht
jene tiefgreifende affektive und intellektuelle Veränderung der Hysterischen, so haben wir nach meiner
Ueberzeugung kein Recht, überhaupt von Hysterie
zu sprechen, selbst wenn die schwersten Reiz- und
Schwächesymptome auf den verschiedensten Gebieten
der Nerventhätigkeit vorhanden sind. Wir schädigen diese
neurasthenischen Patientinnen geradezu in den Augen ihrer Umgebung
durch eine solche ungerechtfertigte Steigerung der Krankheitsbezeichnung. Daß aber auch hier fast unmerkliche Uebergänge beider Krankheiten bestehen, beweisen jene früher erwähnten Fälle hemilateraler
Erhöhung der Schmerzempfindlichkeit, welche mit einseitigen Druck-
schmerzpunkten behaftet sind.

Die diagnostische Scheidung der Neurasthenie von der Epilepsie
kann bei dem Vorhandensein ausgeprägter epileptischer Anfälle keiner
Schwierigkeit unterliegen.* Wohl aber können affektiv bedingte
neurasthenische Hemmungsinsulte mit motorischen
Reiz- und Ausfallserscheinungen zu Verwechslung mit Petit-
mal-Anfällen Veranlassung werden. So habe ich in der folgenden
Beobachtung lange geschwankt, wohin die eigenartigen Anfälle von
Sprachlosigkeit gehören. Nur eine längere Beobachtung des Patienten
und genaue Kenntnis der Vorgeschichte des Krankheitsfalles brachten
mich zu der Ueberzeugung, daß Epilepsie nicht vorliege.

Krg.
No. 90.   Sch., Mitte der 30er Jahre, Jurist. Vater hypochondr. Paranoia; in
der Jugend und während der Studienzeit angeblich gesund, geistig frisch,
gut begabt, rasche Carrière. In seiner jetzigen anstrengenden Beschäftigung
stellten sich allmählich Zustände erhöhter geistiger Ermüdung und leichte
Oppressionsempfindungen in der Herzgegend ein. Kopfdruck, Verschwimmen
der Buchstaben beim Lesen, Unlust zur Arbeit. In diesen Zeiten ist es
ihm nicht möglich, größere Berichte abzufassen und bleiben manche
Arbeiten liegen. Am quälendsten sind ihm aber eigenartige „Anfälle",
die sich in den letzten Jahren gelegentlich einstellten, seit Pat. unter
dem Einfluß seiner Neurasthenie reizbar, oft zu ärgerlicher Verstimmung
geneigt wurde. Dieselben traten fast nur während der Ermüdungs-
perioden auf, dann aber sehr häufig, oft mehrmals an einem Tage, sie
pausieren aber auch oft mehrere Wochen. Schon bei geringfügigsten

„lächerlichen" Anlässen, wenn nur ein unangenehmer Gedanke durch den Kopf geht, aber auch wenn Pat. ermüdet durch körperliche oder geistige Anstrengung (Jagd, Termine) plötzlich zu einer neuen Thätigkeit gezwungen wird, treten mehrere Sekunden lang dauernde, fast blitzartig ablaufende abnorme Sensationen auf, die Pat. selbst als Schwächeempfindungen bezeichnet. Sie beginnen mit dem „Gefühl von lähmungsartiger Schwäche" in der Scheitelgegend, welches sich blitzartig längs der Wirbelsäule bis in die Extremitäten verbreitet und mit dem Gefühl völliger Hilflosigkeit, des Unvermögens zu jeder willkürlichen Muskelthätigkeit und Taumelempfindungen verknüpft ist. Ich habe selbst einen solchen Anfall gesehen. Während eines Gesprächs, in welchem Pat. ihm peinliche Familienverhältnisse berühren mußte, hörte er plötzlich zu sprechen auf, bewegte mühsam die Lippen, schloß die Augen halb. Lebhafte fibrilläre Zuckungen traten in den Lippen, Wangen und beiden Augenlidern auf. Pat. brachte nur einige lallende, schluchzende Laute hervor. Dieser Zustand dauerte etwa 15 Sekunden. Pat. war während dieses Zustandes vollständig bei Bewußtsein, schilderte seine Empfindungen während desselben ganz klar und gab ausdrücklich an, daß die durch den Inhalt des Gesprächs hervorgerufene Gemütsstimmung die Veranlassung gewesen sei. Das Gesprächsthema mußte abgebrochen werden, weil er die Wiederkehr des Anfalls fürchtete.

Er bezeichnete den Anfall selbst als einen leichten. Die schweren dauern bis zu 2 Min. Es werden dabei Gesicht und Extremitäten kühl, die Zunge trocken. Er ist dann nicht imstande, die Kiefer zu öffnen, ob aus Schwäche oder infolge eines Muskelkrampfes, kann er nicht sagen. Ziehende Schmerzen in der Kiefermuskulatur sprächen für das letztere. Er fühlt im Beginn des Anfalls deutlich, wie ihm die oberen Augenlider herabfallen. Bei den Versuchen, sie zu heben, geraten sie in lebhaftes Zittern. Niemals, selbst bei diesen schweren Anfällen nicht, ist er zusammengebrochen. „Ich habe immer noch die Kraft gehabt, mich aufrecht zu erhalten und diese peinlichen Zustände vor den Leuten zu verbergen.

Nach verschiedenen längeren Urlaubsreisen, während welcher Pat. sich systematischen hydriatischen Kuren unterzog, verloren sich mit steigender Kräftigung diese Anfälle. Seitdem er dauernd seine berufliche Thätigkeit eingeschränkt hat, ist er von ihnen ganz verschont geblieben.

Sie können aus den Angaben des Patienten entnehmen, daß zu keiner Zeit irgendwelche Störungen des Bewußtseins, auch nicht leichteste Absenceszustände die inhibitorischen Erscheinungen seitens der Gesichts-, Zungen- und Schlundmuskulatur begleiteten. Sie erinnern sich aus meiner Vorlesung über Epilepsie, daß alle epileptischen Anfälle durch Bewußtseinsstörungen ausgezeichnet sind, während die motorischen Störungen völlig fehlen können.

Bei der Wichtigkeit des Gegenstandes möchte ich Ihnen noch den Fall eines jungen Offiziers mitteilen, welcher mir mit der Diagnose Epilepsie zur Behandlung überwiesen wurde. Die Beobachtung ergab, daß es sich um einen subakut einsetzenden Fall von Neurasthenie mit vorwaltend angioneurotischen Krankheitserscheinungen handelte. Die zweifellos vasomotorisch bedingten Insulte konnten sehr wohl als epileptische Anfälle gedeutet werden, da wenigstens in dem ersten Anfalle ein Bewußtseinsverlust höchst wahrscheinlich vorhanden war. Auch hier hat der weitere Verlauf die Diagnose sicherstellen können.

Krg. No. 91. 25-jähriger Offizier; erblich angeblich nicht belastet, geistige und körperliche Entwickelung normal; als junger Offizier viele körperliche Anstrengungen im Dienste, daneben gehäufte gesellschaftliche Verpflichtungen, welche ihn zwangen, sich während der Winterkampagne lange Zeit den Nachtschlaf auf durchschnittlich 4—5 Stunden zu verkürzen ("leidenschaftlicher Tänzer"). Ca. 1 Jahr vor dem Eintritt in die klinische Behandlung (März 1888) trat ganz plötzlich auf einem Balle ohne weitere Vorboten folgender Anfall auf: Pat. wurde von einem Schwindelgefühl befallen, die Sprache wurde gehemmt, die Kiefer waren krampfhaft aufeinandergepreßt, Blässe des Gesichts, Schwarzwerden vor den Augen; das Bewußtsein schwand nicht. Pat. mußte sich sofort hinlegen, da ihm die Glieder den Dienst versagten. Nach einigen Minuten fühlte er einen lebhaften Blutzudrang zu Kopf, Gesicht und Ohren. Er war stark gerötet, es trat Ohrenbrausen und Flimmern vor den Augen auf; die Schwindelempfindungen wurden stärker, es war dem Pat., als ob er sich unaufhörlich im Kreise herumdrehte. Nach 1 Stunde war der Anfall vorüber. Pat. behauptet, daß bei diesem Anfall das Bewußtsein dauernd erhalten gewesen sei. Dem stehen die Angaben seiner Kameraden gegenüber, welche bekunden, daß er mehrere Minuten besinnungslos gelegen habe. (Mitteilung des behandelnden Arztes.)

In der Folge stellten sich häufig ähnliche Anfälle von Blutwallungen zum Kopf und Schwindelempfindungen bei stärkeren körperlichen Anstrengungen ein. Der zweite größere Anfall, bei dem der Pat. wiederum zusammenbrach, erfolgte 6 Monate nach dem ersten. Er begann mit dem Gefühl von Steifigkeit und Absterben des 4. und 5. Fingers der linken Hand. Daran schlossen sich kribbelnde und brennende Empfindungen in der ganzen linken oberen Extremität, Blutandrang nach dem Kopf, Schwarzwerden vor den Augen, Ohrenbrausen, Schwindelempfindungen und Unfähigkeit, sich aufrecht zu erhalten. Auch während dieses Anfalls ist das Bewußtsein angeblich nicht geschwunden; Dauer des Anfalls 10 Minuten.

Seit dieser Zeit fühlt sich der Pat. dauernd krank. Er wird bei der geringsten Muskelanstrengung, schon beim einfachen Stehen von Blutandrang nach dem Kopf und Schwindel befallen. Wenn er keinen Stützpunkt hat, schwankt der Oberkörper. Es taucht die Furchtvorstellung, hilflos zusammenbrechen zu müssen, bei jedem Gehversuche auf. Zwingt man ihn, ohne Stock durch das Zimmer zu gehen, so gerät er nach wenigen Schritten ins Taumeln und erklärt, vor Angst und Erschöpfung nicht weiter zu können. Auch mit Zuhilfenahme eines Stockes geht er langsam, unsicher, gespreizt, mit deutlichen Zeichen der Befangenheit und der Angst.

Bei der Aufnahme in die Klinik bestanden außerdem noch folgende subjektive Beschwerden: Reizbare Stimmung, Neigung zum Weinen, unruhiger, vielfach unterbrochener Schlaf, beängstigende Träume, Alpdrücken; "eigentümliche, schwer beschreibliche" schmerzhafte Empfindungen im Nacken, die ein Gemisch von Druck, Spannung und Ermüdungsschmerzen zu sein scheinen; ab und zu blitzartige Erscheinungen vor dem linken Auge; ziehende Schmerzen im linken Arm, Hand und Finger, besonders am 4. und 5. — Die objektive Untersuchung ergiebt: Mittelgroßer, schlanker Mann von mittlerem Ernährungszustand, kräftiger Muskulatur, leicht gebeugter Haltung und leidendem Gesichtsausdruck; Gesichtsfarbe stark gerötet, anfallsweise auch auffallend blaß; linker Augenspalt enger wie rechts, Pupillen auffallend weit, gut reagierend, stark ausgeprägte sekundäre Innendeviation beider Augen; Gesichtsfelder intakt; die Zunge wird zitternd herausgestreckt; leichter Tremor manuum, besonders links; Kniephänomen gesteigert; Druckschmerzempfindlichkeit im Bereich der ganzen Halswirbelsäule, am stärksten am 3. Halswirbel, sowohl bei Druck auf den Dorn-, als auch die Querfortsätze; ein weiterer Druckschmerzpunkt hinter dem linken Unterkieferwinkel (Sympathicus?). Während des Drückens tritt das Gefühl von Uebelkeit, Blutandrang zum Kopfe und Schwindel auf. Carotis- und Radialispuls kräftig, Arterienwand dem Gefühle nach von mittlerer Spannung, Pulsfrequenz 72—76 (während der Anfälle?) Die Untersuchung der inneren Organe ergiebt nichts Besonderes, Urin frei von Eiweiß und Zucker.

Die Behandlung bestand in absoluter Bettruhe, prolongierten warmen Bädern, denen später kühle Uebergießungen auf den Nacken zugefügt wurden. Galvanisation (Anodenbehandlung) des Halssympathicus. Im 2. Teil der Kur, nachdem Schlaf, Stimmung, allgemeines Kräftegefühl gebessert waren, passive Gymnastik mit Widerständen; gymnastische Uebungen mit dem Langiader'schen Arm- und Bruststärker, Gehübungen. Nach 1-jähriger Enthaltung vom Dienste völlige Erholung und Wiederaufnahme des Dienstes. Pat. ist in der Folge völlig gesund geblieben.

Auf der anderen Seite haben mich verschiedene Erfahrungen in der Konsiliarpraxis gelehrt, daß die geistige und körperliche Müdigkeit, die Launenhaftigkeit und Reizbarkeit, die leichten Angstaffekte, die angioneurotischen und dyspeptischen Phänomene, welche so häufig im Krankheitsbild der Epilepsie in der anfallsfreien Zeit auftreten, zur Aufstellung der Diagnose Neurasthenie in dem Falle geführt haben, wenn die epileptischen Insulte nur nachts oder ausschließlich in der Form von Petit-mal-Anfällen auftraten und so der Beobachtung entgingen.

Eine wichtige und schwerwiegende Aufgabe ist die Erkennung noch unfertig entwickelter Fälle von Morbus Basedowii, welche mit Vorliebe der Neurasthenie zugerechnet werden. Bestehen nur Herzpalpitationen und Pulsbeschleunigung, fehlen die typischen Augensymptome (Exophthalmus, das Gräfe'sche und Stellwag'sche Symptom), ist die Schwellung der Thyreoidea nur geringfügig, so erwachsen thatsächlich die größten Schwierigkeiten, beide Krankheiten zu unterscheiden. Die angioneurotische Form der Neurasthenie kann die gleichen Erscheinungen einer relativen Tachykardie und eines leichten affektiven Tremors, die gleiche Beeinflußbarkeit der Herzaktion durch psychische Reize und durch Muskelarbeit darbieten, wie sie der beginnende Morbus Basedowii aufweist. Ich verweise Sie auf die Krg. Nr. 40. bei welcher ich lange Zeit hindurch den Verdacht nicht los wurde, daß es sich um eine noch unfertige Form (forme fruste der französischen Autoren) von Morbus Basedowii handle. In diesen und ähnlichen Fällen, in welchen die Pulsfrequenz ununterbrochen 110—120 Pulsschläge übersteigt, wo es sich also um eine permanente Tachy-

kardie handelt, ist nach meinen Erfahrungen der Verdacht eines sich
entwickelnden Morbus Basedowii sehr nahe gerückt. Die weitere Beobachtung belehrt uns dann, daß nach kürzerem oder längerem Bestehen dieses „neurasthenischen" Entwickelungsstadiums sich nicht
selten die anderen charakteristischen Symptome der Erkrankung hinzugesellen.

Ich will mich mit diesen kurzen differential-diagnostischen Erörterungen hinsichtlich der funktionellen Nervenkrankheiten begnügen.
Auf eine Trennung der Neurasthenie von einfachen anämischen Zuständen, sog. rheumatischen Erkrankungen, der Gicht, dem Diabetes
u. s. w. hier näher einzugehen, halte ich nicht für notwendig. Gewiß kommen auch hier Verwechslungen vor, indem die nervösen Begleiterscheinungen bei ungenügender Untersuchung das zu Grunde
liegende Leiden verschleiern können. Am schwierigsten ist die
Trennung der Anämie und Chlorose mit nervösen Allgemein- und
Lokalsymptomen von der ausgebildeten Neurasthenie, weil konstitu-
tionell-anämische Zustände so leicht der Ausgangspunkt schwerer nervöser Kachexie und Neurasthenie werden. Man darf nur nicht aus
diesen Erfahrungen den irrigen Schluß ziehen wollen, daß alle nervösen Zustände anämischen Ursprungs sind, und beide Begriffe
konfundieren.

In gleicher Weise, wie das Grenzgebiet zwischen der Neurasthenie
und den verschiedenen diffusen Neurosen ein weites und unbestimmtes
ist, werden wir mannigfache Uebergangsformen zwischen der ersteren
und denjenigen Psychosen beobachten, welche wir bei dem heutigen
Stande unserer Wissenschaft als funktionelle bezeichnen müssen.
Am schwierigsten ist eine genaue Scheidung zwischen der Melancholie und der Neurasthenie. Ich habe Ihnen in der Klinik schon
häufig Kranke vorstellen können (meistens weibliche Patienten), bei
denen vornehmlich auf dem Boden einer neuropathischen Veranlagung
sich eine schwere melancholische Depression mit den typischen
Hemmungen und Angstvorstellungen ganz unmerklich aus der nervösen Erschöpfung entwickelt hatte. Man kann dann immer den
Nachweis liefern, daß diese konstitutionell schwächlichen Menschenkinder mit typischen neurasthenischen Symptomen im Verlauf einer
langwierigen und erschöpfenden Erkrankung (Bronchial-, Darmkatarrhe,
Genitalerkrankungen) ein Anwachsen der gemütlichen Depression bis
zur endlichen Melancholie erlitten hatten. Es giebt aber auch eine
andere akutere und verhängnisvollere Entstehung der Melancholie aus
neurasthenischen Zuständen. Eine erschöpfende Geburt mit oder ohne
länger dauernde Laktation, ein schweres gynäkologisches Leiden (am
häufigsten Parametritiden und Retropositionen des Uterus) mit schweren
lokalen und Allgemeinerscheinungen lassen die schon vorher bestehenden leichteren Angstgefühle und Angstanfälle plötzlich zu heftigsten
Angstparoxysmen von stunden-, aber auch tagelanger Dauer anschwellen.
Es entwickeln sich dann rapide melancholische Angstvorstellungen
und hypochondrische Wahnideen. Entweder tritt das Moment der
Hemmung mehr in den Vordergrund — Sie haben dann das Bild
der Melancholia passiva — oder es überwiegen heftige motorische
Entladungserscheinungen. Die Fälle sind immer mit größter Sorgfalt
und all den Ihnen bekannten Vorsichtsmaßregeln gegen Selbstmord
zu behandeln. Es ist dringend anzuraten, derartige Kranke sofort
einer zweckentsprechenden Heilanstalt zu überweisen. Bei diesen aus

der Neurasthenie hervorgehenden Melancholien spielen übrigens so viel hypochondrische Krankheitselemente mit, daß man die Fälle auch geradezu als hypochondrische Melancholie bezeichnet hat.

Auf die Uebergänge der Neurasthenie in Erschöpfungs-stupor (besonders bei juvenilen Individuen) und in Amentia kann ich Sie hier nur hinweisen. Sie finden nicht selten eine Klimax in der Weise: neurasthenisches Vorstadium, Erschöpfungsstupor, Amentia. Es würde diese Reihe der früher skizzierten : Neurasthenie, Hypochondrie und Melancholie, an die Seite zu stellen sein. Entwickelt sich die Erschöpfungspsychose akut oder subakut aus einem neurasthenischen Vorstadium unter dem Einfluß heftiger gemütlicher Erschütterungen oder geistiger und körperlicher Anstrengungen oder durch gewisse Autointoxikationen (z. B. im Puerperium), so fällt die Phase des Erschöpfungsstupors völlig aus. Sie stehen dann ganz unvermittelt jenen schweren geistigen Störungen mit primärer Inkohärenz, Jaktation des ungeordneten Vorstellungsinhalts und heftigen motorischen und sensorischen Reizzuständen gegenüber, welche die akute Verwirrtheit, die ich schon als Amentia erwähnt habe, charakterisieren.

Die Ausgänge sind bei ersterer Reihe, falls nicht Heilung erfolgt, die sekundäre Paranoia mit intellektueller Schwäche, während bei der zweiten Reihe die von WESTPHAL gezeichnete hypochondrische Paranoia leider nicht selten die Scene beschließt.

Ein weiteres Problem, welches die Nervenärzte heutzutage lebhaft beschäftigt, ist die differentielle Scheidung der Neurasthenie von den organischen Erkrankungen des Centralnerven-systems. Hier ragen die beiden miteinander verwandten und nicht selten ineinander übergehenden Erkrankungen Tabes und progressive Paralyse an praktischer Bedeutsamkeit über alle anderen hervor.

Eine Verwechslung der Tabes mit unserer Erkrankung ist eigentlich nur möglich, wenn der untersuchende Arzt die Technik bei Feststellung des Pupillenbefundes, der Sensibilitätsstörungen, sowie der Sehnenphänomene nicht völlig beherrscht. Wir kommen dabei kurz auf die sog. objektiven Zeichen der Neurasthenie zu sprechen, welche besonders von LÖWENFELD betont worden sind. Er rechnet hierher die folgenden aus der Krankenuntersuchung sich ergebenden Störungen der Nervenfunktionen: die Augensymptome, die motorischen Störungen, Steigerung der Haut- und Sehnenreflexe, die Aenderung der mechanischen und elektrischen Erregbarkeit der Nerven und des elektrischen Leitungswiderstands am Kopf, die Ermüdungsphänomene im Gebiete der Stimme, Sprache und der Schrift, die angioneurotischen und dyspeptischen Symptome, die qualitativen und quantitativen Veränderungen der Sekretionsvorgänge einschließlich des Harns, kurzum so ziemlich alles, was sich außerhalb der psychischen Sphäre an Neurasthenischen auffinden läßt. Wie aus der speciellen Symptomatologie und aus den vorstehenden diagnostischen Erwägungen ersichtlich ist, kann durchaus nicht davon die Rede sein, daß alle oder auch nur einzelne dieser genannten Symptome ein für die Neurasthenie pathognomisches Gepräge besitzen, vielmehr finden wir, daß sie gelegentlich auch bei anderweitigen Neurosen und Psychosen im Krankheitsbild vorhanden sind. Wenn also mit der Aufstellung dieser objektiven Zeichen der Neurasthenie gesagt werden soll, daß ihre Anwesenheit die Diagnose sichert, so wird man einer solchen Darstellung nicht beipflichten können. Mindestens ebenso wichtig, wie diese genannten Zeichen, ist der psychische Habitus der Kranken, die innige Wechselbeziehung zwischen den psychischen und nervösen Erscheinungen, vor allem aber auch der Verlauf des Leidens. Und wenn wir speciell auf die differentielle Diagnose zwischen organischer und funktioneller Erkrankung des Nervensystems unser Augenmerk richten, so werden wir nicht aus der Anwesenheit dieser objektiven Zeichen, sondern ausschließlich aus der Abwesenheit der mit der organischen Erkrankung unweigerlich verknüpften Ausfallssymptome die Diagnose der Neurasthenie sichern können. Es werden uns also nur Schwierigkeiten erwachsen ganz im Beginne einer organischen Erkrankung, solange die Reizsymptome, welche die Anfänge des degenerativen Zerfalls und der begleitenden Entzündungsprozesse hervorrufen, den sich entwickelnden Ausfall von Nervenfunktion noch völlig überdecken. Es geschieht nicht selten, daß gewisse Neurastheniker, welche von einer hypochondrischen Tabesfurcht beseelt sind (Fälle mit vorwaltend spinalen Symptomen, sog. Myelasthenie), dem Arzte die Diagnose Tabes geradezu suggerieren. Wenn zahlreiche parästhetische Empfindungen, motorische Schwäche, schwankender Gang, Schwindelempfindungen und Abnahme der Potenz vorhanden sind, so tauchen die Befürchtungen einer beginnenden Tabes sehr leicht auf. Eine Berechtigung zu diesem Schlusse liegt jedoch keineswegs vor, solange die pathognomischen, wahrhaft objektiven Symptome der Tabes: reflektorische Pupillenstarre, Hautanästhesie, Dissoziation der Berührungs- und Schmerzempfindung und das WESTPHAL'sche Zeichen fehlen.

Das Gleiche gilt von der Verwechslung mit der progressiven Paralyse. Bei dieser diffusen Hirnrindenerkrankung, bei welcher aber auch andere Abschnitte des Centralnervensystems an dem degenerativen Prozeß beteiligt sind, kann mit viel größerem Rechte von einem neurasthenischen Vorstadium gesprochen werden. Hier begegnen wir thatsächlich zahlreichen Beobachtungen, bei welchen schon längere Zeit vor Ausbruch des organischen Leidens die charakteristischen Merkmale der neurasthenischen Erkrankung vorhanden waren. Es sind dies Fälle, in denen die Annahme berechtigt ist, daß die funktionelle Erschöpfung schließlich zu einer irreparablen, mit fortschreitendem Zerfall des funktionstragenden Nervengewebes verbundenen Erkrankung des Nervensystems geführt hat. Man wird dann meistens konstatieren können, daß hierbei Schädlichkeiten wirksam gewesen sind, welche an sich, d. h. auch ohne irgend welche hereditäre Veranlagung oder besondere funktionelle Ueberanstrengung, zu einem degenerativen Zerfall der Nervensubstanz nicht selten die Veranlassung sind. Ich nenne Ihnen hier vor allem die Syphilis, die chronische Alkohol- und Morphiumvergiftung und das Trauma. Auf der anderen Seite ist es durchaus ungerechtfertigt, aus dem Vorhandensein selbst ausgeprägtester cerebraler Erschöpfungszustände mit ihren subjektiven Aeußerungen (Kopfdruck, Arbeitsunfähigkeit auf intellektuellem Gebiete, affektive Reizbarkeit, Schlaflosigkeit) die Folgerung zu ziehen, daß es sich hier um eine beginnende Paralyse handele. Erst wenn die Ausfallssymptome auf geistigem und körperlichem Gebiete, nämlich die Intelligenzdefekte, die Facialisparese, die Sprachstörung, die Lähmung der Pupillarreaktion u. s. w. nachgewiesen werden können, ist die Diagnose der Paralyse gesichert. Es ist heutzutage notwendig, diesen Standpunkt genau zu präcisieren, da sowohl in Laien- wie in Aerztekreisen das Schreckgespenst der Paralyse eine große Rolle spielt und man hier wie dort geneigt ist, in der Diagnose der Neurasthenie nach dieser Richtung über das Ziel hinauszuschießen. Besonders dem Arzt, dem aus Mangel an größerer psychiatrischer Erfahrung mehrfach das Unglück passiert ist, im initialen Stadium der progressiven Paralyse die typischen Lokalzeichen der organischen Erkrankung übersehen und nur die neurasthenischen Erschöpfungssymptome berücksichtigt zu haben, liegt späterhin der umgekehrte Fehler sehr nahe, überall das Bild der Paralyse zu sehen.

Ganz außerordentlich schwer ist übrigens auch für den Fachmann die Unterscheidung beider Krankheiten, wenn die diffusen neurasthenischen Erscheinungen bei nachweislich voraufgegangener syphilitischer Infektion mit einem der für die Paralyse pathognomischen Symptome gepaart sind. Ich habe mehrere Fälle dieser Art im Laufe der Jahre kennen gelernt. Ich verweise Sie auf die beiden Beobachtungen, welche ich bei der Besprechung der Pupillarstörungen angeführt habe (vergl. Krg. No. 34). Es handelte sich dort um die bei der Aetiologie gekennzeichnete Form der Syphilisneurasthenie in Verbindung mit Residuen abgelaufener syphilitischer Herderkrankungen. Freilich würde ich in solchen Fällen niemals die Bürgschaft dafür übernehmen, daß sich später nicht doch noch die diffuse paralytische Erkrankung hinzugesellt.

Wir gelangen also zu dem Schlusse, daß ohne den Nachweis der Ausfallserscheinungen der Paralyse eine Entscheidung durchaus unmöglich ist, ob im Einzelfalle das neurasthenische Krankheitsbild nur das Vorstadium der Paralyse oder die in diesen Vorlesungen gekennzeichnete selbständige funktionelle Erkrankung des Centralnervensystems ist. Gewinnt in Ihnen unter Berücksichtigung der ätiologischen Momente und des bisherigen Krankheitsverlaufes der Verdacht die Oberhand, daß die erstere Annahme die zutreffende sei, so erwächst hieraus die Pflicht, den betreffenden Kranken dauernd einer genauen Kontrolle zu unterwerfen.

Die gleichen Erwägungen werden mitreden müssen, wenn es sich um die Unterscheidung der Neurasthenie und der senilen Involutionspsychosen handelt. Sie erinnern sich, daß ich Sie früherhin auf eine hinsichtlich ihrer ätiologischen Begründung eigenartige Form der Neurasthenie aufmerksam gemacht habe, welche im reiferen Mannesalter (Ende der 40er, Beginn der 50er Jahre) einsetzt und sicherlich mit der Abnahme der nervösen Leistungsfähigkeit bei gleichbleibender oder sogar (Versetzung in ein neues Amt) erhöhter Berufsthätigkeit in ursächlichem Zusammenhang steht. Hier liegt natürlich der Verdacht sehr nahe, daß die funktionelle Erschöpfung nur den Uebergang zum dauernden Ausfall, zur organischen Erkrankung des Greisenalters bildet. Ich möchte Sie aber warnen, diesen Schluß zu voreilig zu ziehen, denn es giebt genugsam Fälle, in welchen diese präsenile Neurasthenie bei längerer geistiger und körperlicher Ruhestellung noch zu einem gewissen Ausgleich kommt und die Arbeitsfähigkeit, wenn auch in etwas verringertem Maße, noch viele Jahre erhalten bleibt. Solange noch keine ausgesprochene Schädigung der Intelligenz besteht und nur die Erschöpfungssymptome der Neurasthenie nachzuweisen sind, ist selbst beim Vorhandensein ausgeprägter körperlicher Symptome beginnender Senescenz (starke Schlängelung und Rigidität der Temporal- und Radialarterien, Nachlassen der Herzthätigkeit) eine so trübe Prognose nicht gerechtfertigt.

Der folgende Fall kann Ihnen als Beispiel hierfür dienen:

Krg. No. 92   V., Geistlicher; 56 Jahre alt; erblich belastet; früher gesund; mit 44 Jahren Ueberanstrengung (neben seinem Amt noch 24 Stunden wöchentlich Privatunterricht); danach Abspannung, Herzklopfen, „Katergefühl". Er rauchte täglich 6—8 Cigarren. Mit 46 Jahren „schwappiges Gefühl oder Kugelrollen im Kopf" nach Revisionsbesuchen und Gesellschaften. Die Arbeit empfand Pat. schließlich als Last. Seit 2—3 Jahren Abnahme des Gedächtnisses; „ich muß mir viel notieren". 1892 ein „Ohnmachtsanfall". 1893 acht Tage vor Weihnachten nach Schulrevisionen Benommenheit; viel Amtshandlungen. Am 1. Weihnachtstag während der Liturgie plötzlich Anfall von körperlicher und geistiger Schwäche, so daß Pat. nicht predigen konnte. Nach 3-tägiger Bettruhe hatte sich Pat. so weit erholt, daß er wieder Sonntag nach Neujahr predigen konnte. Einige Tage darauf Abends 2 Cigarren und 3 stündige Ausarbeitung einer Predigt; danach beim Entkleiden Schwindelgefühl. Am folgenden Tage mürrisch, reizbar, matt; abends Sitzung in Amtsangelegenheiten. Da vermochte Pat. plötzlich nicht mehr der Debatte zu folgen. „Es zuckte elektrisch vom Kopf zum Herzen." Am nächsten Tage konnte er seinen Namen kaum mehr schreiben, seine Gedanken nicht sammeln; er fürchtete, sich nicht „recht ausdrücken zu können". Aufnahme in die Klinik.

Stat. praes.: Arterien stark geschlängelt, rigide; Herzdämpfung verbreitert; Herztöne rein; Nachröten gesteigert; Puls 84; keine Arhythmien; Pupillen, VII, XII intakt; Sensibilität intakt; Kniephänomen gesteigert; Plantarreflex normal; Sprache näselnd, sonst normal; keine besonderen Druckpunkte; Romberg kaum angedeutet; Haare leicht ergraut; Fettpolster stark entwickelt; Zunge belegt.

Klagen des Pat.: Bei Schreibversuchen dumpfes, eigenartiges Gefühl in der Stirn, Ohrenklingen, Herzschlagen, Kongestionen, Versagen des Schreibens (muß mitten im Worte innehalten), „lähmiges" Gefühl im Genick und Unterleib. Beim Lesen wüstes Gefühl und Herzpochen. Bei Konversationen Herzklopfen, namentlich wenn Pat. zugleich steht. Gegen Hitze sehr überempfindlich: Schwäche- und Schwindelgefühl. Nach Spaziergängen von 1 Stunde ist Pat. leistungsunfähig. Schlaf 6—7 Stunden, gestört durch Herzklopfen. Appetit und Stuhl normal. Stimmung gedrückt; keine eigentlichen Kopfschmerzen.

Ord.: Morgens Massage, gegen Abend Wechsel von elektrischen Bädern und Einpackungen; möglichste Enthaltung von Flüssigkeiten.

Nach einer mehrwöchentlichen Kur in der Klinik und 3-monatlicher Nachkur im Thüringerwalde bessert sich der Zustand des Patienten bedeutend. Wenn auch Patient immer noch über Herzklopfen (besonders nach größeren Anstrengungen), Ermüdbarkeit beim Lesen, Sprechen und Schreiben klagt, so kann er doch eine weniger belastete Pfarrstelle, auf die er inzwischen versetzt wurde, genügend ausfüllen. Die Stimmung hat sich gehoben. Er empfindet deutlich, wie seine geistige Kraft und

Widerstandsfähigkeit zugenommen hat. Er besucht wieder größere und kleinere Gesellschaften und Versammlungen und kann ohne Beschwerden Predigten von ¹/₂ Stunde halten.

Am schwierigsten ist die Unterscheidung von derjenigen senilen Involutionspsychose, welche auf ausgebreiteter Gehirngefäßerkrankung beruht und durch ihren meist protrahierten und remittierenden Verlauf viele Jahre lang ein funktionelles Leiden vortäuschen kann. Ich habe diese bislang wenig gewürdigte Gehirnerkrankung als **arterio-sklerotische Hirndegeneration** beschrieben. Ist die Krankheit weiter fortgeschritten, so belehren Sie die apoplektiformen Insulte und die ihnen nachfolgenden Ausfallserscheinungen auf psychischem und somatischem Gebiete über den deletären Charakter des Leidens. In den Anfangsstadien, in welchen die cerebralen Funktionsstörungen sehr flüchtiger und schwankender Natur sind, treffen die für die Unterscheidung der Neurasthenie von der progressiven Paralyse angestellten Erörterungen ebenfalls zu. So bin ich in der folgenden Beobachtung erst 4 Jahre später, nachdem die Erkrankung unter gehäuften apoplektiformen Insulten zu schweren paraphasischen und dyslektischen Störungen geführt hatte, zu einem endgiltigen Urteil gelangt. In der Zwischenzeit war der Zustand des Patienten fast andauernd derselbe geblieben, wie er bei dem etwa 8-tägigen Aufenthalt in der Klinik bestand.

A., Fabrikbesitzer, Mitte der 50er Jahre. Früher gesund; leicht er- Krg.
No. 03. regbares, lebhaftes Naturell; im Laufe der Jahre geistige Anstrengung, gemütliche Erregungen (geschäftliche Verluste, Tod eines erwachsenen Sohnes). Im Anfang der 50er Lebensjahre stellte sich **allgemeine Hinfälligkeit** ein. Schwerfälligkeit in den Bewegungen der Glieder, Neigung zum Schlaf und doch stete Schlaflosigkeit in der Nacht. Schwitzte bei geistiger Arbeit. Neigung zum Weinen bei geringfügigsten Begebenheiten. Schreckhaftigkeit und subjektiv empfindbare Abnahme des Gedächtnisses. Obstipation. Impotenz. Rückenschmerzen von der Lendenwirbelsäule bis zur Schulterhöhe, mit heftigen ausstrahlenden Schmerzen verknüpft. Einschlafen des 4. und 5. Fingers zuerst der rechten und dann der linken Hand, das auf Elektrisation mit konstantem Strom wieder verschwand.

Einige Monate später ganz plötzlich das Gefühl des Eingeschlafenseins der ganzen rechten Körperhälfte für einige Tage, auch die rechtsseitige Zungenhälfte war betroffen. Zu gleicher Zeit war die Zunge schwerfälliger beim Sprechen. Das Allgemeinbefinden war in dieser Zeit ganz schlecht. Ein Aufenthalt an der Nordsee brachte anfänglich Besserung. Doch nach einem Seebad ganz plötzlich wiederum die subjektiven Gefühlsstörungen auf der rechten Körperhälfte mit kolossalem Schweißausbruch und krankhaften Zusammenziehungen der „Muskeln und Nerven" der rechten Hälfte, wodurch unwillkürliche Bewegungen der rechtsseitigen Glieder, besonders des Fußes und der Hand hervorgerufen wurden. Die Hand war motorisch schwächer. Er war auch imstande, Geld mit der Hand zu zählen, ebensowenig Klavier zu spielen. Weitere Beschwerden waren Spannungsempfindungen in den Schulterblättern, krampfartige Zusammenziehungen im Unterleib, im Gesäße und in den Beinen, so daß er nachts nicht ruhig liegen konnte. Die rechte Körperhälfte war nicht empfindungslos, hatte aber ein „papiernes, stumpfes und zähes" Gefühl. Langsame Besserung, jedoch nicht völliges Schwinden der Symptome.

Bei der Aufnahme in die Klinik fand sich: Großer, kräftig gebauter Mann, Haupthaar stark ergraut; Temporal- und Radialarterien härter anzufühlen und stark geschlängelt; am Herzen nichts Abnormes; Puls regelmäßig, von mittlerer Frequenz; Urin eiweiß- und zuckerfrei (nach Angabe des Hausarztes sollen früher Spuren von Eiweiß vorhanden gewesen sein); Sensibilität überall intakt; Pupillen etwas verengt, gut reagierend; Kniephänomen beiderseits etwas gesteigert; rechts etwas stärker als links; verschiedene Druckschmerzpunkte auf der rechten Körperhälfte, geringe Abnahme der motorischen Kraft im rechten Bein, das beim Gehen etwas nachgeschleppt wird. Grobe motorische Kraft und Bewegungen der rechten Hand nicht geschädigt, sie erscheinen ihm subjektiv schwerfälliger, besonders beim Schreiben, und er ermüdet leichter bei Fingerbewegungen. Sowohl im Arme wie im Beine rechts sehr oft neuralgiforme Schmerzen. Gefühl krampfartiger Nervenschmerzen (vom Patienten als Kontrakturen bezeichnet) ist auf der inneren Seite des rechten Oberarmes, über die Schulter und rechte Brustseite entlang bis in den Unterleib vorhanden. Im Unterleib das Gefühl, als ob eine verschiebbare Geschwulst in demselben läge. Am Morgen beim Aufstehen treten „Kontrakturen" im Unterleib, im Gesäße und in den Zehen des rechten Fußes am häufigsten auf, zugleich ein prickelndes Gefühl unter der Haut, an den Fingern, in der Arm- und Brustgegend rechts. Eigentümliche Spannungsempfindungen, als ob die Haut straff gespannt wäre auf der ganzen rechten Körperhälfte. Diese Parästhesien schwinden größtenteils tagsüber; speciell der bei jeder geistigen Thätigkeit auftretende Kopfdruck beschränkt sich dann nur noch auf Spannungsempfindungen in der Ohrmuschel.

Diese genannten Erscheinungen treten in sehr wechselnder Intensität auf, schlechte Witterung (naßkaltes, stürmisches Wetter) wirkt verschlimmernd, Appetit und Stimmung sind gut, der Schlaf, der niemals auch in gesunden Tagen andauernd gewesen war, ist zeitweilig sehr schlecht.

Verordnung: Abstinenz von Alkohol und Tabak, leicht verdauliche Diät, aktive und passive Gymnastik. Der Kranke erholt sich so weit, daß er seine Berufsgeschäfte in vollem Umfange wieder aufnimmt.

Auf die Unterscheidung der Neurasthenie von anderen organischen Erkankungen des Centralnervensystems (z. B. Polyneuritis, Meningitiden, Hirntumoren, Hirnlues, multiple Sklerose) brauchen wir nicht näher einzugehen; es genügt auch hier darauf hinzuweisen, daß eine Verwechslung mit diesen Krankheiten unmöglich ist, wenn Sie auf den objektiven Nachweis der lokalisierten Ausfallssymptome (umschriebene Lähmungen, Anästhesien, Verlust der Sehnenphänomene, Muskelatrophien, Intelligenzdefekte u. s. w.) die gebührende Rücksicht nehmen.

13. Vorlesung.

M. H.! Die Aufgaben, welche uns hinsichtlich einer rationellen Therapie der Neurasthenie erwachsen, finden Sie in ihren Grundlinien schon vorgezeichnet in den Vorlesungen über die allgemeine Pathologie und Aetiologie dieser Erkrankung. Sie gipfeln in dem Grundsatze, daß wir nicht eine bestimmte Krankheit, geschweige denn eine einzelne Krankheitserscheinung, sondern einen kranken Menschen zu behandeln haben. Wenn Sie sich ferner vergegenwärtigen, daß die Krankheit oft ganz schleichend und fast unmerklich unter dem Einfluß bestimmter Schädlichkeiten aus scheinbar ganz geringfügigen Anfängen sich entwickelt, daß Erziehung, Beruf, sowie die besondere individuelle Veranlagung und Lebensbedingungen die Verlaufsrichtung des Leidens fast ausschließlich bestimmen, so wird es leicht verständlich, daß bei den therapeutischen Erörterungen die allgemein hygienischen und prophylaktischen Maßregeln zur Erhaltung unserer körperlichen und geistigen Gesundheit vorangestellt werden müssen.

Das rapide Anwachsen der Zahl neurasthenischer Patienten ist mit Recht vorwaltend auf Rechnung der gewaltigen Umwälzungen auf wirtschaftlichem und technischem Gebiete gesetzt worden. Wie sollen wir, die Kinder unserer Zeit, welche mitten in den rasch dahinfließenden Strom des modernen Lebens gestellt sind, gegen diese Gewalten ankämpfen, sie besiegen oder wenigstens unschädlich machen? Ist eine individuelle Anpassung an dieses, einer unaufhaltsam und stürmisch fortschreitenden Weiterentwickelung unterworfene Zeitalter für einen in der Entwickelung fertigen Menschen noch möglich? Oder unterliegt der größte Teil der jetzigen Generation, welche sich in einem Uebermaß von Kampf und Arbeit und Genuß abmüht und verbraucht, den unerbittlichen Forderungen des modernen Lebens? Wie vollzieht sich die Anpassung der gegenwärtig heranreifenden Generation? Welche Mittel und Wege besitzen wir, dieser die Anpassung zu erleichtern? Diese und noch viele andere Fragen drängen sich hier auf. Die staatlichen prophylaktisch-hygienischen Maßregeln werden von der Stellung beeinflußt, welche der Arzt und der Gesetzgeber diesen Fragen gegenüber einnimmt. Deshalb ist es für Beide wichtig, sich immer vor Augen zu halten, daß gerade die germanische Rasse noch außerordentlich viel gesundes, tüchtiges und widerstandsfähiges Volkstum enthält, und daß es sich auch für die jetzt schaffende Generation des Kampfes wohl verlohnt.

Die allgemeine Prophylaxis wird in erster Linie sich mit der Aufgabe zu beschäftigen haben, diese noch gesunden, von einem übermäßigen Kraftverbrauch noch nicht angekränkelten Mitglieder der Gesellschaft zu schützen. Da wir die Intensität der Arbeitsleistung im Hinblick auf den eifrigen Wettbewerb in allen Gesellschaftsschichten für den Einzelnen kaum herabmindern können, ohne ihn vom Erfolge auszuschließen, so muß eine allgemeine Hygiene, welche die Erhaltung der Volkskraft im Auge hat, darauf gerichtet sein, die Summe der Arbeitsleistungen für alle soweit herabzumindern, daß die Erholungs- und Ruhezeiten in ausreichendem Maße überall in dem Lebensplan Platz finden. Der Ruf nach Abkürzung der Arbeitszeit auf ein vernünftiges Maß, nach Einschaltung längerer Ruhepausen wird heutzutage fast ausschließlich für die Muskelarbeiter erhoben. So gerechtfertigt dies für einzelne Berufsarten dieser Kategorie ist, so wäre es doch noch viel wichtiger, den Kopfarbeitern, welche hinsichtlich der Abnutzung des Nervensystems bei weitem mehr gefährdet sind, eine ausgiebige Erleichterung resp. Einschränkung ihrer Arbeitszeit zu verschaffen.

Ich habe hier vor allem das Gros der in untergeordneten und unselbständigen Stellungen befindlichen Bureauarbeiter im kaufmännischen und technischen Betriebe, im Gerichtsschreiberdienste, Kassenbeamte, Elementarlehrer, Post- und Eisenbahnbeamte u. s. w. im Auge. Vom Standpunkt des Nervenarztes aus wird man immer wieder zu der Erwägung gedrängt, daß die sozialreformatorischen Bestrebungen der Jetztzeit zu einseitig zu gunsten der Muskelarbeiter stattfinden. Mindestens ebenso wichtig als die hygienische Ueberwachung der Arbeitsräume in den Fabriken wäre der Erlaß gesetzlicher Vorschriften, wieviel Menschen in den engen, dunkeln und miserabel ventilierten Hinterstuben der großen Geschäftshäuser, Buchhandlungen, Rechtsanwaltsbureaus u. s. w. mit Schreibarbeit beschäftigt werden dürfen. Aber auch in den höheren Carrièren, die ich Ihnen hier nicht alle namentlich aufführen will, werden Sie nicht selten einer Arbeitsüberbürdung begegnen, welche nicht aus dem persönlichen Ehrgeiz und unvernünftigen Vorwärtsstreben, sondern aus dem Mangel an Arbeitskräften trotz wachsender beruflicher Anforderungen entspringt. Wie oft vergißt der Arbeiter, welcher seine sozialpolitische Nahrung ausschließlich in Parteiversammlungen und tendenziös gefärbten Zeitungsblättern empfängt, daß die ihm übergeordneten Kräfte des wirtschaftlichen Mechanismus zum mindesten dieselbe Arbeitslast, daneben aber die gemütlich aufreibende Verantwortung und Sorge für das Unternehmen zu tragen haben!

Es ist aber nicht nur notwendig, die Arbeitszeit zu beschränken, sondern auch dafür Sorge zu tragen, daß sowohl der Kopf- wie der Muskelarbeiter in ihren Erholungszeiten sich wirklich erholen können. Während ersterer vor allem der frischen Luft und regelmäßiger Muskelthätigkeit (sei es in Form von Spaziergängen in städtischen Parkanlagen, in Wald und Feld, sei es durch Turnübungen, Ruder- oder Velocipedsport u. dergl.) bedarf, um die gleichmäßige Ausbildung und Uebung seiner Kräfte zu erreichen und auf der Höhe zu erhalten, ist umgekehrt der letztere einer rationellen geistigen Kost bedürftig, welche seine intellektuelle und moralische Entwickelung fördert. Volksbibliotheken, öffentliche Lesehallen, Fortbildungskurse, Vortragscyklen, welche der Bildungssphäre des

Arbeiters angepaßt werden, sind geeignet, diesen Zweck zu erfüllen und zugleich der verderblichen Neigung entgegenzuarbeiten, die freie Zeit in räucherigen, überfüllten Kneipen und Tingeltangeln zu verbringen.

Nur dadurch, daß beide Arbeitsklassen die Zeit gewinnen, ein Familienleben zu führen, sich um die geistige und körperliche Erziehung ihrer Kinder zu kümmern, wird der fortschreitenden Verwilderung der Jugend Einhalt gethan und so zum Schutze der nächsten Generation die mächtigste Waffe geschmiedet. Vom Standpunkte der Prophylaxe werden Sie nicht außer Acht lassen dürfen, daß die geistige und leibliche Entwickelung des Nachwuchses auf gesunden häuslichen Lebensbedingungen beruht. Die frühreifen, jugendlichen Arbeiter der Industriestädte verfallen so häufig einer ungebundenen verderblichen Lebensweise, weil sie zu frühzeitig von der Familie losgelöst sind und einer verständnisvollen erzieherischen Führung ermangeln.

Diese Aufgabe ist aber nicht lösbar, bevor nicht die Wohnungshygiene bei den gesetzgeberischen Faktoren und den maßgebenden Verwaltungsbehörden die ihr gebührende Berücksichtigung erlangt hat. Solange nicht für die Familie des unbemittelten Lohnarbeiters gesunde Wohn- und Schlafräume in ausreichendem Maße gegen billiges Entgelt beschafft worden sind, welche ihm den Aufenthalt in der Häuslichkeit zu einer wohlthuenden Erholung gestalten, solange nicht das Schlafstellenwesen geregelt ist, solange ·wird auch vom Standpunkt des Nervenarztes eine gedeihliche Volkshygiene eine unerfüllte Forderung sein. Wer einmal einen Einblick in die gegenwärtigen Zustände gethan hat, wer gesehen hat, wie eine Arbeiterfamilie mit einer großen Kinderschar mit Schlafgängern resp. Schlafgängerinnen in einer Kammer und Küche haust, der wird den vorstehenden Satz gewiß gerechtfertigt finden. Auf die sittlichen Uebelstände der jetzigen Wohnungsverhältnisse in großen Fabrikstädten brauche ich hier nicht einzugehen.

Eine weitere Forderung hinsichtlich der Volkswohlfahrt ist die Beschaffung von öffentlichen Badeanstalten für die ärmeren Klassen. Regelmäßiges Baden ist nicht allein für eine rationelle Hautpflege notwendig; es wirkt beruhigend und erfrischend auf die gesamte Nerventhätigkeit und härtet gegen Witterungseinflüsse ab.

Es ist in einer Vorlesung über Neurasthenie durchaus nicht überflüssig, auf all diese, vorwaltend die hygienischen Bedingungen der Lohnarbeiter berücksichtigende Uebelstände hinzuweisen. Sie werden genugsam neurasthenische Arbeiter und Arbeiterinnen zu behandeln haben, bei welchen Sie die letzten Ursachen des Leidens auf soziale Mißstände zurückführen können.

Neben diesen allgemeinen hygienischen Maßregeln bedarf es einer eingehenden individualisierenden Thätigkeit, welche den besonderen Lebensverhältnissen der verschiedenen Altersstufen und Gesellschaftsklassen Rechnung trägt. Diese Aufgabe fällt ausschließlich dem ärztlichen Berater, Haus- resp. Kassenarzte zu. Hier werden Sie in erster Linie darauf zu achten haben, ob die Anforderungen der täglichen Berufsarbeit dem Kräftemaß der körperlichen und geistigen Beschaffenheit Ihres Klienten entsprechen. Sie werden dabei berücksichtigen müssen, daß jede interkurrente Erkrankung, z. B. ein Bronchialkatarrh, eine Magendarmaffektion, vor allem aber

Infektionskrankheiten oder ein Trauma recht erhebliche und oft lange
nachwirkende Schwächungen der nervösen Leistungsfähigkeit hervorrufen und so auch von scheinbar weit abgelegenen Gebieten aus,
bei verfrühter Aufnahme der vollen Berufsarbeit, der Grund zur Entwickelung eines neuropathischen Zustandes und ausgeprägter Neurasthenie gelegt werden kann.   Auf die Bedeutung der Genitalerkrankungen sowohl des Mannes als der Frau möchte ich an dieser
Stelle noch besonders hinweisen.

Aber auch abgesehen von solchen Zwischenfällen werden Sie genugsam Gelegenheit haben, Ihren Klienten mahnend und warnend
beizustehen.   Gerade in den höheren und höchsten Schichten der
Gesellschaft, unter Schriftstellern, Gelehrten, Richtern und Ver-
waltungsbeamten, Offizieren, Großkaufleuten u. s. w., finden Sie
neben der Ueberbürdung mit Arbeit eine unmäßige Belastung mit
sog. gesellschaftlichen Verpflichtungen, welche die an sich knapp bemessene Erholungszeit vollständig illusorisch machen und vor allem
die so notwendige Nachtruhe verkümmern.   Vorwaltend in den groß-
städtischen Centren werden Sie nach jeder gesellschaftlichen Winterkampagne die Klagen über Abspannung, sowie Ruhe- und Erholungs-
bedürfnis oft genug wahrnehmen.   Wird hier nicht zur rechten Zeit
eingeschritten, so ist die Weiterentwickelung der Ueberermüdung zur
Dauerermüdung und Erschöpfung bald vollzogen.

Sie werden ferner darauf zu achten haben, ob Ihre Klienten das
ihnen auferlegte oder freiwillig gewählte Arbeitspensum mit ihren natürlichen Kräften bewältigen können oder zu den Excitantien, dem Tabak,
Thee, Kaffee und insbesondere dem Alkohol, oder sogar dem Morphium,
als freilich sehr trügerischen Hilfsmitteln, greifen müssen.   Wenn Sie hier
zur rechten Zeit warnen, werden Sie manches Unheil verhüten können.
Ich brauche auf diese im Kapitel der Aetiologie genugsam erörterten
Punkte nicht näher einzugehen; ich möchte nur den Rat hinzufügen,
bei allen überlasteten Kopfarbeitern schon in den Zeiten völligen
Wohlbefindens auf eine nicht karg bemessene Erholungszeit außerhalb der gewohnten Verhältnisse im Walde, im Gebirge oder an der See
in jedem Jahre zu dringen.   Ich bitte, auch der subalternen Beamten
und des großen Heeres der unselbständigen Kaufleute zu gedenken
und auch ihnen eine regelmäßige Ferienzeit zu erwirken.

Sie werden aber die Prophylaxis noch weiter ausdehnen und für
eine rationelle Körperpflege durch regelmäßige kalte Waschungen, Bäder (Schwimmen), Zimmergymnastik, wenn möglich Gartenarbeit und andere körperliche Uebungen, frühzeitiges Schlafengehen,
diätetische Vorschriften (Vermeiden einseitiger, übertriebener Fleisch-
nahrung) auch in den Zeiten voller Berufsthätigkeit Sorge tragen
müssen.   Indem Sie solche Vorschriften für die tägliche Lebensführung
geben, werden Sie am besten eine Einschränkung der Arbeitszeit und
einen Wechsel in der Beschäftigung erreichen.   Sie werden dadurch
auch dem Uebelstand vorbeugen, daß die Erholungszeiten in nutz-
losen oder sogar aufreibenden Vergnügungen vergeudet werden.   Wenn
ich hier einer vernunftgemäßen körperlichen Beschäftigung für die
Kopfarbeiter das Wort rede, so möchte ich damit den Rat verbinden,
Ihre Klienten vor Uebertreibungen nach dieser Richtung hin durch
Ihre kontrollierende Thätigkeit zu schützen.   So vorteilhaft für unser
Nervensystem eine mäßige, nicht bis zur Uebermüdung gesteigerte

Muskelthätigkeit ist, so schädlich wirkt jeder übereifrige Sport, sei es in Turnvereinen, Ruderklubs oder Radfahrervereinigungen.

Die gleichen prophylaktischen Regeln gelten für die Frauenwelt aller Stände; ja sie sind hier vielleicht noch in erhöhtem Maße am Platz. In den Arbeiterklassen trifft die Frau sehr oft eine übergroße Last häuslicher Arbeit, besonders dann, wenn sie neben der Sorge für ihre Familie noch zum Broterwerb gezwungen ist. Bei den weiblichen Arbeiterinnen fällt der kärgliche Lohn sehr ins Gewicht, welchen sie oft für eine 12- und mehrstündige Arbeitszeit an der Nähmaschine oder im Komptoirdienst erhalten. Sie unterliegen dem Mißverhältnisse zwischen Arbeitsleistung, Erholungszeit und Ernährung nicht selten in der Form der Erschöpfungsneurose. In den mittleren und höheren Ständen findet eine Ueberbürdung der Frauen und Mädchen im erwachsenen Alter nur ausnahmsweise statt; wohl aber werden Sie im Auge behalten müssen, daß heftige gemütliche Erschütterungen verbunden mit körperlichen Anstrengungen und gestörtem Nachtschlafe, welche durch langwierige Krankenpflege von Familienangehörigen bedingt sind, diese freiwilligen und ungeübten Pflegerinnen nicht selten selbst nervenkrank machen. Sie werden also gerade in solchen Zeiten, in welchen Ihre Thätigkeit in einer Familie in erhöhtem Maße in Anspruch genommen wird, neben der ärztlichen Behandlung der schon erkrankten geistige und körperliche Gesundheit der anderen Familienglieder sorgfältig zu überwachen haben. Bei dem ersten Anzeichen einer erhöhten Ermüdung, bei einer beginnenden Schlaflosigkeit in der pflegefreien Zeit, bei Verlust des Appetits u. s. w., ist sofort darauf zu dringen, daß die betreffende gefährdete Person in der Pflege abgelöst wird. Das mag alles selbstverständlich erscheinen; meine Erfahrungen lehren mich aber, daß selbst diese einfachsten Schutzmaßregeln nur allzuhäufig außer Acht gelassen werden.

Von größter Wichtigkeit ist, daß Sie konstitutionell anämischen Frauen und Mädchen zur Zeit der Menstruation die nötige Schonung anempfehlen, auch wenn noch keinerlei nervöse Beschwerden mit derselben verknüpft sind. Bestehen irgendwelche Genitalerkrankungen, die mit starken Schmerzen oder profusen Blutungen einhergehen, so ist es durchaus geboten, daß die Patientinnen während der Periode der Bettruhe pflegen. Wenn Sie sich die ätiologischen Ausführungen über den Zusammenhang zwischen Genitalerkrankungen und Neurasthenie vergegenwärtigen, so wird Ihnen diese ärztliche Maßregel keinesfalls zu rigoros erscheinen. Besonders wichtig ist, daß die Frau sich während der Gravidität und im Wochenbett die notwendige körperliche und geistige Schonung verschafft, hauptsächlich dann, wenn die Geburten rasch aufeinander folgen. Auch wenn Frauen das Stillungsgeschäft lange ausüben, werden Sie die nervöse Leistungsfähigkeit immer beobachten und die ersten Anzeichen eines übermäßigen Kräfteverbrauchs durch geeignete Gegenmaßregeln bekämpfen müssen. Schließlich möchte ich Sie nochmals darauf hinweisen, daß auch die Phase des Klimakteriums eine genauere Kontrolle des nervösen Zustandes verlangt. Sie wissen, wie rasch sich zu dieser Zeit durch das Durchgangsstadium der neurasthenischen Beschwerden schwere Melancholien entwickeln.

Ich will mich auf diese prophylaktischen Bemerkungen beschränken. Wenn Sie dasjenige, was in der speziellen Aetiologie ausgeführt wurde, gebührend berücksichtigen, werden Sie im einzelnen Falle wohl

noch oft Gelegenheit finden, besonderen schädlichen Mißbräuchen
in der Lebensführung, welche der Neurasthenie die Wege ebnen, entgegen zu wirken.

Viel eingreifender und meist auch wirksamer werden Ihre prophylaktischen Bestrebungen auf dem Gebiete der Jugend-
erziehung sein, soweit es sich darum handelt, gesunde, nicht
neuropathische Kinder, sowie die im Pubertätsstadium stehenden
Jünglinge und Mädchen vor Neurasthenie zu schützen. Hinsichtlich der allgemeinen hygienischen Maßregeln, die besonders das
Gebiet der Schulhygiene betreffen, werden Sie freilich nur
dann mit Aussicht auf Erfolg Ihre Stimme erheben können, wenn
Sie in amtlicher ärztlicher Stellung oder als gewählter Vertreter in
einer städtischen Korporation thätig sind. Sowohl für die niederen
als auch die höheren Schulen ist die Beschaffung von Schul-
ärzten nur eine Frage der Zeit. Erst wenn diese hygienische
Forderung erfüllt ist, wird vom ärztlichen Standpunkt aus die in der
Aetiologie berührte Ueberbürdungsfrage der Lösung näher gebracht
werden können. Es wird dann auch die beste Gelegenheit geboten
sein, die körperliche und geistige Beschaffenheit unserer Schuljugend
in größerem Maßstabe zu prüfen, ihre Wohnungs- und Ernährungs-
verhältnisse festzustellen und bei den älteren Schülern resp. Schülerinnen den früher erwähnten Schädlichkeiten, welche außerhalb der
Schule auf sie einwirken, genauer nachzuforschen. Ich bin fest überzeugt, daß eine zweckmäßige und konsequent durchgeführte Beaufsichtigung und Belehrung der Schuljugend am allermeisten zur Verhütung eines weiteren
Umsichgreifens der Neurasthenie beiträgt.

Bei den Schülern der Volksschulen wird diese Beaufsichtigung
schon vorzeitig in der so wichtigen Periode der Geschlechtsreifung
(zwischen dem 14.—16. Jahre) durch den Uebergang in die hygienisch
schwer kontrollierbaren Verhältnisse der Lehrlingszeit beendigt. In
den mittleren und höheren Schulen haben wir die männliche Jugend
wenigstens bis zum 17. und 18. Jahre unter Augen; hier würde der
Schularzt am wohlthätigsten wirken können. Aber auch für die weibliche Jugend ist eine schärfere ärztliche Kontrolle durchaus nötig;
besonders in den Töchterschulen und Seminarien fände der Schularzt
genugsam Gelegenheit, gegen die einseitige Ueberbürdung mit Gedächtnisstoff einzuschreiten und auf eine Stärkung des Muskelsystems
hinzuwirken. Es gelten hier alle die hygienischen Vorschriften, welche
der Arzt in seiner Hausarztthätigkeit durchführen soll.

Es kann (freilich nur soweit, als man es nicht mit völlig unvernünftigen, in ihrer eigenen Lebensführung irrationellen Eltern zu
thun hat) keine allzugroße Mühe kosten, dem leicht empfänglichen
und an erzieherische Einflüsse noch gewöhnten Kinde ganz bestimmte
Gesundheitslehren einzuprägen, die durch regelmäßige und jahrelange
Uebung zu einem Besitz fürs Leben werden können. Regelmäßige
kalte Waschungen und Bäder zur Abhärtung der Hautnerven,
die Angewöhnung einer nahrhaften und möglichst einfachen
Kost, geordneter Wechsel zwischen körperlicher und
geistiger Thätigkeit, zwischen Arbeit und Ruhe, die Befriedigung des natürlichen Schlafbedürfnisses, sind Forderungen, die Sie immer und immer wieder erheben müssen.

Im einzelnen möchte ich Sie noch darauf aufmerksam machen,

daß Sie hinsichtlich der Ernährung auf möglichst lange Beibehaltung der Milch als geeignetes Getränk hinarbeiten. Alle alkoholischen Getränke sind für das Kind bis zur vollendeten Pubertätsentwickelung nicht nur unnötig, sondern sogar schädlich und deshalb verwerflich. Es ist ein Unfug, daß noch in manchen sog. gebildeten Familien den Kindern zu den Mahlzeiten Bier oder Wein regelmäßig verabfolgt wird. Auch auf Ausflügen soll man die Kinder daran gewöhnen, ihren Durst mit Milch oder mit Fruchtsäften zu stillen. In vielen Familien werden Sie außerdem gegen übertriebene Verwendung der Fleischkost anzukämpfen haben. Es ist z. B. durchaus unnötig, den Kindern abends vor dem Schlafengehen eine Fleischmahlzeit zu bieten. Die Abendkost unserer Voreltern war eine Mehlsuppe und auf diesen Standpunkt müssen wir zurückkehren: Milchreis und ähnliche Speisen, rohe und gekochte Früchte, Käse, Butter und Brot sollen die Bestandteile der Abendmahlzeit sein. Es ist zwar selbstverständlich, wird aber vielfach außer Acht gelassen, daß Kaffee und Thee für das kindliche Alter unnötig sind.

Wesentlich Erziehungssache ist es, ob und wie lange unsere Kinder schlafen. Wenn wir mit peinlicher Sorgfalt darauf achten, daß sie zu ganz bestimmter Stunde sich zu Bett legen, wenn wir sie daran gewöhnen, sowohl ohne Licht als auch ohne verdunkelnde Vorhänge schlafen zu müssen, wenn wir von Anfang an nicht dulden, daß im Bette noch Unterhaltungen gepflogen werden oder daß sogar Erwachsene die Kinder durch Vorlesen einschläfern wollen, so wird es uns gelingen, eine Generation mit einem ausgiebigen und erquickenden Nachtschlafe zu erziehen. Schulkinder bis zur Pubertätsreife sollen 9—11 Stunden schlafen, je nach dem individuellen Bedürfnis. Sie sollen aber auch gehalten sein, morgens sofort beim Aufwachen aufzustehen.

Von größter Wichtigkeit ist es, unsere Jugend psychisch abzuhärten, alle leidenschaftlichen Erregungen und nicht weniger alle übermäßigen Empfindlichkeiten gegen körperliche Schmerzeindrücke durch strenge Ermahnung oder Strafe zu bekämpfen. Wie thöricht ist es, ein Kind zu bemitleiden, wenn es sich stößt, ja selbst erheblich verletzt. Hier ist jede Verzärtelung vom Uebel und erzieht eine wehleidige, gegen körperliche und geistige Unbilden widerstandslose Generation. Es ist durchaus möglich, wie mich eigene Erfahrung lehrt, die Empfindung von körperlichen Schmerzen durch die Verbalsuggestion, die übrigens gelegentlich auch durch einen Klaps verstärkt werden kann, auf ein Mindestmaß herabzudrücken; man muß freilich bei Kindern im 3. und 4. Lebensjahre beginnen, in welchem sie für derartige Beeinflussungen am meisten zugänglich sind.

Sobald es sich um den Schutz neuropathisch veranlagter Kinder handelt, so gewinnen die eben besprochenen hygienisch-prophylaktischen Maßregeln eine erhöhte Bedeutung. Sie werden dann Gegenstand eines wohldurchdachten Kurplans werden müssen, durch welchen die krankhafte Anlage unschädlich gemacht und so die Weiterentwickelung zu einer ausgebildeten Nervenkrankheit unterdrückt werden soll.

Die Aufgabe, nervöse Kinder zu erziehen, ist, soweit der ärztliche Anteil hierbei in Frage kommt, sehr schwierig, solange die Kinder

unter dem unmittelbaren Einfluß der Eltern stehen. Handelt es sich
um eine direkte erbliche Anlage, so haben Sie es meist mit neurasthenischen, übertrieben ängstlichen und verzärtelten Vätern oder — was
noch schlimmer ist — mit Müttern zu thun, bei welchen die psychischen
Eigenheiten unverkennbar die Charaktere der hysterischen Geistesbeschaffenheit zeigen. Ich sehe hier von den Fällen ab, in welchen
eines der Eltern offenkundig geisteskrank ist, weil dann der erzieh-
liche Einfluß des Kranken meistens eliminiert werden kann.

Es liegt auf der Hand, daß Menschen, die infolge ihrer krankhaften Zustände nicht imstande sind, eine naturgemäße, in allen
Teilen harmonisch ausgeglichene Lebensführung innezuhalten, die der
Spielball ihrer krankhaften Empfindungen und Vorstellungen geworden sind, schon durch ihr Beispiel höchst ungünstig auf ihre
nächste Umgebung, insbesondere auf ihre Kinder, einwirken. Vergessen Sie nicht, daß schon das gesunde Kind einen sehr lebhaften
Nachahmungstrieb besitzt und daß dieser psychologische
Faktor bei dem neuropathisch veranlagten in ver-
stärktem Maße mitwirkt.

So sind, um ein Beispiel zu erwähnen, die Schlafstörungen in
solchen nervösen Familien nicht selten habituell, wenn die ruhelose,
affektiv und intellektuell überreizte Mutter die Nacht zum Tage
macht, im Hause herum wirtschaftet, die Kinder zu spät zu Bette
bringt und mit ihnen noch stundenlang plaudert oder ihnen vorliest,
die Schränke untersucht und aufräumt, mit den Dienstboten zankt u. s. w.
Ich habe Beispiele erlebt, in welchen eine derartig nervös überreizte
Mutter die Kinder vom frühesten Alter an um die Hälfte ihres Nachtschlafes gebracht hat. Eine andere Methode, die solche Mütter,
welche fast beständig von nosophobischen Vorstellungen auch in
Beziehung auf ihre Kinder geplagt sind, nicht selten einschlagen,
besteht darin, daß sie, selbst schlaflos, alle halbe Stunden ins
Kinderzimmer eilen, um den Schlaf ihrer Kleinen zu kontrollieren,
die Kissen zurechtzurücken, die Bettdecken einzustecken, die Vorhänge zu schließen oder zu öffnen. Wacht dann eines der
Kinder auf und fängt an zu schreien, so beginnt eine längere parla-
mentarische Unterhaltung, um das Kind zu beruhigen und wieder in
Schlaf zu bringen. Kleinere Kinder werden dann längere Zeit hin-
und hergetragen, kurzum es werden in krankhaft übertriebener Sorgfalt eine ganze Reihe von Maßregeln ergriffen, welche der Disposition
zu Schlafstörungen Vorschub leisten. Und da die Mutter die Kritik
über ihre Handlungsweise meist völlig eingebüßt hat, so weist sie
alle Ratschläge gegen dieses Treiben in ihrem verletzten Mutterstolze
zurück mit der Erklärung, daß sie sich in ihren Pflichten nicht be-
irren lasse!

Ich könnte Ihnen noch an anderen Beispielen den verderblichen
Einfluß der häuslichen Erziehung in solchen Familien schildern; es
genügt, darauf hinzuweisen, daß die gesteigerte Selbstbeobachtung auf
jede an sich geringfügige Schwankung des Befindens, das ewige
Sprechen über Kranksein, das gegenseitige Bemitleiden, die unver-
nünftige Verzärtelung in Kleidung und Kost, die Inkonsequenz des
erziehlichen Einflusses (bald übertriebene Härte, bald schwächliche
Nachgiebigkeit) die hauptsächlichsten Ursachen für eine rasche Entfaltung krankhafter Anlagen sind. Sobald Sie Zeuge solcher häuslicher Verhältnisse sind, so ist es Ihre Pflicht, Ihre ganze Autorität

aufzubieten, um dem pathologischen Teile der Familie jeden Einfluß
auf die Kindererziehung und -Pflege zu nehmen, entweder durch Einfügung einer geeigneten Stütze der Hausfrau oder durch frühzeitige
Unterbringung der Kinder in guten Pensionaten. Leider kann ich
nicht verhehlen, daß oft alle solche Bemühungen an dem Unverstand
der Eltern scheitern.

Unsere ärztliche Thätigkeit wird bei neuropathischen Kindern
schon in der Säuglingsperiode beginnen müssen. Hier nehmen
fast ausschließlich Schlafstörungen, das nächtliche Aufschrecken und die
gesteigerte motorische Unruhe, welche sich zu choreatischen oder
unter dem Einfluß bestimmter Schädlichkeiten zu eklamptischen Zuständen steigern kann, Ihre Aufmerksamkeit in Anspruch. Sie werden
dafür Sorge tragen, daß solche Kinder bei Tage möglichst in Ruhe
gelassen, daß sie möglichst wenig herumgetragen oder -gefahren
werden, daß Eltern oder Wärterinnen nicht mit den Kindern spielen.
Falls keine körperlichen Störungen vorliegen, welche das Unbehagen
des Kindes erklären, kann man es ruhig schreien lassen. Ganz ver-
kehrt ist es, daß immer jemand am Lager des Kindes sitzt und auf jede
Regung desselben achtet. Nur zu den Mahlzeiten oder zur Körperpflege soll das Kind bei Tage oder Nacht aufgenommen werden.
Diese Maßregeln werden Ihnen sehr hart erscheinen; ich halte sie
aber für durchaus notwendig, um durch Einschränkung der zufließenden Sinnesreize die krankhaft gesteigerte Erregbarkeit, die sich in
der Ausbreitung aller reflektorischen und Irradiationsvorgänge kundgiebt, zu beseitigen. Der Erfolg, den ich in manchen Fällen gesehen
habe, verbürgt mir die Wirksamkeit dieser Verordnungen.

Wenn wir so im ersten Jahre, d. h. in einer Zeit, in welcher die
morphologische Entwickelung des Nervensystems noch sehr unvollkommen ist, darauf hinarbeiten, die Leistungen möglichst einzuschränken, so wird in den darauffolgenden Jahren die künstlich verzögerte funktionelle Entwickelung rasch eingeholt. Das Kind wird
vielleicht etwas später sprechen und laufen lernen und anfänglich
ärmer an optischen, akustischen und taktilen Erinnerungsbildern,
sowie komplizierteren, durch Uebung erlangten Bewegungen sein;
dafür werden Sie ihm aber das für diese Entwickelungszeit köst-
lichste Gut eines langen und gesunden Schlafes verschaffen.

Schon frühzeitig werden Sie darauf hinwirken, pathologische
Affektausbrüche zu bekämpfen, welche sich durch heftige
motorische Entladungen (Strampeln mit Händen und Füßen, sich auf
den Boden werfen, unmäßiges Schreien) äußern oder langdauernde Hemmungen hervorrufen (pathologischer Eigensinn, der sich in der Nicht-
befolgung eines Befehls oder Verweigerung einer Antwort kundgiebt).
Das einfachste Mittel dagegen besteht darin, die Kinder sofort ins
Bett zu legen und allein zu lassen, da jeder Widerspruch und jede
erneute Mahnung, sowie meist auch die körperliche Züchtigung den
pathologischen Zustand nur verstärkt. Verfängt dies Mittel nicht, so
rate ich, die Kinder sofort in ein warmes Bad zu setzen, im Bad
kühl zu überrieseln und dann erst zu Bett zu bringen. Der Erregungszustand klingt dann meist in kurzer Zeit ab, die Kinder verfallen in Schlaf und sind nach dem Aufwachen für suggestiv-
erzieherische Einflüsse leicht zugänglich. Hat man diese Maßregeln
einigemale mit Erfolg durchgeführt, so genügt es, die Erregungszustände einfach zu ignorieren und die Kinder allein zu lassen (in den

Winkel stellen); sie besinnen sich in kurzer Zeit auf sich selbst.
Sowohl die Eltern als auch die Erzieher, welchen die Aufgabe zufällt, solche Krankheitsäußerungen zu bekämpfen und zu beseitigen,
müssen sich in erster Linie darüber klar sein, inwieweit es sich
hierbei um pathologische Vorgänge oder um die Produkte einer
fehlerhaften Erziehung handelt. Falls erstere nach gründlicher Erforschung der Familien- und Individualgeschichte ausgeschlossen
werden können, so wird die erzieherische Beeinflussung bei unartigen
und widerspenstigen Kindern eine viel energischere sein dürfen, als
bei den neuropathisch veranlagten. Auf die Gefahren, welche strenge
körperliche Züchtigungen bei letzteren in sich bergen, möchte ich
noch besonders hinweisen. Es ist mir ein Fall genauer bekannt, bei
welchem der erste epileptische Anfall direkt durch Schläge des
Vaters, als er den „Trotz" des Kindes brechen wollte, hervorgerufen
wurde.

Krg.
No. 94.
Ich behandle gegenwärtig ein 6-jähriges, völlig undiscipliniertes
Kind mit konvergierender und kumulativer erblicher Belastung, welches
zugleich an petit-mal-Anfällen und epileptischem Schwindel leidet. Unter
den psychischen Störungen treten besonders hervor: heftige Zornausbrüche, monotones Zwangsdenken und Sprechen, wechselnd mit inkohä-
rentem, ideenflüchtigem Schwatzen; gesteigerte und regellose motorische
Geschäftigkeit und Schlafstörungen. Während im Elternhause fast unaufhörlich auf das Kind eingeredet und bald mit Liebe, bald mit Strenge
der Eigensinn zu brechen versucht wurde, bezweckte ich mit der Anstaltsbehandlung eine möglichste Ruhestellung auf geistigem Gebiete;
es darf niemand mit dem Kinde verkehren, als der Arzt und die Erzieherin. Regelmäßige Spaziergänge auf möglichst menschenleeren Wegen
wechseln mit Bettruhe und leichter mechanischer Beschäftigung ab (Zeichnen nach einfachsten Vorlagen, Spielen mit Bausteinen u. s. w.). Das
Kind wird angehalten, sich möglichst allein zu beschäftigen. Die Erzieherin darf nur das Notwendigste mit ihm sprechen, soweit es sich um
Anordnung der Spiele und Regelung der Lebensweise handelt. Die
Zornausbrüche, in welchen das Kind jeder Verbalsuggestion unzugäng-
lich war, sind in wenigen Wochen durch diese Methode bekämpft
worden. Das Kind ist schon für Stunden ruhig und relativ geordnet
und beginnt auch schon bei einer Thätigkeit bis zu $1/2$ Stunde auszuharren.

Was für die Erziehung überhaupt gilt, ist hier ganz besonders
zu berücksichtigen: Wir dürfen uns durch die Unarten
niemals selbst in Erregung und Zorn versetzen lassen.
Jede zweckwidrige und unverhältnismäßige Strafe, welche nicht selten
nur zur Befriedigung, zur „Entladung" des eigenen Zornaffektes
dient, wirkt bei gesunden Kindern verderblich auf die Charakter-
entwickelung ein und führt bei kranken eine Verschlimmerung der pathologischen Vorgänge herbei. Derjenige, welcher sich
nicht objektiv den pathologischen Unarten dieser Kinder gegenüber-
stellen kann und bei der Strafe nicht ausschließlich den Heilzweck
im Auge behält, soll auf jede erzieherische Thätigkeit bei solchen
Kindern verzichten. Erfahrungsgemäß sind gerade die Eltern, auch
wenn sie selbst nicht neuropathisch sind, infolge der seelischen Erregung über den Zustand ihres Kindes am meisten diesen schädlichen
Gemütserregungen ausgesetzt und gehen dadurch der Klarheit und

Folgerichtigkeit bei der Behandlung des Kindes verlustig. Sie haben hier weitere Belege für die obige Forderung, neuropathische Kinder aus der eigenen Familie zu entfernen. Entweder wird man sie in Familienpflege bei einem Lehrer oder Geistlichen bringen, welcher mit der Erziehung solcher Kinder vertraut ist, oder man übergiebt sie einer Anstalt für schwer erziehbare Kinder, in welcher die Lehrkräfte sich ausschließlich mit dieser mühevollen, aber durchaus nicht undankbaren Aufgabe beschäftigen und wo auch die geeigneten Lehrmittel zur körperlichen und geistigen Ausbildung vorhanden sind.

Hinsichtlich der intellektuellen Veranlagung und Entwickelung neuropathischer Kinder will ich mich auf die Bemerkung beschränken, daß Sie neben solchen mit einer vorschnellen, frühreifen oder sprungartigen Entwickelung andere mit einer ganz disharmonischen Entfaltung der geistigen Fähigkeiten (einseitige Begabung für Rechnen, auffällige Entwickelung des Gedächtnisses, musikalische Veranlagung, erhöhte Phantasiethätigkeit mit Neigung zu poetischen und novellistischen Spielereien) finden werden, während eine dritte und vielleicht die größte Kategorie eine verlangsamte oder sogar verkümmerte Entwickelung der Intelligenz aufweist. Genauere Schilderungen dieser neuro- und psychopathischen Kinder mit erblich-degenerativen Merkmalen finden Sie in den Lehrbüchern der Psychiatrie und in vereinzelten pädagogischen Schriften.

Daß rechtzeitiges ärztliches Eingreifen bei neuropathischen Kindern eine dankbare Aufgabe ist, mag Sie folgende Beobachtung lehren:

v. J., 8 Jahre alt; Vater periodisch geisteskrank; Mutter hysteropathisch mit Visceralneuralgie, Insomnie wechselnd mit lethargischen Schlafzuständen, paretische Erscheinungen in den unteren Extremitäten, angeblich nach einem Uterinleiden entstanden; 11-jährige Schwester des Pat. gesund, normal; Pat. zarter, anämischer Knabe; bis zum 3. Lebensjahre nächtliches Aufschreien, in der Folge Pavor nocturnus; Schlaf immer oberflächlich und unruhig; Appetit sehr wechselnd, meist verringert; Magen oft schmerzhaft; bei reichlicher Mahlzeit, sowie bei Gemütsbewegungen Uebelkeit und Erbrechen; geistig sehr gut entwickelt; „lernt spielend", ist überaus lebhaft, zeigt eine überreiche Phantasie; Affekte sehr wechselnd; Neigung zu heftigsten, unmotivierten Zornausbrüchen mit motorischen Entladungen.

Seit ½ Jahre schwere, etwa alle 3 Wochen wiederkehrende und 2 Tage dauernde „Migräneanfälle" (doppelseitiger Schläfenkopfschmerz) mit Uebelkeit, Erbrechen, Photopsien, zorniger Reizbarkeit und weinerlicher Verstimmung. Pat. wird aus der schädlichen Atmosphäre des elterlichen Hauses entfernt: mäßige Hydrotherapie, diätetische Behandlung, völlige Enthaltung von geistiger Arbeit, anfänglich Bettruhe mit Massage, nachher gymnastische Uebungen. Rasche Hebung des körperlichen Kräftezustandes, Schwinden der migräneartigen Anfälle, welche in der Folge nicht wiedergekehrt sind (seit 3 Jahren). Sehr gute geistige Weiterentwickelung.

Sie müssen aber auch bei Kindern, die trotz einer ausgeprägten erblichen Belastung bis zur Pubertätsentwickelung in ihrer körperlichen und geistigen Beschaffenheit keinerlei Anzeichen einer krankhaften Organisation aufweisen, immer auf der Hut sein. Aus den Bemerkungen, die ich sowohl in der allgemeinen Aetiologie, als auch bei der

Erörterung der Prognose der hereditären Form der Neurasthenie gemacht habe, geht hervor, daß die vorzeitige Beendigung geistiger oder
körperlicher Wachstumstendenzen recht häufig ist. Wenn Sie die ersten
Anzeichen dieser krankhaften Veränderung gewahr werden, so haben
Sie zuerst auf absolute Ruhestellung des Gehirns zu dringen; tritt
nach einer kürzeren oder längeren Erholungszeit bei erneuten Versuchen, die früher erstrebte Bildungsstufe zu erreichen, die intellektuelle Insufficienz in erhöhten Ermüdungssymptomen zu Tage, so werden
Sie sofort die Aenderung des Erziehungsplanes im Sinne einer Herabminderung und Vereinfachung des Lehrstoffes verlangen. Sie werden
da manchem Widerspruch bei ehrgeizigen und urteilslosen Eltern
begegnen und manche Hoffnungen und Wünsche des jungen Pat. auf
eine höhere Carrière vernichten müssen. Wenn Sie aber nicht rechtzeitig einschreiten, so ist die Weiterentwickelung des neuropathischen
Zustandes zu schwerer Neurasthenie oder ausgeprägter Geistesstörung
sehr häufig nicht mehr aufzuhalten. Beim weiblichen Geschlechte
gestaltet sich naturgemäß die Regelung des Erziehungsplanes viel
leichter.

Wenn wir nunmehr zu der **Therapie** der Neurasthenie selbst
übergehen, so werden wir zuerst die Maßregeln erörtern müssen,
welche auf eine **kausale** Behandlung des Leidens hinzielen. Hierbei werden wir streng auseinanderhalten müssen a) **die Beseitigung der allgemein wirkenden Schädlichkeiten; b) die
Heilung der durch sie bewirkten pathologischen Veränderungen des Gesamtnervensystems und c) die Heilung von Lokalerkrankungen, welche die Ursache des
Allgemeinleidens gewesen sind oder dieses dauernd
unterhalten und verschärfen.**

Sie sehen schon aus dieser Zusammenstellung, daß die therapeutischen Aufgaben das genaueste Studium jedes einzelnen Krankheitsfalles zur Voraussetzung haben. Nirgends werden einseitige, auf
Unkenntnis der vielfältigen Ursachen oder auf spezialistischer Vor-
eingenommenheit beruhende Auffassungen über das Wesen der Erkrankung und über die Bedeutsamkeit ihrer einzelnen Symptome zu
größeren therapeutischen Mißgriffen führen können, als bei der Behandlung der Neurasthenie. Nur wenn wir die Kranken genau kennen
lernen, d. h. ihre geistige Persönlichkeit und ihre körperlichen
Leistungen gewissermaßen ab ovo erforschen, die soziale Sphäre, in
die sie die Geburt und individuelle Entwickelung versetzt hat, nach
ihren Anforderungen in Beziehung auf Arbeit und Genuß genau zu
beurteilen imstande sind, nur dann werden wir auch die Bedeutsamkeit und Tragweite der zahllosen auf uns einwirkenden Schädlichkeiten, sowie akuter und chronischer, allgemeiner und lokalisierter
somatischer Erkrankungen für jeden einzelnen Kranken würdigen
können. Ich habe in allen voranstehenden Abschnitten wiederholt
darauf hingewiesen, daß über die individuellen Schwankungen, welche
dieses Krankheitsbild sowohl vom ätiologischen als auch symptomatologischen Standpunkt aus in so reichem Maße darbietet, die
allen Kranken gemeinsamen und stetig wiederkehrenden Erscheinungen gestellt werden müssen. Es sind
dies die Zeichen der geänderten Reaktion auf psychische und andere Nervenreize, welche in den subjektiven und objektiven Krankheitsmerkmalen immer den Typus

des auf dem Boden der Dauerermüdung übererregten und funktionell rascher erschöpften Nervensystems erkennen lassen. Wir folgern hieraus den für die Therapie hochwichtigen Schluß, daß jeder ärztliche Rat oder Verordnung den Anforderungen einer kausalen Behandlung nicht entspricht, welche diesen pathologischen Reaktionen des Gesamtnervensystems nicht Rechnung trägt.

Die Erörterung der ersten Frage fällt großenteils mit den prophylaktischen Erwägungen zusammen; nur handelt es sich hier nicht um die Verhütung der Krankheit, sondern um die Beseitigung der Schädlichkeiten, die das Leiden schon verursacht haben und in den Lebensumständen und -Gewohnheiten unserer Kranken begründet sind. Wenn Sie den gewaltigen und weittragenden Einfluß, welchen die psychischen Schädlichkeiten nicht nur auf die Entwickelung, sondern auch auf den Fortbestand des Leidens ausüben, sowie die innigen Wechselbeziehungen zwischen den psychopathologischen Phänomenen und den körperlichen Krankheitserscheinungen sich veranschaulichen, werden Sie einsehen, daß wir die Psychotherapie an die Spitze dieser Betrachtungen stellen.

Wollen Sie den Patienten psychisch beeinflussen, ihn erziehen und leiten, so haben Sie zuerst sein Vertrauen zu erwerben sowohl in Ihre ärztliche Kunst im allgemeinen als auch in Ihre persönlichen Eigenschaften als Seelenarzt im besonderen. Aus der Art, wie Sie den Patienten entgegentreten, sie befragen und beraten, bilden diese sich ihr Urteil über Sie. Mag dasselbe gerecht oder ungerecht sein, für jeden Fall ist es entscheidend für den Erfolg Ihrer Maßregeln. Schenken Sie dem Krankheitsfall bei der ersten Untersuchung nicht die ihm gebührende Beachtung, äußern Sie bei der Erhebung der Anamnese unvorsichtigerweise Ungeduld und Geringschätzung gegenüber den subjektiven Klagen des Patienten oder lassen Sie sogar eine Bemerkung fallen, daß es sich hier nur um eingebildete Leiden handle, so wird der Patient schon, bevor Sie nur mit der genaueren Untersuchung begonnen haben, sich innerlich von Ihnen abwenden. Er wird zwar die Untersuchung noch über sich ergehen lassen, „weil er einmal da ist", er weiß aber schon im voraus, daß Sie ihn nicht „verstehen" und ihm darum auch nicht helfen können. Wie oft höre ich in meiner Thätigkeit als Consiliarius die Aeußerung: „Mein Hausarzt ist ein sehr tüchtiger Mann und ich befrage ihn bei allen körperlichen Krankheiten, aber von Nerven versteht er nichts." Wir müssen also die Kranken anhören, ihnen durch zweckentsprechende Zwischenfragen die Arbeit bei der Schilderung und Gruppierung der Symptome erleichtern und abkürzen und ihnen nach erschöpfender Untersuchung des ganzen Menschen ein, wenn auch kurzes, so doch alle Punkte ihrer Klagen berührendes verständiges Gutachten über die Art ihrer Erkrankung, die Bedeutung der Krankheitserscheinungen und über die Wege der Heilung abgeben. Je mehr Sie gelernt haben, die Qualen und Schmerzen dieser Kranken nachzuempfinden, je bestimmter und eindeutiger Ihr Urteil lautet, desto leichter werden sie sich Ihnen unterordnen und neues Selbstvertrauen und Kraft aus Ihren therapeutischen Erörterungen schöpfen.

Sehen Sie sich jeden derartigen Kranken genau an, beobachten Sie die Umstände, unter denen er in Ihr Zimmer tritt, wer seine Begleiter sind, wie seine Kleidung beschaffen ist, welche Gemüts-

stimmung in Blick, Ausdrucksbewegung und Körperhaltung sich ausdrückt, und Sie werden oft schon weitgehende und zutreffende Schlüsse
auf den psychischen Status des Patienten ziehen können, bevor Sie
noch ein Wort mit ihm gewechselt haben. Ein Arzt, der nicht durch
Uebung und Lebenserfahrung sich die Kunst angeeignet hat, aus
solchen scheinbar geringfügigen Merkmalen rasch wenigstens die
Umrisse eines psychischen Status zu gestalten, der soll lieber darauf
verzichten, diese Kranken beraten zu wollen.

Haben Sie das Vertrauen des Kranken gewonnen, sind Sie durch
seine eigenen Schilderungen, sowie durch Mitteilungen seiner Angehörigen und früheren Aerzte in den Stand gesetzt, seine geistige
Persönlichkeit in gesunden und kranken Tagen genau zu erkennen
und auch die Fehlerquellen, welche in seiner Lebensführung gelegen
sind, richtig abzuschätzen, so wird es Ihnen nicht schwer fallen, den
Punkt aufzufinden, an welchem die psychische Behandlung einzusetzen
hat. Allgemein giltige Regeln zu geben, in welcher Weise Sie diesen
suggestiven Einfluß ausüben sollen, ist fast unmöglich, da Sie es bei
diesen Kranken immer mit ausgeprägten Individualitäten zu thun
haben, welche in der Regel von vornherein nicht erzogen, sondern
behandelt sein wollen. Um diese erzieherische Thätigkeit in die
Form ärztlicher Verordnungen zu kleiden, ist für jeden Einzelfall
gewissermaßen eine eigene Methode aufzusuchen.

Eine der überwiegenden Mehrzahl der Neurastheniker gemeinsame Eigenschaft ist die einseitige egocentrische Verarbeitung des gesamten Vorstellungsinhalts, welche aus
der pathologisch gesteigerten Beschäftigung mit den Zuständen des
eigenen Körpers hervorgeht und in praxi in dem alle Entschließungen
beherrschenden Vorstellungskreise gipfelt: Was nutzt mir, wie werde
ich von meinen Leiden befreit, was habe ich zu thun, um möglichst
rasch gesund zu werden? Verstehen Sie es, bei gebildeten und relativ
einsichtsvollen Patienten die Krankheitserscheinungen aufzuspüren,
welche dem Patienten subjektiv am lästigsten sind und den größten
Anteil an seiner Arbeitsunfähigkeit besitzen, haben Sie die Gabe, in
einer seinem Ideengänge und seinem Verständnis entsprechenden Weise
ihm darzulegen, daß diese oder jene Maßregel unerläßlich sei, um
jene Zustände von Grund auf zu beseitigen, so wird er sich bereit
finden lassen, auf grundsätzliche Aenderungen seiner Lebensgewohnheiten und Arbeitsbedingungen einzugehen.

Dabei ist notwendig, daß Sie ihm die Schwierigkeit der Aufgabe
von Anfang an vor Augen stellen, daß Sie an seine Charakterfestigkeit
und Willensstärke appellieren, die mit der Behandlung verknüpfte anfängliche Steigerung seiner Leiden mit in den Kauf zu nehmen und unverrückbar das Ziel im Auge zu behalten, daß er in seinem eigenen
Interesse und zum Wohle seiner Familie gesund werden müsse.
Alle diese Beeinflussungen dürfen aber bei vielen Kranken nicht in
brüsker Weise ausgeführt werden. Sie werden Stück für Stück langsam vordringend üble Angewohnheiten, welche entweder die Krankheit direkt verschulden oder erst durch sie entstanden sind, beseitigen.
Dieses schrittweise Vorgehen hat den Vorzug, daß Sie die psychischen
Widerstände im Patienten fast unmerklich oder wenigstens ohne allzu-
großen gemütlichen Erregungszustand überwinden. Fast bei jeder
Kuretappe ist je nach dem körperlichen Kräftemaß, der Einwirkung
der Kurmittel auf den Schlaf, die Verdauungsvorgänge u. s. w. ein

mehr oder weniger ausgeprägter Rückschlag des Allgemeinbefindens und damit des psychischen Verhaltens vorauszusehen. Gehen Sie langsam voran, so können Sie den ungünstigen psychischen Einfluß einer solchen temporären Verschlechterung von vornherein verhüten oder wenigstens ausgleichen, indem Sie größere Aufgaben mit erhöhten Ansprüchen an die körperliche und geistige Leistungsfähigkeit erst dann einschalten, wenn Sie durch eine vorbereitende Kur den Patienten vor allem mit erhöhtem Selbstvertrauen und einer größeren emotiven Widerstandskraft ausgerüstet haben. Diese Vorschrift, nur langsam und schrittweise vorzugehen, ist vor allem bei denjenigen Patienten am Platze, welche schon jahrelang mit dem Leiden behaftet sind und im Laufe der Zeit die mannigfachsten Kurversuche, freilich ohne Ausdauer, unternommen haben.

Wenn Sie aber nach reiflicher Ueberlegung zu einer bestimmten Entschließung über die Art Ihres Vorgehens gelangt sind, wenn Sie die Ueberzeugung gewonnen haben, daß der Zustand des Kranken einen weiteren Fortschritt gestattet, so haben Sie unbeirrt durch alle Einwendungen des Patienten oder seiner Angehörigen darauf zu dringen, daß Ihre Verordnungen in vollem Umfange ausgeführt werden. Lassen Sie sich mit Patienten in Verhandlungen ein, zeigen Sie irgendwelche Schwäche oder Unschlüssigkeit, so haben Sie das Spiel verloren. Der Patient triumphiert innerlich, daß seine eigenen, d. h. aus seinen krankhaften Empfindungen geschöpften Erfahrungen den Sieg über Ihre ärztliche Voraussicht gewonnen haben. Sie haben dadurch indirekt die Macht seiner Leiden gestärkt, während Ihre ärztliche Autorität eine unwiederbringliche Einbuße erfahren hat. Der Kranke muß also unter allen Umständen folgen, ein Schaden kann ihm bei einer langsam fortschreitenden Kurmethode nicht erwachsen. Sehen Sie, daß für den Augenblick eine Aufgabe doch zu hoch gegriffen war, so werden Sie den Fehler selbst bald herausfinden und ihn durch geringfügige Modifikationen der Verordnungen ausgleichen können. Also Festigkeit gepaart mit Vorsicht sei die Richtschnur Ihres ärztlichen Handelns.

Diese Ratschläge können aber nicht auf alle Fälle Anwendung finden. Es giebt nämlich eine Kategorie hyperkritischer und durch zahlreiche Mißerfolge mißtrauisch gewordener Patienten, bei welchen ich empfehle, überhaupt jeden Kurversuch so lange zu unterlassen, bis Sie durch eingehendes Studium der geistigen Persönlichkeit die Gewißheit erlangt haben, daß der Patient oder die Patientin auch wirklich die Absicht hat, gesund werden zu wollen. Hierher gehört auch die nicht geringe Zahl neurasthenischer Bummler, welche sich mit ihrem Leiden in dem Sinne abgefunden haben, daß es ihnen ein willkommener Vorwand ist, alle Pflichten von sich abzuwälzen und alle Rechte des „nervenschwachen" Patienten voll auszunützen. Die pathologische vis inertiae ist so mächtig, daß alle Versuche, durch Belehrung und Anfeuerung den Kranken aus seiner fehlerhaften Lebensführung herauszureißen und ihn durch moralischen Zwang zur Durchführung eines Kurplans zu veranlassen, eine nutzlose Kraftvergeudung sind. Solche Fälle sind zur Behandlung in offenen Nervenanstalten, geschweige denn zur ambulatorischen Behandlung durchaus ungeeignet. Sie gehören in die straffere Disciplin einer geschlossenen Anstalt. Man wird freilich die Kranken nur dann zum freiwilligen Eintritt in eine solche veranlassen können und zwar mit der Verpflichtung, sich allen Anordnungen unweigerlich zu fügen und eine bestimmte Zeit auszuharren, wenn die eiserne Notwendigkeit an sie herantritt, entweder selbst für ihren Lebensunterhalt wieder sorgen zu müssen oder sich den Geboten der Familienangehörigen und des Arztes unweigerlich zu fügen. Hier handelt es sich dann auch nicht mehr darum, einen verständnisvollen und willigen Patienten allmählich von der Notwendigkeit der ärztlichen Maßregeln zu überzeugen, sondern um die Aufgabe, gewaltsam die Kurmittel zur Anwendung zu bringen, welche zur Hebung des psychischen und körperlichen Zustandes des Kranken am zweckdienlichsten sind.

Aber auch in frischen Krankheitsfällen, welche vorher niemals in einer speziell nervenärztlichen Behandlung gewesen sind und deshalb nicht mit vorgefaßten Meinungen Ihren ärztlichen Anordnungen entgegentreten, werden Sie sofort nach beendigter Voruntersuchung mit einer systematischen Kur in vollem Umfange beginnen können. Am leichtesten ist diese Aufgabe bei den Kranken, welche in körperlich elendem Zustand, völlig erschöpft und kraftlos Ihrer Behandlung anheimgegeben werden. Hier haben Sie in der vorbereitenden Kur, welche die Hebung der Körperkräfte bezweckt, ausgiebig Gelegenheit, alle Hilfsmittel einer psychischen Behandlung in Wirksamkeit treten zu lassen. Werden diese vorbereitenden Mastkuren, auf die ich später noch ausführlicher eingehen werde, in richtiger Weise vom psycho-therapeutischen Standpunkt ausgeführt, so werden Sie sich für den zweiten Teil der ärztlichen Aufgabe, den aufgefütterten Patienten wieder leistungsfähig zu machen, die Wege schon geebnet haben.

Diese Bemerkungen lassen deutlich genug erkennen, daß Sie sich die allgemeine Methodik der psychischen Behandlung nur durch eine umfassende Erfahrung erwerben können. Die speziellen Aufgaben der Psychotherapie ergeben sich ungezwungen aus den früher entwickelten Anschauungen über das Wesen der Erkrankung und den inneren Zusammenhang der einzelnen Krankheitserscheinungen unter sich. Gemäß der auf S. 368 aufgestellten Indikationen einer kausalen Behandlung würden wir hinsichtlich der ärztlichen Beeinflussung der psychischen Vorgänge 3 Aufgaben zu erfüllen haben: •

1) Die Entfernung der allgemein wirkenden psychischen Schädlichkeiten. Ich erwähne hier an früher Gesagtes anknüpfend: berufliche Entlastung bei Kopfarbeitern, Fernhaltung von Quellen emotiver Erregungen, Entwöhnung von schädlichen Genuß- und Reizmitteln, vornehmlich von den Narkoticis, Regelung der Ernährung u. s. w.

2) Die Bekämpfung resp. die Beseitigung der Symptome der intellektuellen Dauerermüdung und zwar sowohl der Reiz- als auch der Schwäche- und Erschöpfungssymptome. Dabei dürfen wir nie vergessen, daß die Phase der Uebererregung sowohl auf affektivem als intellektuellem Gebiete durch geringfügigste innere und äußere Ursachen, vor allem aber durch neu zufließende psychische Reize (zu denen die große Gruppe der Organempfindungen zu zählen ist) ganz unvermittelt in ausgeprägte Erschöpfungszustände ausarten kann. Sowohl Uebererregung als Er-

schöpfung werden ausschließlich durch R u h e und E r h o l u n g bekämpft; endgiltig beseitigt wird aber die Dauerermüdung nicht durch Ruhe allein, sondern durch m e t h o d i s c h e U e b u n g e n d e s a u s - g e r u h t e n S e e l e n o r g a n s und die Bekämpfung derjenigen psychopathischen Phänomene, welche dem Wiedererstarken der geistigen Thätigkeit am unheilvollsten entgegenwirken. Das sind: Die psychische Hyperalgesie, die reizbare Verstimmung, der hypochondrische Vorstellungsinhalt einschließlich der verschiedenartigen Furchtvorstellungen, sowie die Entschluß- und Willensschwäche, welche aus diesen psychischen Vorgängen resultieren.

3) Wenn Sie aber bedenken, daß auf Grund dieser psychischen Veränderung selbst geringfügige Lokalerkrankungen einen überwältigenden Einfluß auf die geistige Sphäre erlangen, so ist es leicht verständlich, daß auch im Rahmen der speziellen Psychotherapie die besondere B e r ü c k s i c h t i g u n g s o l c h e r ö r t l i c h e r L e i d e n Platz finden muß.

Der e r s t e n A u f g a b e werden wir am vollständigsten gerecht, wenn wir den Patienten aus seinen gewohnten Lebensverhältnissen herausnehmen und ihn in hygienische Bedingungen versetzen, in welchen eine Fernhaltung der ursächlichen Schädlichkeiten am leichtesten durchführbar ist. In leichteren Fällen genügt schon diese Maßregel, um dem überlasteten und in seiner Leistungsfähigkeit geschwächten Organismus eine mittlere normale Gleichgewichtslage seiner nervösen Erregbarkeit wieder zu verschaffen. Wir werden dem Patienten empfehlen, einen k l i m a t i s c h e n K u r o r t aufzusuchen (W a l d a u f - e n t h a l t, G e b i r g s o r t, S e e b a d), in welchem er die für seine Erholung günstigsten Bedingungen vorfindet: frische Luft, methodische körperliche Uebung bei völliger geistiger Entspannung, wohlthuende, den Geist erfrischende und ablenkende Sinneseindrücke und gute Ernährung. Sie sehen, daß ich also ein wesentliches Gewicht bei der Verordnung von klimatischen Kuren auf den psychischen Einfluß derselben lege. Ich unterschätze hierbei die anderen Heilfaktoren, welche eine Kräftigung des Gesamtorganismus und damit auch des Nervensystems bezwecken, keineswegs.

Allgemeingiltige therapeutische Indikationen für die Auswahl klimatischer Kurorte aufzustellen, ist kaum möglich. Was dem einen frommt, schadet dem anderen. Dieser schwärmt für Höhenklima und die landschaftlichen Schönheiten der Tiroler- und Schweizerberge, jener preist die Wirkung des Seeklimas und die Heilkraft des Seebades. Dem großen Heer der neurasthenischen Großstädter, welche alljährlich ihre Sommerferien zu Erholungsreisen benutzten und hinlänglich eigene Erfahrungen über die Einwirkung solcher klimatischen Kuren auf ihren nervösen Zustand sammeln konnten, ist ärztlich ziemlich leicht zu raten. Man befolgt einfach den Grundsatz, den Patienten dahin zu schicken, wo er schon früher Erholung und Kräftigung gefunden hat. Es ist dies natürlich nicht so zu verstehen, daß immer derselbe Gebirgskurort oder dasselbe Seebad aufgesucht werden muß. Es handelt sich nur um die Auswahl der gleichen klimatischen Verhältnisse. So werden Sie den Patienten, welcher nur das subalpine Klima unserer deutschen Gebirgszüge (z. B. den Harz, den Thüringer- und Schwarzwald) an sich erprobt hat, nicht unvermittelt ins Hochgebirge, z. B. nach P o n t r e s i n a oder St. Moritz, schicken oder den

Seebadbesucher ohne zwingenden Grund die Nordsee mit der Ostsee vertauschen lassen.

Viel schwieriger gestaltet sich die Frage, wenn Sie Patienten beraten sollen, welche einen erstmaligen Versuch mit einem klimatischen Kurort machen wollen, oder in den Fällen, bei welchen bestimmte nervöse Krankheitssymptome eine strengere Auswahl verlangen. Haben Sie relativ leichte und frische Erkrankungen vor sich, bei welchen die geistige Ausspannung und regelmäßige Muskelübungen in kühler, reiner, trockener, mäßig stark bewegter und dünnerer Luft erstrebt werden soll, so werden Sie den Gebirgskurorten den Vorzug geben. Ich schicke den Bewohner der deutschen Tiefebene zuerst in die heimischen Berge. Die Höhenunterschiede von 500 bis 600 m genügen für die Mehrzahl, um die wohlthätigen Einwirkungen auf das Nervensystem, den Stoffwechsel und die Verdauung, die Atmung und die Blutbeschaffenheit hervortreten zu lassen. Sehnen sich die Patienten nach neuen, großartigeren Eindrücken, so sind die Schweizer- und Tiroler-Kurorte (bis zu 1500 m) zweckmäßig für diejenigen Kranken, welche an cerebralen Erschöpfungszuständen, Schlaflosigkeit, dyspeptischen, angioneurotischen, hyperalgetischen und sexuellen Störungen leiden. Bestehen zu gleicher Zeit ausgeprägte Symptome von Muskelschwäche in dem früher erörterten Sinne, so werden Sie genaue Vorschriften über das Maß von Muskelleistungen mit auf den Weg geben müssen. Am besten ist es, solche Kranke nur an Orte zu schicken, wo sie sich unter sachverständige ärztliche Kontrolle stellen können.

Das Hochgebirge im engeren Sinne (1500—1900 m) paßt nur für solche Kranke, welche in der Lage sind, für längere Zeit auszuspannen und in Etappen von den tiefer- zu den höher gelegenen Orten weiterzupilgern. Das höhere Klima darf erst dann aufgesucht werden, wenn alle Acclimatisationserscheinungen (unruhiger, traumgequälter Schlaf, Herzklopfen, Oppressionsempfindungen) für die zuerst erreichte Höhe wieder ausgeglichen sind. Es darf dabei aber nicht übersehen werden, daß viele leicht erregbare Patienten während des ganzen Aufenthalts im Hochgebirge an Schlafverkürzungen leiden und dennoch in ihrem Allgemeinbefinden eine wesentliche und andauernde Besserung verspüren. Die günstige Wirkung auf die cerebralen Symptome (Kopfdruck, Migräne, Schwindel- und Ohnmachtsempfindungen) tritt oft erst nach Wochen ein. All diesen Patienten sind Hochtouren zu untersagen. Handelt es sich um muskelschwache Patienten, so lasse ich in den ersten 4 Wochen des Aufenthalts im Hochgebirge die Gehübungen auf 1—2 Stunden beschränken, die übrige Zeit sollen die Patienten, natürlich in freier Luft, liegend zubringen. Erst wenn die Kräftigung durch langsame methodische Gehübungen weiter fortgeschritten ist, dürfen mehrstündige Touren unternommen werden. Jede Ueberanstrengung rächt sich. Ich verweise Sie auf die Krankenbeobachtungen No. 25 und 70, in welchen die dauernde Steigerung der motorischen und sexuellen Krankheitserscheinungen direkt auf Ueberanstrengungen im Hochgebirge zurückzuführen war. Ein absolutes Gesetz läßt sich aber auch nach dieser Richtung hin nicht konstruieren. Es ist mir ein Gelehrter mit typischen neurasthenischen Cerebralstörungen bekannt, welcher (gegenwärtig im 52. Lebensjahre stehend) schon viele Jahre hindurch in den Universitätsferien wochenlang die anstrengendsten Hochgebirgstouren macht, dabei den in der Heimat entbehrten Nachtschlaf wiedergewinnt und körperlich und geistig gekräftigt zurückkehrt.

Aeltere Patienten mit Schwindel und Kopfkongestionen, bei welchen Verdacht auf Arteriosklerose der Hirngefäße besteht, sollen niemals ins Hochgebirge geschickt werden, während Höhenlagen bis zu 1000 m recht günstig wirken.

Haben Sie schlecht genährte, muskelarme und blutleere Patienten, so werden Sie weite Reisen überhaupt nicht gestatten, solange der körperliche Zustand und das Kräftemaß nicht durch vorbereitende Kuren gebessert worden ist. Hier ist es ganz zweckmäßig, die Kräftigungskur in einer subalpin gelegenen Nervenanstalt ausführen zu lassen. Ist die Kräftigung weiter fortgeschritten, und gebietet die protrahierte Rekonvalescenz eine mächtigere Anreizung, so sind die Schweizer Kurorte auf den Höhen um den Zuger-, Vierwaldstätter-, Thuner- und Genfersee, oder die Kurorte im Allgäu und Appenzell anzuraten. Besonders für diese Fälle gilt die Regel, das Hochgebirge (Arosa, St. Moritz, Sils-Maria, Mürren, Madonna di Campiglio u. a. m.) nur denen zur Nachkur zu gestatten, welche schon früher seine Heilkraft an sich erprobt haben.

Es ist fast selbstverständlich, daß als Zeit für Gebirgskuren nur die Sommermonate (von Mitte Juni bis Mitte September) in Frage kommen. Doch kenne ich 2 Patienten, welche 1—2 Jahre ununterbrochen in St. Moritz geblieben sind und ihrer Aussage gemäß dieser Dauerkur auch eine dauernde Genesung verdanken. Es handelte sich um Fälle mit schweren cerebralen und dyspeptischen Symptomen, welche bei jahrelangem Aufenthalt in den Tropen (Malariainfektionen) sich allmählich entwickelt hatten. Hier mag vor allem der regenerierende Einfluß des Höhenklimas auf die roten Blutkörperchen von Nutzen gewesen sein.

Ueberblicken wir die Einwirkung des Höhenklimas auf neurasthenische Individuen, so läßt sich im allgemeinen sagen, daß eine specifische Heilwirkung nicht vorhanden ist, daß aber neben der Hebung des Stoffwechsels und der Körperkräfte die Abhärtung gegen Witterungseinflüsse und die erleichterte methodische Uebung der motorischen Leistungen die wesentlichsten Heilfaktoren sind.

Die gleichen Wirkungen üben die Seebäder aus. Wir haben hier genau zu trennen die klimatischen Einflüsse von denjenigen der Badekuren im engeren Sinne. Besonders an der Nordsee treten die ersteren in Wirksamkeit. Die feuchte, salzige und staubfreie Luft ist in fast unaufhörlicher Bewegung, wirkt als mächtiger Hautreiz, beschleunigt durch erhöhte Wärmeabgabe den Stoffwechsel und steigert den Appetit der Kranken. Die Wirkungen auf den Schlaf sind individuell außerordentlich verschieden. Die einen Patienten gewinnen an der Nordseeküste eine normale Schlafdauer und -tiefe wieder, die anderen verlieren den letzten Rest von Schlaf und unterliegen ganz ähnlichen Beklemmungen und Herzbeschwerden, wie die übererregten Patienten im Hochgebirge. Das Gleiche gilt von Kopfdruck, Migräne und geistiger Leistungsfähigkeit. Hyperalgetische, „rheumatisch-nervöse" Patienten mit Neigung zu katarrhalischen Affektionen haben oft von dem Nordsee-

klima, aber auch hier nur bei längerem oder öfter wiederholtem
Aufenthalt dauernden Gewinn. Besonders geeignet ist. der Seeaufenthalt für motorisch überermüdete, leistungsunfähige Patienten.
Das dolce far niente am Strande, das eine geistige und körperliche
Anregung ohne motorische Kraftleistungen ermöglicht, bringt ihnen
die gesuchte Erholung. Ist die Kräftigung fortgeschritten, so bietet
vorsichtig geübter Ruder- und Segelsport genugsam Gelegenheit zu
motorischen Leistungen.   .

Zu widerraten ist das Nordseeklima den blutarmen,
konstitutionell schwächlichen, juvenilen Patienten. Statt
der gewünschten Förderung der Eßlust tritt völlige Appetitlosigkeit
auf; Herzklopfen, Angstempfindungen, allgemeine Mattigkeit und Hinfälligkeit sind die hauptsächlichsten Beschwerden, welche mir solche
Patienten als die Wirkungen des Seeklimas angegeben haben. Als
milder gelten die waldreichen Ufer der Ostsee.

Hinsichtlich der Seebäder kann nicht genug davor gewarnt
werden, ausgeprägte Neurastheniker ohne ärztliche Kontrolle baden zu
lassen. Sowohl der Kältereiz (die Wassertemperatur beträgt in der
Nordsee 16—18, in der Ostsee 15—17° C), als auch die mechanische
Wirkung des Wellenschlages, sowie der mächtige Hautreiz des Salz-
wassers führen recht energische Kontraktionen der Hautgefäße und
reaktive Hauthyperämien herbei, ganz abgesehen von dem intensiven
Nervenreiz, welcher auf die ganze Hautoberfläche durch das See-
wasser ausgeübt wird.

Besonders für Patienten mit angioneurotischen Stör-
rungen sowie für die Fälle sog. präseniler Neurasthenie können
Seebäder recht verhängnisvoll werden. Schwere Angstaffekte, absolute Schlaflosigkeit und, wie Ihnen Krg. No. 93 lehrt, apoplektiforme
Insulte können die Folge sein.

Bei schwächlichen, anämischen Personen sind die
kalten Seebäder direkt kontraindiziert. Ich habe schwere, langdauernde Erschöpfungszustände behandelt, für deren Entwickelung
aus leichteren neurasthenischen Zuständen unzweckmäßiges Seebaden
verantwortlich zu machen war.

Man täuscht sich oft sehr leicht über die Wirkung der Bäder,
weil sie anfänglich ein erhöhtes Gefühl von Wohlbefinden, von Erfrischung und Belebung wecken. Denn schon nach wenigen Bädern
kann beim relativ kräftigen Neurastheniker die reaktive Erschlaffung in ihr Recht treten, falls er täglich badet oder mehr
als 3—4 Wellengüsse nimmt. Ich empfehle allen Patienten,
welche zum ersten Mal an die See gehen, entweder gar nicht
zu baden oder nur warme Seewannenbäder zu nehmen und
erst, wenn diese gut ertragen werden und der Kranke sich im Seeklima gekräftigt hat, vorsichtig alle 3 Tage ein kurzes Seebad
zu versuchen.

Die Ostsee, welche einen schwächeren Wellenschlag und geringeren Salzgehalt hat, ist für Neurastheniker zu Badekuren viel geeigneter. Für schwächliche, erholungsbedürftige Patienten sind die
englischen Seebäder, sowohl diejenigen der Insel Wight als
auch der Südküste Englands, wegen ihres milden Klimas sehr empfehlenswert. In den Frühlings- und Herbstmonaten sind die Küsten
des Mittelländischen Meeres, z. B. Cannes oder an der Riviera di

Levante der Strand von Nervi und Rapallo recht günstige Aufenthaltsorte.

Für diejenigen konstitutionell schwächlichen Patienten, welche unter Temperatureinflüssen, besonders unter rauhen, kalten Winden und unter sonnenarmen Wintertagen leiden, sind Winterkuren im Süden (Sorrent, Amalfi, Capri, Palermo) oder Frühlings- resp. Herbstaufenthalte an den südlichen Abhängen der Alpen ein wahres Labsal. Sie besitzen nur den Nachteil, daß die Patienten unsere nordischen Winter schließlich gar nicht mehr ertragen können, falls sie von diesem Hilfsmittel mehrfach Gebrauch gemacht haben.

Man wird auch zweckmäßig die Entfernung der Patienten aus ihren häuslichen Verhältnissen und den Wechsel der Umgebung durch den Besuch eines Badeortes, resp. durch eine bestimmte Badekur erreichen. Am beliebtesten sind die indifferenten Thermen. Für diese eignen sich die Patienten mit ausgeprägten hyperalgetischen Zuständen und den Symptomen der Spinalirritation. Unter den höher gelegenen nimmt Gastein den ersten Platz ein. Bevorzugt werden noch Badenweiler, Landeck i./Schl., Ragatz, Schlangenbad und Wildbad. Unter den Soolbädern, welche wegen ihrer Einwirkung auf den Stoffwechsel vielfach zu Badekuren der Neurastheniker verwandt werden, erfreuen sich die kohlensauren Thermalsoolbäder einer besonderen Beliebtheit. Während Oeynhausen für die paretischen und hyperalgetischen Formen der Neurasthenie mit Vorliebe gewählt wird, hat sich Nauheim bei Laien und Aerzten den Ruf erworben, eine spezifische Heilwirkung für die Herzneurastheniker zu besitzen.

Aber auch die Schwefelthermen, wie Aachen, Baden i./Schw., Schinznach, Langensalza u. s. w., sowie die Sandbäder, von denen ich Ihnen besonders das benachbarte Köstritz nenne, werden von Patienten mit ausgebreiteten neuralgiformen Schmerzen gern aufgesucht. Ich unterlasse es, die vielumstrittene Frage, inwieweit all diese Badekuren irgend einen spezifischen Nutzen bei der Neurasthenie stiften können, hier zu diskutieren. Ich stehe aber nicht an, meine Meinung dahin auszusprechen, daß mir irgend eine besondere Heilwirkung auf das Nervensystem bei allen Badekuren recht fraglich erscheint. Das Wesentliche ist die günstige Beeinflussung der Stoffwechselvorgänge und der psychisch-suggestive Nutzen, welchen die rationellen Kurvorschriften, die gesunde Diät und, last not least, ein verständnisvoller, mit den Leiden der Patienten vertrauter Arzt stiften können.

Ueber die Zeitdauer einer sog. klimatischen oder Badekur lassen sich bestimmte Regeln nicht aufstellen. Wir werden nur im allgemeinen den Grundsatz festhalten, daß je länger die Erkrankung dauert, je intensiver die Krankheitserscheinungen sind, desto notwendiger eine ausgedehnte Erholungszeit gefordert werden muß. Ich möchte Sie warnen, von 3—4-wöchentlichen Erholungspausen irgend einen bleibenden Nutzen zu erhoffen. Sind die typischen Symptome der Neurasthenie schon unzweideutig vorhanden, so werden Sie mit einer solchen halben Maßregel durchaus nichts erreichen. Ich sage den Patienten von vornherein, daß wenn sie wirklich gesund und in vollem Maße wieder leistungsfähig werden wollen, mindestens ein 6-monatlicher Termin völliger Enthaltung von Berufsgeschäften und Befolgung be-

stimmter ärztlicher Vorschriften an einem geeigneten Kurorte notwendig ist. Alle kürzerdauernden Kurversuche würden nur ganz vorübergehende Besserungen herbeiführen. Die Frage ist außerordentlich
wichtig, sobald es sich um Patienten in gebundener Lebensstellung handelt; sei es, daß der Kaufmann oder der Industrielle,
der Arzt u. s. w. durch seine Berufsthätigkeit festgehalten ist und
nur durch Beschaffung eines geeigneten Vertreters für längere Zeit
abkommen kann, sei es, daß der Patient zur Klasse der Geistlichen,
Beamten, Offiziere gehört, so wird er genaue Vorschriften über die Länge
des einzuholenden Urlaubs mit Recht fordern. Es ist besonders
für die letztgenannten Patienten viel leichter, nur einmal, aber für
längere Zeit sich freizumachen, als immer wieder kurzdauernde
Unterbrechungen ihrer Berufsarbeit durchzuführen. Bei den erstge-
nannten, welche durch den Zwang der Verhältnisse viel fester gebunden sind, wird man sehr häufig notgedrungen zu dem Aushilfs-
mittel greifen müssen, die Entfernung aus ihrer beruflichen Thätigkeit
und damit eine durchgreifende Erholung auf eine kürzere Zeit zu
beschränken, den Patienten aber die Verpflichtung aufzuerlegen, nach
der Rückkehr die in der Kurzeit geübten und erprobten Vorschriften
für eine rationelle Lebensführung zu Hause in systematischer Weise
fortzusetzen. Der vernünftige Arzt wird dann schon dafür Sorge
tragen, daß in seinen Vorschriften eine ganze Reihe von Schutzmaßregeln gegen übermäßige Berufsthätigkeit enthalten sind.

Um diese ärztlichen Aufgaben zu erfüllen, welche eine methodische
Erziehung des Kranken zur Vorbedingung hat, genügen die einfachen
klimatischen und Badekuren bei der Mehrzahl der Kranken nicht. Der
psychische Status des Neurasthenikers giebt eine ausreichende Erklärung für die tägliche Erfahrung, daß unsere Patienten nur
selten die moralische Kraft besitzen, lange Zeit hindurch ihren
krankhaften Empfindungen gewissermaßen zu trotzen und unbeirrt
durch Stimmungen oder nosophobische Vorstellungen einen festge-
setzten Kurplan durchzuführen. Vorübergehendes subjektives Wohl-
behagen oder andauernde leichte Besserung bilden willkommene Anlässe, um über die Schnur zu hauen, einzelne lästige „langweilige"
körperliche Uebungen zu unterlassen, dagegen aber forcierte Spaziergänge einzuschalten, geistig zu arbeiten, den Nachtschlaf zu verkürzen, in Alkohol oder Tabak zu excedieren u. s. w. Tritt dann
ein Rückschlag im Befinden ein, so gewinnen die Verstimmungen und
hypochondrischen Befürchtungen rasch die Oberhand: meist ist das
Endergebnis ein vorzeitiges Aufgeben des „verfehlten" Kurplans. Es
werden dann neue Wege gesucht und beschritten; man wandert zum
Homöopathen, Naturheilkundigen und Hypnotiseur, um in dem gewaltigen
suggestiven Einfluß, welcher mit den Prozeduren dieser Heilkünstler ausgeübt wird, die nötige Schutzwehr gegen die eigene Haltlosigkeit zu
finden! Die Patienten sind dann meist für einen verständigen ärztlichen
Rat, für eine rationelle psychische Behandlungsweise für längere Zeit
verdorben und kehren erst reumütig zur „Schulmedizin" zurück, wenn
sie den trügerischen Wert dieser Heilversuche an sich selbst erfahren
haben.

Es ist deshalb notwendig, daß alle Neurastheniker,
welche in relativ kurzer Zeit nicht bloß eine Besserung
ihres Leidens, sondern auch die Erlernung einer im
eigenen Hause weiterzuführenden Kurmethode er-

streben, geeignete Anstalten aufsuchen. Aber auch
die Patienten, die über einen längeren Urlaub verfügen, werden wir
nicht ohne besondere ärztliche Kontrolle in Kurorten herumwandeln
lassen, sobald wir die Ueberzeugung gewonnen haben, daß sie einer
ärztlichen Führung bedürfen.

Da wir nachher gelegentlich der Anstaltsbehandlung genauer
über die Grundsätze sprechen werden, welche bei der Ausarbeitung
von Kurplänen zu berücksichtigen sind, so genügt es hier kurz an
einem Beispiele die Vorschriften zu veranschaulichen, welche intelligenten und energischen Pat. zur selbständigen Ausführung
in die Hand gegeben werden können.

Der Pat., 47 Jahre alt, Rechnungsbeamter, verheiratet, nicht erblich ^{Krg.} ^{No. 96.}
belastet, früher stets gesund, erkrankte 3 Monate bevor er mich zum
erstenmale konsultierte, unter den Symptomen der geistigen Ermüdung. Es
stellten sich bei seinen rechnerischen Arbeiten Kopfdruck, Wallungen zum
Kopf mit pulsatorischen Empfindungen und Ohrenbrausen ein. Diese Erscheinungen traten aber nur anfänglich und gelegentlich auf, wenn er bei
Monatsabschlüssen über das gewöhnliche Arbeitsmaß hinaus beschäftigt
war. Es genügten dann ganz kurze Erholungspausen, z. B. $^1/_2$-stündiger
langsamer Spaziergang, um die Symptome zum Schwinden zu bringen.
War es ihm vergönnt, einen arbeitsfreien Tag einzuschieben, so fühlte
er die alte Spannkraft wieder. Als aber die gehäuften Arbeiten des
Jahresabschlusses kamen (14 Tage vor dem Beginn der Behandlung) trat
eine rapide Verschlechterung ein. Der früher ausschließlich auf die Stirn
beschränkte Kopfdruck wurde diffus. Die Denkhemmungen wurden so
hochgradig, daß Pat. außerstande war, einfachste Additionen auszuführen.
Er wurde so zerstreut und gedächtnisschwach, daß ihm die weitere Be-
sorgung der verantwortlichen Kassengeschäfte ganz unmöglich wurde und
er sie in die Hände eines Unterbeamten legen mußte. Kurzdauernde
(1—2 Tage) Erholungszeiten nützten nichts mehr, er wurde völlig schlaflos. Es stellten sich Oppressionsempfindungen auf der Brust, das Gefühl
von Herzklopfen, pulsatorisches Hämmern in den Schläfen und lebhafte
Angstgefühle ein. Es war ihm unmöglich, im Bette zu bleiben, die Angst
trieb ihn im Zimmer umher.

Stat. praes. bei der 1. Untersuchung: Mittelgroßer, kräftig gebauter,
ziemlich gut genährter Mann (er hat nach seinen Angaben um 7 Pfd.
abgenommen, wiegt gegenwärtig 138 Pfd. bei der Körpergröße von 172 cm);
Gesicht lebhaft gerötet; Conjunctivae stärker gerötet; Gesichtsausdruck
leidend, ängstlich; vasomotorisches Nachröten sehr gesteigert; die Untersuchung der inneren Organe ergiebt nichts Abnormes; Puls von mittlerer
Frequenz und Intensität; Urin zucker- und eiweißfrei, aber reicher an
Phosphaten. Kniephänomen beiderseits gesteigert; Pupillen intakt.

Ich bewirkte dem Pat. einen 6-monatlichen Urlaub, den er zum Teil
in seiner eigenen Häuslichkeit, zum Teil in einem kleinen
Gebirgsdörfchen des Thüringer Waldes verlebte. Er stellte sich
mir alle 14 Tage vor. Er befolgte die nachstehenden Kurvorschriften:
Die ersten 5 Wochen täglich:
Früh: 1 Teller Weizenschrot-Milchsuppe; Spaziergang. 9 Uhr Ei
mit Butterbrot, Milch; 9$^1/_2$ Uhr Massage: Unterleib, Brust, Rücken, Kopf
und Hals; 10$^1/_4$ Uhr lauwarme Abreibung, dann Bettruhe bis 11$^1/_2$ Uhr.
Mittag: Suppe, Gemüse, Fleisch, Obst; 1 Stunde Ruhe, dann
Spaziergang bezw. Gartenarbeit; 5 Uhr Milch und Brot; 6 Uhr von

Tag zu Tag abwechselnd Sool- oder warmes Wasserbad resp. Einpackung; jeden 4. Tag Pause.

Abends: 7 Uhr Weizenschrotsuppe, Butterbrot, Spaziergang; 10 Uhr zu Bett.

Die nächsten 14 Tage täglich dieselbe Lebensweise unter Wegfall der Massage und statt der warmen Bäder bezw. Einpackung Flußbad bei 15° R., sowie gesteigerte Bewegung im Freien: größere Spaziergänge und vermehrte Gartenarbeit.

Die nächsten 4 Wochen: Aufenthalt als Besuch in einem Privathaus; reichliche Nahrung, viel grüner Salat, Milch in jeder Form; alle 2 Tage 1 Glas leichtes Bier, ausnahmsweise 1 Glas Wein; täglich viel Spaziergänge; Gymnastik bei geistiger Diät.

Die nächsten 5 Wochen: Wieder im eigenen Heim; täglich ein größerer Spaziergang; Flußbad, im übrigen Gartenarbeit abwechselnd mit körperlicher Ruhe.

Pat. nahm während der Zeit um 12 Pfd. Körpergewicht zu und erholte sich in jeder Beziehung so vorzüglich, daß er seine berufliche Thätigkeit nach Ablauf des Urlaubs in vollem Umfange wieder aufnehmen konnte.

Für Patienten, die für eine derartige selbständige Durchführung der Kur nicht geeignet sind, besitzen wir gegenwärtig eine größere Zahl spezifischer Nerven- und Wasserheilanstalten, welche die hygienischen und anderweitigen Einrichtungen zur Behandlung der Neurasthenie darbieten. Nach den einleitenden Worten ist es aber wohlverständlich, daß weniger die örtliche Lage und die Beschaffenheit der Kuranstalt, als vielmehr die persönliche Einwirkung des behandelnden Arztes dafür entscheidend ist, ob der Patient an dem von ihm gewählten Zufluchtsorte die Heilung oder wenigstens die Milderung seiner Leiden finden wird.

Indem wir so der Psychotherapie bei jeder Anstaltsbehandlung den ersten Rang einräumen, so müssen wir auch betonen, daß die Aufgabe des Anstaltsarztes nur dann befriedigend gelöst werden kann, wenn ihm die natürliche Befähigung sowie die genaue Kenntnis der Krankheit zur Seite steht, um seine gesamten ärztlichen Maßnahmen von diesem Grundgedanken der psychischen Beeinflussung durchdringen zu lassen. Ihm fällt hauptsächlich die Aufgabe zu, das vorstehende zweite Postulat (s. S. 372) einer kausalen Behandlung der psychischen resp. kortikalen Krankheitserscheinungen zu erfüllen.

Relativ leichter ist derjenige Teil der Kur durchzuführen, welcher gewissermaßen den Boden präparieren soll zu der erzieherischen suggestiven Thätigkeit, welche in dem Worte „Uebung" den sinnentsprechendsten Ausdruck findet. Es ist die Ruhe- und Erholungskur, in welcher die geistige Thätigkeit der Patienten in einem der Dauer und dem Grade der Uebererregung resp. Erschöpfung angepaßten Maße eingeengt wird. Wie ein frakturierter Extremitätenknochen anfänglich eingegipst wird, um alle den normalen Heilungsprozeß schädigenden äußeren Einwirkungen fernzuhalten, so wird auch das überlastete und geschädigte geistige Organ zwangsweise mit Schutzwehren umgeben, welche allen vom Arzte als verderblich erkannten und deshalb verbotenen psychischen Reizen wirksam den Zutritt verwehren. Es handelt sich hier also nicht nur um die Beseitigung bestimmter Schädlichkeiten, welche die Krankheit verursacht haben, sondern auch um die Einschränkung oft scheinbar recht geringfügiger affektiver und intellektueller Leistungen, welche bei dem schon dauerermüdeten und erschöpften Gehirn immer neue Fehlerquellen hinsichtlich einer wahrhaften Erholung darstellen.

Der vorbereitende Schritt war die Uebersiedelung in die Anstalt. Für leichtere Kranke genügt diese Form der Isolierung von ihrer bisherigen Umgebung vollkommen, um den suggestiven Einwirkungen des Arztes Eingang zu verschaffen und die dem Falle angepaßte Ruhestellung des Gehirns durchzuführen. Der Patient wird sich dem Gebote fügen, seiner gewohnten geistigen Beschäftigung entweder völlig zu entsagen oder dieselbe wenigstens auf das Zeitmaß einzuschränken, welches dem Kräftezustand angemessen ist. Es handelt sich bei leichten Fällen also nicht um eine völlige Ruhekur, d. h. nicht um eine prinzipielle Trennung der oben formulierten Aufgaben, Erholung und Uebung, sondern nur um eine Regelung der Lebensführung. Hier werden die nachher zu erörternden Kurmittel (Hydround Elektrotherapie, Massage, Gymnastik u. s. w.) von dem Arzte in den Tagesplan eingefügt, Spaziergänge, Ruhepausen, Mahlzeiten und Schlafenszeit genau vorgeschrieben, so daß eine exakte Kontrolle über die zu Lektüre, Briefschreiben oder anderer geistiger Beschäftigung verfügbare Zeit geübt werden kann. Auch diesen leichten Fällen wird also ein ausgearbeiteter Kur- resp. Stundenplan übergeben werden müssen, welcher selbstverständlich ganz individuell dem Kranken anzupassen ist.

Ich füge Ihnen hier ein Beispiel eines solchen Kurzettels ein:

Der Pat., dem er galt, ist ein 34-jähriger Mann, hereditär nicht veranlagt; zartes Kind; nie schwere Krankheiten durchgemacht; Schule gut absolviert; der Magen war immer schlecht; „oft zu viel gegessen, daher häufige Obstipation"; 1. Gonorrhöe vor 5—6 Jahren; 2 Recidive, die viel Kuren notwendig machten, seitdem fühlt sich Pat. „nervös". *Krg. No. 97.*

Die subjektiven Klagen des Pat. bei der Aufnahme sind: Rasche Ermüdbarkeit bei körperlicher und geistiger Arbeit; schlechter, unruhiger, traumgequälter Schlaf; eingenommener Kopf und Schwindel, bisweilen ausgesprochener Kopfdruck links vorn; undeutliches Sehen; Hitze im Kopfe bei kalten Füßen; Appetitlosigkeit, Obstipation.

Der ihm verordnete Stundenplan ist folgender:

Morgens $7^1/_2$ Abwaschung des ganzen Körpers mit Wasser 22° C; 8 Uhr 1. Frühstück: Haferkakao mit Zwieback; $8^1/_2$—9 Uhr Holzhacken oder -Sägen; 9—$9^1/_2$ Uhr Ruhe auf dem Sopha; $9^1/_2$—10 Uhr französisch oder italienisch übersetzen; 10 Uhr 2. Frühstück: 2 Eier oder Fleisch, Grahambrot mit Butter; $10^1/_2$—11 Uhr Graben im Garten; 11—$11^1/_2$ Uhr Ruhe auf dem Sopha; $11^1/_2$—12 Uhr Massage des Unterleibes, Rückens und Nackens; $^1/_2$ Stunde trockene Einpackung; Mittagbrot (alles erlaubt); nach Tisch (bei jedem Wetter) eine Stunde langsam spazieren; $3^1/_4$—$4^1/_4$ Uhr Ruhe im Bett; $4^1/_4$ Uhr Haferkakao mit Zwieback; $4^1/_2$—$5^1/_2$ Uhr Gartenarbeit; $5^1/_2$—6 Uhr Ruhe auf dem Sopha; 6—7 Uhr Badekur (abwechselnd, 1. Tag: Soolbad [5 Pfd. 15 Minuten 28° C], 2. Tag: Hydropathische Einpackung [1 Stunde], 3. Tag: elektrisches Bad [12 Minuten]); $7^1/_4$ Uhr Abendbrot: Suppe, Fleisch, Grahambrot, Butter; $7^3/_4$—9 Uhr disponible Zeit; $9^1/_2$ Uhr zu Bett.

Ich rate, niemals, also auch selbst bei sog. leichten Fällen, die schriftliche Ausarbeitung einer bis ins Einzelne gehenden Ordination zu unterlassen. Der Anstaltsarzt wird, wenn er diese Regel befolgt, allen „Mißverständnissen" vorbeugen, welche so häufig den Erfolg des Anstaltsaufenthaltes vereiteln. Der Kurplan wird im Laufe der Behandlung mannigfache Abänderungen erfahren müssen, durch welche der fortschreitenden körperlichen und psychischen Kräftigung, aber auch vorübergehenden gelegentlichen Verschlimmerungen Rechnung getragen wird. Es werden neue Kurmittel eingeschaltet, andere weggelassen, die Zeiten der Ruhe und Arbeit verschoben oder geändert werden müssen. Es ist für den Arzt durchaus unmöglich, bei einer größeren Zahl von Patienten diese Verordnungen dauernd im Gedächtnis zu behalten. Ich empfehle, für jeden einzelnen Patienten ein eigenes Verordnungsbuch anzulegen, in welchem der erstmalig ausgearbeitete Kurplan verzeichnet wird (eine Abschrift erhält der Patient selbst). Für jeden Tag sind entweder vom Patienten selbst oder durch geeignete Hilfskräfte Eintragungen über die Durchführung des Kurplanes zu machen; in einer besonderen Rubrik verzeichnet der Arzt seine Beobachtungen und Anordnungen für den folgenden Tag, soweit dieselben Abweichungen von der ursprünglichen Ordination darstellen. Ich habe mir im Laufe der Jahre mehrere Hundert solcher Verordnungsbücher, in welchen neben therapeutischen Notizen auch die subjektiven Klagen der Patienten und objektiven Befunde eingeschrieben worden waren, angesammelt und kann versichern, daß dieselben für mich eine Fundgrube für das Studium der unzähligen, individuellen Variationen der Neurasthenie geworden sind. Sie werden bei der strikten Durchführung dieser Maßregel dann auch die geeigneten Unterlagen gewinnen für die Ausarbeitung derjenigen Verordnungen, welche dem Patienten bei dem Austritt aus der Anstalt zur Richtschnur seiner künftigen Lebensführung dienen sollen.

Ich bitte den psychischen Faktor dieser Maßregel berücksichtigen zu wollen. Die oben erwähnten Mißverständnisse werden ebenso häufig durch Gedächtnisfehler des Arztes, als durch Lässigkeiten oder pathologische Willensschwäche seitens der Patienten veranlaßt. Bei der Neigung zu nörgelndem Raisonnement, welche der Mehrzahl dieser Patienten eigentümlich ist, werden sie jede Unregelmäßigkeit und jeden Fehlgriff unweigerlich dem Arzte in die Schuhe schieben und über mangelnde Fürsorge und Aufsicht klagen. So geht die Grundbedingung einer erfolgreichen Behandlung, nämlich das Vertrauen zum Arzte, unwiederbringlich verloren. Es mag manchem von Ihnen wunderbar vorkommen, daß ich diese scheinbar nebensächlichen Dinge hier so ausführlich erwähne. Ich kann Sie aber versichern, daß noch an vielen Orten die hier geforderte unablässige Selbstkontrolle des Arztes und Beaufsichtigung der Patienten recht mangelhaft ist. Der häufigste Fehler besteht darin, daß manche Anstaltsärzte bei der Behandlung dieser Patienten ihr Hauptaugenmerk auf die Durchführung irgend einer speziellen „physikalischen" Heilmethode, auf Ernährungskuren u. s. w. richten. Es werden wohl daneben noch allgemeine Verhaltungsmaßregeln erteilt, bei deren Befolgung aber den Patienten der breiteste Spielraum gewährt wird. Ich kenne Leiter solcher Anstalten, welche sich täglich mit großer Gewissenhaftigkeit mehrere Stunden abmühen, ihre Patienten nach den verschiedensten Methoden zu elektrisieren, im übrigen aber die Patienten sich selbst überlassen. Es wäre viel

nutzbringender, wenn sie diese Prozeduren einem fachmännisch geschulten Assistenten überließen und dafür die psychische Leitung der
Patienten in dem vorstehend entwickelten Sinne ausführten.

Auf die einzelnen im Kurplan zu verwertenden „körperlichen"
Behandlungsmethoden werde ich später im Zusammenhang zurückkommen. Lassen Sie mich nur noch einige Bemerkungen über die R e g e -
l u n g d e r g e i s t i g e n T h ä t i g k e i t b e i d i e s e n l e i c h t e r e n
F o r m e n anknüpfen. Es handelt sich hier um Patienten, bei welchen
Schlafstörungen, psychische Reizbarkeit, nosophobische Anwandlungen,
intellektuelle Ermüdungserscheinungen zu behandeln sind. Man wird
dementsprechend dafür. Sorge tragen. daß im persönlichen geselligen
Verkehr des Patienten alle Einflüsse beseitigt werden, welche a f f e k t i v
erregend wirken. Der Verbleib von Familienangehörigen in der Anstalt
wird deshalb nur dann gestattet werden können, wenn der Arzt dieselben genau kennt und sich davon überzeugt hat, daß sie thatsächlich auf den Patienten beruhigend einwirken, die Durchführung der
ärztlichen Anordnungen fördern und nicht durch übertriebene Zärt-
lichkeit, Fürsorge und beständiges Erörtern der krankhaften Empfindungen und Vorstellungen die inneren Widerstände des Patienten verstärken. Gehen die Patienten auf die Trennung von ungeeigneten Begleitpersonen nicht ein, so soll der Anstaltsarzt die Behandlung ablehnen,
da er des Mißerfolges seiner Bemühungen sicher sein kann.

Fernerhin ist die K o r r e s p o n d e n z der Patienten genau zu überwachen, sowohl was die Zahl als auch den Inhalt der ein- und ausgehenden Briefe betrifft. Es ist nicht angängig, diese Kontrolle hinter
dem Rücken des Patienten, womöglich mit Verletzung des Briefgeheim-
nisses, ausführen zu wollen. Im Gegenteil ist hier, wie überhaupt
im Verkehr mit den Kranken, die größte Offenheit am Platz. Nachdem man sich über die persönlichen und geschäftlichen Verhältnisse
des Patienten genau unterrichtet hat, wird auf der Ordination ausdrücklich
vermerkt, welche Ausdehnung die Korrespondenz haben darf. Jede
Abweichung von dieser Vorschrift hat der Kranke dem Arzte mitzuteilen. Am besten ist es, wenn der briefliche Verkehr auf Post-
karten beschränkt werden kann. Ich bemerke schon hier, daß ich
bei allen s c h w e r e r e n Fällen mir eine genaue Kontrolle durch
Einsichtnahme der Briefe bei Beginn der Kur ausdrücklich vor-
behalte.

Aber auch hinsichtlich des U m g a n g s d e r P a t i e n t e n m i t d e n
a n d e r e n I n s a s s e n d e r K u r a n s t a l t sind genaue Vorschriften
unerläßlich. Der ärztliche Leiter wird der Neigung des Patienten steuern
müssen, sich mit gleichgearteten Leidensgenossen, die sich gegenseitig
durch die Erzählung ihrer Klagen in ungünstigster Weise beeinflussen, unaufhörlich zusammen zu thun. Am besten sind diejenigen
Anstalten, in welchen eine möglichst große Zahl gesunder Familienmitglieder und anderweitiger Gesellschafter sich dauernd zwischen
den Kranken bewegen. Es fließen dann in dem geselligen Leben der
Anstalt eine ganze Reihe erzieherischer Einwirkungen den Patienten ganz
unmerklich zu. Das Beispiel eines gesunden lebensfrohen Menschen-
kindes, welchem der Umgang mit solchen Kranken vertraut ist, wirkt
oft viel besser als jede ärztliche Belehrung!

Die größte Kunst des Arztes besteht aber darin, s e i n e i g e n e s
p e r s ö n l i c h e s E i n g r e i f e n j e d e m F a l l g e n a u a n z u p a s s e n.
Ebenso schädlich wie eine mangelhafte Beaufsichtigung oder eine

schroffe Ablehnung berechtigter Wünsche ist die allzugroße Nachgiebigkeit und übertriebene Vielbeschäftigkeit bei der Behandlung der
Neurastheniker. Hat man den Kurplan einmal ausgearbeitet und sich
die tägliche genaue Kontrolle der Verordnungen zur Regel gemacht,
bei welchem Anlaß der Patient ja ausgiebig Gelegenheit hat, dem Arzt
seine Beobachtungen mitzuteilen, so darf man getrost alle weitergehenden Wünsche um ärztlichen Rat ablehnen mit der Motivierung,
daß diese Zurückhaltung nur im Interesse des Patienten geschehe. Besonders bei den Patienten mit ausgeprägten Phobien und Zwangsdenken
ist diese psychisch-pädagogische Maßregel vonnöten. Aber auch in
den Fällen, in welchen gesteigerte Schwäche- und Ohnmachtsempfindungen mit paroxystischen Angstaffekten, sowie mit heftigen vasomotorischen oder motorischen Reiz- oder Hemmungssymptomen einhergehen, wird der Arzt sich nur dann rufen lassen, wenn er die Art
und die Intensität der Anfälle persönlich begutachten will. Sobald er
sich über ihre Erscheinungen und Tragweite ein genaues Urteil gebildet
und die Gegenmaßregeln angeordnet hat, wird er weiteren Rufen
nicht mehr Folge leisten und zwar schon aus dem Grunde nicht, um
den hypochondrischen Befürchtungen der Patienten keine neue Nahrung
zu geben. Hat der Kranke allmählich gelernt, mit diesen Anfällen
selbst fertig zu werden, so gewinnt er wieder Selbstvertrauen und
werden seine früheren autosuggestiv entstandenen „Erfahrungen" allmählich entwertet. Sehr häufig ist den Patienten zuerst die „Unart" abzu-
gewöhnen, nachts bei jedem geringfügigen Anlaß unbekümmert um
die Ruhe der anderen Hausbewohner zu klingeln und so den Arzt
und das Pflegepersonal zu alarmieren. Hier wird das Machtwort des
leitenden Arztes oft Wunder thun und Patienten, die jahrelang der
Schrecken ihrer Familienmitglieder und Hausärzte gewesen sind, zu einer
erfolgreichen Bekämpfung ihrer egocentrischen Befürchtungen zwingen.
Man wird aber mit solchen Gewaltmaßregeln nur dann Erfolg haben,
wenn sie den Kranken gegenüber nachträglich bei den täglichen
Visiten durch Darlegung der Motive verständlich gemacht werden.

Ich rate übrigens, dem Patienten von vornherein, nachdem man
sich über seine Beschwerden genügend unterrichtet hat, etwa folgende
Belehrung zuteil werden zu lassen: Die krankhaften Empfindungen,
welche ihm die Stimmung verbittern und sein Denken einseitig beeinflussen, bestehen insofern zu recht, als sie für ihn persönlich wirklich
vorhanden sind. Es entspricht ihnen aber keine gröbere Veränderung weder der Nerven oder der Organe, in welchen diese Beschwerden ihren Sitz haben, sondern sie sind nur die krankhaft
übertriebene seelische Reaktion auf ungefährliche, durch bestimmte
ärztliche Maßnahmen zu beseitigende nervöse Funktionsstörungen.
Diese letzteren sind aber nur dann erfolgreich vom Arzte zu bekämpfen, wenn der Kranke ihm hilft.

Die krankhaften Empfindungen sind für sein Allgemeinbefinden
viel schädlicher, als die zu Grunde liegenden körperlichen Störungen;
nicht nur, weil sie ihn seelisch so ungünstig beeinflussen, sein Urteil
über die Tragweite seiner Erkrankung fälschen und ihn zum Sklaven
seiner hypochondrischen Vorstellungen machen, sondern auch darum,
weil sie rückwirkend den allgemeinen Ernährungszustand, die Herz-
und Magendarmthätigkeit u. s. w. ungünstig beeinflussen. Nur dadurch, daß der Patient allmählich lernt, seiner krankhaften Empfindungen Herr zu werden und ihnen einen Einfluß auf seine Ent-

schließungen und Handlungen nicht mehr einzuräumen, wird er seine Genesung wiedererlangen. „Finden Sie sich mit Ihren schmerzhaften Empfindungen ab, lernen Sie dieselben als lästige, aber ungefährliche nervöse Symptome zu ertragen, oder besser noch, ignorieren Sie dieselben vollständig, so werden Sie die Erfahrung an sich erleben, daß die krankhaften Empfindungen schwinden. Sie werden dies am besten erreichen, wenn Sie, mißtrauisch gegen Ihre eigenen Empfindungen, Ihr Thun und Lassen methodisch einrichten. Da Sie dies aber infolge des eigenartigen seelischen Einflusses dieser krankhaften Empfindungen nicht können, wie der bisherige Krankheitsverlauf mich lehrt, so müssen Sie dem Arzte, welcher das Maß Ihrer Leistungsfähigkeit vorher erforscht hat, alle Bestimmungen überlassen, welche eine Kräftigung Ihres Organismus, vor allem aber eine Stärkung Ihrer nervösen Leistungsfähigkeit bezwecken."

Diese und ähnliche Erörterungen in den mannigfachsten Variationen, welche dem Bildungsgrade des Patienten natürlich angepaßt werden müssen, wird der behandelnde Arzt zur Unterlage seiner Verordnungen machen. Er wird im weiteren Verlaufe der Kur genugsam Gelegenheit haben, dem Patienten den schädlichen Einfluß der durch Empfindungen verursachten Stimmungsanomalien ad oculos zu demonstrieren. Wie schon bei den allgemeinen Erörterungen bemerkt wurde, werden Sie mit dieser Belehrung nur teilweise Ihren Zweck, die Kranken psychisch zu behandeln, erreichen. Die Uebermacht der psycho-pathologischen Phänomene, besonders wenn dieselben von sinnenfälligen Innervationsstörungen seitens des Herzens oder der Gefäße oder des Magens oder der Sexualfunktionen, der Muskelthätigkeit, der Schweißsekretion u. s. w. verursacht oder begleitet sind, zerstört alle guten Vorsätze und treibt die Patienten zu den verschiedenartigsten Unterlassungssünden hinsichtlich der Befolgung der ärztlichen Anordnungen oder sogar zur Ausführung höchst unüberlegter und unzweckmäßiger therapeutischer Versuche. Hier wird die imperative Suggestion, welche der verschiedensten therapeutischen Hilfsmittel bedarf, in Thätigkeit treten müssen.

Falls der Arzt das unbedingte Vertrauen des Patienten genießt und hieraus die Sicherheit schöpft, daß derselbe seinem Machtwort unbedingt Folge leisten wird, so genügt die einfache Verbalsuggestion, um den renitenten Patienten zur Befolgung der ärztlichen Maßregeln zu zwingen. „Ich kenne Ihren Zustand genau, derartige Rebellionen Ihres kranken Nervensystems müssen überwunden werden, führen Sie Ihr Tagesprogramm unbeirrt durch." Reicht Ihr ärztlicher Einfluß so weit, daß dieser ermunternde Zuspruch die psychischen Widerstände thatsächlich überwindet, so rate ich, von dieser Machtfülle psychischer Beeinflussung nur einen beschränkten Gebrauch zu machen. Denn es liegt die Gefahr nahe, daß der unselbständige und willensschwache Patient völlig darauf verzichtet, aus eigener Kraft seine affektiven Erregungszustände und hypochondrischen Vorstellungen zu bekämpfen. Er klammert sich förmlich an seinen Arzt an und sinkt, sobald er diesem suggestiven Einfluß entrückt ist, in seine früheren Fehler zurück. Ich erinnere Sie gerade an dieser Stelle an die oben gerügte Unsitte der Patienten, den Arzt zu jeder Stunde des Tages und der Nacht herbeirufen zu wollen.

Es ist deshalb gut, auch in diesen Fällen auf andere suggestive Hilfsmittel nicht zu verzichten, welche nicht nur geeignet sind, das ärztliche Gebot zu unterstützen, sondern auch den Patienten zur eigenen Mitarbeit nötigen. Ich erwähne hier, indem ich auf die spätere Schilderung dieser Heilmethoden verweise, die Anwendung von **hydrotherapeutischen Maßnahmen, Heilgymnastik, Faradisation u. s. w.** Man wird aber auch nicht auf die **arzneiliche Behandlung** verzichten können, welche in erster Linie immer auf die Bekämpfung der pathologischen Affekte gerichtet sein wird. All diese Hilfsmittel verleihen den Patienten das Gefühl der Sicherheit, im „Falle der Not" sich selbst helfen zu können. Hat ein solches Mittel einmal guten Erfolg gehabt, so genügt künftighin schon der Besitz dieses Talismans, um dem Kranken über seine Schwächezustände hinwegzuhelfen. Ich will Ihnen kurz ein Beispiel mitteilen:

Fig. No. 95.
Ein Offizier, welcher an paroxystisch auftretenden Zuständen von Bradykardie mit Ohnmachtsempfindungen und Todesfurcht litt, wurde vor jeder größeren Truppenübung von quälender Angst befallen, daß ein solcher Anfall wiederkehren würde. Nachdem es ihm einmal gelungen war, durch den Genuß einiger Colatabletten einen solchen Anfall niederzukämpfen, genügte es fernerhin, daß er bei größeren Märschen und Manövern dieses Präparat bei sich trug. Einmal kehrte ein solcher Schwächeanfall wieder, als er gegen Schluß einer Uebung gewahr wurde, daß er sein Mittel zu Hause gelassen hatte. Hier ist es unverkennbar, daß die ursprünglich zweifellos durch Ueberanstrengung ausgelösten angioneurotischen Störungen späterhin den Charakter der Intentionspsychose angenommen hatten und auf die angegebene Weise erfolgreich suggestiv bekämpft werden konnten.

Gelingt es auf diese Weise, alle unangenehmen Zwischenfälle, welche bei einem methodischen Kurverfahren mit den Steigerungen der Anforderungen an die Leistungsfähigkeit der Patienten fast unvermeidlich verknüpft sind, auszugleichen, so haben Sie gewonnenes Spiel. Mit fortschreitender Kur wächst der Mut und das Selbstvertrauen der Kranken, die Zeiten der Ruhe werden gekürzt, die Aufgaben gesteigert.

An die ärztliche Kunst, vor allem die Beobachtungsgabe, werden auch bei diesen leichteren Fällen hohe Anforderungen gestellt werden müssen, um bei den von Woche zu Woche wiederkehrenden Abänderungen des Kurplans die richtige Abmessung des Arbeitspensums zu bewerkstelligen. Jedes Zuviel kann durch gesteigerte Ermüdungsempfindungen, erneute Phasen von Uebererregung mit Angstgefühlen und Schlafstörungen alles bislang Erreichte in Frage stellen. Dies gilt hinsichtlich aller Organsysteme, sei es, daß Sie erhöhte Anforderungen auf intellektuellem Gebiete stellen, sei es, daß Sie die digestive Thätigkeit durch erhöhte und qualitativ veränderte Nahrungszufuhr steigern, sei es, daß Sie die Muskelleistungen erhöhen, die Empfindlichkeit der Temperatureinflüsse durch Abhärtungsmaßregeln verringern wollen. Sie werden nicht nur bei jedem neuen Fortschritt sorgfältig darauf achten müssen, daß die mühsam bekämpften lästigen Organempfindungen, Topalgien, Hautparästhesien u. s. w. nicht wieder übermächtig anschwellen, sondern auch sowohl bei der geistigen als auch körperlichen Thätigkeit das erneute Auftreten akuter Erschöpfungszustände verhüten müssen. Wir haben bei der Symptomatologie und bei der Schilderung des Verlaufs kennen gelernt, wie plötzliche An-

strengungen, besonders wenn sie mit Gemütsbewegungen verknüpft
sind, akut einsetzende Rückfälle schon bei scheinbar Genesenen herbeiführen können. Es handelt sich hier durchaus nicht immer, wie
manche Aerzte glauben, um rein psychisch bedingte Verschlechterungen des Allgemeinbefindens und Steigerung specieller Krankheitserscheinungen. Thatsächlich findet, entsprechend dem relativen
Uebermaß von Leistungen, ein Uebermaß von Verbrauch potenzieller
Energien, bald ausschließlich auf kortikalem Gebiete, bald in anderen,
funktionell zusammengehörigen Nervenapparaten, statt. Es ist deshalb
irrtümlich, anzunehmen, daß die oft unvermittelt einsetzende Kraftlosigkeit der Kranken nur nosophobischen Vorstellungen oder mangelnder Willensanstrengung entspringt; vielmehr sind diese psychischen
Symptome in einer großen Zahl von Fällen nur die Begleit- oder
Folgeerscheinungen der gewaltigen Störungen im Stoff- resp. Krafthaushalt des Neurasthenikers. D a r i n b e s t e h t e b e n d i e ä r z t -
l i c h e K u n s t , g e n a u z u u n t e r s c h e i d e n z w i s c h e n p s y -
c h i s c h b e d i n g t e n , a l s o d u r c h p s y c h i s c h e E i n w i r k u n g e n
a u c h z u b e s e i t i g e n d e n I n n e r v a t i o n s s t ö r u n g e n u n d
d i e s e n l e t z t g e n a n n t e n Z u s t ä n d e n , w e l c h e d u r c h k e i n
s u g g e s t i v e s M a c h t w o r t , s o n d e r n n u r d u r c h e i n e m e t h o -
d i s c h e K r ä f t i g u n g d e s G e s a m t o r g a n i s m u s u n d l a n g -
s a m e U e b u n g d e r n e r v ö s e n L e i s t u n g e n w i e d e r b e s e i t i g t
w e r d e n k ö n n e n .

Welche Hilfsmittel wir besitzen, um die körperlichen Kräfte
methodisch zu steigern, werden wir nachher sehen. Hier möchte ich
nur noch einiges über die g e i s t i g e n U e b u n g e n hinzufügen,
welche wir in hiesiger Klinik systematisch zur Anwendung bringen.
Bei den intellektuell übermüdeten und affektiv leicht erregbaren Patienten
handelt es sich in erster Linie darum, bei den dem geistigen Kräftemaß und dem Bildungsgrade angepaßten Aufgaben Gebiete aufzusuchen, welche von der berufsmäßig geübten geistigen Arbeit des
Patienten möglichst weit abliegen und keine affektiv schädigende Nebenwirkung ausüben. Die geistige Thätigkeit soll also neben der methodischen Steigerung der vorhandenen Kräfte auch eine zerstreuende,
d. h. von dem vorherrschenden Vorstellungsinhalt ablenkende Wirkung
ausüben. Viele dieser leichteren Patienten werden einseitig nur der
letzteren Aufgabe gerecht, indem sie quälende Gedanken und schmerzhafte oder beunruhigende Empfindungen durch Romanlektüre, massen-
haftes Zeitunglesen, Kartenspielen, Musizieren zu „betäuben" bestrebt
sind. In vielen Nervenheilanstalten wird durch gesellige Unternehmungen und Unterhaltungen die Befriedigung dieser ärztlichen
Aufgaben ausschließlich erstrebt. Es wird bei dieser Methode übersehen, daß die mit der geselligen Unterhaltung verbundene geistige
Anstrengung ganz unkontrollierbar ist, indem die Wahl der Gesprächs-
themata, sowie die Ausdehnung der Plaudereien, die nicht selten zu
wissenschaftlichen und politischen Kontroversen ausarten, nicht im
voraus bestimmt werden kann. Es wird nicht selten gerade das
Gegenteil einer zerstreuenden, geistig und gemütlich erfrischenden
Wirkung erzielt, die Kranken sind abgespannt und geärgert und
ziehen sich nach solchen augenfälligen Mißerfolgen oft ganz von
der Geselligkeit zurück. Die freiwillig gewählte Vereinsamung
ohne geeignete psychische Gegenmittel steigert den psychopathischen

Symptomenkomplex und vereitelt meist den Erfolg der ärztlichen Bemühungen. Eine zerstreuende, ablenkende geistige Bethätigung wird also nur ein Glied in der Reihe von Maßnahmen bilden dürfen, welche eine rationelle Diätetik des Geistes bezwecken.

In unseren Kurplänen ist täglich durchschnittlich 1 Stunde disponible Zeit für Lektüre, Korrespondenz u. s. w. aufgezeichnet. Außerdem abends noch 1 Stunde für gesellige Unterhaltungen, Spiele u. s. w. Die übrige Zeit ist völlig in Anspruch genommen durch andere Kurverordnungen, unter denen einfache und schwierigere geistige Uebungen mit genau vorgeschriebenem Arbeitsmaße sich regelmäßig vorfinden. Hierbei wird als Regel gelten, möglichst einfache Beschäftigungen auszuwählen, bei welchen der Arzt sich ein genaues Urteil über das Maß der zu ihrer Ausführung nötigen Anstrengung bilden kann. Sehr zweckmäßig ist das Zeichnen und Malen nach einfachen Vorlagen, das Modellieren, sodann das Excerpieren aus Reise- und Geschichtswerken, Uebersetzen aus einer schon vorher gekannten fremden Sprache und ähnliches. Bei diesen letztgenannten Uebungen sollen die Kranken erst einige Sätze und schließlich eine Buchseite mehrmals durchlesen und dann aus dem Gedächtnisse den Inhalt niederschreiben.

Ich kann versichern, daß selbst gelehrte Männer an diesen einfachen geistigen Beschäftigungen, welche ihnen anfangs höchst langweilig und unnütz vorkamen, schließlich großen Gefallen gefunden haben, weil sie mit fortschreitender Gewöhnung an diese geistige Gymnastik ein Wachsen ihrer Leistungsfähigkeit und damit ihres Selbstvertrauens konstatieren konnten. Auch der oben erwähnte Nebenzweck, die Patienten von ihren krankhaften Empfindungen und Vorstellungen abzulenken, wird dadurch sehr gut erreicht, weil die Patienten innerhalb einer bestimmten Zeit eine genau umgrenzte Aufgabe zu lösen haben und folglich gezwungen sind, ihre Aufmerksamkeit ausschließlich auf dieselbe zu konzentrieren. Man wird auch dem Mißbrauch dieser Verordnungen in manchen Fällen entgegenarbeiten müssen, indem die Patienten über das Maß der ihnen gestellten Aufgaben hinaus, „um sich zu betäuben", sich damit beschäftigen. Es ist deshalb eine genaue Kontrolle dieser Arbeitsleistungen bei den ärztlichen Visiten von nöten. Auch wird man gemäß den früher aufgestellten Grundsätzen mit Energie darauf dringen, daß jeder derartigen Leistung eine Ruhezeit nachfolgen muß. Ich rate, niemals körperliche und geistige Beschäftigung sich unmittelbar folgen zu lassen. Aber auch die anderen therapeutischen Prozeduren sollen sich nicht unmittelbar an die Uebungszeiten anschließen. Man wird gelegentlich sogar noch zu einfacheren Verordnungen greifen, wenn es sich um die Lösung bestimmter Aufgaben handelt.

Krg.
No. 99.
     In letzter Zeit behandelte ich einen 56-jährigen Herrn mit relativ mäßigem Atherom, welcher seit etwa Jahresfrist unter den lästigsten Kopfdrucksymptomen, Schlafstörungen, Unfähigkeit zu Konzentration und geistiger Thätigkeit erkrankt war. Die Erscheinungen hatten sich bei absoluter geistiger Ruhe, Aufenthalt in südlichem und Gebirgsklima sehr wesentlich gebessert. Zur Zeit des Eintritts in meine Behandlung war die einzige Klage, daß er immer noch unfähig sei, zu lesen und zu schreiben, weil sich sofort der sonst schon beseitigte Stirndruck einstellte. Es wurden neben allgemeiner hydriatischer Behandlung, strenger Regelung der Diät

und Anordnung bestimmter körperlicher Uebungen methodische Schreib-versuche begonnen. Der Pat. hatte täglich erst einige Minuten, dann langsam steigend bis zu 45 Minuten Schönschriftübungen zu machen, nachdem ihm vorerst für die bestehende Hypermetropie ein geeignetes Glas durch den Augenarzt gegeben worden war. Es war bald erkenn-bar, daß die Spannungsempfindungen im Vorderhaupt durch Ermüdungs-empfindungen eingeleitet wurden, welche der Pat. selbst in die Augen-muskeln, besonders in die M. recti int. lokalisierte. Die Untersuchung ergab auch eine leichte motorische Insuffizienz dieser Muskeln. Die Lese-übungen bestanden anfänglich nur in dem Lesen eines einzigen Satzes aus einer Zeitung und konnten allmählich bis zum Lesen einer ganzen Buchseite erweitert werden, ohne daß Kopfdruck auftrat. Sonstige geistige Ermüdungsphänomene bestanden zu dieser Zeit nicht mehr. Der Pat., welcher Vorsteher eines großen industriellen Etablissements war, war durchaus imstande, alle geschäftlichen Angelegenheiten, die ihm mündlich vorgetragen wurden, mit völliger Beherrschung des Gegenstandes zu erledigen. Nach 6 Wochen kehrte er in die Heimat zurück. Es wurde ihm noch für längere Zeit die Erweiterung des schriftlichen Ar-beitspensums (über 1 Stunde täglich in 2 Abteilungen) untersagt. Be-merkenswert ist noch, daß die Spannungs- und Druckempfindungen, welche auch jetzt noch bei dem Versuche, die Lese-, resp. Schreibversuche länger auszudehnen, auftraten, bei Faradisation der Stirn (mit Schwammelektrode) sofort schwanden.

Ich kann dieses Kapitel der psychischen Behandlung nicht ab-schließen, ohne der H y p n o s e zu gedenken, welche vielfach als Sug-gestivtherapie κατ' ἐξοχήν bezeichnet wird. Sie wissen, daß der hypnotische Zustand ganz besonders geeignet ist, den Pat. suggestiven Einflüssen zugänglich zu machen und dadurch Heilwirkungen zu er-zielen. Man hat auch bei der Neurasthenie Anwendung von diesem Verfahren gemacht, und Sie finden in der Hypnotismuslitteratur mehr-fach Angaben, daß die Neurasthenie durch Hypnose resp. hypnotische Suggestionen geheilt worden sei. Ich stehe diesen Angaben ganz skeptisch gegenüber, wenigstens insofern, als H e i l u n g e n d e s G e-s a m t l e i d e n s und nicht nur einzelner Krankheitsz e i c h e n berichtet werden. Sie kennen meinen Standpunkt in dieser Frage. Ich glaube überhaupt nicht, daß mittelst der hypnotischen Suggestion krankhafte Veränderungen, welche das gesamte Nervensystem betreffen, beseitigt werden können. Wohl aber ist es möglich, e i n z e l n e Krankheits-äußerungen, welche aus diesen Veränderungen entspringen, zum Schwinden zu bringen. Ich halte Neurastheniker für recht schwer hypnotisierbar. Es ist mir wenigstens nur in ganz vereinzelten Fällen gelungen, den hypnotischen Schlafzustand (Hypotaxis) mit gesteigerter Empfänglichkeit für Heilsuggestionen zu erzeugen.

Ich will Ihnen einen dieser Fälle mit überraschendem Heilerfolg hier mitteilen:

G., Anfang der 40er Jahre; hereditär belastet; erkrankte allmählich **Erg. No. 100.** unter dem Einfluß heftiger Gemütsbewegungen und Ueberarbeitung im Dienst (Postbeamter) an katarrhalischen Affektionen der Nasen-, Ohren-und Kehlkopfschleimhaut, verbunden mit folgenden nervösen Symptomen: Schlaflosigkeit, Abnahme des Gedächtnisses, Unfähigkeit zu anhaltender geistiger Arbeit, Zwangsvorstellungen und Kopfdruck. — Sensationen in den verschiedensten Körperregionen. — B e i D r u c k a u f d a s E p igastrium oder Berührung der Rachenschleimhaut stellten sich klonische Zwerchfellkrämpfe mit ruktusartigen, längere Zeit aufeinanderfolgenden Hustenstößen oder rülpsenden und gurgelnden Lauten ein. Es wurde ihm schließlich unmöglich, den Schalterdienst zu versehen, weil schon das Anstreifen der vorderen Bauchwand an den Schaltertisch genügte, um diese für das Publikum sehr unliebsamen Anfälle hervorzurufen.

Als der Pat. sich zum 1. Male vorstellte, gelang es sehr leicht, ihn zu hypnotisieren und die Entwickelung der Anfälle durch geeignete Befehls-Suggestionen, langsam und kräftig aus- und einzuatmen, zu verhindern. Die hypnotische Behandlung wurde mehrere Tage wiederholt. Die vordere Bauchwand konnte schließlich (nach 5 Tagen) auch im wachen Zustande des Pat. gedrückt und gerieben werden, ohne daß die früheren Anfälle wiederkehrten. Der Pat. stellte sich im Laufe der nächsten Monate noch mehrfach in der Klinik vor. Die Kopfdrucksymptome, die Zerstreutheit und Gedankenschwäche und die Schlafstörungen blieben durch die hypnotische Behandlung unbeeinflußt trotz geeigneter Suggestionen.

Pat. ließ sich wegen dauernder Dienstunfähigkeit pensionieren und lebte mehrere Jahre in stiller Zurückgezogenheit, nur mit leichten gärtnerischen Arbeiten beschäftigt, auf dem Lande. Bei dieser rationellen Lebensweise erholte er sich vollständig und trat wieder in den Postdienst ein. Die reflektorischen Zwerchfellkrämpfe hatten sich nie wieder gezeigt.

Sie sehen, daß diese „Heilung" für den Patienten nur einen bedingten Wert hatte. Er war wohl von einer sehr lästigen, sein Dasein verbitternden Krankheitserscheinung befreit worden. Seine nervöse Erkrankung wich aber erst viel später durch die Verwendung ganz anderer Heilfaktoren.

Ich bin der Ueberzeugung, daß die Hypnose bei der Behandlung der Neurasthenie entbehrlich ist. Sind die Kranken suggestibel, d. h. vertrauen sie dem Arzte und gehorchen sie seinen heilpädagogischen Verordnungen, so ist die Hypnose überflüssig. Hat er keinen Einfluß auf die Patienten, sind sie lässig und krankhaft indolent und zerstreut, so wird er auch bei fortgesetzten hypnotischen Versuchen nicht zum Ziele gelangen.

14. Vorlesung.

M. H.! Viel schwieriger als bei den leichteren Fällen von Neurasthenie gestalten sich die therapeutischen Aufgaben bei den schwereren Fällen, bei welchen eine strenge Scheidung der Zeit der Ruhe und der geistigen und körperlichen Uebungen geboten ist. Diejenigen Fälle sog. nervöser Dyspepsie, bei welchen allgemeine nutritive Störungen nicht vorliegen, rechne ich nicht zu den schweren Fällen. Hier ist die eben erwähnte Scheidung nicht von nöten, vielmehr werden wir hier von Anfang an einen Kurplan innehalten können, bei welchem Ruhe und Uebung in zweckmäßiger Weise kombiniert sind. Ich bin mir sehr wohl bewußt, daß die Abgrenzung in schwerste, mittlere und leichte Fälle höchst unvollkommen ist; bei der außerordentlichen Mannigfaltigkeit der Krankheitsbilder aber läßt sich ein Schema, nach welchem die Kranken hinsichtlich der Kurbedingungen eingereiht werden könnten, nicht aufstellen. In dem einen Falle hat mich extreme Abmagerung mit typischer Anorexie gezwungen, den Fall als schwer aufzufassen und die strengsten Verordnungen anzuwenden. Ein andermal war der psychische Status für mich maßgebend: hochgradigste Labilität der Affekte mit verhängnisvollen Fernwirkungen der Affektsteigerungen auf die vegetativen Funktionen, Agrypnie mit nächtlicher intellektueller Ueberererregung (monotones Zwangsdenken, Reminiscenzenflucht, Nachbilder) oder schwere angioneurotische Störungen mit den quälenden Empfindungen der Herzschwäche. Drittens halte ich alle diejenigen Fälle für schwere, in welchen die motorische Insufficienz das ganze Krankheitsbild beherrscht. Und endlich werden Sie von der Isolierung und anfänglichen völligen Bettruhe bei der hyperalgetischen Form der Neurasthenie, welche wir früher schon in das Uebergangsgebiet zur Hysterie verwiesen haben, nicht Abstand nehmen können.

In all diesen schweren Fällen tritt jenes methodische Heilverfahren in Kraft, welches höchst einseitig und irrtümlich als „Mastkur" bezeichnet wird. Schon ihr Schöpfer, der amerikanische Arzt WEIR-MITCHELL, und ebenso sein englischer Kollege PLAYFAIR haben in ihren Arbeiten ausdrücklich hervorgehoben, daß die Mästung, d. h. die methodische Zufuhr überschüssigen Ernährungsmaterials wohl ein bedeutsamer Faktor im Kurplan ist, jedoch für sich allein unwirksam bleibt, wenn nicht gleichzeitig eine Behandlung der psychischen und nervösen Krankheitserscheinungen stattfindet. In gleicher Weise habe ich in meinen Arbeiten,

die sich mit dieser Frage beschäftigen, überall darauf hingewiesen, daß
die Mästung nutzlos, ja schädlich sein kann, wenn nicht die psychische
Behandlung der Patienten die erste Stelle im Kurplan einnimmt.

Ich beginne deshalb bei der Schilderung dieses Heilverfahrens,
bei welchem eine ganze Reihe therapeutischer Maßnahmen vereint
zur Anwendung kommt, wiederum mit der Erörterung derjenigen
Verordnungen, welche vorwaltend auf die Beeinflussung der
psychischen Vorgänge der Patienten gerichtet sind.

Die erste Maßregel besteht in der ¡Isolierung der Patienten
von ihrer bisherigen Umgebung. Man hat mehrfach geglaubt, dieser
Indikation schon damit genügen zu können, daß die Patienten im
eigenen Hause resp. der eigenen Familie gesonderte Räume bewohnen
und die Ueberwachung der Kurvorschriften einem sachgeübten Wärter
resp. Wärterin anvertraut wird. Ich kann auf Grund eigener, freilich
nicht sehr zahlreicher Erfahrungen versichern, daß diese leichteste
Form der Isolierung nur selten genügt. Wie ich schon in früheren
Arbeiten bemerkt habe, lebt der Patient in der gewohnten geistigen
Atmosphäre weiter, der Einfluß des Arztes ist nur ein beschränkter,
die Kontrolle über die Ausführung der Kur eine ungenügende. Die
völlige Fernhaltung von den Familienmitgliedern ist ohne schwere
Gemütserregungen für die Kranken gar nicht möglich. Alle
freudigen oder traurigen Ereignisse gelangen schließlich doch
zur Kenntnis des Patienten und durchbrechen immer wieder von
neuem die mühsam errungene geistige Ruhestellung. Man wird meist
die Erfolglosigkeit des Kurversuches unter diesen Umständen bald
feststellen können. In den seltenen Fällen, in welchen schließlich
doch auf diesem Wege eine relative Besserung erzielt werden konnte,
war die ärztliche Aufgabe ungleich schwieriger als bei den anderen
Formen der Isolierung und die Kur bedeutend langwieriger.

Es ist deshalb die strengere Form der Isolierung des Patienten
in einem Krankenhause weitaus vorzuziehen. Ob und welche
Begleitpersonen aus der früheren Umgebung bei der Durchführung
der Kur mitwirken dürfen, wird von der Schwere des Falles und den
besonderen Eigenschaften dieser Begleitperson abhängig gemacht
werden müssen. Die Hauptsache ist, daß der behandelnde Arzt die
ausschließliche Herrschaft über den Patienten gewinnt. In den
schwereren Fällen handelt es sich meist um Kranke, welche schon
jahrelang leidend sind und sich in ein hypochondrisches Denksystem
verstrickt haben, aus welchem sie aus eigener Kraft sich nicht mehr
herausarbeiten können. Jedem ärztlichen Bemühen wird nicht nur
passiver Widerstand entgegengesetzt, welcher aus der krankhaften
Willensschwäche entspringt, sondern es regen die mannigfachen, durch
die pathologisch gesteigerte innere Selbstbespiegelung erhöhten Dys-
ästhesien und Parästhesien aktive Gegenmaßregeln bei dem Patienten
an, welche von unverständigen Begleitern unterhalten und gefördert
werden. Nur wenn die Patienten mit einem Schlage in völlig veränderte Daseinsbedingungen versetzt werden können, wird dem Arzte
die Möglichkeit geboten, seinen Willen den Patienten in vollem Umfange zu induzieren.

„Der Arzt muß ausschließlicher Freund, Berater, Lehrer
und Erzieher der Kranken sein. Ihm allein vertrauen sie ihre großen
und kleinen Beschwerden, ihre Befürchtungen, Sorgen und Kümmer-

nisse, er stärkt durch ermunternden Zuspruch den gesunkenen Mut, richtet die hoffnungslos Verzweifelnden auf und erzwingt im Notfalle durch seine unerbittlichen Forderungen die strikte Erfüllung der notwendigen Maßregeln."

Mit diesen Sätzen glaube ich den Zweck der völligen Isolierung und die psycho-therapeutische Aufgabe des Arztes bei dieser Kur richtig charakterisiert zu haben. Indem wir so dem Patienten jegliche Entschlußfassung und jegliche Verantwortung für alle, selbst die geringfügigsten, Maßnahmen während der Kur abnehmen, erreichen wir die absolut notwendige geistige und gemütliche Entspannung, ohne welche die anderen Heilfaktoren durchaus wirkungslos bleiben. Vertrauen und Gehorsam wird dem Patienten unablässig gepredigt; bei intelligenten Kranken, welchen ein Verständnis der mit der Kur verknüpften ärztlichen Aufgaben eröffnet werden kann, wird diese suggestive Beeinflussung ihre Wirkung nicht verfehlen, sobald sie zu der Einsicht gelangt sind, daß eine Rückkehr zu den alten Lebensgewohnheiten unmöglich ist. Dummen Patienten ist eine Einsicht in das Wesen der Kur und in die ihnen selbst hierbei erwachsenden persönlichen Leistungen überhaupt nicht beizubringen. Hier werden Sie bei Ungehorsam entweder auf die weitere Durchführung der Kur verzichten oder den Versuch machen, alle Widerstände durch Gewaltmaßregeln zu erzwingen.

Der Ansicht von BURKART, daß hochgradige Willensschwäche eine Kontraindikation gegen die Kur darstelle, bin ich schon früher entgegengetreten und habe betont, daß bei intakter Intelligenz durch langsames und schrittweises Vorgehen das Selbstvertrauen und die psychische Leistungsfähigkeit der Patienten sehr wohl gehoben werden kann. Bestehen ausgeprägte psychische Reizzustände, erhöhte Affekte, beschleunigter Ablauf der Vorstellungstätigkeit, monotones, grüblerisches Zwangsdenken oder ausgeprägte Zwangsvorstellungen, so ist, was ich im Gegensatz zu BURKART und LEYDEN hervorheben möchte, die strenge Isolierung sehr wohl mit Nutzen für den Patienten durchführbar. Nur wird der Arzt gewisse Modifikationen der psychischen Behandlung, welche speciell auf die Bekämpfung der genannten Erscheinungen gerichtet sind, verwenden müssen.

Handelt es sich bei den Patienten, besonders bei Frauen und Müttern, um gehäufte Angst- und Furchtvorstellungen hinsichtlich der zurückgelassenen Familienangehörigen, so wird der Arzt zweckmäßig die Rolle des Vermittlers übernehmen, um der Patientin beruhigende Nachrichten über die Ihrigen zu verschaffen. Alle Briefe gelangen an den Arzt, welcher sie den Kranken vorliest und auch die Antwort übermittelt. Auf diesem Wege wird er am sichersten einen Einblick in die seelischen Zustände der Patienten erlangen, freilich nur dann, wenn er ihr volles Vertrauen erworben hat. Aber auch der Verkehr mittelst offener Karten wird in manchen Fällen statthaft sein. Auf diese Weise bekommen die Patienten kurze, regelmäßige Nachrichten über die täglichen Ereignisse, die Mitteilung von Gefühlsergüssen ist hierbei auf beiden Seiten ausgeschlossen. Aber auch als Erziehungsmittel ist die Regelung und Ueberwachung der Korrespondenz von trefflicher Wirkung. Briefe resp. Karten dürfen nur empfangen oder beantwortet werden, wenn der Patient gewisse Gegenleistungen aufzuweisen hat, sei es, daß er mutig seine Gedanken und Gefühle niederkämpft, sei es, daß er in der Befolgung der Diät-vorschriften Fortschritte macht u. s. w.

Daß gelegentlich alle aufgewandte Mühe bei strengster Isolierung doch erfolglos ist, habe ich in meinen früheren Arbeiten schon zuge-geben. Man wird dann den Versuch machen, einen geeigneten Ge-sellschafter event. aus dem Kreise der Familienangehörigen zuzu-lassen. Freilich werden durch dieses Zugeständnis die psycho-patho-logischen Erscheinungen häufig nicht wesentlich gemildert; ich räume aber ein, daß ich bisweilen durch verständnisvolle Begleiterinnen eine wirksame Unterstützung meiner Bestrebungen gefunden habe.

Die weitere von W. MITCHELL aufgestellte Forderung der völ-ligen Bettruhe wird bei allen hochgradig nervös erschöpften, stark abgemagerten und anämischen Kranken in dem ersten Teile der Kur strikte durchgeführt werden müssen, während, wie aus den früheren Erörterungen hervorgeht, bei den leichteren Fällen dieselbe nicht am Platze ist. Die Kranken mit psychischen Reizsymptomen auf affek-tivem und intellektuellem Gebiete werden, wie Sie in der psychiatri-schen Klinik kennen gelernt haben, heutzutage durchwegs der Bett-behandlung unterworfen. Sie haben den wohlthätigen Einfluß dieses Verfahrens auch bei motorisch erregten Patienten zur Genüge kennen gelernt. Bei Neurasthenikern mit einer hochgradigen Herabminde-rung der willkürlichen motorischen Leistungen und Steigerung der Reflexerregbarkeit ist eine länger dauernde Bettruhe durchaus von nöten. Sie verhüten durch die Einschränkung der aktiven Muskel-leistungen eine Zunahme der Erschöpfungszustände, der Ermüdungs-, Schwäche- und Ohnmachtsempfindungen, der Topalgien und Parästhe-sien, welche in diesen Fällen gerade durch Muskelleistungen immer wieder wachgerufen und unterhalten werden und die hauptsäch-lichste Quelle der Schlaflosigkeit sind. Aber auch die motorische Insufficienz des Intestinaltraktus, sowie die Störungen des Schlafes, der Herz- und Gefäßinnervation werden bei der völligen Bettruhe am erfolgreichsten bekämpft.

Sie können sich von der Richtigkeit dieser Anschauung am besten überzeugen, wenn Sie den Einfluß der Bettruhe bei den schweren Fällen sog. nervöser Anorexie mit extremer Abmagerung genauer verfolgen. Nur dadurch, daß alle aktiven Muskelleistungen bei diesen Patienten auf das geringste Maß eingeschränkt werden, gelingt es, die für die Nahrungsaufnahme und Verdauung erforderlichen Leistungen des Kauapparates, der Schlund-, Magen- und Darmmuskulatur zu er-möglichen. Eine derartige völlige Einschränkung der motorischen Impulse und Muskelaktionen setzt natürlich die Beihilfe eines mit dem Kurplan völlig vertrauten Pflegepersonals voraus. Es wird den Patienten alles Nachdenken und alle mit der Kur verbundenen mechanischen Verrichtungen abgenommen. Die Körperpflege, die Nahrungsaufnahme wird nur durch das Pflegepersonal ohne alles Zu-thun des Kranken vermittelt; in den schwersten Fällen wird das Aufrichten, Umwenden oder lautes Sprechen zur Verhütung jeglichen Kraftverbrauchs verboten und die Nahrung in möglichst zerkleinertem, anfänglich durchwegs in flüssigem Zustande dargereicht. Sie werden die Kranken oft direkt füttern müssen, wenn sie der Nahrungsauf-nahme widerstreben oder wenn das Halten der Eßgeschirre und das aktive Einführen der Nahrung schon schwere motorische Erschöpfungs-zustände herbeiführt. Diese schwersten Fälle gehören zu den Seltenheiten; gewöhnlich wird den Patienten ein geringes Maß von Muskelleistungen durch selbständige Nahrungsaufnahme, bei der Urin- und Stuhlentleerung, Verlassen des Betts beim Bettmachen sowie bei den Körperwaschungen auferlegt werden können.

Die geistige Beschäftigung ist in den schwersten Fällen anfänglich ebenfalls aufs äußerste eingeschränkt; längere Unterhaltungen sind verboten, ebenso Lesen und Schreiben. Diese Maßregel erscheint auf den ersten Blick kaum durchführbar und grausam. In praxi ergiebt sie sich von selbst, da diese Patienten in einem völlig erschöpften apathischen Zustand sich befinden und das geringe Maß von Denkthätigkeit, welches von ihnen geleistet werden kann, ganz von den Anforderungen der Ernährungskur in Anspruch genommen ist. Sind die Patienten geistig regsamer und leistungsfähiger, so treten diese strengen Vorschriften natürlich außer Kraft, und wird man schon von Anfang an, soweit die vielfältigen Kurvorschriften überhaupt Zeit hierzu lassen, leichte zerstreuende Lektüre (Vorlesen), etwas Korrespondenz (in dem früher erörterten Umfange) und ablenkende Konversation gestatten dürfen. Auch in den schweren Fällen ist das Stadium der absoluten Ruhestellung nur 8—14 Tage notwendig.

Sobald eine gewisse psychische Beruhigung erreicht ist und die Kranken von der Notwendigkeit der Nahrungsaufnahme und der Niederkämpfung der hierdurch verursachten Beschwerden überzeugt worden sind, hat man gewonnenes Spiel. Die Patienten werden dann wieder empfänglich für Ideenkreise, die außerhalb ihres egocentrischen Denkens gelegen sind. In diesem Zeitpunkte wird der behandelnde Arzt am vorteilhaftesten von seiner Befähigung, geistige Zustände richtig zu erfassen und bestimmte Vorstellungskreise für den Heilzweck zu verwerten, Zeugnis ablegen können. Er wird genau abwägen müssen, welches Quantum von Sinnesreizen, neuem Vorstellungsinhalt er dem übererregten und erschöpften Organe der geistigen Thätigkeit zumuten darf, um sowohl im Sinne der Ablenkung und Zerstreuung, als auch der Uebung zu wirken. Vor allem wird er Fehler vermeiden müssen, durch welche die Patienten in heftige Affektzustände geraten, da diese erfahrungsgemäß nicht nur die digestiven Funktionen hemmend beeinflussen, sondern auch durch die vasomotorischen und motorischen Begleiterscheinungen und sekundären Angstvorstellungen hypochondrischen Inhalts alles bislang Erreichte wieder in Frage stellen können. Wie oft hat nicht ein unbedachtes Wort oder eine Unterlassungssünde der Pflegerin, durch welche sich die Patientin verletzt oder vernachlässigt glaubt, eine Kur vereitelt, welche anfänglich guten Erfolg versprach! Oder wie oft haben andere, an sich geringfügige Zwischenfälle alles mühsam Erreichte zu nichte gemacht! Ich kann Ihnen dies an einem Fall demonstrieren, den ich erst ganz kürzlich beobachtet habe.

Es trat eine Dame mit hochgradiger Agrypnie, chronischer Unter- Krg. No.101. ernährung und zahlreichen dyspeptischen Beschwerden in meine Behandlung. In den ersten 3 Wochen hob sich der Ernährungszustand um 7 Pfd.; die Stimmung war eine zufriedene, zuweilen heitere. Die Pat. schlief in der 3. Woche der Kur ohne jedes Schlafmittel 5—6 Stunden nachts. Es fand dann ein Zimmerwechsel statt; die Pat. glaubte bei dem Tausche benachteiligt zu sein und regte sich bei diesem Gedanken so sehr auf, daß sie wieder völlig schlaf- und appetitlos wurde und innerhalb 8 Tagen 4 Pfd. an Körpergewicht verlor. Es war mir unmöglich, die Kranke wieder ins gemütliche Gleichgewicht zu bringen, und ich empfahl ihr, die Kur abzubrechen. Sie nahm dann die Kur auf meinen Rat an einem anderen Orte mit ausgezeichnetem Erfolge wieder auf.

In gleicher Weise können durch unvermittelte und brüske Vermehrung der an die Kranken gestellten Anforderungen erhöhtes geistiges und körperliches Mißbehagen, Erschütterung des Vertrauens in die Erfahrung und das Können des Arztes, Angstgefühle und hypochondrische Furchtvorstellungen erregt werden, welche den Erfolg der Kur zu verzögern oder ganz zu vereiteln imstande sind.

Ich stelle entsprechend dem Entwickelungsgange des kombinierten Heilverfahrens die Fälle mit chronischer Unterernährung in die erste Linie und beginne mit den Maßnahmen, welche seit der grundlegenden Arbeit von W. MITCHELL zur Hebung der Gesamternährung sich Eingang verschafft haben.

Sie erinnern sich, daß wir die nutritiven Störungen auf konstitutionelle Schwächezustände zurückgeführt haben, welche sich auf somatischem Gebiete besonders nach 3 Richtungen hin äußern: 1) in der Insufficienz der gesamten motorischen Leistungen (der quergestreiften und glatten Muskulatur), 2) in dem Darniederliegen der sekretorischen Vorgänge und 3) in Störungen der Assimilierungs- und Oxydationsprozesse der resorbierten Nahrungsbestandteile. Diese Funktionsstörungen stehen in inniger Wechselbeziehung zu einander. Sinkt die Nahrungsaufnahme, so sinkt die Kraftzufuhr und die Leistung; die sinkende Arbeitsleistung führt eine fortschreitende Verminderung der Resorptions-, Assimilations- und Oxydationsvorgänge herbei und verursacht dadurch eine immer größere Verarmung des Organismus an potenziellen Energien in allen Teilen resp. Organsystemen. Während bei den hereditären konstitutionellen Schwächezuständen die Herabsetzung der Stoffwechselvorgänge in erster Linie auf einer verringerten Leistung des Centralnervensystems beruht, begegnen wir bei der erworbenen Neurasthenie sehr häufig funktionellen Störungen des die Sekretions- und Resorptionsvorgänge vermittelnden Intestinaltraktus. Zwischen diesen beiden Gruppen stehen die vielen ätiologisch nicht genügend aufzuhellenden Fälle, in welchen zahlreiche nervöse und psychische Krankheitserscheinungen bald auf hereditärer resp. angeborener Basis, bald erworben schon längere Zeit bestanden und die Störungen der Ernährungsvorgänge sich erst späterhin hinzugesellt haben.

Welches auch die Ursachen dieser krankhaften Veränderungen gewesen sein mögen, und wie verschiedenartig auch je nach der ätiologischen Bedeutung des Falles die einzelnen Maßnahmen bei der Ernährungskur sich gestalten müssen, der Hauptzweck bleibt der gleiche, nämlich die Lücken und Einbußen des Stoffhaushalts auszufüllen und zu ergänzen. Und dies wird nur erreicht durch eine methodische Ueberernährung, durch welche nicht allein das in den Säften cirkulierende (vor allem Blut und Lymphe), sondern auch das mehr feste, stabile, eigentliche Organeiweiß (BURKART) eine bemerkenswerte und, wie ich hinzufügen will, dauernde Zunahme erfährt. Daß dies durch die Ernährungskur möglich ist, beweisen meine eigenen Untersuchungen und diejenigen von BURKART über die Stoffwechselvorgänge bei gelungenen Ernährungskuren. Es ist damit die ursprüngliche Forderung von W. MITCHELL, eine Besserung der Fett- und Blutbildung zu erreichen, erweitert und ergänzt worden. Wie nämlich die Stoffwechseluntersuchungen gelehrt haben, findet thatsächlich bei der Körpergewichtszunahme eine mindestens ebenso starke Vermehrung der eiweißhaltigen Drüsen-, Muskelgewebe, des Blutes und der Lymphe als wie Neuansatz von Fett statt.

Um diese Bedingungen zu erfüllen, muß die im Ueberschuß dargereichte Nahrung sowohl eine erhöhte Zufuhr von Eiweiß als auch von Kohlehydraten und Fetten bezwecken. Bekanntlich wird der Eiweißansatz durch die eiweißsparende Wirkung der Kohlehydrate und Fette wesentlich gesteigert. Es ist deshalb auch bei der Ernährungskur eine gemischte, überschüssige Nahrung am zweckmäßigsten. Die Beschaffenheit der dargereichten Nahrungsmittel muß eine derartige sein, daß den geschwächten Verdauungsorganen die Arbeit möglichst erleichtert wird.

Dieser Forderung glaubte W. MITCHELL am besten zu entsprechen, indem er im Beginn der Kur eine reine Milchnahrung verordnete, wenn der geschwächte und der Aufnahme größerer Nahrungsmengen völlig entwöhnte Intestinaltraktus erst zu einer überschüssigen Ernährung erzogen werden mußte. Seine Vorschriften lauten folgendermaßen: Die Kur wird so begonnen, daß zuerst alle 2—3 Stunden 90—120 ccm Milch gereicht werden. Nach 3—4 Tagen ist das tägliche Milchquantum auf 1$^1/_2$—2—3 l innerhalb 24 Stunden gesteigert worden. Um der individuellen Geschmacksrichtung der Kranken entgegenzukommen, wird ihnen die Auswahl zwischen frischgemolkener und abgerahmter, frischer warmer und kalter Milch gestattet; auch Zusätze von Thee oder Kaffee, Salz oder Zucker, Aqua calcis oder Natron, von Reis- oder Gerstenabkochung sind erlaubt. Er hat den Beweis geliefert, daß auf diese Weise den Kranken die Aufnahme einer im Hinblick auf ihre bisherige Ernährung enormen Nahrungsmenge ermöglicht und zugleich die bislang vorhandenen Verdauungsstörungen beseitigt wurden. Die Darreichung einer gemischten Kost soll nach W. MITCHELL erst dann erfolgen, wenn diese Milchdiät mindestens 2 Wochen hindurch konsequent durchgeführt worden ist.

Man wird bei dem Versuche, diese Verordnung strikte durchzuführen, gerade in den schwersten Fällen auf unüberwindliche Hindernisse stoßen. Die Mehrzahl der Kranken hegt einen entschiedenen Widerwillen gegen die Milchnahrung; wahrscheinlich weil sie schon früherhin während ihres Leidens mit rein durchgeführten oder modifizierten Milchkuren erfolglos gequält worden waren. Der mangelnde Erfolg wird hauptsächlich dadurch verursacht worden sein, daß neben dieser Diätkur im engeren Sinne die übrigen notwendigen Maßnahmen dieses kombinierten Heilverfahrens außer acht blieben. Ich bin deshalb nur in den Fällen der W. MITCHELL'schen Vorschrift gefolgt, in welchen die Milch gerne genommen und gut ertragen wird. Ich habe aber auch dann von Anfang an Beimengungen von Kakao, Haferkakao, Gersten- oder Haferschleim verordnet. Neuerdings verwende ich mit gutem Erfolge Suppen, welche aus Weizenschrotmehl und Milch hergestellt sind.

Das Wesentlichste ist, daß die Kranken von Anfang an gewöhnt werden, alle 2—3 Stunden unweigerlich eine neue Mahlzeit zu sich zu nehmen. Der ausschließlichen Darreichung von flüssiger Nahrung steht dann aber der Umstand im Wege, daß die Patienten bei der möglichst langsamen und schluckweisen Aufnahme der flüssigen Nahrung den ganzen Tag hindurch ohne Ruhepausen mit der Nahrungsaufnahme beschäftigt sind. Die hierdurch verursachte psychische und körperliche Anstrengung wirkt außerordentlich ermüdend auf die Kranken. Man gewinnt auch kaum Zeit für die übrigen, zur Hebung der Stoffwechselvorgänge notwendigen Verordnungen. Aus diesem Grunde habe ich nur in Fällen extremster Abmagerung eine vorbereitende Milch- resp. Flüssigkeitsernährung kurze Zeit durchgeführt und auch nur dann, wenn den Patienten die Nahrung eingeflößt werden mußte. Sonst habe ich von Anfang an feste Nahrung in den Speiseplan eingefügt, ohne daß die Erfolge beeinträchtigt wurden.

Ich füge Ihnen hier den in meiner Klinik üblichen Speiseplan ein:

1. Mahlzeit 7 Uhr morgens: 250 g Milch (abgekocht) oder Kakao resp. Haferkakao (halb mit Milch und Wasser gekocht) oder Weizenschrotsuppe nebst 2—3 Cakes resp. Zwioback.

2. Mahlzeit 9 Uhr vormittags: eine Tasse Bouillon, 20 g Fleisch, 30 g Grahambrot oder Toast, 10 g Butter.

3. Mahlzeit 11 Uhr: 125—175 g Milch mit einem Eßlöffel voll Malzwürze oder ein Eigelb, mit Zucker gequirlt.

4. Mahlzeit 1 Uhr mittags: 80—100 g Suppe mit Hafer, Gerste, Reis, Grünkern etc., 50 g Braten, 10 g Kartoffel, 7—10 g Gemüse, 20 g süße Reisspeise und 50 g Kompott.

5. Mahlzeit 4 Uhr nachmittags: dünner Thee oder Milch mit Malzwürze oder Kakao (125 g), 2 Cakes.

6. Mahlzeit 6 Uhr abends: 20 g Fleisch (Braten warm oder kalt, geschabtes rohes Fleisch, Schinken, Zunge etc.), 10 g Grahambrot oder Toast, 5 g Butter.

7. Mahlzeit 8 Uhr: 125 g Suppe mit 10 g Butter und ein Eigelb mit Gerste, Hafer, Grünkern etc. gekocht.

8. Mahlzeit zwischen 9½ und 10 Uhr: 125 g Milch mit Malzwürze.

Diese Speisemengen werden allmählich gesteigert, so daß nach 14 Tagen die Milch- resp. Kakao- und Suppenquantitäten auf das Doppelte, die Fleisch-, Brot- und Butterrationen auf das Dreifache gestiegen sind. Dazu kommt reichlichere Darreichung von Kompott, kleinen Mengen von frischem Gemüse und einfachen Mehlspeisen.

Ich will Ihnen noch einen zweiten Speiseplan mitteilen, welcher die von Burkhart befolgte Anordnung der Ernährungskur am 15. Behandlungstage wiedergiebt:

7 Uhr morgens: ½ l Milch (innerhalb 30 Minuten zu trinken).

8 Uhr morgens: eine kleine Tasse Kaffee mit Sahne; 80 g kaltes, gebratenes Fleisch, welches zur Erleichterung des Kauaktes fein gehackt wurde; 3 Schnitten Weißbrot mit Butter; 1 Teller voll gerösteter Kartoffeln.

10 Uhr morgens: ½ l Milch mit 3 Zwieback.

12 Uhr mittags: ½ l Milch (innerhalb 30 Minuten zu trinken).

1 Uhr mittags: Grünkornsuppe; 2mal 100 g Fleisch (Braten und

Geflügel); Kartoffelbrei; Gemüse; 125 g Pflaumenkompott; süße Mehl-speise.

3¹/₂ Uhr nachmittags: ¹/₂ l Milch (innerhalb 30 Minuten zu trinken).

5¹/₂ Uhr nachmittags: ¹/₂ l Milch; 80 g kaltes, gebratenes Fleisch; 2 Schnitten Weißbrot mit Butter.

8 Uhr abends: 80 g gebratenes Fleisch; 4 Zwieback; ¹/₂ l Milch (während und nach der übrigen Mahlzeit zu trinken).

9¹/₂ Uhr abends: ¹/₂ l Milch; 2 Zwieback.

Alcoholica werden dem Diätplane ferngehalten. Ich habe früherhin mäßige Mengen von Wein und Bier (meist Kraft-bier oder Porter) den Kranken während der Kur gestattet, bin davon aber in den letzten Jahren zurückgekommen, weil ich bei dem erschöpften Nervensystem dieser Patienten die durchwegs pathologische Reaktion auf alkoholische Getränke kennen und fürchten gelernt habe. Die meisten Kranken sind schon vor Be-ginn der Kur über Gebühr mit Alcoholicis gefüttert worden. Bei vorurteilsfreier Prüfung der Sachlage wird man nicht selten feststellen können, daß der Widerwille gegen die Nahrungsaufnahme durch dys-peptische Zustände gesteigert wird, welche durch die einseitige Ein-fuhr starker alkoholischer Getränke in den sonst leeren und leistungs-unfähigen Magen verursacht sind. Ich hatte auch durchaus keinen Anlaß, diese Maßregel rückgängig zu machen, da ich die gleich gün-stigen Erfolge der Diätkur auch bei völliger Alkoholabstinenz kon-statieren konnte. Sie werden nur ganz ausnahmsweise, wenn die Darreichung von Milch oder Fleisch den heftigsten Widerwillen erregt, minimale (tropfenweise) Zusätze von Kognak, Sherry oder Portwein als Geschmackskorrigens gestatten. Aus gleichen Gründen habe ich auch die Darreichung von Kaffee völlig verboten.

Widerstreben die Kranken der Aufnahme von Milch oder dem reichlichen Genusse von Butter, so werden zur Ergänzung der Fetternährung täglich 2—3 Löffel reinen Lipanins verab-folgt.

Sie werden, wenn Sie die obigen Speiseverordnungen zum ersten Male verwerten sollen, gerechtfertigte Bedenken tragen, ob die aus-gehungerten und einer regelmäßigen Nahrungsaufnahme entwöhnten Patienten, welche bislang schon bei der geringfügigsten Nahrungs-zufuhr über gesteigerte Ekelempfindungen u. s. w. geklagt hatten, überhaupt zur Aufnahme solcher Mengen fähig sind. Ich kann Sie versichern, daß selbst in den schwersten Fällen nervöser Anorexie es am allerbesten ist, sofort die Speiseverordnung gemäß dem ersten Speiseplan zum Gesetz zu erheben. Vergessen Sie nicht, daß wir es hier hauptsächlich mit einer psychischen Anomalie zu thun haben, nämlich mit dem Mangel normaler Hungerempfindungen und dem Auftreten perverser Unlust- und Ekelgefühle. Dieselben sind so mächtig, daß diese schweren Fälle allen Vernunftgründen unzugäng-lich sind und nur durch moralischen und äußeren Zwang zum Be-ginnen der Kur veranlaßt werden können. Der Kampf mit den Pa-tienten ist ganz der gleiche, ob sie ganz kleine Quantitäten Nahrung oder mehr aufnehmen lassen.

Die vorhandenen dyspeptischen Phänomene brauchen Sie nicht zu fürchten. Das sind Begleit- und Folgeerscheinungen, welche bei

sonst intakter Intestinalmucosa gerade durch die Ernährungskur am
allerbesten beseitigt werden. Weder der häßliche Zungenbelag,
noch Würg- und Brechneigung, noch die Schmerzhaftigkeit der
Magengegend, noch die Druck- und Völleempfindungen im ganzen Abdomen dürfen Hindernisse sein. Die Symptome verringern sich bald
und verschwinden zum Teil vollständig, wenn Sie die Nahrungsaufnahme erst einmal einige Tage erzwungen haben. Auch das hauptsächlich durch Ekelempfindungen, also psychisch hervorgerufene Erbrechen hat mich an der Fortsetzung der Kur niemals gehindert. Die
bestimmten Stunden der Mahlzeiten werden trotzdem innegehalten, die
Aufnahme der Nahrung wird, wenn nötig, selbst durch Einflößen erzwungen. Auch auf die übrigen, durch die vermehrte Arbeitsleistung
des Intestinaltraktus meist gesteigerten Beschwerden, z. B. Kopfdruck,
Ohrensausen u. s. w. dürfen Sie keine Rücksicht nehmen. Sie müssen
unverrückbar das Ziel im Auge haben, daß in erster Linie die Beseitigung der Ernährungsstörung erreicht werden muß.

Dabei will ich durchaus nicht in Abrede stellen, daß man in vereinzelten Fällen durch wahre katarrhalische Affektionen des Intestinaltraktus auch bei der rein nervösen Anorexie an einem raschen
Vorgehen verhindert wird. Die Anzeichen dieser Magendarmkatarrhe
will ich hier kurz anführen: Die Zunge ist schmutzig-graugelb belegt;
es besteht starker Foetor ex ore. Es findet auch außerhalb der Zeiten
der Nahrungsaufnahme Erbrechen halbverdauter, mit Schleim ver-
mischter und stark angesäuerter (Milch-, Buttersäure) Speisemengen
statt, die nicht selten Beimengungen von Galle enthalten; leichte
Fieberbewegungen, Herpes labialis (gelegentlich), Salivation. Stärkere
Tympanie des Magens und der oberen Darmabschnitte, sowie Schmerzhaftigkeit bei Betasten des Abdomens möchte ich für sich allein nicht
als Beweis einer entzündlichen katarrhalischen Affektion gelten lassen,
da sie bei rein nervösen Zuständen in gleicher Weise vorkommen.

In Uebereinstimmung mit der Ansicht der anderen Autoren, die
über eine größere Erfahrung auf diesem Gebiete verfügen, kann ich
versichern, daß gerade die schwersten Fälle nervöser Anorexie im
jugendlichen Alter mit extremer Abmagerung die günstigsten für die
Ernährungskur sind und daß wir bei ihnen diese Zwischenfälle kaum zu
befürchten haben. Viel schwieriger sind die chronisch-anämisch-neur-
asthenischen Individuen, bei welchen im Anschluß an eine länger bestehende Atonie des Magens, wahrscheinlich infolge der verlangsamten
Weiterbeförderung des Mageninhalts, sich schließlich die erwähnten Erscheinungen des Magenkatarrhs entwickelt haben. Hier ist hinsichtlich
der Diätvorschriften den Erfahrungen der Magenspecialisten Rechnung
zu tragen. Sie werden, bis die katarrhalischen Erscheinungen beseitigt
sind, die Ernährung vorwaltend mit flüssigen Nahrungsmitteln bewerkstelligen, die Suppen durch Zusatz von Eiern, Fleischextrakt,
Pepton u. s. w. nahrhafter gestalten, die Milch mit Hafer- oder
Peptonkakao zusammenkochen, die Fleischspeisen und Gemüse in
fein gewiegtem Zustande und in Pureeform verabfolgen lassen,
kurzum alles aufwenden, um einen guten Ernährungszustand
mit möglichster Schonung der Arbeitsleistung des Magens herbeizuführen. Als Getränke sind die alkalischen Säuerlinge (Vichy,
Bilin, Ems, Selters, Fachingen) anzuempfehlen. Von der Darreichung
alkoholischer Getränke ist durchaus abzuraten. Mit Recht machen
alle Magenärzte darauf aufmerksam, daß die Speisen langsam

und unter ausgiebiger Verwendung der Kauwerkzeuge aufgenommen werden müssen und auf die Mundpflege großes Gewicht zu legen ist, um alle Entzündungserreger, welche mit den Speisen verschluckt werden können, nach Möglichkeit fernzuhalten. Bei allen mit starken Schleimabsonderungen einhergehenden Magenerkrankungen ist die Magenausspülung mit warmer 1-proz. Kochsalzlösung, Kalkwasser (4—5 Eßlöffel auf 1 Lit.) oder Emser- und Vichywasser geboten. Um die Magenwandungen zu desinfizieren, sind Ausspülungen mit Salicylsäure (1—3 : 1000), Thymol (0,5 : 1000), Borsäure (10,0 : 1000) u. s. w. empfohlen worden.

Sehr vorsichtig werden Sie fernerhin in solchen Fällen vorgehen müssen, in welchen die Anamnese sehr wahrscheinlich macht, daß früher ein Ulcus rotundum ventriculi vorhanden gewesen war. Hier ist bei der Auswahl der Speisen darauf Bedacht zu nehmen, daß eine gröbere mechanische Reizung der Magenwandung vermieden wird. Sind die Anzeichen eines wahrhaften Magenkatarrhs vorhanden, so habe ich von einer methodischen Durchführung der Diätkur Abstand genommen.

Ich habe bei der Symptomatologie ausführlich dargelegt, daß die digestiven Störungen sich bei unseren Patienten durchaus nicht auf die Magenthätigkeit beschränken, sondern in gleichem oder sehr häufig in noch höherem Maße sich auf die übrigen Abschnitte des Intestinaltraktus erstrecken. Die klinisch-wichtigsten Zeichen dieser Störungen sind, wenn wir von den subjektiven Krankheitsbeschwerden hier absehen, die chronischen Obstipationen und die meist interkurrent auftretenden Diarrhöen. In vielen Fällen genügen die diätetischen Maßnahmen und die Leibmassage, um regelmäßige und ausgiebige Stuhlentleerungen herbeizuführen. Zu diesem Zwecke können die Quantitäten von süßen Kompotts im Speiseplan verdoppelt und verdreifacht werden, indem man zweckmäßig morgens und abends den Genuß gekochter und gesüßter Früchte hinzufügt. Auch die reichliche Zuführung von Butter oder Lipanin wirkt stuhlbefördernd. Bei hartnäckiger Obstipation verwende ich mit Vorliebe statt einfacher Milch Kefir oder Sauer- oder Buttermilch. Auch die Boas'sche Vorschrift, in solchen Fällen Milchzucker in großen Dosen (3—4mal täglich eßlöffelweise) zu Milch, Thee etc. zu fügen, halte ich für sehr zweckmäßig. Reichen diese Maßregeln nicht aus, so ist die regelmäßige Stuhlentleerung durch Lavements, Oelklystiere, Glycerineinspritzungen oder durch die Darreichung pflanzlicher Abführmittel zu erzwingen. Am häufigsten verwende ich das amerikanische Präparat des Fluidextraktes von Cascara sagrada. Man giebt anfänglich einen Theelöffel täglich und kann schließlich bis 5—6 Tropfen (abends zu nehmen) herabgehen. Auch der Sagradawein, ein Liqueurglas voll ein bis mehrmals täglich, thut gute Wirkung, ist aber wegen seines Alkoholgehaltes nur ausnahmsweise zu verwenden. Von anderen Mitteln nenne ich Ihnen die Rhabarberpräparate, die Tamarindenkonserven, Podophyllinpillen, während ich die drastischen Abführmittel durchaus vermeide. Von den salinischen Abführmitteln sind die Bitterwässer möglichst fernzuhalten, während die Kochsalzquellen (z. B. Homburger Elisabethbrunnen, die Kissinger Wässer, Wiesbadener Kochbrunnen u. s. w.) beim Widerwillen gegen pflanzliche Abführmittel mit gutem Erfolge, besonders bei gleichzeitigem Hämorrhoidalleiden angewandt werden können. Ich bemerke aber, daß ich der mechanischen Behandlung durch Massage, Hydro- und Elektrotherapie ein ungleich größeres Gewicht für die Behandlung der chronischen Obstipation beilege als dieser medikamentösen.

Viel unangenehmer und für den Verlauf der Kur störender ist das Auftreten von Diarrhöen, welche, wie wir früher gesehen haben, mit der chronischen Obstipation in Zusammenhang stehen und meist durch abnorme Gährungs- und Fäulnisprozesse im Darme verursacht sind. Dieselben verlangen, wenn sie trotz der Beseitigung der Obstipation längere Zeit hartnäckig anhalten und wenn die deutlichen Zeichen eines chronischen Dickdarmkatarrhs vorhanden sind, eine strenge Regelung der Diät, welche den Zwecken der Diätkur widerspricht und deshalb das ursprüngliche Heilverfahren oft für längere Zeit illusorisch macht. Sind aus der Beschaffenheit der Stuhlentleerungen starke Zersetzungsvorgänge des Darminhalts zu erkennen, so sind nach der Anwendung von Laxantien desinfizierende Mittel per os oder vorteilhafter lokal mittels Darmirrigation zu verordnen (Ausspülungen mit Thymol, Salol, Natr. salicyl., Resorcin u. s. w.). Handelt es sich einfach darum, die Durchfälle zu stillen, so sind kleine Stärkeklystiere mit Zusatz von Opium oder Suppositorien aus Kakaobutter mit Zusatz von Opium und Belladonna sehr empfehlenswert, da sie die gesteigerte Darmperistaltik am raschesten beruhigen und auch die mit der Diarrhöe verbundenen quälenden Schmerzen beseitigen.

Ueber die Urinausscheidung während der Ernährungskur möchte ich bemerken, daß dieselbe entsprechend der vermehrten Flüssigkeitsaufnahme meistens wesentlich erhöht ist. Nur in den Fällen, in welchen die Schweißsekretion abnorm gesteigert ist, werden Sie die Vermehrung der Urinsekretion vermissen. Ich erwähne Ihnen hier die Untersuchungen von Burkart, nach welchen bei ausschließlicher Milchernährung die Harnsäure auffällig vermindert, bei gemischter Ernährung und ausgiebiger Massage in geringem Maße erhöht ist.

Bei einer gelungenen Ernährungskur beträgt die durchschnittliche Steigerung des Körpergewichts wöchentlich 750 bis 1500 g. In den Fällen extremer Abmagerung bei rein nervöser Anorexie werden Sie aber gar nicht selten Gewichtszunahmen bis zu 3000 g pro Woche erreichen. Findet nicht völlige Bettruhe statt, und werden dem Patienten von Anfang an aktive Muskelleistungen, wenn auch in mäßigem Umfang, gestattet, so findet die Gewichtszunahme bedeutend langsamer und in geringerem Maße statt. Sind dann Zunahmen von 500 g pro Woche durchschnittlich zu verzeichnen, so muß man ganz zufrieden sein. Im allgemeinen kann man 14-tägige und ziemlich gleichmäßige Perioden der Gewichtssteigerungen feststellen, in dem Sinne, daß auf eine außergewöhnlich rasche Zunahme des Körpergewichts in der 1. Woche eine relativ geringe in der 2. folgt und umgekehrt. Ich habe in einer früheren Arbeit diese 14-tägige Gewichtszunahme bei regelmäßigem und ungestörtem Fortgange der Kur aus einer größeren Zahl einschlägiger Krankenbeobachtungen auf 2000 g berechnet. Ich will hier einige eklatante Erfolge von Ernährungskuren beifügen:

Playfair erreichte in einem Falle in 40 Tagen bei einem Anfangsgewicht von 79 Pfd. eine Zunahme um 19 Pfd.; in einem anderen Falle bei einem Anfangsgewicht von 63 Pfd. in 6 Wochen eine Zu-

nahme von 43 Pfd. BURKART berichtet von einer Beobachtung, in
welcher bei einem Anfangsgewicht von 76 Pfd. innerhalb 9 Wochen
40 Pfd. an Körpergewicht gewonnen wurden.

Ich verfüge über 3 Beobachtungen extremer nervöser Anorexie
bei jungen Mädchen im Alter von 18, 19 und 20 Jahren, bei welchen
ähnliche Gewichtszunahmen erzielt wurden. Zwei derselben habe ich
Ihnen in den Krg. No. 52 und 86 genau mitgeteilt; von der dritten
füge ich hier einen kurzen Auszug bei.

Sie betraf ein junges Mädchen von 19 Jahren mit einem **Anfangs-** **Krg. No.102.**
gewicht von 42 Pfd. Bei ihr ging die Kur langsamer von statten, da
die Nahrungsaufnahme infolge heftigster neuralgiformer Magenschmerzen
erschwert war, welche früherhin als Folge eines narbig verheilten Ulcus
ventr. irrtümlich gedeutet worden waren. Es bestanden bei der psychisch leicht erregbaren Pat. zugleich sehr hartnäckige Schlafstörungen.
Schließlich gelang es doch, die Ernährung endgiltig zu heben. Nach
monatelanger Kur verließ sie die Klinik mit einem Körpergewicht von
105 Pfd. In der Folge traten bei der hereditär schwer belasteten und
gracil gebauten Pat. besonders nach Gemütsbewegungen und körperlichen
Ueberanstrengungen noch einigemal schwerere Erschöpfungszustände
mit Abnahme des Körpergewichts bis auf 79 Pfd. ein, die aber durch
geeignete ärztliche Verordnungen im Sinne der früheren Kur immer wieder
gehoben werden konnten. Pat. befindet sich jetzt seit längerer Zeit
körperlich und geistig frisch und leistungsfähig, nachdem sie eine ihr
zusagende Lebensstellung erworben hat.

Zum Schluß möchte ich noch auf eine Modifikation dieser Ernährungskur hinweisen, welche schon von W. MITCHELL angegeben
ist. Man bekommt nicht selten anämische Kranke mit abnormer Fettbildung in Behandlung. Die Fettablagerungen,
welche sich vor allem am Rumpf, aber auch an den Extremitäten
vorfinden, fühlen sich schlaff und teigig an. Man gewinnt den Eindruck einer „wäßrigen" und ungesunden Fettbildung. Ich füge noch
hinzu, daß es sich hierbei meist um Patienten mit der hyperalgetischen
Form der Neurasthenie handelt, bei welchen die Durchführung dieses
kombinierten Heilverfahrens an sich schwer ist. Hier handelt es sich
in erster Linie darum, die Patienten zu entfetten mittels der OERTEL-
schen oder EBSTEIN'schen Kur und dann erst mit unserer Diätkur
zu beginnen. Auch hier habe ich von der ursprünglichen W. MITCHELL-
schen Vorschrift der ausschließlichen Milchdiät, welche er für diese
Fälle ebenfalls empfiehlt, keinen Gebrauch gemacht.

Von den übrigen Hilfsmitteln, welche bei diesem kombinierten
Heilverfahren zur Anwendung kommen, legte W. MITCHELL der
allgemeinen Körpermassage die größte Bedeutung bei. Sie
soll durch die mechanische Bearbeitung der Muskeln „die Ruhe von
ihren schädlichen Folgen befreien", indem sie die zur Verarbeitung
der überschüssig aufgenommenen Nahrungsmengen notwendigen „Steigerungen der allgemeinen und interstitiellen Cirkulation und der Ge-
websverbrennung" herbeiführt. BURKART führt diesen Gedanken weiter
aus: die mechanische Bearbeitung der Muskeln veranlaßt, daß die im
Blut cirkulierenden zur höheren Oxydation bestimmten Stoffe, welche
durch die direkt und reflektorisch zu besonderer Thätigkeit ange-
spornten Verdauungsorgane in den Säftestrom aufgenommen werden,

nunmehr zum Aufbau und zur Reorganisation der Gewebe verwandt werden können. Beide Autoren sehen also in der mechanischen Bearbeitung der Hautoberfläche und Körpermuskulatur in erster Linie ein Mittel, durch welches beim Fehlen aktiver Muskelleistungen der Stoffumsatz den veränderten Ernährungsbedingungen am vorteilhaftesten angepaßt werden könne.

Nach meiner Ueberzeugung ist diese Auffassung von der Heilwirkung der Massage nicht erschöpfend. Wir werden drei Heilwirkungen hierbei zu unterscheiden haben: die Beförderung des Stoffwechsels durch die mechanische Bearbeitung der Muskeln, die Einwirkung der gleichmäßigen und länger fortgesetzten Bearbeitung der Hautnerven auf die centralen Erregungsvorgänge und endlich den suggestiven Einfluß.

Hinsichtlich des ersten Punktes besitzen wir einige physiologisch-chemische Untersuchungen, welche zwar den Einfluß der Massage auf den Stoffwechsel nicht völlig klarlegen, jedoch für einzelne Vorgänge desselben sicherstellen. Ich erinnere Sie an die Untersuchungen von FINKLER, welche eine Erhöhung des Umsatzes an N-freier Substanz beweisen, ferner an die Arbeiten von H. KELLER und GOBATZE, sowie von BLEIBTREU und BURKART, welche den günstigen Einfluß der Massage auf die resorptiven Vorgänge und auf die Steigerung des Eiweißumsatzes darlegen. BERNSTEIN vertritt die Ansicht, daß wir in der Massage ein Mittel besitzen, um den Lymphstrom zu befördern und abnorme Abscheidungsprodukte zu beseitigen. Weitere Aufschlüsse über eine Beeinflussung der Assimilierungsvorgänge durch die Massage besitzen wir, soweit physiologische Untersuchungen in Frage kommen, nicht. Wir sind nach dieser Richtung ausschließlich auf die Erfolge unseres Heilverfahrens angewiesen, welche eine in manchen Fällen enorme Steigerung des Eiweiß- und Fettansatzes binnen kurzer Frist bei hochgradig unterernährten Individuen zur Evidenz darthun. Wenn wir die Erfahrungen heranziehen dürfen, welche über den Einfluß gesteigerter Muskelarbeit durch aktive Bewegungen gewonnen wurden, so können wir auf Grund der Arbeiten von v. NOORDEN, MINKOWSKI, GEPPERT, ZUNTZ u. a. folgern, daß durch die Massage in diesen Fällen die „Regenerationsenergie" der Zellen gesteigert, daß ein erhöhter Verbrauch von Kohlehydraten und indirekt von Fett und Eiweiß im Gesamtorganismus hervorgerufen, daß die Blutbeschaffenheit (Herabminderung des CO-Gehaltes, freilich ohne Steigerung des O_2-Gehaltes) geändert und endlich die verdauende Thätigkeit des Magens (nicht durch Steigerung der HCl-Abscheidung, sondern durch Beschleunigung der Entleerung) gefördert wird. Diese Parallele ist freilich nur unter bestimmten Voraussetzungen zulässig, nämlich dann, wenn eine langdauernde und tüchtige Muskelknetung durch die Massage stattfindet. Das ist aber durchaus nicht bei allen Fällen, bei welchen die Ernährungskur stattfindet, von Beginn an durchzuführen, besonders dann nicht, wenn eine extreme Abmagerung besteht. Das Angriffsobjekt für eine ausgiebige Bearbeitung der Muskeln ist dann überhaupt nicht vorhanden; auch ist die mit der Massage verknüpfte Schmerzhaftigkeit der dürftigen Muskelreste ein Hinderungsgrund gegen langes und intensives Massieren.

Die Wirkung der Massage auf die Beschleunigung und Vermehrung der sekretorischen und motorischen Thätigkeit des Intestinaltraktus, sowie auf die Steigerung der Resorptions- und Assi-

milationsvorgänge erklärt sich nicht allein durch die mit der Muskelknetung verbundenen Steigerungen der Stoffwechselvorgänge und durch
die Beförderung des Lymphstroms. Von Anfang an, seit ich den zweifellos vorhandenen mächtigen Einfluß der Massage auf die Stoffwechselvorgänge kennen gelernt hatte, drängte sich mir die Ueberzeugung
auf, daß hier auch „nervöse" Wirkungen mit im
Spiele sind. Es ist hier die Hypothese notwendig, daß die Zuführung einer gewissen Summe gleichmäßiger Hautreize vom größten Teil der Körperoberfläche aus zu
den nervösen Centralorganen und speciell der Hirnrinde einen günstigen Einfluß auf die geschädigten
Hirnfunktionen ausübe. Dieser Einfluß findet, wie ich schon
vorstehend angedeutet habe, in doppelter Richtung statt: einmal im
Sinne unserer früheren physiologischen Ausführungen als bahnende
Einwirkungen auf die Thätigkeit der Nervencentren, sodann indirekt
durch psychische Vorgänge.

In ersterer Hinsicht möchte ich nur nochmals darauf hinweisen,
daß der in letzter Linie noch unaufgeklärte Stoffumsatz in den Geweben, welcher mit der Zellthätigkeit innig zusammenhängt, zweifellos
von nervösen Erregungen abhängig ist. Genauer bekannt ist dieser
Einfluß des Nervensystems auf die sekretorische Thätigkeit der
Drüsen, auf die mit der Wärmeregulierung verknüpfte Gewebsarbeit
bei den Warmblütern, sowie auf die Entstehung von Fieber.

Für den Einfluß der Massage auf die hochgradig abgemagerten
und anämischen Individuen, bei welchen nur ein gleichmäßiges, mittelstarkes und langsames Streichen der ganzen Hautoberfläche ohne
wesentliches Drücken und Kneten der Muskelmassen ausgeführt
werden kann, sprechen die klinischen Erfahrungen: der vielfach
schwache, leicht unterdrückbare, verlangsamte Puls wird kräftiger
und mäßig beschleunigt. Die Herzaktion hebt sich, die blassen,
kühlen und trockenen Hautdecken werden feuchter, dem Gefühle
nach wärmer und leicht gerötet. W. MITCHELL giebt an, daß er fast
regelmäßig eine Steigerung der Temperatur in der Achselhöhle im
Gefolge der Massage gesehen habe. Ich kann dies nur für wenige
Fälle bestätigen. Die Körpertemperatur wird für gewöhnlich nicht
beeinflußt; man kann sogar gelegentlich trotz vorsichtiger Verhütung
der Abkühlung ein leichtes Sinken der Temperatur nach der Massage
beobachten.

Die motorischen Funktionen des Intestinaltraktus
werden durch die leichte allgemeine Körpermassage
günstig beeinflußt. Allgemeiner Meteorismus oder lokale Magen-
auftreibungen oder auch die schlaff-atonischen Zustände ohne Gasansammlungen schwinden allmählich und hört damit auch ein großer
Teil der pathologischen Organempfindungen von Druck, Spannung und
Völle der Baucheingeweide auf. Es wird dadurch eine Hauptquelle der
Störungen der Nahrungszufuhr verstopft. Zur Erklärung dienen die
physiologischen Versuche, welche uns den reflex-fördernden und hemmenden Einfluß sensibler Erregungen (durch Reize auf die Hautoberfläche) auf die nervösen Centralorgane kennen gelehrt haben.
Hier würde der Einfluß auf die Herzthätigkeit und die Gefäßspannung
und der Tonus der Magendarmwandung hauptsächlich in Frage
kommen. Ich halte es aber auch für durchaus nicht ausgeschlossen,

daß auch die sekretorischen und trophischen Vorgänge — die letzteren umfassen die stoffumsetzende Thätigkeit der Gewebszellen — durch diese methodische Bearbeitung der Hautoberfläche auf diesem indirekten Wege eine sehr wesentliche Förderung erfahren.

Schwieriger zu erklären ist der beruhigende Einfluß der allgemeinen, leichten Körpermassage auf die übererregte Hirnrindenthätigkeit, soweit dieselbe sich uns durch Steigerung der kortiko-motorischen Reizvorgänge (erhöhte Muskelunruhe bis zu choreatischen Bewegungen) und der psychischen Erregbarkeit kundgiebt. Die Kranken empfinden bei günstigem Einfluß der Massage ein Gefühl natürlicher Müdigkeit, geistiger und körperlicher Entspannung; die „aufgeregten", „auf Drähte gespannten", „gezerrten", „vibrierenden" Nerven des Kopfes, des Rückens, der Extremitäten und der Eingeweide beruhigen sich. Für mich ist seit langer Zeit diese Wirkung der Massage der Gradmesser einerseits für die Tüchtigkeit der massierenden Person und anderseits für die Entscheidung der Frage, ob der Krankheitsfall für die Kur geeignet sei. Wird zu hastig, zu intensiv oder zu ungleichmäßig massiert, so wirkt diese Form der Massage aufregend und beunruhigend; werden die Patienten trotz sorgfältig ausgeführter Massage psychisch erregter und schlafloser, so habe ich die Massagebehandlung einschränken oder sogar aussetzen müssen. Man wird dann durch andere Hilfsmittel die Anregung der Hautthätigkeit bewirken müssen.

Will man den günstigen Einfluß der Massage auf diese Nervenkranken deuten, so wird man immer zur Annahme einer gemischt nervös-psychischen Einwirkung kommen. Es ist nicht ausgeschlossen, daß diese längere Zeit ausgeführten, zahlreichen, peripheren Nervenreize, welche natürlich auch der Großhirnrinde zufließen, dort interferierend auf pathologische, intrakortikale Erregungen einwirken und so auch ohne jede psychische Nebenwirkung die kortikalen Funktionen modifizieren. Man wird hier immer in Versuchung geführt, die „physikalische" Entstehung der Hypnose durch langsames Streichen der Hautdecken mit diesem beruhigenden Einfluß der Massage in Parallele zu stellen. Viele Patienten schlafen nach der Massage für kürzere oder längere Zeit und erwachen dann in wohligem, ausgeruhtem Zustande. Und was eine solche oft nur kurze Ruhepause für diese innerlich abgehetzten und schlaflosen Patienten bedeutet, welchen Gewinn an physischer Kräftigung und psychischer Hebung der Patienten hieraus erwächst, können Sie bei jeder gelingenden „Ernährungskur" mit Leichtigkeit erkennen.

Wir müssen aber noch eines anderen, ebenso wichtigen Faktors bei der Massagebehandlung gedenken, nämlich ihres psychisch-suggestiven Einflusses. Die Patienten kommen schon mit gewissen Voraussetzungen, Fremd- und Autosuggestionen zu dem Arzte, welcher sich speciell mit diesen Kuren beschäftigt. Sie haben durch Bekannte von oft überraschenden Heilerfolgen gehört und werden durch ihre Angehörigen und die Pflegerin in der Vorstellung bestärkt, daß diese Kur ihnen die Befreiung von ihren Leiden bringen müsse. Sie treten also schon „psychisch präpariert" in die Kur ein, und jeder einzelne Faktor des Kurverfahrens, insbesondere die Massage, wird in diesem Sinne verarbeitet.

Daß ich neben dieser unzweifelhaft psychischen Einwirkung der Massage auf die vegetativen Funktionen noch andere Wirkungen annehme, geht aus den vorstehenden Erörterungen hervor. Es wird im Einzelfalle schwer oder geradezu unmöglich sein, abzuwägen, wie viel der Heilwirkung auf mechanische, nervöse oder psychisch-suggestive Beeinflussung zu beziehen ist. Für gewisse Krankheitserscheinungen ist aber ohne zu großes Wagnis der suggestive Einfluß der Massage als ausschlaggebend zu erachten. Wir haben schon oben auf den beruhigenden Einfluß hingewiesen. In erster Linie wird dieser erreicht durch die Herabminderung der affektiven Erregbarkeit, durch die Ablenkung der Aufmerksamkeit von den zahllosen pathologischen Organempfindungen und endlich durch die positiv wirkende Autosuggestion, daß energisch gegen das Leiden vorgegangen wird. Es wird den Patienten zur Pflicht gemacht, bei der Massage jede aktive Muskelleistung zu vermeiden und in schlaffer, ruhiger Körperhaltung zu verharren. Jede Unterhaltung mit der massierenden Person ist während der Ausführung verboten. So wird erreicht, daß die Aufmerksamkeit der Kranken auf die mit den Manipulationen des Massierens verbundenen eigenen Aufgaben gerichtet sein muß.

Aber auch die erzieherisch-pädagogische Bedeutung der Massage darf nicht unterschätzt werden. Die schwersten Fälle haben meist Monate, ja oft Jahre in einem Zustand völliger Passivität verbracht. Nachdem verschiedene, mit innerem Widerstreben begonnene und mit mangelnder Konsequenz durchgeführte Heilversuche fehlgeschlagen waren, hatte sich in den Kranken die Vorstellung festgesetzt, daß mit ihnen nichts mehr zu machen sei und nichts mehr gemacht werden dürfe. Sie setzten demgemäß jedem weiteren ärztlichen Eingreifen aktiven und passiven Widerstand entgegen. Bei dieser Kur sehen sie sich einem festgefügten Kurplan gegenübergestellt, bei welchem sie, ohne gefragt zu sein, an- und ausgekleidet, gewaschen und gefüttert und am ganzen Körper bearbeitet werden. Die Theorie des Rühr-mich-nicht-an wird so gewaltsam zu nichte gemacht; sie, die jeden fremden Einfluß, vor allem jede Berührung durch ihnen nicht untergeordnete Persönlichkeiten unter den Zeichen intensivster Abneigung, unter Trotz und Weinen abgelehnt hatten, werden jetzt in völlig neuer Umgebung den umfassendsten Prozeduren an ihrem eigenen Leibe unterworfen! Besitzt die Masseuse (es handelt sich bei diesen schwersten Fällen fast nur um weibliche Patienten) die nötige Ruhe und Sicherheit, um unbeirrt durch die Einwendungen und Abwehrversuche der Kranken die ihr vom Arzt gestellte Aufgabe durchzuführen, so ist auch der Widerstand gegen die forcierte Ernährung bald gebrochen. Am überzeugendsten wirkt der Erfolg des Heilverfahrens, welcher durch suggestives Zureden sehr gefördert werden kann. Deshalb ist es unzulässig, ungebildete, für den psychischen Zustand der Patienten verständnislose oder sogar schroffe Pflegerinnen als Masseusen zu verwenden. Ich benutze nur Pflegerinnen, welche, durch jahrelangen Umgang mit solchen Kranken vorgebildet, die nötige Verstandesschärfe und Gemütstiefe besitzen, um das Vertrauen der Patienten zu gewinnen und diese von der Notwendigkeit der bedingungslosen Unterwerfung unter den ärztlichen Willen zu überzeugen.

Ich möchte Ihnen diesen kombinierten Einfluß der Ernährungskur und Massagebehandlung an einem Falle veranschaulichen, bei welchem ein relativ einfacher Kurplan ohne völlige Bettruhe und Isolierung aufgestellt wurde. Dieses Beispiel führt Ihnen außerdem den methodischen Ausbau des Kurplans in späteren Stadien der Behandlung vor Augen.

Krg. No. 103. Frl. X., 20 Jahre, Onkel väterlicherseits geisteskrank. Vater körperlich sehr schwächlich, zu hypochondrischen Vorstellungen geneigt, geistig gut begabt; eine Schwester der Pat. ist unter den gleichen Krankheitserscheinungen vor 4 Jahren hier behandelt worden. Normale Kinderentwickelung, war sogar ein korpulentes Kind. Im 11.—12. Jahre angeblich geistige Ueberarbeitung in der Schule, deshalb 1½ Jahre aus der Schule entfernt. Seit dieser Zeit ist die früher gute geistige Entwickelung entschieden zurückgegangen resp. verlangsamt, sie lernte schwer in der Schule, war auch körperlich schwächlich, blutarm und zeigte sehr häufig Muskelunruhe. Die Menses stellten sich im 14. Lebensjahre ein, waren sehr schwach, dauerten nur einen Tag und sind seitdem nicht wieder aufgetreten. Seit dem 16. Jahre Zunahme der Ermüdungserscheinungen. Kopfbeklommenheit, geistige und körperliche Müdigkeit, Appetitlosigkeit. Obstipation, Herzklopfen. Kopfschmerz bestand nur ein einziges Mal im 13. Lebensjahre und trat damals anfallsweise mit Flimmerskotom auf. Erbrechen war niemals vorhanden. Die Krankheitserscheinungen nahmen im Laufe des letzten Jahres noch mehr zu, besonders die geistige und körperliche Ermüdbarkeit. Pat. war nicht mehr imstande, in die kleinste gesellige Zusammenkunft zu gehen, weil jedes Gespräch nach kurzer Zeit die Denkthätigkeit zum Versagen bringt. Die Stimmung war reizbar, unzufrieden geworden. Das Maximum des Körpergewichts war 86 Pfd. mit Kleidern. **Bei der Aufnahme (18. März 1893) war das Körpergewicht 68 Pfd.** Sonstiger Befund bei der ersten Untersuchung: leichtes, systolisches Blasen an der Herzspitze, die Conjunctiva sehr bleich, Blutkörperchenzählung ergab 5 Mill. auf 1 cmm (vergl. S. 264). Hochgradige Abmagerung, fast völlig fehlendes Fettpolster. Radialis eng, wenig gefüllt, Urin eiweiß- und zuckerfrei, sauer.

Ueber ihren psychischen Status zur Zeit des Beginnes der Behandlung macht sie selbst folgende Angaben:

„Nach einer unruhigen Nacht erwache ich morgens, abgespannt und matt, manchmal auch zerschlagen an allen Gliedern. Letzteres hat sich jedoch seit ungefähr 4 Wochen, Gott sei Dank, nicht wiederholt. Das erste Frühstück stärkt mich sehr, dieses und das Mittagessen sind die einzigen Mahlzeiten, die ich mit richtigem Appetit verzehre. Während der häuslichen Arbeit bin ich ganz frohen Mutes, dann jedoch überkommt mich geistige und körperliche Unruhe, die auf die Dauer recht unbehaglich wird; ein unausgesetztes Chaos von Gedanken, teils der Vergangenheit, teils der Zukunft angehörend, drängt sich mir wider Willen auf, kürzlich geführte Gespräche, wobei ich mir die Stimmen der Sprechenden im Geiste deutlich vergegenwärtige, gehen mir fortwährend durch den Kopf. Diese Gedanken verschwinden allmählich, um einer Melancholie und Unbefriedigung Platz zu machen; Lesen und Aufsagen hübscher Gedichte, sowie kurze, leichte, fröhliche Unterhaltungen bringen mich eine Weile darüber hinweg, bannen die Verstimmung jedoch keineswegs ganz. Es ist mir nicht möglich, an diesem Tage Füße und Hände auch nur 5 Minuten ruhen zu lassen, sei es sitzend oder liegend, man habe ich bemerkt, daß sich in ersteren mitunter etwas Vibrieren einstellt. Der Kopf ist ein wenig benommen, hingegen frei von Schmerz. Für Geräusche bin ich sehr empfindlich, der kleinste Lärm greift mich an, sogar das

Zwitschern der Vögel, was ich sonst so liebte, berührt mich unangenehm. Das Gehen wird mir schwerer und ist natürlicherweise nur wenig Lust dazu vorhanden. Mit dem Einschlafen hat es seine Schwierigkeiten. Ich schlafe nur 3—4 Stunden ruhig und fest, dann beginnt ein wüstes Traumleben mit quälender, ermüdender Gedankenjagd."

Verordnung: Morgens 7 Uhr: Abwaschung des Oberkörpers mit Wasser von 20° R. Erstes Frühstück: Kakao 230 g, geröstetes Weißbrot 40 g, Butter 20 g.

9 Uhr: Zweites Frühstück: Milch 345 g, Grahambrot 35 g, Butter 20 g, gehacktes Fleisch 25 g (Schinken, Zunge u. s. w.).

11 Uhr: Bouillon mit Ei 115 g.

1¼ Uhr: Suppe 300 g, gebratenes Fleisch 110 g, Gemüse 80 g, Kartoffeln 30 g, Reismehlspeise 70 g, Weißbrot 40 g.

Aufstehen nachmittags 2½ Uhr. An sonnigen, windstillen Tagen Spaziergang im Freien (1 Stunde). Bei regnerischem, kaltem Wetter Beschäftigung mit Hausarbeit.

4 Uhr: Kakao 250 g, geröstetes Weißbrot 40 g.

4—5 Uhr auf dem Sofa, 5 Uhr (jeden 2. Tag) Badekur. a) Soolbad; b) nasse Einpackung (anfänglich 20° R, in 14 Tagen auf 17° R fallend); c) faradisches Bad. Nach a) und c) eine halbe Stunde trockene Einpackung. An den badefreien Tagen zwischen 5 und 6 Uhr leichte französische Lektüre oder Excerpieren aus einem geschichtlichen Werke.

6 Uhr: Fleisch 100 g, Butter 30 g, Brot 30 g, Bier 125 g. Bettruhe.

8 Uhr: Suppe 300 g.

9 Uhr: Lichterlöschen.

Gegen die Obstipation Cascaraextrakt 1 Theelöffel und jeden 2. Tag ein Lavement. Gewichtszunahme in der ersten Woche 3 Pfd. Der Schlaf war in dieser Zeit unruhig, durchschnittlich 2—3 Stunden tiefer, dann unterbrochener, traumvoller Schlaf.

In der zweiten Woche Beginn der Massage. 9½—10½ Uhr vormittags Massage mit nachfolgender trockener Einpackung (anfänglich Massage des Rückens, der Brust und des Unterleibes). Nach weiteren 14 Tagen Massage des ganzen Körpers.

Es werden ferner 2 Eßlöffel Lipanin (vornehmlich wegen der hartnäckigen Obstipation) dargereicht.

Gewichtszunahme in der zweiten Woche 3 Pfd. Stuhlgang erfolgt spontan bei einer Darreichung von täglich 15 Tropfen Cascara. Der Gartenaufenthalt wird auf anderthalb Stunden erweitert. Pat. beschäftigt sich mit leichten Gartenarbeiten. Gewichtszunahme in der dritten Woche 3 Pfd. Schlaf 7—8 Stunden, gelegentlich noch durch schreckhafte Träume unterbrochen. Gewichtszunahme in der vierten Woche 3 Pfd. 200 g. 2½ Stunden Gartenaufenthalt. Ich füge hier noch die Tabelle der in der vierten Woche täglich aufgenommenen Speisemengen bei. Am 15. April 7 Uhr: Kakao 345 g, Weißbrot 80 g, Butter 40 g. 9 Uhr: Milch 230 g, Brot 80 g, Butter 40 g, Fleisch 50 g. 11 Uhr: Bouillon mit Ei 115 g. Mittags 1¼ Uhr: Suppe 300 g, Fleisch 130 g, Kartoffeln 10 g, Gemüse 60 g, Weißbrot 40 g, Reismehlspeise 10 g. 4 Uhr: Kakao 345 g, Weißbrot 50 g. 6 Uhr: Milch 345 g, Brot 60 g, Fleisch 180 g, Butter 40 g. 8 Uhr: Suppe 300 g.

Zunahme in der fünften Woche 1000 g; 3 Eßlöffel Lipanin. Zunahme in der sechsten Woche 1300 g. Zunahme in der siebenten Woche 1800 g. Vormittags anderthalb Stunden Haus- und Küchenarbeit. Zunahme in der achten Woche 900 g. Stuhlgang unregelmäßig. Morgens nüchtern dreiviertel eines Wasserglases Homburger Elisabethbrunnens mit gutem Erfolg. Zunahme in der neunten Woche 1500 g. Abänderung der Badekur. Abends ein Halbbad von 25° R, 7 Minuten Dauer, mit dreimaligen kühlen Uebergießungen (16° R). Damit abwechselnd abendliche kühle Abreibungen mit Wasser von 17—18° R. Aufhören der Massage, Pat. ist den ganzen Tag außer Bett, beschäftigt sich mit Haus- und Gartenarbeit, französischer Lektüre, macht Ausflüge in die Umgegend. **Gesamte Gewichtszunahme während eines 16-wöchentlichen Aufenthalts 24 kg.**

Sie begreifen, daß ich bei meiner Auffassung über den Wert der Massagebehandlung, wenigstens für den Beginn der Kur, ein geringeres Gewicht auf das „Kneten und Welgern" der Muskelmassen als auf eine methodische Bearbeitung der Haut lege. Ich habe demgemäß die Vorschriften für die Ausübung der Massage bei diesen Nervenkranken anders gefaßt, als sie von W. MITCHELL und BURKART gegeben werden. Ich gebe die folgende Anweisung:

Die Fingerglieder werden gestreckt gehalten und dienen nur zum Umgreifen der massierten Teile. Der Druck auf die Haut und die unterliegenden Weichteile wird fast ausschließlich von der Hohlhand, dem Daumen- und Kleinfingerballen ausgeübt. Alles Abheben der Muskeln von den Knochen, Drücken und Kneipen einzelner Muskeln und Muskelbündel, Stoßen derselben mit den Knöcheln und Fingerspitzen ist direkt verboten. Die mit Vaseline oder Olivenöl eingefetteten Hohlhände werden in spiraligen Windungen um die massierten Körperteile annähernd senkrecht zur Längsachse des zu bearbeitenden Gliedes herumgeführt und so langsam von der Peripherie nach dem Centrum hin der Längsrichtung parallel fortgeschritten. Der Rücken wird mit Längsstrichen, neben den Dornfortsätzen einsetzend, von oben nach unten bearbeitet und allmählich auch die seitlichen Teile desselben, auf die Interkostalräume und die Seitenteile des Abdomens übergreifend, in die Massage hineingezogen. Der Massage des Nackens und des Halses muß eine besondere Aufmerksamkeit geschenkt werden. Die streichenden und leicht pressenden Handbewegungen beginnen an der Haargrenze und werden seitlich nach vorn und unten längs der großen Halsgefäße bis zu Clavicula geführt. Gerade hier muß ein stärkeres Stoßen und Drücken vermieden werden. Die Brust wird mittels Streichungen, die zu beiden Seiten des Brustbeins beginnen und seitlich um den Thorax fortgesetzt werden, massiert der Bauch, indem von der Cökalgegend ausgehende, längs des Verlaufes des Colons fortgesetzte Streichungen mit konzentrisch um den Nabel herumgeführten tiefergreifenden, aber langsamen und gleichmäßigen Knetungen verbunden werden.

Erst im weiteren Verlaufe der Kur, nachdem schon ein gewisser Fettansatz erreicht ist und auch eine Zunahme des Muskelvolums konstatiert werden kann, werden ausgiebigere Knetungen der Muskelmassen vorgenommen, aber auch hier nur, indem dieselben zwischen Hohlhand und die an der Grundphalanx leicht gekrümmten, im übrigen gestreckten Finger gepreßt werden.

Mittels dieser Methodik, die der oben gestellten Forderung einer ausgiebigen Hautmassage neben einer mäßigen Muskelknetung gerecht werden soll, wird einer von allen Autoren mit Recht betonten Forderung, den Rückfluß des venösen Blutes und der Lymphe zu befördern, ebenfalls in ausgiebiger Weise Rechnung getragen.

Auf eine sorgfältige Bearbeitung der peripherischsten Teile der Hände und Füße muß ein besonderes Gewicht gelegt werden. Für gewöhnlich bleibt der Kopf von der Massage ausgeschlossen, doch habe ich gerade in den letzten Jahren bei schlaflosen Kranken ein leicht pressendes Streichen der Stirn-, Schläfen- und Wangenoberfläche, in der Mitte der Stirn beginnend und gleichzeitig nach beiden Gesichtshälften ausstrahlend, als ein sehr schätzenswertes und schlafförderndes Beruhigungsmittel kennen gelernt.

Ich beginne mit der Massagebehandlung gleich am ersten Tage. Zuerst werden ausschließlich die unteren Extremitäten in der beschriebenen Weise bearbeitet. Dann folgen der Rücken und der Bauch, dann Brust, Hals und Nacken und zuletzt die Arme. Jeder Teil wird in der vollen Massage 10 Minuten lang behandelt, so daß die Massage des gesamten Körpers etwa 70 Minuten in Anspruch nimmt. Bei sehr schwachen, mageren und reizbaren Kranken muß die Zeitdauer gelegentlich beschränkt, bei muskelstärkeren und nicht extrem abgemagerten Personen mit träger Cirkulation, schlaffen, weichen Muskeln dagegen verlängert werden.

Diese mechanische Behandlung des Körpers wird täglich nur einmal ausgeführt, und zwar zumeist in den Vormittagsstunden. Bei Kranken, welche durch die Massage in einen Zustand physiologischer Ermüdung und Schläfrigkeit geraten, empfiehlt es sich, die Massage in den späten Abendstunden vornehmen zu lassen, um die Intensität und Dauer des Nachtschlafes zu steigern. Die Kopfmassage, welche ausschließlich diesem Zwecke dient, soll immer abends ausgeführt werden.

Sie werden Fällen begegnen, bei welchen die Durchführung selbst der leichtesten Hautmassage auf die größten Schwierigkeiten stößt. Ich habe schon früher davon gesprochen, daß diese Behandlung auf einzelne Kranke aufregend, affektiv beunruhigend und schlafstörend wirkt. Ich sagte, daß dies zum Teil auf unzweckmäßige psychisch-suggestive Beeinflussungen, zum Teil aber auch auf die fehlerhafte Durchführung der Massage hinsichtlich ihrer Intensität und Zeitdauer beruht, und daß dann ein Wechsel der Masseuse, sowie die mannigfachsten Modifikationen der Massage notwendig werden können.

Lassen Sie mich an dieser Stelle noch einige allgemeingiltige Bemerkungen über die Behandlung der Schlafstörungen anreihen. Es bedarf in allen Fällen der genauesten Erforschung der besonderen Form der Schlafverringerung. Wenn Sie die individuell höchst verschiedenartigen Reaktionen auf einzelne Kurvorschriften genauer ergründen, so werden Sie finden, daß nicht nur die Massage, sondern alle anderen Maßnahmen, welche im Verlaufe dieses kombinierten Heilverfahrens angewandt werden, gelegentlich die Schlafstörungen verstärken. Der eine erträgt die ihm zugemuteten motorischen Leistungen (vergl. die späteren Ausführungen über aktive und passive Gymnastik) schlecht, der andere wird durch die Verarbeitung der ungewohnten Speisemengen nachts gestört. Wiederum bei anderen wirken die hydropathischen Prozeduren in den Abendstunden erregend und schlafhindernd. Es ist fast selbstverständlich, daß die psychische Entspannung, die Fernhaltung der affektiven und intellektuellen Leistungen in den Abendstunden bei allen an Schlaflosigkeit leidenden Patienten zu erstreben ist. Viel nutzbringender als häufige Abänderungen einzelner Kurvorschriften ist die völlige Umgestaltung der Lebensweise. Dadurch, daß Sie die Patienten zwingen, schon in frühen Morgenstunden zu frühstücken und Wasserprozeduren an sich vornehmen zu lassen, während Sie von abends 8 Uhr ab (nach der letzten Mahlzeit) jede geistige und körperliche Beschäftigung untersagen, können Sie nach wenigen Wochen ein früheres Einschlafen sowie einen verlängerten und vertieften Nachtschlaf erzielen. Sie werden freilich in der ersten Zeit der Kur die Darreichung von Schlafmitteln nicht vermeiden können.

Ich möchte ferner auf gewisse, die Massagebehandlung störende Krankheitserscheinungen aufmerksam machen. Sie erinnern sich an meine frühere Darstellung der hyperalgetischen Form der Neurasthenie. Bei diesen Kranken werden nicht selten selbst durch ganz leichte, oberflächliche und langsam ausgeführte Hautmassage die parästhetischen und neuralgiformen Zustände vermehrt, insbesondere die arthralgischen Beschwerden. Hier ist es zweckmäßig, bei der Massage der Vaseline Ichthyol zuzusetzen (Ichthyol 10,0 : Vaselin. pur. 100,0) und die besonders schmerzhaften Partien mit dieser Salbe nicht nur leicht massieren, sondern so lange mit stärkerem Drucke bearbeiten zu lassen, bis die Salbe in die Haut eingerieben ist. Man erreicht hierdurch eine sehr wesentliche Herabminderung der Schmerzempfindlichkeit; ich betrachte es aber als eine durchaus offenstehende Frage, ob hier eine specifische „antineuralgische Wirkung" des Ichthyols zur Geltung kommt, oder ob die Verwendung eines weiteren Heilmittels, dessen schmerzstillende Eigenschaften den Patienten angepriesen werden, nur einen wohlthätigen suggestiven Einfluß ausübt. Auch ohne Ichthyolzusatz ist in solchen Fällen eine stärkere Massage günstiger und schmerzbefreiender als leichtere Streichungen, welche von den Patienten als die Hautnerven erregend bezeichnet werden. Handelt es sich um Knötchenbildungen in der Haut oder um stärkere diffuse Schwellungen der besonders schmerzhaften Partien, so muß die Massage so eingerichtet werden, daß diese besonders empfindlichen Stellen übergangen werden, da meist jede Form der Massage hier außerordentlich schmerzerregend wirkt.

In einer früheren Vorlesung habe ich Sie darauf hingewiesen, daß die mit der Menstruation verknüpften Beschwerden sehr häufig fast periodische Verschlechterungen des Gesamtbefindens, insbesondere auch des Ernährungszustandes veranlassen. Es sind nicht bloß die regelmäßig wiederkehrenden Blutverluste, sondern auch der durch die Steigerung der pathologischen Organempfindungen verschlechterte psychische Zustand, welcher die Patienten kraftlos, überempfindlich und appetitlos macht. Da meist ein protrahierter Verlauf der Menstruation bei solchen Fällen vorhanden ist, so gehen, wenn wir die prämenstruellen Beschwerden hinzurechnen, meist acht Tage für die Ernährungskur und Massagebehandlung verloren. Was sie in drei Wochen an Zunahme des Körpergewichts und Hebung des psychischen Befindens erreicht haben, kann in der vierten Woche wieder verloren gehen, wenn Sie nicht sehr energisch auf die Fortsetzung der Kur schon aus heilpädagogischen Gründen auch während dieser Zeit bestehen. Die Ernährungskur erleidet gar keine Unterbrechung; die

Massage bleibt auf die obere Rumpfhälfte und die oberen Extremitäten beschränkt. Läßt sich im Verlaufe der Behandlung mit Sicherheit feststellen, daß durch die Massage der unteren Extremitäten und des Abdomens die Periode verstärkt oder verfrüht herbeigeführt wird, so dürfen diese Teile überhaupt nur ganz leicht massiert werden. In allen Fällen, in welchen das Vorhandensein einer organischen Genitalerkrankung (chronische Metritis und Endometritis, Lageveränderung der Uterus, entzündliche Prozesse im Perimetrium und Parametrium u. s. w.) durch die ärztliche Untersuchung festgestellt worden ist, wird man am besten auf die Massage der unteren Hälfte des Abdomens verzichten.

Schließlich möchte ich Sie noch auf einige Verrichtungen hinweisen, welche mit der Massagebehandlung in Zusammenhang stehen. Die Kranken sind während der Massage locker in wollene Decken (Kameelshaardecken) gehüllt und nur die jeweilig bearbeiteten Teile entblößt. Es wird dadurch jede unnötige, bei mageren, anämischen Individuen direkt schädliche Abkühlung der Haut vermieden. Nach beendigter Massage werden entweder der ganze Körper oder ' bei particller Massage die bearbeiteten Teile mit lauwarmem Wasser abgesift oder mit Kalmusspiritus abgerieben und darauf die Kranken ausnahmslos $^1/_2$—1 Stunde lang fest in Wolldecken eingehüllt. Klagen die Kranken über gesteigerte Kälteempfindungen in den Füßen während dieser trockenen Einpackung, so sind die unteren Extremitäten höher zu lagern und vom Knie abwärts noch in eine zweite Wolldecke einzuhüllen. Klagen die Patienten im Anschluß an die Massage über stärkere Blutwallungen zum Kopfe oder über vermehrten Kopfdruck, so lasse ich kühle Kompressen auf Stirn und Nacken legen. Der Hauptzweck dieser Einpackung besteht darin, daß die Patienten sich nach der Massage körperlich und geistig völlig ruhig verhalten müssen. Wirkt die Einpackung psychisch beängstigend, so darf der Pfleger resp. Pflegerin sich an das Bett des Patienten setzen, doch ist jede Unterhaltung während dieser Ruhephase verboten. Bei der angioneurotischen Form der Neurasthenia ist die volle Einpackung wegen vermehrter Herzbeschwerden und ihrer psychischen Folgeerscheinungen kontraindiziert. Hier empfiehlt es sich, die Arme von der Einpackung frei zu lassen und den Oberkörper nur mit einem zweiten leichteren wollenen Tuche zu bedecken. Nach Beendigung der Einpackung wird der ganze Körper mit einem weichen Frottiertuche abgerieben.

15. Vorlesung.

M. H.! Ein weiteres wichtiges Hilfsmittel bei der Behandlung der Neurasthenie ist die Hydrotherapie.

Es ist hier natürlich nicht der Ort, Ihnen die Lehren der allgemeinen und speciellen Hydrotherapie vorzutragen, deren Kenntnis für die Behandlung der Neurasthenie eine unerläßliche Vorbedingung ist. Nur dadurch, daß noch viele Aerzte dieser Kenntnis entbehren, wird es verständlich, daß bei der Behandlung der Neurasthenie in der täglichen Praxis des Hausarztes so selten eine zielbewußte und konsequent durchgeführte hydropathische Behandlung Platz findet und sich deshalb die Patienten in die Arme der Naturheilkundigen, der geistlichen und weltlichen nichtärztlichen Wasserdoktoren werfen. Kaum einer der vielen Tausende Nervenkranker, welche zu diesen modernen Wasseraposteln pilgern und mit Begeisterung von ihren Erfolgen sprechen, ist sich der Thatsache bewußt, daß er dort eine höchst schablonenhafte, kritiklose und in ihrer Einseitigkeit für viele Kranke geradezu gefährliche Wasserbehandlung genießt, und daß außer diesen Wunderthätern schon seit langer Zeit wissenschaftlich geschulte Hydropathen überall vorhanden sind, um dem Bedürfnisse nach Specialkuren vollauf zu genügen.

Freilich wird der wissenschaftlich gebildete Arzt die Wasserbehandlung nicht zu einem Allheilmittel erheben, welches für sich allein ohne andere gleichwichtige Heilfaktoren schwere Krankheiten mit verblüffender Raschheit und Sicherheit beseitigen kann. Er wird auch nicht den Aberglauben unterstützen, daß schwere organische Krankheiten, welche schon zu dauernden anatomischen Veränderungen geführt haben, durch Packungen und Güsse, durch Dampf- und Sitzreibebäder geheilt werden können. Der Nervenkranke verkennt in der Mehrzahl der Fälle das eigentlich wirksame Prinzip, welches den Heilerfolgen dieser „Physiater" zu Grunde liegt. Neben den oft recht praktischen, diätetischen und hygienischen Anleitungen zu einer einfachen und zweckmäßigen Lebensführung ist es vor allem der mächtige suggestive Einfluß, welcher von diesen Heilkünstlern auf die Patienten ausgeübt wird. In der monotonen Wiederholung ihrer abenteuerlich-phantastischen naturphilosophischen Lehren über das Wesen der Krankheit und über die Wirkungen ihres Heilsystems, in der starren Einseitigkeit, sowie in der rücksichtslosen Durchführung ihrer Verordnungen sind unschwer die Hilfsmittel zu erkennen, welche dieser eigenartigen Psychotherapie dienstbar gemacht sind. Wie manche verzärtelte, willensschwache Persönlichkeit unterwirft sich gläubig und geduldig den Anordnungen dieser Naturheilkünstler, während sie einem verständigen ärztlichen Zuspruch unzugänglich gewesen ist!

Entschuldigen Sie diese Abschweifung auf ein Gebiet, welches, streng genommen, nicht hierher gehört! Sie ist aber entschuldbar durch die Thatsache, daß Sie in Ihrer späteren ärztlichen Wirksamkeit, sobald Sie Neurastheniker behandeln, in steter Berührung mit der Frage nach den Ursachen der Unausrottbarkeit der Kurpfuscherei stehen werden. Nur wenn die physikalischen Heilmethoden zum Gemeingut aller Aerzte geworden sind, und wenn auch in den Laienkreisen die Ueberzeugung sich Bahn gebrochen hat, daß die wissenschaftliche Medizin all diese Methoden nicht nur beherrscht, sondern auch im ausgiebigsten Maße verwendet, nur dann wird den schwindelhaften Existenzen der Boden entzogen werden, welche einzelne dieser Heilfaktoren in marktschreierischer Weise als neue, von der „Schulmedizin" verkannte anpreisen. Sie Alle müssen also bestrebt sein, sich mit diesen Behandlungsmethoden nicht nur wissenschaftlich, sondern auch praktisch vertraut zu machen. Sie müssen die Technik dieser Behandlungsmethoden vollständig beherrschen, damit Ihnen das beschämende Gefühl erspart bleibt, von einem ungebildeten Badediener in der Praxis Belehrungen zu empfangen. Freilich werden Sie mit Recht verlangen können, daß unsere Hochschulen mehr als bisher diesen therapeutischen Forderungen Rechnung tragen, indem regelmäßige Vorlesungen und Kurse über Balneo- resp. Hydro-, Mechano- und Elektrotherapie abgehalten werden. Aber alle diese Unterweisungen werden nutzlos sein, wenn nicht durch eine verbesserte psychologische resp. psychiatrische Schulung der indirekte, aber deshalb nicht minder mächtige psychische Einfluß dieser Behandlungsmethoden Ihnen klar wird.

Nachdem ich so der Pflicht genügt habe, im allgemeinen auf die hohe Bedeutung der Hydrotherapie für die Behandlung dieser Nervenkranken Ihr Augenmerk zu lenken, will ich an dieser Stelle nur kurz die Wasserbehandlung schildern, welche ich in mannigfachsten individuell angepaßten Abstufungen bei den Neurasthenikern zur Anwendung bringe. Als oberster Grundsatz muß Ihnen maßgebend sein, daß Sie niemals in ein schablonenhaftes Verfahren verfallen dürfen. Es beweist einen großen Mangel an Kritik und Sachkenntnis, wenn ärztlicherseits irgend einer hydriatischen Anwendung, sei es in der Form der ursprünglichen Kaltwasserkuren, sei es als allgemeine oder lokale Hydrotherapie, sei es in der Bevorzugung von Douchen oder von Abreibungen oder Einpackungen, von Dampf- und Schwitzbädern u. s. w., einseitig das Wort geredet wird. Ferner möchte ich den Satz voranstellen, daß der Erfolg irgend einer hydriatischen Verordnung niemals vorausbestimmt werden kann und nur die individuelle Reaktion des Patienten entscheidend ist. Sie werden bei jeder Wasserkur im Beginne Versuche anstellen müssen, bis Sie eine zweckmäßige Anordnung hinsichtlich der Art, der Dauer und der Intensität der hydropathischen Prozeduren für den einzelnen Patienten herausgefunden haben. Nur unter diesen Einschränkungen sind die folgenden Vorschriften als maßgebend zu betrachten für den Behandlungsplan, welcher die Förderung der Stoffwechselvorgänge zugleich mit der Beseitigung psychischer und nervöser Störungen bezweckt. Auf einzelne Modifikationen der Wasserbehandlung bei Neurasthenikern, welche der Ernährungskur nicht bedürfen, werde ich Sie nachher aufmerksam machen.

Das Tagewerk der Kranken beginnt mit Waschungen des Oberkörpers bis zur Hüfte (morgens 7 Uhr vor dem ersten Frühstück). Sind sie schon an Waschungen des ganzen Körpers gewöhnt, so ist diese Verordnung beizubehalten. Sie werden in der Mehrzahl der Fälle bei den abgemagerten, blutarmen und meist verweichlichten Patienten mit warmem Wasser (durchschnittlich 24° R) die Waschungen beginnen. Es empfiehlt sich dann, langsam, alle 2—3 Tage die Wassertemperetur um 1° zu erniedrigen und so allmählich bis zu 15° R herunterzugehen. Die Waschungen werden am besten mit einem großen Badeschwamm ausgeführt. An die Waschung schließt sich eine Frottierung mit einem weichen Tuche an, bis die Kranken sich wieder erwärmt haben. Aber auch hier werden Sie der Gewöhnung der Kranken Rechnung tragen müssen; Sie begegnen gelegentlich selbst unter den schweren Fällen Patienten, welche an sehr energische nasse Frottierungen des ganzen Körpers gewöhnt sind. Nasse Abreibungen und Abklatschungen widerrate ich, wenigstens im Beginn der Kur, da dieselben zu erregend wirken und zu viel Wärme entziehen. Eine weitere Abwaschung des Körpers erfolgt, wie wir früher gesehen haben, nach der Massage.

In den Abendstunden, meist zwischen 4 und 6 Uhr, werden Vollbäder von durchschnittlich 26—27° R und 15—20 Minuten Dauer verordnet. Meist lasse ich den Bädern Mutterlauge oder Soolsalz in entsprechender Menge zusetzen, um ein mittelstarkes Soolbad mit einem Salzgehalt von 3 Proz. herzustellen. In der hiesigen Klinik verwenden wir das Staßfurter Badesalz (5 kg auf ein Vollbad). Die Temperatur des Soolbades schwankt zwischen 24 und 26°. Die Zeitdauer des Bades ist 12—15 Minuten. Zum Schlusse des Sool-, sowie des gewöhnlichen Vollbades findet eine kühle Uebergießung über Nacken und Schulter statt. Die Temperatur des hierzu verwandten Wassers soll durchschnittlich um 8° niedriger als die des Badewassers sein. Sofort nach der Uebergießung werden die Patienten aus dem Bade herausgehoben, in weiche Frottiertücher gehüllt und tüchtig abgerieben. Leiden die Patienten während des Bades an Kongestionen zum Kopfe (bei der angioneurotischen Form der Neurasthenie), so müssen von dem Pflegepersonal während der ganzen Dauer des Bades kühle Kompressen auf Stirn und Nacken des Patienten gelegt werden. Klagen die Patienten im Bade über heftige Pulsationen und Angstzustände trotz der Kompressen, so können während des Bades mehrmals kühle Ueberrieselungen über den ganzen Oberkörper (nachdem der Kranke etwas aufgerichtet worden ist) ausgeführt werden. Während dieser Prozedur hat der Pfleger resp. die Pflegerin leichte Frottierungen der Brust, des Nackens und des Rückens auszuführen. Nach den Bädern werden die Kranken wieder 1 Stunde in die Kameelshaardecken gepackt und absolute körperliche und geistige Ruhe verordnet.

Abwechselnd mit den Bädern werden nasse Einpackungen resp. Wickelungen des ganzen Körpers angewandt.

Ich weiche bei den schweren Fällen von der üblichen Vorschrift, nur kaltes Wasser zu verwenden, ab, weil der heftige Kältereiz von den mageren, anämischen Patienten nicht ertragen wird. Es genügt hier, die während der Wickelung stattfindende Verdunstung als Reiz auf die Hautgefäßnerven zu verwenden, um die Entlastung der inneren Gefäßgebiete, insbesondere der Schädelhöhle herbeizuführen. Im Beginn der Kur wird deshalb Wasser von 22 °R, später von 18—16 °R verwandt. Die Dauer der nassen Einpackung beträgt durchschnittlich 1 Stunde. Die Kranken werden dann ausgewickelt und sofort mit großem Badeschwamm der ganze Körper rasch mit kaltem Wasser abgewaschen und dann mit weichem Tuche abgerieben. Auch nach dieser Prozedur werden die Kranken für kürzere oder längere Zeit bis zu 1 Stunde trocken eingepackt. Aber auch hier wird man sich der individuellen Reaktion anpassen müssen und gelegentlich auch kälteres Wasser von Zimmer- bis Brunnentemperatur zur Wickelung benutzen. Können sich die Kranken überhaupt in der Einwickelung nicht erwärmen, indem die reaktive Erweiterung der Hautgefäße ausbleibt, was bei extrem abgemagerten Patienten auch bei Anwendung kalten Wassers gar nicht selten der Fall ist, so wird man auf diese hydriatische Behandlung verzichten müssen. Ich rate aber, noch den Versuch zu machen, statt der naßkalten Einwickelung eine solche mit heißem Wasser, welche ebenfalls eine Erweiterung der Hautgefäße herbeiführt, auszuführen. Da sich aber die Temperatur infolge der Verdunstung rasch abkühlt, so sind diese heißen Wickelungen auf höchstens 20 Minuten zu beschränken.

Drittens verwende ich das hydro-elektrische (faradische) Bad in ausgedehntestem Maße. Dasselbe ist nach meinen Erfahrungen die angenehmste und für die Kranken wohlthuendste Form der allgemeinen Faradisation, zu welcher dann noch der hydrotherapeutische Einfluß des Vollbades hinzukommt. Auf die Stoffwechselvorgänge (Harnstoffausscheidung) wirkt dasselbe fördernd (LEHR); Appetit und die Verdauung werden angeregt und der Schlaf in vielen Fällen günstig beeinflußt. Bei übererregten schlaflosen Patienten habe ich längerdauernde (bis zu 30 Minuten) faradische Bäder als ein ausgezeichnetes Beruhigungs- und Schlafmittel kennen und schätzen gelernt. Ueber die im Einzelfall anzuwendende Stromstärke lassen sich bestimmte Vorschriften nicht geben. Im allgemeinen soll der faradische Strom nur leichte prickelnde Empfindungen auf der Hautoberfläche auslösen; stärkere Muskelkontraktionen, welche bei stark abgemagerten Personen mit erhöhter Muskelerregbarkeit sehr leicht schon bei schwachen Strömen zustande kommen, müssen vermieden werden. Der Strom ist erst einzuschalten, wenn der Patient schon im Bade liegt. Die Wassertemperatur ist 26—28 °R. Auch hier lasse ich eine trockene Einpackung dem Bade folgen.

Bei der Ausarbeitung der Kurpläne verwende ich die drei genannten hydriatischen Prozeduren, falls nicht von vornherein irgend eine Kontraindikation gegen diese oder jene Verordnung vorliegt, in folgender Gruppierung:

1. Tag: einfaches Voll- oder Soolbad;
2. Tag: hydropathische Einpackung;
3. Tag: faradisches Bad;
4. Tag: Ruhe.

Sie werden schon nach zweimaliger Durchführung dieser verschiedenen hydriatischen Verordnungen sich ein Urteil bilden können, welche Methode den Kranken subjektiv am wohlthuendsten und objektiv im Hinblick auf die Ernährung, den allgemeinen Kräftezustand und den Schlaf am vorteilhaftesten ist. Was die Kranken zugleich belebt und erfrischt, ihren Appetit steigert, ihre Schmerzen verringert, eine merkliche psychische Beruhigung herbeiführt, wird bei der weiteren Durchführung des Kurplans bevorzugt, was übererregend wirkt, muß modifiziert oder im schlimmsten Falle völlig weggelassen werden. In allen Fällen, in welchen jede hydriatische Behandlung erregend resp. schlafstörend wirkt, muß sie auf die Vormittagsstunden verlegt und dementsprechend die Massage abends ausgeführt werden. Die hydriatische Behandlung ganz aus dem Kurplan auszuschalten, habe ich niemals Veranlassung gehabt.

Wir werden aber auch außerhalb des kombinierten Heilverfahrens der W. MITCHELL'schen Kur von der Wasserbehandlung bei unseren neurasthenischen Patienten ausgiebigen Gebrauch machen. Es kommen dann außer den hier schon besprochenen hydriatischen Prozeduren vor allem noch in Betracht:

a) Kühle Vollbäder (14—16° R) von kurzer Dauer (2 bis 4 Minuten) und mit lebhafter Bewegung im Bade (Plätschern, Strampeln, Selbstfrottieren). Dieselben empfehlen sich bei Patienten resp. Patientinnen mit gutem Ernährungszustande, welche an abnormer Empfindlichkeit der Hautoberfläche gegen Einwirkungen von Temperaturschwankungen leiden und deshalb unablässig von Erkältungen heimgesucht sind. Wir haben früher gesehen, wie häufig durch diese „rheumatischen" Einflüsse die mannigfachsten und in ihrer Wirkung auf das psychische Verhalten der Patienten verhängnisvollsten parästhetischen und neuralgiformen Zustände ausgelöst werden. Dem gleichen Zwecke dienen die langsam abgekühlten Vollbäder mit einer Anfangstemperatur von 24—25° und einer Endtemperatur von 14—15° R. Dauer des Bades 7—10 Minuten. Im zweiten Teile des Bades haben die Patienten auch durch Selbstfrottierung und aktive Muskelbewegungen für eine gesteigerte Blutcirkulation Sorge zu tragen. Diese Anwendung hat den Vorzug, daß auch Kranke mit gesteigerter psychischer Erregbarkeit, welche der Shockwirkung des kühlen Vollbades nicht ausgesetzt werden sollen, dasselbe sehr gut ertragen. Im allgemeinen gilt für alle Bäder die Regel: je kühler das Bad, desto kürzer seine Dauer.

b) Das Halbbad. Der Patient sitzt in der bis zu einem Drittel gefüllten Badewanne. Das Wasser bedeckt die unteren Extremitäten und die Beckengegend. Die Temperatur des Wassers schwankt zwischen 24—18° R. Die Patienten überschütten sich entweder selbst beständig Brust, Rücken und Arme mit dem Badewasser, oder ein Badewärter besorgt diese unaufhörlichen Uebergießungen des Oberkörpers. Zu gleicher Zeit frottieren sich die Kranken Brust und Arme. Auch hier ist die Anwendung eines langsam abgekühlten Bades sehr vorteilhaft. In vielen Fällen wird der Patient im Halbbade zweckmäßiger mit kühler temperiertem Wasser übergossen. Ich verwende meist Wasser zu den Gießungen, welches um 6—8° niedriger ist als das Badewasser. Zum Schlusse des Halbbades, welches 5—7 Minuten dauern soll, findet eine rasche Uebergießung des ganzen Körpers statt. Auch hier werden wir die Bäder abkürzen, je niedriger temperiert sowohl das Bade- als auch das Uebergießungswasser verwendet wird. Diese Halbbäder verwende ich bei den vorerwähnten Patienten mit erhöhter Hautempfindlichkeit, sodann vor allem bei denen mit Kopf-

-druck, ferner bei der dyspeptischen und sexuellen Form der Neurasthenie. Bei Patienten mit motorischen Reiz- und Schwächesymptomen werden Sie Halbbäder nur mit Vorsicht verwenden dürfen, da sie die Ermüdungsempfindungen und die damit zusammenhängenden Schwächezustände shockartig steigern können. Ich habe längere Zeit einen Patienten behandelt, welcher seine motorische Hilflosigkeit auf ein erzwungenes Halbbad zurückführte.

In den Sommermonaten empfehle ich an Stelle dieser vorgenannten Wasserprozeduren sehr gern die Wellenbäder oder Fluß- resp. Binnenseeschwimmbäder.

c) Kurzdauernde kalte Sitzbäder werden oft mit Vorteil bei der angioneurotischen Form der Neurasthenie verordnet. Die Temperatur des Bades ist 8—12° R, die Dauer 1—3 Minuten. Es sind aber nur die Fälle geeignet, bei welchen plötzliche Wallungen zum Kopfe stattfinden bei gleichzeitig verstärkter und beschleunigter Herzthätigkeit. Es darf nie verabsäumt werden. zugleich Kompressen auf Stirn und Nacken legen zu lassen, um die anfängliche Steigerung der Kongestion zu verringern. Diese kurzdauernden kalten Sitzbäder führen eine sehr wirksame Entlastung der Blutgefäße im Schädelinnern herbei; die Wirkung tritt aber erst nach Beendigung des Bades ein, wenn die reaktive Erweiterung der Unterleibsgefäße und die Beschleunigung der Blutbewegung in diesen Gefäßen Platz gegriffen hat. Es ist auch nicht ausgeschlossen, daß der intensive Kältereiz einen direkten (durch die energische Reizung zahlreicher Hautnerven) modifizierenden Einfluß auf die medullären vasomotorischen Centralapparate ausübt. Aber auch bei rein psychisch bedingten, paroxystisch auftretenden Erregungszuständen (Angstaffekte mit oder ohne bestimmte Furchtvorstellungen) wird man kalte Sitzbäder versuchen dürfen. Es sind mir Fälle bekannt, wo die Patienten rein empirisch zu diesem Hilfsmittel gegen nächtliche Angstzustände gelangt sind. Ob hier der Kältereiz auf vasomotorische Störungen günstig eingewirkt hat, oder ob es sich hierbei um eine psychisch-suggestive Wirkung handelt, möchte ich als eine offenstehende Frage bezeichnen. Wesentlich als Suggestivwirkung wird man den günstigen Einfluß der kurzdauernden Sitzbäder bei den Fällen wahrer oder vermeintlicher sexueller Neurasthenie bezeichnen dürfen. Sie finden hier besonders dann Anwendung, wenn die Patienten über Schlaffheit und Gefühllosigkeit in den Genitalien klagen und durch diese Bäder eine „erfrischende, belebende" Wirkung verspüren. Hingegen möchte ich dringend warnen, jugendliche Neurastheniker, welche über sexuelle Erregungszustände (gehäufte Erektionen und Pollutionen) klagen, mit solchen Sitzbädern behandeln zu wollen, da sie die sexuelle Erregbarkeit steigern und wie ich aus verschiedenen Geständnissen weiß, durch Erregung von Wollustempfindungen zur Masturbation verlocken. Eine weitere Indikation für Sitzbäder sind Fälle mit „Abdominalplethora" und hartnäckiger Obstipation. Sie wirken zweifellos anregend auf den Tonus der Darmmuskulatur und befördern die Blutbewegung in den Unterleibsorganen. Kontraindiziert sind die Sitzbäder bei allen hochgradig anämischen Personen.

Von anderen Formen der Sitzbäder erwähne ich nur noch das prolongierte warme Sitzbad (27—28° R, 20—30 Minuten Dauer), welches bei affektiver Erregung, gesteigerten Kopfdrucksymptomen, Schlaflosigkeit gelegentlich recht wirksam ist. Man kann die Wirkung dieser Sitzbäder noch steigern, indem man gleichzeitig mehrmalige kurzdauernde kalte Uebergießungen über Nacken und Schultern während des Bades ausführen läßt.

d) **Fuß- oder Handbäder** habe ich nur dann angewandt, wenn hartnäckige cirkulatorische Störungen in den Extremitäten (kalte Hände und Füße) vorlagen, am besten werden kurzdauernde kalte Fußbäder im fließenden Wasser von Brunnentemperatur angewandt. Nach Beendigung des Bades haben die Patienten kräftige aktive Muskelbewegungen mit den unteren Extremitäten auszuführen (Stampf-, Stoß- und Tretbewegungen).

e) Von **Douchen** mache ich äußerst selten Gebrauch. Dieselben sind entbehrlich bei methodischer Anwendung der Uebergießungen. Sie sind bei übererregbaren Patienten in ihrer Wirkung absolut unberechenbar. Es gilt dies wenigstens für die einfachen Douchevorrichtungen, welche mir in meiner Klinik zur Verfügung stehen. Dieselben erlauben einen raschen Wechsel und eine genaue Regulierung der Wassertemperatur nur unvollständig. Auch genügen sie nicht, um eine genaue Kontrolle und eine zweckmäßige Abstufung des Drucks des Douchewassers vorzunehmen. Verwendbar sind sie eigentlich nur als kühle Regendouchen über Kopf und Oberkörper, welche aber kaum einen Vorteil vor den Uebergießungen voraus haben. Alle komplizierteren hydrotherapeutischen Methoden mittelst auf- und absteigender, seitlicher und beweglicher Douchen, Fächerbrausen, Spitz- und Strahldouchen u. s. w. können nur in besonderen Wasserheilanstalten zur Anwendung kommen, welche mit den notwendigen technischen Einrichtungen ausgerüstet sind. Aber auch hier ist große Vorsicht geboten; ich fürchte jede forcierte und unzweckmäßige Kaltwasserbehandlung, vor allem kräftige Strahlendouchen, welche bei neurasthenischen Patienten oft eine verhängnisvolle Einwirkung besitzen.

Krg. No. 104.   Zum Beleg hierfür möchte ich Ihnen den Fall eines jungen 26-jähr. Philologen erwähnen, welcher im 24. Lebensjahre während seiner Examensarbeiten mit den Symptomen cerebraler Erschöpfung erkrankte (Schlaflosigkeit, Unfähigkeit zu geistiger Konzentration, Gedächtnisschwäche, dyspeptische Phänomene). Er besuchte eine Kaltwasserheilanstalt und wurde dort angeblich von einem Badewärter mehrmals mit einer starken Strahlendouche, welche auf Hinterkopf und Nacken gerichtet war, bearbeitet. Seit dieser Zeit war er mit einem dauernden, höchst quälenden Kopfdruck behaftet, welcher noch 2 Jahre später, als die Konsultation bei mir stattfand, mit unvermindeter Heftigkeit fortbestand und nach der Versicherung des damals blühend aussehenden und körperlich leistungsfähigen Pat. jeden Versuch andauernder geistiger Thätigkeit unmöglich machte. Der Pat. erinnerte mich in der Schilderung seiner Kopfdrucksymptome an die Fälle traumatischer Neurasthenie, bei welchen ein Schlag, Stoß oder Sturz auf den Schädel jahrelang dauernde Kopfdruck- und Schwindelsymptome ausgelöst hat.

f) Sehr zweckmäßig und besonders auch in der Hauspraxis leicht verwendbar sind die **partiellen nassen Wickelungen**. Bei Schlaflosigkeit, Angstaffekten, Euteralgien werden Sie Leibwickelungen anwenden können. Sie bedingen nicht nur einen reaktiven Blutzufluß auf die Gefäße der umwickelten Hautpartie, sondern auch auf die abdominellen Organe und führen so eine Entlastung des Hirnkreislaufs herbei. Je kälter das zur Wickelung verwandte Wasser, desto intensiver ist die anfängliche Gefäßkontraktion und die reaktive Gefäßerweiterung. Sie müssen diese lokalen Einpackungen stundenlang wirken lassen, wenn Sie eine ausgiebige Ableitung erzielen wollen. In manchen Fällen, besonders bei Schlaflosigkeit, empfiehlt es sich, sie abends auszuführen und die ganze Nacht liegen zu lassen; doch rate ich dann, die Einpackungen an den unteren Extremitäten bis zum Knie zu machen („hydropathische Stiefel"), da die Leibwickelung von manchen Patienten infolge Behinderung der abdominellen Atmung sehr lästig empfunden wird.

g) Von den **Kühlapparaten** nenne ich Ihnen außer dem gewöhnlichen **Eisbeutel**, welcher bei Kongestivzuständen zum Kopfe oder bei stürmischer Erregung der Herzthätigkeit mit Angstaffekten oft nicht entbehrt werden kann, noch den Chapman-Eisbeutel, welcher bei der sog. Spinalirritation mit sexuellen Reizsymptomen vielfach empfohlen wird. Ich habe in einem hierher gehörigen Falle denselben mit Erfolg verwandt, kann aber nicht verschweigen, daß bei anderen Patienten mich diese Methode ganz im Stich gelassen hat. Andere Kühlapparate, durch welche mittels trockener Kälte lokale Hyperästhesien bekämpft werden sollen, z. B. die Kühlsonde oder den Psychrophor (von Winternitz) zur Behandlung der sexuellen Neurasthenie, habe ich bei Neurasthenikern nie angewandt, da die betreffenden Patienten vor der nervenärztlichen Behandlung schon über Gebühr mit diesen und ähnlichen Prozeduren von den Specialärzten für Geschlechtskrankheiten behandelt worden waren.

h) Zum Schluß erwähne ich noch die **Schwitzbäder**, welche bei fettleibigen Patienten zur Beförderung des Stoffwechsels ganz zweckdienlich sind. Von den gebräuchlichsten Methoden, welche in den modernen Wasserheilanstalten und in den vortrefflichen Badehäusern der größeren Städte und mancher Kurorte ausgeführt werden, nenne ich Ihnen das **russische Dampfbad**, das **römisch-irische** (**Heißluftbad**), das **Kastendampfbad** und das **Schwitzbett**. Man wird bei der Verordnung dieser Schwitzbäder recht vorsichtig sein müssen, sobald es sich um Neurastheniker in fortgeschrittenen Lebensjahren mit atheromatösen Veränderungen der Gefäße handelt, da der Einfluß auf den Blutdruck und auf die Herzthätigkeit ein ganz gewaltiger ist. Bei Patienten mit habituellen kalten Füßen infolge ungenügender Cirkulation in den unteren Extremitäten habe ich gelegentlich, besonders dann, wenn zugleich hartnäckige parästhetische Empfindungen in der Haut oder Arthralgien der unteren Extremitäten vorhanden waren, lokale **Kastendampfbäder** mit nachfolgender Uebergießung mit kaltem Wasser mit gutem Erfolg angewandt.

Ueber die Verwendung der **Elektrotherapie** im Rahmen unseres kombinierten Heilverfahrens kann ich mich kurz fassen, da nur die **allgemeine Faradisation**, sei es in der ursprünglich von Beard und Rockwell angegebenen Methode (negativer Pol eine breite, gut durchfeuchtete Fußplatte — die positive Elektrode, entweder die befeuchtete Hand des Arztes oder ein Schwamm, wird in bestimmter Reihenfolge über die sämtlichen Teile der Körperoberfläche geführt), sei es als **faradisches Bad**, in Frage kommt. Entgegen den neueren Bestrebungen, alle elektrotherapeutischen Erfolge aus-

schließlich auf Suggestivwirkung zurückzuführen, die kürzlich von
STINTZING eine durchaus zutreffende Kritik erfahren haben, muß ich
daran festhalten, daß dieser Behandlungsmethode ganz bestimmte
physiologische Wirkungen zukommen. Ohne mich auf theoretische
Erörterungen über das Wesen dieser·therapeutischen Einwirkungen
einzulassen, möchte ich nur im allgemeinen darauf hinweisen, daß
die Symptome der Uebererregung durch sie am wirksamsten bekämpft
werden; daß hierbei wie bei jeder anderen therapeutischen Maßregel
suggestive Beeinflussungen unvermeidlich, ja sogar notwendig sind,
bedarf keiner besonderen Erörterung. Bei meiner Auffassung über
das Wesen und die Bedeutung der Psychotherapie kann ich nur anempfehlen, diesem suggestiven Faktor die gebührende Berücksichtigung
zu Teil werden zu lassen.

Viele Kranke bedürfen, bevor sie der elektrischen Behandlung
unterzogen werden können, einer vorbereitenden Belehrung, um allerlei
abenteuerliche und furchterregende Vorstellungen über die Gefährlich-
keit der Elektricität zu beseitigen und ihnen die Vorteile dieses Verfahrens klar zu machen. Außer den schon früher erwähnten günstigen
Einwirkungen auf den Schlaf und den Gesamtstoffwechsel möchte ich
noch auf 2 Punkte aufmerksam machen: einmal wirkt die allgemeine
Faradisation in den Fällen von kutaner Hyperalgesie oft überraschend
schmerzstillend (freilich ist bei dieser Heilwirkung der suggestive Faktor
sehr in Betracht zu ziehen) und zweitens ist sie eines der anregendsten
Mittel zur Bekämpfung der neurasthenischen Muskelschwäche resp. der
pathologisch gesteigerten muskulären Ermüdungsgefühle.

Für die Diätkur hatte W. MITCHELL die allgemeine Muskelfaradisation, bei welcher kräftige Muskelkontraktionen von den
ZIEMSSEN'schen Punkten aus erregt werden sollten, empfohlen. Die
Muskeln der Extremitäten, des Rückens und des Bauches werden
1—2 mal täglich in ausgedehntem Maße (bis 1 Stunde lang) faradisiert,
um die Stoffwechselvorgänge zu erhöhen. Um die Schmerzhaftigkeit
dieser Behandlung zu mildern, soll ein Induktionsstrom mit langsam
aufeinander folgenden Unterbrechungen angewendet werden. In dem
Behandlungsplane von BURKART ist die Faradisation auf kürzere
Sitzungen (16—20 Minuten pro Tag) eingeschränkt, da bei Kranken
mit Kopfdrucksymptomen die energische W. MITCHELL'sche Behandlung eine Steigerung der Beschwerden herbeiführte. Ich habe die
Muskelfaradisation schon seit Jahren bei abgemagerten Menschen mit
dürftiger Muskulatur unterlassen und nur die BEARD- und ROCK-
WELL'sche Behandlung oder das faradische Bad angewandt. Nur in
den Fällen, in welchen im Verlaufe der Ernährungskur ein starker
Fettansatz, aber keine wesentliche Hebung der Muskelkraft stattfindet,
wird im zweiten Teile der Kur, wenn die aktiven Leistungen der
Patienten in den Vordergrund treten, die faradische Behandlung der
Extremitätenmuskeln zweckdienlich sein.

Die lokale Faradisation werden Sie verwenden, wenn Sie
mittelst eines intensiven und flächenhaft ausgedehnten Hautreizes
(am besten mit einer Schwammelektrode) einen reflektorischen Einfluß auf die Vasomotoren (z. B. bei der neurasthenischen Pseudoangina pectoris) oder einen reflexhemmenden Einfluß auf motorische
Reizzustände oder einen erregenden Einfluß bei atonischen Zuständen
der Magendarmmuskulatur ausüben wollen. Gelegentlich werden Sie
sehr heftige neuralgiforme Schmerzen durch starke faradische Ströme,

welche direkt auf den Schmerzpunkt gerichtet sind, vorübergehend erfolgreich bekämpfen. Auf andere Methoden von lokaler Faradisation, wie sie von Elektrotherapeuten von Fach auch bei Neurasthenikern geübt werden, kann ich hier nicht eingehen. Ich möchte aber wenigstens meine warnende Stimme dagegen erheben, langdauernde und forcierte lokale Faradisationen bei diesen Kranken auszuführen. Ich will nicht bestreiten, daß in vereinzelten Fällen eine derartige einseitige Beschäftigung mit einem Lokalsymptom unter entsprechender suggestiver Behandlung des Patienten erfolgreich gewesen ist. Insbesondere bei Sexualneurasthenikern mit gehäuften hypochondrischen Klagen über krankhafte Samenverluste und Impotenz, parästhetischen Empfindungen in der Urethra ist die Applikation mäßiger lokaler Reize ein nicht zu unterschätzendes suggestives Hilfsmittel. Daß es sich hier um specifische Heilwirkungen der Elektricität handelt, eine Ansicht, die Sie u. a. durch Löwenfeld, der auch die intraurethrale Faradisation aufs wärmste empfiehlt, vertreten finden, scheint mir sehr unwahrscheinlich zu sein.

Haben diese Prozeduren nicht bald einen günstigen Einfluß auf die Kranken, so rate ich, bei allen schwächlichen und leicht erregbaren Neurasthenikern die lokale Faradisation aufzugeben. Ich sehe in meiner Konsiliarpraxis jährlich eine große Anzahl von Patienten, deren Urethra neben anderen Mißhandlungen auch einer mehrmonatlichen Behandlung mit der Katheterelektrode ohne Erfolg unterworfen war. Vielmehr hat die gehäufte Lokaltherapie den hypochondrischen Vorstellungen neue Nahrung zugeführt und die Kranken von der Hoffnungslosigkeit ihres sexuellen Schwächezustandes endgiltig überzeugt.

Von der galvanischen Behandlung werden Sie behufs Bekämpfung einzelner Krankheitserscheinungen sehr häufig Gebrauch machen müssen. In erster Linie steht die galvanische Behandlung des Kopfes bei hartnäckigen Kopfdrucksymptomen mit oder ohne Schwindelempfindungen, bei hemikranischem und allgemeinem Kopfschmerz, sowie bei parästhetischen Empfindungen, die in die Kopfhaut lokalisiert werden. Hinsichtlich der Intensität der angewandten Ströme und der Dauer der einzelnen Sitzungen werden Sie streng individualisierend vorgehen müssen. Sie dürfen nie vergessen, daß Sie gerade unter den Neurasthenikern die weitgehendsten Schwankungen betreffs der Empfindlichkeit für den galvanischen Strom vorfinden. Im allgemeinen sind Kranke mit hochgradiger psychischer Erschöpfung, welche in ihrer psychischen Beschaffenheit sich schon dem Krankheitsbild des Erschöpfungsstupors nähern, subjektiv wenig empfindlich, während psychisch übererregte Patienten mit labilen Affekten eine gesteigerte Empfindlichkeit darbieten; besonders die Patienten, die an jeden therapeutischen Eingriff eine Unzahl hypochondrischer Furchtvorstellungen anknüpfen, äußern schon bei minimalen Strömen die lebhaftesten subjektiven Beschwerden. Es ist unverkennbar, daß bei all diesen subjektiven Reaktionen der psychische Faktor, die Autosuggestion, den wesentlichsten Anteil hat. Bei übererregten ängstlichen Patienten werden Sie am besten von der Galvanisation Abstand nehmen, weil die erhoffte specifische Heilwirkung gegenüber der psychischen Schädigung durch diese Autosuggestionen ganz in den Hintergrund tritt.

Unter Berücksichtigung dieser individuellen Schwankungen möchte ich Ihnen kurz die Methode der Kopfgalvanisation schildern, welche wir hier seit Jahren vielfach verwenden: Wir benutzen biegsame Plattenelektroden, welche sich der Stirn- und Nackenwölbung anpassen lassen. Am häufigsten wird der Strom in longitudinaler Richtung von der Stirn zum Nacken geleitet. Nur in den Fällen tiefsitzender intraorbitaler Schmerzen wird der Strom quer durch die vorderen Partien des Kopfes geleitet; die Stromstärke schwankt je nach der Empfindlichkeit zwischen 0,5—3 MA, die Sitzungsdauer zwischen 1—5 Minuten. Sodann machen wir ausgiebigen Gebrauch von der Halsgalvanisation bei der angioneurotischen Form der Neurasthenie. Die Kathode (eine gestielte Schwammelektrode) wird hinter dem Unterkieferwinkel, die Anode (eine konkave Plattenelektrode) im Nacken angesetzt. Die Stromstärke schwankt auch hier zwischen 0,5—3 MA, die Dauer der Sitzung bei doppelseitiger Behandlung 4—6, bei einseitiger 3 Minuten.

Die Rückengalvanisation, welche von manchen Autoren zur Behandlung der „Myelasthenie" empfohlen wurde, habe ich nur in beschränktem Maße in Anwendung gebracht, weil ich mich, wie ich offen gestehe, nur selten von einem wesentlichen Einfluß überzeugen konnte. Von den Methoden, welche hier in Frage kommen, ist die Längsdurchströmung die gebräuchlichste (aufsteigende Ströme). doch wird sie meist verbunden mit horizontaler Stromleitung (vom Lendenteil zum Bauch, vom Dorsalteil zum unteren Sternal-, vom Halsteil zum oberen Sternalende).

Von den Elektrotherapeuten wird die lokale Galvanisation zur Bekämpfung der verschiedensten Krankheitserscheinungen verwandt. Bei der nervösen Dyspepsie empfiehlt LÖWENFELD eine horizontale Galvanisation (große Plattenelektrode an der vorderen Bauchwand in der Magengegend, kleinere Elektrode in annähernd gleicher Höhe am Rücken) bei einer Stromstärke von 5—15 MA. Besonders warm befürwortet er aber die galvanische Behandlung der sexuellen Schwächezustände. Gegen Polutiones nimiae und Spermatorrhöe verwendet er die horizontale Durchströmung des Lendenmarks (Anode unterer Dorsal- oder oberster Lendenwirbel, Kathode Abdomen) und absteigende Ströme von der Lendenmarksregion der Wirbelsäule zum Damme. Die $\dfrac{\text{Stromdichte}}{10 \times 5 \text{ cm}}$ beträgt 2—5 MA. Die Sitzungsdauer soll 5 Minuten nicht übersteigen. Aber auch der extraurethralen galvanischen Behandlung (durch Leitung kräftiger Ströme mit öfteren Wendungen vom Damme zur Symphyse) redet er das Wort. Daß auch hier Suggestivwirkungen bei erfolgreichen Kuren in Frage kommen, ist mir nicht zweifelhaft. Das Gleiche gilt von der galvanischen Behandlung der habituellen Obstipation mittels Darmelektroden. Ich habe sie früher mehrfach geübt und kann bestätigen, daß vorübergehend eine Regelung der Darmentleerung bei dieser Behandlung erzielt worden ist. Es darf aber nicht verschwiegen werden, daß gleichzeitig Diätvorschriften gegeben waren, die denselben Zweck verfolgten.

Ueber die von manchen Seiten, besonders von französischen Autoren, wiederum angepriesene Franklinisation mit der Influenzmaschine besitze ich keine eigenen Erfahrungen. Es wird dieser Behandlung, welche in der Form des elektrostatischen Luftbades, der FRANKLIN'schen Kopfdouche, der Spitzenausstrahlung und der Funkenentladung am meisten zur Anwendung kommt, nachgerühmt, daß sie Schlaflosigkeit, Kopfschmerz, Kopfdruck, Migräne zum Schwinden bringt. Auch zur Bekämpfung der Impotenz ist die Franklinisation angepriesen worden. Bei Mangel an eigenen Erfahrungen möchte ich auf den Ausspruch von STINTZING hinweisen, daß ihre Heilwirkung vorwiegend auf psychischen Vorgängen beruhe.

Es ist im Eingange dieser therapeutischen Erörterungen schon besprochen worden, daß bei den leichteren Fällen, d. h., um es zu wiederholen, bei den Kranken, welche keine tiefgreifenden und langdauernden Erschöpfungszustände mit oder ohne nutritive Störungen darbieten, im Kurplane die auf Erholung und auf Uebung hinzielenden Hilfsmittel und Verordnungen gemischt Platz finden können. Bei den schwereren Fällen, bei welchen im Beginne der Kur alle aktiven (intellektuellen und körperlichen) Leistungen nur eine Steigerung der Uebererregbarkeitssymptome herbeiführen und schließlich die Entkräftung steigern, habe ich einer Zweiteilung des Kurplanes das Wort geredet. Dasjenige Hilfsmittel, welches uns wenigstens hinsichtlich der körperlichen Leistungen den besten Indikator für das Maß der noch vorhandenen und bei den schweren Fällen der wiedergewonnenen Leistungsfähigkeit bietet, ist die Gymnastik.

Sie zerfällt in die passive und aktive Gymnastik. Bei der ersteren werden am Kranken Körperbewegungen durch geeignete, mit dieser Behandlungsmethode vertraute Pfleger resp. Pflegerinnen ausgeführt, ohne daß der Patient dabei mitwirkt. Es werden Beugungen und Streckungen, Ab- und Adduktionen, drehende und kreisende Bewegungen, welche mit den physiologischen aktiven Bewegungen hinsichtlich der Muskel- und Gelenkthätigkeit identisch sind, in methodischer Anordnung der Aufeinanderfolge und der Zahl der Bewegungen ausgeführt. Die reine passive Gymnastik der Extremitäten, bei welcher der Patient in ruhiger, schlaffer Körperhaltung auf einem Ruhebett liegt, dient ähnlichen Zwecken wie die Massage. Nur muß die mechanische Einwirkung auf die Muskeln, Sehnen und Fascien, Gelenkkapseln und Bänder, Nerven, Blut- und Lymphgefäße bei diesen methodischen Dehnungen, Zerrungen und Verschiebungen der einzelnen Gliederbestandteile bedeutend stärker sein. Vor allem scheinen mir die mannigfachen Zerrungen und Dehnungen kleinerer und größerer Haut-, Muskel- und Gelenknerven einen mächtigeren Reiz auf die Centralorgane auszuüben u. a. durch Erzeugung von zahlreichen Haut-, Muskel- resp. Sehnen- und Gelenkempfindungen. Daß diese passiven Bewegungen die Blut- und Lymphcirkulation wesentlich fördern, ist von verschiedenen Mechanotherapeuten und, wie ich glaube, mit Recht hervorgehoben. Als Beweis hierfür gilt mir der günstige Einfluß, welchen diese Behandlungsmethode bei den Patienten mit kühlen und cyanotischen Extremitäten besitzt.

Bei leichteren Kranken kombiniere ich schon von Anfang an die Rumpf-, Nacken- und Kopfmassage mit dieser passiven Gliedergymnastik. Es ist dies besonders bei den Fällen zu empfehlen, welche schon vor Eintritt in die Kur längere Zeit einer einseitigen Massagebehandlung unterworfen waren. Für eine solche Anordnung der Kur spricht dann auch der psychotherapeutische Gesichtspunkt, daß dem Patienten das Vertrauen zur Massagebehandlung schon geschwunden ist und er durch andere Hilfsmittel in seinem psychischen Verhalten aufgerichtet und gestützt werden muß.

Bei den Fällen, welche dem methodischen, kombinierten Heilverfahren unterworfen werden, bildet die passive Gymnastik ganz regelmäßig den Uebergang zu aktiven Muskelleistungen. Handelt es sich um Ernährungskuren bei geistig und körperlich nicht völlig leistungsunfähigen Personen, bei welchen wesentlich eine Hebung der Ernährung und Leistungsfähigkeit binnen kürzerer Zeit erreicht werden soll, so wird mit Ende der 4. Kurwoche zuerst die Massage der unteren Extremitäten durch die passive Gymnastik ersetzt. Nach weiteren 3 Tagen, falls das Allgemeinbefinden und die Ernährung durch diese Abänderung des Kurplans nicht ungünstig beeinflußt werden, beendigt man die Massage der Arme und beginnt auch hier mit gymnastischen Uebungen. Die Massage der übrigen Körperteile wird weiter fortgesetzt. Insbesondere die Kranken mit hyperalgetischen Zuständen seitens der Haut-, Muskel- und Gelenkempfindungen können durch langsam, aber intensiv ausgeführte passive Dehnungen und Streckungen von ihren Schmerzen befreit werden. Ich habe hier auch besonders Patientinnen im Sinne, welche nicht einer Ernährungskur in dem früher entwickelten Sinne bedürftig sind, sondern anämische und zugleich fettreiche Frauen mit pseudo-ischiadischen Beschwerden, mit topalgischen Schmerzen in der Leistenbeuge, in der Mitte der Oberschenkel, den Fuß- und Zehengelenken u. a. m. Die Schmerzen haben diese Patientinnen oft unfähig gemacht zu selbst relativ geringfügigen aktiven Muskelleistungen. Einzelne derselben sind in meine Behandlung gekommen, als sie nur noch mit Unterstützung zweier Stöcke wenige Schritte selbständig ausführen konnten. Ich bemerke hierzu, daß es sich keineswegs um abasische oder astatische Störungen handelte. Nur die enorme Schmerzempfindlichkeit hatte die Gebrauchsunfähigkeit herbeigeführt. Neben einer zweckmäßigen Entfettungskur, hydrotherapeutischer und elektrischer Behandlung hat diese passive Gymnastik hauptsächlich durch langsame, aber forcierte Beugungen im Hüft- und Kniegelenk nach vorheriger langsamer Zerrung des gestreckten Beins (unblutige Dehnung der N. ischiadlci?) den günstigsten Einfluß auf die Ueberempfindlichkeit und Bewegungsunfähigkeit ausgeübt. Inwieweit auch bei dieser Behandlung eine suggestive Einwirkung auf die Patienten stattfindet, läßt sich schwer ermessen.

Es mag Ihnen, wenn Sie mit dieser scheinbar einfachen und nicht anstrengenden Behandlungsmethode wenig oder gar nicht vertraut sind, auffällig erscheinen, daß damit ein wesentlicher psychischer und somatischer Einfluß auf die Kranken ausgeübt werden könnte. Ich kann Sie aber versichern, daß viele Kranke, welche im Beginne dieser passiven gymnastischen Uebungen geringschätzig über ihre eigenen Leistungen und über die Arbeit des „Bewegungsgebers" gelächelt hatten, bei denen also die Autosuggestion von der Wirkungslosigkeit dieser Prozeduren schon vorherrschte, nach einiger Zeit entweder über günstige oder ungünstige Folgen, welche sich nur auf das neu eingeschaltete Behandlungsmittel beziehen konnten, mir Bericht erstatteten. Die einen bemerkten, daß sie durch diese passiven Bewegungen angenehm ermüdet und von mannigfachen Parästhesien, vor allem aber von Kälteempfindungen befreit würden.

Es giebt aber auch Fälle, bei welchen die passive Gymnastik erregend wirkt, besonders die „nervöse Unruhe" steigert. Insbesondere

erweckt die Behandlung der kleinen Gelenke (Hand, Finger, Zehen)
selbst bei langsam und sorgfältig ausgeführten Dehnungen, Beugungen
und Streckungen den Patienten unangenehme drückende Gelenkschmerzen, welche oft noch lange Zeit nach Beendigung der Gymnastik andauern. Ich unterlasse dann die passiven gymnastischen
Uebungen an den kleinen Gelenken.

Wenn je nach dem Kräftezustand und der Leistungsfähigkeit der
Patienten diese passiven Uebungen einige Zeit angewandt worden sind,
wird der Uebergang zur aktiven Gymnastik durch Einschaltung von
„halbaktiven“ Widerstandsbewegungen bewerkstelligt. Dieselben bilden gegenwärtig einen wesentlichen Bestandteil der Heilgymnastik. Sie wissen, daß die methodische Ausarbeitung dieser Widerstandsübungen durch den Schweden LING und seine Schüler bewerkstelligt worden ist und dementsprechend auch heute noch als schwedische Heilgymnastik bezeichnet wird. Es ist mir nicht möglich,
Ihnen hier eine genaue Schilderung dieser sehr komplizierten Heilmethode zu geben, welche nur unter der Leitung eines sachverständigen
Arztes ausgeführt werden sollte. Sie ist ein ausgezeichnetes diätetisches
und prophylaktisches Mittel zu einer gleichmäßigen Entfaltung der
Muskelkräfte für die heranwachsende großstädtische Jugend, welche hinsichtlich ihrer körperlichen Uebung oft nur auf die spärlichen in den
Schulplan eingestreuten Turnstunden angewiesen ist. Insbesondere
schwächliche Kinder, welche für den Turnunterricht nicht geeignet
sind, sollten in Städten, die geeignete Anstalten für Heilgymnastik
besitzen, dieses Heilverfahrens teilhaftig werden. Aber auch der
geistig überanstrengte Bureaumensch wird dem chronischen Be-
wegungsmangel und seinen schädlichen Folgen am besten durch die
schwedische Heilgymnastik steuern.

Als einfache Widerstandsübungen, welche bei liegender
oder sitzender „Grundstellung“ an den Extremitäten überall ausgeführt
werden können, nenne ich Ihnen die Beugungen und Streckungen
des Unter- und Oberarms einschließlich der Schulterbewegungen nach
oben, vorn und hinten, ferner die Bewegungen im Fußgelenk (Dorsal-
und Plantarflexion), vor allem aber Bewegungen im Knie- und Hüft-
gelenk (Hüftkniebeugen und -strecken). Die Widerstandsbewegungen
werden in der Weise ausgeführt, daß der Arzt resp. Pfleger eine bestimmte Bewegung ausführt, welcher der Patient, der „Bewegungs-
nehmer“, einen gewissen Grad von Widerstand entgegensetzt. Diese
Form von Widerstandsübungen, welche als dupliziert-excentrische
oder passiv-aktive Bewegungen von den Mechanotherapeuten bezeichnet werden, gestatten den Kranken nach meinen Erfahrungen
eine bessere willkürliche Abstufung des Kraftmaßes als die umgekehrte Methode (die dupliziert-koncentrischen oder aktiv-passiven
Widerstandsbewegungen), bei welchen die Kranken primär-aktive
Bewegungen auszuführen haben, welche durch die Arbeitsleistungen
des Bewegungsgebers verhindert oder erschwert werden.

Nach jeder einzelnen Widerstandsübung hat der Patient kurze
Zeit auszuruhen; hintereinander sollen nie mehr als 5 solche Uebungen
an einem Gelenk oder kombiniert wirkenden Muskelgruppen ausgeführt werden. Dann hat eine größere Pause von 8—10 Minuten
einzutreten. Diese Widerstandsübungen erfordern nicht nur eine
große Geschicklichkeit des Arztes resp. Pflegers, sondern auch eine
Schulung des Patienten. Es muß beiden klar sein, daß es sich nur

um langsam ausgeführte, ursprünglich passive Beugungen und
Streckungen, Ab- und Adduktion handelt, welchen die Patienten
durch eine mäßige, willkürliche Anspannung der Antagonisten einen
geringen, leicht zu überwindenden Widerstand entgegensetzen
sollen. Niemals darf es sich um einen Wettkampf zwischen Bewegungs-
geber und -nehmer handeln, in welchem beide einen Beweis ihrer
Körperkräfte ablegen sollen. Jede Uebertreibung wirkt direkt schädlich auf den Kranken.

Der Zeitpunkt, wann Sie die einfachen passiven Uebungen durch
Widerstandsbewegungen ersetzen sollen, wird in jedem einzelnen Fall
besonders zu bestimmen sein, da der allgemeine Kräftezustand, individuelle Reaktion gegen Muskelermüdungsgefühle, die Fähigkeit zu
aktiven (willkürlichen) Muskelbewegungen und andere hier in Frage
kommende, größtenteils psychische Faktoren berücksichtigt werden
müssen. Im allgemeinen kann man sagen, daß in schwereren Fällen,
in welchen die aktiven Muskelleistungen oft schon für lange Zeit auf
ein Minimum reduziert gewesen waren, erst dann mit Widerstandsübungen begonnen werden darf, wenn die motorischen Reizerscheinungen, die ich früher geschildert habe, durch Massage und passive
Gymnastik nicht mehr ausgelöst werden. Fehlen solche Reizerscheinungen überhaupt, so kann relativ rasch von der passiven Gymnastik
zur Widerstandsübung fortgeschritten werden. Bei unserem kombinierten Heilverfahren werden bei den relativ leichteren Fällen die
Widerstandsübungen 5—8 Tage nach Beginn der passiven Gymnastik
in den Kurplan eingefügt. In schweren Fällen werden Sie meistens
2 bis 3 Wochen einfache passive Uebungen vornehmen müssen, bevor
Sie weitergehen können.

Handelt es sich um Kranke, welche keiner Ruhekur, sondern nur
einer methodischen Uebung und Abhärtung bedürfen, so überspringe
ich gelegentlich die einfache passive Gymnastik. Es geschieht dies
besonders dann, wenn ich muskulöse Patienten vor mir habe. Es
ist in solchen Fällen empfehlenswert, daß sich der Arzt selbst, bevor
er den Kurplan feststellt, über die Kraft und Ausgiebigkeit der
Muskelleistungen durch einfache Widerstandsbewegungen, welche in
diesem Falle dupliziert-konzentrische Widerstandsdoppel-
übungen sein dürfen, unterrichtet. Hier leistet also der Patient zuerst positive Arbeit, welche der Arzt an dem Maße der von ihm aufge-
wendeten Kraft abschätzt. Fällt dies Urteil für den Patienten günstig
aus, so wird man diesen Doppelübungen überhaupt den eben erwähnten
einfachen passiv-aktiven Bewegungen gegenüber den Vorzug geben.
Es ist erstaunlich, wie häufig Patienten selbst eine große Zahl solcher
Uebungen ohne üble Nachwirkungen (Kopfdruck, Herzpalpitationen
u. s. w.) ertragen, während sie durch Spaziergänge oder sonstige
aktive Muskelleistungen in einen Zustand von Uebermüdung geraten.
Es wirken hierbei wahrscheinlich 2 Momente mit; einmal ein psychischer Faktor, indem die Kranken durch solche zu Heilzwecken ausgeführte Bewegungen geistig intensiver beschäftigt und von ihren
krankhaften Empfindungen und Vorstellungen abgelenkt werden. Sodann aber sind diese Widerstandsübungen in liegender oder sitzender
Stellung für große und schwere Patienten zweifellos weniger anstrengend, weil die Masse des Körpers einen Stützpunkt hat und ausschließlich von der Extremitätenmuskulatur eine Arbeit zu leisten ist.

Die Uebergänge von diesen Widerstandsübungen, welche in letzter

Linie den aktiven Uebungen zugezählt werden können, zu der **Heil-gymnastik im engeren Sinne**, bei welcher ausschließlich aktive Bewegungen zur Anwendung kommen, sind leicht zu finden. Bevor ich auf diese eingehe, möchte ich noch auf die ZANDER'sche Gymnastik Ihre Aufmerksamkeit hinlenken. Dieselbe hat den Vorteil, daß sie eine unendliche Mannigfaltigkeit von Widerstandsübungen und durch die Anwendung mechanischer Apparate ein genaueres meßbares Abwägen der durch die Kranken zu überwindenden Widerstände ermöglicht. Bezüglich der Beschaffenheit der hierbei verwendeten Apparate muß ich Sie auf die Fachlitteratur verweisen. Sie finden gegenwärtig in Deutschland eine größere Anzahl von **mediko-mechanischen Instituten**, in welchen die von ZANDER erfundenen Apparate vollständig oder teilweise vorhanden sind. Sie dienen verschiedensten Zwecken und werden in 3 Gruppen geteilt; 1) Apparate, die durch die eigene Kraft des Bewegungsnehmers in Bewegung gesetzt werden; 2) Apparate, die durch irgend einen Motor bewegt werden; 3) Apparate, welche durch die auf ihnen lastende Eigenschwere des Patienten oder durch mechanische Vorrichtungen einen korrigierden Druck auf das Knochengerüst oder eine Dehnung der Weichteile bewirken sollen. Für die Behandlung unserer Nervenkranken kommen vor allem die Apparate für aktive und passive Bewegungen in Frage. In den Nervenheilanstalten sollten wenigstens die Apparate der ersten Gruppe nicht fehlen, um den Patienten methodische Uebungen der verschiedenen Muskelgruppen zugänglich zu machen. Ich bitte, auch den psychotherapeutischen Wert dieser mechanisch-heilgymnastischen Behandlung nicht zu unterschätzen. Sie ist ein treffliches Mittel, die Kranken geistig zu beschäftigen und so von der einseitigen hypochondrischen Gedankenarbeit abzulenken. Außer den ZANDER'schen Apparaten sind in der Neuzeit noch andere für Widerstandsübungen in die Mechanotherapie aufgenommen werden. Ich verwende in ausgedehntestem Maße den LAGGIADÈR'schen **Arm-** und **Bruststärker**, einen höchst einfachen und in jedem Hause zu verwendenden Turnapparat für Widerstandsübungen, bei welchem die Rumpf-, vor allem die Brust-, Schulter- und die obere Extremitätenmuskulatur in Thätigkeit versetzt werden. Auch die **Ruderapparate** und der GÄRTNER'sche **Ergostat** haben sich mit Recht in den Nervenanstalten eingebürgert.

Der gleichen Aufgabe dienen systematisch durchgeführte heilgymnastische Uebungen in der Form von **Frei-, Hantel-** oder **Stabübungen**, welche besonders in Deutschland im Laufe der letzten Jahrzehnte eine methodische Ausarbeitung erfahren haben. Diese **deutsche Heilgymnastik**, welche ausschließlich aus aktiven Bewegungen besteht und keiner Hilfspersonen und besonderer Apparate bedarf, ist als **Hausgymnastik**, d. h. als täglich und mit Ausdauer geübte methodische Muskelarbeit zur Nachkur, nachdem die Kräfte des Patienten sich durch die Massage und passive Gymnastik (mit und ohne Widerstände) genügend gehoben haben, sehr empfehlenswert. Sie ist ein prächtiges Mittel, den Stoffumsatz, die Wärmebildung, die Blutcirkulation zu fördern. Durch verschiedene Anordnung der Ausgangsstellungen, durch wechselweise Ausführung von Kopf-, Rumpf-, Arm- und Beinbewegungen kann man eine außerordentliche Mannigfaltigkeit bei diesem Zimmerturnen zustande bringen und so eine Uebung der Gesamtmuskulatur bewerkstelligen.

Bei leichteren Fällen, welche einer Anstaltsbehandlung nicht be-

dürftig sind, genügt es oft, neben geistiger Entspannung, mäßiger
Hydrotherapie, klimatischen Kuren noch genaue Regeln zur Ausübung
dieser Zimmergymnastik, die ich übrigens in den Sommermonaten mit
Vorliebe im Freien ausführen lasse, zu geben. Man giebt den Patienten
am besten das kleine Buch von SCHREBER oder von ECKLER und
ANGERSTEIN in die Hand und bezeichnet ihnen genau die Uebungen,
welche sie in bestimmter Reihenfolge und Zahl auszuführen haben.
Sie können aber nur von willensstarken, intelligenteren Patienten eine
konsequente Durchführung dieser Verordnungen · erwarten. Viele erlahmen nach kurzer Zeit, nachdem sie einen stürmischen Anlauf genommen haben, weil sie nicht sofort einen eklatanten Erfolg sehen.
Manche, insbesondere Kopfdruckpatienten, geben die Zimmergymnastik
bald auf unter der Begründung, daß sie durch dieselbe eine Vermehrung ihrer Beschwerden erlitten hätten. Sie werden dann meistens
nachweisen können, daß die Uebungen unzweckmäßig, zu heftig und mit
zu großem Kraftaufwand vorgenommen worden sind. Doch will ich
nicht in Abrede stellen, daß es auch relativ leichte Fälle giebt, welche
für die Ausführung dieser Form der Heilgymnastik wenigstens im
Beginn der Behandlung ungeeignet sind. Dann werden sie immer
eine vorbereitende Kur mit Massage und passiver Gymnastik in dem
vorerörterten Sinne anwenden müssen.

Ein Hauptgewicht lege ich auf diejenigen Formen aktiver Muskelleistungen, welche neben der Uebung der Muskulatur eine wohlthätige
psychische Beeinflussung der Patienten in erhöhtem Maße bewirken.
Es ist dies die Beschäftigung mit Gartenarbeiten (Graben, Schau-
feln, Hacken, Rechen u. s. w.), Holzsägen und -spalten, Tischler-
und Drechslerarbeiten u. s. w. Bei den systematischen Kuren verordnen wir in unserer Klinik seit vielen Jahren ganz regelmäßig in
der zweiten, der Uebungsperiode, solche Arbeiten. In keiner Nervenanstalt sollte es an Gelegenheit zur Ausführung dieser nützlichen,
den Geist ablenkenden Beschäftigungen fehlen. Welche Wohlthat ist
es für die Patienten, nicht nur „nutzlose" Kraftaufwendungen, sondern
auch solche mit einem positiven Arbeitszweck leisten zu können!
Wie mancher Neurastheniker, welchen sein Beruf zu einseitiger Kopfarbeit zwingt, hat sich eine dieser Beschäftigungen zur Lebensgewohn-
heit gemacht und darin die nötige Beruhigung des Geistes und die
ersehnte wohlige Ermüdung des Körpers gefunden!

Ich halte diese Form von Muskelübungen für viel zweckmäßiger
als einfaches Spazierengehen, weil sie, wie schon gesagt, den Arbeiten-
den zwingen, seine Aufmerksamkeit zu konzentrieren. Es werden so
die Sinnesorgane geübt und der Geist wohlthätig beschäftigt. Die
gleiche Wirkung wird durch die Jagd erzielt, die aber den Nachteil hat,
daß das Maß von körperlicher Arbeitsleistung im Jagdeifer leicht zu
sehr gesteigert wird und dann die üblen Folgen körperlicher Ueberermüdung den erhofften Nutzen weit übersteigen. Dasselbe gilt von
allen sportlichen Vergnügungen, wie Radfahren, Rudern, Lawn-Tennis-
Spiel u. s. w.

Zum Schlusse unserer Vorlesungen habe ich noch der arzneilichen Behandlung der Neurasthenie zu gedenken. Es kommt
derselben gegenüber den vorher erörterten Heilfaktoren eine untergeordnete Bedeutung zu; denn man kann wohl mittels gewisser
Arzneimittel einzelne neurasthenische Symptome erfolgreich be-

kämpfen, man wird aber niemals der kausalen Indikation, das Allgemeinleiden zu beseitigen, durch sie genügen können. Bei einem Leiden, welches so häufig einen chronischen, zum mindesten remittierenden Verlauf aufweist, muß man mit der Darreichung von Arzneimitteln vorsichtig sein, da nur allzu oft ein übermäßiger Gebrauch infolge von Gewöhnung und Abstumpfung gegen die arzneiliche Wirkung eintritt. Es gilt dies vor allem für die Nervina, Hypnotica resp. Narcotica. Sie dürfen nie vergessen, daß, wie ich schon früher erwähnt habe, eine große Zahl von Alkoholisten, Morphinisten, Chloralisten und Cocaïnisten sich aus der Zahl der Neurastheniker rekrutieren. Wenn Sie auf die Anfänge dieser Leiden zurückgehen, werden Sie häufiger der Angabe begegnen, daß der Hausarzt den Patienten diese gefährliche Waffe zur Bekämpfung der mannigfachen Leiden in die Hand gegeben hat. Diese Erfahrungen haben mich schon lange dahin geführt, daß ich Morphium überhaupt niemals und die anderen Narcotica nur in äußerst beschränktem Maße während der Anstaltsbehandlung der Neurasthenie anwende. In der Hauspraxis muß nicht nur die gleiche, sondern sogar erhöhte Vorsicht geübt werden, damit wir den Patienten dieser Arzneimittel nicht zum Sklaven dieser Arzneimittel machen und ihn kränker, an Körper und Geist zerrüttet, einer traurigen Zukunft überantworten.

Ich stehe aber keineswegs auf dem Boden derjenigen, welche, durch üble Erfahrungen erschreckt, das Kind mit dem Bade ausschütten und jegliche arzneiliche Behandlung bei der Neurasthenie perhorrescieren. Wir sind sehr häufig gezwungen, unseren Kranken bei einer Exacerbation des Leidens, bei hartnäckiger Schlaflosigkeit, bei quälenden Schmerzen, bei Angstaffekten, überhaupt bei allen Krankheitserscheinungen, welche durch ihre Einwirkung auf den Allgemeinzustand eine rapide Verschlechterung des ganzen Befindens herbeiführen können, unverzüglich eine Linderung oder Beseitigung dieser Symptome zu verschaffen. Versagen, was nicht selten geschieht, die angewandten physikalischen und suggestiven Mittel für den Augenblick, so liegt gar kein Grund vor, die Hilfsmittel, welche uns unser Arzneischatz bietet, von der Hand zu weisen. Nur in der Hand des Neulings und des Laien sind sie gefährlich!

Außer den wirksamen, bei großer Dosis und langem Gebrauch toxisch wirkenden Arzneimitteln werden wir bei länger dauernder Erkrankung gewisser harmloser Hausmittel, „beruhigender", „schmerzstillender", „schlafbringender" Arzneien nicht entraten können. Bei willensschwachen Patienten, welche der Spielball ihrer wechselnden Affekte, krankhaften Empfindungen und nosophobischen Vorstellungen sind, wirkt oft der einfache ärztliche Zuspruch nicht, wohl aber das suggestive Mittel eines heilkräftigen Thees, einer genau abgemessenen Zahl belebender oder beruhigender Tropfen, mit welchen entweder die Patienten oft schon seit langer Zeit eine bestimmte Vorstellung über die Heilkraft des Mittels verbinden oder welchen der Arzt eine solche unterschiebt. Auch hier thut der Glaube gelegentlich Wunder. Es ist dies nicht nur ein erlaubter, sondern bei dem psychischen Status der Patienten geradezu notwendiger, frommer Betrug.

Wohl aber hat der Arzt die Verpflichtung, jenen Ausbeutern entgegenzuarbeiten, welche sich die Sehnsucht der Neurastheniker nach heilkräftigen Mitteln zu nutze machen, um durch reklamenhafte An-preisungen immer neue, meist sehr teure Nervenheilmittel an den Mann zu bringen. Oft haben mir einsichtsvolle Aerzte geklagt, wie sehr sie in ihrem ärztlichen Handeln durch die Forderungen der solche Reklamen lesenden Patienten gestört würden, wie leicht ihr Ansehen geschädigt würde, wenn sie nicht das Neueste auf dem Markte der Tonica, Antineuralgica und Hypnotica kennen gelernt und erprobt hätten.

Gehen wir zu den differenten Arzneimitteln über, so begegnen wir in erster Linie denjenigen Mitteln, welchen eine tonisierende, die allgemeine Ernährung und insbesondere die Lei-stungen des Nervensystems hebende Wirkung zuge-schrieben wird. Hier steht in erster Linie das Arsen, von dem ich seit vielen Jahren bei anämischen, heruntergekommenen Patienten als Unterstützungsmittel der Ernährungskur den ausgedehntesten Ge-brauch mache. Am empfehlenswertesten sind die Granulae acid. arsenicos. zu 0,001 2—3mal täglich zu geben. Dieselben werden gut ertragen und können wochenlang ohne jegliche Beschwerde genommen werden. Es ist durchaus nicht schwer, binnen kurzer Frist die Arsenbehandlung wieder aus dem Kurplan auszuschalten. Auch die arsen- und eisenhaltigen Mineralwässer von Levico und Roncegno kann ich Ihnen empfehlen. Dieselben eignen sich sehr gut zu längerem Gebrauch in kleinen Dosen.

Unentbehrlich für die Behandlung der anämischen Neurastheniker sind die Eisenpräparate. Sie wissen, daß die moderne Pharma-ceutik eine fast unendliche Zahl von Tinkturen, Essenzen und Sirupen, Pillen und Tabletten auf den Markt gebracht hat, welche den alten Verordnungen der anorganischen Eisensalze gegenüber als eine Ver-besserung bezeichnet werden dürfen. Am meisten haben sich ein-gebürgert: die Eisenpeptonate (mit und ohne Manganbeimengungen). die Eisenalbuminate, das Hämol und Hämogallol von KOBERT (durch Einwirkung von Pyrogallol auf Blut gewonnen), das Fer-ratin von SCHMIEDEBERG, die Pillulae sanguinales von KREWEL, sowie die Eisenleberthrane und die Malzeisenextrakte. Ich habe einen großen Teil derselben im Laufe der Jahre in der Praxis ver-wandt und kann nur sagen, daß die Eisenbehandlung auf die Hebung des Appetits und Regelung der Verdauung einen günstigen Einfluß geübt hat. Auf den alten Streit, ob und wie viel des dargereichten Eisens thatsächlich der Blutbildung zu gute kommt, kann ich hier nicht eingehen; die Hauptsache ist, daß wir Kliniker täglich die günstige Wirkung dieser Medikation sowohl bei den konstitutionellen und sekundären Anämien als auch bei der Chlorose im engeren Sinne konstatieren können.

Von wesentlicher Bedeutung als roborierendes, den Stoffumsatz förderndes Mittel haben wir schon früher die Kohlehydrate und Fette rühmend erwähnt. Arzneilich kommen dieselben in den mannigfachen Malzextrakten, im Lipanin und Leberthran, sowie in der methodischen Kefirbehandlung zur Anwendung. Auf die Kombi-nation mit der Eisenbehandlung haben wir schon vorstehend hinge-wiesen.

Bei den Engländern und Amerikanern finden Sie vielfach die Behandlung mit Phosphor empfohlen. Ich habe nur ausnahmsweise bei jugendlichen Patienten Phosphor mit Leberthran, im Handel als

Phosphorleberthran in bestimmter Zusammensetzung (0,01 : 100) käuflich, angewandt.

Ebenfalls zu den tonisierenden Mitteln ist das Chinin zu rechnen, welches im Verein mit Eisenpräparaten oder auch für sich allein bei protrahierten nervösen Schwächezuständen mit intensiven Ernährungsstörungen mit Nutzen verwandt wird. Besonders in Fällen, wo ich nach der Anamnese den Verdacht auf voraufgegangene Malariainfektion für berechtigt halte, greife ich zur methodischen Chinintherapie mit kleinen täglichen Dosen (0,1—0,3 täglich).

Zur Unterstützung der Ernährungskur habe ich neuerdings vielfach von der Somatose und vom Nutrol Gebrauch gemacht. Erstere ist sicherlich ein treffliches Ernährungsmittel; über den Wert des letzteren traue ich mir noch kein bestimmtes Urteil zu.

Unter den Arzneimitteln, welche speciell zur Bekämpfung der Uebererregbarkeitssymptome angewandt werden, nehmen unter den differenten Mitteln die Brompräparate den ersten Platz ein. Am gebräuchlichsten und empfehlenswertesten ist die Darreichung der Bromsalzmischungen (Bromkalium, Bromnatrium, Bromammonium; die beiden ersten in gleicher Menge, das letztgenannte in halber Dosis zur Mischung verwandt). Handelt es sich um Angstaffekte, Jaktation der Vorstellungen, Schlaflosigkeit, motorische Unruhe, „Vibrieren der Nerven", so ist es besser, einmal eine größere Dosis (aber reichlich in Wasser verdünnt!) darzureichen, als kleine, an sich ziemlich wirkungslose Mengen längere Zeit hindurch regelmäßig zu verordnen. Ich gebe dann 5—6 g der gemischten Bromsalze, gestatte aber die Verwendung des Mittels höchstens 2mal wöchentlich. Mit Recht sehr beliebt ist die Verwendung des ERLENMEYER'schen Bromwassers (Kal. bromat., Natr. bromat. āā 40,0, Ammonium bromat. 20,0 in 600,0 kohlensäurehaltigem Wasser). Die kombinierte Darreichung der Bromsalze und einzelner der nachher zu erörternden Nervina, z. B. Phenacetin, Antipyrin u. s. w., leistet gelegentlich recht gute Dienste, insbesondere bei Angstgefühlen, welche aus schmerzhaften Empfindungen hervorgehen. Von anderen Sedativis ist mehrfach das Extract. Belladonnae in kleinen Dosen empfohlen worden. Ich möchte vor der Anwendung dieses höchst differenten Mittels warnen. Ich mache davon nur gelegentlich Gebrauch als Zusatz zu Opiumsuppositorien (Rp. Op. pur. 0,1; Extr. Belladonn. 0,03; But. Cacao quant. s. ut. fiat supposit.) bei schweren Enteralgien und zur Bekämpfung von Angstaffekten. Einen alten Ruf als Sedativum besitzt die Valeriana; ob mit Recht, möchte ich bezweifeln. Sicherlich aber ist ihre Verwendung harmlos, sei es in Form des Infuses (10 : 150 eßlöffelweise), oder als Thee, 10 g auf eine Tasse, oder als Tinctura Valerianae. Die letztere Anwendung ist die bequemste, man verbindet dann dieses Mittel mit anderen Tonicis und Stomachicis, z. B. mit Tinct. Chinae composita, Tinct. Rhei vinosa, Tinct. nucis vom. (Rp. Tinct. Chin. compositae 15; Tinct. Valer. 15; Tinct. nucis vom. 5). Man läßt diese Tropfen als Beruhigungs- oder Magentropfen signieren, je nach dem suggestiven Zwecke, den man mit dieser Ordination verfolgt.

Von den Nervinis im engeren Sinne wird bei der Behandlung der Neurasthenie zur Bekämpfung von Schmerzen der ausgedehnteste und, wie ich glaube, an vielen Orten ein übertriebener Gebrauch gemacht. Man sollte auch hier die Regel befolgen, niemals längere Zeit hindurch oder sogar dauernd bald gegen dieses, bald gegen jenes schmerzhafte Symptom ununterbrochen dem Kranken derartige Mittel zu verabfolgen oder sie ihm sogar zur beliebigen Verwendung in die Hand zu geben. Die jetzt im Gebrauch befindlichen Nervina resp. Antineuralgica sind, wie Sie wissen, durchwegs auch Antipyretica und dürfen hinsichtlich ihrer pharmakologischen Wirkung nicht zu den harmlosen Mitteln gezählt werden. Gegen eine gelegentliche, für einen ganz bestimmten Zweck verwandte Darreichung in kleinen Dosen ist natürlich nichts einzuwenden; man wird im Gegenteil auf die beruhigende und schmerzstillende Wirkung dieser Medikamente nicht mehr verzichten können.

Während noch vor 2 Decennien die S a l i c y l s ä u r e und das N a t r. s a l i c y l i c u m vornehmlich im Gebrauch gewesen sind, hat neuerdings das A n t i p y r i n besonders zur Bekämpfung von Kopfschmerzen, Migräne, sowie anderer Nervenschmerzen den ersten Platz erobert. Ich rate, nicht über einmalige Dosen von 1 g hinauszugeben und die Kranken immer darauf aufmerksam zu machen, daß zur Bekämpfung der Schlaflosigkeit das Mittel nicht verwandt werden soll. Ich bin zu dieser Warnung durch die Erfahrung gelangt, daß Neurastheniker nicht selten sich dieses Mittels Monate hindurch allabendlich bedient hatten, daß sich dann eine Reihe von Krankheitssymptomen zeigten (dyspeptische und vasomotorische Störungen), welche auf diesen Abusus zurückgeführt werden mußten. Nach Entwöhnung von diesem Mittel verschwanden diese Störungen wieder.

Sehr günstig wirkt nach meinen Erfahrungen das S a l i p y r i n (0,5—1,0 pro dosi). Dasselbe (salicylsaures Antipyrin) besitzt die gleichen schmerzstillenden Eigenschaften, wie das Antipyrin, hat aber eine erhöhte sedative Wirkung. Die Mischung von Antipyrin mit Coffeïn und Citronensäure, als M i g r ä n i n in den Handel eingeführt, wird auch bei der Neurasthenie mit Vorteil gegen den migräneartigen Kopfschmerz verwandt.

Sehr empfehlenswert ist fernerhin das P h e n a c e t i n (1,0 pro dosi) und das L a c t o p h e n i n (0,5—1,0 pro dosi). Gefährlicher, aber sehr wirksam ist das A n t i f e b r i n (0,25—0,5 pro dosi). Von den übrigen Mitteln erwähne ich nur noch das A n a l g e n, das E x a l g e n, das E u p h o r e n, das T o l y s a l, sowie das N e u r o d i n. Ich glaube, daß diese letztgenannten Mittel entbehrlich sind, daß sie vor den vorgenannten einen Vorzug nicht besitzen, im Gegenteil in ihrer Wirksamkeit höchst unsicher sind.

Von den S c h l a f m i t t e l n im engeren Sinne dürfen Sie, wie schon aus den oben angestellten Betrachtungen ersichtlich ist, nur in sehr beschränktem Maße Gebrauch machen. Vergessen Sie nie, daß die Neurasthenie kein akutes Leiden ist und daß auch die Schlaflosigkeit der Neurastheniker zwar mannigfachen Schwankungen unterliegt, jedoch meistens als Dauersymptom betrachtet werden muß, welches durch psychische und körperliche Schädlichkeiten angeregt und unterhalten wird. Ihre Hauptaufgabe wird deshalb darin bestehen, die Ursachen der Schlaflosigkeit zu beseitigen, die Kranken auf eine vernunftgemäße Lebensweise hinzulenken, die Uebererregtheit des Nervensystems durch hydriatische und mechanotherapeutische Maßregeln zu bekämpfen und vor allem durch geeignete psychische Behandlung die Autosuggestion des Schlafenkönnens und -wollens zu erwecken und zu stärken. Ganz werden Sie die Schlafmittel nicht entbehren können, wenn es sich um langdauernde und hartnäckige Schlaflosigkeit handelt, und wenn Sie zuerst an die Aufgabe herantreten, Ihre neurasthenischen Kranken zu einer rationellen Lebensführung zur Stärkung und Uebung der Kräfte zu erziehen. Auch hier gilt als oberstes Gesetz, den Kranken den regelmäßigen, ununterbrochenen Gebrauch von Hypnoticis nicht zu gestatten. Ich habe mir in solchen Fällen zur Regel gemacht, höchstens alle 3 Tage ein Schlafmittel zu verabfolgen. Weiterhin werden Sie unter der ansehnlichen Zahl wirksamer Schlafmittel, welche wir gegenwärtig besitzen, nicht ein einzelnes bevorzugen, sondern einen angemessenen Wechsel stattfinden lassen. Ich erwähne Ihnen kurz die wichtigsten dieser Mittel, welche bei der Behandlung der neurasthenischen Schlaflosigkeit zur Verwendung kommen.

Ich beginne mit dem Sulfonal, da dieses zweifellos am häufigsten verordnet wird. Es genügen Dosen von 1—2 g, um in der Mehrzahl der Fälle bei einfacher Schlaflosigkeit d. h. ohne Angstaffekte und ohne Hyperalgesien und Paralgesien einen tiefen und langdauernden (6—7 Stunden) Schlaf zu erzielen. Manche Kranke klagen aber über unangenehme Nachwirkungen, Gefühle von Betäubung, Denkunfähigkeit und Muskelmattigkeit, oder auch über Schwindel- und Taumelempfindungen. Bei längerem Gebrauch des Mittels häufen sich diese störenden Intoxikationssymptome. Jeder Nervenarzt wird in den letzten Jahren Sulfonalisten behandelt haben, welche mit schwerfälliger Sprache, geistiger Abstumpfung, allgemeiner Muskelschwäche behaftet waren und welche diese Symptome verloren, wenn sie in klinischer Behandlung an der kritiklosen Verwendung dieses Schlafmittels verhindert wurden. Sie haben erst vor kurzem in meiner Klinik einen Fall von Sulfonalvergiftung mit Hämatoporphinurie und Albuminurie gesehen. Profuse Diarrhöen, Uebelkeit, Erbrechen, lähmungsartige Schwäche der gesamten Körpermuskulatur waren die hauptsächlichsten Symptome. Ich kann Ihnen nur empfehlen, bei jedem Patienten bei dem Sie den Verdacht auf chronischen Sulfonalabusus haben, längere Zeit hindurch den Urin genau zu kontrollieren. Hinsichtlich der Darreichung des Sulfonals halte ich es für am zweckmäßigsten, dasselbe in einer Tasse heißer Milch oder Thee nehmen zu lassen. Ungefährlicher und deshalb empfehlenswerter ist das Trional. Die Dosis ist höher zu nehmen als beim Sulfonal (1,5—2,5 g). Aber auch hier fehlen unangenehme Nebenwirkungen, selbst schwere Vergiftungserscheinungen bei längerem, regelmäßigem Gebrauche nicht. Es ist mit Recht empfohlen worden, bei der Sulfonal- resp. Trionalmedikation die Kranken Mineralwässer in reichlicher Menge trinken zu lassen, um durch Erhöhung der Blutalkalescenz den toxischen Wirkungen dieser Mittel vorzubeugen.

Ein gutes Schlafmittel ist fernerhin das Chloralamid in Dosen von 2—3 g. Dasselbe ist neuerdings an die Stelle des Chloralhydrats getreten. Ich muß nach meinen Erfahrungen gestehen, daß ich bislang keine unangenehmen Nebenwirkungen und auch keine nachteiligen Einflüsse auf das Herz, die Vasomotoren und die Verdauung gesehen habe. Ich habe es aber auch niemals längere Zeit hindurch, regelmäßig gegeben.

Ferner erwähne ich Ihnen das Amylenhydrat und das Paraldehyd. Beide Mittel werden zwar von vielen Patienten wegen ihres unangenehmen Geschmacks resp. Geruchs (deshalb am besten in Gelatinekapsel oder in Wein oder Bier zu nehmen) ungern genommen, sie wirken aber bei einfacher Schlaflosigkeit prompt und habe ich bei mäßigen Dosen und nur gelegentlicher Darreichung keine unangenehmen Nebenwirkungen gesehen. Die meisten Patienten rühmen den erquickenden, gesunden Schlaf.

Ich habe Ihnen hier absichtlich nur die Hypnotica genannt, deren Wirkung ich aus eigener Erfahrung genau kenne. Sie finden in der Pharmacopoea elegans noch zahlreiche andere Medikamente dieser Gattung angepriesen.

Die Narcotica im engeren Sinne sollten bei den reinen, unkomplizierten Formen der Neurasthenie überhaupt keine Anwendung finden. Zu diesen Mitteln rechne ich mit gutem Vorbedacht auch die Verordnung stark alkoholischer Getränke.

Sobald wir beginnen, dieses oder jenes Krankheitssymptom, insbesondere aber die Schmerzen, mit narkotischen Mitteln zu bekämpfen, setzen wir den Patienten der Gefahr der chronischen Arzneivergiftung aus. Wir pfropfen damit dem zwar langwierigen und vielfach quälenden Grundleiden eine neue, für das geistige und leibliche Wohl der Patienten ungleich gefahrdrohendere Krankheit auf. Vergessen Sie niemals, daß sowohl der neuropathisch veranlagte als auch der erst im Kampf ums Dasein oder im Genußleben erschlaffte Mensch an sich nur zu sehr geneigt ist, durch Reiz- und Betäubungsmittel einerseits seine Leistungsfähigkeit zu steigern, und andererseits durch seine krankhaften Empfindungen oder Berubigung seines überreizten Vorstellungslebens herbeizuführen. Berücksichtigen Sie ferner die verderbliche Wirkung, welche diese Reiz- und Betäubungsmittel gerade auf diese neuropathischen Menschen ausüben, so wird die Thatsache leicht verständlich, daß so viele Neurastheniker in erster Linie dem chronischen Alkoholismus zum Opfer fallen. Wie nahe sich hier Ursache und Wirkung berühren, wird Ihnen am ehesten klar, wenn Sie sich die Ausführungen im ätiologischen Kapitel über den deletären Einfluß des Alkohols auf das Nervensystem vergegenwärtigen. Ich habe schon bei der Schilderung der Diätkur darauf hingewiesen, daß ich in den letzten Jahren die Darreichung von Wein oder Bier fast durchwegs dem Kurplan ferngehalten habe. In ärztlichen Kreisen ist noch vielfach die Ansicht verbreitet, daß die Verordnung von Spirituosen durchaus zulässig, ja geradezu geboten sei, um den Patienten über ihre Erschöpfungs- und Schwächezustände hinwegzuhelfen. Auch als Beruhigungs- und Schlafmittel werden die alkoholreichen südlichen Weine, ja sogar Schnäpse nicht selten ärztlich verordnet. Wie mancher Patient und wie viele Patientinnen (letztere sogar noch viel häufiger) kommen zur Konsultation oder Behandlung mit der Cognakflasche angereist und erzählen, daß sie schon seit längeren Zeiten ohne dieses Hilfsmittel zu keiner Leistung mehr tauglich seien. Nach den Berichten französischer und englischer Aerzte fehlt im Boudoir der vornehmen nervös überreizten Dame die Schnapsflasche in der zierlichen Verkleidung des Eau-de-Cologne-Flacon fast niemals. Es wird in solchen Fällen Ihre vornehmlichste Aufgabe sein, zuerst die Kranken von dem regelmäßigen Genuß der Alcoholica zu entwöhnen, und Sie werden dabei gelegentlich dieselben Abstinenzerscheinungen wahrnehmen, welche Sie unter dem Bilde des Delirium tremens kennen gelernt haben. Hier hilft eine systematisch durchgeführte Ernährungskur, welcher die vorstehend geschilderten physikalischen Hilfsmittel und eine verständige Psychotherapie als Bundesgenossen dienen, oft wunderbar.

Es ist aber auch abzuraten, den regelmäßigen Gebrauch der alkoholärmeren Weine den Patienten zu
gestatten. Denn auch dieses Reizmittel, welchem oft fälschlich eine
besonders kräftigende Wirkung zugemessen wird, versagt in kleinen
Dosen bald, und liegt deshalb die Gefahr nahe, daß schließlich Mengen
genossen werden, welche einem ausgepichten Trinker Ehre machen
würden. Ich habe neurasthenische Gelehrte und Kaufleute kennen gelernt, welche oft wochenlang zur Erfüllung bestimmter beruflicher Aufgaben täglich 2—3 Flaschen Wein zu sich genommen haben. Daß von
hier zum Gewohnheitstrinker nur noch ein kleiner Schritt übrig bleibt,
ist einleuchtend. Eine geringere, aber doch nicht zu unterschätzende
Gefahr liegt in der Verordnung eines regelmäßigen Biergenusses.
Es soll keineswegs bestritten werden, daß gut ausgegorene und
malzreiche Biere einen gewissen Nährwert besitzen und bei Patienten,
welche nicht an einen regelmäßigen und reichlicheren Genuß dieses
Getränkes gewöhnt sind, schon in kleinen Quantitäten (ein Wein-
oder Wasserglas voll) als treffliches Schlafmittel dienen können.
Aber auch hier ist die Gefahr der Gewöhnung allmählicher Steigerung
der Dosis recht groß. Was den Nährwert anbelangt, so sind die
Malzfabrikate dem Biere bei weitem vorzuziehen; als Schlafmittel
haben wir in den vorhin erwähnten Hypnoticis hinlänglichen Ersatz.
Was hier vom Alkohol gesagt ist, gilt in verschärftem Maße vom
Morphium. Ich widerrate den Gebrauch dieses Mittels
bei der Behandlung der Neurasthenie aufs eindring-
lichste. Ich habe seit vielen Jahren grundsätzlich die Darreichung von
Morphium verweigert, selbst in Fällen, in welchen die heftigsten Schmerzattacken ein energisches Eingreifen des Arztes gebieterisch verlangten.
Ich bin auch immer mit psychischer Behandlung, elektrischen, hydriatischen und mechanotherapeutischen Prozeduren im Verein mit harm-
loseren Arzneimitteln ausgekommen. Sie werden dieses apodiktische
Verbot im Hinblick auf die zahlreichen Neurastheniker, welche dem
chronischen Morphinismus anheimgefallen sind, durchaus gerechtfertigt
finden. Hingegen habe ich nicht selten, besonders bei der hyperalgetischen Form der Neurasthenie, zur Bekämpfung von Schmerzanfällen
von dem anderen Alkaloid des Opium, dem Codein, in der klinischen
Behandlung vorübergehend Gebrauch gemacht. Die mechanische
Behandlung, insbesondere die erwähnten passiven Widerstandsbewegungen verursachen den Patienten anfangs oft eine Steigerung
ihrer Schmerzen. Schwache Naturen sind nicht fähig, diesen vermehrten Schmerzen psychischen Widerstand entgegenzusetzen. Indem
dieselben Angstgefühle und vermehrte hypochondrische Vorstellungen
wachrufen, machen sie den erhofften Erfolg zu nichte. Die Patienten
werfen nach wenigen Versuchen die Flinte ins Korn, weil sie eine
dauernde Verschlimmerung ihres Leidens befürchten. Dann ist es
notwendig, falls einfachere suggestive Mittel oder die Antineuralgica
versagen, zu narkotischen Mitteln zu greifen. Hier können 2—3 Codein-
pillen (Codein. phosph.), von denen jede 0,01 Codein enthält, eine
treffliche Wirkung ausüben. Sie beseitigen die Angstgefühle und
wirken direkt schmerzstillend. Man wird dem Patienten die Pillen-
schachtel natürlich nicht in die Hand geben, sondern die im Einzelfall verordnete Dosis (nicht über 0,03 pro die) durch das Pflegepersonal
verabfolgen lassen. Auch wird man selbstverständlich das Mittel nur
in Zwischenräumen von mehreren Tagen gestatten. Ich muß aber

hinzufügen, daß manche Kranke von diesen mäßigen Dosen eine
wesentliche Linderung ihrer Beschwerden nicht verspüren. Dann
verzichte ich lieber auf diese arzneiliche Behandlung, als daß ich die
Dosis vermehrte oder einen häufigeren Gebrauch erlaubte.

So ausnahmsweise wir von den Alkaloiden des Opiums Gebrauch machen, so häufig sind wir genötigt, zu der beruhigenden, vornehmlich angstbefreienden Wirkung des Opiums selbst in allen
Fällen heftigerer psychischer Erregung, insbesondere bei Angstgefühlen
und ausgesprochenen Angstanfällen Zuflucht zu nehmen. Sie haben
in der psychiatrischen Klinik die methodische Anwendung des Opiums
bei der Melancholie genauer kennen gelernt und an zahlreichen
Patienten den wunderbaren Erfolg beobachten können. Sie haben
gesehen, daß man längere Zeit selbst große Dosen darreichen kann,
ohne daß den Patienten hierdurch ein Nachteil erwächst, ohne daß
Intoxikationserscheinungen bedrohlicher Art auftreten, ja daß im Gegenteil in vielen Fällen die Gesamternährung bei dieser Medikation sehr
günstig beeinflußt wird. Sie haben ferner die Erfahrung gemacht,
daß in der Rekonvalescenzperiode binnen weniger Wochen mit
Schwinden der psychischen Krankheitserscheinungen das Mittel rasch
in Wegfall kommen kann.

Auf diese Erfahrungen gestützt, werden wir besonders bei Neurasthenikern mit vorwaltend psychischen Krankheitserscheinungen zu
Zeiten akuter Exacerbationen, in welchen gesteigerte
Angstaffekte die Gefahr des Selbstmordes sehr nahe
rücken, dieses Mittel in Anwendung bringen. Ich sage ausdrücklich
in Zeiten akuter Exacerbationen und füge noch hinzu: zu Zeiten, in
welchen ein bestimmtes Heilverfahren durchgeführt und hierzu eine
ausgiebige psychische Ruhigstellung des Kranken erzwungen werden
soll. Selbstverständlich perhorresciere ich den dauernden, unkontrol-
lierten Gebrauch dieses Mittels. Die Opiumpulver und -pillen und
-suppositorien dürfen dem Patienten gar nicht oder in ganz beschränkter Zahl bei der häuslichen Behandlung in die Hand gegeben
werden. Am besten verweist man sie ausschließlich in das Armamen-
tarium der klinischen Behandlung.

Es läßt sich aber auch bei diesen Grundsätzen nicht immer
umgehen, einzelnen Patienten das Mittel anzuvertrauen, nämlich dann,
wenn aus äußeren Gründen die Anstaltsbehandlung vorzeitig abgebrochen werden muß, bevor eine entscheidende Besserung in dem
Befinden des Patienten herbeigeführt werden konnte. Man wird
natürlich die Patienten mit größeren Opiumdosen nicht entlassen,
sondern die letzten Tage des Anstaltsaufenthalts benutzen, um auf
ganz geringfügige Dosen herunterzugehen. Dann ist es unbedenklich,
den Patienten einige Pillen („Beruhigungspillen") mitzugeben, welche
sie in Ausnahmefällen, bei heftigen Angstaffekten, verwenden dürften.
Wir besitzen in dieser Verordnung ein ausgezeichnetes suggestives
Mittel zur Beruhigung und Aufmunterung der Kranken. Haben sie
früherhin den angstbefreienden Einfluß einer Opiumdosis an
sich erfahren, so genügt sehr häufig das Bewußtsein, durch Besitz
dieses Mittels gegen Angstanfälle gewappnet zu sein, um die Entwickelung von solchen hintanzuhalten.

Ich habe ihnen früher den Krankheitsfall des Offiziers mitgeteilt,
welcher im Anschluß an Innervationsstörungen des Herzens von
schweren Ohnmachts- und Angstempfindungen heimgesucht wurde und

das Selbstvertrauen und den Mut, das Manöver mitzumachen, verloren hatte. Ich gab ihm einige Opiumpillen von je 0,01 Extract. opii mit und versicherte ihm, daß jede aufsteigende Angst sofort durch eine dieser Pillen bekämpft werden würde. Dieser Talisman half ihm über alle Fährlichkeiten hinweg. Er kam freudestrahlend aus dem Manöver zurück und ist seit dieser Zeit immer gesund und diensttüchtig geblieben.

In dem anderen Falle (Krg. No. 65) von sexueller Uebererregung mit gemischten libidinösen und Angstaffekten genügte ebenfalls das Bewußtsein, im Besitz eines wirksamen Gegenmittels zu sein, um den Pat. von der Furchtvorstellung, er könnte auf Grund seiner pathologischen sinnlichen Erregungen einmal ein Sittlichkeitsdelikt begehen, zu befreien.

Sie dürfen natürlich auch in der Praxis dieses psycho-therapeutische Agens verwerten. Sie werden aber nur in den Fällen Erfolg haben, in welchen vorher thatsächlich, freilich durch größere Dosen, als Sie dem Patienten selbst anvertrauen können, einmal ein Angstaffekt koupiert worden ist.

Unter Berücksichtigung dieser speziellen Indikation dürfen Sie also die Opiumtherapie gelegentlich verwenden. Sie werden aber niemals von der kontinuierlichen Darreichung der großen Dosen, welche bei der Melancholiebehandlung am Platze sind, Gebrauch machen dürfen. Ich habe mir zum Grundsatz gemacht, in den Fällen, in welchen die Angst paroxystisch auf Grund bestimmter Gelegenheitsursachen (z. B. Zwangsvorstellungen, pathologische Organempfindungen, Intentionsaffekte) auftritt, einige Male zu versuchen, die Anfälle mit größeren Opiumdosen (3—4 Pillen mit 0,05—0,1 bis zur Koupierung des Angstaffektes) zu bekämpfen, um späterhin die psychotherapeutische Wirkung kleinster Dosen verwerten zu können. Ich bemerke hierbei, daß die Kombinierung mit Extr. digitalis (0,01—0,02 pro dosi) oder mit Campher (bei angioneurotischen Zuständen) ganz zweckmäßig ist. Handelt es sich um Angstparoxysmen im Anschluß an pathologische Organempfindungen, welche mit bestimmten lokalen Störungen des Genital- oder Intestinaltraktus zusammenhängen, so empfiehlt sich die Anwendung von Rektalsuppositorien, welche 0,1—0,2 Extr. opii enthalten.

Bestehen aber, was besonders im Verlauf der psychischen Neurasthenie nicht selten der Fall ist, andauernde psychische Depression und Angstgefühle, so wird (aber wiederum nur in der Anstaltsbehandlung) eine methodische Anwendung des Opiums für einige Wochen gestattet sein, um durch Beseitigung dieser psychopathologischen Symptome die Uebergänge in schwere Hypochondrie oder ausgeprägte Melancholie zu verhüten. Hier wird man mit einer täglichen Dosis von 0,2 (in 4 Einzeldosen) beginnen und bis zu Tagesdosen von 0,6 steigen können. Es ist angezeigt, diese Opiumbehandlung aber nur bei absoluter Bettruhe und hydropathischer Behandlung (prolongierte Bäder, Einpackungen) auszuführen. Schon nach wenigen Wochen werden Sie sich ein Urteil darüber bilden können, ob die Behandlung wirkungsvoll ist oder nicht, und danach Ihre weiteren Maßnahmen treffen müssen. Sie können nämlich im allgemeinen die Erfahrung machen, daß die psychische Depression auf neurasthenischer Basis der Opiumbehandlung viel häufiger trotzt als diejenige bei der genuinen Melancholie. Insbesondere bei Fällen mit Jaktation der

Vorstellungen, Schlaflosigkeit neben gesteigerten cerebralen Ermüdungs- und Spannungsempfindungen (Kopfdruck) versagt die Opiumbehandlung gar nicht selten. Es ist dann besser, diese medikamentöse Behandlung bald wieder aufzugeben, während in günstigen
Fällen sie bis zur Beseitigung der psychisch-affektiven Störungen
fortgesetzt werden muß. Sobald in letzterem Falle eine dauernde
Besserung erkennbar ist, sinkt man mit der Opiumdosis (alle 3 Tage
um 0,05) und sucht durch zweckmäßige körperliche und geistige Beschäftigung im Sinne der früher erwähnten „Uebungen" die Kranken
in die Rekonvalescenz hinüberzuleiten.

Von anderen narkotischen Mitteln habe ich seit Jahren keinen
Gebrauch gemacht. Insbesondere habe ich es völlig aufgegeben, das
Extr. Cannab. ind. zu verwenden, seitdem ich zweimal selbst
bei geringen Dosen recht häßliche Intoxikationserscheinungen (Schlundkrämpfe, Ideenflucht, Hallucinationen) erlebt habe.

—

Ich habe Ihnen eine lange Reihe von Arzneimitteln hier aufführen müssen, ohne damit die Zahl der vorgeschlagenen und zum
Teil enthusiastisch angepriesenen Heilmittel erschöpft zu haben. Mehr
zu geben, wäre unnütz, ja vielleicht schädlich, da zu leicht die Vorstellung in Ihnen erweckt werden könnte, als ob diese oder jene
Symptome der Krankheit durch Arzneien endgiltig kuriert werden
könnten. Das wäre ein bedauerlicher Irrtum, der sehr leicht zu einer
ärztlichen Vielgeschäftigkeit führt. Zu häufig wird dann der
Eingangs dieses therapeutischen Kapitels hervorgehobene Kardinalsatz vergessen, daß wir nicht eine
Krankheit, sondern einen kranken Menschen zu behandeln haben und daß nur in einer allgemeinen konstitutionellen Kräftigung, in einer verständnisvollen Anwendung der Heilfaktoren der Erholung und Uebung,
eine dauernde Heilung oder wenigstens Besserung zu
erwarten ist.

Daß dieses Endziel jeder therapeutischen Bestrebung leider nicht
immer erreicht wird, sondern bei vielen Kranken ein ewiges Schwanken
ihres Gesundheitszustandes bestehen bleibt, liegt weniger in der Unvollkommenheit unserer ärztlichen therapeutischen Methoden als im
Wesen der Krankheit und in den sozialen Bedingungen, unter welchen
unsere Kranken leben, begründet. Seien Sie langmütig und duldsam
gegen Ihre neurasthenischen Patienten, suchen Sie ein volles Verständnis für ihr eigenartiges Empfindungs- und Vorstellungsleben zu
gewinnen und paaren Sie das einsichtsvolle Eingehen in die Leiden
der Kranken mit einer zielbewußten Festigkeit Ihres ärztlichen
Handelns. Predigen Sie vor allem Selbsterziehung. Einsicht, Uebung
und vernunftgemäßes Haushalten mit dem vorhandenen Kraftvorrate,
so werden Sie auch bei der Bekämpfung und Behandlung dieser
Kulturkrankheit die innere Befriedigung nicht vermissen. Bei dieser
schwierigen Aufgabe wird sie der Gedanke stärken, nicht nur dem
Einzelnen Gutes gethan, sondern auch zu der fortschreitenden Entwickelung und Kräftigung Ihrer der polytechnischen Epoche angehörigen Zeitgenossen Ihren Teil beigetragen zu haben.

Sachregister.

Frommannsche Buchdruckerei (Hermann Pohle) in Jena. — 1878